中国近现代中医药期刊续编

第二辑

中国医学院第七届毕业纪念刊
中医药导报

王咪咪◎主编

2020年度北京市优秀古籍整理出版扶持项目

北京科学技术出版社

图书在版编目（CIP）数据

中国医学院第七届毕业纪念刊；中医药导报 / 王咪咪主编. -- 北京：北京科学技术出版社, 2021.7
（中国近现代中医药期刊续编. 第二辑）
ISBN 978-7-5714-1488-7

Ⅰ. ①中… Ⅱ. ①王… Ⅲ. ①中国医药学—医学期刊—汇编—中国—民国 Ⅳ. ①R2-55

中国版本图书馆CIP数据核字(2021)第049367号

策划编辑：侍　伟　段　瑶
责任编辑：侍　伟　王治华
文字编辑：白世敬　刘　佳　陶　清　孙　硕　刘雪怡　吕　艳
责任校对：贾　荣
图文制作：北京艺海正印广告有限公司
责任印制：李　茗
出 版 人：曾庆宇
出版发行：北京科学技术出版社
社　　址：北京西直门南大街16号
邮政编码：100035
电　　话：0086-10-66135495（总编室）　0086-10-66113227（发行部）
网　　址：www.bkydw.cn
印　　刷：北京捷迅佳彩印刷有限公司
开　　本：787mm×1092mm　1/16
字　　数：459.54千字
印　　张：50.5
版　　次：2021年7月第1版
印　　次：2021年7月第1次印刷
ISBN 978 - 7 - 5714 - 1488 - 7

定　　价：**890.00元**

京科版图书，版权所有，侵权必究。
京科版图书，印装差错，负责退换。

《中国近现代中医药期刊续编·第二辑》编委会名单

主　编　王咪咪

副主编　侯酉娟　解博文

编　委　（按姓氏笔画排序）

王咪咪　刘思鸿　李　兵　李　敏

李　斌　李莎莎　邱润苓　张媛媛

郎　朗　段　青　侯酉娟　徐丽丽

董　燕　覃　晋　解博文

序

2012年上海段逸山先生的《中国近代中医药期刊汇编》（下文简称“《汇编》”）出版，这是中医界的一件大事，是研究、整理、继承、发展中医药的一项大工程，是研究近代中医药发展必不可少的历史资料。在这一工程的感召和激励下，时隔七年，我所的王咪咪研究员决定效仿段先生的体例、思路，尽可能地将《汇编》所未收载的新中国成立前的中医期刊进行搜集、整理，并将之命名为《中国近现代中医药期刊续编》（下文简称“《续编》”）进行影印出版。

《续编》所选期刊数量虽与《汇编》相似，均近50种，但总页数只及《汇编》的1/4，约25000页，其内容绝大部分为中医期刊，以及一些纪念刊、专题刊、会议刊；除此之外，还收录了《中华医学杂志》1915—1949年所发行的35卷近300期中与中医发展、学术讨论等相关的200余篇学术文章，其中包括6期《医史专刊》的全部内容。值得强调的是，《续编》将1951—1955年、1957年、1958年出版的《医史杂志》进行收载，这虽然与整理新中国成立前期刊的初衷不符，但是段先生已将1947年、1948年（1949年、1950年《医史杂志》停刊）的《医史杂志》收入《汇编》中，咪咪等编者认为把20世纪50年代这7年的《医史杂志》全部收入《续编》，将使《医史杂志》初期的各种学术成果得到更好的保存和利用。我以为这将是对段先生《汇编》的一次富有学术价值的补充与完善，对中医近现代的学术研究，对中医整理、继承、发展都是有益的。医学史的研究范围不只是中国医学史，还包括世界医学史，医学各个方面的发展史、疾病史，以及从史学角度谈医学与其关系等。《续编》中收载的文章虽有的出自西医学家，但提出来的问题，对中医发展有极大的推进作用。陈邦贤先生在

《中国医学史》的自序中有“世界医学昌明之国，莫不有医学史、疾病史、医学经验史……岂区区传记遽足以存掌故资考证乎哉！”陈先生将其所研究内容分为三大类：一为关于医学地位之历史，二为医学知识之历史，三为疾病之历史。医学史的开创性研究具有连续性，正如新中国成立初期的《医史杂志》所登载的文章，无论是陈邦贤先生对医学史料的连续性收集，还是李涛先生对医学史的断代研究，他们对医学研究的贡献都是开创性的和历史性的；范行准先生的《中国预防医学思想史》《中国古代军事医学史的初步研究》《中华医学史》等，也都是一直未曾被超越或再研究的。况且那个时期的学术研究距今已近百年，能保存下来的文献十分稀少。今天能有机会把这样一部分珍贵文献用影印的方式保存下来，将是对这一研究领域最大的贡献。同时，扩展收载1951—1958年期间的《医史杂志》，完整保留医学史学科在20世纪50年代的研究成果，可以很好地保持学术研究的连续性，故而主编的这一做法我是支持的。

以段逸山先生的《汇编》为范本，《续编》使新中国成立前的中医及相关期刊保存得更加完整，愿中医人利用这丰富的历史资料更深入地研究中医近现代的学术发展、临床进步、中西医汇通的实践、中医教育的改革等，以更好地继承、挖掘中医药伟大宝库。

李经纬 九十老人

2019年11月于中国中医科学院

前　言

《汇编》主编段逸山先生曾总结道，中医相关期刊文献凭藉时效性强、涉及内容广泛、对热门话题反映快且真实的特点，如实地记录了中医发展的每一步，记录了中医人每一次为中医生存而进行的艰难抗争，故而是中医近现代发展的真实资料，更是我们今天进行历史总结的最好见证。因此，中医药期刊不但具有历史资料的文献价值，还对当今中医药发展具有很强的借鉴意义。

本次出版的《续编》有五六十册之规模，所收集的中医药期刊范围，以段逸山先生主编的《汇编》未收载的新中国成立前50年中医相关期刊为主，以期为广大读者进一步研究和利用中医近现代期刊提供更多宝贵资料。

《续编》收载期刊的主要时间定位在1900—1949年，之所以不以1911年作为断代，是因为《绍兴医药学报》《中西医学报》等一批在社会上很有影响力的中医药期刊是1900年之后便陆续问世的，从这些期刊开始，中医的改革、发展等相关话题便已被触及并讨论。

在历史的长河中，50年时间很短，但20世纪上半叶的50年却是中医曲折发展并影响深远的50年。中国近代，随着西医东渐，中医在社会上逐步失去了主流医学的地位，并逐步在学术传承上出现了危机，以至于连中医是否能名正言顺地保存下来都变得不可预料。因此，能够反映这50年中医发展状况的期刊，就成为承载那段艰难岁月的重要载体。

据不完全统计，这批文献有1500万～2000万字，包括3万多篇涉及中医不同内容的学术文章。这50年间所发生的事件都已成为历史，但当时中医人所提出的问题、争论的焦点、未做完的课题一直在延续，也促使我们今天的中医人要不断地回头看，思考什么才是这些问题的答案！

中医到底科学不科学？中医应怎样改革才能适应社会需要并有益于中医的发展？120年前，这个问题就已经在社会上被广泛讨论，在现存的近现代中医药期刊中，这一类主题的文章有不下3000篇。

中医基础理论的学术争论还在继续，阴阳五行、五运六气、气化的理论要怎样传承？怎样体现中国古代的哲学精神？中医两千余年有文字记载的历史，应怎样继承？怎样整理？关于这些问题，这50年间涌现出不少相关文章，其中有些还是大师之作，对延续至今的这场争论具有重要的参考价值。

像章太炎这样知名的近代民主革命家，也曾对中医的发展有过重要论述，并发表了近百篇的学术文章，他又是怎样看待中医的？此类问题，在这些期刊中可以找到答案。

最初的中西医汇通、结合、引用，对今天的中西医结合有什么现实意义？中医在科学技术如此发达的现代社会中如何建立起自己完备的预防、诊断、治疗系统？这些文章可以给我们以启示。

适应社会发展的中医院校应该怎么办？教材应该是什么样的？根据我们在收集期刊时的初步统计，仅百余种的期刊中就有五十余位中医前辈所发表的二十余类、八十余种中医教材。以中医经典的教材为例，有秦伯未、时逸人、余无言等大家在不同时期从不同角度撰写的《黄帝内经》《伤寒论》《金匮要略》等教材二十余种，其学术性、实用性在今天也不失为典范。可由于当时的条件所限，只能在期刊上登载，无法正式出版，很难保存下来。看到秦伯未先生所著《内经生理学》《内经病理学》《内经解剖学》《内经诊断学》中深入浅出、引人入胜的精彩章节，联想到现在的中医学生在读了五年大学后，仍不能深知《黄帝内经》所言为何，一种使命感便油然而生，我们真心希望这批文献能尽可能地被保存下来，为当今的中医教育、中医发展尽一份力。

新中国成立前这50年也是针灸发展的一个重要阶段，在理论和实践上都有很多优秀论文值得被保存，除承淡安主办的《针灸杂志》专刊外，其他期刊上也有许多针灸方面的内容，同样是研究这一时期针灸发展状况的重要文献。

在中医的在研课题中，有些同志在做日本汉方医学与中医学的交流及互相影响的研究，这一时期的期刊中保存了不少当时中医对日本汉方医学的研究之作，而这些最原始、最有影响的重要信息载体却面临散失的危险，保护好这些文献就可以为相关研究提供强有力的学术支撑。

在这50年中，以期刊为载体，一门新的学科——中国医学史诞生了。中国医学史首次以独立的学科展现在世人面前，为研究中医、整理中医、总结中医、发展中医，把中医推向世界，再把世界的医学展现于中医人面前，做出了重大贡献。创建中国医学史学科的是一批忠实于中医的专家和一批虽出身西医却热爱中医的专家，他们潜心研究中医医史，并将其成果传播出去，对中医发展起到了举足轻重的作用。《古代中西医药之关系》《中国医学史》《中华医学史》《中国预防思想史》《传染病之源流》等学术成果均首载于期刊中，作为对中医学术和临床的提炼与总结，这种研究将中医推向了世界，也为中医的发展坚定了信心。史学类文章大都较长，在期刊上大多采用连载的形式发表，随着研究的深入也需旁引很多资料，为使大家对医学史初期的发展有一个更全面、连贯的认识，我们把《医史杂志》的收集延至1959年，为的是使人们可以全面了解这一学科的研究成果对中医发展的重要作用。《医史杂志》创刊于1947年，在此之前一些研究医学史的专家利用西医刊物《中华医学杂志》发表文章，从1936年起《中华医学杂志》不定期出版《医史专刊》。（《中华医学杂志》是西医刊物，我们已把相关的医学史文章及1936年后的《医史专刊》收录于《续编》之中。）这些医学史文章的学术性很强，但其中大部分只保存在期刊上，期刊一旦散失，这些宝贵的资料也将不复存在，如果我们不抢救性地加以保护，可能将永远看不到它们了。

上述的一些课题至今仍在被讨论和研究，这些文献不只是资料，更是前辈们一次次的发言。能保存到今天的期刊，不只是文物，更是一篇篇发言记录，我们应该尽最大的努力，把这批文献保存下来。这50年的中医期刊、纪念刊、专题刊、会议刊，每一本都给我们提供了一段回忆、一个见证、一种警示、一份宝贵的经验。这批1500万~2000万字的珍贵中医文献已到了迫在眉睫需要保护、研究和继承的关键时刻，它们大多距今已有百年，那时的纸张又是初期的化学纸，脆弱易老化，在百年的颠沛流离中能保留至今已属万分不易，若不做抢救性保护，就会散落于历史的尘埃中。

段逸山、王有朋等一批学术先行者们以高度的专业责任感，克服困难领衔影印出版了《汇编》，以最完整的方式保留了这批期刊的原貌，最大限度地保存了这段历史。段逸山老师所收载的48种医刊，其遴选标准为现存新中国成立前保留时间较长、发表时间较早、内容较完备的期刊，其体量是现存新中国成立前期刊的三分之二以上，但仍留有近三分之一的期刊未能收载出版。正如前面所述，每多保留一篇文献都是在保留一份历史痕迹，故对《汇编》未收载的期刊进行整理出版有着重要意义。北京科学技术出版社秉持传承、发展中医的责任感与使命感，积极组织协调本书的出版事宜。同时，在出版社的大力支持下，本书入选北京市古籍整理出版资助项目，为本书的出版提供了可靠的经费保障。这些都让我们十分感动。希望在大家的共同努力下，我们能尽最大可能保存好这批期刊文献。

近现代中医可以说是对旧中医的告别，也是更适应社会发展的新中医的开始，从形式上到实践上都发生了巨大的改变。这50年中医的起起伏伏，学术的争鸣，教育的改变，理论与临床的悄然变革，都值得现在的中医人反思回顾，而这50年的文献也因此变得更具现实研究意义。

《续编》即将付梓之际，恰逢全国、全球新冠肺炎疫情暴发，在此非常时期能如期出版实属难得；也借此机会向曾给予此课题大量帮助和指导的李经纬、余瀛鳌、郑金生等教授表示最诚挚的感谢。

王咪咪

2020年2月

目　录

中国近现代中医药期刊续编·第二辑

中国医学院第七届毕业纪念刊

卷頭語

蔣文芳

中國醫學，譽之者奉為國粹，先賢遺訓，不啻玉律金科，毋許或稍訾議，毀之者斥為虛玄飄渺，有損國家體面，可付祖龍一炬！嗚呼！好而知其惡，惡而知其美者，蓋亦天下鮮矣。

須知醫學為自然科學之一種，以近世求知欲之亢進，享受之無限誅求，故無論醫學之中西，在學者均不能認為絕對至善，在病者自亦難以引為絕無遺憾，彌補自己之缺點，展進固有之特長，庶足以發揚文化，造福人羣。至若賦管仲之器，以嫉妒為競爭，張牙舞爪以攫噬異類為能事，非特失去學者應有之態度，且其離開人類之大路，不亦渺乎遠矣！

近二三十年，我國遭受外來侵略，及於文化經濟者，日見尖銳，有志同道，深知抱殘守缺之不足以妨阻洪濤，於是羣張改進之幟。於此改進陣地之中，得二大纛焉。一曰中醫科學化，一曰中醫西醫化，我儕既設學院，以謀集中人材，改進醫學，負承先啟後之職責，自當擇一附庸，加入陣地，以期邁進無疆。

當不佞奉命筦理本院教務時，鑒於中醫學校，尚無確定之教材，為避免教學上舉棋不定，貽害青年起見，不得不首定教務上之方案，以為共赴之鵠。究應隸屬於科學化？抑或西醫化之麾下？尤為當前必須先決之問題。竭其智能，檢討中醫學自身之實況，追考既往，把握現實，預測將來，通盤籌劃事理上之利害得失恍然於所謂中西醫化者，意存衷中參西，融會貫通之宏願，於斯二者，據為編輯報紙之論調，藉以喚起同道，或於大庭廣衆之間，明窗淨几之下，發為高論，著為鴻篇。未嘗不可自娛娛人，取一時之快。設於學術上無整個成功之新的建設，遽以一鱗半爪，片斷灌輸，以期學子承受應用，則非特邯鄲學步，故步自封，抑且寸步難行，勢必致於顛躓而後已！

中國醫學，自漢代以降，巳有一定之法程，循此法程，利用物質，刺激人體，解除痛苦，以人力征服自然，成為生活上必需之學術，其為自然科學之一種，絕無疑義。且因歷史之久，幅員之廣，縱面橫面，所收集所積聚者，特見豐富，出人頭地，應用於人體直接試驗之機會，既特加多，故其所現之功效，乃特準確，惜其附麗之說明，亦即所謂學理，太嫌古奧，不適於現代之心目，而復尚未利用其他科學之扶助，革新藥物，便利服用，以應未來繁複社會之需求，缺點所在，毋庸諱言，至若中西醫學之溶合，不佞於十餘年前。未嘗不抱此希望，會費四載光陰，探其途徑，絕如武陵之源，無從發現，良以觀察為各種科學之起點，中醫着眼於全身症狀，西醫着眼於局部病灶，巳大不同，與言治療，則中醫致力於排除機能障礙，恢復抗毒能力，藉以消弭疾病。西醫致力於直接療法，滅除病菌，藉以撲滅疾病。是以中西醫學，祇能相互引證，絕對不能鎔於一爐，且西洋醫學，不能獨立存在，必須依賴他種科學而生存，不啻附理化學之驥尾而前進，舉凡事實所確有，而理化學所不能解決者，西醫無從應用焉。以中國醫學之博大，所謂「中醫西醫化」一語，可與「巴蛇吞象」聯以等號。

用是本院教材，類皆接受先賢所貽之精華，加以整理，附以合理之說明，俾成為現代之中國醫學，而不背先民經驗所得之法則，以適應現實，切合應用為依歸。容納西醫技術，以補不足。西醫學理，以擴胸襟。庶於臨床謹守繩墨，思想活潑自由，本刊為第七屆畢業生之論文，亦猶本院所造就者之樣品，極端崇古者讀之，或將認為大逆不道，國粹叛徒，極端趨新者讀之，或將認為拘泥墨守，右傾庸夫，蓋亦意中事耳！

二五級級史

馬雲翔

本院自創辦以來，向居南市，衷中參西，井然有條目；滬變後，力謀發展，始來滬北，課材學程，因仍者多，教訓方針，相沿未革，非不欲刷新也，乃數典不可忘祖，本立而後道生故耳。時本級同學，方自各方負笈來歸，融融洩洩，一見如故交，寒假話別，並由周君林泉等發起舉行同樂會，以為院中創，談笑嘯歌，極一時之盛；從此寒暑分袂必燕會，會必盡歡散，無復有廢之者矣；課餘暇日，凡諸東方生滑稽者流，其優孟衣冠，謔而不虐，哀而不傷，尤令人捧腹不能仰；親密和樂，四年如一日，雖骨肉無以過也。

功課除一年級之生理病理，二三年級之解剖外科衛生眼科諸科，一以西學相授受外，其他內經傷寒金匱藥物方劑兒科，以及針灸諸學，仍以古來醫家之經驗相誦習，非故步自封也，亦溫故可以知新，因噎不可廢食云爾。

當一年級第二學期之初，有鑒於直接教授之不足，思利用閒暇，結社以自厲者，乃毅然組織「二五級課餘醫藥研究會」，詳訂研究細則，製藥規程等，按圖索驥，實事求是，每開一會，每製一藥，必條列研究經過，製藥手續，印發備忘，及暑假分袂，總計所得研究報告，洋洋凡數萬言；入秋開學，除另辦採藥組，親赴郊外採集，作製標本，留校紀念外，並以問題研究組，改行閱讀講述會，以督促自修；三年級後，午後無閒時，始疾首蹙額以止，而製藥採藥二組標本之留於校中者，已無慮數十種矣；若此毅力，雖未可自詡勤奮，惟視諸好名者之項莊舞劍，意在沛公，而勤始怠終者，似差可稍自慰耳。

全級同學，雖期有出入——以今歲畢業者與最初入校者相較，其操守歷四年不渝者，僅得十之七耳；然團結精神，未嘗因之稍衰，凡所公益義舉，無不和衷共濟，戮力同心以行，無意見之傾軋，無黨派之爭執，四年之中，絕少有鬩牆之患者。丁此國家阢隉，四方多難之秋，我儕雖限于學制，無能連袂久事淹留，而向之合羣美德，豈可因此自廢？我同學苟能本在校精神，大而化之，則本級之生滅，必有不隨其形之澌然而俱盡矣；有愛於級者，我知其必將從而勉焉。

贈別本院第七屆畢業同學

許半龍

諸生去矣！

諸生果何往？

回憶本院四屆畢業時，半龍曾撰文刊布，關於出院諸生，怎樣讀書？和怎樣修養？略有貢獻。本屆畢業諸生，臨別復索贈言，雅不欲再有所絮聒，而辱諸生之告別。半龍自十餘年來，所講，所說，所治，無非以中國固有的外科為多。但未借西說以驕舊，竊外藥以混新，誠以學有獨至，藥有主治，而技亦有專長，度諸生已耳熟能詳。雖中西醫之融會，或尙有待，顧半龍於西說，亦非深閉固拒者，聊為諸生一陳之：

(1)【外科之意義】 外科一詞，在德為 Chir-ergie 文出希臘，析言之，Cheir 手也，ergein 作也，其義，即手術也。但手術二字，不僅拘拘於開刀；敷藥也，針刺也，挑剪也，插釘也，大者小者，凡經醫士之手者，無不在手術之範圍。乃西醫之婦科內科，均不能越外科之領域，亦猶中醫之傷科外科內科，都藉方脈以奏效。所以西說之外科領域大，而中說之外科對象小。

(2)【演進之時期】 論者謂世界醫史，約分三大期，自初有醫藥之發見起，至十九世紀初葉為止，哲理玄談，毫無根據，懸想冥索，絕少徵信，此為第一期；自十九世紀中葉起，至民國二十一年四月柏林會議止。利用機械，較古進步，但因偏重有形之結構，拋棄無形之功能，僅顧局部之治療，不及全身之關係，鐵鬍醫生，貽笑天下，此為第二期。自柏林大會始，乃轉入第三期。不專尙開割，注重理化，如手足之關節結核，Gelenk-tuberkulose 及頸瘻乳癌，可免割治，另以他法代替，或忌口，或借助於運動沐浴日光空氣，或藉X光外紫光等目不可及之色線，奏效奇捷。惟非開割不可之重症奇疾，仍不能免，或第四期演進，尙未至耶？

(3)【侵入內科之事例】 外科重開割，夫人知之，而內科之外藉外科手段以求效者，試舉事例三則：(一)腹部割治專家烏紗黛教授，Prof-Usadel 曾爲一婦人，割取腹部大動脈之血塊，其血液循環，依然暢行，(二)柏林饒普教授 Prof-Sauerbuch 割治肺臟，剗除潰腐，而呼吸工作，並未暫停。又能割治深入胸腹間之食道癌。(三)門興 Munchen 名醫萊藪 Lexer 長於骨節間之割治術。此皆外科之治法侵入於內科者也。

(4)【外科上麻藥之進化】 止痛一法，中國非無麻藥，特少嘗試，按外科開刀用之麻藥，自不可缺。或以注射，或敷局部，或使病人吸受氣體，全身麻痺，舊時用綠化蟻酸Cnloro-form本有大害，改用太氣Aether Pro narcosh近年又習用亞酸化窒Scickstoffoxydul，而病人蘇醒時，仍感不快。乃用注射劑，麻醉局部，藥爲新梏烟 Novocain，但其用量，過多過少，頗難權衡，且有毒質。最近 Tubilngeh 大學教授櫻成。Prof Kirscher 用新產品之超梏烟 Per-kain 刺入後脊骨間之腰椎管，病者沈沈昏睡，毫無痛苦，至少時期，可達二小時，尋常施行手術，一小時左右已畢，使病者醒後，決無手術上之恐怖，我同學中，在開擋時，能使用之者，請有以語我來！

山河破碎，版圖易色，外患日亟，國勢阽危，家國存亡之際，而畢業諸生，各挾其所學，服務於社會。一旦開戰，海洋封口，舶來絕跡，諸生去矣！其能應急切之需要，各盡醫藥之能事，國步艱難，千鈞一髮，其各應運而起，將醫藥作救國活動之忠？諸生去矣！諸生果何往？

丙子夏初於上海海甯郵吉羊雲舍

中國醫學院第七屆畢業紀念刊目錄

中國醫學院第七屆畢業特刊紀念

精研仁術

林森

森林

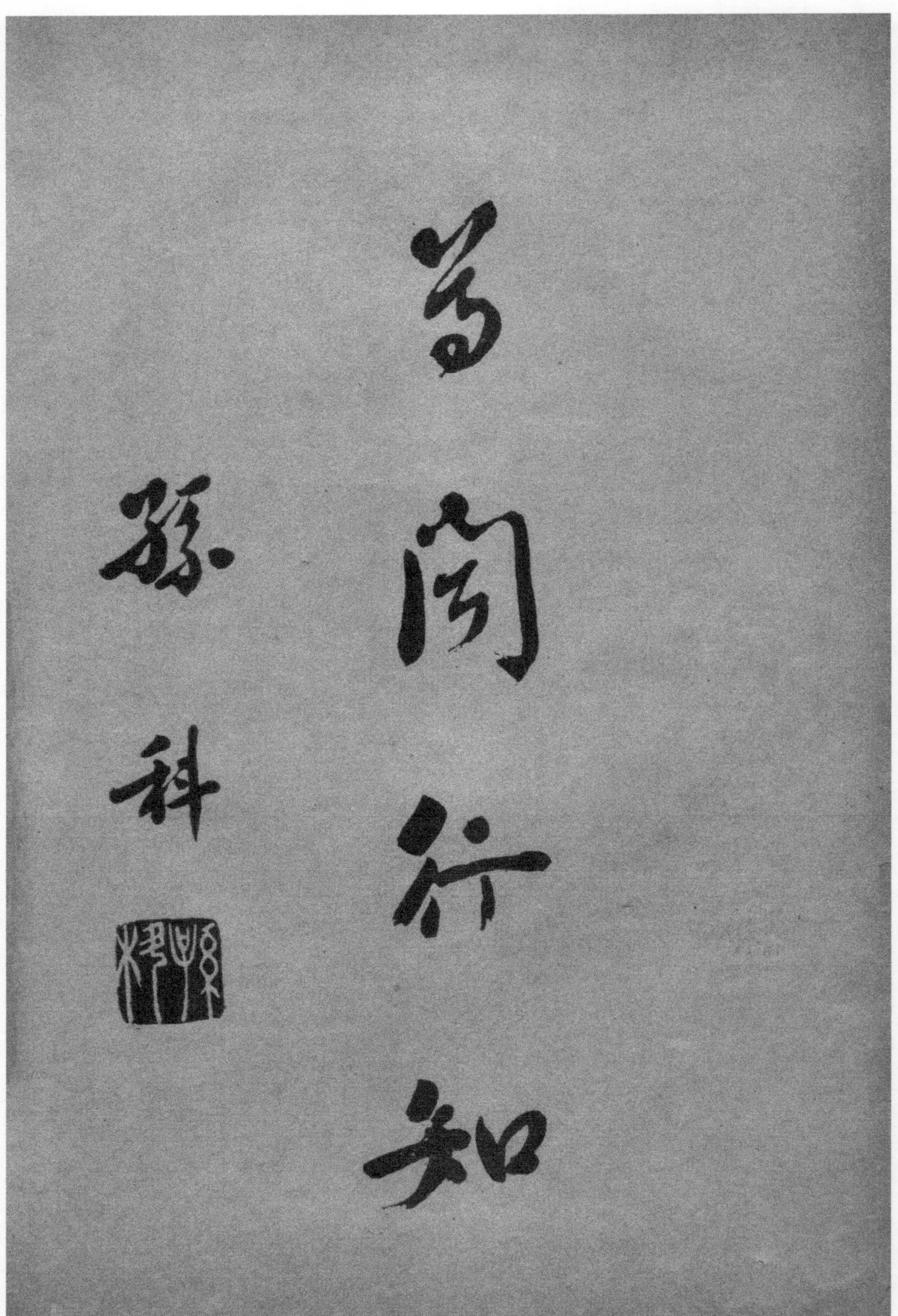
学問行知
孫科

中國醫學院第七屆畢業紀念

濟世良材

于右任

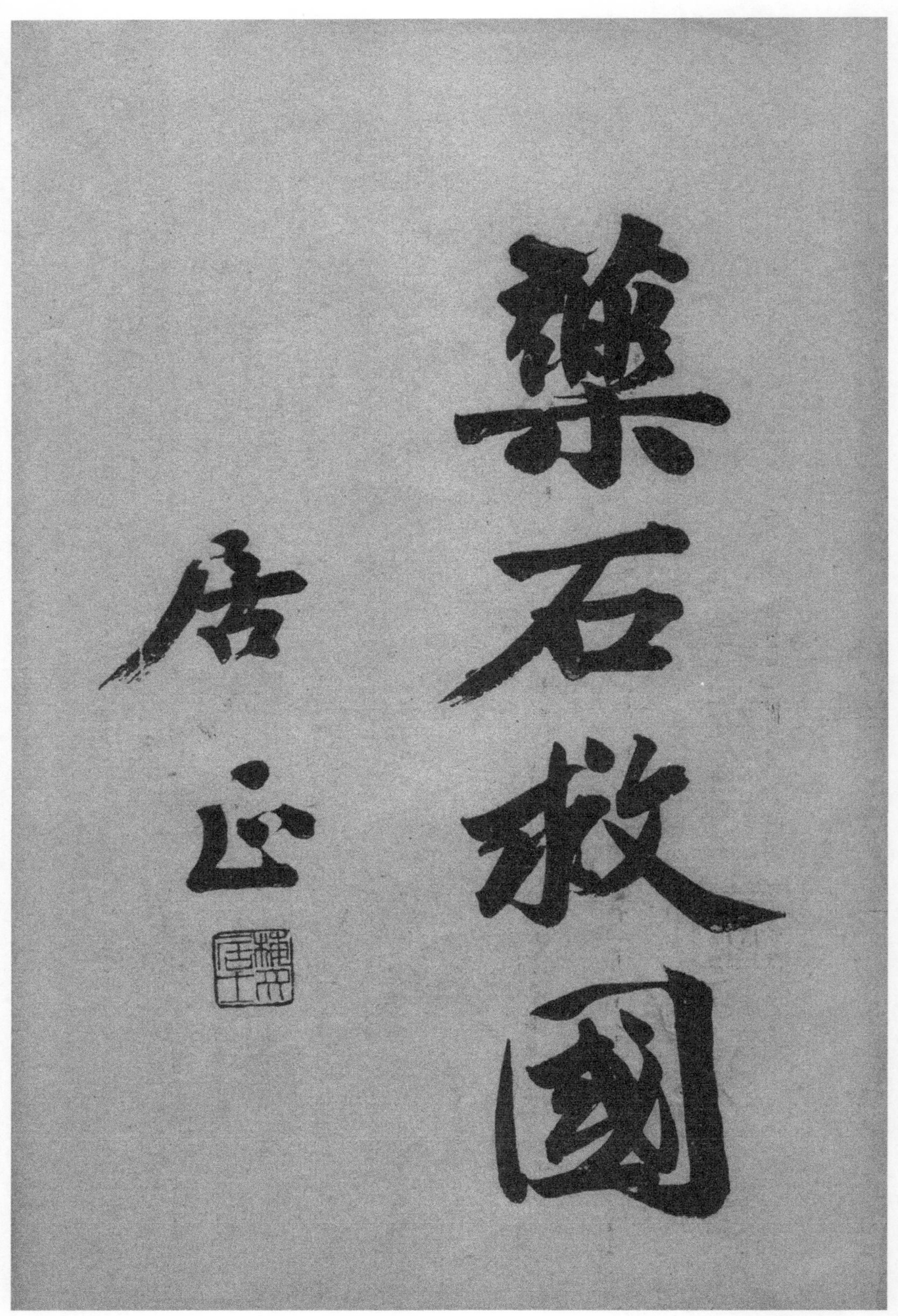
藥石救國
居正

陶鑄國醫發揮國粹
有功學術造福人類

中國醫學院第七屆畢業紀念刊

王用賓敬題

王用賓

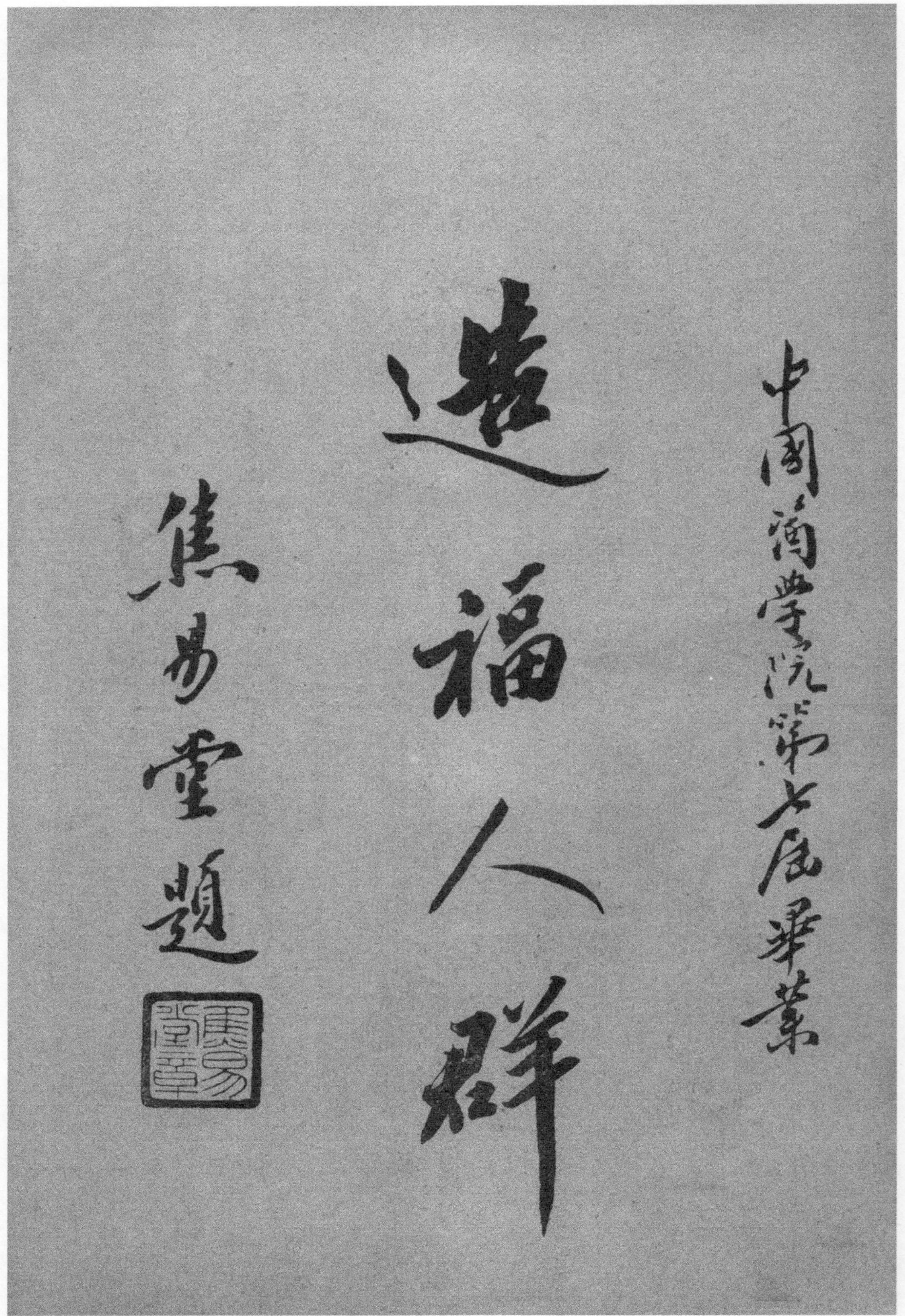
中國醫學院第七屆畢業
造福人群
焦易堂題

中國醫學院第七屆畢業紀念刊

改進國醫

吳鐵城

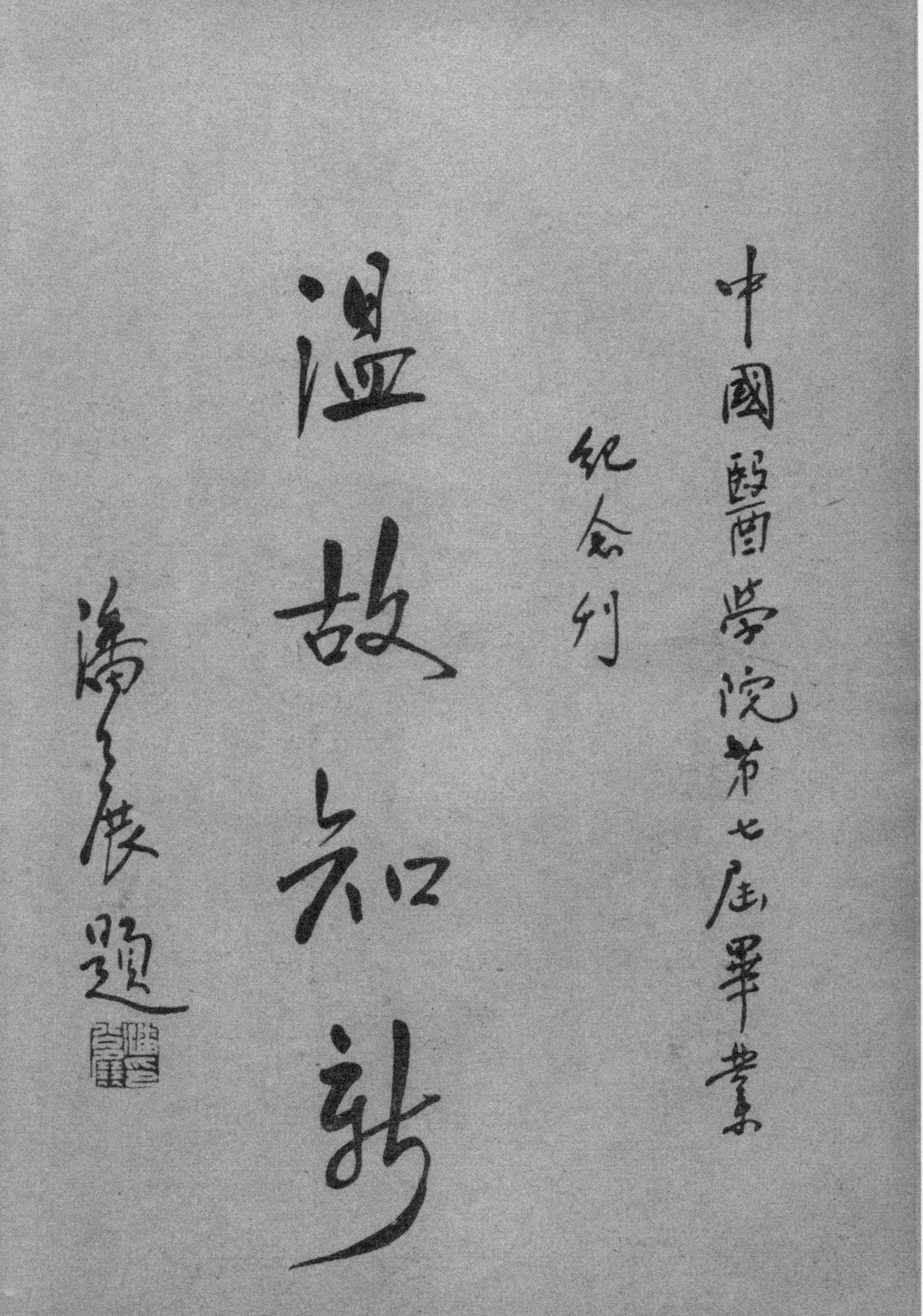
中國醫學院第七屆畢業
紀念刊
温故知新

中國醫學院第七屆畢業紀念刊

發揚光大

李廷安敬題

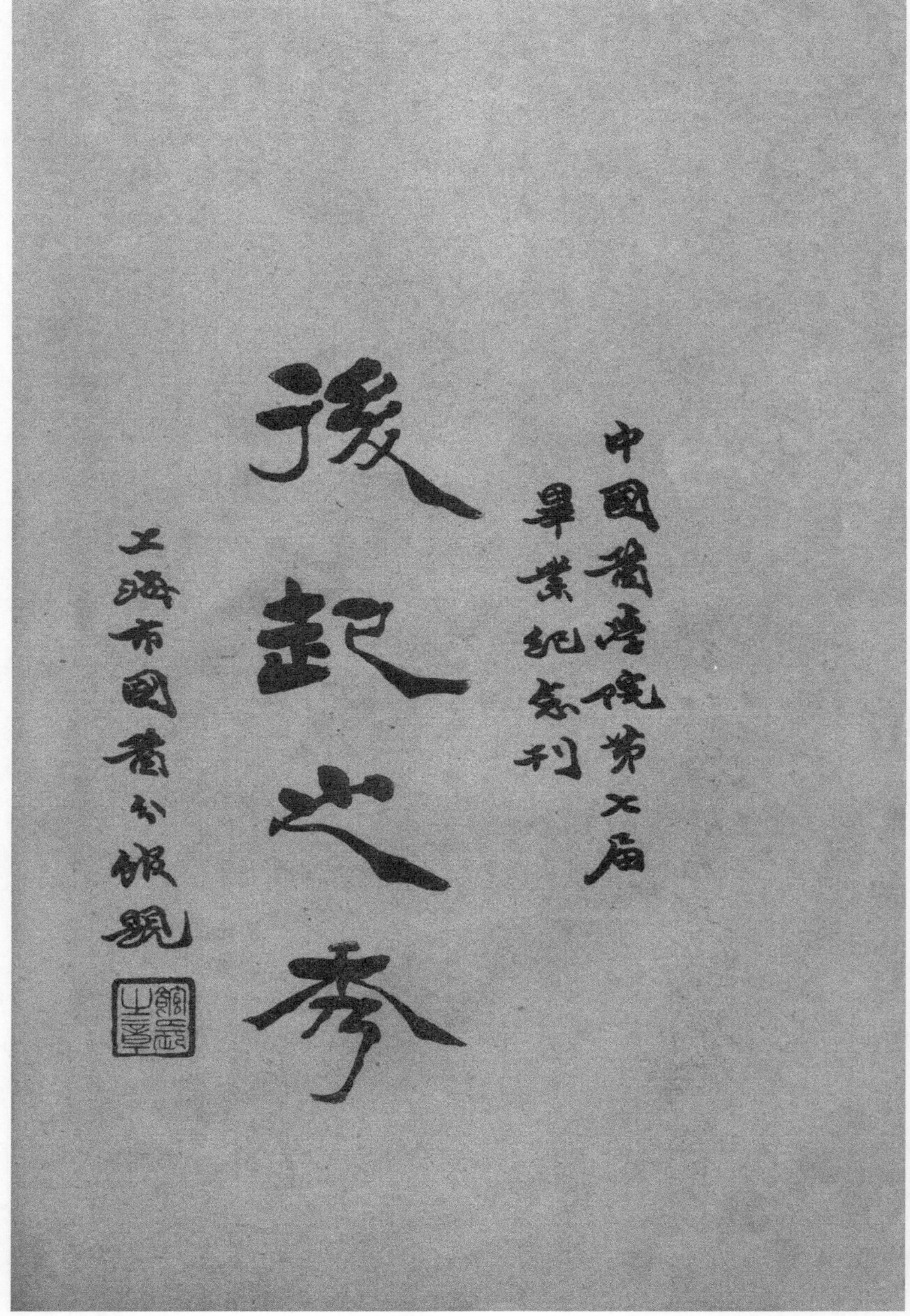
中國醫學院第七屆
畢業紀念刊
後起之秀
上海市國醫公會題

上海中國醫學院全體職員攝影

上海中國醫學院全體教授攝影

上海中國醫學院二六級甲級全體學生攝影

上海中國醫學院二六級乙級全體學生攝影

上海中國醫學院二七級甲級全體學生攝影

上海中國醫學院二七級乙級全體學生攝影

上海中國醫學院二八級甲級全體學生攝影紀念

上海中國醫學院二八級乙級全體學生攝影

常務董事兼經濟董事
沈琢如先生

常務董事兼經濟董事
丁仲英先生

常務董事兼副院長
郭柏良先生

常務董事兼名譽院長
徐小圃先生

董事
謝利恆先生

常務董事兼副院長
朱子雲先生

董事
陸士諤先生

董事
顧渭川先生

董事
秦伯未先生

董事
祝味菊先生

董事
傅雍言先生

董事
方公溥先生

董事
張贊臣先生

董事兼總務主任
陳存仁先生

董事
嚴蒼山先生

董事
許半龍先生

院長
薛文元先生

訓育主任
喻仲標先生

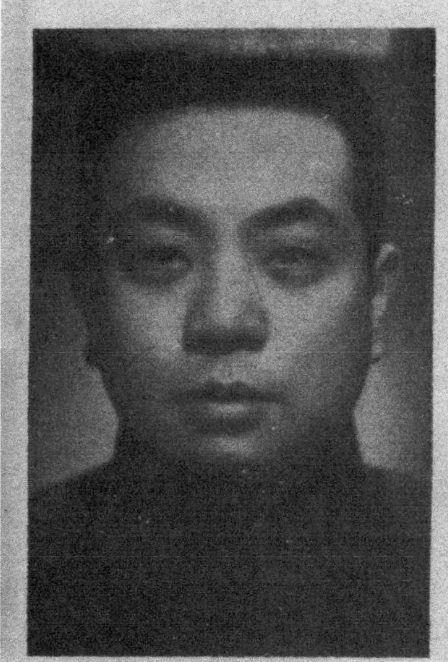

圖書館主任
丁濟華先生

事務主任
蔣有成先生

實習教授
沈夢盧先生

講師
丁福保先生

實習教授
吳伯溪先生

實習教授
毛志方先生

實習教授
馬濟仁先生

實習教授
陳佐賡先生

實習教授
唐亮臣先生

實習教授
黃鴻舫先生

實習教授
丁宗朝先生

實習教授
馬潤生先生

實習教授
沈重廉先生

實習教授
魏承經先生

實習教授
徐麗洲先生

實習教授
趙實夫先生

實習教授
李遇春先生

實習教授
丁伯安先生

教務長
蔣文芳先生

王君吟竹。江蘇泰縣人。具磊落奇偉之氣。懷濟世救人之心。少年即篤志於醫。從同邑名宿劉善仿學。凡三易寒暑。於內難傷寒金匱諸學。朝夕研磨。劉許為升堂入室弟子。王君又不自滿。感於値今之世。古學淪亡。新學說代興。騖新者捨本而逐末。守舊者食古而不化。乃慨然以創造新中醫為職志。負笈來海上。肄業於本院。時予忝居一日之長。講壇之上。對於改進中醫。時有發揮。王君於聽講之餘。極表同情。執疑問難。較他生為尤密。余知王君為超羣之驥。測其前途。必有猛進之力也。客歲之夏。王君將歸故里。一試其應世之技。臨行之前夕。問適從之方針於余。余告之曰。行醫之道不難。必也有特出之術。變異之藥。假之以時日。造成優良環境。待人以誠懇。處己以勤勞。不貪財。不奸詐。則雖蠻貊之邦。必有擁護者。且授以余所發明小兒疳積草胃氣黃疸痢瘧靈等。王君去後。設施診所於泰縣。就診者多藥到病除。里人莫不贊譽。學足以致用。此其明證焉。今屆畢業之期。羽毛豐滿矣。鵬程萬里。正無限量。王君必請一言以為紀念。余不文。爰記其略。並贈詩二句云「救世須憑仙手腕。度人要具佛心腸」。王君勉乎哉。

朱壽朋

克平君。湘南人也。幼好學。天資聰慧。秉性和藹。好深思。寡言笑。與友人處。淡然若水。無時下浮俗氣。年十九。卒業於湖南道南中校。後繼入衡陽縣師。每嘗歎曰。弗為良相。當為良醫。因乃攜提四寶。肄業於湖北醫專。歷二寒暑。君懷抱博聞廣見之志。遂奮然負笈來申。插級於中國醫學院。日新月異。零那二載于茲。其用藥之奇。立方之巧。誠余所欽佩而難言者。殊非俗醫可較也。今君畢業。分袂在即。西窗之樂。隨流光而俱逝。每念至斯。不覺悵然。故特書草傳。聊誌拳拳。以為紀念云耳。

學弟劉棣敬草於中國醫學院

同學王東山。吾浙紹興人。年雖長于余。而身度相約。故上課時間。君與余同席。攻錯他山。尤為莫逆。其性情落落大方和藹可親。勤懇克誠。慎思明辨。每於醫籍中得疑問時。即與余舌戰。各舉先賢之理由。近人之學說。作戰爭之利器。甚或數日而不休。爭已則和愛如恆。故余之醫學。獲王君之助者殊多。君除醫學之外。又精商業政治之術。每謂帝國主義之投機事業。為我國商業發展之阻礙。君之憤恨愈深。則其志向愈堅。今屆畢業。即應蜀省第十一區行政督察處之聘。將來強國健民。惟君所賴。願吾東山旭日。照耀大地。勉之勉之。

廿五年初夏薛定華識于圖書館

王君名藩。字次仙。故友王畹香先生之仲子。名律師王名燦君之介弟。性沉潛。寡嗜慾。敦品勵行。諄諄有君子風。自縣中畢業後。即入汕頭國醫傳習所。探求治人之學。迨卒所業。復升入上海中國醫學院。精研中西古今醫案。不違如愚。爐火純青。對臨床實驗。尤著功能。當其在院實習。候診無虛位。得心應手。春發杏林。異日造福人羣。正未可限量也。予於其畢業賦歸之日。為書數言。以壯行旌。

劉侯武

欲擅活人術　從師竟北征　六門嫻三法　八脈重奇經

求得張伊學　方揚雷趾名　業成勿自晝　救世是前程

蔡百星寄自汕頭

王君雩峯。江蘇鎮江人也。性穎悟。貌和靄。故諸同學莫不樂與之交。明與民進中國醫學院得與相識。萍水相逢。情逾故舊。豈偶然哉。顧王君稟性好學。雖埋頭終日。亦無倦容。且復深思過人。讀古人書每一不解。輒忘飲食。於醫學尤多心得。蓋在昔已從師三載。於內難金匱傷寒等書。已能首尾默誦。獨得其奧矣。其所以復入中國醫學院就讀者。在所以融會新知。俾資入室耳。居常以中庸之道為至德。無過不及之弊。故雖以仲景自宗。而又能博覽西籍。匯通中西。貫澈古今。所謂科學化之中醫。其斯人乎。本年春。明與民轉入他校。遂致分飛。思昔日窗前問字。燈下共吟之樂。不禁黯然。今聞王君畢業在即。行將出而濟世。預知龍府仙方。得王君而其效益彰矣。是為序。

學弟　葉采明　水康民謹撰

王君壨纓者。閩省羅山縣人也。少有鴻鵠之志。浩然出鄉關。負笈東瀛。咀其瑜璧。唾其瑕疵。對於針灸一科。早已探驪得珠矣。然後來滬。肄業本院。三生緣巧。萍水飄聚。遂與結識。晚自慚穢線之才。謬蒙青睞有加。舉凡風雨之夕。飛雪之朝。彌不陪隨。孤燈靜几。互相析疑賞奇焉。且其素性潛默。鑽研獨擅其長。在院診斷。病竈輒中肯啓。霑濡慈澤者。口碑載道。且聞非過譽也。荏苒駒光。又居畢業之期。陽關疊唱。祖道分杯。將作東飛百勞西飛燕。離情自有不勝者。然當此歐西醫術。橫行東亞。挽狂瀾於既倒。作中流之柢柱。不得不有望於王君。爰賦小詩。聊壯行色。

杏林春滿羨王郎　藝海陶鎔肘後方　破壁神龍天壤去　瘡痍遍地待青囊

——劉江水拜撰於上海——

人之苦于疾病者，不在于都市。而在于農村。醫工之所慮者。不患無煊赫之盛名。而患在驕敖以自滿，余深慨夫初出茅廬之徒。視先進之方案。以爲不足寓目。其懷才之自負。以爲舍予莫屬。更競趨于都市。而不向農村以尋出路。此危道也。應知學問無止境。到老學不了。農村瀕于破產。疾苦無人顧問。吾黨宗旨。原宜深入民間。以堅信仰。努力改進。以求發揚。倘競趨都市。而懷自滿之心。惡得不心爲之危，若吉生星耀者，求學則虛衷請教。立志向農村救濟。可謂知所務本矣。本立而道生。爲吾道之干城。作鄉邦之救星。光耀萬丈。行見藹藹去人。深入于民間也。吾嘗拭目以俟之。生乃吾蘇之丹陽人也。

威心如

對於醫學。則宗傷寒金匱。冀以諸子百家之說。更參以歐美新說。補其不足。而於臨診處方。心細胆大。更爲諸師所贊頌。君平時喜攻幼科。曾臨證於徐小圃先生處。學識經驗並皆富足。今君畢業在即。且將出而問世。造福赤子。定非淺鮮也。

邵亮東敬識

沈君珩。江蘇上海人。身強力壯。天資聰穎。少年英俊也。曾卒業於正風中學高中部。成績優異。尤擅英文。民國二十一年。考入本院、專攻醫學，彼時東亦負笈來院。適與君同級一堂。四載相交甚切。君之爲人。慷慨豪爽。待人接物。懇切而富誠意。頗爲諸同學所敬畏。

沈君璉江蘇上海人也。畢業於上海正風學校。民廿一秋。君與其亞兄珩同入本院肄業。余適與同級。故日得以相與觀摩。君每遇醫學上之難題。極喜虛心研討。若己不能解決者。即以之問人。務獲解決而後已。其研學之認眞。於此可見一斑。不寗唯是。君於傷寒溫熱及雜病等。皆有極深之心得。凡經君治者。莫不藥到病瘳。其醫術之高超。更可想見矣。君若臨床偶遇一疑難之病。亦必與同學研究有結果而後罷。君於學術上有今日如此之收獲。良有以也。君之爲人英俊豪爽和靄。又其餘事也。今也別矣。行見國醫界又多一健將而社會又添一救星矣。

竺獨還謹撰

他是我的芳鄰。同住在吳淞的，兩家人家。分東西兩間房屋。相隔很近。我和他。又是同鄉。又是芳鄰。從以上兩點看來。我們的關係，是很密切了。

他現在將要從中國醫學院畢業。當然是一個國醫學者。加以他爲人和靄可親。喜歡幫人家的忙。爲人看病。純盡義務。我記得我在海濱公園回來後。發了急性蕁蔴疹。（卽俗云風塊）又熱又癢。又痛又怕。經他一劑藥後。在半夜裏。睡了一覺醒來。遍視全身。風塊已無影無蹤。他的醫術可爲神乎其技矣。因爲我們學校裏有位德國醫學博士。自己生了這個病。自已治不好。叫苦了好幾個月。而我因爲受沈君的醫治。不到一天工夫就好了。於此我有連帶的感想。就是中醫的治療方法。想已於西醫的了。我的拙荊同小女甚至於我家的娘姨。他們有病時。也常常請沈君義務診治。往往藥到見效。這一點我也代他們表示十二萬分謝忱的。

沈君的畢業紀念刊現在卽要編印。囑我在他小照旁邊。寫段紀念的話。我因爲已往數年的友誼。鄉誼。以及芳鄰的關係。實在義不容辭。所以拉雜亂湊一篇。雖然雜亂無章。但均係記實以誌我們的交誼於不忘也。

周宇照

醫之爲道。學理與經驗並重。有學理而無經驗。易蹈空談家坐言不能起行之弊。有經驗而乏學理，則拘一二効方。通治百病。鮮運用變化之能。慈北沈君保善。在本院孜孜四年。既勤於學。對於臨症實習。尤能寒暑不間。得學理與經驗並進不勃，宜其閭里懸壺。就診者踵相接也。雲程初登。學無止境。沈君其勉之。

張廉卿

邵君亮東。江蘇武進人也。性豪爽。有毅力。與同學相處。親若手足。律己甚嚴。遇人有過則委婉勸勉。絕無絲毫虛僞。故人莫不樂與之交。平素對於團體事業。頗具熱忱。視其與馬君雲翔等。所合組之醫藥硏究會。音樂會等。罔不成績斐然。而得全院師生之稱頌。良有以也。君於實習內科之餘。兼理外科。並能陶冶古方。融會新知。有深切之硏究。具獨到之心得。畢業之後。還望一本素志。繼續努力。造福人羣。則非獨醫林之幸。亦國族之幸也。鈞本才疎學淺。深愧不文。因與邵君誼屬同鄉。關係較切。不揣譾陋。略誌數語。以爲紀念云爾。

學弟曹國鈞敬撰

君名雲登。字拄援、籍江蘇海門。為名醫沙伯卿先生之姪。家學淵源。累世有盛名。初從游乃伯。攻內外科。繼傳邑人傷科專家施源昌先生。越二載。得其傳。牛刀小試。聲譽鵲起。曾聘為靖海艦醫官。及校醫等職。顧君猶不敢自足。民念二秋。入本院。孜孜矻矻。學更大進。客歲秋。與翔共膳宿。剪燭西窗。益知其人之有為。而恨相遇之晚。翔每承君勉。輒生感愧。非敢違君誠也。亦積威約之漸耳。君明達過人。或能為我諒也。雖然。世態炎涼。責在蒸民。來日方長。願共勉旃。

吳江馬雲翔識

阮君泰明。廣東南海人。友於余有年矣。性情契合。以莫逆稱。復為肄業東吳二中時之老同學也。君短小精悍。性剛毅。重信用。不輕諾。其治事也。必有始有終。而不稍因循貽誤。洵可佩也。君精國術。手法敏捷。姿態猶如龍蹲虎踞。鷹揚鳶躍。銳氣百倍。是故體格矯健。肌肉堅實。膂力過人。可力敵三人焉。君善攝影。好游覽山水。假期中。恆以尋名勝自遣。君慎於擇交。苟其人非為君之所深知。絕不與暱近。君於醫學。造詣頗深。辨證辨藥。每有獨到之處。無食古不化之弊。將來挾其所學。出而問世。不難博得佳譽也。是為誌。

劉行方

宋君銘燦。字國楨。浙江紹興人。執教鄉里數年。循循然善誘人。身弱多病。經歲不能復。乃憤然棄教鞭。負笈入本院。朝斯夕斯。學以大進。時翔亦以身病來校。喜與君識。同課桌。同談笑。後更同其膳宿。四年之中。未嘗以細故分坐。蓋君知余性僻、有以為我諒也。性好幽嫻。不喜酬酢。質樸自處。超然有過人之想。而好勝之心。則龐大過相知諸人。每有辯。輒齗齗不自弱。此蓋君任乎天性。不以矯厲違己故也。今君學成出院。其必濟世活人固矣。惟世道式微。於今為甚。猜疑嫉妒。無所不用其極。願君於發揚固有諸美德之餘。屈志稍合流俗人之行。以避世之摧殘。本其志。行其學。躬行而實踐之。三年之後。庶幾有如錐之處囊中。其末立見者矣。荀子曰。「聲無小而不聞。行無隱而不形。」翔願與君共黽勉焉。

馬雲翔

吳女士有方。江蘇鹽城人也。從父兄僑於滬。幾度寒暑矣。穎悟聰慧。智慮絕人。明於事理。嫻於辭令。兼亦長於女紅。多才多藝。殊足為吾青年女界式。初肄業於上海國醫學院。一二八後。該校停辦。輟學家居。然於醫學書籍。仍刻意孜孜。未嘗一日置諸腦後。廿貳年秋。始入本院。專心致志。勤奮過乎昔。時雲適久病思起。亦汲汲負笈來校。同窗共硯。時與切磋。質疑問難。惠吾良多。「詩云」高山仰止景行行之。雖不能至心嚮往之。豈卽雲與女士之謂歟。同學數年。今女士充囊飽橐。滿載以去。於私雖悲。於公則喜。愧雲不敏。不能為女士犄角之助。企踵引領。以望吾畏友之異軍特起耳。女士才識過人。當能償吾願也。

學妹青溪程連雲謹誌

奉賢北岸吳宅。我邑巨族也。自笠山翁。以醫濟世。杏橘流芳。代有傳人。蓋逾三世矣。而一時丈夫子無不英挺秀濯。豁人眉宇。若枕流學弟齒少才高。慷慨蘊藉。尤有季子風焉。君之尊人敬脩先生。淵源家學。桃李盈門。君趨庭侍診。遠紹旁搜。本已嶄然露頭角。為時所重。顧欲擷取科學精華。參闡西方學術。俾酬遠志展素抱。乃入本院肄業。當是時辭慈幃。別繡闥。志卓意堅。惟有佩其邁踔而已。不佞年來橐筆滬壖。因常把晤。偶共剪燭。輒驚其進步之速。然亦早在意料中。緣君秉賦功力。胥有過人處也。駒隙光陰。云卒所業。前茅不讓。成績斐然。則他日者。豈僅承先啓後。國醫藥界之光明繫焉必矣。率綴數言。用操左券。

奉賢顧臥佛謹識

黃山天然靈秀。著名中外。故其地多文人雅士。以醫聞世者。亦代不乏人。汪君家煊安徽歙縣籍。家近黃山。固已早得靈秀之氣。年將弱冠。畢業於安徽第二師範。繼服務於教育界。嘗感邑之名醫。每以金錢為重。輒懸壺通都大市。以期致富。鄉之病者。反不能受其惠。君痛憾之餘。乃憤而習醫。民國二十二年。負笈杭州醫專。次年春。又轉入本院。以求深造。噫。汪君之用心誠良苦矣。性好讀書。寡言談。其治醫也。即以革新發展為己責。其於中西醫籍。內外兩科。恆相與研究。朝夕不倦、且服膺海上名醫薛文元先生之學問。故從其實習。頗具心得。當此畢業之際。先生以「學成濟世」四字書而贈之。其得先生之器重。可以見矣。想他日懸壺梓鄉。造福生靈、非淺鮮矣。因樂誌之。以餞君行。

學弟陳贊禮敬撰

世上作傳的文。可以歸納曰千古一律的公式。——不是恭維。就是贊美——雖也有說壞話的。卻很少見。然而自傳的文。亦未必有說自己的醜事。但我以為作傳不可請。一請就失真。與其請。反不如自己替自己寫。來得切實。

我好好地在江裏念書。不知為點什麼。於民廿一秋。莫名其土地堂的進了浙江中醫專校。在那時。我悔恨着不該來學被廿世紀遺棄的東西。一方我還懷疑學了這五行八卦，可以去替人醫病。翌年。轉入本院。雖然已經變換了過去算命式的生活。但還是在黑暗中迷茫着。經年。升入三年級。上半天在祝味菊先生處的實習。聆他的談論。給予我在迷途上的指示。午後的課堂生活。包盛爾先生更給我一點醫學上的頭緒。這些。都是我足以引為自慰的事

〔畢業了！〕這長長的四年。如在夢中地過去了。回顧我所學到的。在別人或許二三天內即可悉得。不是嗎。我至今還背不出三條傷寒和五個湯頭。過去的我不敢多想了。反之，也還不是徒增我的〔恐懼〕〔慚愧〕〔悔恨〕

〔努力〕。是我未來的方針。希望着在最近幾年內。我的門口。不釘上一塊〔金鍵醫士〕的招牌，

鍵誌二五勞動節

邱君允珍。籍閩晉江。僑育菲島。嗣復來華求學。曾畢業師範。並執教鞭兩載。然君早已蓄志于匡時濟世之業。而粉筆生涯固非所願也。為念醫同良相。遂決致力於岐黃。乃負笈來申。攷入本院。君敏而篤學。其于醫。上探靈素之秘。下窮百家之奧。援古證今。衷中參西。廣徵博採。極臻妙境。其為學。惟科學是尚。真理是依。平時喜攻婦科。故是科尤為擅長。心得獨多。來日醫國醫人。固非異人任。君之為人。沉靜寡言。性兼和藹。舉止端莊。且富感情。待人誠摯。予與君交。友愛無異昆季。形影相依。朝夕不離。光陰荏苒。日月如駛。由學業而卒業。從此別遠會稀。能不感從中來。暗然魂消者乎。故為之傳。藉留他日之雪泥鴻爪云爾。

學弟邱思聰識。

本院自開創以來。學子卒業者。七屆于茲矣。才士如林。蜚聲杏苑。而才媛之傑出者。亦復不少。至以心細而氣靜。則尤巾幗所獨擅。非鬚眉之所可冀及也。學術之達於成而可觀也。非心細則無以精專。非氣靜則不能深造。何況于活人之技。穎如利刃。筆下操生。方義判牘。指下定讞。求其生而不得。審其情而難顯。在疑似之間，則我為彼役而人之性命危矣。古人目醫為仁術。誠非才智有餘。不克勝任。則執斯業者。顧可心粗而氣浮乎。周生兆岐字彩鳳。家居於虹口之周家庫。為本邑之巨閥。亦本院才媛之傑出者也。肄業以還。孜孜兀兀。好學不倦。在施診所服務。攷其成績。于幼科為獨多。與胡生倩霞蔣生鴻英沆瀣一氣。如異姓姊妹。蓋均為心氣細謹而貞靜者也。胡生則長於外科。蔣生則擅于女科。故一時有院中三傑之譽云。

心如

周君效寅。江蘇吳縣籍。為蘇州名醫余生佳博士高足也。滬役後。來校習中醫。力求深造。每讀一書。孜孜不倦。於是學益精。術益進。當治一病之頃。無中西封疆為界之見。治外科以西法為主。治內科以中醫為宗。故君在實習期間。於內外各科。均所擅長。君平時研究中西學之外。尤喜運動。與人亦頗恭而有禮。其品性磊落。敏慧求之。同學中殊不多得。民二十四。君與楊澤瑾劉國輔及余四人創辦健華醫學雜誌。鼓吹中醫學術。終日與君接觸。於是情感愈篤。相知愈深。今君與余均已修業期滿。行將賦別。回憶當年。能不依依。爰誌數語以留紀念。

薛定華敬撰

竺君獨還。一號度寰。籍皖。懷性沉默。少入釋。潛心學問。民廿一秋。君感病苦。遂入本院專攻岐黃學。以求保身濟人之術。四年以來。凡內難及仲景等書。無不探驪得珠。實習期中。成績卓然。此余所深知者。君今畢業去矣。行見懸壺問世。造福社會。正無限量。余忝為君同窗。故略誌數語。以為之傳。

馬雲翔撰

卓君騰國。廣東中山縣人。慷慨好施。謙謹有禮。憶余曾一度忝與同學。初時雖春風一面。奈人數眾多。未能相知。後經林君介紹晤面之下。恨相見晚。良辰佳景。不時晤從。民廿四年。因家事累余中止來校。偶值道過滬上。必於下車時電話告彼。必蒙邀。寓居其家。即更日累月。未嘗稍失友誼之情。英雄肝膽。能不令余欽佩無已。午夜思之。囑為之傳。余今異鄉作客。能無寂寞之感。得此萍水知音。快慰無量。今值彼畢業之時。余本不善握管。又素不喜作譽詞。以恭維於人。細思彼之磊落胸襟。又不得無言焉。最後謹祝本仁人之心。施仁人之術。以醫人者進而醫國。尤所馨香頌祝者也。

程岳松撰于海上。二五，四，十七。

梁溪山水秀拔。代出閨彥。胡生倩霞。尤近世之麟鳳也。生初負笈來校。年僅十七。而天資敏辨。已絕俗邁倫。四載以還。孜孜矻矻。刻苦鑽研。得能了解義理。探索指歸。諸師長咸敬愛之。而生亦虛心請益。故所學日益精進，臨症之頃。更能辨色脈。洞悉毫芒。經其診治者。靡不霍然告愈。此殆虛其心志。凝其精神之所致歟。雖然。吾嘗聞之。歷來女子之以才藝稱者實夥。然無華陀扁鵲其人焉。今茲國醫學術昌明。吾知其亦必有以活人術鳴世者。胡生卒業。將挾所學游錫惠。則將來之造就。寧可限量。吾道其南。不將更於胡生卜之耶。爰傳其概略如是。

蔡陸仙

胡君惠康。廣東順德人。肄業本院有年矣。性沉默。不苟言笑。凡關學術上問題中偶生疑問。必至分晰清楚而後已。其好問有如是者。昔劉開所謂「君子之學必好問。問與學相輔而行。」君殆履行之矣。君於處方。恆守古法。間有拘泥之處。苟能三加注意而改進之。斯可矣。

劉行方

江蘇啓東。余有一友。年雖尚未而立。而爲人謹慎。殆六十七十者不若焉。猶憶客歲夏季。余在客戚家醉後午寢。友適至。恐驚余夢。輕步不稍擾。第即呼僕關前門。稍禦南風。人在酒後。被風一吹。無有不成意外者。風爲百病之長。應切忌也。旋又出其所懷枳椇子。囑僕治湯。令俟余略醒時即喚起服下。而渠則退出室外閱報待余起。後余醒起坐。友璧簾入室笑曰。酒味何如。來時見君醉臥。恐擾清睡。爰避往他室相待。時當夏令。最不宜醉臥。弟每出外行。常遇酒人。爰常懷醒酒藥若干。以資救濟。奚料今日來此。君竟爲一被救之人也。後應切自保重。醉中當風而臥。乃最應自留意者也。否則悔將何及，言罷大笑。君之平日待人。謹慎有若是者。故無論何事。詳之爲謀。實屬至可信服者也。至醫事則爲其所長。生平研究有恆。益以其謹慎之素養。可謂臨危不亂。雖險能救。閱者諸君。茲亦當亟亟知余友之爲何許人矣。君姓郁。昌祺其名。世籍江蘇啓東。其先人及諸父。皆積德聞鄉里。君青年時代。在其本邑中學卒業後。入上海國醫學院肄業。旋入海門中興醫學專門學校。歷二年後。復至滬入中國醫學院。迄今對於國醫一道。可謂殆有十年窗下之研究矣。茲屆郁君更在中國醫學院學成之際。行將出而問世。述其爲人與學歷如上。庶信郁君者。能益堅其信。而永對之敬愛有加也。

弟荆荏謹述

施君慶麟。閩籍。爲人沉靜寡言。和藹可親。園與君異鄉千里。萍水相逢。聚新交如舊雨。竟成莫逆。故知君頗深也。君於醫學。悉心攻究。埋首苦幹。爲學術而學術。凡市醫之巧言欺人。斂錢肥己者。皆爲君所不齒。對於國醫今後之展望。則著志改進。不尙空談。捨短從長。以闡揚醫光爲己任。今君屆畢業之期。行將去院。余喜而祝之。而今而後。堪爲國醫中流砥柱。仁心布施。惠及貧苦。定能副予所企望焉。

董斐園拜撰五。五。

馬女士士彥。籍蘇之上海。少敏悟。年十八。卒業於務本女中。後轉入本院。身材苗條。秀挺絕儕輩。豐神奕奕。凜然存英雄巾幗氣。工滑稽。善詼諧。同伴姊妹皆苦之。色笑舉心。合意雋永。言則情性磊落。無忸怩態。精書法。擅岐黃。余每聞一病一證。有不知者。叩之無不諄諄善導。此蓋博學深思而有得乎。古人導善之道者也。回首流光。倏忽易逝。驪歌催賦。判襟在邇。折柳長亭。能不黯然。因擬此文。留作鴻爪。

胡倩霞

宗在中國醫學院時。有教授許半龍先生。玆爲吾吳江同鄉者。唯馬君雲翔一人而已。但吾與馬君。反疏遠而絕少敍談與切磋。蓋余則服務本院施診所。復奔波於虹口普濟善堂。馬君旣孜孜於日常之課程。復利用課後餘暇。有課餘醫藥研究社。國學研究社。生藥採集團等之組織，且規劃主持成績卓著。院譽賴以日隆。于是可知馬君所以與余疏遠之故。及其人品學問。與有責任心。爲同學所推重如是也。馬君前肄業于蘇之省立蘇州中學師範科。故國學造詣頗具根底。文章藻麗。儕輩莫及。著論醫學。則條分縷晰。具科學之見解。發人所未發。雅擅絲竹。凡胡琴琵琶簫笛揚琴。皆研之有素。莫不手到成音。聽者忘歸。才藝固爲全院師生所稱折。曾記馬君於去歲遠涉北平。就讀北平國醫學院。吾知非爲母院求知之不足。乃藉以休養身心。而考察北國之醫況耳。越半歲。果仍歸讀母院。今歲石榴花放之時。行將畢業離院。預卜挾其所得。將灌輸陶冶吾吳江醫界同儕。嘉惠桑梓。宗吳不一愧而已也。

鶯湖沈宗吳誌于滬寓

馬君芝馨。籍隸江蘇之丹陽縣。貌清癯。性沈默。而宅心仁厚。好讀書不慕榮利。與友交肫摯無圭稜。爲朋儕所欽敬。以年幼稟賦孱弱故。遂矢志岐黃。始從丹陽名醫顏亦魯先生游。並爲海上秦伯未。蘇州王慎軒。江左時逸人諸先生遥從弟子。昕夕勤修。無間寒暑。凡靈素古籍。百家理論。搜討無遺。所作醫文。散見於報章雜誌。論理之精。洞若觀火。當斯時也與同硯。每有叩詢。必舉心得啓示。是君之於我。實友而師者也。惟其學雖富。猶硜硜以爲未足。爰於廿二年秋。負笈中院。吾恨未能追隨君後。臨歧惜別。殊多離索之感。惘然於中無已時也。今君修業期滿。造詣益深。澤被一方。可拭目以待。況其本樂善好施之家。吾與君處久知深。爰綴數言。以誌嚮往。

金沙姜緒曾拜撰

這是一位有學問而將自己的赤心剖露出來待親友和他底病人的青年。

夏子均兄。生長在山清水秀的無錫。他的面容和個性。也含有這末一點意味。在二五級的外科室中。祇要他一露面。便立刻能引起患者的欣喜和安慰。所診治的號數也會一天天地飛增起來。由此可見給予病家信仰性的深刻了。正和大家所贊揚的一般。他也是一位誠肯而樸素的青年。待人始終是和譪地信用地沒有過對不起失約的事。也沒有用過過量的錢着一件華麗的衣服或說一句自大的話；他學了國醫還努力地兼學西醫。祇有對於求學術才抱着貪心不足。所以才造成他內外科都擅長的才能。和在本院施診所治疾成績的優良。不問應承與否。人類全體連帶的責任巳落在我們的肩上了——！巴比塞的話巳適應着我們的時候了。子均啊！希望你將幾年來所求得的學術的力和以後繼續的努力。去勇敢地肩上醫疾活人的責任向前進展！

章叔齋敬撰

她——有虹一樣的人格。有一顆赤熱而誠摯的心。在她平整底臉上。藏着一對溫和的明眸。射出愛底光輝。這光輝便是她同情人類底出發點。她平日主張。醫生唯一的任務。是救人濟世。對於貧病的勞苦大衆。應同樣的看待。現在。她底四年研究工作。巳告完成。她底理想。行將成爲事實。她實踐平日希望的期間。開展在她面前。我相信。她是言行一致的。她會負起對人類偉大的使命。她會使貧病的人。解除苦痛而使他們達到健康幸福之途的。

她。是誰。——她是影中人，桂士琳小姐。也是我相知甚深的友人。

一九三六，四，廿六。秀杭謹誌

飽經憂患者。方知安樂之可娛。身受刺激者。始能憤發以有圖。久病出良醫。古諺信非經。有志者事竟成。乃見符于良溥。自幼困二豎。體質本清癯。經年累月。虛坐臥惟床鋪。所與相伴者。茶灶和藥爐。口之于味也。嗜甘亦茹荼。形消骨立。動須人扶。十齡以後。病漸離驅。既為疾以所苦。羨無恙之怡愉。更願大衆。同登壽宇而歡呼。迨卒業於高中。奉父命而習醫於吾徒。由鄂負笈而來滬。並偕其姊與俱。然則同是活人濟世之技。宜厭舊騖新之合乎時需。曷不入于彼。又胡為而入于此途。緣痛神志于交愉。曾受痛毒于夷奴。從知其心有所激。而志有所趨。于是乎勤求古訓。努力前驅。精進不懈。道味自腹。伊匪朝夕。歲月其徂。早已深窺夫軒岐伊張之堂奧。更喜獨探夫驪龍頷下之明珠。明珠在握。返梓鄉而懸壺。痌瘝在抱。躋斯民于康衢。渠姊士琳。亦屬名姝。與溫嶺張家之克勁秀杭。同為吾黨後進之鵷雛。

心如

孫鳳皋。他確實是一個現代有為的青年。

我對於他「過去」「現在」「將來」。有這樣的一個認識。

甲 過去。

一 潛心研究中西醫學。並跑了幾省。幹艱難辛苦的軍隊醫務生活。

二 自己備了藥。替家鄉人民看病。救濟了無數的窮苦病人。

三 待朋友誠懇。做事忠實。當光華醫藥雜誌社創辦時候。他幫了不少忙。光華至有今日的發展。我很感謝他。

乙 現在。

一 在實習期間。就有人延請他診病。治好的很多。

二 每天還在廣仁堂担任診務。深得薛院長器重。

三 他幾年「好學不倦」「深有心得」的結果。畢業成績是可想而知的。

丙 將來。

一 定是一個富有聲望的平民化的醫家。

二 能採取西醫的技術。為中法應用。但是他不「迷從洋化的醫學」祇吸取穉有用的精華。

三 他一面雖做事。一面仍悉心研究。完成他偉大的將來。他是江蘇江陰人。現年廿六歲。

朱雲濤於鎮江・二五。五。

唐君本善。字性初。浙之富陽人也。為人肫篤寡言。性誠志宏。和藹可親。平居素喜清靜。蓋其對醫之眞理學問，亦在清靜中攻得也。君天分高超。復手不釋卷。孜孜好學。故於內婦兒三科。莫不精藝如神。君嘗語人曰。吾設能應世。則不為利所誘。不為名所奪。余聞之。不禁為貧病者慶也。

無涘生拜撰

『你為什麼要學醫』。若是有人這麼的問我。到現在。我還回答不出來。說環境吧。我的親戚宗族。以及認識的人。一向就很少做醫生的。在我自己。也從未轉過『不為良相便為良醫』的念頭。和學了中醫來復興國粹與掙飯的希望。可是在廿一年秋。終於毫無選擇地和家姊秀杭。進了杭州的中醫專校。這初學的一年。我嘗足生活的苦悶 什麼五行八卦。祇是供給我漫駡的材料而已。廿二年夏。聽了同學的宣傳。轉入本院。功課雖覺滿意。但對於醫學的興趣。還是一樣的索然。自我的煩躁。蘊成了深重的憂鬱症。隔年。升到三年級。上半天的實習。才引起了我的興趣。因之也可說。我所學到醫的皮毛。就在這短短的時期中今年。當我在做畢業論文時。驚奇地。發覺了這四年的醫校生活。已成為我生平史上的一頁記載。我深深地感到不安。其實這四年中。我祇不過得到了一些醫學的常識而已。是的。本院的畢業。正是我學醫的開始。『中醫西醫化』的美夢。在我的腦海裏憧憬着。

張克勁記。五。一。一九三六。

踏進了人地生疏的東方巴黎。——上海　　之後。她是和我第一個相識的。在彼此互相了解性情以後。就開始作我們知友之交了。她是一位端莊而如露的姑娘。沒有虛偽的面目。更沒有嬌揉的怪脾氣。給予人的印像永遠是誠懇而大方。。她具有堅決的意志。敏捷的手腕。靈活的腦經。和豐富的學識。不但愛好文學。而且于國醫更有很大的認識和改革的決心。無疑地是我們國醫界冀一位將來的革命健將。人類的施恩者。姑娘把住現實而努力吧。什麼都在等着你呢。你的成功還會遠嗎。別。雖已臨到我們的前面。但後會有期，我以十二分的誠心。期望您為我們女界放一縷異彩。想在你冷靜的頭腦支配之下。決不會辜負你週圍的人們。

獻給秀杭姊：威白。廿四。四。廿五日

張君育麟。粵潮人。幼知書。有大志。祖若父。皆以醫顯。君少承庭訓。致力醫籍。年弱冠。卒業中學。復入文專。國學既深。醫理尤明。在家助乃翁診。活人無數。深為社會所稱譽　嗣以志切深造。毅然來滬。攷入中國醫學院。孜孜不倦。喜研婦幼科。諸家心法。博覽無遺。中西學識。頗為豐富。實習期內。成績斐然。今夏之間。君已畢其業矣。行將懸壺問世。造福社會。正未可量。古人有言。不為良相。當為良醫。君其勉之。

方公溥撰于海上定慧樓

陳君其珊。江蘇嘉定人。性沉默。寡言笑。踐履樸誠。親師友交。皆以正道自持。無阿附意。居恆湛心向學。博覽羣書。孜孜不倦。處方立法。依據仲景而不拘泥。尤能融會而貫通之。洵難能也。將來服務社會。造福人羣。可拭目以待焉。

劉行方

余素不喜為人作傳。以其琳瑯滿紙。無非諛讚而已。然而。今於陳子鳳翔，不能不有數言焉。子籍隸蘇之南通。少年老成。性沉寡言。無時下奢華之惡習。曩以具博愛濟人之熱忱。闡發國粹之素志。乃負笈來滬。攷入本院。在校好學特篤。雞鳴即起。夜深方眠。四年如一日。未嘗稍懈也。諸家書籍。博覽無遺。衷中參西。援古證今。是以其學識。已功夫獨到。爐火純青矣。子曾實習於本埠名醫徐小圃。朱小南等諸先生處。盡得所傳。故於本院閘北分診所臨症實習時。所處方劑。功效之偉速。已臻神化。疑難雜症。凡經診治。無不着手成春。名之為『修園再世』，誰曰不宜。

二五。五。九。同學弟楊澤瑾於海上

陳君贊禮。江蘇常熟人也。民廿三。余由杭州浙江醫專。轉入本院。一見傾心。許為知己。君敏而好學。不恥下問。温恭謙讓。悃愊無華。對於中西醫籍。內外兩科。曾與我朝夕磋磨。互有心得。頗以為樂。兹屆畢業。臨別依依。爰作蕪詞。以為紀念。

當年一見許知音。朝夕磋磨意倍深。醫究中西償宿志。術兼內外抱虛心。

不才若我承無棄。好學如君信可欽。此去相期仍猛進。會看他日杏成林。

學弟汪家煊敬贈

章叔賽同志生於上海。父親湘泉先生是一位很早的日本建築科留學生。母親是前清秀才的女兒。在這兩位父母的家教中養成了他的人格和學問的基礎。十歲時他和父母同到紹興的老故鄉。那也是先烈徐錫林秋瑾的故鄉。文化發達的所在。叔賽便在這環境中又吸收他文學的資料和養成革命的精神。

他在十四歲時開始散見在各報上的創作是小說。散文。詩歌。劇本並重的。也曾當過雜誌和文藝社的編輯。十七歲又傾向於總理學說和倫理學社會學。並且努力於學生自治會的工作。民國廿一年受了父親的命令致入本院學醫。雖然從前的旨趣仍在繼續地演進而沒有消失。但是並不妨礙他學醫的成功。

叔賽的字跡如中學生一樣地寫得很壞。和他的學問至少相差十幾年的程度。

——喻仲標撰於上海市

「……君身不滿六尺。懷抱瑰奇。余與君同硯且共事（學生會常務）相知較深。言行性格。余獨能詳。當學生自治會之成立也。會無中堅。幾類渙散。而君不畏艱難。慨然任常務兼出版股長。其治事也。有條不紊。措置裕如。會務之有發展。實利賴之。惟君既懷奇才。喜作雄辯。舌鋒脣劍。犀利無匹。未能自藏。由是不得於少數同學。語云。木秀於林。風必摧之。堆出於岸。流必湍之。行高於人。衆必非之。其勢然也……」

學弟沈耀先敬撰於松江縣政府

竟君國華。為浙之桐鄉籍。其家固世業醫者。均以外科鳴於世。君少承庭訓。於外科一門。即能深得其奧。居嘗小試刀圭。凡癰疽大症。無不應手奏效。而君不自滿。以謂科分內外。理實一貫。欲精外科。當自先精內科始。故始入浙省醫專肆業。繼復轉入本院。潛習內科。旁及西學。均造詣極深。非穎悟過人者。長克臻此。君素儉約。嘗云。以父母汗血之金錢。作無謂之浪費爲可恥。故來滬三載。足不入歌舞之場。目不覩淫靡之曲。數年如一日。以血氣未定之青年。能不爲環境所移。誠難能可貴也。君素健談。每值課餘。輒與余以醫藥問題相詰難。評古今之得失。言多中肯。且能發人所未發。其好學不倦又如此。余與君聯床二載。相交最密。相知綦深。今值勞燕分飛之際。爰述崖略如此。以爲君雋。作臨別之紀念。

丹陽馬芝馨敬撰

許君兆璇。江蘇上海人。天資穎悟。賦性誠篤。與其接也。淡然如水。閑靜少言。不事徵逐。故深為余所慕效。而春雲意氣。秋月丰裁。益令人心折無似。其為學也。上自軒岐。中及仲景。下至百家。靡不詳搜博採。裒斂無厭。鎮日埋頭書案。而無倦容。其好學深思。可見一斑。今也出其所學。布施仁術。行見千萬病魔。望風遠竄。其造福人羣。定非淺鮮。許君不第精醫學。尤擅國術。於烏啼雞鳴之時。恆起舞中庭。書所謂乃武乃文。非許君其誰與歸。道鳩心素拙。謬承敎誨。愧乏瓊報。際此驪歌迅賦。判袂在卽。聊綴數言。以留鴻爪。

學弟鄔志道敬撰

許紹周君

黃君寒柏。閩之永定縣人也。昔畢業於台灣商業學校。後再留學東都。性耿介。不隨俗浮沉。常憾西醫侵入華夏。中國醫學將受兼併而銷亡。遂奮志於岐黃之學。於廿二年負笈來上海。於國粹醫學。上自針經金匱傷寒。下至明清各家。無不苦心揣摩。通日文。又取東洋科學之醫籍融匯貫通之。客歲之夏。君值四年級自動實習之期。復遠泛蓬瀛。致力於針灸之學。得其精髓。余經年實驗有胃病天台黃藥。血症投血六神丹。小兒疳積草等。黃君能化裁應用，發予所未言。於以見靈心智見。亦聞一知十之流亞歟。余寓中國醫學院。與予隔壁而居。課餘過從頗密。執疑問難。惟黃君爲最篤。余所採集驗方。亦惟黃君所得獨多。今黃君自東京歸來。羽毛豐滿矣。行將畢業出院。入世懸壺。談吐之間。處處可見其學能致用。抱負不凡。丐予一言以爲紀念。予不文。爰序其畧。並告之曰。日知其所無。月毋忘其所能。可謂好學也已矣。黃君勉之哉。浙江朱壽朋

湯生君捷。遠自廣州負笈從余。居二載，得大意。臨診之暇。入中國醫學院肄業。欲得各科之全也。又二載。學大進。而仍以內科擅勝場。時症之轉變。雜病之繁複。以逮沉疴宿恙之恍惚者。均能措置中肯。溯秦氏同門中先後學成而去者。邱生在寅在定海。許生鏡澄在暹京。楊生德僊在廈門。辛生元凱在吉林。高生仲山在哈爾濱。楊生永釗在漕河涇。均獲相當時譽。爲一吔生佛。湯生之歸。吾道其南。當亦能展所長而負杏林重望。不禁私心竊喜焉。生嘗陪余飲。無狂醉。偶爲絕句。曼妙多姿。能攝影。富含詩境。蓋生性靜穆。智力勝流輩。說者謂本院多才。生其一云。丙子花朝伯未寫於海上謙廬之文殊室。

郭生曉雲。廣東揭陽人。性聰穎。治內難傷寒溫熱諸書。能探驪得珠。旁搜東西洋學說。亦能共冶一爐。爲人治病。方簡而效捷。苟鍥而不舍。將來造福人羣。正未有艾也。郭生勉乎哉。

許半龍

陸君劍塵。江西贛縣人。以字行。敎儀其名。鳳翔乃其別號，性恬靜。不喜交遊。乙亥夏。予來滬投考學校。剌以同鄉名片訪。萍水相逢。殷勤指引。絕無敷衍虛僞氣。噫。亦希矣。人之相知貴相知心。及觀其行誼學識。始識其用功深切。篤行有素之士。而非常人所能及也。陸君不但于中國固有醫學及現今新醫理有相當研究與經驗。且于滬上名醫徐小圃先生祝味菊先生處之實習。尤有心得。今卒業返里。吾知其必有裨益于病家也。可預祝矣。君研究醫學外。復潛心國術。尤好太極拳。居恆誠謹。常獨坐一室。揣度遐想。以是談吐間。頗多超常之見焉。唯天下至誠爲能盡其性。能盡其性。則能盡人之性。能盡人之性。則能盡物之性。能盡物之性。則可以贊天地之化育。吾于陸君之前途。有莫大之希望焉。行矣希各努力。

鄉弟朱楚帆謹述一九三六。夏月于滬上

程女士連雲。江蘇奉賢人也。性豪爽。遇人無懟怨。孤傲自許。不以諂諛逢其心。行事接物。擯因循。絕苟且。剛果決斷。凜然有毅力。而其細心謹愼。陷深履薄。則爲友輩所難能。以故自女士蒞滬以來。省雖知其直戇。然未嘗聞其有不能見諒於人。而鄉里姊妹。友好和樂。更相親過常人。當君留滬之日。有知君之歸者。輒聯袂相訪。終日不能去。蓋君智圓行方。心存惻隱。而好與人絕甘分少故也。君爲文穎。捷。無詰屈聱牙氣。而書之蒼勁秀挺。尤魁覷肖其人。自民廿二春。負笈入中國醫學院以來。省雖未與共硯。不詳細進學之勤惰。然觀其身體強弱之轉移。與前假判若兩人。則其與醫學衛生之折肱折臂。必有出人頭地者在矣。省與女士。系屬同鄉。情如手足。因得深知其爲人。今當學成業滿之日。省雖不願效俗例以頌君。然君之性情舉止。竊不能不爲之傳矣。

妹曹三省謹撰

費生龍玉。女子中之具鬚眉態度者也。精技擊。雖肢體瘦削。而兩目弈弈有神彩。與人寡言笑。凜若冰霜。然俠骨熱腸。性尤慨慷慈愛。夫醫爲仁術。生尤近焉。其於醫學。能融會諸家。別得心能。臨症處方。其敏捷應變處。如張顛作草。如公孫舞劍。天馬行空。神龍夭矯。不可捉摸。故每治輒多奇效。本院卒業女生衆多。於學術上得薪傳者。生其獨採驪珠矣。夫爲龍女現身說法。所謂其人如玉。其氣如虹者。生殆又聶隱紅綫之流亞歟。卒業本院。時年僅二十一云。

廉卿

民念二年春在杭醫專識馮君。一覲相親。猶如水乳。君乃浙之慈谿人。一號無羨。其爲人也。英俊慷慨。與友人交。公直無欺。閑靜寡言。不慕妄念。暇餘每以書本以遣懷。對於醫籍攷略。可謂無微不至。尤精於婦兒二科。方書云『寧治十男子莫治一婦人寧治十婦人莫治一小兒』且婦兒二科在醫學上確非靈敏之輩所能窺豹。今馮君獨精此道。逆料其他科目。當更上一層者矣。余願君出院問世。心存菩提之念。普濟衆生。作觀音之自在耳。

獨龍拜識。

醫學之道不同他業定藥石於一方徵死生於片刻若非秉資高超徒恃師傅教授鑽硏古書按圖索驥其可得心應手者偶而已矣

表姊楊治平幼好學鄴架多醫書居常翻閱不釋手別有會意能變其法用於倉猝之急病曾見其以八寶摩雲散治喉痺以坑唇尿白(卽新刮下之人中白)治指疔不終日均告霍然類此治法雖屬外科大都從靈心悟入於民國二十一年秋季負笈於上海中國醫學院刻苦攻讀觸類引伸進境尤速逢試診時其論病訂方別出心裁不同凡響儕輩莫不歎爲巾幗良醫今二十五年夏季畢業際此懸壺問世之期發軔濟人之日書此以誌景仰

古婁表妹趙泗琴敬撰

余忝屬師賓知生者詳爰綴數言以為之傳

楊生澤瑾蘇之江浦人也年少英俊舉止活潑性秉和靄彬彬有禮卓識過人愼思明辨敏而好學無中西之成見惟眞理是依歸仲景論略致力尤深精研探索直造其巖上與靈素下至百家旁及歐西無不一一搜羅孜孜屹屹終日而無倦容是以成績蔚為可觀不獨甲於儕輩余亦自嘆不如

生於團體生活服務尤為熱心故屢任學生自治會該級各種研究會等職嘗憶去歲主辦健華醫刊艱難倍至而其忘食廢寢壯志並未因之而少減是以不特楊生之學識可佩而奮鬥服務精神亦可佩焉

生之學識固優矣然學無止境尚希畢業他去仍本以往之精神更力求猛進埋頭苦幹將有所貢獻于醫林以發揚吾道之光焉行矣勉之

馮伯賢于中國醫學出版社五、一、

楊禮通君

是「吉人天相」吧。章文貞小姐去年重病的痊癒，的確是不幸中的大幸了。

是的。文貞始終是幸運的。她父親鐸麟先生是現代上海的針科名醫。在她從天國中降臨到人世間的時候，父母早預備了給她安身的金製的搖籃，給她戴上了榮幸的花冠。這樣地，到現在，沒有一天不在家庭的愛的融合中做她父母的小天使。她內心中從來是波動着快樂的跳躍。雖然在疾病和服藥的痛苦時也會偶然地顰一顰眉頭嘆一口氣，或者流幾滴嬌淚。

她深深地蘊藏着獨得的個性。有人誤解她是嬌養的緣故吧，不。這正是她寶貴的所在。因為人類的醜惡便是和受人支配的機器一樣地沒有個性而做奴隸。我的老友金慰慈君說：「多數的女性都是沒有個性的東西。有個性的是女中英雄」。「貞」時常在這高貴的個性中流溢成高尚的人格的有作為的女性。她也和別的小姐一般地具有女性的美和豐富的情感。卻靜默地不肯和別人多講話。費龍玉女士為她唯一的親友。

她很聰敏。醫學的智識和診的病技巧。她是從父親教育和自身的聰敏中所取得的結晶。

正和柴霍夫所說一樣：「我們現在是立於新形式在生命中已經萌芽的時代了」。文貞呀。請您跳出安適的金搖籃。您是一位聰敏而有獨得於個性之有作為的女郎。請向那兒有強勁的颶風吹盪的地方去罷。您的使命不在乎做個蠅拂——我將尼采的話轉借來作您臨別的贈言。

同鄉紹興章叔賡敬書

鄭君宣予。字劍侶。湖北孝感人也。民國二十四年春。明轉入中國醫學院。與君共處一室。遂成莫逆。君爲人思齊希怨。激昂慷慨。誠時代之好青年也。其待友則直諒多聞。謙恭和藹。誠明之益友兼良師也。其爲文則絕不以詞害意。而取法於大衆。且復循循善喻。他不之所不能闡發者。君獨能之。此明弗如也。憶昔同窗時。明讀內難諸書。往往心知其意。而不能容之於詞者。則君却能滔滔乎引人入勝。詩云。他人有心。予忖度之。今以鄭君當之。庶幾無愧。故君對於醫學。亦頗能得古人之心。今鄭君脩業期滿。行將出而拯世。別矣在卽。能不慨然。爰書數語。以示不忘。

學弟葉采明謹草

劉棣君

劉君行方。浙江定海人。余級之益友也。性善言純。不羈塵俗。意氣豪爽。而處事維謹。臨牀治藥。尤精審不苟毫釐。工楷。其書法之規潔。正如其人。好學。博聞強記。而頭腦之整晰。尤勝人也。君於醫學。旣家學淵源。旁及各家古今中外之說。更無泥守繩俗之見。於中醫改革應取之途徑。頗見發揮。其所論亦多可取者。余與君嘗同學於東吳第二中學。玆復同級。宜其友誼之情倍切。雖然。君之志行文章。余所膺佩。則又同志也。余與君交旣久。相知較深。爰就所知。謹爲略傳如此。

阮秦明

劉君國輔。字以仁。湖南芷江人。自漢晉以下醫書。遍觀而愼取。與語醫。論議條鬯。反復不窮。行誼修潔。見稱於師友。中國醫界卓異之士也。

謝誦穆

余生於攜李。而長於霅溪。故爲浙西人。一瘰病質小兒也。少嘗患淋巴腺結核症。蹉延八九載。屢輟學。以致體力羸弱。智能低陋。迨「一二八」後。乃奉嚴命。來滬治醫學。冀得一技之長，以自救救人。蓋余身受二豎之磨折至深。又恨市醫之碌碌。毫非知醫。無以保自身之健康。亦且無以符儒門事親之旨也。初投考中醫學院。嘗蒙錄取。不意於同湖整理行裝之際。突患急性滲出性膝關節炎。勢頗兇惡。小臥床數月始已。因此乃不獲准期入學爲。翌年夏。重至滬瀆。由父執有成先生之介。始入本院肄業。時本院方自黃家闕路移此。余等蓋喬遷後之第一批一年級新生也。光陰箭駛。忽忽已四易寒暑。今乃屆畢業之期。行將別師友。離母校。深入社會。與二豎搏戰矣。四年窗下。殆如一夢。而所學幾何。思之常覺汗顏。異日出而問世。定感阮郎羞澀。是則非倘待諸師友之時賜教益也不可。

廿五年四月歐克仁述時正患腸疽將愈之時也

薛君定華。字立生。籍浙江之永嘉。尊翁立夫先生。爲東甌名醫。馳譽遐邇。求治者踵相接也。顏其醫室曰春在廬。滿儲古今醫籍。君親聆庭訓。博覽羣書。未嘗自足。爰於中學畢業後。來歸本院。一見之下。驚其異稟。頭顱足尺加三。特別放長。有壽者相。聰慧機警。足以證明腦髓之豐富。其面有如諸葛子瑜。故溫厚具長者風。兩脚特長。學成同里適合於跨灶也必矣。

蔣文芳

畢業論文

（以姓名筆劃爲序）

調經概論

王吟竹

婦女之病。本與男子同。其所異於男子者。惟經帶胎。產崩漏及前陰乳疾之不同耳。凡今之業婦科者。莫不以調經爲其先務。內經云。「女子二七天癸至。任脈通。太衝脈盛。月事以時下。故能有子。」蓋任衝之脈。皆起胞中。胞者古名胞門。又名子戶。卽今人所謂子宮者是。中者指子宮之中央而言。殆卽今人所謂之子宮頸者是。夫衝任二脈之生理。各有專司。經曰「任主胞中。」是任脈有維繫胞胎之功能。又曰「衝爲血海。」血海又名血室。卽子宮壁內貯藏紫血之所在地。位居膀胱之後方。其血之出源。端有賴於衝脈。衝脈之血。則又端賴於任脈陰氣之全以生長不息。是故女子經血有餘。任通衝盛。月事以時下。若身體有所虧損。營血衰少。則任不通衝不盛。於是生殖機能障礙。月經遂不能應時而下。女子者。陰類也。以血爲主。其血上應太陰。下應潮海。月有盈虧。潮有朝夕。月經三旬一至。與之相符而行。故又名爲月信月水也。一月一至而不變期更動者。乃其常也。然亦有兩月一行謂之並月者。三月一行謂之居經者。一年一行謂之避年者。更有一生不至而依然能妊娠子嗣者。此乃稟賦之不同。非爲病。亦無須調治服藥。倘精神痿靡不振。食慾不良。頭眩目花。心悸腹痛。經來或多或少。或前或後。色或淡或紫。素係按月行經。忽而錯亂無緒者。則爲不調矣。醫者當詳加診斷。辨其屬寒屬虛屬熱屬實。屬七情抑屬六淫。探原因而調治之可也。茲將關係經水各症。簡略述之。祇以學淺筆滯。謬誤之處。尚祈海內先進。吾黨同志。加以斧政。不勝幸甚。

月經不調之病因

考月經不調之病因。頗屬繁多。有氣虛血虛者。有血熱血寒者。有脾胃虛弱者。有肝氣鬱結者。有胞寒痰結者。古之方書記載各有不同。槪其總因。不越乎內外與不內外三因而已。1.內因——婦女之從人。凡是不能專主。稍有不暢於心。則憂思忿怒。鬱鬱於胸。

氣既鬱結。則血液爲之阻礙不能暢行。故經遂爲之不調。又有脾胃虛弱一症。蓋脾胃主一身之元氣。臟腑經絡之血。亦無不端賴焉。蓋人之所賴以生活者。厥爲飲食。飲食入胃。胃壁爲之磨擦。脾氣爲之鼓動。使食物漸漸化爲乳糜。乳糜中含有不潔之成分。則下達小腸而排泄於體外。有數成分。則脾氣爲之輸運上承心肺。心得之成血液。肺得之而運行。血和氣布。精神自充足而不病。反之胃脾虛弱。消化運輸失職。飲食減少。氣血無以生。則經必不調。以上二種係經病之屬於內因也。2.外因——春風。夏暑。長夏濕。秋燥。冬寒。按時而至。無太過無不及。主生萬物。爲造化生成之理。人在氣交之中。吸收其氣謂之正氣。倘四時之氣。有所偏盛。或非其時而有其氣。皆爲不正之氣。是爲淫邪。尤以婦女經水適行之時。膣口喇叭管正在開放。子宮粘膜破裂。新瘡未合。是生理上發生極大之變化。是時抵抗力最爲薄弱。若稍有不慎。於是六淫之邪最易乘隙襲入。而經遂爲之不調。此經病之屬於外因也。3.不內外因——交合不當——經正行時。其子宮之充血旺盛。可不待言。而男子縱欲不已。因之紫血內阻。血管障礙。經遂閉止而不行者有之。或先或後。錯亂不定者亦有之。甚或成爲崩漏不止。他如女子尚未成熟。早通人道。或則踰期不遂。過猶不及。皆能致經不調。他如淫合過度。斷喪太深。精血日耗。不特釀成經病。或且轉爲勞瘵。此經病之屬於不內外因也。

經色鑑別

血屬陰。從陽化。故其色以正紅爲順。雖有經病。亦屬易治。若色變深紅紫黑。乃熱之徵也。若黃如米泔。或如屋漏水。或如豆汁。或黃濁糊糢。乃濕化也。淺淡紅白。乃虛象也。此外更當審其有瘀無瘀。色黯色明以治之。若黯而紫黑。清徹臭腥。兼見冷症。則屬寒凝。若明而紫黑。稠黏臭穢。兼見熱症者。多屬熱結也。成塊作片。則爲氣滯血瘀也。凡業女科者。能將經色辨別清楚。指下筆下分別清楚。則調經之能事畢矣。

先期症治

1.陰虛血熱者　症見面赤口渴。五心煩熱。夜寐饍饑不安。舌苦光絳。脈搏微數。經來腹不痛。色紫黑。甚或有塊雜下。氣帶腥臭難聞。平時白帶甚夥。腰膝痠軟。目花耳鳴。心悸頭眩等。治當滋養腎水。以濟亢陽。俟其眞陰來復。則病當自愈。——芩連四物湯。地骨皮飲。當歸補血湯。兩地湯。均可選用。有血塊時下者。爲內有瘀血——桃紅四物湯主之。佛手散亦主之。

2.肝逆鬱怒——症見五心煩熱。胸腹悶脹。氣機不舒，噯氣吞酸。脇行不暢，頭眩脅絡作痛。口渴常覺味苦舌紅絳。脈弦細。法當理氣和肝解鬱。逍遙散。香附旋覆花湯加減爲治。

4.脾虛氣弱——病者平時白帶綿綿。食少納呆。氣短色慾退化。精神痿靡。毫無振作現象。經來色淡且少。口渴舌薄白。脈虛無力。法宜培補脾氣。補中益氣湯。歸脾湯。聖愈湯均可參合取用。凡肥胖之婦女患有本症者。必兼有濕痰。所謂肥人多痰者是也。其症舌必白膩。白帶亦必稠粘而多。法宜養營化痰濕合并爲治。歸芎二陳湯主之。

後期症治

1.血寒　經來落後。腹痛如絞。色黯而紫。清冷氣腥，苔白脈沉遲。治宜歸附丸溫經湯之類。倘兼有血塊雜下者。則爲血寒夾瘀。方中又當加桃仁，延胡，赤芍等。倘兼有納少神疲。四肢發重。面色痿黃。舌苔白膩。脈濡遲。則爲血寒夾濕。方中又當加白朮，茯苓，二陳等。（蒲滑四物湯亦可）然間亦有經水後期屬於熱者。其症臍腹作陣痛。口渴喜飲。舌紅脈數。治宜芩連四物湯。至古來醫家。都以先期爲熱。後期爲寒立論。而用藥亦以先後爲寒熱之標準。殊不知未必盡然。良以先期亦有屬於寒者。後期亦有屬於熱者。醫者之治病。當以見症爲標準。若固執先後定寒熱。其焉有不僨事者哉。

2.胞寒　經正行時子宮壁內膠現新創。創面破裂。斑痕縱橫。其抵抗細菌力呈異常薄弱。自身若微有不經意。如登圊換衣之不密。外界寒風均能乘其不慎而內侵胞中。姑就余之經驗所得。記述一節。聊爲婦女界告。敝村黃姓婦。年約二十餘。素以弄船爲業。患經行後期症。經行口唇作青紫色。少腹作痛有如刀割。色淡涓滴不暢。舌薄白。脈沉緊。尤以尺部爲最甚。請予爲之治。自述恙由行經時。更換內衣不慎。覺有寒氣從陰戶襲入。遂得此症云云。余曰此乃胞中客寒症也。不難於治。擬方用　麻黃一錢　細辛八分　附子三錢　乾薑一錢　當歸三錢　桃仁三錢　吳萸一錢　艾葉一錢等。令服一帖。病者藥後約三時許大汗遍體。經色轉紫黯而多。痛亦減輕半數以上。第二日早。復診於余。更方用當歸三錢　川芎一錢　白芍三錢　乾薑八分　延胡三錢　烏藥三錢　蘇梗三錢　陳皮一錢五分　艾葉一錢　服兩帖。病即霍然若失。最後予培補氣血等藥善其後。從此經遂按時而至不復有愆期矣。

經閉症治

婦女成年經行之後。忽閉止而不行者是謂經閉。但妊娠及授乳期之經閉不在此例。其辨別法詳後。

1. 血滯經閉——經云。「石瘕生於胞中。寒氣客於子門。子門閉塞。氣不得通。惡血當瀉不瀉。衃以留止。日以益大。狀如懷子。月事不以時下。皆生於女子。可導而下。」症既由於胞中積瘕。惡血當瀉不瀉而成。是則治法當以攻下逐瘀無疑。治宜琥珀散。桃仁承氣湯。但內經雖未說明方藥。然有此導下二字亦足示人以規矩矣。本症間有惡寒腹中攻痛者。則又當先以吳茱萸湯溫而散之。後再攻下逐瘀可也。

2. 氣滯經閉——經云。「二陽之病發心脾。有不得隱曲。女子不月。」蓋女子性情多數偏狹。每遇不如意事。輒藏之胸臆。隱而不宣。致令心脾氣滯。氣滯則血亦爲之不利。（道姑女僧。最爲孤苦鬱悶。因之而患本病者。十之七八。）症現胸膈脹滿，飲食減少。噯氣泛惡。少腹攻痛。五心煩熱。夜寐不安。久之面黃肌瘦。精神疲乏。治宜和肝理脾。清心解鬱。如丹梔逍遙散加香附。鬱金。青皮。澤蘭之屬。除服藥調治外。更須病家怡情適志。方克有效、否則任意氣遏惱怒不休。雖舒氣和肝藥成盆送服。亦何益之有哉。

3. 血枯經閉——其因有三。（一）房勞精竭（二）失血過多（三）病後失調。凡此三者。皆足釀成血枯經病。初起懶於飲食。四肢無力。經來月少一月二三月後。經閉不行。面與爪甲之色俱呈淺淡黃白。胸腹舒適。並不脹痛。當分別治之。由於房勞精竭者。宜服六味地黃湯。由於失血過多者。宜服人參養營湯。由於病後失調者。究其失調之因而治之。是在臨症之診斷耳。若久不愈。血分益枯。增見晡熱骨蒸顴紅皮乾咳嗽等症。已由血枯轉成虛損難治矣。勉以刼勞散爲治。

4. 室女經閉——室女在年幼之時。氣血尚未充足。有自初潮之後。經來數月復又中止者，若無他證所苦。或並月。或居經。或爲避年。則不得謂之災疾。若見有食少便難。形瘦骨蒸。顴紅肌熱咳嗽等。虛損現象。則爲室女血枯經閉童勞。多屬難治。若由氣血凝結者多屬實症。其症經閉不行。少腹攻痛而脹，大便色黑而易。記憶力薄弱。肌膚甲錯。兩目黯黑。治宜大黃䗪蟲丸。行氣破血。其經自通。倘病者虛弱不任攻下。則改用輕劑澤蘭湯。煎送柏子仁丸。日久其血自行。

5. 經斷復來——經謂「七七天癸竭。地道不通。月水不下。」然婦人每多年屆四九。而經不斷。無他證者。乃氣血有餘。稟賦充盛使然。不得謂爲病也。已斷復來者。必有所因。究爲何邪所干。隨症施治可也。其人精神疲弱。面黃肌瘦。四肢乏力。經來色淺淡而少。爲衝任受損。其血不固。治以八珍湯。十全大補湯之類。其人經來頗多。甚或如崩。血塊時下。胸膈不舒。脅肋脹痛。頭目暈花。夜寐不安。納少神疲者。爲肝脾受傷。失其藏統作用。治宜歸脾湯煎送逍遙丸。合並治之。若其人經來色紫而多。心中煩熱。舌苦邊絳尖紅。脈來五至者。則爲血熱妄行。治以芩心丸兼服益陰煎。

經閉與妊娠之區別

俗云「甯治十男子。莫治一婦人。」蓋以婦女病爲難治也。尤以經閉與妊娠最不易於辨別。倘稍不愼。誤以經閉之藥治妊娠。或以妊娠之藥治經閉。其不發生重大之變端者幾希。醫者掌管生殺之權。其可不加以注意乎。茲將二者之區別。述之如左。

1. 經閉者。脈多澀滯。妊娠則脈多滑利。
2. 經閉者不嘔噁。妊娠則時時嘔噁。
3. 經閉者。背部不凜寒。妊娠則背部時凜寒。
4. 經閉者。少腹有塊不動。妊娠則有塊多動。
5. 經閉者。少腹時痛。妊娠則少腹不痛。
6. 經閉者。乳頭不發黑。妊娠則乳頭漸漸發黑。
7. 經閉者。乳部不起脹。妊娠則乳部漸漸起脹。
8, 經閉者。面多痿黃板滯。妊娠則面色紅潤活潑。
9. 經閉者。精神多萎靡。妊娠則精神如常人。
10. 經閉者。時作悲苦狀態。妊娠則擇食嗜酸。

崩漏症治

經行淋灕不止者謂之漏。血忽大下不止者謂之崩。大別之有五種。(一)血熱有瘀。其症腹脹脅痛。血色紫黑成塊。治宜涼血去瘀。

熱微則用荊芥四物湯和之。熱盛則用知柏四物湯淸之。但二方中須參以琥珀。赤芍。桃仁。袪瘀活血之品。(二)衝任受損。其症出血雖多。腹不作痛。亦無硬塊。治宜氣血雙補。八珍湯。十全大補湯。人參養營湯。均可隨症施治。(三)中氣下陷。其症面色痿黃肌肉消瘦。精神疲乏。自覺有氣下陷推血下行之狀。治宜補中益氣湯。升陽益胃湯。(四)脾不統血。其症胃納不佳。大便時溏薄。精神困倦。血來色淡而多。治宜引血歸脾。十全大補湯煎服歸脾丸，(五)肝不藏血。其症胸腹不舒。脅肋作痛。血來色鮮如衝。治宜和肝解鬱。加味逍遙散主之。若本症經用補藥後而血依然不止者。須防滑脫。急以地榆苦酒煎送服。見有冷汗淋漓。兩目失神。四肢逆冷等。當速進獨參湯。待汗止神歛。再予十全大補少佐三七。補中兼以袪其未盡之瘀。總之本症之治法。可分初中末三期。大抵初起宜止血以塞其流。中宜淸血以澄其源。末宜補血以復其舊。究其凶吉。大抵以脈數小爲順。洪大爲逆。遲微虛滑者生。數大虛浮者危。弦勁或濇濇不調按之不來者死。初由崩血，繼則純下臭黃水。或紫色血塊腥穢不堪。或腹滿不食。以補益反增寒熱口燥。面目足脛浮腫。或陰戶突腫痛如刀割者。均屬不治。

經行兼症及治療

1. 發熱——經行時發熱不休者爲表熱。治宜桂枝四物湯養營發汗。經前發熱爲有餘之熱。加味地骨皮飲凉血淸熱。經後發熱爲不足之熱。六神湯補中兼淸。

2. 身痛——經來身體疼痛。兼有表症者。宜麻黃四物湯養營發汗。無表症則爲血脈壅滯。桃紅四物湯和營通絡。若身痛見於經後去血過多之時。則爲血虛不能營養筋脈。黃耆建中湯補虛養營。

3. 腹痛——經後腹痛。或子宮出血過多腹痛。均爲血虛。治宜當歸建中湯補血。建中。經前腹脹痛爲氣血凝滯。脹甚於痛者。是氣滯其血。加味烏藥湯行氣和血。痛甚於脹者。是血凝礙氣。琥珀散破血行氣。右少腹冷痛者。則爲胞寒。吳茱萸湯溫而兼散。

4. 吐衄——即倒經。在經前吐衄則爲實熱。三黃四物湯涼血瀉血使之下行。在經後吐衄則爲虛熱。犀角地黃湯凉補兼施。方書所謂傷陰絡則下行爲崩。傷陽絡則上行爲吐衄是也。

5. 吐瀉——經行嘔吐痰水者，乃胃虛有飲。香砂六君子湯溫胃而化飲。經行大便溏薄者。爲脾虛氣弱。參苓白朮散溫脾補氣。鴨漉。清澈冷痛者。則屬虛寒。理中湯溫中散寒。肌熱口渴便泄者。則屬虛熱。七味白朮散解肌退熱。兼以理脾。

本學院教學方案

宗旨 本學院遵照中華民國教育宗旨。以研究中國歷代醫學技術融化新知養成國醫專門人材充實人民生活扶植社會生存發展國民生計延續民族生命為宗旨

學程 一年級黨義國文生理解剖藥物。醫經。醫學常識。醫史。衛生。醫論。病理。方劑。傷寒等科。

二年級黨義國文藥物醫學常識傷寒病理。方劑。診斷。溫病。外科。醫論。雜病等科

三年級上午臨症實習。下午金匱經方。外科。婦科。兒科。花柳。喉科。眼科。雜病等科。

四年級(一)臨症處方(二)教師指導(三)同級研究(四)課外閱讀

教材 整理固有醫學之精華。列為顯明之系統。運用合於現代之理論。製為完善之學說。生理解剖。外科。急救。採用西醫學術。各科講義。均由教授自編。

實習 三年級生每日上午至名醫處臨症實習四年級生於教師指導下在本院施診所臨症處方在醫院內臨床實習。

談談我國醫學陰陽的變幻

王克平

幾句開場話

中國的醫學從歷史上說起來。是有莫大的根基。出世貢獻於社會的時期。亦算是獨立在萬國的前驅者。莫不稱我國科學的進化爲先鋒。就這『陰』『陽』二字也不祇在醫學界中卽於那理化——天文——地理——哲學。類皆莫不以『陰』『陽』爲代名詞。現當二十世紀的今日。才有中西醫學之區分。釀成新舊的爭論。那麼不過數年放洋回國的醫生們。將其本來的形屬就變幻了。說祖國的醫學是玄學。不是科學。任意地誣蔑。唉。於斯世衰道微的潮流當中。不去振興研究祖國古代心血的結晶和經驗的科學。反視爲寇讎。而不知外國科學的發明。多半根據我國科學而演進的。在這樣底田地。卽應該伏案去採精折微。闡揚祖國的科學才是道理啦。

說起來。我國醫學的陳舊理論的太虛。那麼也有是使人厭煩的地方後世這般先生們。不去勞點精神來改造牠。盲目地人云亦云就算了事。他們這般迎新送舊的先生們。當然是把牠抹然置至腦後了。假使將『陰』『陽』換個代名詞。例如『陽』代以「S。」『陰』代以「X。」我相信這些博士先生們。定必就會迎合起來了。也不會得再發生同類的凌辱哩。喂。我醫學的同志們。趕快起來吧。來把這陳舊而有價值的心血結晶。好好的整理。發揮炎黃大道。歸納同志於新徑。臻社會羣衆於健康。這就是我輩應該去做的工作呀。現在我將『陰』『陽』的變幻來介紹一下。恨學力淺疏。疎滿之處自所難免。深盼同志指教。使得格外發揚。那麼就是本人所的幸啦。

起原

攷我國陰陽的學理。出自伏羲的先天八卦中。那時首先就創備奇偶兩爻。而將陰做陽底對象。他的意旨。是把社會中具有對象的一切有形物質。都可以從陰陽來說明他的對象。據伏羲的山墳相傳山墳是伏羲神農黃帝的著品。這書我也沒見過。元吳萊山墳辯。說山墳是近代所出的僞書。亦相傳伏羲本山墳而作連山。神農本氣墳而作歸藏。黃帝本形墳而作乾坤。後世的卦象和那卦爻。從斯致察。雖山墳沒有根據。講起來總不外是發明陰陽的理學。亦言連山歸藏出於夏商。可想在有周以前。猶沒文字貢獻於社會。不健美的易學。自伏羲造端以後而迄殷末。也祇謹存他的學說能了。到了後世周文王嘆惜易學的不振。當被因羑里的時候。將他詳密樵演而繫「彖辭」在這時候就叫做後天八卦。後來周公繼作「爻辭」亦又孔子作上彖—下彖—上象—下象—上繫—下繫—序卦—雜卦—文言—說卦。這就叫十翼。於是易學告成。遂稱做周易。陰陽的學說。在這個時候尤昌明勝盛起來了。到了宋時的周濂溪作太極圖說。發明畫卦演易的意旨。奈後世學者不力謀競進。遂演成陰陽的學理爲玄虛。於現代科學昌明的時期。把陰陽學理以爲是不屑研究沒有議論的價值了。殊不知道這陰陽是發明天地沒有化分以前。是將牠來推測天地所以化分的原理。這時混元一氣所謂無極是也。但未嘗沒有動靜。因動靜而化分了陰陽的對象。這就叫做無極生太極。而太極中含有陰陽的二氣對象。就把他劃分爲天地。所以在天地沒有化分以前。陰陽的作用。那是混元一氣。沒有形質可以見到的。從天地化分了以後。陰陽的對象。始有形質可見。所以陰陽的原理。乃由一化分成二。二而四的推演無窮。即用以觀察天地中自然界在社會間一切的有形物質。亦沒有不是一而二。二而四的變幻做陰陽對象的化分。就從周孔所詳演的易學裏面。加以討探。都是於太極中陰陽的對象化分奇偶二爻。教說太極生二儀。再從奇偏二爻化分成四。這就是二儀生四象。四象又分爲二。故四象生八卦。從八卦內化分爲六十四卦。於六十四卦的當中。化分了三百八十四爻。奇偶相生參伍錯綜。牠的變幻那就沒有邊際了。自這裏看來。就知道古人借重陰陽的對象來分析天地間的萬有物質了。我們根據這樣的理論。去探討牠的原理。那麼科學的發軔。是不是從各種的對象加以分析呢。各種對象的裏面。是否能跳出陰陽的範圍嗎。由此看來。陰陽的變幻也就沒有限量了。

物質的代名

天地在沒開闢的時候。是一種混元一氣。從摩盪而產生成爲天地的。故以清氣上浮者爲天。濁氣下凝者爲地。推測斯混元一氣的當中。必具有水火這兩種東西。有了水分被火體來蒸化。那就闢分爲天地。即所謂。天一生水。地二生火。天地間經過了水火的蒸化。於是發生了萬有的物質。亦所謂三生萬物者。即水一火二之合數也。到了伏義的時候。觀察天地上下的對象。就創畫奇偶二爻。便把牠稱叫陰陽。在這裏就將陰陽二字來代替混元一氣所化分的天地。當然在伏羲以前就有大地。天地未經過化分的時候。就先有了水火。這時的水火含在那混元一氣的當中。化分了陰陽的對象。就是太極。從太極的對象化分爲天地。就叫做太極生兩儀。即取兩儀做他的對象來表明陰陽。太極和陰陽的名詞從這裏看來。欲探出他的眞相可算說是一種出於理想的東西。那麼水火和天地的本體、牠就是塊自然的物質了。將陰陽來代名水火天地。他不是想把學理來說明這塊自然的大地嗎。現在的科學說。地質上面是含有固體物屬和八〇餘種元素凝結而成天體。是天地間空氣的充塞。高達數十里。聳至空氣盡處。成蔚藍的形色。天是稱爲太空。太空含底祇有氣占一〇〇之〇·九。淡氣占一〇〇之七八·一。養氣占一〇〇之二一。這三種元素化合而成做氣體的物質。火——就是天地中的日光。古時將火乘着熱氣。遂得陽字做牠的代名詞。故稱爲太陽。天文學說。太陽的體質屎火溶液。是個很大的火球。能發出強烈底光現。純成一種火體。並云日球是靜止的。地球是繞日而行。猶測量日球底面積。較地球約大一二〇〇〇倍。地質學說。地球未成立先。是沒有動—植—鑛類固體物質的存在。當。祇有八〇餘種元素氣體旋轉於空中。這氣體凝成和太陽體質相同溶液的一團火。再由火凝成固質而爲地殼。從地殼裏面火底溶液。就發生了變化。高的呼叫五陵山岳。低的就叫海洋江河。在這時期還沒有動植各種有機物。雖有的也不過是地面上些無機物。銅—鐵—石類。這就叫做銅鐵石時代。於斯固體中都具有種火體性。河江海洋的水。占陸地一〇之七。水本輕養二元素化合而成。經日光的蒸化。變幻爲水蒸氣。飛騰空中。那空中含的祇有水蒸氣爲最富。空中的水蒸氣雖沒隱。但地球上面的水質。決不會因這來減輕牠的分量。在這個時期空中的水蒸氣。即成爲液體的物質了。從這混元一氣的八〇餘種元形素。遂做了天地中底三態呢。雖經過萬世千秋沒際的變化。牠的物質亘古終不會滅的。於這日光的照耀。水分的滑淪。從此可見到水火化分天地的證明了。水火化分天地後。歷代也不知道幾千萬年。才發見麼微質的產生。來組織動植的各物。現在證明么微物質就是細胞。牠卽成立發揚萬有生物的基。得着日球火光的温和地面水液的潤。後來就繁殖在地球上了。伏羲以水火化分做天地。將陰陽代名來發明他的氣化。天地中的萬物。也遂得陰陽代名區別牠的形體。沒天地的時候。水火是種混沌的東西。既有了天地水火。就具爲氤氳的氣。水火的本體在混元一氣中。遂做了化分天地的母體。若說天地就是說水火呢。陰陽能夠代名天地。水火也就能夠代名陰陽了。水火能化分天地。那麼萬物是在天地中的水火產生。所以也就能將陰陽來代名萬物哩。人是萬物之靈。萬物能代名陰陽。人的身體內外。也就可把陰陽來代名了。古人將陰陽是代名水火天地一切萬有的物質。並借重陰陽來發揮自然界現象的學理呢

區別本草的氣味

伏羲作陰陽發明天地人物後社會中一事一物的眞理。莫不是藉陰陽二字來表明的。古時陰陽學較現在的科學還要盛些。歐西科學他不是包含些自然社會。我國陰陽學也是含有自然社會各類的事。他科學具有萬能。那麼我陰陽的學說。早就具有了萬能。就是陰陽的學理和現在的科學。講來都是同有系統的學說。而且科學的分析。亦離不了陰陽。故我國聖人的發明。皆是借陰陽的理論。神農的本草經。亦是以陰陽做代名詞。原始時代的人民沒有開化的時期。在自然生活中。長事茹毛飲血。因此在生活上發生影響。神農不忍見其在異類的情況下。促其生命。將百草中的成分。是否有毒。以詔告於民間。追憶其動機。亦無非爲謀民族的養生。在那時草味初開。人民穴居野處。也不知道樹藝五谷。於這就教民稼穡。樹藝五谷以療民饑。五谷中包含的氣味各有不同。那麼就將氣味分做陰陽。遂別氣爲陽。味爲陰。這陰陽區別的氣味。就是生理衛生學上說物質所含的營養素 Nutritionselement。如水 Water。蛋白質 Proteids。含水炭素 Carbolydrates。脂肪 Lat 及鹽類 Salt。這五種是人體的主要成分。在這成分裏面就包含有陰陽的意義。中說的是陰陽。西說的是成分。都是藉這來發明飲食物質具有養身的功用。但是亦有損害於人的。偶然誤食了。那就不能不生病。原始人發生疾病。治療多由於自然。那自然的成績積久就變成了醫學。到了神農將草裏含的氣味是否有毒。遂把牠辯明。或有—或沒—或輕—或重。分做上中下三品。沒有毒的做上品。（他含的氣味同五谷可養身的。）把中下二品區別牠毒的輕重。用做療病。內經說大毒治病。消其大半而止。周禮天官設醫師，聚毒藥供醫治。毒藥治病。從這看來不是在自然而達到醫學的經驗嗎。就將經驗藥物分配含有的氣味爲陰陽。別叫清陽出上竅。濁陰出下竅。清陽發腠理。濁陰走五臟。清陽實四肢。濁陰歸六腑。這分別陰陽的作用就是確明他治療的方法。神農別五谷以養身。區毒藥以治病。從這就可說倡明醫食同途了。

分配人體（歐西細胞的比較）

伏羲畫卦分爲奇偶兩爻。叫做兩儀。兩儀化分太極。陰陽故發源於太極。這陰陽二字對天地水火說。天是陽。地是陰。火是陽。水是陰。對父母說。父爲陽。父爲陽。男爲陽。女爲陰。對軀腔臟腑氣血而言。軀腔叫陽。腑臟叫陰。氣叫陽。血叫陰。人身體的物質都可用陰陽做代名詞。如同天地一樣底變幻。在初胎的時候。也是自無形而成爲有形。卽似無極生太極。於太極中而產生天地。人是一小天地。當受胎的開始。亦擬太極。天地由太極的化分。充塞於天地中惟有水火。人身由太極化分營養。也就要水火化生氣血來溫潤全體的內外。（生理學上的淋巴液和血液。）牠的發源是於飲食物質中。人是含了這些（銅—鉛—鋅—錳鈉—鉀—鈣—鐵—氧—錄—鎂—氯—氫—氮—氟—砷—硫—碘—硅—碳—燐。）複雜的元素而補充構成形體。他開首受胎。異象天地化分始於太極。似太極的就是受胎如露珠。露珠他含的父精母血。就似兩儀。這父精母血卽是化分人體的根基。於兩儀生四象。四象生八卦。由八卦中推測而爲形體。迄今歐西倡萬物一元之說。一元就是一本。一本就是原形質。原形質卽等於細胞。在十九世紀的時候。蘇克利頓發明植物體的基本是細胞。同時有蘇克爲氏發明動物體。也是細胞的構成。在這田地中。就知道萬有生物的證明。都均成爲細胞。人體的根基。亦遂開端於細胞。我國說人是萬物之靈。據太極的化分是一而二二而四以致化分沒際。也就同他說細胞分裂的相等。細胞的分裂亦是一而二二而四的分裂沒際。太極原來是代表有形物質的。因其中含的成分不同。就將不同的成分配別做陰陽。初胎既似露珠象太極。就從太極來化分父的精氣代名爲陽。母的經血代名爲陰。由陽精陰血化合了後。遂分陽精主升主外。陰血主降主內。故能化成外的軀腔，內的臟腑和那些經脈而成形體。精爲一種液體。是關於精虫流於液體中。所謂男子二八天癸至。女子二七天癸至。是指腎中津水的。（青春腺內的分泌）就是衝任運來血的化合。由肺吸入心。輸達下焦命門。卽叫做眞陽。腎中得着這眞氣的溫化。那麼下焦腎部的津水和血液化合成精。在男卽叫精氣。女叫經血。藏於丹田。（生殖器）精氣和經血。（精子卵子）西說精子生於睪丸。卵子生於卵巢。精子有精細胞。卵子有卵細胞。將精子卵子化合了後。再就從精卵細胞分裂而成主胚副胚。由主胚的作用組織神經。皮膚。筋。肌肉。副胚組織中分流動和有形兩種。流動副胚組織分血液。淋巴液。乳糜。液漿類。有形副胚組織分結締質。脂肪裏皮。色素腺。軟骨。硬骨各組織而成形體。據他這樣說。近世的胎生學不就是同於我國所說的太極嗎。就是胚囊於內入稱叫內腺葉。牠能發生內臟的腸管。呼吸。表皮。黏腺。胃腺。肝。胰。唾液腺類。（陰精主降主內）胚囊外出稱叫外胚葉。能發生皮脂腺。汗腺。肌肉。乳腺。毛。指甲。成分。感覺器和腦脊髓等。（陽精主升主外）在這內外兩胚葉的當中而成中胚葉。亦能發生結締質。骨。軟骨。韌帶的一切呢。從這裏看來。也沒有中西學說的分別了。說細胞似太極的化分。指細胞也是一而二。二而四化分的沒際。說胚囊似太極的化分。是指精神卵細胞化合了後。分做內外兩胚葉。發育全體內外的組織。中說的是太極。西說的是細胞。牠倆雖名字各別。但實質上不是同類代名構成人體的有形物質嗎。

胎學概說

我國經書上說。是父的精氣和母的經血化合而成形體的初胎。所以將精氣經血代名陰陽。來說明人體生化的原理。西說。是精卵化合了後。遂就分裂成細胞羣體。漸漸變幻似蛆而成熟胎。大約健全胎兒。每經十月才達分娩。在這時受精的卵。完全卵稱就成了胎兒的卵膜。胎盤。臍帶。羊水四類。將渠的作用概別說明。

A.卵膜—卵膜區分三種。

1.脫落膜—是附着在子宮壁。

2.羊膜—是在裏面的內層羊水沒有充盈的時候。尙和胎兒接近。

3.脈絡膜—是在脫落膜和羊膜的當中。

B.胎盤—胎盤是卵膜中的脫落膜和脈落膜。就稱叫胎盤。到姙娠了四個月而就完成。牠附着血管和器管、是在母體同胎兒的中間。交換胎兒和母體血液的成分。同時能營胎兒地呼吸消化分泌器管底作用。（包衣）

C.臍帶—臍帶是從胎兒臍輪出來的。附於胎盤胎兒的當中。係保持母體胎兒中連絡的純條。具有脈管二條。叫做臍靜脈臍動脈兩種。臍靜脈是輸母體中的新鮮血液。由臍靜脈從臍帶外達於胎盤。逐漸漸分岐毛細管。同母體的血管吻合於子宮壁。他這時就營瓦斯的交換。將黑赤色的臍靜脈血變爲新鮮的臍靜脈血。胎兒血液的循環就輸在大人心臟的左右兩乳房相交通。所以大人痞心。又從肺動脈至肺分岐不入大動脈。胎兒是藉胎盤以取母體的營養分和酸素。來供營而資酸化故不須自己的呼吸。這營養分和酸素。牠就自由的化生血液於心臟上循環胎兒的血液循血管而循環。衝開肺衣自行呼吸就破胎出世呢。

D.羊水（胎水）羊水充盈於羊膜裏面。牠的功用能防預胎兒受外部的壓方同時亦能減輕胎兒運動的力量。防影響其母體避免胎兒和卵膜的逾着。是稱胦潤的液體。尤可佐助分娩的容易。

胎兒發育的說明

一二週胎兒—是種混沌的斑紋成爲隆起。同卵黃囊相貫。胎萌芽長一糎。在發見頭脊隆起似蛆圓頭尖尾的。

一月胎兒—頭部和頸部。頗爲顯明。軀幹四股稍現形式。

二月胎兒—胎首的長約四糎。體曲稍伸耳目口鼻均爲成形。四肢的關節亦稍判斷。肝臟也就露大了。

三月胎兒—胎的長約七—九糎。各部的軟骨稍結化骨點。手指足趾見爪甲床。外面的發育可辦分男女身體形狀均已構成。

四月胎兒—胎的長約一六糎已明了他的面孔。爪甲皮膚。毳毛也生了。能做輕微運動。胎盤完成。胎兒可受母輸來的血液能供他的營養。

五月胎兒—胎的長約二五糎。頭將生髮。腸內現出綠色。開始胆汁分泌能夠自行運動了。

六月胎兒—胎的長約三五糎。開始皮蓄脂肪。尙微薄而不充皮膚現皺襞的形態。

七月胎兒—胎的長仍約三五糎皮的脂肪尙不很富。皮膚菲薄。其形赤色。也有胎兒在這辰光分娩的。多有不能養育。是叫不熟胎兒。

八月胎兒—胎的長約四〇糎。身體各器管都以完成。體質稍爲豐富。皮膚仍是赤色。有這時分娩的稱叫早熟胎兒。

九月胎兒—胎的長約四五糎。皮毛脂肪都積增加。毳毛消除。皮膚形　淡赤色。

十月胎兒—胎的長約五〇糎。各部均已發達完全。故叫他爲成熟胎兒。

胎兒在沒有分娩的時期。全奈母體的血液和營養分做他的生活。這卽叫先天性。就是合符那先天的八卦以乾坤做止　。豬斯遂將乾坤來代名父母。胎兒在子宮中。到十個月成熟了。破羊膜將羊水奔泛。隨羊水產出。就叫分娩。胎兒分娩了後。得着自由的吸酸呼炭。能以食物而營獨立生活。這就叫後天性。胎兒經巳產出。那麼即賴水火的生活了。不是合符後天的八卦將坎離做正位嗎。藉坎離來代名水火。從這裏也就能找到陰陽代名的根源哩。

告終的幾句

我國那些十年寒窗的前輩先生們。往往以富貴爲前提。得了富貴以後。再也不會想接踪從學說上去研究來發明。故我國科學落後到了這步田地。唉。中國什麽學說都是發明歐西以前呢。歐西的科學莫不是繼之於後嗎。藉我中原的學說。將他的思想和力量來俗量地揮發理論而成爲科學的結晶。現在這般洋化中國形的先生們。他也不去探討歐西學說的眞理與來源。也不去翻閱那塵埃滿積的故簿。就盲目瞎說祖國的科學是玄學。非科學呢。唉。可痛哉。可恨哉。就如那理化上說的原子。是種有形而成爲沒形的東西。而區別其原子含有他性原質的成分。別陽性是質子。陰性是電子。這就是無極生太極的原理啊。歐西且重我陰陽而區別他的科學。我國的學說。什麽又不是科學呢。於上面說的陰陽理學。同歐西科學的比較。我可能夠肯定的斷定中國的學說。是有系統的。而成爲他歐醫科學之祖。有什麽矛盾底地方不能齊驅哩。深望我醫學的同志們。趕快拚命奮勇起來振興祖國的固有文化。闡揚扶持這行將毀滅的國粹。積極供我們的醫學立於世界水平上。不但說這般目無祖國學說的先生們所欽羨。尤說萬國的科學家來崇拜哪。前驅。前驅。拚命的擠入前進。進到那恢復中國文化過去的光榮和凱旋啊。在這瞻盼深切的當中。我也從斯就擱筆了。

兒病概述（關於驚風痧痘）

王東山

小兒一切之病。莫不與大人同治。惟藥味用量較輕耳。小兒受病。非外感六淫。卽內傷飲食。痧痘驚風。吐瀉寒熱。疳積而已。治療之宜。莫不以表裏寒熱陰陽虛實分治之。蓋外感者。必有表證。如頭痛發熱拘急無汗。或因風搐搦之類是也。內傷者。必有裏症。如吐瀉腹痛脹滿鼈疳食積之類是也。熱者必有熱症如煩躁熱渴祕結之類是也。寒者必有寒症。如吐瀉無熱而煩惡心喜熱之類是也。此外尤須明陰陽辨虛實。背爲陽。腹爲陰。表爲陽。裏爲陰。臟爲陰。腑爲陽等等。虛實者。有聲音之虛實。有形色之虛實。如體質剛柔之別。聲音壯弱之分。色彩紅白之異。觀其形色。審察病情。若果有實邪。果有火症。急當治標。治標之宜。及病則已。切不可妄爲攻擊。過用消耗之品。徐靈胎有曰。『小兒體屬純陽。臟腑未充』蓋小兒柔嫩之體。氣血未充。臟腑尤弱。設受藥石傷殘。其害非淺。可不愼哉。凡小兒有病。在醫者審愼細察。爲父母者靜心看護。小兒疾痛不能言表者。爲父母者詳細代言。使醫者得以眞知確見。否則易虛易實。或父母姑息之深。飽煖失宜。果物恣食。或畏苦棄藥。或求速雜投。其禍不堪設想矣。以上爲陋見所及。人之常情。若醫者未雨而綢繆。詳述利害。使病家有深切之認識。不難事半功倍。兩全其美。至於用藥。隨疾施之。對症下藥。不宜拘泥一端。及病則已。貴乎醫者臨症應變耳。玆將小兒痧痘驚風各症分述之。

驚風——（1）急驚（爲實症）（2）慢驚（爲虛症）

急驚——小兒或感風寒。或積飲食。皆能生痰。痰積則化火。或受暑熱。亦能生火。失於清解。則痰隨火升。痰火上壅。閉其肺竅。凝及諸竅。卽痰壅壯熱。神昏不醒。竄視反張。搐搦顫動。牙關緊閉。口中氣熱頰赤唇紅。肢冷便祕。此因痰火鬱結。肝風內動而然。急宜利火降痰。醒後當清熱養血。血虛則肝風內動。風動則肝火愈熾。此是肝風內動。非外風也。肝主筋。肝失所養則筋脈乾熱。故外作抽搐拘攣而現青色。火熾則肺金愈虧。熱邪愈盛。若屢服祛風化痰瀉火辛散之劑。便當認作脾虛血損。急補脾土。庶不至變慢脾症耳。

病理——肝升太過。肺失肅降。木旺無制。金氣不伸。

證狀——初則身體微熱而惡寒。繼則壯熱無汗面紅目赤。痰鳴氣促。牙關緊閉。四肢抽掣。頭痛如劈。起臥不安角弓反張。手足厥冷搐搦。頭目反竄。或手足攣急。口噤牙閉。或嘔吐泄瀉。或大便堅結。小溲不利。

治法—清火降痰爲主。

治急驚初起壯熱痰壅神昏搐搦顫動

柴胡　黃芩　連翹　陳皮　鈎藤　木通　蟬衣

治急驚初愈清熱養血者

生地　丹參　靑蒿　白芍　桔梗　丹皮　竹葉

治急驚發熱無汗嘔利或溲少或口噤或喘急

葛根　麻黃　桂枝　白芍　生薑　甘艸

慢驚—慢驚一症。多因脾腎虛寒。孤陽外越。元氣無根。陰寒至極。風之所由動也。小兒慢驚。因乍吐乍瀉或吐瀉交作。稍久則脾土虛弱。肝木乘之。其症氣微神倦。昏睡露睛。痰鳴氣促。鼻煽。乍發乍靜時涼時熱，面部淡白。瀉漸靑色。手足微搐無力。神氣懨懨不振。乃脾虛生風。無陽也。初起當用溫補加藿香煨薑。甚見靑色。卽加木香或肉桂。若手足漸冷。唇舌痿白。此將脫之候。速用附子以囘陽。方可挽救。然亦有熱深厥亦深。手足搐搦。則羚角之屬。亦可權用。要在醫者之應變。庶不致有偏廢之弊。

病理—脾土虛弱。肝木乘之。

證狀—乍吐乍瀉。或吐瀉交作。昏睡露睛。鳴痰氣促鼻煽四肢抽掣。或乍寒乍熱。面色淡白。瀉漸青色。額汗肢冷。手足微搐。神倦無力。口噤咬牙角弓反張。

治法—和脾鎭驚醒脾救逆爲先。

治慢驚初起吐瀉不止痰壅不食

醒脾散—白朮　人參　陳皮　茯苓　炙草　泡附子　天南星　倉米　木香　半夏　全蠍

加味六君子湯—治昏睡露睛痰鳴氣促便溏

黨參　白朮　半夏　乾薑　陳皮　茯苓　炙草

附子理中湯—治手足漸冷唇舌痿白者

附子　泡薑　黨參　白朮　炙草　紅棗

附桂地黃湯—治口燥舌焦陰症似陽者

熟地　白芍　附子　肉桂　澤瀉　黨參

痧痘——痧子

痧子一症。爲幼稚兒童所難免。幾有各必一發之勢。甚於春季。是以人體與天時相應之關係。成人不多見。夏秋不常有。卽是明證。斯症若經適當之治療。謹愼之看護。均可奏效。雖有變幻莫測之嚴重性。而非無治法之奇症。因其傳染。故宜隔離。但此僅免延蔓於未病之兒童而已。非治療已病之方法也。至於旣患此症。則望其能暢透滿佈。而尤以頭面胸背四肢宜於多見。

其前驅症爲身熱咳嗽。眼如含淚。纔即透齊。漸退而愈。治療之宜。以辛涼發散。然後清熱解毒。經過半月之時日。即可完全康復矣。

病理—邪毒宣洩。由營達衛。始脾終肺。脾主一身肌肉。肺主一身皮毛。故知其由肌肉外達皮毛。始於脾終於肺也。

證狀—初起寒熱。咳嗽時作。涕淚俱有。不時噴嚏。此痧症之候。約三五日氣急胸悶。眼淚汪汪。腮紅隨即見細點矣。潮三日。顆粒遍身全透。每日三五潮。每潮一次。則痧點增多。七日發齊。八九日後漸次退隱。則周身表皮更換。如粉屑之狀。至泛嘔或泄瀉或吐利。爲甚者之證象也。

治法—初起熱輕者。疏表清解法。如銀翹散。熱甚者。宜清熱透痧法。如越婢湯。麻杏石甘湯。痧子發不出氣喘。宜清肺澈表法。如清熱透肌湯。已出而神昏者。涼營清氣法。如清熱滋肺湯。

治痧症初起身熱——透邪煎

柴胡　荊芥　升麻　白芍　防風　生甘草

治痧症煩躁大渴譫語者——白虎湯加竹葉

知母　石羔　竹叶　黃連　連翹　銀花　粳米

治疹色帶紫或出大甚者——涼血補陰湯

生地　白芍　連翹　紅花　牛蒡　黃芩　當歸

痧後勞—餘毒入肝而傳心。治宜養血清營。

痧後疳—餘毒未盡。陷入脾胃。宜速清胃。外治散毒。

痧後痢—餘毒流入腸胃。治以調氣養營爲主。

痧後咳—肺受餘毒頓咳。宜清肺除熱。

加減法—初起以辛涼發透。液燥加生地茅根。挾濕加茯苓苡仁。熱甚加羚角。嘔吐者加白蔻仁。

痘症

痘症由胎毒內藏。或因時氣外觸。其毒乃發。始終賴乎血氣。若血氣充暢。則易出易收。否則變症不一。治痘尤須先顧血氣。蓋氣主形以起脹。血主色以灌漿。凡爲白。爲陷。爲灰色。爲不起發。爲頂有孔。爲出水。爲痛爲癢。爲浮腫。爲痘殼。爲不靨不落。爲肌表不固。爲膚竅不通等症。皆氣之病也。至於爲紫黑爲乾枯爲無血。爲無膿。爲黑陷黑靨。爲腫痛牙疳。爲疔癰癃疹。爲津液不達。爲痘後餘毒。皆血之病也。夫氣與血相隨。氣至而血不隨。雖起發而灌必無用。血至而氣不至。雖潤澤而毒終不達。表熱者。肌膚大熱。根窠紅紫。頂赤發斑。頭面紅腫。紫黑焦枯，癰腫疔毒。痛甚。皆火在肌表之症。治宜散血解毒。裏熱者。煩躁狂言。口乾作牛飲。咽腫喉痛。內熱自汗。小便赤澀。大便祕結。衄血溺血。皆火在臟腑之症。治宜清熱解毒。表寒者。不起發。不紅活。根窠淡白。身涼癢瘙。倒陷乾枯。皆肌表無陽之症。治宜扶陽溫表。裏寒者。爲吐瀉。爲嘔噁。爲腹脹腹痛。爲吞酸不欲食。爲戰寒喜煖而咬牙。爲小便清長而大便溏。皆臟腑無陽之症。治宜溫中補陽。當腫不腫者。其元不足。當消不消者。其毒有餘。治痘宜先顧脾胃。能飲食不泄瀉者吉。祇須培補氣血。略顧發散。即可痊愈。如熱盛血虛者。不可用蒼朮半夏之燥悍。慎用升麻之提氣上冲。痘之出看心窩有紅色。耳尻有紅筋。眼中含淚。身熱指熱。惟中指獨寒。與傷寒中指獨熱相反。痘症要謹避風寒。忌葷腥生冷。以及生葉葱蒜鷄鴨等物。

病理—宣洩邪毒。由內達外。始於腎。終於肺也。

證狀—初起身熱微惡寒。或咳如傷寒狀。雖裹衣被。喜露頭面。嘔吐足冷。耳尻紅絲隱現。脈浮數。或洪大而弦。舌紅眼含淚。胸窩先見紅點。繼則面顴之間。耳尻與中指獨冷。其餘兼症以上略述。從略。

治法—初起一二日解表。三四五日清涼解毒。六七八九日溫補。氣血十十一十二日。宜清利使痘易靨。

治痘初起發熱者——柴歸飲

柴胡 當歸 白芍 荊芥 防風 甘草

治疹痘血氣不充——六物煎

黨參 白芍 當歸 熟地 川芎 炙草

治痘血虛血熱地紅熱泡色燥不起便結溺赤

生地 白芍 當歸 骨皮 黃芩 紫草 花粉

治痘散毒清火——連翹升麻湯

連翹 升麻 葛根 白芍 桔梗 薄荷 竹叶 甘草

治調氣補血內托痘毒——托裏十補散

人參 黃耆 當歸 川芎 川朴 防風 桔梗 白芷 炙草 肉桂

治痘瘡漿清脚淡倒靨——加味保元湯

炙耆 黨參 白芍 扁豆 炙草 當歸 木香 肉桂

治痘瘡黑陷氣血虛弱不起——紫草飲

黃耆 紫草 炙草 加糯米

中風

王名藩

引言

中風雖大症，而每見富者得醫而多危，貧苦者弗藥有時反能自愈，此余對醫藥之於斯症懷疑之始點也。數年前，先父患斯症，痛未遇高明，終遭不治。病起本非十分重篤，神識始終清明，初尚能外出步行里許，惟言語蹇澀，面赤煩躁，身雖冷而欲裸背臥涼蓆，醫即據此身冷而認爲脫症，進姜附高麗參辛燥等藥，凡三二劑，而躁煩益劇，手握，口眼喎斜，右半身且不遂矣！嗚呼！先嚴素體尚健，惟嗜酒，喜勞夜，其爲積火上充可知。且仲師有言：『病人身大熱，反欲得衣者，熱在皮膚，寒在骨髓也。身大寒，反不欲近衣者，寒在皮膚，熱在骨髓也。』詞義雖淺俗，假當時余得此，則不啻一字一珠也。噫！先父墓木拱矣。夫復何言！！惟痛爲人子而不知醫，致抱終天之恨！遂於鉅痛之餘，決意轉攻醫學，雖未敢冀望生死人而肉白骨，要亦希能以之自衛進或少補于世而已。迨讀古籍各書，其對于中風之議論療法，初惟覺其模糊難悟，既則閱讀稍多，而所得恆覺稍雜。其論病原也，或曰外風，或曰內風，或則主火，或則主氣，或則主痰；餘如中經，中絡，中腑，中臟，中血脈，風懿，風痱，風痺，偏枯，虛中，暑中，食中，濕中，寒中，惡中等等，名目之多，指不勝屈！學說紛紜，各具至理。每輒爲之棄書而嘆曰：『中國醫籍立說之混亂如斯，無怪乎俗醫殺人而不自覺，更何問乎中風大症耶？』顧亦未嘗因此而灰心，深望一旦豁然貫通，得練沙成金之果。近世西洋醫學，言此病爲血充腦經，腦血管破裂之病，似與我國舊說相異，然細心尋繹而互證之，則實一而二，二而一也。特古人無神經學之發明，故以「風」名之，廣東譚次仲氏所謂「古之風病即今之腦病」是也。今者，余卒業期屆矣，爰將研究所得，輟成斯篇，謬誤處尚希海內高明進而教之，則幸甚焉。

總論

徐靈胎曰『今之患中風偏痹等病者，百無一愈，十死其九，非症俱不治，皆醫者誤之也。』王清任曰：『古人著書雖有四百餘家，於半身不遂立論者，僅止數人，數人中並無一人說明病之本源，病不知源，立方安得不錯！余少時遇此症，始遵靈樞素問仲景之論，治之無功，繼遵河間東垣丹溪之論，投藥罔效，輾轉躊躇，幾至束手……』又曰：『古人立方之本，效與不效，原有兩途，其方効者，必是親治其症，屢驗之方，其不效者，多半病由議論，方從揣度。』可見古人對于此症，亦毫無切實之療法，多半人云亦云，紙上談兵，聊備著書一格而已，此實不能爲古人掩飾，亦不敢爲古人強作附會者。蓋古之論中風，皆以外因爲本意，以「風」爲百病之長，善行而數變，受之者輕則爲『感冒，』重則爲『傷，』最重則爲『中。』經云：『風之傷人也，或爲寒熱，或爲熱中，或爲寒中，或爲厲風，或爲偏枯。』又曰：『風中五藏六府之俞，亦爲藏府之風，各入其門戶，所中則爲偏風。』又曰：『飲酒中風則爲漏風，入房汗出中風則爲內風，新沐中風則爲首風。』靈樞經曰：『虛邪偏客於身半，其入深者，內居榮衛，榮衛衰則眞氣去，邪氣獨留，發爲偏枯。』至金匱則曰：『夫風之爲病，當半身不遂，或但臂不遂者，此爲痹，脈微而數，中風使然。』又曰：『寸口脈浮而緊，緊則爲寒，浮則爲虛，寒虛相搏，邪在皮膚，浮者血虛，絡脈空虛，賊邪不寫，或左或右，邪氣反緩，正氣即急，正氣引邪，喎僻不遂；邪在絡，肌膚不仁；邪在經，即重不勝；邪入於府，即不識人；邪入於藏，舌即難言，口吐涎。』此三書之立論，皆是外風，而千金外台，以至後人之無數辛溫發表劑，如續命蓁艽之類，遂被奉爲治中風之專方，陳修園三字經所謂「顧其名，思其義，若捨風，非其治」是也。迄河間出，始知非由外風，謂中風癱瘓，非由肝木之風實甚而卒中，亦非外中於風，良由平日飲食起居，動靜失宜，心火暴甚，腎水虛衰，不能制之，則陰虛陽實，而熱氣怫鬱，心神昏冒，筋骨不用，而卒倒無知也。其論專主於『火。』東垣則謂中風者卒然昏憒，人事不省，痰涎壅盛，語言蹇澀，六脈沉伏，此非外來風邪，乃本氣自病也。凡人年逾四旬，氣衰之際，或憂、喜、忿怒、傷其氣者，多有此症，壯歲之時無有也，若肥盛者，亦間有之，形盛氣衰故也。其論專主於『氣。』丹溪主『痰，』則謂東南之人，多是濕土生痰，痰生熱，熱生風。此三人所主，各具至理。然治法仍不符症，要皆未脫古人專治風寒習套。獨景岳氏，著非風論，意謂風邪自外入者，必由淺而深，由漸而甚，自有表證，既有表證，方可治以疎散；而今之所謂中風者，則不然，其證多見卒倒，卒倒多由昏憒。本皆內傷積損頹敗而然，原非外感風寒所致，而古今相傳，咸以「中風」名之，其誤甚矣。其議論之精確敢言，識見之高卓超羣，實再勝人一籌。而一洗古人辛溫疎散之習套，尤深可佩！惜乎此老生平用藥偏於膩補，試思於風火痰上湧之時，而投以滋補濁膩之品，何異助桀為虐!?雖其本虛，其奈標急何?清王清任氏卽本景岳東垣內傷氣虛之說，立補陽還五湯，雖亦不能適應于初起，然以之為病情安定後之調補劑，則甚有效，此當於治療段中詳論之。

景岳氏引論厥逆之經文以釋本病，深有見地。玆摘錄其與現代學說可通者三條於左：

脈解篇曰：『內奪而厥，則為瘖俳，此腎虛也。少陰不至者，厥也。』景岳氏釋曰：『本篇之言厥者，以其內奪，謂奪其內之精氣也。瘖，聲不能出也。俳，肢體偏廢也。今人見此，必皆謂之中風，而不知由於內奪，由於腎虛，蓋聲出於肺，而本乎腎，形強在血，而本乎精，精氣之本，皆主於腎，故少陰不至則為厥。……』

調經論云：『岐伯曰：「氣之所幷為血虛，血之所幷為氣虛。」帝曰：「人之所有者，血與氣耳，今夫子乃言血幷為虛，氣幷為虛，是無實乎?」岐伯曰：「有者為實，無者為虛，今血與氣相失，故為虛焉；血與氣幷則為實焉。血之與氣，幷走於上，則為大厥；厥則暴死，氣復反則生，不反則死。」』景岳氏釋曰：『氣幷為血虛，血幷為氣虛，此陰陽之偏敗也。今其氣血幷走於上，則陰虛於下，而神氣無根，是卽陰陽相離之候，故厥脫而暴死；復反者輕，不反者甚。此正時人所謂卒倒暴仆之中風。亦卽痰火上壅之中風。……』

生氣通天論曰：『陽氣者，大怒則形氣絕，而血菀於上，使人薄厥。』景岳氏釋曰：『薄厥者，急迫相薄之謂，因於大怒，卽氣厥血厥之屬。』

考之西學，則中風一症，可包括腦出血與腦充血二病，蓋腦部出血多於由充血，病由酒精及鉛中毒，或梅毒，痛風，心臟肥大，腎臟萎縮，及不適當之生活法等等，影響於腦動脉，動脉病變。則血壓亢進而致破裂。其動機由於（一）血管壁脆弱，（二）突然心力亢進，（三）血管周圍之腦實失其抵抗力，簡言之，卽血液上充腦經，致腦血管破裂是矣。彼西學得之實地解剖，其病理自可憑信。

近人張伯龍氏，據素問「氣血幷走於上則為大厥」一條，以互證西說血冲經腦之原理，正正吻合，始嘆古人書之不易讀，而深貴古書之理論精當驚人！彼西醫學說乃得之實地剖驗而發明，其可誇耀於世固無論，而我國醫籍，更能明言於二千餘年之前，寧非怪事!?今既得景岳氏釋非風於前，伯龍氏證西說於後，再徵以實驗，則中風病之眞原，從此可水落而石出矣。

伯龍氏之言曰：『中風一症，腎水虛而內風動者多，若眞爲外來之風所中者，則甚少。此當分內風外風二症：其外來之中風，「中」字當讀去聲，如矢石之中人；然外邪傷人，必由漸而入，自淺及深，雖有次第傳變，必有惡風惡寒見證；縱在極虛之體，萬無毫不自覺而猝爲邪風所侵，卽已深入五藏昏迷不醒之理，當有凜寒身熱，或手足麻木，及疼痛等證。其內動之中風，則「中」字當讀平聲，是爲肝風自中而發，由於水虧木動，火熾風生，而氣血上奔，痰涎猝壅，此卽素問氣血幷走於上之大厥，亦卽西醫所謂血冲腦經；若激擾後腦則昏不知人，激擾前腦，則肢體不動，激擾一邊，則口眼喎斜，或爲半身不遂左右癱瘓等症。』又曰：『此病而以古方中風之溫升燥烈疏散之藥治之，未有不輕病致重，重病致死者。蓋腎水本虛，根源已竭，而下虛上實，再以風藥燥藥煽狂飈之勢，爍垂絕之陰，譬猶大木已搖，而飄風連至，安有不速其蹶者!所以除鎭攝肝腎之外，更無別法。』張氏之辨此證，可謂明白曉暢，而以潛鎭攝納爲治此症要法，尤爲不易之論。自謂嘗愈多人，海上醫家亦有宗其法而得愈本病者，理直則氣壯，言順則事成，亦必然之理也。

繆仲淳曰：『眞中風多見於西北方，以土地高寒，風氣剛烈，若正氣素虛，每易卒中，此眞中外來之風邪也，類中多見江南，以土地卑濕，人質柔脆，多熱多痰，陰虛成內熱，津液煎熬而成痰，偶或觸動，每致僵仆，此血虛所生之風也。』繆氏此說，頗具卓見。惟以江南多類中則可，以西北多眞中則恐未必。讀者宜注重「多見」二字，庶不致爲地氣所泥。然則，當何以辨其爲眞爲類歟曰：可引劉宗厚玉機微義云：『余嘗居涼州，其地高阜，四時多風少雨，大氣常寒，每見中風或暴死者有之，蓋拆風燥烈之甚也。時洪武乙亥秋八月，大風起自西北，時甘州城外路死者數人，余亦始悟經謂西北之拆風傷人至病暴死之旨，丹溪之言，有所本也。』此卽眞正之中風，亦必如此而始可稱爲眞中，始可用續命等溫散風寒之藥爲治。惟事實上已告我儕，此種眞中，絕少見到，恐將成爲醫史上之陳跡，考古家之珍藏矣。

雖然，凡病之來，每夾外感，此病之發，豈無偶夾外感者乎?是則此外感之「風」只可以誘因目之，若卽謂本病之原，則捨本而求末矣!蓋病根已種，則凡笑、怒、飽食皆足以誘而發之。若卽謂此笑、怒、飽食乃本病之原，吾知神經稍正常者，決曰「

不可！」

中風病名之討論

古諺云：『名不正則言不順，言不順則事不成。』古人對於此症之誤解，可謂半由於「中風」二字之作祟。蓋以此症既名之爲「中風，」則捨其「風，」豈其治耶（？）是故雖有抱懷疑者，然總未敢捨去治風之藥。且仲景傷寒論亦有桂枝湯症之「中風，」則曰：「太陽病，發熱汗出，惡風脈緩，名爲中風。」而於金匱「中風」門又曰：「夫風之爲病，當半身不遂。」於此，余當借淸任氏之言曰：『今請問何等風，何等中法，便令人發熱汗出惡風脈緩何等風，何等中法，則令人半身不遂？』今者，病原既明，則本病之名，當早正之，使無復混惑誤人。景岳氏直稱之曰「非風，」有所本也。伯龍氏謂外來之中風，「中」字當讀去聲，內動之中風，「中」字當讀平聲；其言雖具至理，然事實上仍免不了糾纏混惑之嫌。近人張山雷氏，則謂病既由內風所動，不若爽直名之曰「內風。」又有人主張曰：素問既謂氣血幷走於上，則爲大厥，則「大厥」是其名矣，何他求爲？又有主張直以西醫「腦充血」「腦溢血」之名爲名者。鄙意則謂不如以舊河間等所稱之「類中」名之爲妥，類者，類似也，言其證狀有類於中風也。亦取其能普遍化云爾。

病原

近世學說，以「高血壓」「老年，」及「動脈管之疾病」三者，爲腦出血之重要主因，蓋動脈乃係一種堅靭而富有彈力性之管，如橡皮然，其伸縮力甚爲強大，健康之脈管，有時雖遇高度血壓，能伸縮自如，不起變化。惟有疾病之脈管，則受傷之處，必起硬化作用，或變爲脆弱，此時苟遇過強之血壓，則此變化之處，不能如他處之自由伸縮，以容忍壓力，而致破裂是以舉凡嗜煙酒，好賭博，或惡鬱勞心，或肥甘太過，或縱慾過度，或染梅毒，以及外傷疾患……等等，直接間接足以損害血管，造成動脈管之變化者，皆可視爲本病之原因。

一。年齡　本病多發生於老年之人，最普通之年齡爲四十至六十之間，蓋年老之人，血管因生理之關係，起局部之硬化，而失其彈力性。少年之人，間或偶有患此者，惟其破裂之處，必有粟粒狀之血管瘤。

二。性別　男人較多於女人，蓋男人在外作事，多用心腦，其得此病之可能性較多，而煙酒花柳等疾病，亦以男人患之爲多也。

三。遺傳　遺傳在昔時嘗視爲腦出血之一重要原因，然自今日視之，則只有影響下代之血管，使其有較早退化之可能性，而合於破裂之條件也。

四。外傷　腦部受外力之傷害，血管直接受震動而致破裂者，亦爲原因之一。

五。中毒及疾病　煙酒鉛等之中毒，皆足使動脈起變化。而糖尿、痛風、動脈硬化、梅毒脈管瘤等，亦可視爲本病之原因。

六。近因　速度血壓升高爲腦出血之近因，如過度用力欬嗽，用力大便，過度用腦，劇怒、洪笑、飽食、狂飲、性交、嘔吐、驚懼、溫浴、冷水浴等等，皆足使血壓卽時升高。

生理解剖

生理居病理之反對位，病理卽生理之反常，欲明本病之病理，當先說明腦部之生理。吾人運動感覺以及精神作用，皆賴體內之神經。人身除表皮毛髮與指甲等小部分外，無論何處，皆佈有神經；此種神經，彼此連繫，成爲神經系統，以調和各器官之一致動作。此系統卽爲人身中最複雜而最高尚之系統。其中樞系于腦髓，腦髓在顱骨腔中，質甚柔軟，外有淋巴液及三腦膜爲之保護：外層爲硬腦膜，中層爲蜘蛛膜，內層爲軟腦膜。硬腦膜爲堅靭纖維層，外面粗糙，接觸頭骨，內面平滑，貼蜘蛛膜之外面。職在保持腦髓形狀。蜘蛛膜係甚薄而透明之漿液膜所成，與蜘蛛之網相若，故名。作用在使腦有移動少許之餘地。軟腦膜有多數之毛細血管，輸送血液深入腦溝，以營養腦髓。腦髓可分爲大腦小腦與延腦三部份：大腦由灰白質與白質所成，灰白質圍繞白質；前者曰皮質，後者曰髓質。皮質有無數神經細胞，形成神經中樞。在大腦面上有蠶虫狀之凸凹皺紋，凸者謂腦迴轉，凹者謂腦溝。人之智愚，可視此處迴轉之多寡，與腦溝之深淺而定。智識超羣者，其腦迴轉必多，腦溝必深，反是則爲癡愚庸碌之輩。大腦之神經中樞，從機能上又可分爲運動中樞，感覺中樞，與綜合中樞三部份：運動中樞在前中迴轉，額部迴轉，與側中小葉內。感覺中樞較爲複雜，由味覺，嗅覺，視覺聽覺，觸覺諸中樞所成。綜合中樞爲精神作用之寄宿處，凡知識力，記憶力，思考力，以及意志，感情，情慾，諸精神作用，皆發之此中樞。至小腦之機能，只能幫助大腦之運動，其職務爲調節身體各部之運動，而保持其平衡而已。延髓則於吾人生命上所關最切，蓋吾人之呼吸中樞，以及心藏之調節，血管之伸縮等，皆受宰於延髓之中樞。故延髓一受毀傷，則立刻可以送命。此腦經內部生理之大略其中各部份「工作分配」之情形也。

中樞神經系統，吾人可譬之爲電話總局，神經如電話線，能傳達刺戟於總局。由總局發電沿另一電線而去，再由他線迴返，以全巡迴。此卽神經工作之大略。神經由腦經分出者爲十二對，名腦神經。由脊髓神經分出者，爲三十一對，名脊髓神經。腦神經復可分爲下列三部份：

(一)知覺神經三對：嗅神經主香臭之知覺。視神經主光線之知覺。聽神經主音響之知覺。

(二)運動神經共六對：動眼神經，滑車神經，外旋神經，同爲主附屬於眼球之肌肉運動。顏面神經主顏面肌肉之運動。副神經主頸部背部肌肉之運動。舌下神經主舌之肌肉運動。

(三)混合神經凡三對：三叉神經主皮膚眼球下頜之肌肉，及舌齒之知覺。舌咽神經主味覺，及舌中外耳之知覺，與咽之運動。迷走神經主喉，肺藏，心藏，食管，肝臟之知覺運動。

脊髓神經起於脊髓而出椎間孔，共三十一對。內有五對叢合爲一，名腕神經叢，分布神經於上肢。復有四對成腰神經叢，分布神經於下肢。餘則分布於頸部、及軀幹之諸器官。

上述各點，腦部之生理已可見其槪要。其爲人身最重要之器官，固無待言。此亦西學所由重視爲奧妙高尙之府也。然亦必賴心房之血液以濡養之，方能司其職，否則亦死物耳。腦中血管之分佈，最重要者爲左右頸總動脈。此總動脈各分二動脈，一爲頸外動脈。一爲頸內動頸。頸外動脈分佈於頭面頸等之外面。頸內動脈分佈於顱內及眶腔。頸外動脈復分枝爲八：向前者卽甲狀腺上動脈，舌動脈，與頜外動脈。向後者卽枕動脈，耳後動脈。向上者，卽咽升動脈，其終枝卽顳淺動脈及頜內動脈。頸內動脈除頸段不分枝，餘三段共分十一枝。動脈：藏於顳岩部之頸內動脈管內上行之「岩段」，分有頸鼓枝與翼枝。藏於海竇內介於硬腦膜二層之間上行之「海綿段」分有海綿枝，垂體枝，半月節枝，腦膜前動脈，眼動脈等五枝。已出硬腦膜，位於前牀突內側，前行於視神經與動眼神經之「大腦段」，分有大腦前動脈，大腦中動脈，後交通枝，脈絡膜前動脈等四枝。由此再各分出無數分枝，各營養其所經區域而分布之。此種血管運血自心房，蜿蜒以入腦，故不衝激腦體。若以全身之血計之，腦經約可得七分之一。

病理解剖

腦底神經節包括紋狀體，視丘內囊等，與半卵圓中央，腦皮質，橋腦等處，皆爲腦出血最通常之處。而大腦基底動脈及大腦皮質動脈，如大腦前動脈，大腦中動脈，及大腦後動脈等，爲最常破裂之動脈。由大腦中動脈所分支之動脈，更常破裂。小腦出血則甚少見。動脈破裂其先必起肌衣之萎縮，而其他之衣則繼之起變性作用，然後受血液之衝蕩，則起局部擴張，而有破裂之危險。其破裂後所造成之病狀及結果，須視其破裂之地位及動脈破裂之程度，出血之多寡而定。出血少而在不重要之地位者，可望復原。若出血過多，且在重要之地位，即時可使之死亡。

動脈破裂多由於脈管患粟狀瘤，此層多見於大腦中央動脈。其他如動脈內膜炎，動脈周圍炎等而發生動脈瘤者，亦不在少數。老年之人，因腦灰白質之軟化，而致血管不健全者，亦足使之破裂。

腦出血因其部份之不同，又可分為腦膜出血，大腦出血，及腦室內出血等：

腦膜出血，其血可在硬腦膜之外，或間於硬腦膜與蜘蛛膜之中，或位於蜘蛛膜與軟腦膜之間。其由於顱骨斷裂而出血者，其血多在硬膜腦之外，或硬腦膜及蜘蛛膜之間。蓋其血多由於腦膜血管之破裂而來也。其由於大腦動脈瘤之破裂者，則其血多在蜘蛛膜之下面。而大腦內之出血，有時亦可達於腦膜。

大腦內出血最常見於紋狀體之四週，其血可甚少，而限於扁豆體、視丘、腦內膜，或可延至腦島。出血之見於腦白質者甚少。小腦之見血，蓋由於大腦上動脈之破裂也。此種出血，大約係由腦組織壞疽所致。

腦室出血為原發性者極少，蓋多由大腦出血而使然也。青年及初生兒皆可致此，成人之患此者，皆由於尾核血管之破裂。所出之血可限於一腦室之內，或側血室，而至於第三或第四腦室。

出血之程度，可無一定。大抵病竈之在於腦底神經節，或半卵圓中央者較大。在腦皮質及橋腦者每較小。出血之較多者，每施壓力於腦，而起繼發性之水腫，致使昏迷。所出之血，因時間之久漸而不同，初出之血，其色清紅，漸久則漸變為褐黑色，褐色，而為黃色。至最後則血中之血紅素終變為血結板，而出血之四週，即起發炎作用，漸形成一囊狀，而限制其蔓延。如無囊狀之形成，則絲結組織必加速繁生，終成一帶色素之疤在腦膜之出血，則其血漸被吸收，終不過留一極淡色之跡於腦膜而已。至於所形成之囊，其中之血，漸被吸收，終乃只貯黃色之液。惡性之出血，而致立即死亡者，其腦迴轉必變薄，而腦溝亦變狹。有時雖不致死，而續發性之退化，亦可見於腦細胞中。

症狀

俗醫每以症狀分中絡、中經、中腑、中臟、中血脈。謂中血脈則口眼喎斜；中絡則肌膚不仁；中經則脊重不伸；中腑則不識人，肢節廢，便溺阻；中臟則舌瘖，口吐涎沫。至臨症則常糾纏不清，弄至莫明所以。蓋病症之來，每每數種症狀，皆兼而有之，無由強分也。古時無神經學之發明，故以此病歸之「風，」而造出此種中經、中絡、中腑、中臟之說，作爲辨症之輕重視之則可，若必欲強分，則甚無謂也。

前兆期

本病將發，必有預兆：

1.凡酒客、肥人、衰老，每感頭痛、暈眩、耳鳴、目脹、煩躁不眠，以及記憶力之銳減，言語之澀滯，半邊之感覺不靈等等，爲本症將發之預兆。

2.行動脚踏不穩，自覺頭重脚輕。

3.內經脈解篇曰：「肝氣當治而未得，故善怒，善怒者，名曰煎厥。」徵之實驗本病之前兆期，常有此「煎厥」之現象。

4.「凡人如覺大拇指及次指麻木不仁，或肌肉蠕動者，三年內必有大風至。」

5.脈必弦硬有力，或寸旺尺虛。

發作期

大抵猝然昏憒，人事不省，或但朦朧，口眼喎斜，舌強語蹇。舌咽艱難，口角流涎，或發鼾聲，或見痰鳴。瞳孔或如常，或張大，或無光之反應，角膜反射不靈。手足軟弱，而無深淺之反射作用。有時且有全身或半身之搐搦，或見角弓反張。玆爲便於治療計，分爲閉脫二證：

閉證　牙關緊閉，手握，便阻。顏面多灼熱潮紅。

脫證　口開目合，手撒，遺尿，直視搖頭，汗出如珠。顏面有呈蒼冷者。

此時期之持續時間，可自數小時至二十四小時，以至數日間。若不良者，症候漸次增惡，呼吸不整，發熱昏睡而死。若雖無其他惡候，而昏睡繼續至二十四小時以上者，亦爲不良之兆。若漸次輕快，意識漸見明瞭，勉強開口，惟語言滯澀，多遺癱瘓不遂諸症。此時面部肌肉鬆弛，口角低陷，而帶流涎，提睪肌及腹部反射全失。呼吸時，則偏癱之胸部運動稍慢。若眼睛現同向偏差之象，則出血之處，可斷在其眼之所視之一面。

癱瘓期

偏癱乃本病最通常之結果，手足顏面及舌之一半，皆變爲癱瘓。感覺阻滯，尤以觸覺爲甚。語言吶吃不明，甚或噤不能言，口角流涎，消穀善飢。大便秘結，小便多含蛋白及糖。在癱瘓之一面，深反射作用反見銳敏。手足稍呈水腫之狀，若爲患心臟病，或腎臟炎，其腫在癱瘓之一面，極爲明顯。

再過一時期之後，則受影響之手足，肌肉概行收縮，形成上臂內向前臂灣曲，與上臂成一角度。手掌則向下而曲，手指則皆下曲。下肢固定直伸，足部變成弓形，以致步履艱難。設腦內膜或視丘受影響，則感覺皆失。手足或冰冷，或溫熱，或變成紫色，俱無一定。惟病人每呈無慾狀態，平素所嗜如命之煙、賭、酒等，至此不欲矣。生性雖聰明絕卓之人，至此時期，皆變魯鈍矣。

診斷

本症之診斷，全賴其所發生之病狀而定。但遇病之發生於驟然而來，或非驟然而來，卽時失其知覺，而深入昏迷狀態者，則頗難下斷。是以事前之經過，及發生時之緩驟，皆必詳悉之。第一先視其有無偏癱之象徵，如在痲痺之一面，手足軟柔而不能舉，呼氣時頰部肌肉浮起，反射作用銳減，或消失，頭及眼皆起同向偏差等。

由動脈瘤破裂而起之腦膜性出血，其發生甚驟，且帶頭痛，立卽人事不省；體溫上升，脊髓液壓力增高而帶血。

腦室之出血迷昏，驟然發生偏癱並非永久性。但肌肉多堅直，搐搦亦可發生。

血之出於橋腦者，則發搐搦，瞳孔極度收縮。同側偏向，熱度升高等，皆可見。

大概本症之驟然而發生深迷昏睡，病狀增重，而體溫及呼吸阻礙反常者，多係出血。其最顯明者，則腦脊髓液含有清紅之血

鑑別診斷

鑑別診斷在腦出血病，頗關重要。蓋有多數疾病，其發生之症狀，大略與之相同，苟不鑑別，則受害不淺。

1. 簡單昏倒　凡昏倒者，其知覺並非全失。且爲時甚暫，脈數而微細，面呈白色。

2. 羊癇病　羊癇病於昏迷狀態未發以前，必有搐搦。患者多係靑年，且從前必常有同樣之病狀發生，舌上留有吃破之疤痕。全無偏癱之現象。

3. 臟躁病（卽希司忒利阿病——不能節制情感與動作之病）患者多係婦人，瞳孔及深層反射皆全。面部及舌，皆未受病之影響，腹部反射完全。

4. 尿毒症昏迷　尿毒症昏迷與腦出血之分別，在其尿中含有多量之蛋白，及各種圓柱。且有水腫，尿蛋白性視膜炎，及過去之時常頭痛，嘔吐，氣喘等現象。

5. 糖尿病昏迷　患者尿多含糖質，且呈酸中毒之現象，呼出之氣帶醋酮味（即甜味）血之二氧化碳含量甚低。

6. 酒精中毒之昏迷　患者呼氣必帶酒臭味，浮躁好動，面赤眼濕，有譫妄之趨勢。

7. 急性出血性腦炎　患者知覺朦糊，常先有發熱頭痛等事，反射作用完好。有時雖致昏迷，然亦甚輕。

8. 鴉片中毒之昏迷　其發生甚緩，呼吸遲緩，瞳孔縮小。

預後

大腦皮層之出血，苟出血不多，及非因動脈本身之病而起者，大多皆可復原。多量出血之流入放線冠，或腦室者，其豫後不良。偏癱之由於腦內囊膜受損者，不能復原。

起始即患深昏迷，且繼續至一二日以上者，及發作中體溫上昇至四十度以上者，概不良。經過半年以上，而癱瘓不愈者，不治。

尤應注意者，即第一次發作愈後，若病人不務攝生，往往有第二次之發作。若第一次發作雖輕微，第二次發作每見沉重，常有性命之危險。故醫師宜先爲病家豫告之，使其注意攝生。

預防

吾國醫學常識不普遍，非至病發，每不就醫。且世風日趨奢靡，多染不良嗜好，當養而反戕之者比比皆是。古人所謂「上工治未病，」實亦少得施其技矣。然本病對于生命，每有發生危險之可能，故「預防」之於本病，極關重要。預防之法，當從原因着手，舉凡有害身體血管之嗜好，如飲酒、梅毒、賭博、及過度之吸煙縱慾等等，須絕對禁止。若其血管硬化，肝陽易動，血壓亢進，而腦易充血者，尤宜禁止一切運動，及精神過勞等。

寶鑑云：『凡大指次指麻木，或不用者，三年內有中風之患。宜服愈風湯大麻丸。』薛立齋曰：『預防者當養氣血，節飲食，戒七情，遠幃幙。若服前方，適所以招風取中也。』可見昔賢亦知風燥藥爲本病之催命符，特以拘於風邪魔說，故治療終多以續命愈風輩爲應付法門。不知風藥皆燥，燥復傷陰，風藥皆升而散，升散適以增病；損不足，而益有餘，其不即死者鮮矣！噫！未死於病，先死於藥，生靈何辜？更遭此刼！立齋嘗治一老人，年六十餘，素善飲酒，兩臂作痛，前醫進祛風治痿之藥，更加麻木，發熱，體軟，痰涌，腿膝拘痛，口噤語澀，頭目暈重，口角流涎，身如虫行，搔起白屑，立齋用補中益氣湯加減與之，三十餘劑而諸症悉退。又用參朮羔調補而愈。按薛氏此案，乃俗所謂虛中之症，然此法偏於升補，必須有以往之虛弱症，與乎其他虛象可據，方可用之。此案所述證狀，或有糢糊之處；然其反對風藥之言，實皆本乎經驗，目擊患者受害，固非空泛之言論可比者也，其預防法曰「當養氣血，節飲食，戒七情，遠幃幙」諸語，尤爲千古不磨偉論，可師可法也。

治療

本症之治療，決非辛燥劑如續命湯等所可愈，前己詳及。此非鄙人故敢獨創新論。前近諸賢之覺此者，己有多人。且內經曰：『風淫於內，治以甘涼。』亦卽指本症矣。繆仲淳曰：『類中風證，或不省人事，或語言蹇滯，或口眼喎斜，或半身不遂；其將發也，外必先顯內熱之候，或口乾舌苦，或大便閉濇，小便短赤，此其驗也。河間所謂此證全是將息失宜，水不制火，丹溪所謂濕熱相火，中痰中氣是也。此卽內虛暗風，確係陰陽兩虛。而陰虛者爲多，與外來風邪迴別；法當清熱，順氣，開痰，以治標，次當補養氣血以治本。設若誤用眞中風風燥之劑，則輕者變重，重則必死。故凡內燥生風，及痰中之證，治痰先清火，清火先養陰(?)最忌燥劑。』又曰：『休治風，休治燥，治得火時風燥了。』其治法上已謂清得火時，卽能愈此所謂「風」「燥」之病矣。喻嘉言曰：『本症治法，風邪從外入者，必驅之使外出。然挾虛者，非補虛則風不出，挾火者，非清熱則風不出，挾氣者，非開鬱則風不出，挾濕者，非導濕則風不出，挾痰者，非豁痰則風不出。』按喻氏乃主張宜「驅風」者，然其治法曰「挾虛者，非補虛則風不出。」試問風邪有補法乎？余只知風邪受補，則有「風不出」之可能，從未聞風邪受補，而反能出者。其曰：「挾火者非清熱則風不出，挾氣者非開鬱則風不出，挾濕者非導濕則風不出，挾痰者非豁痰則風不出，」是本症有火，挾氣，挾濕，挾痰，則非清熱，開鬱，導濕，豁痰，其病必不能愈所謂「風不出」者，「病不愈」也。夫所謂火、氣、濕、痰、虛，中風必有之候也此數個「風不出」我知或爲喻氏經驗之語，獨怪其不明言本病非「風藥」所能愈，而強拉入「風不出」三字以惑人，蓋亦中「風邪」之毒而無力自拔者矣。

李士材曰：『大抵治風一法，初得之便當順氣，及其久也，卽當治血。若先不順氣，遽用烏附，又不活血，徒用羌防天麻蠶，吾未見其能治也。』士材治法，雖未見十分中肯，然其覺遽用烏附與徒用風藥之非，已可概見。總之，本病病原既明，治法自無二致，棄其所當棄，取其所當取，以公理而定論，以實驗爲依歸，斯得之矣。

本症治療，入手宜先分閉症與脫症，閉者開之，脫者固之，二症治法背途而馳，設或辨別不清，錯投藥劑，直等砒鴆。李士材曰：『如牙關緊閉，兩手握固，即是閉症，用蘇合香丸，或三生飲之類開之。若口開心絕，手撒脾絕，眼合肝絕，遺尿腎絕，聲如鼾肺絕，即是脫症，宜大劑理中湯灌之，及灸臍下。雖曰不治，亦可救十中之一。若誤服蘇合香丸牛黃至寶之類，即不可救矣。蓋斬關奪門之將，原爲閉症設，若施之脫症，如人既入井，而又下之石也。世人蹈此弊而死者，不可勝數，故特表而出之。』按閉證亦有目合，遺尿，身僵，神昏者，惟當察其口噤，手握，面赤，氣粗，以及脈息弦大爲別。又閉證氣塞，亦有六脈不至者，不得以其無脈而據謂是脫證。閉證亦有因氣閉而身冷者，不可以其外冷而誤爲脫症也。

尤在涇曰：『卒然口噤目張，兩手握固，痰壅氣塞，無門下藥，此爲閉證，閉則宜開，不開則死。搐鼻揩齒探吐，皆開法也。』

1. 白礬散（聖濟）治急中風，口閉涎上，欲垂死者。

白礬 二兩生

生姜 一兩連皮搗水二升煎取一升二合

右二味，合研，濾，分三服。旋旋灌之，須臾吐出痰毒，眼開風退，方可服諸湯散救治。若氣衰力弱，不宜吐之。

2. 又方

白礬 如拇指大一塊爲末　巴荳 二粒去皮膜

右將二味于新瓦上煅，令焦赤爲度，煉蜜丸，芡實大。每用一丸，綿裹，放患人口中近喉處，良久吐出痰，立愈。

一方加皂角一錢，煅研取三分，吹入鼻中。

按白礬爲硫酸鉛與硫酸鉀化合物之含水結晶體，味酸性寒，爲收濕解毒要藥。功能除濕，消痰，墮涎，近人多用置水缸中以解毒，其水即澈底澄清，其滌濁之力可見。味能令人涌吐，前方加生姜辛開而能緩嘔，蓋欲使其能去痰涎，而毋過烈之刺激也。然此症每見氣火上升，肝陽暴盛，生姜只宜少量和之，否則必反受害。後方加巴豆，乃開堅破結之品，性極猛烈。宜慎用。

3. 急救稀涎散（本事）治中風涎潮，口噤氣閉不通。

猪牙皂角 四挺肥實者不蛀去黑皮　晉礬 一兩光明者

右爲細末，和勻，輕者半錢，重者一錢七，温水調灌下，不大嘔吐，但微微冷涎出一二升，便得醒。次緩緩調治，大服亦恐過傷人。

按皂角味鹹，性温，爲通竅搜風之藥。功能消痰涎，破堅癥，刮人腸胃。雖爲開痰妙品，然性燥氣浮而散，恐非此症所宜。

4. 通關散　治卒中，口噤氣塞，不省人事。

皂角　南星　細辛　薄荷　生半夏

右等分爲末，每用小許，吹鼻取嚏。

按古人開關諸方，多香竄猛烈之品，上述數方，雖無龍腦麝香諸藥，然本病每見氣火上升，吐法以不用爲妥。近西藥有名 Ammonia 者，性頗猛烈，用置鼻下，令患者聞之，功效迅速。且但嗅其味，不用其質，故無其他流弊，極可採用。又方單用烏梅入冰片少許，擦牙齦，涎出卽開，是亦平妥之法。

尤在涇曰：『猝中之候，但見目合口開，遺尿，自汗者，無論有邪無邪，總屬脫證，脫則宜固，急在元氣也。元氣固，然後可以圖邪氣。』

1. 參附湯　治陰陽氣血暴脫，目合，口開，自汗，小便自利等證。

人參　製附子

此方爲救急之法，藥止二味，取其力專效速也。用人參須倍于附子，或等分。不拘五錢或一兩，酌宜用之。姜水煎服。有痰加竹瀝。

2. 附子理中湯　治中寒腹痛身痛，四肢拘急。

、人參　附子　乾姜　甘草　白朮

右各等分，水煎服。

3. 三生飲　治卒中痰塞。昏仆不醒。脈沉無熱。

生南星　生附子　生川烏

右等分，加木香生姜，水煎服。

李士材嘗治一商人，忽然昏仆，遺尿，手撒，汗出如珠；衆皆以爲絕證旣見，決無生理。李曰：『手撒脾絕，遺尿腎絕，法在不治，惟大進參附，或冀萬一。』遂以人參三兩，熟附五錢，煎濃[illegible]下，至晚而汗減；復煎人參二兩，芪朮附各五錢，是夜服盡，身體稍能動；再以參附膏加生姜[illegible]許，連進三日，神氣漸爽。自後以理中等調養二百日而安。[illegible]必脈虛細欲絕，口開，汗出如雨，面青唇白；無面赤苔黃諸熱象者，方可用固脫之法。

徐悔堂聽雨軒雜紀云：『蔡輔宜中暑，一名醫見室有少妾，遂以爲脫證，云非獨參湯不能救。家人不敢服，復邀鄰醫診之，曰：「暑閉耳！」進益元散而愈。』故醫者辨症，最宜細心精別，一有錯悞，害人不淺。又中醫所謂之脫證，蓋卽西醫之急性腦貧血，決無氣血上充之象；若見氣升火升，肝陽暴旒，卽宜救標爲急，潛陽清熱，方是正治；切不可捕風捉影，妄投參附也。

口眼喎斜，乃本病最常見之症狀。其原因由於顏面神經受壓。千金有療卒中風口喎方：用大皂莢五兩，去皮子，下篩，以三年大醋和之，右喎塗左，左喎塗右。又古法用桂枝三兩，酒煎濃液，以布漬之，左喎搭右，右喎搭左。惟最普通而簡便之方，莫如用鮮鱔魚血塗之法如上，甚驗。

西醫對此症，尚無若何有效療法。然其治療目的，在使血液下降，則深可師。本症之由於陰虧火熾，肝陽上擾，亦卽內經所謂氣之與血並走於上之理，既詳總論，則本症之必潛陽平肝以鎭逆，順氣淸熱以降血，尤爲治療要著。查古方之具此功能者，尙不少數，茲舉數則于後，以備選用：

1. 風引湯（金匱附方）除熱癱癎。

大黃　干姜　龍骨各四兩　桂枝三兩　甘草　牡蠣各二兩

寒水石　滑石　赤石脂　石羔　白石脂　紫石英各六兩

右十二味，杵，麤篩，以韋囊盛之。取三指撮，井花水三升，煑三沸，温服一升。

按本方重用諸石挾龍牡以鎭潛淸熱，確爲本症正治。大黃能瀉血份之熱，血壓何愁不降？惟姜桂性温燥，非本病所宜。

2. 五石湯（千金）治產後卒中風，發熱口噤，倒悶吐沫，瘈瘲，眩冒，不知人。

紫石英三兩　鐘乳　赤石脂　石羔　牡蠣　白石英

人參　黃芩　白朮　甘草　括蔞根　芎藭　桂心

防已　當歸　干姜各二兩　獨活三兩　葛根四兩

右十八味，末五石，㕮咀諸藥。以水一斗四升，煑取三升半，分五服，日三夜二。

一方有滑石寒水石各二兩，棗二十枚。

按方名五石。其爲潛鎭之劑，甚爲明顯。且有葛芩括蔞等之淸熱，甚合本症。惟是方原爲產後卒中而設，故有參朮歸芎姜桂等温熱藥雜入，有熱象者，決不可用。醫者宜知所變化焉。

3. 鐵精湯（千金）治三陰三陽厥逆，寒食，胸脅支滿，病不能言，氣滿胸中急，肩息，四肢時寒熱不隨，喘悸煩亂，吸吸少氣，言輒飛颺，虛損方。

黃鐵三十斤，以流水八斗揚之三千遍，以炭燒不令赤，投流水復燃燒七遍，如此澄清，取汁二斗煎藥

人參　半夏　麥冬各一斤　白薇　黃芩　甘草　芍藥各四兩　石羔五兩　生姜二兩　大棗二十枚

右十味，㕮咀，內前汁中，煎取六升，服一升，日三服，兩日令盡。

千金衍義云：『方中鐵精鎭攝虛陽，且經燒煆，從治陰火最捷。石羔治中風寒熱，心下逆氣，性雖大寒而無鬱遏邪熱之患；以味辛淡，殊非苦寒之比。半夏治傷寒寒熱，心下堅欬逆，性雖辛燥，力滴陰陽；少陰例咽中生瘡，不能言語，用苦

酒湯，咽中傷，用半夏散及湯，取其分解陰火也。麥門冬治心腹結氣。甘草治五藏六腑寒熱邪氣，人參補五藏，安精神，除邪氣。黃芩治諸熱。芍藥治血痺。生姜通神明。大棗養脾氣。白薇治暴中風身熱脈滿，忽忽不知人，狂惑邪氣寒熱。一皆本經主治。白薇一味，可抵竹叶石羔湯中竹叶，柴胡湯中柴胡，桂枝湯中桂枝之用。尤賴鐵精一味，不使虛陽上擾，則方中諸病瓦解冰釋。』藩按本方以黃鐵爲君，重以鎮逆。薇芩石羔清熱，冬芍益陰，姜夏開痰，配合頗佳。惟參棗偏於滋補，不宜本症。

古方雖多潛鎮之劑，然要求與本症吻合無憾者，則甚少。此症然，他症亦莫不然。所謂用古方以治今病，譬如拆舊料以建新屋，終有大小長短之不齊，必經匠氏斧斤，方能處處吻合。近人張錫純氏立有鎮肝熄風湯，尚可採用，茲錄於左：

4、鎮肝熄風湯　治內中風，其脈弦長有力，或上盛下虛，頭目時常眩暈，或腦中時常作疼，發熱，或目脹耳鳴，或心中煩熱，或時常噫氣，或肢體漸覺不利，或口眼漸形歪斜，或面色如醉，甚或眩暈至於顛仆，昏不知人，移時始醒，或醒後不能復原，精神短少，或肢體痿廢，或成偏枯。

懷牛膝一兩　生赭石一兩軋細　生龍骨五錢搗細　生牡蠣五錢搗碎　生龜板五錢搗碎　生杭芍五錢　玄參五錢　天冬五錢　川楝子二錢搗碎　生麥芽二錢　茵陳二錢　甘草錢半

心中熱甚者，加生石羔一兩。痰多者，加胆星二錢。尺脈重按虛者，加熟地黃八兩，淨萸肉五錢。大便不實者，去龜板代赭石，加赤石脂一兩。

張錫純曰：『……方中重用牛膝以引血下行，此爲治標之主藥。而復深究病之本源，用龍骨牡蠣龜板芍藥，以鎮熄肝風；赭石以降胃降衝；玄參天冬以清肺氣，肺中清肅之氣下行，自能鎮制肝木。至其脈之兩尺虛者，當係腎臟有虧，故又加熟地萸肉以補腎斂腎。從前所擬之方，原止數味，後因用此方效者固多，間有初次將藥服下，轉覺氣血上攻而病加劇者，於斯加生麥芽茵陳川楝子，即無斯弊。蓋肝爲將軍之官，其性剛果，若但用藥強制，或轉激發其反動之力。茵陳爲青蒿之嫩者，得初春少陽生發之氣，與肝木仝氣相求，瀉肝熱兼舒肝鬱，實能將順肝木之性。麥芽爲穀之萌芽，生用之亦善將順肝木之性，使不抑鬱。川楝子善引肝氣下達，又能折其反動之力，方中加此三味，而後用此方者，自無他虞也。藩按此方配合頗佳，惟熟地萸肉偏於膩補，初起不能單據尺脈虛而用之。

有謂候氏黑散能治本症者。按候氏黑散，出外台風癲方中，由後人附入金匱，謂治大風四肢煩重，心中惡寒等。方以菊花平肝清腦爲君，立意本甚可取；然入桂枝防風干姜細辛當歸芎藭等辛温燥藥，則又去題千里矣！而方後附言：「常宜冷食，六十日止，卽藥積在腹中不下也，熱食卽下矣；冷食卽能助藥力」云云。更屬騰笑千古！張山雷曰：『恐自燧人氏教民火食以來，必無冷食六十日之理，如謂冷食而藥卽可積久不下，豈其人積六十日之食，而二便不通？清夜自思，亦當失笑！如謂二便自通，而獨有藥積不下，則必其腸胃之間，別有一處，獨能存積此藥，尤其理之不可通者。且服藥治病，止是借其氣味，運化精微，以達病所；亦非謂卽此藥湯藥渣，竟能庵代氣血之不足。而妄人竟能造此怪誕不經之說，鄙俚無恥之尤，大是可詫！』按近閱某氏醫宗，更有「可使藥積腹中，厚其勢力」之語。夫人者人也，造化精微之動物也，非君腦中之机械物也，奈何以施机械之方法，而欲施于造化精微之人，其愚不可及矣！遍查唐宋以來各家醫案，並無本方治驗，知古人不用已久，蓋亦本方不能治此症之鐵證也。

尤在涇治中風有轉大氣之法，其言曰：『大氣不息之眞氣也。不轉則息矣，故不特氣厥類中，卽眞中風邪，亦以轉氣爲先。經云：「大氣一轉，邪氣乃散。」此之謂也。』

1. 八味順氣散（嚴氏） 凡患中風者，先服此順養眞氣，次進治風藥。

人參 白朮 茯苓 陳皮 青皮 台州烏藥 香白芷各一兩 甘草半兩

右㕮咀，每服三錢，水煎溫服。

2. 勻氣散（婦人良方） 治中風中氣，半身不遂，口眼喎斜，及風氣腰痛。

白朮 烏藥 人參 天麻各一錢 沉香 青皮 白芷 木瓜 紫蘇 甘草各五分

右剉，作一貼，姜三片，水煎服。

按前方用四君健中扶正，烏藥二皮之順氣，本爲正虛而氣結上逆者立法。惟入香白芷以助烏藥之香竄以散表，又爲古人疑有風自外來之處矣。後方卽前方去茯苓陳皮，加天麻紫蘇沉香木瓜四味，沉香木瓜乃斂逆宣降之品，似頗可取；而天麻紫蘇仍爲風邪而設，以不用爲是。

尤在涇曰：『或因風而動痰，或因痰而致風，或邪風多附頑痰，或痰病有如風病；是以掉搖，眩暈倒仆，昏迷等症，風固有之，痰亦能然；要在有表無表，脈浮詠滑爲辨耳。風病兼治痰則可，痰病兼治風則不可。』

1. 滌痰湯　治中風痰迷心竅，舌強不能言。

南星製　半夏淨七次　枳實麸炒　茯苓各二錢

橘紅錢半　石菖蒲　人參各一錢　竹茹七分

水一鍾半，生姜五片，煎八分，食後服。

2. 清心散　治風痰不開。

薄荷　青黛　硼砂各二錢　牛黃　冰片各三分

右爲細末，先以蜜水洗舌，後以姜汁擦舌，將藥末蜜水調稀，搽舌本上。

按本症常挾痰濁上升，故古人治此症，莫不兼治其痰。尤氏列此二方，原甚可取，惟功效頗緩，不能濟急。玆再列數方於後，以備擇宜而用。

3. 礞石滚痰丸(王隱君)　治諸實熱，頑痰積滯。

青礞石色青者良三兩同焰硝三合入罐內赤石脂封護煅過水飛淨二兩　沉香另研一兩

川大黃酒蒸八兩　黃芩酒炒八兩

右爲末，水泛爲丸，菉豆大。每服一錢至二錢，食後白湯下。

4. 控涎丹　治痰涎在心膈上下，使人胸，背，手足，頸項，腰脇引痛，有似癱瘓者。

甘遂去心　大戟去皮　白芥子

右等分爲末，麪糊丸，姜湯下，十五丸至二十丸。

按礞石滚痰丸控涎丹皆爲攻痰峻劑，惟礞石治有形之頑痰，控涎治清稀之水飲。二方皆猛烈之劑，宜慎用。

5. 茯苓丸　治中脘停痰伏飲，手臂一肢麻木不舉，可作風症虛症治者，此方主之。

半夏二兩　茯苓一兩　風化硝二錢五分　枳壳五錢

姜汁竹瀝和糊丸。

6. 通神散　治中風痰涎壅塞，用此吐之。

白殭蠶七枚

焙研爲末，生姜汁調服，立吐風痰。少時再用七枚，依法再吐，仍用煨熟大黃含津嚥下。若口不開者，用殭蠶煎汁，以竹管灌入鼻中，男左女右。

尤在涇曰：『內風之氣，多從熱化，昔人所謂風從火出者是也。是證不可治風，惟宜治熱。內經云：「風淫于內，治以甘涼。」外台云：「中風多從熱起，宜先服竹瀝湯。」河間云：「熱盛而生風，或熱微風甚，即兼治風也。或風微熱甚，但治其熱，即風亦自消也。」』

1. 竹瀝湯　治熱風，心中煩悶，言語蹇澀。

竹瀝　荆瀝各五合　生姜汁三合

右三味相和，溫服三合。

一方竹瀝荆瀝梨汁各二合，陳醬汁半合，微煎一二沸，濾清細細灌入口中，治中風不語昏沉不識人。

一方竹瀝五合，人乳汁二合，三年陳醬汁半合，三味相和，分三服。治熱風，舌強不得語，心神煩悶。

一方竹瀝二升，生葛汁一升，生姜汁三合，三味相和，分三服。日夜各一服。

2. 地黃煎　治熱風心煩悶，及脾胃間熱，不下食。

生地汁　枸杞根汁各二升　生姜汁一升　酥三升　荆瀝　竹瀝各五升　梔子仁　大黃各四兩　茯苓六兩　天冬　人參各八兩

右先煎地黃等汁成羔，餘五味爲散，內攪調。每服一匕，日再。漸加至三匕，覺利減之。

按前方以竹瀝甘寒降火行痰爲君，甚合本症。古人各家醫案多見用之。丹溪曰：『竹瀝，味性甘緩，能除陰虛之有大熱者，寒而能補，胎前不損子，產後不礙虛。』又夾以荆瀝之甘平宣導，時珍謂荆瀝能除風熱，開經絡，導痰涎，行血氣，解熱痢。是二味之功用本相若，惟荆瀝不若竹瀝之寒，而具宣導之功，其同爲降火行痰之品，則一也。加生姜汁者，以姜汁能制其過寒之性，而具開痰之妙也。後方用生地枸杞根二汁，以同竹荆二瀝等以清火降痰，而治「熱風心煩」，又以「脾胃間熱食不下」，內有壅積，故加大黃以瀉積熱。且有酥以潤燥，按酥卽牛羊乳所熬之油，時珍謂其能調營潤燥，與血同功。生生編云能除腹內塵垢。本方之用此，正取其潤燥而有去垢之功。冬參養陰，爲燥熱症亦期所宜需。本症每見痰湧，宜商去。

3. 涼膈散（局方）　治心火亢盛，表裏實熱，煩躁口渴，目赤便祕，諸風瘈瘲，胃熱發斑。

連翹　大黃酒浸　芒硝　甘草各二兩　黃芩酒炒　薄荷　梔子各二兩

右爲散，每服三五錢，加竹叶十五片，入白蜜少許，水煎溫服。日三夜二服，得下熱退爲度。

4. 龍胆瀉肝湯（局方）　治肝胆實火，脅痛口苦耳聾耳腫，筋痿陰濕熱癢，陰腫白濁，溲血少便澀滯等證。

龍胆草酒洗　黃芩酒炒　山梔　木通　澤瀉　車前子　當歸酒洗　生地黃　柴胡　甘草　水煎服。

按涼膈原爲調胃承氣加味而成，以連翹淸心熱爲君，梔子黃芩清肺肝之熱爲佐，復用大黃芒硝甘草之淸胃緩下，使膈上火熱，從大便而出也。後方用龍胆瀉厥陰肝經之熱，梔子黃芩清肺與三焦火，而以澤瀉木通車前等之導濕，欲使熱濕從小便出也。柴胡疎達肝鬱，可用少許。歸地養血補肝，初起有可商。

下劑之於本症，尙有適用之時。蓋本症常見便結，下劑具刺激腸部充血之功，能誘上部之血下行，而奏降火清腦之效。然非大實者，不可用大下之劑，恐續發衰弱之候也。後列數方，可酌宜而用。

1. 三化湯(潔古) 治類中風，外無六經形證，內有便溺阻隔。

原朴 姜製 大黃 枳實 羌活

右各等分，每服一兩，水一升煎半，終日服之，以微利爲度。

2. 三一承氣湯(宣明) 治羔梁之人，濕痰滯于脾經，四肢不舉，屬邪實者。

大黃 芒硝 厚朴 枳實各五錢 甘草一兩

水一鍾半，生姜三片，煎至七分，內硝，煎二沸，去滓。不拘時溫服，令微利。

3. 麻仁丸 治脾約。

大黃 枳實 厚朴 芍藥 麻仁 杏仁

右蜜丸，如梧桐子大。每服十丸。

4. 滋潤湯 治類中風，便燥人虛血少，不任前下藥者，用此潤之。

當歸 杏仁 桃仁 橘紅 只壳 厚朴 牛膝 蘇子

水煎，調白蜜三匙服。

丹溪曰：『半身不遂，大率多痰，在左屬死血與無血，宜四物湯，加桃仁紅花竹瀝姜汁。在右屬痰，屬氣虛，宜二陳湯四君子湯，加竹瀝姜汁。』嘉言則謂：『左右者，陰陽之道路，豈可偏執？宜從陰引陽，從陽引陰，從右引左，從左引右，使氣血灌注，周流不息。』夫氣血原不相離，焉得以左右強分屬氣屬血？此種見解，直是盲人談日！喻氏拆之以理，尙爲卓識。憶先父臥病時，遍求名醫，後由友人介紹隔縣族某先生，謂患此症而就其治愈者頗多。及至，則疏方補陽還五湯，芪初用二兩，二劑而晝夜分，患者自覺精神甚爽，欲下床試步。數劑後，則又平平，未見何顯著功效。後因厭惡藥味而輟服；然此方已予余以良好之印象矣。本院教授王潤民先生，謂嘗治徐姓婦人，年六旬，得半身不遂證，終日偃臥，不能轉動，(身略帶疼痛)口眼歪斜，言語蹇澀，羣醫咸稱不治；王師開補陽還五湯原方與之，(黃芪用四兩)兩劑而起，其靈效實出彼意料之外。王師於醫學術界，素以忠實見稱，諒不我欺也。

補陽還五湯（王清任） 治半身不遂，口眼歪斜，語言蹇澀，口角流涎，大便乾燥，小便頻數，遺尿不禁。

黃芪生四兩 歸尾二錢 赤芍一錢半 地龍去土一錢

川芎一錢 桃仁一錢 紅花一錢

水煎服。

王清任曰：『……此法雖良善之方，然病久氣太虧，肩膀脫落二三指縫，胳膊曲而搬不直，脚孤拐骨向外倒，啞不能言一字，皆不能愈之症。雖不能愈，常服可保病不加重，若服此方愈後，藥不可斷，或隔三五日吃一付，或七八日吃一付。不吃恐將來得氣厥之證。方內黃芪不論何處所產，藥力總是一樣，皆可用。』

按清末陸九芝及近人張山雷二氏，對此方頗致譏語，然皆空泛之理論，未審及實效之如何也。蓋初起用之於肝陽暴盛之閉症，誠屬火裏加薪；試問此種「氣火上升」是否繼續至無已時？果爾，則人已亡矣，何得有癱瘓期耶？且發本病者，多其本先虛，而陽上擾，故治療之法，標急而本緩，癱瘓期正治本之期也。查古人滋補之方，爲數極多，然適應本症者，可甚少。滋陰之劑，雖有益本症，然于半身不遂之麻木不仁，終未能愈。且「邪之所湊，其氣必虛」，此方以黃芪爲君，明是補氣之品。古方黃芪建中湯黃芪補中湯等，皆取其補氣之功也。至黃芪五物湯之治血痺，身體不仁，則爲黃芪治不仁之先例矣。唐柳太后病中風不語，許胤宗造黃芪防風湯數十斛，置床下熏之，身在氣中，是夕卽能語。日人東洞吉益謂黃芪主治肌表之水，旁治身體腫或不仁。廣東譚次仲謂黃芪爲治神經要藥，頗足信。又觀乎醫宗金鑑黃芪湯之治瞼皮外翻，非治神經而何？本經云：「黃芪主癰疽久敗瘡，排膿止痛，大風癩疾。」此則黃芪對外科重要之貢獻也。解剖學告我儕，本症患者之腦動脈內，多生有紡綞狀之粟粒瘤，該動脈瘤因劇動暴飲等誘因而破裂；是本症之癱瘓期，正可效外科補氣收口之法，而利用黃芪以鼓舞神經細胞，促其吸收復原。用芎雖辛溫之品，大明謂其能破癥結，宿血，消瘀血。日本古方藥本考謂其「性能上達，破瘀順血」故少用之，則得其引藥上行之力，而不受其辛溫發散之害。如四物湯之用此，乃取其辛溫而能行血藥之滯；豈眞用此辛散之品，以養下元之血哉？地龍通絡，日本小泉榮次郎謂本品乃解毒及利尿藥，性寒能除諸熱下行，故能利小便，治足疾，通經絡，則其能引血下行，具吸收之力，至爲明顯。至桃仁紅花赤芍歸尾等，皆活血化瘀生新之藥，亦本症所必需者。

總之，本方之配合，實未可厚非，若見肝陽再盛，則不妨間治以潛肝，或就本方加入潛肝之藥，此則在醫者之臨症化裁矣。

看護法

看護之得當與否，與疾病治愈之難易，有密切之關係。尤其本症之癱瘓期，常有褥瘡之發生，若調護不週，往往原發病雖見輕減，而因褥瘡以致命者有之。故病家對此，宜特加注意焉。

(一)看護者與精神安慰　看護者宜具慈愛精神，而有強壯與忍耐力之氣概。處置事物，宜精細審慎，不可鹵莽。如病人言語不明，尤須稍具聰明頭腦者任之，方能應付裕如。本病除發作時應絕對安靜外，若入癱瘓期，家人（看護者在內）宜予患者以精神上之安慰：迎合患者所歡而作相當談笑，使其忘去疾病痛苦。彼平日不悅之人，不可使之相見。親戚朋友中有患此病而死者，宜祕勿告之。

(二)病室與病床　病室忌近嘈雜喧嘩之處，以東南向者爲佳。光線宜稍亮。空氣宜新鮮。室內尤宜常保清潔。病床以無後屏之鐵床爲最佳，墊褥宜厚而軟，最好多置二層，恐病人久臥骨痛也。

(三)衣服　病人衣服，宜以柔軟，色以淡白爲主。須稍爲寬大，以便脫著。着衣時，切不可留有皺摺，若稍不注意，局部之血行受壓，久即生褥瘡。愼之！

(四)食物　食物不必禁忌，但擇易消化而多滋養分者，即可。又可多食含有燐質之食物，如獸腦魚腦等。

(五)大便　本症患者多見便祕，故常有頭疼煩悶等發生；蓋大便祕結，則糞中濁質，由血液而上輸入腦。故本症最宜注意調通大便，或就服食方內加入通便之藥，或用甘油錠，或用灌腸，擇宜而施之可也。

(六)褥瘡之預防　褥瘡乃身體之局部，受強度迫壓，致血行障礙，新血不能流至該處，皮膚現蒼赤色之點，終成壞疽，呈潰爛狀。甚者侵及皮下組織，以至於骨。其最易發生之處，爲薦骨部，尾閭骨部，脚跟骨部，肩胛骨部，以及側臥位之手足關節等。預防之法，當就此易發生之處，不時檢查，常保其清潔。患者衣服及褥單發見有皺摺者，即伸展之。若身體之一部，已發生紅色斑點者，宜以等分之酒精，和入微溫水中拭之。每日可數次。

(七)摩擦療法　按摩爲醫學技術之一種，最好請有專門技術者行之。其效用能活血，止痛，使血液流通，而排除身體中因疾病而產生之物質。惟須發作半月後行之。每日可一二次，每次自十分鐘至二十分間。

(八)電氣療法　電氣療法對麻木不仁，頗具特效。普通之電氣機，接有陽極陰極二導線，用時置陰極一端於健側，以陽極一端摩擦麻木部。使用次數及時間仝前法。

結論

古人無實質之生理解剖，故立論多從理想解剖，易而詳，理想難而簡。前者嫌其近于機械化，後者苦其多玄妙之談；機械可知現實之形，其應用有盡時，玄談可知其變化之妙，而易爲庸人所誤解。故我中醫學說，其與西醫之生理病理解剖，能吻合而匯通者，則一經採取參證，其理因之益明。此鄙人之所由有取於西學之生理病理解剖也。或有以非驢非馬見譏者，未及計焉。

引論厥逆之經文以釋本病，始之景岳。今人論此症，多提伯龍，而未及景岳，余不取。

嘗見有執一方以專治本病者，其方佳，則受益者固有其人，而被害者亦復不少；醫者未之覺也。補陽還五湯一方，世之受其益者，固已多見，而亦間聞有人受其害者，此即徒執一方之害矣。夫病有初、中、末期之分，治有標本、緩急之別，昔賢已有明訓，豈得執一方而治數期之病乎？不問標本，不顧緩急，宜乎此方之受人懷疑也。張隱菴曰：『中者不偏，庸者不易，醫者以中庸之道存乎衷，則虛者補，實者瀉，寒者溫，熱者涼，自有一定之至理。若偏于溫補，偏于涼瀉，是非中非庸矣……迺觀古今，多有偏心，偏于溫補者，惟用溫補，偏于清涼者，慣用清涼。使病人之宜于溫補者，遇溫補則生，宜于涼瀉者，遇清涼則愈；是病者之僥倖以就醫，非醫之因證以治病也。豈可語于不偏不易之至道哉』張氏之言，深中時弊。顧吾醫界，自古迄今，莫不有患偏者出見。然偏者必有所長，有所弊，醫者當取各家之長，而力除各家之弊，平心靜氣，勿有門戶之見。辨症須精加甄別，使歸至當，庶幾措施無謬。假執中無權，徒守平和以誤病機者，害亦與偏等耳！本症初起，每標實而急于本，故多適應潛鎮清涼諸法，及至症情安定，入癱瘓期，則多宜圖本還五湯之類主之。若倒行而逆施，則其爲害必矣。

熱之種種

王雩峯

(A)體溫之由來及標準的熱度　人身含有適當之溫度。無論誰都是知道的。但是怎麼會有熱的產生。那就成爲一個研究的問題了吧。熱的產生。每隨生理的氧化增減而多寡的。生理氧化的增減又每因肌肉的運動。和飲食的增加而各異。肌肉運動時的摩擦。飲食消化後所起的燃燒作用。都能產生熱量。試舉一例來證明他。天氣嚴寒的時候。而衣服沒有多穿。我們便有慄動的反應。慄動時肌肉不隨意的收縮。結果便可生出很多的熱。以抵抗寒冷。菜菓的熱價很低。肉類則很高。所以夏天多喜食菜菓。冬天則多喜食肉類。各適其應用上的需要。又如北風括得很厲害的時候。熱氣發散得很快。同時我們的食慾也非常的增加。以補充消失的熱量。這無疑的是很好的例子。至於談到熱度。普通都是很一定的。用體溫表擱在嘴裏腋下直腸來測量熱度。就可以知道體內(直腸內)的熱度。比皮膚上面(腋下)略爲高一些。在直腸平均約37.2°C在腋下爲在36°C在嘴裏爲36.87°C我們常說人類體溫。由36.87°C至37.2°C這是指我們習慣上由這幾個地方找出來的結果。確實我們熱度。每隨身體的位置、活動等而略有不同。體內比皮膚果高。但又隨各臟器而不同。肝臟最高。胃腸較低。各器官又因他們活動的程度而稍有差異。皮膚也隨各部而異。其熱度。膝部最低。腰部最高。皮膚溫度。又每隨空氣之寒暖。和其流動的速率。及所穿衣服的厚薄而不同。我們日常生活經驗。已足證明。用不到什麼解釋。熱度日夜也略有不同。早晨最低(上午六點到七點)以後逐漸增加。下午五時至七時最高。嗣又逐漸低降。以至於下一天早晨而循升。嬰孩熱度。則又高於成人。要之熱度每隨各種情形而變更。不過無論到什麼地步。正常的熱度。總不會相差至攝氏表一又十分之二度以外的。如果超過這個差限。那麼我們便要當他做一種變常看了。熱度變常。不是由於產熱太多。便是由於散熱太尠。普通還是由兩者並現的也多着呢。

(B)熱之調節　我們已經講過熱度是不大變更的。就是有一些升降。但在正常生理中。高低總不至於相差出1.2攝氏表以外。養料在體內氧化沒有停止。熱之產生也就不會停止的。同時熱氣由身體各部散出體外。也就一樣地沒有停止。但是熱量之產生。每隨各種情況而不同。例如肌肉動運時生理氧化較速。所以生出很多的熱。假使那時的熱量不隨他的增加散放的話。那麼熱度便免不了要高升的可是身體內有一種機械。當產熱多時。熱之散失便增加起來。如產熱不多。則散熱也尠。照這樣看起來。身體一定有一種調節熱氣喪失和產熱太多的機械。由這兩種機械合作的結果熱度便得老不變更呢。

體熱可以由幾條路跑出體外。最重要的由皮膚的傳導及發散我們體熱差不多有百分之七十五由皮膚散出體外。當皮膚的血管漲大起來熱度便喪失多些。血管縮小時。則喪失較少。其次即爲發汗發汗所喪失的熱度。約佔百分之十四。但是須看發汗的多少而定。譬如當運動或暑天時。熱度由汗蒸發很多。休息或冬天時時很尠呼出的空氣。都是比吸入的暖。所以也有散溫作用而且帶有水蒸氣水的蒸發要依賴一定的熱量呼出的熱。都是取自體熱。普通由呼氣帶出的熱約佔全部所喪失的百分之十。又由尿糞涕及涎所帶出的約百分之一。照以上所講的看起來我們體熱的喪失。差不多百分之九十是由於皮膚的傳導和發散以及汗腺的分泌。而這兩個器官。在熱度的調節上的重要。也自不待言了。究竟他們怎麼調節我們的熱度。使其喪失的分量。隨各種需要而不同呢。這個問題。是我們頂要解答的。體熱調節大概可分兩種。一爲反射調節。一爲隨意調節。把他寫在下面吧。

(1) 反射調節。　反射調節。最緊要的。大致可分爲兩種。第一就是皮膚底血管漲縮的機械。第二爲汗液分泌的機械。當炎夏的時候。體熱不容易散到空氣去因爲那時皮膚的血管特別是小動脈漲大起來把體內較暖的血液。灌注至皮膚特別多。結果體熱散出空氣者便要多些同時汗腺的分泌增加一部分的熱由汗的蒸發散出體外。如果天氣寒冷了。結果却是不同。因爲天氣一經寒冷。體內的熱。很容易散到體外去。所以除非將體熱喪失慢些。結果熱度一定跟他低降而喪失了。可是那時皮膚血管。因以縮小。使體內較暖之血。流至皮膚者不多。藉以減少熱的發散。保持正常體溫。血管的所以收縮。是由空氣刺激皮膚神經。使血管收縮中樞活動起來。以次及於皮膚底收縮血管神經。結果卽有血管縮小的現象。反是者環境的高度氣候刺激皮膚神經。直接影響血管縮中樞。禁錮血管中樞的活動。使血管漲大。同時高度氣候。又可刺激皮膚神經。以達於發汗中樞。然後刺激發汗神經。使汗腺活動起來。又當劇烈運動時。則產生熱最格外多些。同時汗出很多。這都是過量熱度所由散放的道理。而且在這時呼吸的速率和力量。也增加起來。結果熱度由呼吸散去的也要多些呢。

⑵隨意調節、即我們飲食衣服起居等的節制。於保持一定的體溫。也很有重大的力量。夏天穿絲製或蔴製的衣服。春秋著夾衣。冬天則穿絨毛。無非欲節制體熱之喪失。他如冬天用火爐熱水汀使環境氣候溫暖以減少體熱的放散。夏天用電扇使空氣流動較快。以增加熱的放散。像這一類的事實。都是表明我們意識的節制。體熱喪失的分量

此外尚有一個熱中樞專門調節熱度的。在大腦皮質腦橋視丘。但大多數試驗的結果。都是表明紋狀體有一個熱中樞。用針刺激這個中樞。則熱度增高割去他。則熱度抵降。以至於死。假定熱中樞是在紋狀體裏究竟他的動作怎樣呢。據一位生理學者的報告。將攝氏表四十二度以上的溫度。去刺激熱中樞被實驗動物。熱度便低降下去。用攝氏三十三度以下的溫度。刺激到中樞去。熱度便高昇起來照這個結果看來。熱中樞的動作。好像由腦子裏熱度的變更所宰刺。腦溫增高阻止熱中樞的活動。腦溫低降。則激發熱中樞活動不過我們要曉得四十二度以上和三十三度以下的熱度。並不是腦裏正常的熱度所以這種解釋在學理上很講不過去。但是也有保存的餘地。他能夠成立與否。總要看將來的實驗罷。

(C)熱之異常　大凡超出生理以外的熱度都是屬於這一種。卽所謂發熱。在學理上。體熱產生太多。或喪失太少。皆可以致熱病的。不過在實際上講都是這兩種變常同時發現。至於談到發熱的原因。現在尚未十分淸楚。大不過多數生理學家病理學家。都相信由微生物的作祟。微生物的毒質。攻擊熱中樞。或直接影響體素的生質精爲過度的氧化但還有許多人相信發熱爲一種反抗病毒的機械。不過在我們國醫方面來講認風寒暑濕燥火的刺激。爲他主要的原因。照以上所講。不是異說紛紜的麼。淺學如我不敢下一個斷語來說誰是誰非呢

發熱的原因在上面已經講過了。現在所討論的問題。就是發熱的種類。把他很簡單的寫在下面吧。

(一)微熱和高熱。　在攝氏表三十八度左右稱爲微熱將近四十度或超過四十度的熱稱爲高熱間於這當中的叫做中等熱。但現在一般病家大多以爲熱度低微而忽視。看見熱度高起了。就非常的着急不過據我們來觀察以這種來診斷是不可能的舉個例子來證明罷。像像癆病人微熱連續很久並且早晚相差只有一度的時候其結果就很可慮。霍亂病人不但沒有發熱。反而熱度低降。不是也能致命麼。根據以上的例子證明。微熱和高熱是不能拿來診斷疾病的輕重是無疑的了。

(一)惡寒戰慄。高熱發生最速的時候。就有惡寒戰慄的現象。這時遍身發抖。牙根不能合攏。皮膚發生雞皮的形式。最初覺得很冷。不上一刻。就非常的高熱起來。這種型式的發熱。在急性肺炎和瘧疾的病人。常常可以見到迅速發熱。熱度增高的時候。那熱度向周圍放散的程度。也就增加起來。所以病人覺得很冷。因阻欲止發熱。所以皮膚的血管收縮起來。面部身體都現蒼白色。而發生雞皮形。這種熱被周圍所奪的結果。身體各部的肌肉。因欲補充溫熱。就由反射作用而起一種特別的震顫。就是所謂戰慄。以使熱量增加。這種熱的發生和放散。到了呈平衡狀態的時候。這惡寒和戰慄始見消滅。於是病人就覺得熱燥了。

(三)徐徐發熱。這種發熱就是慢慢的開始。每天增加少許。一天高似一天。到了一星期左右。竟達到四十度上下。在這種情形之下。病人只覺得身體很不舒服。而不覺得何時發熱。並且既沒有惡寒。更沒有戰慄。這種發熱在腸熱症的病人。都常常可以見到的。

)四)忽然發熱。是沒有前驅期的症狀。發熱是忽然發生的。但是往往也有發生頭痛或寒慄。繼續就發熱的。

(五)惡寒。在急性或慢性發熱的中間。還有次急性的發熱。這時病人祇覺得怕冷。就是只有惡寒。而沒有戰慄。此種發熱初期的狀況。在疾病診斷上有很大的價值。我們務要仔細問明病家才好呢。

他如發熱對於個人的差異。年齡的關係。現在也把他討論一下吧。

(一)個人的差異。人類對於熱度的抵抗力。有強弱的不同。有些人遇到很微的熱。便覺得身體倦怠。不能支持。但是也有些人雖然熱度發到四十度左右。不算一囘事的。

(二)年齡的關係。大抵年老和年幼。於熱度的抵抗力。當然是不如年壯時的強。所以老人發熱。常大聲的呻吟。氣力一些都沒有。至於小兒呢。發熱到四十度或四十度以上。往往要起痙攣。這就是手足抽筋。遍身發痙的現象。就是所謂驚風。他的原因。大概因爲小兒腦神經未曾十分發達。不耐高熱刺激所致罷。

(D)熱型之鑑別　熱度變化的狀況。稱爲熱型。熱型在診斷方面居極重要的地位。凡急性傳染病或慢性傳染病。大多數以熱型來診斷疾病的。熱型依熱性疾患的種類而各異。可分做稽留性定型。間歇性定型。弛張性定型三種。分述於下吧。

(1)稽留性定型。一日中最低熱度與最高熱度之差在一度以下的熱候、叫做稽留性傷寒太陽病麻疹猩紅熱之類。都是屬於這一種

(2)間歇性定型。熱型中最奇的。要算是間歇熱、就是有熱的日期和無熱的日期互相交替的一種熱型。隔日發熱一次、瘧疾和傷寒少陽病都是屬於這一類的

(3)弛張性定型。一日中熱度之差在一度以上的熱候。叫做弛張熱。傷寒陽明病。化膿性疾患肺結核大概屬於這一種。此外尚有再歸熱。也拿來談一談再歸熱就是間歇熱和稽留熱混合的熱型大約稽留熱繼續一星期左右又有平溫的日期。一二星期或三星期然後忽然又發稽留熱如此一來一往周而復始還種熱型多見於結核症

至於各種發熱病的熱型。也來把他寫在下面吧

(1)麻疹。始則乾咳怕風高熱可達三十九乃至四十度。一二日間。熱漸平穩。到疹達極度後。熱度多不再升。迨第五六日。則分利解熱亦有在翌日略再高昇者、或數日始渙散的。到了恢復期後一二日。則完全抵降了。

(2)猩紅熱。熱度以惡寒戰慄昇騰到三十九度。往往達到四十度。無合併症時。自第三日乃至第五日。即呈渙散狀下降。至第八日到十二日始解熱

(4)風疹。於發疹前一二日。即呈發熱惡寒。到發疹期熱度昇騰的雖不少。然多半無熱。疹子消失時。熱度也於三日以內恢復常溫、

(4)水痘。始則微熱。到發疹時。即隨之上昇。經二三日即下降。也有全無發熱的。

(5)痘瘡。前驅期中。所上昇的熱度。於固有發疹出現時即稍下降。到開始化膿時。熱度又復昇騰。連續二三日間。隨膿疱的乾涸。乃漸次下降。而完全無熱。經過二三星期。即入恢復期了。

(6)白喉。體溫於二三日間。昇騰到三十八度。乃至三十九度。直到僞膜進行停止。熱度也速即下降。僞膜完全消失。則熱度即恢復常態

(7)破傷風。熱度很高臨死以前熱可高到四十二度。雖死後短時間內猶見一二度上昇。

(8)流行性感冒。突然惡寒戰慄繼之以熱熱度約達三十八到四十度。以後便逐漸的下降了。

(9)腦脊髓膜炎。常因一回之寒戰起繼之以熱熱度每達三十九到四十度。本病進行的時候熱至四十度即止。但重症瀕死時。則往往變過高熱。

(10)肺炎。突然寒慄熱度上騰至三十九或四十度。凡七日或五六八九日。熱度頓降。即所謂分利解熱。然有四日即痊者。有二三週而始痊者。分利時大概出汗半日之間。即降於常溫。假使呼吸和脈搏不減少的話。往往於十二小時以內。其下降的熱度再復上升。

(11)肺結核。熱度是很低微的。傍晚三十八度。或三十八度半。

(12)丹毒。突然戰慄惡寒發很高的熱。約達四十度以上。後來即慢慢地恢復常溫。

(13)痢疾。本病初期。常帶微熱。若病變延侵至迴腸下部。則熱度昇騰達四十一度。而爲高熱。

(14)鼠疫。始則微覺頭痛眩暈。全身怠倦。繼即惡寒發熱。然後隨各種病狀的輕減而遂漸恢復常溫。

(15)瘧疾。一般發熱之初。惡寒戰慄。皮膚蒼白厥冷。門牙平均經過不過三四時間。內部的熱度即行下降。而恢復常溫。此外本病尚有四日熱隔日熱混合熱惡性間歇熱假面間歇熱慢性間歇熱等現象

(16)霍亂。本病非但沒有發熱而熱度反降至常溫。腋下在齒下僅有三十度。

以上所舉許多發熱的病症。不過是些緊要的罷了。此外尚有許多病也能發熱。因篇幅有限。不能一一的敍述了。

(E)熱候之經過。區別他的經過。大致可分做三期。即增進期極期減退期。分說於下

(1)增進期。該期爲體溫上昇的時期。有戰慄迅速增進的。像腸傷寒急性肋膜炎。都是屬於這一種。

(2)極期。該期爲達熱候最高的時期。其持續因疾病而有差異。例如瘧疾二至四時間。格魯布性肺炎。一週至二週。傷寒約二週間。

(3)減退期。 該期爲昇騰的熱度下降的時期而其下降狀態有二。一發汗及脈搏的減少。一二日間熱度消散。叫做分利格魯布性肺炎發疹傷寒丹毒再歸熱等是。一熱候緩緩下降的叫做渙散。像猩紅熱傷寒痘瘡急性肋膜炎等是。熱度下降狀態稍緩的。叫做遷延性分利

(F)發熱特有的症候 熱候常有種種之特有症狀。隨伴而發。舉其主要如次。

(1)發疹 麻疹猩紅熱疹斑傷寒痘瘡水痘丹毒等各種發熱而透出並屢於解熱之先消散。

(2)神識 神識之障礙。卽精神朦朧或恍惚昏睡等於傷寒腦膜炎粟粒結核重症敗血症潰瘍性心臟內膜炎等見之。

(3)口唇及鼻匐行疹。 匐行疹屢於格魯布性肺炎流行性腦脊髓膜炎等見之。但是結核性膜膜炎傷寒肋膜炎則缺如。

(4)脈搏 腦膜炎的初期。雖然遲緩。在猩紅熱就非常頻數。於腸傷寒第一期遲徐第三期一分間有百及百廿至在第二期無合併症的則通例一分間不超過百十至。

(G)發熱之療法 就是對於熱度上昇超過常溫以外的時候。使他下降的藥物。卽所謂解熱藥。

生理作用

(1)規整體溫的神經中樞。

(2)增加體溫的放散

(3)減退組織細胞的酸化機能。以減少體溫的發生。

(4)使由熱而來的他種症狀。亦可緩解。

(5)撲滅發熱所由的有機體內醱酵素。

(6)原因於發疹的。可使早透。

(7)增加汗腺的分泌。

醫治作用。

凡有發熱的症狀都可以此藥治之。

西藥的解熱劑有三種。一爲水揚酸屬。一爲安知必林屬。一爲金雞納屬。前二者有安靜調溫中樞。使散溫增加發溫減少的作用。服後每每出汗。故可稱做發汗解熱劑。後一者有減退全體細胞物質代謝的功能。使體溫的來源減少。服之不致發汗。故可稱爲不發汗的解熱劑。發汗解熱劑多適用於稽留性熱型。不發汗的解熱劑多適用於間歇性及弛張性的熱型。而所稱回歸熱亦然。

至於中藥的解熱劑。其性類大致也相同的。

中藥的解熱劑也有三種。一爲辛温屬。麻。桂。荊。防。羌。獨。芎。蘇。之類。都是他的代表。一爲辛涼屬。柴胡枝子銀花連翹勾籐等屬之。一爲甘涼屬。石羔爲其代表。而地骨皮石斛銀胡旱蓮草青蒿等隸之。前一者有發汗作用。可稱爲發汗解熱劑。故想像他能安靜調溫中樞。後二者無發汗作用。可稱爲不發汗的解熱劑。故揣測他能減退細胞物質的代謝。中藥的發汗解熱劑適用於太陽熱。不發汗的解熱劑多適用於少陽熱。甘涼屬多適用於陽明熱。太陽熱爲稽留型。少陽熱爲間歇型。陽明熱爲弛張型。在前面已經講過。現在可無用再講了。

(1)解熱劑有時須和強心劑同用。　凡疾病的生死。最大關頭。在於心臟的強弱。心臟的搏動一刻存在。即生命一刻未絕。亦即醫者的救治方法一刻未能停止。病理學家謂心臟爲三大死門之一。實有很深的道理。照這樣看來。強心在醫療上的重要。不言可喻了。所以用解熱劑時。發現有心臟衰弱的特徵。就非和強心劑一起用不可的。而况當發熱時。心臟過度興奮。其結果恐亦不免於衰弱或麻痺。能同時又加以體內新陳代謝的增進。都和影響心臟衰弱有特殊的關係呢。

中醫對於流行性熱病。以仲景傷寒論的紀載爲最詳細。而治法也很週密而適當。傷寒論三陽篇所記之症。就是流行性熱病。都以發熱爲他主要的病狀。治三陽症主要的方劑。即以解熱的麻黃湯桂枝湯小柴胡湯大小青龍湯桂枝二越婢一湯白虎湯等數方爲主方。故無須繁徵博引。也可以知道仲景對熱病的重視解熱劑。至於解熱劑以外強心劑也爲極重要的處置。仲景立法的週密適當。都很合於科學。於此即足以證明了。玆舉個例子在下面吧。傷寒論太陽篇云。病發熱頭痛。脈反沉。若不差。身體疼痛。當溫其裏。宜四逆湯。此篇的意義。就是說病發熱頭痛身體疼痛等爲全身的症症。而脈反沉。則心臟陷於衰弱的明證。有虛脫之處。當這時候。就急當救心臟的衰弱爲先。而以發熱身疼痛等等的症狀爲後。照這樣看起來。則中醫治療熱性病。也深知以救心臟爲重。大概是很明白的。至解熱劑和強心劑同時並用。在仲景的著作上。也常常看得見的。傷寒論太陽篇服桂枝湯大汗出後。大煩渴不解。脈洪大者。白虎加人參湯主之。傷寒若吐若下後熱結在裏。表裏俱熱。時汗惡風大渴舌上乾燥而煩。欲飲水數升者。白虎加入人參湯主之。傷寒無大熱。口燥渴。心煩。背微惡寒者。白虎加人參湯主之。傷寒脈浮發熱無汗。其表不解。不可與白虎湯。渴欲飲水。無表證者。白虎加入參湯主之。那麼白虎湯內的主藥石羔。爲寒藥之冠。能下降體溫。但是同時也能壓抑心臟。使心臟趨於衰弱。而況因汗下法用過的時候。不是更能增加心臟的衰弱嗎。所以仲景佐以持續而無刺激性強心的人參。那可算是精確極了。此證明解熱劑和強心劑合方之例一。傷寒論少陰篇云。少陰病。二三日反發熱。脈沉者。麻黃附子細辛湯主之。蓋麻黃解熱。附子強心。因本病有發熱。故用麻黃增加汗脈分泌來放散他。因本病脈沉。是心臟衰弱的證據。故用附子與奮性強心劑來強壯他。此證明解熱劑和強心臟合用之例二。又傷寒論太陽篇云。太陽病。下之後。脈促胸滿者。桂枝去芍藥湯主之。若脈微惡寒者。桂枝去芍藥方中加附子湯主之。此節之處置。亦以桂枝解熱。以治太陽病。（太陽二字爲發熱頭痛惡寒等症的代名詞）而以附子強心。和麻黃附子細辛湯一節之處置。大同小異。此證明解腦劑和強心劑合用之例三。照這樣看起來。則中醫對於流行性熱病的處置。不出解熱和強心兩條路了。因爲症狀的緩急繁簡。有時解熱爲先。有時強心爲急。有時解熱和強心兩法。合併用之。至於談到西醫和強心劑合用的解熱劑。必取其無壓抑心力等副作用爲合格。所以舍去一切的安知必林。匿而用規寧。有時也用水楊酸鹽。如規寧合咖啡精。水楊酸合樟腦之屬。中醫的處方。更屬相同。蓋中藥的合強心劑者。祇有麻桂合附子。石羔合人參。此仲景的心法。也和科學是一致的。但更有應討論之點。就是仲景治病用藥。從原則上。確和科學相同。無可議議。但是在藥物的選擇言。則大有商確的餘地。蓋仲景解熱劑的桂枝。和強心劑的附子。都有副作用。所以他解熱壯心的功能非常偉大。但是附子不合乾姜。則性甚和平。其效也就遠遜了。若合乾姜。就非一般熱性病的心臟衰弱所適宜。在作者的意思。熱度很高而心臟衰弱的時候。最好是用麝香。像吳鞠通氏所著的溫熱條辨。有紫雪丹。局方至寶丹。清宮牛黃丸等。都用麝香爲通竅之用。所謂溫病就是熱性病。溫病閉竅。就是高熱而脈搏弱極。甚則沉伏。古人不知由高熱而心臟衰弱的緣故。以爲熱邪閉塞脈管。此時麝香用之最佳至熱度不高而心臟衰弱的當然是姜附爲最適宜了。

(3)傷寒論治發熱病處方的規納

(一)桂枝湯　桂枝(三兩去皮)　芍藥三兩　甘草三兩(炙)　生姜三兩(切)　大棗十二枚

原文

(1)太陽中風陽浮而弱陽綠浮者熱自發陰弱者汗自去嗇嗇惡寒淅淅惡風翕翕發熱鼻鳴乾嘔者桂枝湯主之。

(2)太陽病頭痛發熱汗出惡風者桂枝湯主之。

(3)太陽病外證未解脈浮弱者當以汗解宜桂枝湯。

(4)太陽病外證未解不可下也下之爲逆欲解外者宜桂枝湯。

(5)病常自汗出者此爲營氣和營氣和者外不諧以衛氣不共營氣諧和故耳以營行脈中衛行脈外復發其汗營衛和則愈宜桂枝湯

(6)病人藏無他病時發熱自汗出而不愈者此衛氣不和也先其發汗則愈宜桂枝湯。

(7)太陽病發熱汗出者此爲營弱衛強故使汗出欲救邪風者宜桂枝湯。

(二)麻黄湯　麻黄三兩(去節)　桂枝二兩(去皮)　甘草一四(炙)杏仁七十個(去炙皮)

原文

(1)太陽病頭痛發熱身疼腰實骨節疼痛惡風無汗而喘者麻黄湯主之。

(2)脈浮者病在表可發汗宜麻黄湯。

(3)脈浮而數者可發汗宜麻黄湯

(4)太陽病脈浮緊發熱身疼痛八九日不解表證仍在此當發其汗服藥已微除其人發煩目瞑劇者必衄衄乃解所以然者陽氣重故也麻黄湯主之

(5)傷寒脈浮緊。不發汗。因致衄者。麻黃湯主之。

(6)太陽病。十日已去。脈浮細而嗜臥者。外已解也。設胸滿脇痛者。與小柴胡湯。脈但浮者。與麻黃湯。

(7)太陽與陽明合病。喘而胸滿者。不可下。宜麻黃湯。

(三)大青龍湯　麻黃(六兩去節)　桂枝(二兩去皮)　甘草(二兩炙)　大棗(十二枚擘)　生姜(二兩切)　杏仁(四十個去皮尖)　碎石膏(如鷄子大)

原文

(1)太陽中風。脈浮緊。發熱惡寒身疼痛。不汗出而煩燥者。大青龍湯主之。若脈微弱。汗出惡風者。不可服。服之則厥逆。筋惕肉瞤。此爲逆也。

(2)傷寒脈浮緩。身不疼。但重。乍有輕時。無少陰症者。大青龍湯發之。

(四)小青龍湯　麻黃二兩　桂枝二兩　芍藥三兩　細辛三兩　乾姜三兩　炙甘草三兩　五味子半升　半夏半升

原文

(1)傷寒表不解。心下有水氣。乾嘔發熱而欬。或渴。或利。或噎。或小便不利。少腹滿。或喘者。小青龍湯主之。

(2)傷寒心下有水氣。欬而微喘。發熱不渴。服湯已渴者。此寒去欲解也。小青龍湯主之。

(五)桂枝湯黃各半好　桂枝(一兩六銖去皮)　芍藥　生姜切　炙甘草　麻黃各去節一兩　大棗(四枚擘)

原文

太陽病得之八九日。如瘧狀。發熱惡寒。熱多寒少。其人不嘔。清便欲自可。一日二三度發。脈微緩者。爲欲愈也。脈微而惡寒者。此陰陽俱虛。不可更發汗。更下更吐也。面色反有熱色者。未欲解也。以其不能得小汗出。身必癢。宜桂枝麻黃各半湯。

(六)桂枝二越婢一湯　芍藥(去皮)　桂枝　甘草(炙)　麻黃去節(各十八銖)　生姜(一兩三錢切)　大棗(四枚擘)　石羔(廿四銖)

原文

太陽病。發熱惡寒。熱多寒少。脈微弱者。此無陽也。不可發汗。宜桂枝二越婢一湯。

（七）桂枝二麻黃一湯　桂枝（一兩十七銖去皮）　芍藥（一兩六銖）　麻黃（十六銖去節）　炙甘草（一兩二銖）　杏仁（十六枚去皮尖）　生姜（一兩六銖）　大棗（五枚擘）

原文

服桂枝湯。大汗出。脈洪大者。與桂枝湯如前法。若形似瘧。一日再發者。汗出必解。宜桂枝二麻黃一湯。

（八）葛根湯　葛根四兩　麻黃（三兩去節）　桂枝（二兩去皮）　芍藥二兩　炙甘草二兩　生姜切二兩　大棗（十二枚擘）

原文

(1)太陽病。項背強几几。無汗惡風者。葛根湯主之。

(2)太陽與陽明合病。不下利但嘔者。葛根湯主之。

（九）白虎湯　知母六兩　石膏（一斤碎）　炙甘草二兩　粳米六合

原文

(1)傷寒脈浮滑。此以表有熱。裏有寒。白虎湯主之。

(2)三陽合病。腹滿身重。難以轉側。口不仁。面垢。譫語遺尿。發汗則譫語。下之則額上生汗。手足逆冷。若自汗出者。白虎湯主之。

(3)傷寒脈滑厥而者。白虎湯主之。

（六）小柴胡湯　柴胡半斤　黃芩三兩　人參三兩　炙甘草三兩　半夏（半升洗）　生姜（三兩切）　大棗十二枚

原文

(1)傷寒五六日。中風。往來寒熱。胸脇苦滿。默默不能飲食。心煩喜嘔。或胸中煩而不嘔。或渴。或腹痛。或脇下痞鞕。或心下悸。小便不利。或不渴。身有微熱。或欬者。小柴胡湯主之。

(2)血弱氣盡腠理開邪氣因入與正氣相搏。正邪分爭。往來寒熱。休作有時。默默不欲飲食。臟腑相連。其病必下。邪高痛下。故使嘔也。小柴胡湯主之。

(3)傷寒四五日身熱惡風頸項強。脇下滿。手足溫而渴者。小柴胡湯主之。

(4)婦人中風七八日。續得寒熱發作有時。經水適斷者。此爲熱入血室。其血必結。故使如瘧狀發作有時。小柴胡湯主之。

(5)陽明病發潮熱大便溏小便自可胸脇滿不去者。小柴胡湯主之。

(6)嘔而發熱者。小柴胡湯主之

(7)傷寒十三日不解。胸脇滿而嘔。日晡所發潮熱。已而微利。此本柴胡證。下之而不得利。今反利者。知醫以丸藥下之。非其治也。潮熱者實也。宜小柴胡湯以解外

(8)陽明中風脈弦浮大而短氣腹部滿脇下及心痛久按之氣不得通。鼻乾不得汗嗜臥。一身及目悉黃。小便難。有潮熱時時噦耳前後腫。刺之小差。外不解。病過十日脈續浮者與小柴胡湯

(9)本太陽病不解轉入少陽者脅下鞕滿。乾嘔不能食。往來寒熱。尚未吐下。脈沉緊者。與小柴胡湯。

(11)傷寒五六日頭汗出。微惡寒。手足冷。心下滿。口不欲食。大便鞕。脈細者。此爲陽微結。必有表。復有裏也。脈沉亦在裏也。汗出爲陽微。假令純陰結。不得復有外證。悉入在裏。此爲半在裏半在外也。脈雖沉緊。不得爲少陰病。所以然者。陰不得有汗。今頭汗出。故知非少陰也。可與小胡柴湯。

(11)陽明病。脇下鞕滿。不大便而嘔。舌上白苔者。可與小胡柴湯。

(3)解熱劑之副作用。　若是一見發熱。立刻卽用解熱劑將他退下。往往病人的熱型弄亂了。使診斷發生困難。這還是較小的問題。最大的問題是什麽呢。因爲能有害心臟及胃腸的機能。現在分別證明於下吧。

(一)害心臟　太陽篇云「發汗後。必振寒脈微細」「發汗後。脈沉遲」「發汗後。其人叉手自冒心。心下悸。」少陰篇云。「脈

微不可發汗。亡陽故也」太陽篇云「發汗後以此表裏俱虛。其人因致冒」此發汗解熱劑。有害心腦的證明但是不發汗的解熱劑也能妨害心腦的。像石膏一味他壓抑心腦的力量比一切解熱劑爲甚。熱性病誤用石羔立著虛脫。前賢謂「發熱入陰最忌石羔」陰字卽代表心力的衰弱。吳鞠通氏說「脈微不可用白虎」都是至理名言。很値得佩服的。

(二)害胃腸　太陽篇云「發汗後腹脹滿」「發汗後其人臍下悸欲作奔豚」(奔豚乃腸之蠕動亢進而發爲腸疝痛)「發汗後水藥不得入口。爲逆若更發汗必吐下不止。」「病人脈數而反吐者以發汗令虛故也。」等等都是很好的證明此外像梔子這味藥是能有害胃腸的。如太陽篇云「凡服梔子湯病人舊微溏者不可與服之。」豈不是很好的例子嗎。

綜觀以上所說的關於熱的種種可謂已具大體了但是作者一方面限於學識一方面迫於時間。謬誤的地方想一定是不能免的幸閱者諸君加以指正吧。

鍼灸之傷寒治法錄

王盤纓

小引

方今科學進步。一日千里。不論何種學說。皆因時而變更。數千年來不易悯明之事理。今則一轉而爲極通俗之常識。昔人不能做的事。今則易如反掌。一切事物莫不受科學之支配。而啓發文明者也。噫。我國醫所以事事落後。而不能長進者。其中原因。雖極複雜。但悉心考察。亦不出二點。一則一般人但知抱殘守缺。昏庸冥頑。腐敗自安。不肯專心於新學之探討。此輩大概奉五運生尅爲金科玉律。口所言筆所書。悉陳死人之言。此爲現代社會之通病也。二則一般人以爲得科學之神助者。對於固有之特長。不但毫無研究。而且不加思索。一味破壞不遺餘力。以爲中國過去文化盡是荒誕腐化。不經之說。無一是處。此則現代學者。惟新是尚不求眞理之。通病也然而中國醫學爲千古承傳歷史結晶。其一大部份之事實。爲現代科學。無法詮释者尚多。譬如神密的鍼灸……等，處處均足證明現代科學未臻完善。非中醫之無科學化。是故事實是事實。理論爲理論。必本眞理之言論。與結晶之事實互相證明時。始得能成有系統之學說。而得大公於世也。嘗考鍼灸醫術。乃我國之絕學。古昔醫家。莫不熟諳之。以其能起痼疾。醫沉疴。卒暴厥逆。湯藥所不能治者。每能愈之。其治驗神速。事實昭彰。已經佔在治療上最重要之地位。世人莫不驚爲絕技。而目爲神祕。法國醫學博士密勒文曰。中國鍼灸頗類電療。而効力過之。其出神入化。非現代科學所能解釋也。是知鍼灸之價值。於此可見一班矣。惟知其然而不知。其所以然。此理此迹。應待研究者也。

緒言

觀夫內經詳論臟腑經穴等說。爲鍼灸而言者。十居八九。以方藥爲治者。僅見一二。而仲聖傷寒論關於鍼灸之原文。亦有二十餘條。且參與方劑互相爲用。良由古人治病。注重鍼灸。明矣。奈何。現代醫界反多不習。習之者亦不圖改進。恥之甚也。

鍼刺

太陽病。(謂機能亢盛於肌表及上部之軀體最外層之外表病也。)頭痛至七日以上自愈者。以其行經盡故也。若欲作再經者。(若有見陽明經症者。)鍼足陽明。(足三里穴)使經不傳。則愈。

足三里　足陽明胃經。

部位　在外膝眼下三寸。脛骨之外廉。

主治　消化不良。胃痙攣。食慾不進。羸瘦。腸雷鳴。便祕及諸內臟之慢性疾患。四肢倦怠麻痺。神經痛。腳氣。頭痛。眩暈。逆上。眼疾等爲主症。

手術　鍼五分灸三壯至百壯。

備考　按此穴爲足陽明之要穴。刺能瀉陽明胃腑之熱。天星祕訣曰。傷寒過經不出汗。期門三里先後看。原博士曰。足三里是無病長壽灸。能解除一切結核病。

效徵　考足陽明之脈起於鼻之交頞中。旁約太陽之脈下循鼻外。入上齒中……卻循頤後下廉……循髮際。至額顱其支者……循喉嚨。入缺盆下膈屬胃。絡脾。其直者從缺盆下乳內廉。下挾臍。入氣街中。故陽明之證。必現鼻乾衄痛發頤頭痛喉痧。胃中停食或腹痛等諸證。而三里穴原爲該經絡中之要穴。刺以解除經隧之壓仰。制止神經之興奮及引行該經之病毒等作用。

太陽病。初服桂枝湯。反煩不解者。（因爲外感之風邪。重內之陽氣亦重。而煩者。爲熱鬱於心胸。是机能亢盛抵禦病毒之現象也，）先刺風池風府。却與桂枝湯則愈。（風池風府爲巨陽之地。因爲風邪凝結於太陽經之要路。藥力不能疏通。故先刺而後藥者風邪太重故也。）

風池　足少陽膽經。

部位　在腦空之直下。後頭骨之下部陷凹處。

主治　間歇熱。頭痛。眩暈。衄血淚液過多。眼球充血。視力缺乏。項部硬直及痙攣。咽頭加答兒。半身不隨。中風。神經衰弱。不眠症。迷走神經麻痺。副神經麻痺及耳孔疾患等爲主症。

手術　鍼一寸二分。灸七壯至百壯。「鍼灸甲乙經」

風府　督脈經。

部位　外頭結節之下方陷中。瘂門上五分

主治　頭痛頭重。頸項部神經痛。衄血。咽喉加答兒。癲癇。中風黃疸等爲主症。

手術　禁灸。鍼三分。「銅人經」

備參　席弘賦曰。風池風府尋得到。傷寒百病一時消。

效徵　夫外邪之中人也。體工必起自然反應而抵抗。以致氣血由是上衝。頭部三叉神經受壓迫。故頭痛項部充血神經肌肉麻痺故項強。熱鬱於裏故煩。鍼刺能誘導血液之循環。排除神經之障礙也。

傷寒腹滿譫語。（兼有太陰陽明之裏症。）寸口脈浮而緊。（太陽表病之脈）此肝乘脾也。名日縱。刺期門。（此症若從太陽而發汗。則有太陰陽明之裏熱。欲從太陰陽明而下之。又恐太陽之表邪主治誠爲兩難。故不用藥而用針也。）

傷寒發熱。嗇嗇惡寒。（無汗之表症。）大渴欲飲水。其腹必滿。（停水之滿。）自汗出。（表症當解。）小便利。（滿可除。）其病欲解。此肝乘肺也。名曰橫。刺期門。（汗自出小便利。表裏之病毒已有出路矣。）婦人中風。發熱惡寒。經水適來。得之七八日。熱除而脈遲身涼。胸脅下滿。如結胸狀。譫語者。此爲熱入血室也。當刺期門。隨其實而瀉之。（因爲經水適來。而表鄙乘虛而熱入血室。故脈遲身涼。而但胸脅下滿如結胸狀者。原爲瘀毒積滯於肝也。）

陽明病。下血譫語者。此爲熱入血室。但頭汗出者。刺期門。隨其實而瀉之。濈然出則愈。此條當亦婦人病。因爲邪熱鬱於陽明之經。迫血從下而行。血下則經脈空虛。熱得乘虛而入血室。故作譫語也。

期門　足厥陰肝經。

部位　乳頭直下第二肋間。承滿傍一寸五分。

主治　肺炎。肋膜炎。胸筋僂麻質斯。肋間神經痛。腎臟炎。喘息。胃弱。吐瀉。慢性腹膜炎。月經不調。消渴。肝臟病。子宮病等爲主症。

手術　灸五壯。鍼四分。「銅人經」

備考　席弘賦曰。期門主治傷寒經。

效徵　按甲乙經曰期門者肝之募也。雜病門謂期門是肝穴與女子胞通。後藤氏研究海特氏神經過敏帶與古來孔穴有互相吻合之點。而證明期門爲肝臟疾患之神經過敏帶。由是可知病毒陷入子宮。因爲抵抗不及。淋巴壅滯。血瘀於肝。胸脅下滿如結胸狀者。是肝臟疾患之象徵矣。蓋鍼灸之理。亦利用體功之自然以療病。針刺以緩和神經之興奮。助長血液之流暢。促進淋巴之新陳代射。兼能解除經隧之病氣。

太陽與少陽併病。頭項強痛。或眩冒。時如結胸。心下痞鞕者。（頭項強痛。卽是太陽表症。眩冒結胸心下痞鞕者。爲少陽樞症。）當刺大椎第一間。肺俞。肝俞。愼不發汗。發汗則譫語。脈弦。五日譫語不止。當刺期門。（太陽應出汗。少陽應和解。然此症若發汗。太陽雖解而少陽未和。又因汗出液少。不足以濡養神經。故熱愈熾。神經受炙。而能發譫語。）

太陽少陽併病。心下鞕。頸項強而眩者。當刺大椎肺俞。肝俞。愼勿下之（太陽少陽併病之症。若因誤汗。以致液體放散太過則能成讝語。若因誤下。正氣不能抵抗。表與半表裏之邪內陷。以致淋巴瘀滯。則成結胸。是以亦禁下也。

肺俞　足太陽膀胱經。

部位　在第三胸椎之下部。去脊傍一寸五分。

主治　肺病之主要穴。治肺結核。肺炎肺出血。氣管枝炎。心臟瓣膜。黃疸。口內炎。嘔吐。腰背神經痛。小兒佝僂病。痔虫等為主症。

手術　鍼五分。灸三壯至百壯「。「甲乙經」

備考　此穴主瀉五臟之熱。神農經曰。治咳嗽吐血唾紅骨蒸。虛勞可灸十四壯。

肝俞　同上。

部位　在第九。十胸椎橫突起間。去脊一寸五分。

主治　肝病之主要穴。治神經性病。慢性胃病。胃擴張。胃痙攣。胃出血。氣管枝炎。肋間神經痛。胸背部痙攣。黃疸。眼目外內翳障等為主症。

手術　灸五壯。「明堂灸經」鍼五分。「銅人經」

備考　此穴主瀉五臟之熱。玉龍歌曰。肝家血少目昏花。宜補肝俞力更加。更加三里頻瀉動。還光益目自無差。勝玉歌曰。肝血盛兮肝俞瀉

效徵　刺肺俞以瀉太陽之邪。誘導上部之血液。使其平衡。刺肝俞以解除少陽經隆之壓仰。兼能制止中樞神經興奮。

少陰病。下利膿血者。可刺。（補亡論曰可刺幽門交信。蓋邪入少陰而下利。原為下焦瘀滯而不流行。氣血腐化而為膿血。故可刺以泄其邪）

幽門　足少陰腎經。

部位　在巨闕傍五分。肓俞上六寸。

主治　胃部膨滿。鼓腸。呑酸。嘔吐。肋間神經痛。眼球充血。氣管枝加答兒。噁咀。溲痢膿血等為主症。

手術　灸五壯鍼一寸。「銅人經」

交信　同上。

部位　在內踝上二寸。三陰交下一寸。與復溜並立。

主治　五淋癲疝。陰急股膶內廉引痛。下利膿血。大小便難。女子漏血。月事不調等為主症。

手術　鍼四分。灸五壯。

備考　百證賦曰。女子少氣漏血。不無交信合陽。

效徵　按藤井氏曰。鍼能增加白血球。促進血液凝固性。增最

免疫物質及抗體。對於內臟能亢進腎臟之排泄機能。緩慢腸之蠕動運動等之作用。

艾灸

少陰病。吐利手足不逆冷反發熱者。不死。脈不至者灸少陰七壯。（丹波云。灸足少陰太谿穴。少陰病本是机能衰弱之病。脈不至者。心臟衰弱之至也。）

太谿　足少陽腎經。

部位　在內踝後五分跟骨上動脈陷中。

主治　四肢厥冷。心臟衰弱。神經痛。橫膈膜痙攣。喘息。咳嗽便祕爲等主症。

備考　此穴爲足少陽脈之所注爲俞土。又經曰腎之原出於太谿。

手術　灸三壯。鍼三分。「素問註」

效徵　考艾灸之效用爲溫熱性與化學性之刺激物理作用。經生理實驗後。而證明能促進各組織之細胞生活力。振起機能之衰弱。救濟體溫之低落。調節各種內分泌。且能增加白血球赤血球。血色素。鼓舞神經及誘導血液之作用。太谿穴本少陰經之要道。灸之心臟衰弱脈博不至之危症。當然可得平矣。

少陰病得之一二日。口中和。其背惡寒者。當灸之。（補亡論曰。當灸膈俞關亢。）附子湯主之（其背惡寒。原爲陽氣不充之惡寒。則机能衰弱。而正氣不能抵抗疾病之故也。）

關元　任脈經。

部位　臍下三寸。

主治　消化不良。腸加答兒。腸出血。下腹部痙攣。水腫。腎臟炎。睪丸炎。攝護腺炎。淋疾。尿閉。慢性子宮疾病等爲主症。

手術　灸七壯。鍼一寸二分「素問註」

膈俞　足太陽膀胱經。

部位　在第七八胸椎橫突起間。去脊椎一寸五分。

主治　治心臟病。能預防心臟痲痺。肋膜炎。喘息。氣管枝炎。胃加答兒。嘔吐。食道狹窄。惡咀。虛弱盜汗等爲主症。

手術　灸三壯。鍼三分。「銅人經」

效徵　考圖經云膈俞爲足太陽氣脈所發。專治背惡寒脊強。俛仰難。關元爲足三陰任脈之會。灸之者。是溫其裏。以助元氣也。蓋艾灸俱有溫中逐冷。能直達血脈。以助其運行。激發神經。以啓其壅窒。陽氣式微。亟宜艾灸。

少陰病。下利脈微濇。嘔而汗出。必數更衣反少者。當溫其上灸之。（方氏云當灸白會穴。因爲陽氣衰微陰毒下走之症。溫其上者。則是以升提其陽也。）

百會 督脈經。

部位 正頭中。

主治 頭痛。眩暈中風。腦溢血。角弓反張。神經衰弱腦充血腦貧血癲癇五癇。鼻孔閉塞百日咳脫肛。久痢。痔疾等爲主症。

手術 灸七壯至七七灸「銅人經」鍼二分。「素問註」

備考 靈光賦曰。百會龜尾治痢疾。席弘賦曰。小兒脫肛患多時。先灸百會後尾骶

效徵 下利灸百會者。是利用誘導之法。以升提下陷之元陽。及其他之作用也。

下利。手足厥冷。無脈者。灸之不溫。（補亡論云。當灸關元氣海。）若脈不還反微喘者死。（治病之法。貴在不可錯過病机。苟眞陽未竭。病尚可治。若錯過時期。故灸之不溫又因虛陽隨呼吸上脫而喘者當然是死症也。）

氣海 足太陽膀胱經。

部位 第三腰椎之下去脊一寸五分。

主治 腰痛。神經衰弱痔漏等爲主症。

手術 灸三分。鍼三壯

效徵 按灸焫有科學之理。取其燒灼刺戟。直接以助復元眞之陽氣。能鼓舞神經。促進血行。補助體溫。增加赤血球而增進榮養力。增殖白血球而營殲菌作用。亢進細胞生活力。調整新陳代謝之功效。故傷寒三陰之機能衰弱。病實不可少之補助療法也

傷寒脈促。手足厥逆。可灸之。（丹波引補亡論云可灸太衝。按其人脈促手足厥逆。其陽必爲陰所格拒。因不能返。故宜灸以通陽也。）傷寒六七日。微脈。手足厥冷。煩燥。灸厥陰。厥不還者死。（補論云可灸太衝。脈微手足厥冷傷寒厥陰之重症。又加煩躁。乃眞陽欲脫而神氣浮越之象。雖投以茱萸附子四訟之類。尚不足以救急。故當再灸之。）

太衝 足厥陰肝經。

部位 第一蹠骨與第二蹠骨之連接部稍進前方。

主治 眼疾。腰神經痛。下腹部痙攣。淋疾。睪丸炎。脛骨神經麻痺。子宮出血。虛勞氣怯。手足厥逆等爲主症。

手術 灸三壯。「銅人經」鍼三分。「素問註」

備考 此穴爲肝脈所注爲俞土。

效徵 按俞土者。謂經氣集會之地。灸太衝以直接刺戟該經之神經。而引起與奮。振起細胞之生活力以恢復體 。若得血

上升遺溫機能亢盛。脈微厥逆之病。當然亦可治矣

結論

原博士曰。唯鍼功善瀉而少補。而灸法則補益之功勝於鍼術。觀夫大論例治鍼刺於機能亢盛之陽症。而艾灸以統治三陰之機能衰弱病。由此可知鍼灸之治法矣。總之。舉凡疾患可用湯藥者。鍼灸亦能得其治故徐靈胎有湯藥不足盡病之論詢爲鍼灸張目之說也。或曰鍼灸果如是之偉效然對於十二經絡之循環。奇經八脈之終始。證之現代科學。猶未能詮釋者。何哉。曰。此則所謂神祕歟。夫中國醫學之解剖。以靈樞爲最古。原爲古醫體驗生氣生理而發明。蓋現代屍體解剖所見者。以神經血管爲主。生體解剖而得者。以不易見經脈爲主。故其中底蘊。自較有別也。要之現時之中西醫學。皆未登峯造極去眞實拯人疾苦。若學理明澈之世界醫者尚遠。此則願同道者有所互發相揮者也。然耶。否耶。質諸高明。

春季始業一年級日課表

時間	科目	星期一	星期二	星期三	星期四	星期五	星期六
上午	一						
	二	通論	通論	黨義	通論	通論	韻文
	三	韻文	傷寒	韻文	傷寒	病理	傷寒
	四	病理	病理	病理	醫史	醫史	韻文
下午	五	國文	生理	國文	生理	國文	生理
	六	診斷	內經	藥物	內經	診斷	論文
	七	藥物	內經	藥物	內經	藥物	
	八						

暑病之研究

吉星耀

緒言

暑爲六淫之一。夏日之熱病也。經云。後夏至爲病暑是也。古人論暑。每多暑濕兼稱。以爲暑必挾濕。殊不知暑爲炎炎之氣。濕乃粘膩之邪。暑統風火陽也。寒統燥濕陰也。暑之與濕。立於對待地位。何可混淆而不分哉。設果暑必兼濕。則夏日汗出心煩脈虛身熱之傷暑證。清暑益氣之法。當易爲淡滲之治。汗多而更滲其陰。豈良醫所忍出此。但夏月霉雨綿綿。經日光之蒸發。人在氣交之中。易於吸收之水汽。故謂暑易兼濕則可。若謂暑必兼濕則不可。且暑又有陽暑陰暑之別者。實始於張潔古之動而得之爲陽暑。靜而得之爲陰暑一言。不知暑爲天之熱氣也。純陽無陰。濕爲地之寒氣也。純陰無陽。且暑之與濕。原爲二氣。如果暑必兼濕。不可冠以陽字。若知暑爲熱氣。不可冠以陰字。其實彼所謂暑者。卽夏月之傷寒也。夏月之傷寒。亦所常見。乃潔古泥於內經後夏至日爲病暑一言。以爲凡夏至後所移之病悉爲暑證。設果如其言。則冬日悉是傷寒。春日悉是溫病。秋日悉是燥病。長夏悉是濕病。每季各佔一氣。其他諸氣。均可廢矣。醫家治病。亦可無須診斷。在春卽曰溫病。在夏卽曰暑病。在秋。在冬。在長夏。卽曰此燥病也。濕病也。傷寒病也。獨不思夏月皮毛開張。汗出當風。傷於風者有之。坐臥濕地。傷於濕者有之。固不僅傷寒傷濕爲然也。考內經以夏至前後分溫暑者。以夏至前天氣溫煖。病溫者爲多。夏至後天氣酷熱。病暑者爲多故也。非謂夏至前皆是溫病。夏至後皆是暑病也。張氏奈何死煞句下。妄立不經之名。以貽誤後學哉。故陰暑之名，於理實不可通。名不正。則言不順。言不順。則無以傳天下後世也。前哲王孟英固曾辨之屢矣。奈近人仍藐藐視之。爰重申其義如上。

暑病之原因

賈元良曰。暑之爲氣。在天爲熱。在地爲火，在人臟爲心。故暑者相火行令。夏暑邪所感。由口鼻而入。傳心胞絡之經。蓋口爲飲食之門戶。鼻乃呼吸之要道。故雖當大熱之時。飲食與呼吸不能須臾停也。然暑氣除由口鼻而入外，肌表亦能侵入。其何以故。欲知溽暑之時。火傘高張。農工爲生活所迫。不辭勞苦。以致工作過度。大汗淋漓。毛竅開張。暑邪得以乘機而入。尤以體質素弱之人。最易感受。因其元氣不足。缺乏抵抗力故也。然而亦有暑氣早以藏伏於裏。復得外邪之引動而發者。又有多濕之人。亦易感暑。因外暑蒸動內濕故也。凡此種種。均爲感暑之原因也。

暑病之證狀

夫暑病發生之種類甚多。因受暑時病原各不相同故也。今將暑病之種類及其證狀。分列於後。

中暑

中暑一症。乃暑氣直中人體之謂也。重者往猝然昏厥不省人事。症候之輕者。爲口渴有汗。頭疼面垢。背微惡寒。躁煩不安。脈象弦細芤遲。而捫之似無。或兼有心煩浮熱。小便已。則洒然毛聳。或手足厥冷。小有勞動。卽發熱不退。此卽中暑之證也。

傷暑

傷暑一症。較中暑爲輕。其證候。爲白日發熱。黑夜始涼。倦怠自汗。飲食乏味。脈形無力。亦有頭脹眩暈。遍身煩躁。膚如針刺。或兼亦腫咳嗽。寒熱盜汗。口渴脈數等候者。卽傷暑之證也。

冒暑

冒暑一症。又較傷暑爲輕。因其感冒暑氣而已。遠不若中傷之重也。其證候。爲口渴欲飲。噁心嘔吐。腹痛水瀉。小便短赤。有時眩暈。心煩躁熱。至若飲食不愼。而冒暑者。則又爲暑滯夾雜之病矣。其候又爲腹痛作瀉。瀉下皆爲黃糜之物。更兼口渴溺熱。此卽冒暑之證也。

伏暑

伏暑一症。乃暑氣早伏於裏之謂也。其證候爲寒熱無定。神昏體倦。熱漸頭重。甚則吐瀉交作。中滿頭脹。或兼有瘧痢斑黃。腹痛下血等證候者。皆爲伏暑之證也。

暑風

暑風一暑。乃暑火極熱。炎灼肝不所致。其證候。爲卒然昏倒。神志不清。手足搐搦。瞀悶不知。此卽暑風之證也。

暑瘵

暑瘵一症。亦爲暑火熱極。刧陰所致。其證候。爲咳血吐血。此卽暑瘵之證也。

暑瘍

暑瘍一症。乃暑濕同流入經絡腠理所致。其證候爲日夜發熱不定。頭項腫痛。或兼咽喉亦腫。腿足厥痛。履步艱難者。此卽暑瘍之證也。

暑厥

暑厥一症。乃云暑暍同病。考仲景金匱論所論痙濕暍之「暍」字。卽爲中暑之症。故暑暍二字。在形式上雖可暫分。而實際上則無須分也。但暑厥症。所論原因不同。而其證候亦異。故有手足發厥。以及先惡寒發熱而厥者。與不惡寒發熱而厥者之別。入門云。手足發厥之「厥」字。與傷寒所論之厥義同。至若單惡寒而發厥者。乃夏寒之陰症。不與暑暍症同。故凡暑氣蒙蔽清竅。神志昏迷。四肢厥冷者。此卽暑厥之證狀也。

暑病之療法

夫暑病發生之原因不同。而其治法當亦有異也。故隨症施藥。乃爲扼要之圖。若一味用清暑之法。概治暑病。而不顧及其他兼症。以及體質之強弱者。恆足僨事。其病因症狀。既已辨清於前。而後隨其原因證狀。施以適當之療治。庶克有濟。故凡暑病初起。卽見有熱寒不清。汗出面垢。口渴躁煩。脈弦細芤遲者。宜用清解暑熱之法。如香薷飲。六和湯加干葛之類。若僅自汗無度。倦怠少食。脈虛無力者，乃元氣不足之症。宜用清暑益氣湯爲主。如兼見咳嗽煩躁。寒熱盜汗。脈象虛數者。則肺臟被暑火所傷。肺液被刼。宜用甘桔湯加麥冬山梔丹皮黃芩川貝等養陰瀉火之味。如症見水瀉腹痛。口渴欲飲。嘔吐瀉心。小便短赤。或兼有眩暈躁熱心煩等候者。宜用胃苓散加藿香清化利濕。或用六一散亦可。至若傷於飲食而成夾雜之症者。宜用平胃散加黃連木通神麴澤瀉等清熱消導之品。但暑病變化多端。如證見寒熱不定。神昏體倦。吐瀉腹痛。下血膨脹，以及有瘧痢斑黃等症候者。宜用消暑丸和化治之。至於熱極動風一症。尤爲危險。宜用連翹飲加薄荷荊芥。清其時令之火。制其肝木之風。乃有轉危爲安之約玉。至暑厥一症。手足厥冷。宜用二香散。溫散舒筋。或用人參羌活散合香薷飲。治之亦可。至若暑瘵與暑瘍二症，一爲暑火刼陰。而成吐血咳嗽。一爲暑濕同入經腠。而成腫瘍。刼陰宜用養陰法。六味湯加阿膠麥冬丹皮等補陰之味。或加杏仁石斛西瓜翠衣竹葉等清暑滋潤之品。腫瘍宜用消散法。敗毒散。黃連湯正其治也。總之。暑病乃天之熱氣。流金鑠石。純陽無陰。故其治法終不離乎清。初起輕者。不外宣熱清暑。重者清心滌暑。汗多氣傷者。益氣清暑。若兼感濕氣。則又宜加入宣化之品矣。今將治暑病諸方。列之於後。以供參考。

香薷飲　香薷　厚朴　扁豆　黃連

六和湯　藿香　厚朴　甘草　扁豆　赤苓　砂仁　木瓜
　人參　半夏　杏仁　姜　棗

清暑益氣湯　黃芪　人參　白朮　蒼朮　神麯　青皮
陳皮　甘草　麥冬　五味　當歸　黃柏　澤瀉　升麻
葛根　姜　棗

甘桔湯加黃芩山梔麥冬丹皮川貝　甘草　桔梗　黃芩
山梔　麥冬　丹皮　川貝

消暑丸　半夏　茯苓　甘草　姜汁糊丸

香薷飲　羌活　香薷　厚朴　扁豆　黃連　羌活

二香散　香附　香薷　蘇葉　蒼朮　陳皮　扁豆　甘草

木瓜　加葱　姜

六一散　滑石　甘草

益元散　滑石　甘草　辰砂

人參羌活散　羌活　獨活　柴胡　前胡　人參　茯苓

川芎　甘草　只壳　桔梗　天麻　地骨　薄荷

六味湯加阿膠丹皮麥冬　熟地　山萸　山藥　茯苓　澤瀉　丹皮　阿膠　麥冬

敗毒散　枳壳　茯苓　川芎　羌活　獨活　柴胡　前胡

甘草　桔梗

黃連湯　黃連　乾姜　甘草　桂枝　人參　半夏　大棗

平胃散加黃連木通神麴澤瀉　蒼朮　厚朴　陳皮　甘草

黃連　木通　神麴　澤瀉

胃苓散加藿香　蒼朮　厚朴　陳皮　甘草　猪苓　茯苓

白朮　澤瀉　桂枝　藿香

連薷飲加薄荷荆芥　黃連　香薷　薄荷　荆芥

以上所列諸方。均爲治暑所常用者。故附載於此。餘不多贅。

結論

總上所論。則暑病之原因證候療法。可得其大概矣。然暑病一症。變化無定。且有兼症夾症。故臨診時。最宜細心詳察。隨症施治。方無貽誤。否則膠柱鼓瑟。有不僨事者幾希矣。

瘧疾概論

沈珩

夫治病難。惟瘧尤難。病源深遠。界在陰陽之間。邪正交爭之時。併于陽內外皆熱。併于陽則寒。待陰陽俱衰。衞氣相離。其病乃休。衞氣復聚。其病乃作。寒熱往來。發作有時。當斯時也。令人毛戴。湯火不能使其溫。熱時冰水不能使其寒。及時良工不能止。待其自衰則息。其醫治也。溫涼並用。寒熱兼投。調其陰陽。適其寒溫。其症之複雜。用藥之不易。於斯可見。故非精明老練之士。審症投方不能一時痊癒而患斯病者之苦可見矣。

原因

經云。夏傷于暑。秋必病瘧。因於夏末秋初。患者較多。良以夏令汗出。腠理開發。遇夏氣淒滄之水寒。藏于皮膚之中。及秋風外束。其病乃成。或曰。由蚊蟲爲媒价。吸取患瘧者之血涎時。瘧病胞子蟲隨血液而入蚊胃。爲有性之發育。待發育既成。該蚊刺入平人之體時。胞子蟲隨其口涎。而入平人之血液中。遂亦感染瘧矣。

瘧疾辨似

凡先寒後熱。或先熱後寒。而寒熱往來有時者。瘧疾也。然他病亦能爲寒熱。似瘧非瘧者。如傷寒與勞病。皆有寒熱往來。但傷寒之寒熱。初必惡風寒。發熱。頭痛。體疼。及其傳經。方現口苦。目眩。耳聾。胸滿。脅痛。嘔吐之少陽症。勞病寒熱。初必五心煩熱。喘息。咳嗽。或大病後。產後。俱有寒熱往來。或一日一作。一日二發者。不可作爲瘧治。宜作虛治。或如痰飲。脚氣。血結。皆有寒熱似瘧。總之遇有寒熱。須問淸其原有寒熱之時期。夙有何病。或寒熱之兼證。及在經。或在腑。在臟以辨之。

瘧疾在六經之症狀

靈樞刺瘧篇曰。足太陽之瘧。令人腰痛頭重。寒從背起。先寒後熱。熱止汗出難已。足少陽之瘧。令人身熱解㑊。寒不甚。熱不甚。惡見人。見人心惕惕然。熱多汗出甚。足陽明之瘧。令人先寒洒淅。洒淅寒甚。久乃熱，熱去汗出。喜見日月光火氣。乃快然。

足太陰之瘧。不嗜食，多寒熱汗出善嘔。

足少陰之瘧。嘔吐甚。多寒熱。熱多寒少。口渴。其病難已。

足厥陰之瘧。腰痛。少腹滿小便不利。數便恐懼。

瘧疾在臟腑之症狀

心瘧。煩心。欲得淸水。寒多熱不甚。

肝瘧。令人色蒼蒼然。太息。其狀若死。

脾瘧。令人寒。腹中痛。熱則腸中鳴。鳴已汗出。

肺瘧。令人心寒。寒甚熱。熱間善驚。如有所見。

腎瘧。令人洒洒寒。腰脊痛。大便難。目眴發狀。手足寒。

胃瘧。善飢而不能食。食而支滿腹大。

瘧疾之種類原因與症狀

風瘧

原因——夏時納涼而受暑不爲汗出。邪伏于內。感受秋時涼氣而發。

症狀——惡風。自汗。煩燥。頭痛。寒少熱多。口渴或不渴。

脈象——浮緩。或浮數。

治法——風從溫化。渴者桂枝白虎湯。（知母。石羔。甘草。粳米。桂枝。）風從涼化。不渴者。）葱豉湯。（葱白。香豉。）

寒瘧

原因——先受陰寒。或沐浴之水寒。寒氣伏於肌腠之間。感邪而發。

症狀——往來寒熱。先寒後熱。寒多熱少。時頭痛。或微汗或汗。

脈象——弦緊。

治法——辛溫解邪。（桂枝。厚扑。草果杏人。陳皮。生姜。）

暑瘧

原因——夏傷于暑。

狀症——惡寒壯熱。或微寒多熱。口渴引飲；煩汗。

脈象——弦。或洪。或軟。或虛。

治法——宜清涼滌暑。青蒿。滑石。連翹。茯苓。通草之類。

濕瘧

原因——或受濕卽發。或濕伏于太陰。

症狀——一身盡痛。手足沉重。有汗嘔逆脹滿。口渴。或不渴。

脈象——緩。或數。

治法——寒濕宜溫化。（如藿香。蒼朮。厚朴。草果之類。）濕熱宜清熱祛濕。如滑石。通草。茯苓。連翹。芦根之類。

牝瘧

原因——貪涼飲冷。用受陰寒。或寒邪伏於少陰。

脈象——沉遲。

症狀——單寒無熱。面色慘白。振慄。

治法——宜宣其陽。透其伏邪。

癉瘧

原因——肺素有熱。氣盛子中。厥熱上衝。中氣實而不外泄。

症狀——少氣。煩。手足熱。欲嘔。肌肉消鑠。但熱不寒。

治法——宜甘寒保津。（生地。石解。沙參。知母。花粉等。）

瘧母

原因—或痰或積。或由於血結成痞塊。偏于左。或截之太早。或調治失宜。營衛俱虛而成。

症狀……腹脅偏左有痞塊脹而且痛。面黃形瘦。

治法——鱉甲煎丸。或補虛通絡。（如人出。白朮。黃耆。桃仁。歸鬚。延胡。鱉甲之類。）

瘴瘧

原因——天氣炎蒸。山氣濕蒸。皆有瘴氣之毒。人感之而患。即時昏悶。因邪鬱于氣。涎聚於脾也。

症狀——乍寒乍熱。狂言妄語。亦有口瘖

治法——宣竅導痰法。如菖蒲蒲遠志。天竺黃。瓜蔞。皂角等類。或邪輕者，宜芳香化濁法，）藿香。佩蘭。陳皮。厚朴。鮮荷葉之類。

疫瘧

原因——感受天地不正之氣。襲入膜原。發時沿門闔境。長瘧症相似。是蓋得之於傳染者也。

症狀——寒輕熱重。口渴。有汗。

脈象——左甚於右。

治法——或吳氏達原飲爲主。或用檳榔草果。知母。黃芩芍藥亦可。

痰瘧

原因……素有痰積。或夏日多食生冷。瓜果。

症狀——頭痛而眩。痰氣嘔逆。寒熱交作。

滑象——弦滑。

治法——順氣化痰。（木香。厚朴。白茯苓。半夏。陳皮之類。）

虛瘧

原因——元氣素虛感邪而作。

症狀——寒熱交作自汗。倦怠飲食無味而減四肢無力。

脈象——舉按俱弦尋之則弱。

治法——宜補氣升陽爲主。（如潞黨參。黃耆。歸身。升麻。柴胡之類。）

勞瘧

原因——久病勞損。或勞役過度。冒邪而發。

症狀——微寒微熱。食少。微汗或汗多。

脈象——或軟。或弱。或細數。

治法——宜調其營衞。（如桂枝湯加味。）

鬼瘧

原因——卒感尸瘵客忤。大概有涉於神經系者。

症狀——寒熱交作。惡夢多端。時生恐怖言動異常。

脈象——乍大乍小。

治法——宜安神甯心。（龍骨。龍齒。硃茯神。柏子仁之類。）

食瘧

原因——飲食不節。飢飽失常。穀氣乖亂。營衞失調。一時不慎。外邪感之。遂成是疾。

症狀——寒已復熱。熱已復寒。噫氣惡食。入食則吐。胸滿腹脹。

脈象——滑。

治法。宜平胃散。加神麯。山查以消之。

前者種類已詳。治療路備。須知瘧種類既多。治療非一。要皆不外五臟六腑之間。察其邪之淺深。觀其症之陰陽虛實。治宜清溫攻補。苟得要。應手輒愈。脈則瘧脈自弦。弦數者多熱，弦遲者多寒，弦滑者多痰或傷食。脈遲緩正氣乃復。自愈。久病脈必虛。或數不應指。朱丹溪云。無汗欲有汗。散邪爲主。帶補正。有汗欲無汗。補正爲主。帶散邪。無汗者。小柴胡湯中可加麻黃。以散其邪。使和而汗之。有汗者加桂枝芍藥以和之。先寒後熱。宜小柴胡湯。和而清之。先熱後寒。宜柴胡桂枝湯和而解之。寒者宜蜀漆散主之。或牡蠣散亦可。前者通心經之陽。開發伏氣。俾營衛和。後者因寒飲或痰壅塞胸中。心陽之氣被阻而不外達。因以散寒發陽歛墜之品以療之。若多熱但熱者。則以白虎桂枝湯。清裏中之表。桂枝通肌肉之陽。設脈虛遲。則虛症。當用別法。因虛症故也。或但寒不熱者。宜柴胡桂姜湯。柴胡之和少陽之陽。桂枝和太陽之陽。干姜和陽明之陽。黃芩牡蠣之和裏。裏外和則痊。設脈洪。或實。實症也。亦不可用。宜隨症而施。若陽明病及少陽者。發熱便閉。此爲邪實。宜大柴胡湯下之。以清其裏熱。則邪去而病愈。或因痰因風而成瘧者。昔張石頑云。「朱丹溪治瘧。悉以二陳湯爲主。可見無痰不成瘧，然痰有寒熱之別。寒者宜溫。如南星。半夏。橘紅。白芥子。寒痰宜清。如茯苓。竹瀝。竹茹。瓜蔞之類。瘧必扶風。宜用桂枝。葛根。羌活。生姜之類以疏之。若口渴多煩熱。加知母。花粉清之。若邪散已透。而血氣微虛者。以牛膝煎截之。或氣血未衰。屢散之後。而瘧有不止者。用追瘧飲截之。甚佳。或形氣已弱。飲湯自汗。頭痛全無。小便清白。大便滑泄。脈細軟弱。全無緊數之象。而病久不愈。正氣已虛矣。則當以扶正爲主。六君子湯。四獸飲。三陰煎。柴芍六味湯。補中益氣湯。皆可擇用。若虛寒甚者。桂。附，炮姜。亦可隨症而加。不可疑其辛溫之弊。故治療不以一方治一病。必以症狀之變而設耳。

濕溫概論

沈璉

濕溫溫秦越人謂爲傷寒之一種。乃外感溫邪內挾濕熱而成者也。是症纏綿難愈。頗爲醫家所厭惡。夫濕爲黏膩之邪。溫乃氤氳之氣。表之刼液而傷津。攻之則傷胃而陷邪。溫之則助熱。淸之則助濕。汗下淸溫無一堪任。安能如太陽病之表症一汗而解。陽明之裏症一下而盡除邪。然則何法可行。曰惟辛涼解表無刼液之虞。芳香化濁得祛濕之能。庶乎近矣。（一）惡寒，無汗，身重，頭痛，胸痞，腰酸。宜羌活，葛根，蒼朮，六神麯，陳皮，枳壳，等味。而頭不疼者去羌活。按身重惡寒乃濕遏衛陽之表症。然頭爲陽之首。而頭必挾風邪。故羌活用之不獨勝濕。兼以祛風。而此條總是陰濕，傷表之候。（二）如汗出，惡寒，發熱，身重，關節疼、胸痞，腰痛。濕在肌表。不可汗解。治宜滑石，豆卷，茯苓皮，蒼朮皮，陳皮，六神麯，等味，若汗少惡寒者。可加葛根。按此條與上條相同。而按之有無。和關節疼痛。則稍之一。此乃濕邪初犯陽明之表。故稍見惡寒。及至發熱。則惡寒當自罷。而用藥通陽明之表以淸胃脘之熱。能使濕邪不至上壅化熱。使其因滲下走耳。此乃陽濕傷表之症候。（三）如發熱。汗出。胸痞。不知飢。口渴不喜飲。舌苔滑白者。濕初內伏。蒙閉淸陽。宜以蔻仁。桔梗。鬱金。枳壳。藿香。佩蘭。六一散。菖蒲。等味治之。按濕邪上蒙。則胸痞胃液不升。口渴其病在上焦。故用辛香氣分之品。（四）如身熱面赤。口渴。胸痞。時或譫語。舌苔黃澀。汗出。汗伏上焦。蘊化爲熱。治宜豆卷，連翹。陳皮，神麯，萆薢。滑石。等味。按濕邪內伏。鬱久化熱。甚至譫語成夢。而舌苔黃燥是太陰之濕和陽明之熱相合成矣。倘仍用辛溫開泄之法。轉燥胃津而助熱邪。故宜運脾逐濕涼泄熱邪。（五）如身熱口渴。胸痞。自利溺澀。此濕流下焦，治宜陳皮。滑石。猪苓。萆薢。神麯等味。按濕下注。故自利化源滯。故溺澀脾不輸津。口渴胸痞濕滯於下。故從分利爲主。（六）如壯熱。口渴。舌苔黃。或焦紅發瘧。神昏譫語。或狂笑。邪灼心胞。而營血已耗。宜用犀角。羚羊。連翹。生地。元參。鮮菖蒲。勾籐。至寶丹。等味。按暑濕之邪。本傷風分。及至熱極逼入營陰。則津傷液耗。而陰亦病。心胞受灼。則神昏譫語。用藥當清熱救陰。洩邪平肝爲務。（七）如發痙。撮空。若昏狂笑。舌苔黃起刺，或轉黑色。大便不通者、熱邪閉結胃腑宜以承氣湯下之。按撮空一症。昔賢謂非大實。則屬大虛。虛則神明渙散。將有脫絕之虞。實則神明被逼。故多撩亂之象。今舌苔黃刺乾澀。大便閉而不通者。其熱邪內結陽明。實熱顯然矣。徒事淸熱泄邪。只能散絡中流走之熱不能除胃中蘊結之邪。故假承氣湯通地道。若舌不乾，黃起刺不能亂投。（八）如壯熱。煩渴。舌焦紅。或縮癍疹。胸痞。自利。神昏。痙厥。濕熱充斥。表裏三焦。宜以犀角。羚羊。元參。生地。丹皮。連翹。鮮菖蒲。紫草等味。按此痙厥症之最重症。上爲胸痞。下挾熱利。癍疹痙厥。陰陽俱困。而獨以清陽明之熱。救陽明之液爲急務者。恐胃液不存。其人心自焚死也。（九）如壯熱。口渴。自汗，身重。胸痞。脈洪大而長者。此太陰之濕與陽明之熱相合。治宜白虎湯加減。按自汗熱渴。乃陽明之熱也。身重胸痞。大陰之濕熱兼見矣。脈洪大而長者。知濕熱滯於陽明之經。而用蒼朮白虎湯，以清熱化濕。然此濕與熱兩停之症候也（十）如濕熱傷氣。四肢困倦。精神減少。身熱。氣高。心煩溺黃。口渴。自汗。脈虛者。治宜人參。黃耆。甘草。白朮。青皮。神麯。蒼朮。五味。乾葛。麥冬。升麻。當歸。澤瀉。此方卽東垣清暑益湯。按同一熱渴自汗而脈虛神倦。便是中氣受傷。而非陽明鬱熱。此方黃耆以實表白朮神麯甘草以調中酷橫流。肺金受病。人參麥冬五味以補肺斂肺清肺。經其謂挾其所不勝也。濕熱蒸淫。以黃柏澤瀉。清其濕熱。邪傷陰。以當歸和陰清氣。不升以升。葛可升。濁氣不降。二皮可理。蒼朮／用。兼長夏主濕也。（十一）如寒熱如瘧。舌苔滑白。口不知味。濕阻遏募原。宜予厚朴。半夏。神麯。草菓。六一散。蒼朮。等味。按瘧暑濕伏於內。秋涼束於外。若夏月腠理大開。毛竅疎通。安得成瘧。而寒熱有定期。如瘧不發作者。乃邪留膜原。故耳膜原者外近。肌肉內近。胃腑卽三焦之門戶。而實陽明之半表裏也。濕熱阻遏。則營衛分爭。症與瘧同。吳有可達原飲之例。瘧門中嚴用和清脾飲亦能可參用也。（十二）如身熱。口渴苦嘔吐清水。或痰多。此濕熱內留。木火上逆。宜溫膽湯加黃連碧玉散。按此素有停飲而陽明少陽合病。故從條飲。一以降逆爲治（十二）如濕溫四五日，大渴胸悶欲絕。乾嘔不止。脈細數。舌光如鏡。此胃液被刼。膽火上衝。宜予西瓜白汁。生地汁磨服。鬱金。香附。烏藥。等味。此營陰素虧。陽明少陽同病。故投劑自應一救陽明之液。一清少陽之邪。（十四）如嘔噁不止。晝夜不差，欲死者。此肺胃不和。胃移熱於肺。肺不受邪也。宜以黃連蘇叶煎服立止。按肺胃最能致嘔生姜半夏。亦與病相値。而必用黃連以降濕。蘇叶以通肺胃。則必立愈。以肺胃之氣。蘇叶能通也。（十五）如咳嗽喘逆。面赤氣粗。晝夜不寧者。暑邪入於肺絡。宜予葶藶。六一散。枇杷葉等味。人知暑傷肺氣爲氣虛。不知暑滯肺絡。則肺實。葶藶引滑石。直瀉肺邪。則病自除。（十六）如胸痞發熱肌肉頓疼。始終無汗者。腠理氣肌拂鬱濕熱不能達外。宜以六一散薄荷泡湯調服卽汗解。按此乃熱蘊遏氣鬱不宜。故宜辛涼解表汗之（十七）如症下痢咽痛。口渴心煩。尺脈數。疾者熱邪內耗少陰之陰。宜以猪膚湯涼潤法。

按寒邪內犯。少陰則亡陽。如用冷香飲子者是也。熱邪內犯。少陰易亡陰。如本條下利者是也。少陰之脈貫膈。上循咽喉。液燥則邪上逆故咽痛心煩上出舌下陰陽故口渴兼之。尺脈動。則下利爲熱。犯少陰逼液下走無疑。是以仲景製豬膚白蜜白粉。但取其甘涼潤燥腎陰得和。裏熱自息。不治利。而利自止矣（十八）如五六日後。忽大汗。手足冷。脈細如絲或絕口渴。莖痛而起坐自如神清語亮。此因汗出過多衞外陽亡。濕熱內結。一時表裏之氣不相接。故肢冷脈伏非眞陽外脫。宜予五苓散去朮加黃耆皮滑石。按前用冷香飲子症。全是陽虛。獨於脈之數大而空知其陽虛。此條全似亡陽。而獨於舉動神氣中得其病情。凡症之陽症。似陰症。似陰症復不少要在醫者之審察也粗工察此昧藥亂投一七下咽神丹莫挽可不愼內耗歟（十九）如症數日後。汗出熱不除。或痙或痛不止。營液內耗。厥陰風火上升。宜予羚羊角蔓荊子勾藤白芍生地元參等。按此係濕熱傷營。肝風上逆。血不營經而痙。作上升巔頂則頭痛熱勢已殺。木風獨張。故痙而不厥至於投劑以息風爲標養營本也（廿）如歷十餘日後。大勢已退。惟口渴汗出。骨節隱痛不舒。小便赤澀不利。此餘邪留滯經絡。宜以元米湑煎汁漬於朮浸汁飲之。按此病後濕邪未盡。陰液已傷。故骨疼口渴。此時救液則助濕。治濕則劫陰。宗先師仲景豬膚湯之法。取氣不取味。則走陽不走陰。妙在米湑養陰逐濕。兩擅其澁（廿一）如症默默不語。神識昏迷。不知所苦。與飲食亦不卻。二便自通。諸藥不効者。此病不在脾胃。而在手厥陰營分疑滯血絡。堵塞神明。絡脈。心神阻遏蒙蔽窒。所以神識不明。者昏迷默默也。用直入厥陰營分之藥。破滯通瘀。斯絡通而邪亦解也（廿二）若發白瘖非辛香氣所能開泄。宜以醉地鱉虫醋和鱉甲。土炒甲片柴胡桃仁泥等。行血瘀法治之。按暑邪本傷心氣。間有侵入營中痢瘀則邪在氣分。宜以化濕清氣。倘現紅疹。邪熱在營。宜涼營泄邪。若紅疹白瘖俱見。濕與溫充斥氣營。清氣涼營並宜施之，或由於苦寒雜進。辛涼妄投。以致腎陽受傷。陰寒中聚。四肢因之清冷。頭汗滲滲。鄭聲但欲寐。脈細數而沉。際此時非四逆理中不能回陽。無有之嚮。此乃治法之變化者也。若大下血腸穿之症。據顯然。雖有治法恐鞭長莫及矣。吾輩同志不可不謹愼哉也。

以上所述。從薛葉諸家。節其大概。晚近以來。醫家無不奉爲圭臬。而把濕溫之病者。往往纏綿不愈。則有何哉。原其故厥有三端。一爲汗出。一爲失下。一爲失清。相傳濕溫有忌汗。忌下及濕從燥化諸說。殊未知。濕邪之偏襲於表。或抑遏於上者。輒頭面多汗。脅頭而還。拘執於忌汗之說。而不與解肌。遂致鬱遏不宜。停於肌膝。發爲疹瘖。犯于神經。發爲譫妄。果伊誰之咎歟。若濕從陽明之燥化。

大便閉結，獨于忌下之成見。從事滲利。津液更傷。遂致腸壁壅擠不通。而致穿孔出血。救治爲難。至若熱勝于濕。獨投苦燥。血液兩劫。熱犯於腦。讓成痙厥。殀人壽算。覆按以上所述。發汗則有羌葛薄荷等味。攻下則有承氣湯之例。而清洩之品。更見擅長。緣何當用不用。以致壞症蜂起。而猶自命宗於薛葉。又豈嘗夢。見薛葉之眞意也哉。蓋取法乎上者。僅得乎中。取法乎中者。僅得乎下。吾今更從軒岐。仲景之旨以明言之。內經云。濕上甚面熱治以苦溫。堵以甘辛以汗爲故。而只仲師之麻黃連翹赤小荳湯。麻杏苡桂湯。皆濕溫之汗法也。經又云濕化于天熱反勝之治以苦寒佐以苦酸。又云濕司於地熱反勝之。治以苦冷佐以鹹甘。以苦平之。云云者則攻下之法亦寓其中。大抵濕溫之症。必當辨其偏表。偏裏。濕勝于熱。熱勝于濕之分偏于表者宜從汗解偏于裏者。宜以利其小便。濕偏勝者若燥之中。仍宜佐苦酸淡滲。熱偏勝者。當以苦寒爲主。應苦燥者。亦當改從芳香爲佐。須知苦燥爲治太陰寒濕之症。若濕熱蘊從於太陰陽明非從苦寒清洩安足以驅除病邪。而濕熱膠滯。如胸痞下利，用苦寒以泄熱。並用溫燥以化濕者。如仲景瀉心湯諸法亦治濕溫之良劑。必不可偏於溫燥。在大便閉結。畏用攻下而陷胸湯亦足以取微下。若涼潤甘寒。則爲濕從燥化舌乾紅而津涸。故仲師用猪膚猪苓。後人用生地麥冬。元參。而時下。醫師之病又徒知。夫燥而忘其爲濕。濫施生地麥斛濕膩助濕。此不特仲景之罪人而亦薛葉之罪人也。至於四逆理中冷香飲子等法。此爲濕溫變局。未期變化。氣液兩傷。不但四逆並宜救陰。總之。在初起治療得宜。汗下溫清。滲泄之際。當機立斷。此乃取法乎上也。若後世所謂。汗下清溫無一堪任者。究有語病。遂更肆其語。爲忌下。忌下而濕溫治法以晦。蓋所謂忌汗者。謂汗多之症也。倘能於此分際明辨。清徹應幾對。故濕溫之治療。有相當之認識。謂爲纏綿難愈者。眞是醫家對於此矛盾之處。未能加以透視而分析耳。

剛柔二痙概論

沈松林

緒言

古人曰。醫者意也。運用之妙。在於一心。法於陰陽。和於術數。神明變化。意想所至。適合病情。所謂從心所欲不踰規矩者。斯醫也。可使一方之命。能起九死之生。其道不綦。歟重醫之內分諸科。以幼科爲最難。其難有五。小兒自六歲以下。黃帝不詳載其說。始有顱顖經。以占壽夭生死之候。則小兒之病。雖黃帝猶難之。其難一也。脈法雖曰七八至爲和平。九十至爲有病。然小兒之脈。微而難見。醫爲持脈。又因啼叫而不得其審。其難二也。脈既難憑。必資外證。而其骨氣未成。形聲未正。悲啼喜笑。變態不常。其難三也。問而知之。醫之工也。而小兒多未能言。言亦未足取信。其難四也。臟腑柔弱。易虛易實。易寒易熱。又所用多是犀珠。龍。麝之品。醫苟不能辨明。何以已疾。其難五也。種種隱奥。其難固多。世人稱爲啞科。良有以也。然其疾病之最重要者。痘。痧。疹。驚。（痙）厥。等數種。此數種之病。尤以痙病爲最重要之危候。蓋痙病俗所謂驚風症是也。現將驚風之謬稱。略述以辨明之。驚風之謬。由來已久。不知起自何代爲起原。亦無從查考。近世幼科專家之輩。又將急慢兩字。竊取其上。命之曰急慢驚風。甚至以一藥可以統治。偶獲一方。便大言曰。治急慢驚如神。本屬大謬。又屬病家購藏驚藥以預防之。如藥鋪中所售之萬應散。抱龍丸。太乙神犀丹。萬應錠小兒回春丹，等。凡治驚之藥。都非平善之品。妄事亂投。眞是害人不淺也。而全不知驚風二字。如何解釋。動手輒投散風重劑。爲能事。以針刺艾灸爲拿手好戲。竟將可愛嬌麗嫩柔之孩。軀。遭此無妄之災。何堪承受。致枉死者。甯不塞滿泉鄉乎。噫不死於病。而死於藥。不死於藥。而死於醫。不死於醫。而死於「著驚風書者之咎耳。先賢喩嘉言先生。曾著有驚風之書。諄諄告世。力闢驚風之謬誤。然世之業兒科者。竟如聾如啞。置若罔聞。逮其臨診。則芒然莫辨。惟開口曰驚風。閉口曰驚風。而病家者多不擇善而從。惟知開風而就。或問卜信巫。或求神禱鬼。及至危殆。則惶恐萬狀。彼曰驚風。此曰驚風。甚至一唱自和。袖手待斃。竟致習俗相沿。造成一座驚風世界。以訛傳訛。終無底止。歷古迄今。牢不可破。哀哉嬰兒之不幸。若是耶。要知驚者病之名。風者病之象。言其抽搐，有如似風之動。而名之也。

痙病之由來

其症有外因。內因之分。外至者。或耳聞異聲，目擊異物，驀然扑地者是也，內生者。於痰生熱。熱甚生風者是也西醫謂一種雙球狀之細菌傳染經絡多由喉鼻處吸入。乃侵襲腦脊髓之包膜間。卽起劇烈之頭痛。寒熱昏譫等是也。

痙病之朕兆

凡小孩發熱。寐中驚跳者。咬牙者。手指自動者。口寐鼻旁青色者。唇乾絳。面色青。手指冷者。啼無涕淚者。目光異常者。均爲痙病之兆此外更有極劣之惡候四種。

（一）嗒嘴。 唇咂囓如嘗物辨味然。 （二）弄舌。 恆以舌舐出痙外。 （三）唇舌發黑。 （四）兩手冷熱不同。

既見痙病種種朕兆。復見此四種惡候。其爲病之險惡。異乎尋常雖未見抽搐已可知其必抽搐。且可以斷定是凶多吉少之症。此外更有一種不發熱。僅目光呆鈍。啼聲低緩。有時亦能笑。惟神氣總不敏活。此種最不易覺察。惟細心之父母。與富有經驗之醫生。略能知之。然此種病症。極不易治。患此病之孩。其年齡以兩歲爲最多。肥碩之兒。其血色脈象往往甚好。尤能令醫者迷惑。醫者豈可不加注意耶。爰不揣淺陋。以剛痙柔痙（急慢驚風）之症治分述其略。惟希高明不吝賜教爲幸。

剛痙

原因 前代惟曰陽痾，大概失所愛護。或抱於當風。或臥於熱地。晝則食辛辣。夜則蓋厚衾。鬱蒸邪熱。邪熱積於心胞。傳於肝經。（卽神經）再受人物驚觸。或跌扑叫呼。雷聲鼓樂。鷄鳴犬吠暴刺其感覺於是上擾於腦而剛痙作矣。

症狀 未發之時。夜臥之安。咽中或哭或笑。或齒絞。氣促痰鳴。鼻額有汗。忽爾悶絕。牙關緊急。目直上視。口噤不開。手足搐掣。此熱甚而然。並兼面紅脈數可辨。蓋心有熱。肝有風也。此二藏乃陽中之陽。心火也。肝風也。風火乃陽物。主乎動。火得風則煙焰起。此五行之造化。二陽相鼓。風火相使，肝藏魂。心藏神。因熱則神魂易動。故發驚也。心主乎神。獨不受觸。遇有驚則發熱。熱極生風。故能成風而成剛痙。亦俗謂之急驚風是也。

治法 如在經者金匱主以葛根湯汗之入腑者。金匱主以承氣湯下之。如下後未清者。人參白虎湯。竹葉石羔湯之類亦可酌。用。或先以五苓散。加黃芩甘草水煎。或百解散發表。次通心氣。木通散三解散疎滌肝經。安神退熱。牛蒡湯防風湯主之。驚風既除之後。輕者投半夏丸。重者下水晶丹與之去痰。免成癡疾，但不可用大寒涼藥治之。至若蒼卒之間。驚與風俱起。故用五苓散少解其證。因五苓散內有澤瀉導小便，心與小腸爲表裏。小腸流利。心氣得通。其驚自滅。內有肉桂得桂則枯。是以仰肝之氣，其風自停。況佐以辰砂能安神魂。兩得其宜。然其大略不外解熱。涼心。清肝，後用和中湯或和中散調理。稍熱之劑則難用宜審愼之。

柔痓

原因　古書亦載稱陰癇而已。卽實因外感風寒。始得邪在肌腠。玄府同幷。營衞不固。而內傷乳食。或受暑受寒。久之脾土虛弱。孤陽外越。元氣無根。陰寒至極。此內風之所由動也。或因大病之餘。誤傳之後。而成柔痓。俗僞稱之慢驚風症是也。

症狀　目慢神昏。手足偏動。口角流涎。身微溫。眼上視。或斜轉及兩手握拳而搐。或兼兩足動掣。各辨男左女右。男左搐者爲順。女右搐者爲順。男女反搐者爲逆。口氣冷。顖門陷。此虛極之象也。

治法　初起用瓜蔞根桂枝湯。或服青州白丸子。入姜汁杵勻。米飲調下。虛極者加金液丹。次用沖和飲同七寶散與煨姜煎服。使氣順風散。少解吐瀉。單以胃苓湯救其表。

若吐不止，投定吐飲。瀉不減。宜服六桂湯。或回生湯。去其胃風。定其瘈瘲。淸其神氣。以五苓散導其逆。調榮衞。和陰陽。若痰多唇白。四肢如冰。不省人事。此虛慢之極。用固眞湯速灌之。以生胃氣。胃氣旣回。投醒脾散沉香飲調理之。

剛柔二痓之防護

(一)預防發生　凡預防此症。每逢月之初一。或十五兩日。以雞子三四枚煮熟透。剝去殼。趁熱向兒渾身滾之。（須自上至下。不可逆滾。）待冷再換一枚。如此三四枚畢。剝去白。觀蛋黃上。滿是刺。如木荔枝狀。此卽痓病。不但此法可以預防。亦可使兒愉快。病時搜之。亦可減輕。不釀大患。此法之妙。靈效異常。請不妨試驗之。

(二)潔淨口鼻　凡本病流行時。應注意口鼻二部之情潔。如硼砂水之含漱。及洗鼻。搽以碘石甘油亦佳。卽或偶有細菌吸入。亦可及早除滅之。

(三)隔離病人　如不幸發生本病。務使患者獨居一室。除醫生護士。及有責任之人員外。勿令親友入室。小孩更須遠避。對病人之口鼻涕液。及器具手巾等。尤須謹愼處置。勿使貽害他人。病愈後則全室使以消毒。

(四)注射血清　最有確效之預防法。則爲注射腦膜炎血清。大概用皮下注射法。施以十ｃｃ之血清。即足以抵抗病菌之侵入。凡曾經接近此病者。則以此法爲最妥。按腦膜炎血清原爲治療本病之藥。若早期使用。每能化險爲夷。

(五)僱用乳母　宜採乳汁之清白。又須預慎七情六慾。厚味炙煿之類。如小兒痰多。更兼乳母乳汁不清。可常用橘餅橙片。令乳母泡服。飲之即可清乳汁。又可化兒痰。較妄投市上所售之回春丹。保赤散一類香燥之品。穩當多矣。

(六)愼重藥餌　小兒臟腑薄弱。氣血未充。切勿雜藥亂投。而成藥多不對症。反損陰分。致變壞症者。比比皆是，愼之愼之。

(七)注意飲食　小兒飲食切勿任其亂食。及少進不消化之食物。及刺激性食品。以防停積而成他病。俗謂『忍三分寒。』『吃七分飽。』即此理也。

剛柔二痙之不救症

(一)不可用強制驚厥之藥。使神經麻痺。致神昏目赤者不救。

(二)服羚羊在二分以上。乃至四分八分。致病孩一肢抽搐。眼鼻口唇。皆瞤動者不救，

(三)初起並未服藥。即手脚蹺曲者。此病必腸實胃實。即俗謂之惡性驚風者不救。

(四)病人舊有爪疥(即石灰指甲)或病前濕疥浸淫。發病之後。其手脚不能動。眼皮不能抬。幷無力說話者不救。

綜觀以上所述。關於二痙之事。可謂大體已具。惟作者限於學識。迫於時間。謬誤不達之處。定屬不勝繁多。且加以修改不及。草草成此。以了文卷。幸讀者諸君諒之。並附原方、以作參致。

葛根湯　葛根　麻黃　桂枝　芍藥　甘草　生姜　大棗

承氣湯　厚朴　大黃

人參白虎湯　人參　石膏　知母　甘草　粳米

竹葉石膏湯　竹葉　石膏　人參　甘草　麥冬　半夏　粳米　加姜煎

五苓散　豬苓　澤瀉　茯苓　桂枝　白朮

百解散　乾葛　升麻　赤苓　甘草　黃芩　麻黃　肉桂

木通散　木通　羌活　山梔　川大黃　甘草

三解散　人參　防風　天麻　茯神　鬱金　白附子

牛蒡湯　牛蒡　甘草　玄參　升麻　桂枝　犀角　黃芩　木通

防風湯　防風　活羌　炙甘草

半夏丸　生半夏　赤茯苓　枳殼　風化硝　研細末生薑

自然汁煮糯米粉和丸如綠豆大

水晶丹　天南星　半夏　滑石　輕粉　蕪荑　巴豆　米糊丸如麻子大

和中湯　人參　茯苓　甘草　白朮　半夏　陳皮　藿香　砂仁　加薑煎

和中散　人參　藊豆　白茯苓　川芎　縮砂仁　半夏　香附　甘草　肉豆蔻　訶子

括蔞桂枝湯括蔞　桂枝　芍藥　生薑　炙草　大棗

青州白丸子　半夏　南星　白附子　川烏

金液丹　硫黃研末瓷盒盛水和赤白脂封口鹽泥固濟候乾地內埋一小罐盛水令滿用泥固濟安盒在內慢火養七晝夜再加火煅取出研末蒸餅丸米飲下

冲和飲　荆芥穗　蒼朮　甘草　清水煎服

七寶散　麻黃　當歸　大黃　赤芍　白朮　荆芥　葱白

胃苓湯　朮蒼　厚朴　陳皮　白朮　茯苓　猪苓　甘草　肉桂（一方無猪蒼白芍竹葉）

定吐飲　半夏　生薑　薄桂

六柱湯　人參　白茯苓　熟附子　南木香　肉豆蔻　白朮（一作訶子）

回生散　天南星一個（八九錢以上）掘地坑一個深三寸許納炭五斤燒紅入好酒半盞後入南星用炭二三條蓋坑上俟南星微裂再炒令熱不可稍生置冷研爲末

固眞湯　人參　附子　白茯苓　白朮　黃芪　山藥　肉桂　甘草　（一方有酸棗仁朮白芍當歸生地陳皮無附子肉桂白朮山藥）

醒脾散　白朮　人參　炙草　陳皮　白茯苓　全蠍　半夏麯　木香　白附子　天南星　陳倉米　（一方無陳倉米加蓮肉）（一方無白朮半夏加石蓮肉石菖蒲）（一方加天麻姜蠶無陳皮半夏陳倉米）

沉香飲　沉香　南木香　藿香葉　陳皮　白朮　半夏　白茯苓　肉豆蔻

腦病概論

沈寶善

導言

經云。風者百病之長也。至其變化。乃爲他病也。又曰。風者善行而數變。考經旨所論風病。卽西醫所言腦病。夫人體疾病。無論爲局部病。抑內傷性。或外感性。絕不能不累及神經。故在西醫稱神經病。國醫皆名之曰風。謂之百病之長。而西醫言內臟各病。多冠以神經性者。如神經性胃病。神經性哮喘。神經性拘攣等等。此卽國醫所謂風之變化而爲他病也。西醫知腦病之變化疾速。不知國醫已於數千年前。知風者善行而數變之義矣。至於大腦皮質中腦以及延髓之疾患。仲景早已明言。如金匱中風篇防已地黃湯節所紀。病如狂狀。妄行。獨語不休。則症頗癲癇。以地黃涼血之品。清其心臟之血熱。藉以減退神經之興奮。並以桂防甘已以調和神經。按此症狀與治療。完全大腦皮質之病也。風引湯節所紀。大人風引。少小驚癇，瘛瘲日數發。則狀類痙攣。以石膏清涼之品。降其上逆之衞氣。卽以舒神經之痙攣。更以乾姜有止血作用。大黃之通降。桂枝以調節體溫。按此症狀與療法。明明爲中腦之病也。又次節所言正氣引邪。喎僻不遂。邪在於絡。肌膚不仁。邪在於經。卽重不勝。邪入於府。卽不識人。邪入於藏。舌卽難言。口吐涎喎僻不遂。陳修園釋爲口眼喎邪。則以侵襲眼神經及顏面神經舌卽難言口吐涎。則以侵襲舌下神經及三叉神經。是數者。隱然病在延髓。國醫雖不言大腦皮質中腦以及延髓等病名。而於病態及治法。已詳且備矣。更參合內經諸風掉眩之言。則風病之爲腦病。更朗若日星矣。更引證金匱痙病篇云。痙爲病。胸滿口噤。臥不著席。脚攣急。必齘齒。可與大承氣湯。又曰。病者身熱足寒。頸項強急。惡寒時頭熱。目赤面赤。獨頭動搖。卒口噤。背反張者痙病。觀此則痙病與腦脊痙膜炎之見病。完全脗合。古人釋此病之由來。亦不出風邪二字。內經云。諸暴強直。皆屬於風。卽此義也。且厥陰爲風木之經。在傷寒厥陰篇有乾嘔吐涎沫頭痛一症之紀載。總此以論。則風之爲病。非腦倘其誰屬耶。腦病多端。略舉四症。簡略論之。差點所在。知所不免。倘望醫林先進，賜以指正。

一、中風　（腦出血）

原因　靈樞云。身半以上者。邪中之也。身半以下者。濕中之也。經筋篇云。足陽明之筋病。卒口僻急者。目不合。熱則筋縱。目不開。頰急有寒則急。引頰移口。有熱則筋弛縱緩不勝收。故僻。按本症原因。可分外感內傷。蓋所謂中風之風。在自然界曰風。在人身曰氣。氣卽神經。風氣一也。天風入內。人氣上衝於頭。以致腦府血管破裂。此卽外來之邪也。名之曰外感性。至於內傷性。乃安富尊榮。酒色傷其先後天。軀體肥胖。精神汚耗。卒然中風。深入藏府。藏府空虛。邪氣隨之。由督脈上衝於腦。腦病則腦經失其知覺。故內而神智不清。外而軀體不遂。名之曰內傷性。西醫言本症之原因。謂由動脈病變而破裂之故。蓋腦小血管發生粟粒動脈瘤。於動脈瘤部可見腦出血。動脈變化之原因。則有種種。一年齡。血管與年齡共變化。故本病多發於老人四十歲以上者。二酒精及鉛中毒。三心藏肥大及血壓亢進。四梅毒痛風等病。五慢性腎炎。六不適當之生活及肥胖者。凡此種種。均足使腦府血管破裂

解剖　因出血之多少不同。可別爲點狀出血(毛細血管出血)及竈狀出血(集合出血)二者。點狀出血於臨牀上無甚價值。其最大者不過如帽針頭。若以手指擦其表皮。仍不能拭去此血點。此與血管橫斷面區別之點也。惟點狀出血多數密集時乃爲集合出血之症狀。卽竈狀症候是也

症狀　金匱中風篇首節所紀風之爲病。當半身不遂。或但臂不遂。次節所云。肌膚不仁。不識人。皆爲腦出血後之狀態。而唐宋後各家之論中風。修園引證於中風篇內者，曰昏迷不省。猝倒口噤。面如妝朱。又不啻腦出血時之狀寫照也。

治法　金匱中風篇，以候氏黑散治大風四肢煩重。心中惡寒不足者。風引湯。治熱癱癎。防已地黃湯。治病如狂狀。妄行獨語不休。無熱其脈浮。千金有小續命湯。治有六經形證者。三黃湯治手足拘急，百節疼痛。局方有活絡丹及牛黃丸。惟風病在上，治宜鎮納。故仲景不用發表麻黃等品。但後人治風。多用表散之品。是不明本症之風性故也。風而再表。其氣益逆。血當效盛也。若中風愈後，根株未盡，隔一二年再發者。勢必加重。甚則殞命。宜常服定風餅。若在常人。覺大指次指麻木不用者。三年之內。必有中風之患。宜常服天麻丸。並宜節飲食。戒七情。遠色慾。以豫防之。在西醫當本症發作時之處置。使患者靜臥。高舉其頭。置冰囊於出血部。脈搏充實。則用刺絡法。昏睡劇甚。則用樟腦。痙攣則以拖水格魯兒灌腸

頭眩　(腦貧血)

原因　素問六元正紀大論。太陽之政。其病眩掉目瞑。本病原因。皆由於虛。有嘔吐傷上而致者。有泄瀉傷下而致者。有飢飽失時

而致者。有勞倦過度而致者。有被辱奪氣而致者。有焦思不釋而致者。有眴目驚心而致者。有悲哀痛苦大哭。大呼而致者。此皆傷其陽中之陽也。若男子縱慾。氣隨精泄而致者。婦女崩淋產後去血過多而致者。以及癰疽大潰而致者，吐血衄血便血而致者。金石被傷失血痛極而致者。此皆傷其陽中之陰也。更有年老精衰。勞倦不已而致者。此營衛二虛也。西說言本證原因曰急劇之多量失血。亡液，慢性貧血。心藏衰弱。精神感動，出血之壓迫。頸動脈之變化或壓迫。均足使腦貧血。

解剖　平時腦髓爲帶青薔薇色。貧血時呈淡灰白色。血點稀少。皮質與髓質之境界不明。若因溢血而貧血時。則腦體硬固乾燥。膜層呈蒼白色。蓋腦膜輸送血液於腦髓故也。若因水腫發貧血時。則腦髓柔軟而濕潤。如眞武湯條。即因水腫而發腦部之貧血。

症狀　靈樞海論。眩冒目無所見。傷寒論太陽篇去。若吐若下後。心下逆滿。氣上衝胸。起卽頭眩。脈浮緊。發汗則動經。身爲振振搖者。苓桂朮甘湯主之。此病爲風木動搖。惟其起卽頭眩。大可想像其爲腦部之貧血。不特此也。又如太陽發汗汗出不解。其人仍發熱。心下悸。頭眩。身瞤動。振振欲擗地者。眞武湯主之。此頭眩心悸。亦顯然腦貧血也。

治法　國醫治法。尋究探源。極爲詳細。如因氣血虛而作眩者。氣虛宜四君子湯，血虛宜四物湯。若失血眩暈。吐衄太甚。便血過多。或傷胎。或崩淋。或金瘡跌撲。悶絕不省人事者。宜芎歸湯。若淫慾過度。腎與督脈皆傷。不能納氣歸源。使諸逆衝上而眩暈者。宜六味丸。或腎氣丸加鹿茸。若下元虛脫者。宜人參養榮湯。或大建中湯加升麻。眩暈之甚。舉頭則屋轉。眼常黑花。觀物常有飛動之狀。此屬虛寒。宜三五七散。或正元散加鹿茸。勞役過度。眩暈發熱者。宜補中益氣湯加川芎天麻荊防、兼嘔逆者宜六君子湯，氣虛而喘者加黃耆。脾胃虛弱兼嘔吐泄瀉者。宜歸脾湯。此外尚有導引法。單搭膝坐。二指按閉耳門及口眼身七竅。躬身微力前努使其氣上升。則腦血自盈。

頭目眩痛　（腦充血）

原因　素問至眞要大論云。少陽司天。火淫所勝。民病頭痛發熱。氣交變大論云。歲金不及。炎火迺行。復則陰厥且格。陽反上行。頭腦戶痛。延及腦頂發熱。方盛衰論云。氣上不下。頭痛巔疾。刺熱篇云。心熱病者先不樂。數日乃熱。熱爭則卒心痛。煩悶善嘔。頭痛。夫頭爲諸陽之會。六腑濟陽之氣。五藏精華之血。咸朝會於高巔。天氣所發六淫之邪。人氣所變。五賊之運。皆能犯上而爲災害。或蔽覆於清明。或阻遏於經隧。與正氣相搏。鬱而成熱。則血管充滿而痛。若邪氣稽留。亦充血而痛。故本證原因。爲熱爲實也。在西醫謂本病分急性慢性動脈性靜脈性之別。動脈性之原因一身體過勞。二心藏左室肥大。三精神興奮四腦部加熱。五中毒。六身體他部血脈減少時。七習常出血閉止時。靜脈性出血之原因。多屬慢性。一右心肌衰弱二努力作用三上大靜脈或其末梢枝之壓迫。四窒息。以上原因。均易使腦部充血

解剖　腦之白質。因充血而呈潮紅色。灰白質呈赤褐色。血管內血液旺盛。往往見毛細管出血：蓋因小血管破裂故也。於軟血膜見靜脈怒張。呈蛇行狀。於硬腦膜實則容多量凝血。硬腦膜強度緊張。張其表面有出血性洸着物。

症狀　傷寒論少陽病之主要症狀。爲往來寒熱。而少陽之提綱則曰口苦咽乾目眩。古人引內經少陽甲木風扇動眩一語。爲推求目眩之緣故。吾人因症既發熱。而致血壓亢進。則眩冒之所由。亦可想像其爲腦部之充血。

治法　肥白人與黑瘦人有分別。肥白者宜清火降痰。黑瘦人則降火平肝。此外如(一)火熱上攻眩冒或暑月熱甚而發者。宜用大黃散。(二)腦中有死血作痛而眩者。宜飲韮汁酒(三)風火眩冒眼掉者。宜川芎茶調散。(四)風痰閉塞眩痛。胸膈痞塞。項急肩背拘倦。神昏多睡。或心忪煩悶而發者。宜天麻丸。(五)痰結胸中眩痛惡心者。宜牙皂末和鹽湯探吐。吐定服導痰湯。(六)風寒在腦。或感濕邪，頭眩重痛欲倒。嘔逆不定者宜三因芎辛湯。(七)風火相煽。額與眉稜骨俱痛者。宜選奇湯加鼗鼓(八)傷寒厥陰篇。有頭痛乾嘔吐涎沫者。吳茱萸湯主之。其病原爲痰爲治爲實故治法亦不越化痰清熱降火也

痓　（腦脊髓膜炎　癆病性腦膜炎）

原因　經云。太陽中風。重感寒濕而變痓。金匱云。太陽病。發熱無汗。反惡寒者。名曰剛痓。又曰。太陽病。發熱汗出而不惡寒者。名曰柔痓。此言外感致痓之因。醫門法律云。痓爲病。強直反張病也。其病在筋脈。筋脈拘急。所以反張。其故在血液。血液枯燥。所以筋攣。此言內傷陰液致痓之因。然則外感內傷。皆足致痓明矣。至眞要大論云。諸暴強直。皆屬於風。諸風掉眩。皆屬於肝。蓋肝主筋脈。脈失所養。症現反強。故痓病必現肝木風動之像。陽明主潤宗筋。腎主五液。陽明熱熾。則筋滋潤。腎水虧乏。則水不涵木。於是厥陽之火上亢。而現熱象。筋脈不潤。呈角弓反張。故外感寒邪拘急。內傷津液消爍。皆足致痓。痓病在金匱名分剛柔。在近世稱急性慢

性。名雖爲二。意仍一也所謂柔痙（慢性）在經驗上成人少見。十四歲以下之小兒最多。莊在田曰。慢性痙病。吐瀉得之居多。或久瘧久痢，痘疹之後。或因寒食積滯。過於攻伐傷脾。或稟賦本虛。誤用寒涼或因急性痙病用藥攻降太過或失於調理。虛極生風。江筆花曰俗所稱慢性痙病者。乃脾虛生風也。小兒或吐或瀉。久則脾虛肝木乘之。面色青白。手足微搐是內風侮土。非外風也。陽衰神怠。氣息短促。是中風脫乏非驚恐也可知慢性痙病，皆由虛也西醫稱慢性痙病曰癆病腦膜炎其原因由他部臟器之結核性病竈結核菌卽由動脈轉移於腦。遂續發本病。小兒易罹本病。外傷痲疹百日咳猩紅熱之後。常誘發本病，至於急性痙病。西說全主胞內重球菌。爲本病原頭蓋外傷頭蓋振盪過勞爲傳染本病之誘因。其病毒由口鼻腔吸入。經血液淋巴管而達於腦。凡交通空氣人體及物件。爲傳染本病之路徑。

解剖　屬於急性者。腦硬膜內必呈乾燥，極度緊張。腦迴轉廣大。溝狹軟腦膜充血在脊髓則其後部被害甚著。病變有進至腦實質及脊髓者。其滲出液初爲帶黃色稀薄膿性。其後漸呈膿厚。爲粘着性乳脂膠狀。屬於慢性者。解剖上主要之變化在軟腦膜及蜘蛛膜。如伐羅里氏橋大腦脚視神經交叉等部。變化尤甚胸髓表面之變化與急性大略相似

症狀　痙病症狀。爲頭項強直角弓反張。頭痛目脫脊痛腰折。體不可屈考此症狀。全係太陽經及督脈之爲病。靈樞經脈篇云。足太陽之筋病。脊反折。項筋急肩不舉腋支及缺盆中紐痛。不可左右搖。骨空篇云。督脈爲病脊強反折蓋外感之邪無不先犯太陽。而督脈並行於膂故亦同病。太陽經脈。起於目內眥上額交巔。下腦後。挾脊抵腰。入絡腎下屬膀胱。循髀下至踝。終足小指與督脈並行於背。而達於腦督脈則起於腎中。下至胞宮。下行絡陰器。循二陰之間至尻貫脊。歷腰俞上腦交巔。至顖會入鼻絡於人中。故痙病必現此二經症狀。初起之時。惡寒者。乃皮膚蒸發機能障礙致體溫能調不與外界空氣節而起寒冷之感覺，繼之發熱。乃末梢神經受刺激。反射於司溫中樞。致放溫機能亢進。表層體溫昇騰。而使之然也若邪在陽明。則生濕增高蒸發機能亢進。抵抗有餘。表邪自罷。則但熱而不惡寒矣。頭痛者。太陽與督脈並行於頭。督脈主陽。太陽受寒邪外束。督脈之陽氣無以外泄。上患於頭。、鬱熱發炎化膿。且頭爲神經中樞所在。全身末梢。因受刺激反射中樞。亦感疼痛。及陽明熱勢上炎。厥陰之火上亢。故頭必痛且較任何頭痛爲甚。項強者。太陽受寒邪。寒性引急。乃項背末梢神經及筋內被寒痲痺。故項爲之強。至於頭痛面赤，乃陽脅於上。陽明

之熱症也。頭搖口噤。背部反張。邪熱併於肝經。厥陰之火橫張也。以上所言。乃急性痙病。若慢性瘛病。原既相反。症亦有殊。急性之噤口咬牙。爲關竅不通。慢性則爲陽衰陰僭。急性之角弓反張。因邪循脊項。故反痙而有力。慢性乃脊腦虧乏。故牽引柔弱而無力。急性之四肢抽掣。因熱侵經絡。故動作疾速而收引甚急。慢性因瘛絡空虛。故動作較緩而牽引微搐。急性之兩目扇動。因肝熱生風。故其勢迅疾。慢性乃肝虛生風。其勢較緩。急性之喉中鳴響。因熱痰阻滯。故熱甚上潮。梗塞欲絕。慢性因津液化痰。故其勢和緩而其聲如鋸。急性之四肢厥冷。因熱深厥深。必有壯熱口氣穢濁。慢性因陽氣衰微。而現面青額汗。而精神倦怠。急性溏泄。因協熱下利。故穢臭而色黃。慢性因脾虛火衰。故多完穀而色青。急性與慢性症雖類似。而虛實懸殊，不可不察也。

治法　症分虛實。治亦有別。急性之原因。既如上述。而其治法。亦可推想而知矣。昔賢有云。急性痙病。屬肝木風痰有餘之症。宜平肝木。驅風痰。降火勢。清內熱。寥寥數字。而急性痙病之治法。已在其中矣。金匱痙濕暍篇云，太陽病。無汗而小便反少。氣上衝胸。口噤不得語。欲作剛痙。葛根湯主之。此乃衛實致痙之治法。又曰。痙爲病。胸滿口噤。臥不着席。脚攣急。必齘齒。可與大承氣湯。此乃營衛俱實。化熱爍液。故以大承氣攻陽。若陽虛症。則又非四逆莫救矣。然細究此症。可分四期。曰惡寒期。曰壯熱期。曰兇險期。曰不治期。惟初三期。治之得當。倘可挽回。至第四期。則陷不治狀態矣。在第一期惡寒發熱。頭痛如劈。痛連後腦。偏體骨楚。病在表層。當先解表。以仲景麻黃湯。麻黃易羌活。研冲膽草少許。在第二期。惡寒已罷。壯熱有汗。口渴引飲。唇絳舌乾。當以葛根芩連合千金龍胆湯。加茅蘆根桑葉。減柴胡白芍蜣螂。在此時期。切不可早用玉樞紫雪至寶牛黃等丹。邪反而引入腦。痙厥立見。若第二期治不得法。或未經治療。則陷入第三期。危候叠見。其所現症狀。均爲神經系病。蓋熱邪上行。侵入腦部。延髓爲神經總匯之區。知覺神經受病。則神志昏憒。運動神經受病。則手足拘攣。在此時期。熱雖高。當以弛緩神經爲主。佐以苦寒降熱之品。以犀角地黃湯去丹皮芎藥加川連胆草羚羊蠍尾白花蛇之屬。在此危險時期。尤須絕對安靜。忌鑼鼓聲。恐振盪腦府也。若誤犯之。必致增劇。值此危急之際。若不能挽回。則入第四期矣。如神志全失。氣喘不續。大汗淋漓。脈來衰亂。手足蹺縮。聲如馬鳴。敗症已露。必死之候。除不治期外。名家驗方。俱可酌用。如錢乙之瀉青丸。導赤散。局方之至寶。抱龍。準蠅之大青膏。利驚丸。直指之羚羊角湯。大麻丸。均可隨症加減。急性之治去。既如上述。慢性之治更繼急性而言之。夫慢性之因。爲寒爲虛。雖有風動之象。乃虛極生風。爲神經之虛性興奮。非如急性之因熱因實也。有治法當以逐寒補虛和中鎮肝爲主。如因吐瀉傷脾。宜以理中四君醒脾之類調治。如陽氣衰微厥冷吐瀉。宜四逆沈附逐寒蕩驚之類。驅風助胃。宜直指烏沈湯。餘如局方金液丹，本事醒脾丸。幼幼之銀白散。錢乙之益黃散。俱可酌用

尾言

總上以論。則腦府疾患。西醫名曰出血充血爲發炎有餘之症。貧血爲不足之候。國醫皆以風字釋之。且備極詳細。有外風引動內風。有不因外風而內風自動。有靈極生風。亦有熱極生風。如中風乃本元素虛。由外風引動內風。致腦府血管破裂。充血乃不因外風。而內風自動。致血液上充頭目眩疼。貧血柔痙。乃虛極生風。爲不足之症。急性瘈病乃熱極生風。爲有餘之候。西醫言其形質。國醫言其原因。異途同歸。實則一也。至於風字。用以作代名詞而已。奈今國藉西醫。詆國醫曰穿鑿架空。向壁虛構。斥陰陽爲虛談。譏六經曰妄構。淋漓盡致。抑何喪心病狂。癲瘋至此耶。若輩以陰陽爲虛妄矣。抑何一日千里之電學。亦有陰極陽極之名。以六經爲虛妄矣。抑何西洋解剖。亦有系器之代名。其能脫離之乎。學者之態度。當抱知之爲知之。不知爲不知。不可妄施攻擊。信口雌黃。彼又以仲聖之作爲陳舊。要知仲景生於後漢。倘生於近世。其文明絕非汝儕小子所能望其項背。即內經一書。文義深高。爲世所珍。而竟有沒殺心腸。大呼廢棄。人耶獸耶。而不分皂白耶。經旨精華。非拙筆所能形容。即以西醫認爲虛妄之下病治上。上病治下而言。設有一人。疾行跌蹶。微傷其足。是病在下。國醫治之。必取之上。何也。蓋微傷其足。藥敷即愈。有形者不足爲患。所慮者跌時無形之驚恐。傷其神智。必報以安神之劑。如茯神攝草等等。即合以病理學言。亦無不可。足傷必波及運動神經。腦爲神經之樞紐。故下病治上。誰曰虛妄。總之醫者之目標。爲解除病者痛苦。共登健康之境爲職責。醫何分中西。藥亦何分爾我。門牆之見。婦孺之見也。故以上拙論腦病。醫藥不拘中西。惟善是縱。毋忘司命可矣。

寒熱症治概論

邵亮東

引言

自歐風美雨侵入之後。中西醫之學術戰爭。卽行開始。迄今無時或已也。綜觀戰蹟之記載。則中醫之慘敗于西所用之『學術陳腐』『學術不科學』二種毒瓦斯之下者爲最多。噫余觀此記載。不禁爲中醫呼冤。更爲中醫抱不平之鳴。攷中醫之創造。已有四千餘年之歷史。在四千餘年之中。學術時有發明。代有革新。如在神農氏之前。未知有藥物。待神農氏嘗百草之後。始識藥物。分門別類。以作治療之用。迨及商周。文化已啓。而醫藥亦隨之進步。如伊尹之創製湯液。秦和之造作醫方。爲後世方劑之權輿。及至秦漢時代。有盧偏之先賢。張機華佗之醫聖。出而問世。將散漫無緒之醫學。依經驗而編製之。依事實而歸納之。着成有系統有根源之書籍。作爲後代醫學之基礎。嗣後而唐而宋而元而明而清。名醫疊出。將前人之差誤者。改而正之。前人之不明者。演而譯之。前人之未及者。補而充之。如此則代代發明。時時進步。及至今日。藥物已有四千餘種。病理生理。益見明晰。治療更覺完備。而當今名醫。如時逸人祝味菊陸淵雷等。又時有驚人之著作。更至于本院院長薛文元先生。年高七旬，而又不遺餘力。集合同志。創設本院。孜孜矻矻。與一般學子共同研究。互相討論。以冀學術進步。老當益壯。甯知白首之心。由此觀之。中醫之努力學術。時有革新。時有進步。安有陳腐之說耶。至于不科學之說。更屬謊謬。何則。蓋所謂科學者。有系統之學術也。質言之。自然化生現象之事理。古稱格致學也。禮記有云『規矩誠設。不可以欺方圓』。所謂不依規矩。不能成方圓。此卽今之所謂幾何學也。從來吾國泥水木作。用之以造大廈橋樑。奇偉雄壯。更爲事實上之明證。又諺云、『月暈而風。潤而雨』。此卽今之所謂氣象學也。可見古來之事實。皆合科學原理。豈獨醫學例外耶。况吾國國醫之診斷。分望聞問切四大方法。西醫之診斷。亦不出此四大圈子。且國醫又設風寒暑濕燥火六大病原。寒熱表裏虛實六大病症。下汗溫淸和補六大治法。是則國醫之學術。亦有統井然不紊。誰爲不合科學也。既不陳腐。又合科學。吾當本先賢之學說。依自然科學之方法。實地從事研究。光前裕後。此豈異任人哉。東屆畢業之任期。遵章著編貢獻醫林。祇以時間短促。不能作整個之討論。暫從片斷之研究。以就正於高明。憶在諸老師臨診實習時。所見病症。以寒熱爲最多。而諸老師與病者之問答。亦以注意於寒熱之辨。別可見寒熱二症。頗屬重要。今卽以此爲題。略述于后。惟才學淺陋。苦無經驗。紕誤之處。在所不免。尙祈海內明達諸公。有以敎之。

總論

寒熱之症。範圍頗廣。除有寒熱症之外。又有屬寒屬熱之分。是則可包括百病矣。雖然。提綱領。分門別類。亦不覺其散漫繁多也。茲先總論其本症之病理症狀及其治療。次則再論各病之性質屬寒屬熱。及其治療之大法也

一 寒熱之意義

寒熱者。溫度也。溫度高則熱。低則寒。故本無寒熱之分。只有溫度高低之差。質言之。寒熱者。溫度之相對代名詞也。無寒則無熱。有熱則有寒。二者必須相較而生焉。茲以極普通之例明之。吾人之通常感覺。皆謂井水冬季則溫。夏季則涼。其實夏季井水之溫度。並未減低也。冬季井水之溫度。並未增加也。其所以然者。有其他溫度同時相較而然也。何以言之。蓋井水溫度。因在地中。不易變化。（因地中之溫度。不易變化。故井水之常溫。爲華氏寒暑表五十五度左右。）卽有變化。決不若河水或空氣之溫度變化相差之甚也。當夏季天氣炎熱之時。大氣溫度有九十度以上。河水溫度有七十五度左右。而井水之溫度。仍爲五十五度上下。此時吾人習慣性之感覺。終以爲井水溫度減低。冷及冰點矣。其實彼時有何水空氣之溫度相較而然也。更當冬季天氣嚴寒之時。大氣溫度。在冰點以下二十度。左右河水溫度在冰點以下。而結成堅冰。然井水之溫度。亦仍在五十五度上下。此時以吾人習慣性之感覺。而謂井水爲溫矣。實則彼時亦有河水空氣之溫度相較而然也。又如夏季氣候溫度稍減。則吾人覺得涼爽。若冬季氣候溫度稍增。則吾人覺得溫暖。其實夏季之涼爽。苦安有如冬季之冷耶。冬季之溫暖。又豈若夏季之酷哉。此皆爲一季中今昨局部氣候溫度高低相較而然也

二 寒熱之成因

寒熱卽爲溫度。上已言之。故寒熱成因。卽溫度之發生。溫度之發生。約有二因。一爲物理性。一爲化學性。關于物理性者。卽物質互相磨擦而所發生之溫度也。其如車軸之轉動。鐵鎚之打擊。電氣之進行。俱能發生一種熱力。關化學性者。卽二物質或二原子相

遇發生化學變化所生之溫度也。其如物質之燃燒。生石灰之風化。硫酸之與水化合。氫氣之化水。俱能發生極熱之溫度。然歸納言之。不論其爲物理性化學性。凡能發放溫度者則生熱。吸收溫度者則生寒。此又何說耶。且以俱體事實證明之。當冬季紛紛下雪之際。吾人並不覺得寒冷。然當陽光高照。白雪融鮮之時。吾人覺得寒不能忍。蓋雪之成也。爲空中之水蒸汽失去溫度。放散於空中而凝結成雪。此時空中之溫度。只有增加而無減低。故吾人不覺寒冷也。至于雪之融也。必吸取空中之溫度。而後融解爲水。此時空中溫度。只有減少而無增加。故吾人覺得寒冷也。夫雨霧霜雪皆一物也。因其放溫吸溫之作用不同。而形成各異。寒熱迥別也。由此觀之。發放溫度則生熱。吸收溫度則生寒。其理益可明矣。

三 寒熱症之發生原因及其分類

寒熱之意義。及其發生。上巳論之。今更進一步作熱寒症之討論。吾人體溫之發生。亦約有二端。一由于物理性。一由于化學性。屬于物理性者。即吾人之氣血不斷進行。互相磨擦而發生之熱度。故吾人工作或運動之後。體溫往往增進。亦此理也。屬于化學性者。即吾人飲食之物經化學作用。而變爲營養品。用以發生熱力。故吾人飲食之後。體溫亦見增高。即斯理也。然體溫逐漸發生。層出不窮。而有毛孔汗液大小便及呼吸等之生理作用。爲之放散調節。不致有過多或不及之弊。故吾人之體溫有一定之標準。即攝氏表三十七度是也。換言之。亦即常人之體溫也。若體溫過度增高則發熱。體溫逾限減低則生寒。謂經太過與不及。俱屬病症故體溫之不合于標準溫度者。謂之病人體溫。然人之年齡有大小。體格有強弱。處地之氣候有不同。則體溫亦隨之而各異。甚至一日之間。亦有高低之差。凡此種種。均不在此例。至于病人之體溫。可以增高或減低而發生熱症寒症者。皆因病理作用也。茲分述于后。

甲 寒症

人之生理作用反常。而體溫不及標準度數者。則生寒症。蓋生理作用反常。則爲病理矣。經云『陰勝則寒』。此內臟造溫機能阻礙。體溫不能化生。所謂造溫機能衰退是也。又云『陽虛則生外寒』。蓋表陽虛者。表皮神經機能衰退。不能司腠理毛孔之啓閉。所謂腠理不密。則汗液外出。風寒內侵。以致放溫機能亢進是也。此二者。體溫減低之主要原因也。茲更分述如左。

造温機能衰退　仲景傷寒論曰。少陰病下利。脈微者以白通湯。利不止。厥逆無脈。乾嘔而煩者。白通加猪胆汁湯主之。又曰。少陰病下利清穀。裏寒外熱。手足厥逆。脈微欲絶。身反不惡寒。其人面赤。或腹痛。或乾嘔。或咽痛。或利止。脈不出者。通脈四逆湯主之。又曰。少陰病身體痛。手足寒。骨節痛。脈沉者。附子湯主之。此心腎二臟之造温機能衰退也。蓋少陰者。心腎二臟也。心臟之造温機能衰退。則血行不旺。故脈微細欲絶。腎臟之造温機能衰退。分利失職。歸入大腸。故下利清殼也。又曰。少陰病。吐利。手足厥冷。煩燥欲死者。吳萸湯主之。又張景岳謂元陽虛脫。危在傾刻者。四味回湯飲主之。脾胃虛寒。滑脫之甚。或泄痢不能止。或氣虛下悸。二陰血脫。不能禁者。四維散主之。此則除心臟腎臟造温機能衰退外。又兼脾胃造温機能衰退之症狀矣。

放温機能亢進。　仲景傷寒論曰。太陽病頭痛發熱。汗出惡風者。桂枝湯主之。太陽病項背強几几。汗出惡風者。桂枝加葛根湯主之。太陽病下之後。脈促胸滿者。桂枝去芍藥湯主之。傷寒汗出而渴者。五苓散主之。太陽病下之。微喘者。表示解也。桂枝加厚朴杏子湯主之。發汗過多。其人叉手冒心。心下悸。欲得按者。桂枝甘草湯主之。又發汗後。其人臍下悸。欲作奔豚者。茯苓桂枝甘草大棗湯主之。以上諸症。皆屬表皮放温機能亢進。所以俱患汗出之症。而於治方皆有桂枝一味。調節表皮放温機能。不致再呈亢進狀態也。

造温機能衰退同時放機機能元進　仲景傷寒論曰。太陽病發汗。遂漏不止。其人惡風。小便難。四肢微急。難以伸屈者。桂枝加附子湯主之。太陽病發汗。汗出不解。其人仍發熱。心下悸。頭眩。身瞤動。振振欲擗地者。眞武湯主之。又曰。既吐且利。小便復利。而小汗出。下利清穀。內寒外熱。脈微欲絶者。四逆湯主之。以上諸症。均爲放温機能亢進。而兼温機造能于衰退狀態。所謂大汗亡陽。眞元虛脫。危在傾刻。皆此類也。故仲師傷寒論之編製。于表劑之後。殿以青龍。禁汗之前。冠以眞武。仲師之用心。可謂至矣。

此外又有出血過多。體温亦須減低。如婦人分晚之後。或經行期中。失去多量之血液。其體温必呈降低。又如濕温傷寒。大便突然下血。此爲腸穿之症。其體温亦必驟然低落。此於臨床時所宜注意者也。

乙　熱症

人之體温。高出于標準體温之上者。卽現發熱之症。經云。『陽勝則熱。』蓋所謂陽者。生機之能力也，猶馬達之有電氣也。脾胃用之以消化。肺臟用之以呼吸。腎臟用之以利水。造溫機能用之以造化體溫。故陽氣偏勝。則造溫機能亢進。體溫增高。而發熱矣。又云『陰虛則生內熱』。蓋陰虛則陽盛。陽盛則造溫機能亢進。內臟蒸發熱矣。又云『風寒客于人。使人毫毛畢直。皮膚閉而爲熱。』蓋風寒外束。表皮神經爲之刺激。皮膚爲之閉塞。放溫機能爲之障礙。體溫無由發。故身患熱症也。此二者。爲熱症白之主要原因也。茲再分述如左。

造溫機能亢進　症見煩熱不安。大汗出。大渴引飲。時時惡風。脈洪大者。白虎加人參湯主之。此胃中造溫機能亢進。熱蒸于胃。胃陰易傷。故渴欲大飲以自救。治以辛寒清解之石膏。苦寒瀉火之知母爲主。佐以甘寒生津之人參也。若症見大便閉結。腹痛拒按。舌苔焦黃而起刺。脈沉實而數者。承氣湯主之。或熱結傍流。肛門灼熱。泄不臭水。或大腸膠閉。所下如痢稠粘異臭。亦宜承氣不之。此爲大小腸之造溫機能亢進。熱鬱于內。小便利則便硬。小便不利則便溏。臭水久鬱則膠粘如痢。皆宜蕩滌腸胃以瀉鬱熱。故以大黃枳實爲主也。若症見小溲黃赤。或爲膠濁溺時陰道刺痛。治與四苓八正之類。此爲膀胱之造溫機能亢進。熱鬱於內。尿質被蒸而變黃赤。甚則發黑。或成膠濁之物。故治以四苓八正。瀉膀胱之鬱熱。使其有去路也。又症見其人發狂。少腹鞕滿。大便自利者。下血乃愈。抵當湯主之。此膀胱血分之造溫機能亢進。熱蒸營血。瘀積于膀胱。故少腹硬滿。而小便自利。治以抵當之瀉血熱也。若溫邪久留而侵入營分。大便黑色。唇焦舌乾絳。口渴食冷。犀角地黃湯主之。此則營血之造溫機能亦呈亢進。故唇焦舌絳。大便夾瘀色黑。治與犀角地黃。清解營分之熱毒也。

放溫機能障礙　仲景傷寒論曰。太陽病頭痛發熱。身疼腰痛。惡風無汗而喘者。麻黃湯主之。太陽病。得之八九日。如瘧狀。發熱惡寒。熱多寒少。其人不嘔。圊便欲自可。一日二三度發。脈微緩者。爲欲愈也。脈微而惡寒者。此陰陽俱虛。小可更發汗更下更吐也。面色反有熱色者。未欲解也。不能得小汗出。身必癢。宜桂枝麻黃各半湯主之。服桂枝湯。大汗出。脈洪大者。與桂枝湯如前法。若形如瘧。日再發者。汗出必解。宜桂枝二麻黃一湯。太陽病。項背強几几。無汗惡風者。葛根湯主之。傷寒表不解。心下有水氣。乾嘔發熱而咳。或渴。或利。或噎。或小便不利。少腹滿。或喘者。小青龍湯主之。又仲景金匱要略曰。濕家身煩疼，可與麻黃加朮湯。發其汗爲宜。又云。病者一身盡疼。發熱。日晡所劇者。此名風濕。此病于傷汗出當風。或久傷取冷所致也。可以麻黃杏仁薏苡甘艸湯。又吳菊通謂太陰温病。初起惡風寒。嗣後但熱不惡寒。而渴者。辛凉平劑。銀翹散主之。太陰風温。但咳身不甚熱。微渴者，辛凉輕劑，桑菊飲主之燥傷太陰。頭微痛。惡寒咳嗽稀痰。鼻塞嗌塞。脈弦。無汗者。杏蘇散主之。又如暑熱乘凉食冷。陽氣爲陰邪所遏，頭痛發熱。煩躁口渴腹滿吐瀉者。可與香薷飲。太陽陽明。少陽合病。頭痛發熱。心煩不眠。嗌乾耳聾。惡寒無汗。三陽證同見者可與紫葛解肌湯。感受四時邪氣發熱惡風寒。身重肢軟者。可與九味羌活湯。三時外感寒邪。內受生冷。而發熱無汗。可與神朮湯，綜觀以上病症。不外發熱惡寒無汗。表實之症、蓋所謂表實之症者。邪氣外束。刺激表皮神經以致放温機能發生障礙温度無從散放故現發熱之症也。其所處之方。俱用發表去邪爲主。即促進放温機能之作用也。

造温機能亢進放温機能障礙仲景傷寒論曰。太陽中風。脈浮緊。發熱惡寒。身疼痛。不汗出而煩躁者。大靑龍湯主之。不汗出者。表實之症也。表皮放温障礙也。煩躁者。陽鬱于內也。內臟造温機能亢進也。故一面以麻黃之辛温開發腠理。促進表皮放温機能。使之亢進而易於散放一面再以石膏之辛寒。淸理胃土。鎮壓內臟。造温機能。使之衰退。此即大靑龍湯之意也。又如陶華之三黃石膏湯。治傷寒六脈洪數面赤。鼻乾舌燥口煩躁孑。眠譫語鼻衄發黃。發疹發斑表裏三焦熱盛等症。又劉河問之防風通聖散治一切風濕暑濕。飢飽勞役。內外諸邪。氣血怫鬱。表裏三焦俱實。憎寒壯熱。頭目暈昏目赤睛痛耳鳴鼻塞。口苦舌乾咽喇小利。唾涕稠粘。咳嗽上氣大便閉結。小便赤濇。瘡瘍腫毒。折跌損傷。瘀血便血腸風痔漏。手足瘛瘲驚狂譫妄。丹斑癮疹等症。此爲表裏俱實。放温障礙。造温亢進。而治以解表淸裏雙最齊下使放温及造温機能各趨正軌也。

丙　寒熱症

體温時或高出于標準温度之上。忽又低落至標準温度之下者。則發寒熱之症。此症以瘧疾爲最顯著。經云『瘧之始發也。先起于毫毛。伸欠乃作。寒慄鼓頷。腰脊俱痛。寒去則內外皆熱。頭痛如破。渴欲食冷。陰陽上下交爭。虛實更作陰陽相易也陽併于陰。則內外皆熱。陰併于陽。則內外皆熱。極則陰陽俱衰。衛氣相離。故病得休。衛氣集則復作。』質言之由於造温機能與放温作用。同時亢進或同時衰退。或相繼亢進及衰退。茲更分述于后。

造温機能放温能同時亢進　仲景傷寒論曰。傷寒病若吐若下後。七八日不解。熱結在裏。表裏俱熱。時時惡風。大渴。舌上乾燥而煩。欲食水頭升者。白虎加人參湯主之。此時時惡風者。爲放温機能亢進。汗孔張開而風直入其肌腠故也。大渴舌上乾燥而煩。欲食水數升者。爲造温機能亢進。裏熱熾熾津液被灼故也。又曰。發汗後。或下後。不可更行桂枝湯。若汗出而喘。無大熱者。可與麻黃杏仁甘草石膏湯。此由汗下後。致放温機能與造温機能同時亢進。故汗出而喘也。又曰。太陽病。桂枝湯醫反下之。利遂不止。脈促者。表未解也。喘而汗出者，葛根黃芩黃連湯主之。此本表皮放温機能亢進。（桂枝症）醫反下之。以致內臟造温機能同時亦呈亢進狀態。故協熱下利。喘而汗出也。

造温機能放温作用同時衰退　仲景傷寒論曰。少陰病。始得之反發熱惡寒。脈沉者。麻黃附子細辛湯主之。此係表皮放温機能衰退。故有發熱惡寒之表症。心腎造温機能衰退。故現脈沉之象也。又金匱要略曰。婦人產後中風。熱發。面正赤。喘而頭痛。竹葉湯主之。此因婦人產後營血虧損。心臟必弱。其造温機能衰退。故用人參附子強其心臟使其造温機亢進也。然肌表又爲風邪所侵。發熱。面正赤。喘而頭痛表皮放温機能障礙。故只用防風葛根葉輕表之。恐致放温機能過于亢進也。

造温機能放温作用相繼亢進或衰退　仲景傷寒論曰。太陽病得之八九日。如瘧狀。發熱惡寒。熱多寒少。其人不嘔。圊便欲自可。一日二三度發。脈微緩者。爲欲愈也。脈微而惡寒者。此陰陽俱虛。不可更下更吐也。面色反有熱色者。未欲解也。不能得小汗出。身必癢。宜桂枝麻黃各半湯。傷寒五六日中風。往來寒熱。胸脇苦滿。默默不欲飲食。心煩喜嘔。或胸中煩而不嘔。或喝或腹中痛。或脅下痞鞕。或心下悸。小便不利。或不渴。身有微熱。或咳者。與小柴胡湯主之。傷寒六七日。發熱微惡寒，支節煩疼。微嘔。心下支結。外症未去者。柴胡桂枝湯主之。傷寒五六日。己發汗而復下之。胸脅滿微結。小便不利。而渴不嘔。但頭汗出。往來寒熱。心煩者。此爲未解也。柴胡桂枝乾薑湯主之。又陳修園之治久瘧。心腹有塊。名瘧母。以鱉甲飲主之。以上諸症。皆以寒熱往來爲主。經謂邪踞少陽。半表半裏。可出可入。出則與陽相爭而生熱。入則與陰相爭而生寒。是以正邪相爭。則病作。休息則病止。質言之。乃係瘧疾原虫。寄生于血液中。遂亦行無性生殖之過程。而刺激造温機能放温機能。相繼亢進或衰退耳。

分論

寒熱症之病理症狀治療。總論中己詳論之矣。茲將各病之屬寒屬熱。再分別討論。然病之種類。不可勝舉。勢難一一盡述。姑以最常之雜病。略述一二于否。

心痛

心臟爲循環器之主要部分。鼓動血液。週行全身。無時或己。猶肺臟之呼吸。交換空氣。時時不休也。故心爲君主。義不受邪。經云。猝然心痛。目呆無聲。面青氣冷。手足青至節。旦發夕死。夕發旦死。此心臟受邪發生疾病。致全身血行停止。命歸泉路。然通常之心痛。多爲心包絡受邪而病。經之論厥心痛。寒分熱二種。寒心厥痛者。身冷汗出。手足逆。便利不渴。心痛。脈沉細。朮附湯主之。熱厥心痛者。身熱肢厥。煩躁心痛。脈洪大。金鈴散或清鬱湯主之。又有所謂腎心痛。胃心痛。脾心痛。肝心痛。肺心痛。及九種心痛等。症狀各異。然不外寒熱二因。治當溫清參施也。

胃脘痛

胃爲消化器之重要部分。飲食入胃。漸漸消化。故甜酸苦辣。無味不嘗。寒熱溫涼。亦無不受。此胃之所以易受病也。然胃居膈下。與心相依。易與心痛相誤。又脾胃互相表裏。故脾鬱不升。則胃氣不降。所謂脾胃不和。胃脘作痛矣。又肝輸膽汁助胃消化。若肝鬱不舒。膽汁受損。消化機能不健。則胃脘作痛。所謂木尅土也。胃脘痛之病理如此。但屬熱屬寒。更當明晰。如症見胃脘脹滿而痛。食入卽吐。身熱口渴。苦黃。脈數。此胃中有熱。宜以苦寒清降之品治。以大黃。甘草湯。若嘔而吞酸。口苦脈弦數者。爲膽火上逆。宜左金丸主之。至於受寒致者則綿綿不絕。無增無減。嘔吐稀涎。口鼻氣清。舌白滑。脈沉細遲者。治當溫中。理中湯。朮附湯等主之。不若兼頭暈眩者。肝臟亦有寒也。吳茱萸湯主之。

腹痛

經論腹痛屬寒者十有一條。屬熱者一條。寒熱相兼者二條。是則腹痛之論。概可備矣。古之論痛。謂不通則作痛。通則不痛。故腹痛寒淫者多。熱淫者少。以陰寒易阻遏陽氣。陽氣鬱塞不通。則作痛矣。是以感寒腹痛者。氣滯陽衰。喜熱手按。脈沉遲。面㿠白。綿綿作痛者。治宜溫中運化。香砂理中或附子理中等主之。太陰腹痛。大便自利。脈沉。理中湯主之。厥陰腹痛。四肢厥逆。脈沉細。當歸四逆湯主之。少陰腹痛。四肢沉重。欬吐下利。脈沉細。眞武治主之。至若火鬱腹痛。則時作時正。惡熱拒按。脈洪數者。清中湯主之。

頭痛

頭爲諸陽之會。故頭痛之症。屬熱居多。如吾人發熱必頭痛。或暈眩。每屆夏令暑天之際。民病頭暈頭眩。俗謂疰夏症。又當人衆熱鬧之戲場。或會場亦覺暈眩。凡此種種。多因頭爲諸陽之會因熱而血壓上升。致現是症也又頭居人身最高之地位諸邪難到惟風可達。如頭經大風怒吹。每覺暈眩。甚則頭痛。又肝風內動。上升頂巔。則暈眩僻地。或痛如劈。古來頭痛有正偏頭痛之分。內風擾巔。腎虛水泛。腎虛氣逆之別。總言之。皆風熱爲患也。至于治療外風則以祛風涼散爲主。熄風湯川芎茶調散之類。可隨症加減。內風則以平肝清降爲主。逍遙散加鱗介潛陽之品。所以降低血壓也。

痰飲

痰飲爲痰病之通稱。人之津液。被濕熱熏蒸而成粘膩之膠物。稠粘者爲痰。稀白者爲飲。或壅塞于肺。或流經絡。或聚于胃。或停心下。或漬腸間。古稱痰由于火。飲由于濕。痰濁飲清。痰生於脾濕勝則精微不運。從而凝結。飲聚于胃。寒留則水液不行。從而泛濫。其實受寒受熱。內膜發炎。而泌粘液生于肺而咳出者稱痰。聚于胃而嘔出者稱飲。故其治療之法。有寒熱之不同。其若傷風咳嗽。鼻塞流涕。咳痰稠粘。甚則頭痛發熱。此係肺臟有熱。治與涼散。佐以清化痰濁之品。其若咳吐白沫。心下有水氣。脅下引痛。氣逆不得臥。此肺胃受寒。精微不得運化。停積肺胃。治宜溫而化之。以小青龍湯爲主。若病深而體實者。十棗湯主之

痢疾

痢疾爲原虫寄生腸壁。以致腸膜發炎。痢下赤白膠粘。欲便不爽。裏急後重。從來之治法。以通爲主。通因通用也。但症有熱寒之分。治當溫清各別。古以白痢屬寒。赤痢屬熱。赤白痢則寒熱相雜。如腹中緜緜疼痛。痢下無臭。苔白膩。脈沉遲者。屬寒症。若腹中劇痛。時作時止。痢下腥臭異常。苔黃膩。小便短赤。脈滑數者。屬熱症。屬寒者溫而通之。訶子肉湯大斷下丸等加減。其屬熱者。清而導之。芍藥湯及枳實導滯木香檳榔等丸。皆可裁化也。

霍亂

上吐下瀉。腹中急痛。或不痛。頭痛身熱。四肢逆冷。揮霍撩亂。此爲霍亂。可分寒熱二種。其屬寒者。下泄完穀。上吐清稀。無惡臭氣。腹

中絲絲作痛。或不痛。四肢逆冷。脈微或伏。精疲力乏。傾刻之間則。形瘦骨立。甚至不救。四逆湯爲主。其屬熱者。腹中絞痛難忍。亦有吐瀉並作。發熱煩渴。氣粗喘悶。小溲短赤。舌微紅。或黃而糙。脈沉數。黃連解毒飲主之。

癃閉遺溺

癃閉之症。即小便不通之謂。遺溺之症。小便不禁之稱。二者病既相背。故病理治療。亦所各異。癃閉多爲熱結下焦。以至腎臟分利失職。膀胱排洩無由。治以洩熱爲主。導赤五苓俱可施用。遺溺多屬虛寒。下元受損。膀胱排洩機能失職。溺出無知。治與溫補固濇爲要。補中益氣湯。壯蠣丸等。在所必用。

遺精

精液不以交媾而出者。謂之遺精。分有夢無夢二種。有夢者。夜夢性交。精液越出。乃係相火太旺。刺激下部神經。以致慾性衝動。治當清洩肝腎。大補陰丸主之。無夢者。夜入睡鄉。神經安歇。在不知不覺之中。精液洩出。乃係心腎兩虛。不能攝精。甚則日間醒時。在無意之中。精液流出。眞元益虛。治宜大補眞元。濇納下部神經。方以十全大補。左以收濇之品。

淋濁

淋濁之症。古有石淋。勞淋。血淋。氣淋。膏淋。五症之分。然多因濕熱蘊結膀胱。煎熬成淋。小便短赤。或夾白色膿質膠粘沙粒之物。莖中刺痛。治宜清其積熱。神聖琥珀散。八正四苓等主之。又有寒客下焦。水道不快。先寒戰而後溲便。由冷氣與正氣爭。則寒戰成淋。正氣勝則戰解。得便稱謂冷淋。腎氣丸。肉蓯蓉丸等主之。

經病

婦女經水。四星期一至。如潮之有信。故又稱謂信水。若先期而來。或過期而到。俱屬有病。此婦女之特有病也。經病種類頗多。然考其原因。不外熱寒二因。其因寒者。多過期而到。血淡而少。腹痛且脹。脈形遲緩。法當溫通。過期飲主之。其因熱者。多先期而來。血鮮而多。或煆煉成紫黑。內熱口渴。脈形弦數。治當先期湯主之。

呃逆

胃氣鬱結不利上逆咽喉而作呃忒之聲謂之呃逆胃中受寒胃氣鬱結因陰寒遏阻陽氣使之不能司職運行左衝右突由賁門而出。作呃逆之症如三四歲之小兒。經冷風一吹呃逆立作又如吾人飢餓時。急食冷飯即作呃逆。此爲胃中受寒而作呃逆之證也。然亦有胃中受熱而作呃逆者。因胃中受熱機能緊張胃氣運行加速一時不得下降直衝賁門而出呃逆之症作矣。如飲熱湯或椒薑辣物而起呃逆者即斯理也至于治療之法以行氣降逆爲主。橘皮乾薑湯。橘皮竹葉湯。旋覆代赭湯。丁香柿蒂等俱可隨症出入然久病之後眞元虧損胃氣虛弱而見呃逆之症者非峻補眞元不爲功。此謂虛呃胃土之敗象多屬不救不能作受寒受熱而論也。

厥逆

厥者盡也。逆者倒也。陰陽之氣不相順接。即病厥逆。可分寒熱二症。寒厥者。陽衰而陰盛。四肢厥冷。身寒面靑。踡臥便溏。不渴脈遲細此陽氣將亡之際急以四逆湯救其殘陽寒厥之甚者表熱下利清穀食入即吐腹痛脈沉伏此則陽氣有欲脫之勢。急以白通湯主之熱厥者。陰衰陽盛身熱煩躁脈滑數數日後忽肢冷乍溫面赤煩渴。昏冒此熱深厥深。陽極似陰當以淸熱爲主。四逆散承氣湯等可隨症加減。

脚氣

脚氣之症。爲濕熱下注。兩腿漫邪。麻疼不仁。軟弱無力。步履笨重。起初每多勿覺。玩忽視之。一日患成。頑惡難愈。其甚者。脚氣攻心。昏厥不省人事。頗有性命之憂故其治療以早爲貴其屬濕熱者以淸利爲主。疎通壅滯爲佐。梹蘇散。四七湯加味蒼薿湯等可以選用。其因寒濕者以溫化爲主。疎通壅滯爲佐。牛膝丸葫蘆巴丸可用。不論其屬寒屬熱血氣滯壅不利者當佐以理氣活血之品也。

黃疸

經云。濕熱相交。民病癉也。故黃疸之症。由於脾胃爲濕熱鬱蒸。漸漸發黃如金色也。此猶盦裝麯𥹳。濕熱久𥨸。漸漸變黃也。黃疸可分五種即黃疸。穀疸。酒疸。女勞疸。黃汗是也。疸既分五。然各有寒熱之別不可不審也其屬於寒者謂陰黃疸。係肝臟寒濕不運胆液浸淫。外漬肌肉。則發爲黃。其色晦如烟薰。治宜溫燥茵陳四逆湯茵陳茱萸湯等主之其屬於熱者謂陽黃疸係胃土濕熱薰蒸。與胆汁泄越參入皮膚則發爲黃。其色明如橘皮。治與清利茵陳蒿湯主之。

中藥認識論

阮秦明

序論

中藥學說。基源內經大論。而藥物之作。始於神農本草經。後世宗之。迭充其品。明李時珍採訪四方。集其大成。蒐羅典籍。列百家之說。作本草綱目。爲國藥史上一大傑構近世科學昌明。醫智發達。藥學之作。更猶過江之鯽不可勝計。溯自本經始迄今數千年。藥學著作不下千數。其行於世亦數百種。然多襲錄先賢之論。固無闡揚啓發之可言。亦失愛護國粹之本旨。古之人其著作於學說理論。有墨守悯執不求甚解。此仲景所謂終始順舊者流也。今人之作。其墨守有過於古人。或幷其理論學說舍棄之。而獨守藥物之軀壳焉。故前者之論。「五行」「六淫」「司天在泉。」學說邃奥。若不可攀。「白補赤瀉」「青肝黑腎。」理論空汎無所據藉。後者藥物之編制雖間有可取，而於効能性味類仍彙輯舊作。故論說紛岐。枝蔓不整。能於其學理作進一步之探討。尤未之見。

近世海禁開放。國醫所受歷史環境亦一轉移。今日之所謂中醫學者。蓋成其爲具「世界性」之醫學矣。而今日之所謂中藥者。亦非如向昔自守之中藥。而爲其「世界之」中藥矣。惟近數年來。各國醫界注目中醫學之觀點。其勢漸趨向於藥物與效方之研究。而國內醫者亦多持中藥科學化之論。然擯棄學理。概視爲牽會空泛之說。此皆闇於偏面。未得爲健全之認識者也。噫中藥論著抑亦衆矣。惟欲求其與新舊「學說」「理論」統合研究。就學術觀點以科學原理剖析之作。誠不可得。

夫中藥具四千餘年歷史之經驗。傳於方典。驗諸後世無不爽。所謂特効劑者。皆是。牛溲馬勃。草根樹皮。舉覆載之所有。幾無不取。其採羅可謂至矣。考本經列藥三百餘種。而植物質藥屬其三之二。綱目凡千八百八十種。植物質藥亦居其半。中藥基於本草。常用悉爲植物質藥。其稟性終較動物礦物質者爲純。西藥取材則反是。故性烈實有不及中藥之所謂以王道致効者。若此種學理。雖非理解可詳盡。惟徵於一般事實未始不然。蓋如中藥之動物礦物質藥。非險症必需。不用犀羚膏蟵也。抑中藥之價值尤有進焉。其爲與「病理」「診斷」有一貫系統之「陰陽」「六氣」學說是矣。夫「陰陽」「六氣」之說。爲現代一般自命「科學醫」所恥道。叱爲玄幻。以爲大出科學原理之外。道外者倡之。道內者從而惑之。又從而和之。或且視爲中藥科學改進之障阻。排斥尤不遺力。此固偏面直覺觀察之錯誤。亦研究之未能深切耳。蓋所謂「陰陽」者。爲表示相對之性體。「六氣」者。爲各偏性現象之代語。故以自然界言。有「陰陽」亦有「六氣」。以病理言。亦有之。以藥理言。亦有之。皆就自然理學爲根據。非科學而何哉。內經陰陽應象論曰。「陽爲氣。陰爲味。」又曰。「味厚者爲陰。薄爲陰之陽。氣厚者爲陽。薄爲陽之陰。味厚則泄。薄則通。氣藥則發泄。厚則發熱。辛甘發散爲陽。酸苦涌泄爲陰。鹹味涌泄爲陰。淡味滲洩爲陽。六者或收或散。或緩或急。或潤或燥。或軟或堅。以所利而行之。調其氣。使其平」云。仲景傷寒雜病二論。列方百數十種。皆驗効足徵。而製作悉本此項學說。今人重視國醫方藥。而獨抵叱其學理。誠爲舍本逐末。數典忘祖。且夫方藥實無絕對特效之可言。蓋病源雖同。程度則異。細察之。又多有不同也。故一所謂特效藥者。每施於甲人則驗。而施於乙或丙則不驗。或百人中有若干人因體質環境方土之關係而不驗。中藥以效驗之單方爲基幹。本其學理之長。因病作方。得其正確。自無不屬效劑。西藥獨立。與醫分開。爲醫者但知藥效。而昧於藥性。故言質之研究。中醫誠不可及。然就中藥特有學理言之。（醫學藥學一貫系統之學理）則各國醫學亦所不可望其項背也。雖然。中藥蓋亦有其缺點在焉。學說之深邃。爲學者不易了解一也。理論空泛不切二也。藥效性味無統一精詳之論斷三也。吾人茲際此新舊學說交接之今日。當負改善發揚固有學術之負。取彼西學之長。補已之不足。用物質文明之科學。以徵我學理之是非。本明晰之頭腦求眞理之存在。集多數人之智力而研究之。改善之。發揚之。使於至善而已。明不敏。才學淺疎。弧陋寡聞。蓋有志未達者也。本篇之作。僅就已見概略言之。拋磚引玉。不慚淺陋。幸諸君子賜正何如

第一章 一般理論學說之錯誤與辨正

上古科學幼稚。醫學自無今日之發達。故於藥效理論之發明。悉據藥物之生長。形態。色味。附會而作。或以一己思想所及。臆度其理。故說理每失之玄幻。出於理外。易言之。在古之所謂理論者。謂作「理想」之論。解則爲切當。若作「理學」之論。則不可也。古人誤之。今人守之而不變。奉若圭璧。惟恐失之。無乃過矣。

夫以形態現象作藥理之解釋。實至空泛。鳥能飛。未見食之而身輕。魚善泳。未見食之而可不溺也。甯有是理乎。劉完素曰「蛇之性上竄而引藥。蟬之性外脫而退翳。蝱飲血而用以治血。鼠善穿而用以治漏。所謂因其性而爲用者如此。弩牙速產。以機發而不括也。杵糠下噎。以杵築下也。所請因其用而爲使者如此。浮萍不沉水。可以勝酒。獨活不搖風。可以治風。所謂因其所勝而爲制者如此」云云。若此解蟬之退翳因其性之外脫。解蝱之治血因其性嗜飲血。皆爲附會現象之理想。非藥理也。且飲血不獨爲蝱。設謂飲血卽其所以治血之原理。則蚊之吸血知者較蝱爲甚，然蚊其豈亦因其性而爲用者耶。治風之藥數十種。非獨活之專功。謂不搖於風而治風。則治風藥其皆不搖於風者耶。弩牙速產。杵糠下噎。誠匪夷所思。徒貽知者笑耳。茯神因抱木以安神。通草以中空而利竅。內實裏攻。中空發表。或一藥而因其部位之異以別取効之不同。若當歸之三部。枯芩中虛走肺。條芩狀腸走腸。以皮治皮。以枝達肢之論。皆謬也。(註一)

藥色爲辨藥八法之一。向居中藥重要地位。謂以藥色配諸五臟之色云。論曰「色青入肝。色赤入心。色黃入脾。色黑入腎。」故黑豆補腎。青黛瀉肝。皆基此說。然吾人試一研究之。則此種學理實無存在之必要。蓋根本所謂臟色者。實由各組織含蓄血量之深淺變化耳。至如「白補赤瀉」之論。更無理說可言。不足辯也。觀近世新藥多爲一種無色之製劑。或且無臭。無味。而效不限攻補。

則藥色之不能作爲藥理標準可見矣。

藥味之說爲中藥理論之基幹。經曰「藥有酸鹹甘苦辛五味。」又曰。「木生酸。火生苦。土生甘。金生辛。水生鹹。」「五味入胃。各歸所喜。酸先入肝。苦先入心。甘先入脾。辛先入肺。鹹先入腎。」又曰。「肝病宜酸。心病宜苦。脾病宜甘。肺病宜辛。腎病宜鹹。」餘若「五過」「五傷」「五走」「五禁」之說皆據於味。夫藥味與效能固有密切之關係。酸斂辛散之學理。亦未始無相當價值之存在。然謂入心入脾。治肝治腎。則未免悖於事理。失之固執也。如白芍所謂味酸斂肝之藥。而充血性頭痛用之。因腸壁弛緩而洩利亦用之。筋肉組織間新陳代謝物質屯積障阻而作痠痛。亦用之。不限肝也。麻黃味辛所謂肺經兼走大腸之藥。而尿祕可用。泄瀉可用。積聚腫滯亦可用。外科疽症亦可用也。蓋病之作。雖有一定之症竈。然影響所及。組織細胞變化。新陳代謝與體機調節之障阻。不限局部。藥者。所以藉其各不同之性效。助體機調節之本能。去障阻。補不足。制有餘也。亦豈限經絡臟腑之別。如陽明症。渴飲煩熱脈大。爲組織亢奮之現象。石膏主之。外科瘡癰炎症石膏亦用。蓋無非藉其清涼而有鎮熱之功效耳。謂其清胃。無乃偏狹。而石膏其豈亦因味甘色黃而始入胃者哉。此外荊芥疏肝。防風搜肝。瀉肺。茯神補心以通腎。遠志補腎以通心之說。多不切實。而初學復難了解。殆不如謂對於某種病變之治療。或屬於某類藥作用之爲明確也。且夫胃腺分泌鹽酸。肝臟蓄糖製膽。爲近世生理學之發見。古人木生酸火生苦之說。誤耳。五臟治宜之論。尤不可守。如腎臟以排泄體內多餘之鹽質。爲其一部分之工作。實性炎症而用鹽水炒黃柏可也。若腎萎縮而仍宗腎病宜鹹之說。則無異擠陷下石。其危可以想見。胃酸過多脘部作痛。甘以緩之可也。胃酸不足。食下作脹則不可。(註二)心臟機能亢激。苦以瀉之。如黃連阿膠例可也。而病心臟衰弱之少陰附子湯症則不可。

且夫別味之爲五味。猶別色之爲五色。取其著耳。大氣之色有非目所常睹。必以儀器分析而得。舌之於味。僅得其顯著可感而名者耳。蓋有多種之味。爲出於吾人味覺判斷能力之外。猶色之有非目所常睹也。故是物之爲有味者。或嗜之無味。或但感一種麻木不名之感覺而已。且如白馬之白。白雪之白。與白羽之白。色似而有異。藥味亦有相類而效不同。黃芩之苦。黃連之苦。以及黃柏山梔龍膽苦參之苦。其苦相若也。白芍之酸。烏梅之酸。以及五味棗仁之酸。酸相若也。桂枝之辛。麻黃之辛。以及薄荷椒薑之辛。辛亦相若也。而實各不同。以一藥所含蓄之成分或數十種。而藥味各異。有舌感可得。有非舌感可得。今吾人就單面所感而名之曰是某味者。實得該藥諸種成分中之一部可感者而言每非藥之眞味也。且中藥在別個味別之判定。向失之散漫過於簡略。如大黃味苦而帶辛香。則但稱大苦大寒。又如瀉水藥商陸芫花甘遂大戟並稱苦寒而前胡木通亦稱若寒。其實相去遠矣故以味論於微細之藥理不盡爲然。以味論於一般藥性之綱屬可也。

第二章　中醫術語與分類法之檢討

中藥之價値。在與「診斷」「病理」一貫系統之「陰陽」「六氣」學說。前已言之。若此所謂「陰陽」「六氣」云者。亦卽中藥學特有之術語是也。理學家愛因斯坦有「相對論」之說。相對論者。與「絕對論」又相對者也。中醫「陰陽」之學說與「相對論」實有相同之義。蓋爲抽象的代表一種相對性之物體與性能現象而言。故以言於自然界之物體。則天地日月。相對爲陰陽者也。以言自然界之現象。晝夜寒暑是也。以人體解剖學言。則背與外爲陽腹與內爲陰。以言於病理現象。寒熱虛實是也。以言於病理之變化則經所謂。「陰勝則陽病。陽勝則陰病。陽勝則熱。陰勝則寒。重寒則熱。重熱則寒」是也。藥有陰陽乃因性能而異。在一般所謂「陰藥」「陽藥」之意義。可分攻補二途言之。如攻劑桂麻薑附之爲陽性藥也。石膏犀羚銀花紫草之爲陰性藥也。如補劑參芪鹿茸狗腎巴戟之爲陽性藥也。歸身熟地首烏玉竹之爲陰性藥也。更概略而言。凡藥之激奮性者爲陽性藥。沈降性者爲陰性藥也。夫中藥在此種藥理紛紜與其藥物採羅複雜混亂情形之下。而能固守其有系統之狀態。則此種陰陽學理實有不可磨滅之價値。而其與「病理」「診斷」一貫之關係。在治療上之地位尤屬重要。卽如今以「養陰」一術語而論。則吾人之腦海中。立呈有對於此種養陰藥之意義。種類。及其所以需用此養陰藥之對象現症。與其診斷上所應有之條件。成一具體之概念。又如有一不知效能之藥物於此。吾人可因其賦味之爲屬於激奮之陽性。或沈降之陰性。而判別其藥效之爲熱性或寒性也。然則「陰陽」之學說。亦豈惟求醫事上之便利而已哉。

經有「六氣」之論。言風寒暑濕燥火自然界之偏性現象。吾人生活於大氣中。爲自然界之一員。其生理病理之變化。自不能出於自然理學原則之外。故對由外界感觸而發。或因體組織機轉變化之病理現象。亦皆不出「六氣」理論範圍之外。而藥物之所能治療各偏性之症象。自胥藉其偏有之性效。故藥物性效之表示亦以「六氣」區別名之。如防風秦艽之爲風藥。石膏大靑之爲寒藥。香薷之爲暑藥。地黄牛乳之爲濕藥。半夏茅朮之爲燥藥。附子肉桂之爲補命火藥。皆言藥之性質者也。若蜈蚣全蠍之所謂搜風藥。麻黃薑葱之爲散寒藥。荷葉蘆根之爲淸暑藥。蒼朮薏仁之爲去溼藥。玉竹沙參之爲潤燥藥。山梔黃芩之爲瀉火藥。則言其效。惟此種術語若用於個別藥效之稱述。則未免慊其取義過於泛廣。如天冬石斛花粉熟地之謂養陰藥。海桐皮桑寄生黃菊巴戟之謂祛風濕藥。而取效各不同也。至如柴胡升麻之所謂淸熱。與芩連銀韶之所謂淸熱。其藥理相去尤遠。此外對於一種藥效或用複合術語之表示。使其在認識上更進一步之明晰者。如以「風熱」「風寒」「風濕」「濕熱」「寒濕」之名藥效也。(註三)

中醫藥物分類。於今未有完善之編制。誠以中藥在此混亂紛岐狀態之下。欲求得其嚴整之作。殊不易爲。在昔本經分類。以君臣佐使養命養性治病爲三品。然理論固佳。而實無所取綱目。以藥屬分類。金石草木未嘗不可。然醫事上之需要。乃不在此也。徐之才十劑之論。(註四)近人葉君議之。適中其病。而删爲六類。亦可取。然其謂「每一藥物之性。同具寒熱升降各不同之良能。」則爲錯誤。蓋如石膏性寒。自無兼熱性之理。竊謂宣劑性溫。溫甚則燥。故合宣燥爲一門。以體內津液之不足。故潤。潤者既爲救不足。因合於補類。諸劑獨缺淸涼。瀉劑雖有瀉火之屬。然瀉火與淸熱似同而異。且淸居藥劑重要地位。因另立淸劑一門。玆統合上論試擬表列如左。

- 宣劑
  - 解表屬
    - 局部性症常用藥　桔梗　前胡　蘇子　甜瓜蒂
    - 全身性症常用藥
      - 輕宣退熱類　桑葉　菊花　蟬衣　薄荷葉
      - 溫宣發汗類　生薑　葱白　荆芥　桂枝　麻黃　細辛
  - 宣行化滯屬
    - 芳香化濁藥　藿香　佩蘭　陳皮　菖蒲　麝香
    - 辛燥寒濕藥　茅朮　香薷　茴香　胡蘆巴　蟾酥
    - 疎化積滯屬
      - 疎滌化痰藥　貝母　半夏　南星　硼砂　硇砂
      - 消積殺蟲藥　青皮　枳實　山查　檳榔　鶴蝨

- 瀉劑
  - 攻結解鬱類
    - 活血行阻藥　丹參　赤芍　三稜　莪朮　桃仁　紅花　蘇木　川芎　茺蔚子
    - 瀉下屬
      - 通便藥
        - 緩下　麻仁　郁李　元明粉
        - 峻下　大黃　巴豆　蓖麻子
      - 行水藥　甘遂　大戟　商陸　芫花
      - 攻瘀藥　水蛭　䖟虫　䗪蟲
  - 瀉火殺蟲類　黃芩　黃連　秦皮　龍胆草　苦參　苦楝根　雷丸　蘆薈
- 補劑
  - 健陽類
    - 強壯藥　鹿茸　狗腎　黃芪　肉蓯蓉　毛狗脊　菟絲子
    - 健胃藥　黨參　白朮
    - 強心固脫藥　附子　遠志　人參　肉桂
  - 益陰類
    - 補血藥　動物血　全當歸
    - 潤燥藥
      - 清潤　元參　沙參　玉竹　麥冬　生地　石斛　洋參　阿膠
      - 滋潤　熟地
- 濇劑
  - 清濇　牡蠣　磁石　代赭石　龍骨　桑螵蛸　禹餘糧　赤石脂　柿乾
  - 溫濇　益智仁　補骨脂　蛤蚧　胡桃
  - 苦濇　白芨　樗白皮　棕櫚皮　石榴根　孩兒茶
  - 酸濇　山茱萸　五味子　金櫻子　五倍子　御米殼　烏梅
- 清劑
  - 清輕清退熱藥　淡竹葉　蘆根　竹茹　絲瓜絡
  - 清涼鎮熱藥　石膏　羚羊角　珍珠　金
  - 清血解毒藥　銀花　生甘草　牛黃　菉豆　犀角　玳瑁　芭蕉根　金汁

導熱類
- 安神導熱藥　茯苓　茯神　燈心
- 清淡導熱藥　通草　滑石　通天梗
- 涌淋導熱藥　地膚子　萆薢　扁蓄　瞿麥　多葵子

右列表例。其綱概大致如此。未知如何劑類以下。推究之想可更得明析之分類也。而中所舉藥例。愧欠明辨。其簡誤或有不能免者。除此上述分類法外。或根據藥物主効分類。如西藥之別發汗劑。利尿劑。健胃劑。退熱劑等。亦可也。

第三章　藥理汎論

夫藥物之正確效能。雖可試驗而得。然求其所以取效之原理。則殊不易。而多元複合之藥理。實較單純藥理其困難尤甚。中藥取材悉為整個之物體。即言藥效成分。亦至複雜。故謂藉質檢方法。因含質成分以推求其理。誠不易也。蓋有種藥物體所含之成分每為未經發見者。有為一種極微細非通常檢查可得之成分。而在藥化學上確有關係影響於藥效者。要言之。在此情形。求藥理之切確。實有非近代科學化驗方法所盡得其健全之結果也。且雖同謂一種之成分。然若精密研究之。又各不同。即如構成人體之為細胞。而各部分之細胞各不同。鳥獸蟲魚之細胞與人類之細胞亦不同。植物細胞與動物細胞又不同也。推論之。一種化學成分在不同物體上採取者。未必盡合。可以斷言。即同一類物體採出之成分。亦或有差異者。如健康體之營養成分。自與弱者不同。而植物藥受土地之營養。土質之優劣。當有影響其成分性効之可能。故一藥効可以成分代表名之。然有時不能以此成分謂即全等於此種藥効。如謂水之成分為氫二氧一 H_2O 則可。謂氫二氧一即為水則不可。謂桂枝之促進血流在其辛香之氣味則可。若謂辛香氣味之藥理。即為桂枝所有之藥理則不可。蓋以今日之所謂味者。僅言通常之五味。今日之所謂成分者。亦一般可見之成分。或非藥之真確成分也。吾人有澈底研究中藥原理之願望。對此宜有根本之認識焉。至若以試驗推求藥理。固為一法。惟亦有時不能得其正確。如某研究所之試驗紅花益母草遠志等藥。其結果皆謂能使子宮收縮緊張之例。此雖事實所見。然遠志紅花使用上之不同。亦為經驗之事實。換言之。用紅花有用紅花之條件。用遠志亦有用遠志之應見症。不相混也。竊謂在神經敏銳之器官。對於一切有激動性之應觸。皆能起收縮緊張之表現。則藥之能使子宮起收縮現象。又豈獨紅花遠志為然。故如此種試驗實不能依爲整個藥理之根據，當從多方反覆試驗所得。統合而研究之，庶幾近矣。

中藥向有之藥理除一部分不足取外。所論皆藥理之綱概也。茲宗其說撮要言之。首節汎敍藥性。其次解熱藥意義。與攻補雜說先後論述。其中說理愧無有力之例證。或詞有不達意者。殊深內疚，而首節之統別藥性爲「寒」「熱」二屬。如此所謂「寒性」「熱性」者。乃爲廣義分界而言。幸閱者不加字義之固執可也

第一節　藥性說

性味與藥效實有絕對密切之關係。此於一般常用藥均可見之。如桂枝薄荷所特有之辛香氣味。亦卽其激奮神經促進血流之元素。反之。久煎曝露。其氣味揮發完盡。卽消失其藥理所存在之能力。而藥性基因藥味而轉移，尤有互帶之影響。就通常藥性而論。大抵不出寒性熱性二途。而藥味亦不出激奮性與沉降性二者範圍之外。如上性味概括言之。則中性與偏性是也。藥性之寒熱。辛味之激奮與沉降性者皆爲偏性。而中性居二者之間。合性味言於藥例。則味之沉降性者。若石膏犀羚豆根中白生地玄參皆寒性藥也。味之屬激奮性者。椒薑麻桂附子鹿茸之類皆熱性藥也。夫藥以其偏性之本能治偏性之現症。故嚴格言。中性之藥可謂絕少。惟在一般性味之不甚顯著者。通常悉以平性藥名。如所謂味辛性平酸平苦平之說。皆因其藥性程度比較而言。非謂味辛而有性平之理。然如此種膚淺之意義。而今人猶多不能了解。若謂味辛性寒之類。於理實有不通。或而一藥性味不能肯斷定論。則兩可其詞。以或作溫或作寒或有毒或無毒之句附註於下。此亦可見其於性味關係認識之不足也。以實例言。如論柴胡之性効。其上則曰「味苦性平或作微寒」而下謂「虛人氣升嘔吐及陰虛火熾炎上法所同忌」。其論銀柴胡則曰。「味甘性微寒。凡熱在骨髓非此不除。爲清熱涼血之品。優於發散而推陳致新」其矛盾含混可謂至極。夫性平微寒之藥。雖非陰虛火熾之對劑。亦不爲忌。然焉有微寒清熱之藥。而有發散推陳致新之理。此與其謂不了解。實無寧謂其無思想頭腦爲確。且對其藥理認識亦錯誤也（註五、

夫藥爲偏性之物質前已言之。而此偏性之物質。又可以一字廣義以名之者。蓋「毒」是也。淮南子曰。「上古神農嘗百草。一日而七十毒」此亦就毒之廣義而言。後世疑之吒爲荒謬之說。此無疑爲一般對毒之觀念錯誤。亦認識之不足耳。經云「大毒治

病十去其六。常毒治病十去其七。小毒治病十去其八。無毒治病十去其九。」又曰。「婦人重身。毒之何如。」皆言物質之偏勝然在分别有毒無毒之論。則所言毒。當爲狹義。爲指一種偏性藥物具有顯著影響生活現象之能力者也。毒有大小。亦物質偏性程度之輕重不同。偏性程度輕淺之毒。雖常體服之不爲病。反之。則有其中毒之反應。惟任與其毒性相反之體質病者。則雖服常人中毒量亦無危險。可見且得治癒之効。易言之。在中某種毒之患者。亦可服以與其相對之毒性藥。使其癒効。如附子蜈蚣全蠍巴豆之治陰寒性病患。水銀輕粉之治陽熱性病患。効至驗也。

此外關於藥性以藥味之屬激奮性或沉降性爲其分類之基點。猶有須討論者。即爲一種似屬寒性藥而又似爲熱性藥之藥味。如酸苦鹹甘四味之藥性問題是也。在通常之觀感。多以爲熱性藥味必屬辛辣。而反應爲一種激奮之表現。此實誤也。蓋偏性程度之濃厚者用之固未始無體機激奮之現象。如服適量之薑桂。即可引起體溫增加血流增速發汗之能力。然在其輕度之藥量時。則僅可從舌感上得些微之刺激。而賦性輕微之藥。或至味覺不明顯者有之。是實無激奮之可言。然而此藥味之所謂激奮性與沉降性者。則爲代表其一屬之綱系而言。故以精密嚴格之判斷。凡具些微激奮性之藥物。皆屬熱性範圍之內。故如薄荷稱辛涼。謂以別於辛溫固誤。即桑葉亦居熱性藥之系統。惟賦性至微耳。而藥之爲熱性者。雖以辛味藥爲多。然不能謂除辛辣藥外。即無熱性藥之存在。酸味能使神經組織起收縮緊張之作用。如生脈散症之用五味子。其効果能使血管壁轉爲緊張。即爲明證。又如梅李等酸果類之能刺激涎腺。促進分泌機轉。更以明顯者言。如硫酸硝酸鹽酸石炭酸之屬。皆酸性極強。其占着部分有發炎焦蝕之見症。毒性可謂至烈。由此觀之。酸味藥之爲屬熱性範圍可知也。惟在某種原因用輕度之酸劑。而有退熱消炎之功。如棗仁白芍治虛性熱之例。然此不能因以寒性名之。蓋如附子肉桂之退虛性熱。而不能稱其性寒。同一原理。瀉火之藥。皆爲苦味。芩連梔柏之類是也。究其藥効稱謂而言。固似屬於陰性藥。然在非局限性熱症用時。其所得結果。適反其消炎之本能。甚而應用苦寒而熱愈甚。始微渴口渴。而至於唇焦枯燥。則其苦味之能激引神經組織可想得之。仲景傷寒瀉心湯症。以心下痞爲主。君用芩連。柴胡症胸脇滿爲主。亦以柴芩之苦味藥爲佐。若此心下胸脇痞滿之病理解剖。當由胸淋巴管之壅塞。芩連之苦味未嘗非爲促進腺運動機能之主力。又如大黃爲苦味攻下藥。而作用在刺激腸壁神經。增加蠕動。夫如上引證之論。則謂苦味藥屬於熱性範圍可也。鹹味之藥性亦屬熱性範圍。此說必引多人之懷疑。玆余試言其理。蓋如在某種病患服鹹味藥似可見其淸熱之効力。如童便降火之例。然實其藥理則在刺激腎臟以促進其排尿之工作。間接使充留於組織細胞間之化學物質隨以排於體外而始得其解熱之作用。非童便之性淸熱也。又如在炎性瘡癤。以食鹽塗之而能促其排膿。則其刺激性亦可見矣。甘爲矯味藥亦爲和緩藥。乃中性藥也。如上所述以辛鹹酸苦附子桑葉並稱熱性。似屬含混然以藥性立論理固如是。惟在一般藥性分類而言。則藥味之輕微者皆可稱爲平性。其上再以熱性溫性別程度之深淺。若寒性則別淸寒二階。又本節所論皆據於普通單純之藥味。故實不能固執取證。如犀角羚羊角所謂微帶鹹味者。吾人不能因據以謂犀角羚羊角爲熱性藥。蓋藥味僅可藉得一般藥理之表層認識。而不能憑爲精細藥理之依據。前已言之。夫不然一種無色無味而有特効之藥物。將何以名其性味哉。吾人對此單純藥味先有正確之認識。次求其複合藥味之理。（辛甘發散。酸苦涌泄即爲複合藥味。）更進研究個別精微之藥理可也。

第二節　解熱藥之意義與原理

經曰。「陽勝則熱。」又曰。「熱者寒之。」然廣義之解熱藥。不限寒性。即凡有消退病理上熱性症象之効能者。皆屬解熱藥之範圍。故牛黃石膏銀花連軺芩連梔柏生地元參皆解熱藥也。參朮薑附。磁石龍齒。五味棗仁麻桂桑菊牡蠣辰砂亦解熱藥也。然其所以爲解熱之藥理則各不同。大抵就解熱性質言。可分虛性實性二種。及局限性與非局限性之分界。

在表病之解熱藥皆以宣劑爲主。如傷寒發熱惡寒無汗之用麻黃湯。兼用麻桂。藉其辛行之力以助體機之揮發。次之若中風症。發熱惡風汗出脈緩。則但用薑桂之辛化佐用白芍以其酸斂之性使血管緊張促進血流。若發熱汗出脈數不惡風。則爲銀軺桑菊之輕解主治矣。夫表熱之作。蓋有所感於外。體機因受礙阻而起反抗之現象。經所謂「陽盛則外熱」也。故其解熱乃在助長體機去所障阻。爲根本原因之療法。惟在素質虛弱之病者。其神經之潛固性較諸常人爲薄。其對外界感觸每有一種過敏之表現。而其發熱程度與汗腺之排洩亦較常人爲甚。所謂虛性熱者。有經過十數日熱不解。汗不止。舌紅脈虛大渴飲神疲。則人參白虎湯淸暑益氣湯症之宜淸補也。（此種虛性熱多可見於溫暖之環境。）外如眞武湯之治虛性發熱（此種見於寒冷之環境）則以體機之抗病能力不足。柴胡靑蒿地骨皮（靑蒿地骨皮均有芳香氣味不能謂其性寒）之治組織新陳代謝機能障礙之內傷性熱。與人參白虎湯所主者又不同也。在通常解熱藥中石膏實爲至純正之清涼解熱藥。據祝教授味菊先生之試驗。謂生石膏之傳熱性較熱石膏爲緩。此余雖未經以複驗。然就一般臨床治效觀之。石膏之淸熱固足信也。至如苦味藥芩連梔柏之解熱則大異。蓋以體組織之一部受某種障阻。致其組織間存在之分泌物質因以屯積留滯。而他方面體機爲驅除此種障阻而起炎性之現象。（抗病現象）芩連之治此類炎症亦爲助長體機之祛病能力使回復於原有狀態。若此種之解熱藥卽爲屬於局限性者。故向稱其解熱之藥効。但曰瀉火不曰淸熱。以取別也。（註六）至若二地二冬洋參沙參石斛玉竹首烏鱉甲之解熱。則在使組織柔和而減低其亢奮性。亦所謂由陰虛生熱之原因退熱藥。在西醫對於此類熱性病患。必要時每施行輸血療法。爲効頗顯。中醫雖無輸血之術。然用此種內服藥。其効亦不在輸血之下。此外因藥誤之虛性熱。如愈用寒涼愈見亢熱。則由於體機對外來不合性質之藥物起反抗調和之作用。故此種熱性症象每非用附子肉桂磁石五味之溫潛藥不足爲効。中藥淸熱劑復有「氣分」「血分」之別。如石膏爲氣分熱藥。生地犀角則爲血分熱藥。惟此說頗覺含糊。以學理度之。所謂氣分熱乃普通組織亢奮之表現。而血分熱爲因熱而影響腦神經之現象。爲血中毒。未知然否。

第三節　攻補論

攻者去所有餘。補者匡其不足。吾人日常營養所必需者皆有定限。過或不及皆可爲病。救偏補弊攻補是賴。惟此僅就生理上物質需要之缺乏或太過而言。病理上之所謂攻補之意義略有不同。經云。「邪氣盛則實。精氣奪則虛。」故藥理之去實者。去其障阻使歸原有之生活也。補虛者。補物質與能力之不足也。故荊防桂麻之辛行發汗藥。大黃芒硝三稜桃仁之瀉下攻瘀藥。半夏南星鬱金青皮之化痰解結藥。佛手藿香佩蘭豆蔻之芳香化滯藥。皆去實也。附子遠志肉桂乾薑之興奮強心藥。人參黃芪之補氣固脫藥。首烏熟地之補血滋潤藥。鹿茸狗腎菟絲蓯蓉之強壯益精藥。皆補虛也。然而人參雖補。多服病萎。附子大毒。應病爲補。澤瀉之謂益腎瀉腎。則亦有因情形而異。興奮之藥在激奮體機使回復其原有之運動。而強心藥有間接使血管壁收縮。弛張血流以促動心力。如五味棗仁遠志是也，若補血劑之藥理概可分爲數類。一種爲直接純粹之補血。如以同型之血輸入也。間接而純粹之補血。則爲內服人造血或動物血。一種爲激奮造血組織使增生血液之產量。在中藥之所謂補血者多屬此種作用。如當歸芎藭丹參砒石之類。一種爲供給體內造血所需要之物質。如鐵鹼蛋白之類。外如梔子黃柏之所謂益陰則自非其本然之性。猶大承氣湯之謂急下存陰。而實不爲養陰相同。至若鹿茸狗腎之藥理。大概爲對於內分泌機有激奮作用。關於此種種微細切確之藥理。在今日殊難言之。在昔「輕可去實」「氣味補虛」之藥理學說不足盡據。抑理無如是之簡要亦非能徒然從性効上所推求而得。蓋皆有待今後之研究也。

第四節　雜說

利尿藥之原理有二。一爲直接刺激腎臟。如澤瀉蟋蟀淡鹽水內服增加血液鹽量而促動泌尿機轉（註七）一爲增加血循環。使多量之血液過濾腎臟而引起泌尿作用如麻黃利尿即爲此種藥理。又如五苓散之利尿以肉桂爲主藥是也。至所謂淡滲利尿藥。如滑石通草燈心車前子之類。則爲用於熱性病症發生之泌尿障礙如以血流過速。致腎臟不克施其泌尿工作，或因尿管發炎，細血管充血尿道腫狹。致影響而見小便短濇不爽。與尿管作痛之症象。則此種淡滲藥用之最宜。以其清淡而有解熱之作用也。成方如六一散導赤散屬於此類。

祛瘀藥之原理大概可分數種。一種爲間接使組織神經興奮性增加。而使組織間積在之瘀結因而解散。如荊芥炮薑附子之常用於陰性血瘀是也。一種爲促進血流而使停滯之血液得以疎散。如歸尾玄胡索三稜莪茶皆屬此類。一種爲使血管起強度之收縮。而使屯蓄之血液受壓迫而分解。如茜草藕節丹皮花蕊石是也。一種爲將其纖維素分解。直接作用於凝瘀之血液。

第四章　藥効變移論

藥効變移爲醫者應有之常識。蓋一藥雖各有其特效。然每因理學或化學與其他種種關係變化而轉移。甚而有與原効相反。此種影響在醫事上誠佔一重要地位吾人對於此種認識。固可堅定臨床治方之信念。且亦未始不可利用其藥効之變化。以移之實用也。

藥稱道地。各有特產。橘枳同類。因地以異。故川貝象貝南北沙參廣皮東芍茅朮建麴皆並產地名之。其關係密切可見。然或象形異類。性効自各不同。此則吾人當加以研究也。在藥之本身而言。藥用部分與藥量及其製法實可直接影響藥効。蓋一藥之入藥部份。根皮花實効有不同。桂木桂枝肉桂同生一本。麻黃根之與莖。茜草根之與莖。其藥力相差至有使人以爲藥理上之相反。又如歸身。補血歸尾破血之說。多引爲不解之理。實則藥力程度輕重之關係耳。（惟亦不能作一概論）而此藥力輕重之關係在藥用量上亦可見其重要。如用麻黃莖發汗解熱。在其不足量時實無發汗之能力。而一方面徒使血流增速而體溫復不克放散於外。故身熱更甚。煩燥並見。然用之過量雖無有不汗之理。惟體內之水分過度消失而體機受劇度之激動不能即止。則亦未必即能退熱。又如桂枝肉桂同量其藥力自不相等。惟以二三分之肉桂與五六錢之桂枝較。則桂枝之藥力實有過無不及也。丹參茺蔚子所謂去瘀通經之藥。然用輕量時有刺激造血機增生血液之作用。極量則與使毛細管破裂出血。砒石性毒。而用少量則有益血之功効。至藥物之修製其原因不下數種。而皆爲適應治療上之需要者也。如生南星生半夏其解結疎腺之力頗強。而通常則用浸製力薄者。蓋防其性烈耳。或酒製。或醋製。薑汁製。鹽水製。蜜製。或清炙。或炒。或煅。丸散膏湯。各於其固有之藥効。損之。益之。滋之燥之。變之。適其所需而已。此外藥劑配合與藥効之轉移關係至巨。如表劑麻桂並用其發汗解表之力可謂至強。然易用桂芍則力大遜。惟倘未去表劑能力。若桂芍兼用黃芪則竟可以止汗劑名之。在一般藥理上之變化。此例誠不勝舉。而藥物採取之時間性亦頗重要。如成熟者與未成熟者之性効有不同。間接方面煎法。服法。與氣候。方土。病體。調護。環境。皆有變移藥効之可能。在此種情形。醫者實當具明澈之認識也。

結語

竊謂整理中藥爲國醫界目前應有之要務。然今之所謂改善中藥。但從偏面一隅各自爲言。默守私見。實非其健全正軌之方法也。中藥具數千年歷史經驗。而理說迄今不替。其價值與缺憾並存可見。吾人方此新舊學說思想交攻情形之下。當放棄一切成見。而以眞理與事實爲研究之根據。然人之思智各異。於一種學理之見解亦復不同。此則集體研究爲整理中藥所須有之組織也。整理中藥之目標。在求固有學說理論之闡明而使適合於現代科學一也。藥物取材過廣。或爲實用所不需。如綱目言水即有三十餘種。又如尿糞之類皆可因其藥理而求代用之品。裁去繁餘。擷取精華二也。藥名藥効散漫不整。須有統一之斷定三也。本篇所論僅就一般膚表而言。不足謂整理。惟能藉而引起一般對中藥整理認識上之注意亦幸也。

(註一)在組織環境不同之器官。對於一種藥物之感受性亦各不同。(於病原體亦然)故桔梗開肺上達。大黃通便攻下。麻黃作用於肺而治喘。作用於腸壁而止泄。皆因其器官之對於該種藥力有特顯之感受性耳。然因以附會於藥物之形態部位色澤。遂信入心入肺之義。則誤也。

(註二)胃病酸素不足。固不禁酸。且宜用酸。如酸棗仁之所謂治胃病有特効是也。余意除胃酸不足外如胃擴張症亦可用。

(註三)氣壓不平衡則爲風。在吾人生體之血壓不平衡。體機調節之不平衡。中醫亦以「風」之一術語代表名之。病理上所謂「風」之意義。乃指體組織之一部受某種障阻而起之見症。或反抗現象，(自然療能)風藥者。具流動之性能。而有助體機之疎和者也。故凡風藥皆屬熱性藥類。以六氣言藥性。除寒藥濕藥爲陰性藥外。暑藥燥藥火藥亦皆熱性藥也。夫在體機受外界障阻而起明顯有力之反抗。則「風熱」現症是矣而體機既有其充分抗病之能力。則須取助於藥力者自微故祛風熱藥如桑葉菊花蟬衣薄荷之賦性。遠不如治風寒藥如桂麻之溫宜力宏。若「風濕」「寒濕」則程度上之差別而已。病理所謂之「寒濕」爲純粹之陰寒症。故藥之治寒濕者其性烈有過於治風濕病。如附子茅朮川椒蛇床子是也。病理上「溫熱」之意義爲局部性之炎症。蓋以一方面細胞組織間之分泌物質停蓄不能排於體外。而一方面體機爲祛去此種障阻而起亢激之現象與單純熱症大異(單純之熱症雖有苔亦薄。舌紅或絳脈洪數。口渴引飲。而濕熱則舌必黃而帶膩。脈弦數。口雖燥不欲飲。」故其清熱藥與治濕熱藥之性効亦大不同。蓋清熱用石膏生地類之清涼甘寒藥。而治濕熱則用苦燥藥。如黃芩黃連之類。甚或附子乾薑川樸茅朮亦所用也。

(註四)之才以藥爲宣通補洩輕重澁滑燥濕十劑。其立論浮汎。未見精密。不足法也。如其以藥之輕重別劑卽一誤。蓋若通草燈心自不能因其質輕而以與麻葛同類。(之才謂「輕可去實麻黃葛根之屬」以麻葛爲輕劑。)「通」「洩」同義。觀此二劑各家旁註藥例。多數相同。則自無區別劑屬之必要而以桑白皮赤小豆屬於燥劑亦誤。蓋利濕雖爲減去體內之水分而本性不爲燥。故如桑白皮赤小豆之類實不能以燥劑名之。夫不然。大黃芒硝之通便其將以滑潤劑名之可耶。

(註五)國醫向昔對於藥理判斷。大多根據外觀効驗。故錯誤每不可免。如在一般藥典所見以香附柴胡鬱金之爲寒性藥。卽其例。夫在炎性症常用此香附柴胡鬱金而癒效。則外觀之。此種藥理似當屬於寒性。（有種人且迷執治熱症必爲寒性藥之成見。）然從學理與其種種効驗上推究之。此種藥之所以能治癒炎性病症。實不在賦性之清涼。而爲藉其疏化行滯之性助體機去障阻而回復原有之狀態者。故謂柴胡推陳致新。香附甘辛行氣。鬱金氣味辛香開鬱破瘀。固然。惟謂其性寒則誤也。（青蒿地骨皮之藥理亦然）

（註六）黃芩黃連之助體機去障阻。爲從原因上治療炎症。與前述香附柴胡鬱金之有退熱作用者其藥理大致相同。在施用見症別之。則香附鬱金柴胡爲多用於脹滿不舒或滯痛之症狀，而芩連則以機能之炎性見症爲主。（苔黃膩口燥或苦或淡脈弦）

（註七）通常吾人飲多量之水分則血壓亢進。間接使腎臟行其排尿工作。而在此官能之泌尿障礙時。（膀胱或尿道結石之排尿障礙症除外）一方面固使血壓亢進。而一方面更用鹽味藥之刺激腎臟以促其泌尿。惟此用於輕度之泌尿障礙可效。若小便全然不通膀胱部作脹則非用麻黃肉桂不可。

補遺一　强心藥之施用以心臟運動機能之衰弱。而心力衰弱之原因不限一種。故雖同謂强心藥。然其取效之原理則有不同。在强心藥廣義言之。凡屬興奮性能之藥物。悉有强心之作用。惟效力或不足耳。（藥之興奮組織者固未始不能興奮心臟。興奮心臟即是强心作用。）如遠志所謂强心藥。而施於心力過度虛弱之病者未必見效。即如劇性之附子。有時亦非一二錢之輕量與單用可得奏效。（黃勞逸氏謂厚樸有强心作用即指其興奮性能而言。）在此閱者幸加注意。即此類興奮强心藥乃爲用於陰性之心臟衰弱症。其診斷所見脈大遲弱神疲色恍身寒欲寐爲主。如仲景傷寒論之附子湯四逆湯眞武湯症是也。惟由因心肌過勞之心臟衰弱。則以人參之固脫强心爲宜。（人參補氣而有止渴生津治虛煩之功。與附子之所以爲强心者不同。）其診斷見症。則脈洪數而虛口渴神疲自汗面色浮赤。如人參白虎湯症例是也。此外心臟衰弱由於「病因」發生之毒素影響而麻痺者。則牛黃犀角石膏之血液消毒藥間接可得其强心之功效。（李棻氏以犀角石膏爲强心藥即爲此種藥理。）若此種原因之心臟衰弱。診斷上定見神經系之症象。（神志昏糊或煩躁。脈細數不規。）如牛黃清心丸犀角地黃湯至寶丹症例是也。

補遺二　動物試驗僅可作爲研究上之參考。而不能確認爲藥理之標準。此事實所易見也。日醫渡邊氏有言曰。「各種動物種類既殊。血液之性質當亦隨之而異。此可以比較異種動物之生理病理知之。若以動物試驗之結果施之於人。往往差之毫釐謬以千里。」可謂達理之論。

破傷風菌白喉菌爲人類之大敵。而雞之於破傷風。鼠之於白喉。有免疫性。換言之。一種藥物在人爲有毒者在他動物試驗結果未必爲毒。可斷言也。茲且不論他動物之試驗矣。即以一種藥物在吾人之試驗言。其結果亦往往不同。如附子用於强壯者（陽性體質）在適量時必起中毒現象。反而用之於陰性體質者則有其補益之功效。夫則動物試驗之不足據。於此可見。

傷科症治論略

沙杜援

引言

國醫有史以來。至於今日。不下四五千載。以四五千年心血結晶之經驗。宜乎可立於不敗之地位而有相當之立場矣。何以近年來。摒斥教育系統之外。指爲無設校研究之必要。幾摧殘取締於無形。而有三一七之醫恥紀念。抑因國醫藥於臨牀上。不足以治病耶。抑因潮流之進化。而不合乎時代耶。此吾不解者一也。若謂國醫藥不足以治病也。則近百年前。未有西醫之時代。民衆之生命。固全賴於維護也。若因潮流之變遷。而不適合於現代也。詎知醫與藥不尙形式。而貴實際。其目的爲減少病者之痛苦。維擁民衆之生命爲原則。豈可與合於時代化而裝點門面之雜貨店相比乎。此吾不解者二也。究其源。雖曰由於當局之朦昧。不加提倡。蓋當局之所以不加提倡者。實由於國醫界少系統之組織耳。遇有發明。即爲一已糊口之祕術。藏而不宣。祕而不公。以名利爲重心者有之。視醫道爲經商者有之。是欲圖國醫之發皇。使一般人士之信仰。其可得乎。今者國醫條例。已蒙政府頒佈施行。國醫之法定地位。已有相當之保障。際此歐風美雨摧殘之下。益宜豎起脊粱。奮發自勵，掃除積弊。力圖革新。則非惟使國醫齊驅歐美。卽進而造成獨一無二之中醫。於世界醫林中。亦何難之有。余不學之術。何敢侈談醫學。徒念古人學術。已瀕破產。國醫運命。行將斲喪。東西洋留學生。方挾其科學頭腦。翦闢舊說。有橫厲無前之氣。發蒙振聵之觀。如不共同亟起挽救。則旣倒之狂瀾。勢必難於收拾矣。茲將本吾數世家傳及最近對於傷科學研究所得。不敢藏拙。分門別類。說理之外。附以圖解。付諸剞劂。滄海一粟。深愧無所發明。僅能粗具條理。他日得有餘暇。自當詳爲編著。以饗同志。就政有道。非敢言革新醫藥也。

創傷之原因

夫創傷之原因。大概由於潮流之趨勢。受環境之逼迫。爲生命生存之需要。而惹起刀鎗拳捧衝擂跌仆之鬥爭。傷及軀體也。乃因物理之作用。使身體各部之生理組織。偶然破壞。而失其自然机能。於內藏。或軀殼。局部或全身。如手足之斷折。脾胃之受傷。血液循環之障礙。排泄機能之失職。及五官出血。腎子萎縮等症。均足以妨礙運動。攸關生命。茲將症治法分說之。

1. 外傷

所謂外傷者。即由於鎗刺刀斫破傷皮肉血管是也。若破傷處。忍其流血。不施急救。則血流過多。虛脫必矣。療法如下。

▲血管收縮法——此法用之於普通出血。創面雖不甚大。而血流已有相當之時間。外用收斂止血散。和猪油調成軟膏塗敷。以彌補其傷口。阻止血液之流出。再用棉花（須經礬水中製過）蓋其上。紗布包紮。內服四君子湯。四物湯。八珍湯。或人參養榮湯。十全大補湯。補血扶正之品。

收斂止血散方

五花龍骨　嫩松香　烏梅灰　血餘炭　孩兒茶　密陀僧

煅石膏（須童便浸數年。取用則良）　五倍末　花蕊石　橡皮

（右藥共研細末用熟猪油調敷）

四君子湯方

野山吉林人參　大白朮　雲茯苓　炙甘艸

四物湯方

大熟地　大白芍　全當歸　大川芎

八珍湯方

野山吉林人參　大白朮　雲茯苓　熟地黃　大白芍　炙甘艸　全當歸　大川芎

人參養榮湯方

吉林野山人參　大白朮　雲茯苓　炙甘草　熟地黃　大白芍，全當歸　五味子　生黃芪　肉桂

十全大補湯方

熟地黃　大白芍　全當歸　大川芎　吉林人參　大白朮　雲茯苓　炙甘草　肉桂　黃芪

獨參湯方

野山吉林人參

▲高舉法——此法可應用於細小血管之出血。蓋血液本有疑固性。祇須高舉其出血部。使血液不易上行。則其血自止。或塗敷血管收縮法中之收斂止血散軟膏。則其血止更速。

高　舉　法

▲強屈法——蓋血液之流行。由動脈中幹。流向分枝。再由靜脈分枝歸流中幹。其流動有一定之方向。若用高舉法。其血不止。則知其破傷稍大之動脈無疑矣。可行強屈法斷其血流。嘗之尺澤部及手指出血。則強屈肘彎。（即臂彎）小腿及足指出

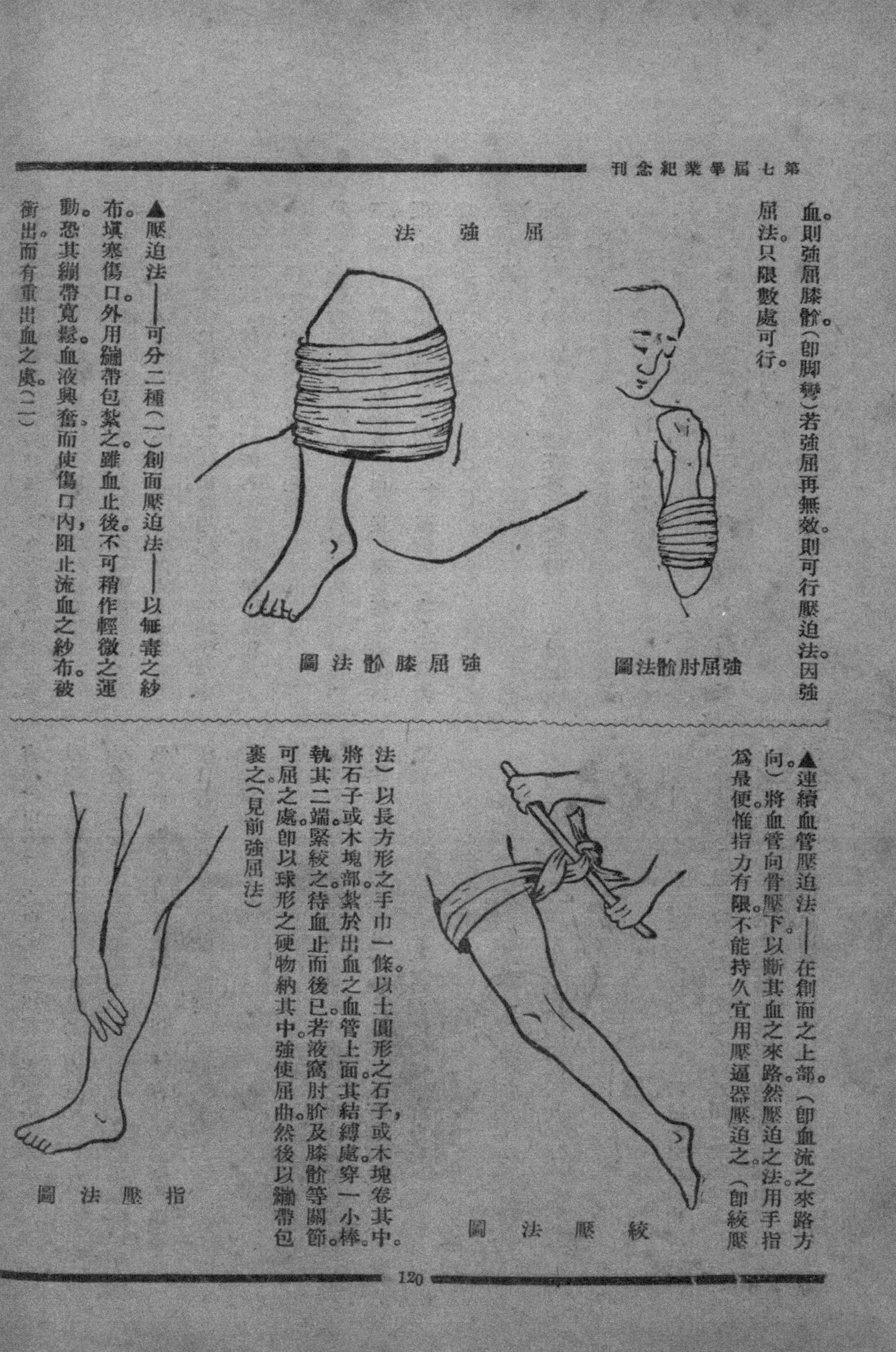

血。則強屈膝骱。(卽脚彎)若強屈再無效。則可行壓迫法。因強屈法。只限數處可行。

屈強法

強屈肘骱法圖

強屈膝骱法圖

▲壓迫法——可分二種(一)創面壓迫法——以無毒之紗布。塡塞傷口。外用繃帶包紮之。雖血止後。不可稍作輕微之運動。恐其繃帶寬鬆。血液與奮而使傷口內阻止流血之紗布。被衝出而有重出血之虞。(二)

▲連續血管壓迫法——在創面之上部。(卽血流之來路方向。)將血管向骨壓下。以斷其血之來路。然壓迫之法。用手指爲最便。惟指力有限。不能持久。宜用壓逼器壓迫之。(卽絞壓

絞壓法圖

法)以長方形之手巾一條。以土圓形之石子，或木塊卷其中。將石子或木塊部。紮於出血之血管上面。其結縛處。穿一小棒。執其二端。緊絞之。待血止而後已。若液窩肘腕及膝骱等關節。可屈之處。卽以球形之硬物納其中。強使屈曲。然後以繃帶包裹之。(見前強屈法)

指壓法圖

▲頭部出血處置法——頭部出血均由左右兩頸動脈而來此動脈在頸兩側稍前方故出血部在右者。可壓右頸動脈。在左者。可壓左頸動脈。若兩側同時出血則可澤其出血較甚一側之頸動脈壓迫之。他側之出血較輕者可用創面壓迫法補助之。倘見二側之頸動脈同時出血而均加壓迫。阻止血流則頭部即起貧血而至死不可不慎。其餘如腰背部之出血無連續血管壓迫法可施者。可用創面壓迫法。或因創口過大。上述諸法。不敷應用者。可用縫合法

▲縫合法——用長約二寸之縫針一隻。縫線一條。（卽細絲線。或應用藥房中所售之羊腸線。蠶腸腺等均可）寄于縫針之一端。將針由出血處之一邊穿過。再由彼邊透出縫合之。待其傷口之兩緣自行接合後方可以縫線割除之此法今人或以爲從西醫處得來。殊不知中醫傷科學中早已有之。其所以不能普及者。蓋因擅此術者。大都尚武不文但能臨牀應用。未能盡情闡發故也。今將臨牀上最切於實用之縫術法錄於後。以作參考。

▲縫合法之一——（圖略）

此係每縫一針。卽作一結。每結皆位於傷口之一側。大都用於傷口之形式不規則者。或有緊張力者。

▲縫合法之二——（圖略）

此係連環縫合法。適用於腹皮破傷。腸出等症其縫法。先由傷口之一邊穿過。從彼邊透出。依次循環。至創口近頭乃止待其創口之肉芽已經生殖。而表皮尚未結痂時。卽行割除之。否則表皮難免有瘢痕之組織。

▲縫合法之三——（圖略）

此係連環縫合法之一種。但縫法不同。破傷面部。或頸項部等。宜用此術。先將縫針由傷口此邊之表皮下穿入。從彼邊之表皮下穿出。依序照樣縫合之。則縫合後除兩端之線結外。所有針脚及縫線。皆在表皮之下。而不顯露。除去時。只須將一端之線結割斷。由彼端抽出可也。

施行以上手術時在臨牀上。須注意之數點

（一）手術宜敏捷。以減輕病者之痛苦

（二）手術器宜充分消毒。以防細菌之侵襲。

（三）創面宜用食鹽水冲洗。以防細菌從中腐化。

（四）檢查創口內是否有外物在內。（如玻璃片竹木刺等）而破壞肉芽之生殖。

（五）凡創口皆宜塗敷收斂止血軟膏以彌補其創口促進其愈合期。

(六)出血過多。心藏衰弱者。恐其虛脫。宜服補血扶正之品（早收歛血管法）

2.內傷

內傷大概可分二種。(一)由於登高跌朴。藏腑創傷。而發出咳嗆吐血。知覺神經麻痺等症。(二)由於外力加於要害部位。如心窩部。丹田部。及動脈總會之處。血液循環起異常障礙。而發出悶痛氣喘之自覺症。即所謂點穴受傷者是也。其療法如左。

▲按摩法——蓋按摩法之用意在乎增加血壓。解除血行障礙也。故此法大都適用於受傷後血行障礙。或包紮過緊。氣血不能周流而起麻木之症候。其法以兩手按於患部。徐徐摩擦。俟患部血壓抗進。皮肉發熱後乃止。如是數次。則氣血流動。而疼痛自然逐漸消失矣。然用於藏腑因點穴或跌朴之受傷。不見外表之傷痕。但覺局部之疼痛症。雖有微效。亦難除根。宜用丸散膏藥與湯劑之療法。今將臨牀所用之驗方公開寫出。

▲丸散療法

方名　逐瘀散

藥味　全當歸　炒延胡　藏紅花　五靈脂　赤芍藥　炮甲片　製乳香　淨沒藥　醉地鱉　參三七　廣木香　炒枳實　川杜仲　蒲黃末　淨桃仁　桑寄生

製法　晒乾研細末

功用　化瘀活血。主治胸部一切疼痛。及腰酸吐血等神效。

用量　每服八分。小兒減半。

服法　早晚二次。用黃酒送服。年大體虛者。用參芪湯送服

禁忌　孕婦忌服

方名　新傷藥

藥味　參三七　廣木香　川厚朴　廣大黃　廣玉金　延胡索　赤芍藥　當歸尾　藏紅花　小青皮　安桂末　北柴胡　清炙草　炒枳實　大川芎　老蘇木　製乳香　淨沒藥　巴豆霜　猪血竭　醉土狗　頂琥珀

製法　先用童便拌濕。晒乾。研細末。

功用　主治體實人新舊宿傷。及因瘀阻而大小便不通疼痛拒按氣急者。服之神效。

用量　每服八分。

服法　每日早晚一服。用黃酒送下。

禁忌　體虛年大之人。及未滿拾歲孩兒或婦人重體者忌服。

方名　化瘀丸

藥味　當歸尾　落得打　青木香　製乳沒　台烏藥　炒

延胡　參三七　藏紅花　安南桂　製大黃　醉地鱉　淨桃仁　製川朴　炒枳實　姜半夏　大黃末

製法　晒乾共研細末丸成梧子大用血竭五錢爲衣。

功用　化瘀生新主治腹部一切疼痛及大便不通知覺神經麻痺遠年宿傷等。

禁忌　有胎者忌服

服法　每日早晨一次用陳酒送下。然宜於飯前。不宜飯後。

方名　紫金丹（傷科補要）

藥濕　乳沒藥　血竭　降香　自然銅（醋煅九次）　油松節　老蘇木　川烏　土狗　龍骨

製法　研細末。用糯米粥湯。搗和爲丸。硃砂爲衣。

功用　消瘀止痛。主治骨節筋絡之新舊宿傷。服之神效。

服法　每日早晨，用黃酒送服。

方名　黎洞丸（醫宗金鑑）

藥法　京牛黃　冰片　麝香　雄黃　大黃　兒茶　三七　天竺黃　爪兒血竭　乳香　阿魏　沒藥　籐黃

製法　以上十三味。研細末。將籐黃化開。爲丸如芡實大。加蜜少許。外用蠟皮封固。

功用　主治跌打損傷。瘀血奔心。昏暈不省人事。一切無名腫毒。昏困欲死等證。

服法　剖開蠟皮。取丸用陳酒送服。

▲膏藥療法

方名　跌打損傷膏

藥味　蟾酥餅　山柰　百靈草（此係民間草藥）　細辛　檀香　當門子　藏紅花　參三七　安息香　安南桂　公丁香　透骨草　川草烏　油松節　川桂枝　醉地鱉（以上共研細末）　麻油拾斤　黃丹四十兩

製法　先將麻油拾斤。熬至滴水成珠用黃丹四十兩放下收膏。收膏後。再使烊化。將以上之藥末入膏內攪勻。

功用　專治跌打損傷。瘀聚血滯。兼治寒濕流注。一切陰疽發背等神效。

用法　攤於布上貼患處。

▲湯劑療法

夫湯劑之療法。與普通之丸散。其用意雖同。然用法則異。丸散者。丸也散也。其配合也有固定。其治病也無加減。祇可主治一病。而不可兼及他症。然湯劑則否。非惟配合之無固定。用藥之有增損。並有君佐引藥之區別。蓋君者治病之主藥也。佐者佐君之不足也。引者引導君佐之藥也。譬之藏腑受傷。瘀阻氣滯。

用當歸赤芍紅花三七等之活血化瘀者。爲君也。厚朴烏藥乳香沒藥等之利氣止痛者。爲佐也。視其上下。別其內外之部位。而用藥者。爲引也。此外如見咳喘加杏仁蘇子。胸悶加砂仁枳殼。腰痛加杜仲淮山。吐血加童便陳酒。便血加枳實大黃。溺血加木通琥珀者。是卽加減之法也。其餘如玄妙之配方。經所謂風淫於內。治以辛涼。佐以苦甘。以甘緩之。以辛散之等語。說理頗長。斷非尺簡之所能盡述。故不備錄。總之湯劑之療法。宜補宜攻。何去何從。無非在醫者之靈變。隨其病機之轉移而定。故雖有固定之陳方。但能作爲參考而已。此卽用湯劑之大法也。

3.正骨法

所謂正骨法者。卽接骨入骱之法也。使已斷之骨。再行接合。相脫之骸。復歸於原位也。其療法雖有固定。然手術全憑經驗。若徒持浮泛之理論。而未嘗目睹骨骼之構造。或徒知摸法之用意。而未嘗有相當之訓練。而欲診斷其何者爲脫臼。何者爲斷折。於臨牀上。實有一大之障礙也。況脫骱有全脫半脫之分。斷骨有骨折骨碎之別。其診斷之麻煩。尤非他症之所可比擬。倘或誤於診斷。失於治療。則終身成殘廢矣。故學習此法。非有相當時間之實習，不可輕於嘗試者也。茲將症治法。分述於左。

▲骨折

症狀——其症狀爲四肢屈曲或縮短。或破傷皮肉者。或皮肉不破者。受傷處失其撑架之作用。及運動之機能。四周之皮肉。發紅腫或青紫等。

診斷——以兩手按患部。搖動之。而發出轆轆之聲者。是骨折之徵也。無聲而但覺疼痛者。是骨損未斷之徵也。若動之而發淅淅之聲。按之指下似覺米粒形象者。是骨碎之徵也。

療法——因骨折而陷下者。使之復起。突起者。使之復平。碎者鉗去之。皮破者縫合之。曲而縮短者。正直之。施行手術之後。外用軟硬得宜之木片。夾縛之。或應用米袋壓迫器。壓迫之。勿使骨縫走動爲妙。此外每過放挪一次。以活動其氣血。內服接骨紫金丹。或加味八釐散。外敷活血消腫散。百日可愈。

接骨紫金丹方(傷科補要)

地龍　龍骨　射香　自然銅　川烏　滑石　地鱉　赤石脂　沒藥　乳香　鹿角霜

右藥共爲細末。用鹿角膠烊化。搗和爲丸。如彈子大。硃砂爲衣。陳酒送服。(主治一切骨碎損斷。服之能續。)余每用此方。必加骨碎補。補骨脂。金狗脊。白芨末。川續斷等數味。則其接骨之功。尤見迅速。是余之經驗所得也。

加味八釐散方

蘇木麵 乳香 沒藥 半兩錢 自然銅 紅花 血竭 射香 丁香 番木鱉 净桃仁 川杜仲 補骨脂 骨碎補 生虎骨

右藥共究細末用酒或童便送服體虛者用參湯送服

（主治鐵打損傷接骨散法）

活血消腫散方

川烏 草烏 細辛 甘松 乳香 沒藥 梔子 酒製軍 血竭 木香 陳皮 川朴

右藥共研細末。用黃酒調敷。主治一切皮肉未破之鬱血症。皮破者。不可塗敷。

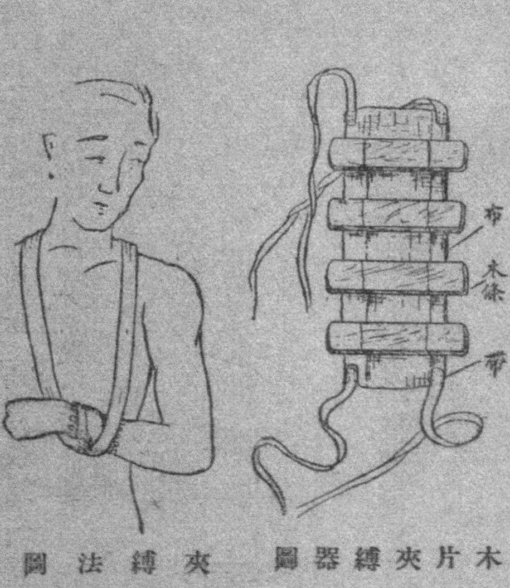

木片夾縛器圖

夾縛法圖

木片夾縛器之說明

木片夾縛器用杉木劈成木片去其輪角。中厚邊及兩端稍薄。如蚌形狀。其長短闊狹。完全依據其骨之粗細。與傷部之形勢而定。用時酌其根數。綻於長闊適宜之布上。包裹於折骨之外。

米袋壓迫應用圖

米袋壓迫器之說明

用米袋二隻。袋內所納之米。與袋之容量。成十與七之比例。用時一隻放於折骨部之下面。一隻壓迫在上面。（以上兩種器具之用意。使折骨部之骨縫。不致走動而已。）

▲脫骱

脫骱之症狀——凡關節部之脫臼其症狀。為關節變形。以手摸之。則覺一端凹陷成窩。一端凸起如球。祇可向一方運動。不可任意轉動。

▲各關節脫臼之正復法：

A頦骱脫臼正復法——令病者臯壁低坐。頸頭端正。（見左圖）先用熱罨法。使其氣血活動。以減輕筋肉之緊張。並使病者兩脚伸直。以減少其反抗之作用。再使病者兩口極力開張。

醫者以二母指入其口內。按於齒上。餘四指抵住下顎骨。用力推進捺下。骱有響聲。齒能合者。其骱已復矣。(見圖)

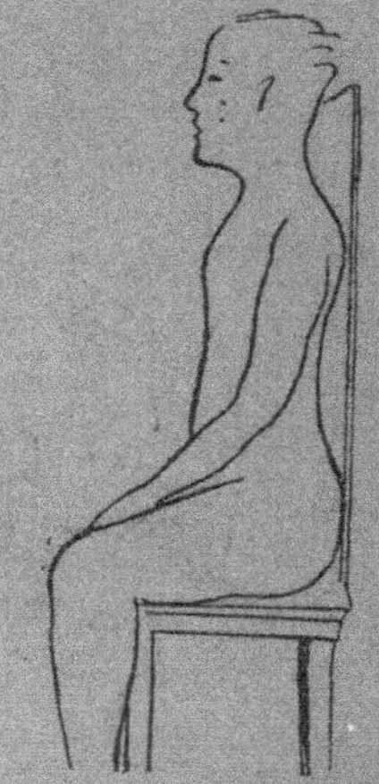

坐的正確姿勢

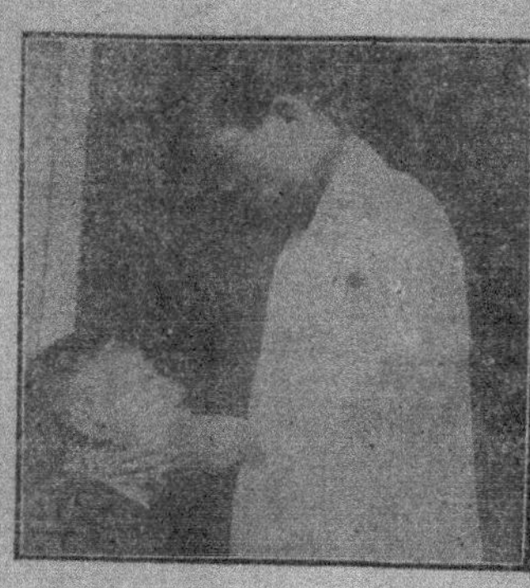

類骱脫臼正復圖

B肩骱脫臼正復法——此骱之正復法有二。(一)使病者低坐。兩足伸直。醫者用一足踏於橙上。以膝骱抵住其骱頭。一手推其突起之肩峯。一手握住其上膊骨之下端。用力向內拉進。骱內有響聲。則復其位矣。(如下圖)(二)使病者立起。將其脫臼之肩骱。放於醫者之肩胛上。一手揿住其腕骱。一手握緊其上膊骨之下端。待病者無意時。即曲腰作弓形狀。骱內有響聲者。其骱即上。(如下圖)

肩骱脫臼正復圖之一

肩骱脫臼正復圖之二

C肘骱脫臼正復法——所謂肘骱者。即在上膊骨之下。尺撓骨之上之骱也。其正復法。使病者低坐。一手揿住骱頭。一手拿

其腕骱。介直拔下其骱內發響聲。可曲轉搭肩者。其骱上矣。（如下圖）

肘骱脫臼正復圖

D腕骱脫臼正復法——醫者以一手按住病者前膊骨之下端。一手拔其指掌之骨使其掬轉有聲。而能活動者。則其骱復位矣。（略如肘骱圖）其餘如指骱之脫臼。其正復法。與腕骱相同。不必多述而煩閱者之耳目也。

E臀骱之正復法——此骱最難復位。因其肉厚骨粗之故也。其正復法有二。（一）使病者側臥。醫者用一手捏住其足跟。一手撳其臀部骱頭（見臀骱正復圖步驟之一）緩緩使大腿曲轉。將膝骱貼近腹部。（見臀骱正復圖步驟之二）再使撳其骱頭之一手。用力納進。捏住足根之一手。近靠身體。然後把大腿向外轉動。旋於反對之方向。一推其骱。再將曲轉之大腿漸漸舒直。則可恢復其舊位矣。（見臀骱正復圖步驟之二）

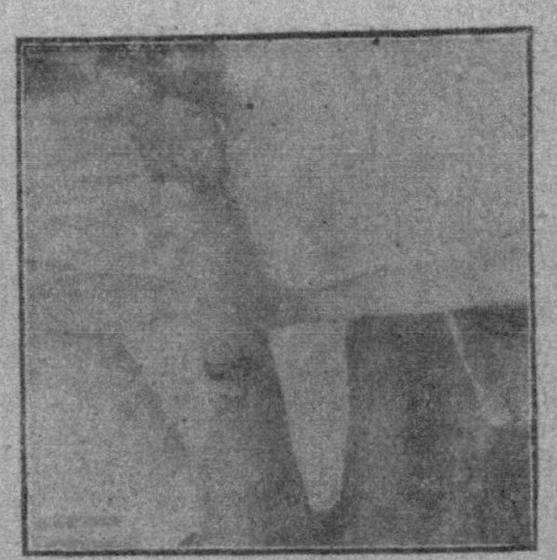

臀骱正復圖步驟之一

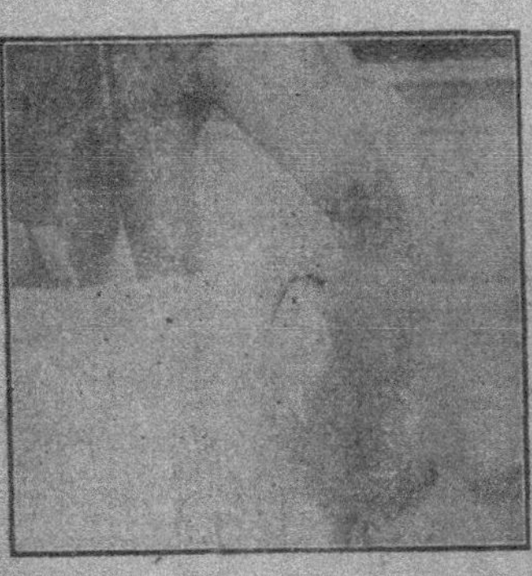

臀骱正復圖步驟之二

若行上法不能正復者。可行第二法。使傷人側臥。醫者以一足對出無名骨。二手揿住大腿骨。用力對出拉進。再使另一人。把其凸出之骨納進。（即大腿骨之上端）同時其骱即發一聲。

則其骱卽上（如第二法正復圖）

臀骱正復圖步驟之三

臀骱第二法正復圖

F膝蓋骨離位正復法——使病者臥於牀上。兩足伸直。用推拿之法。（推拿法卽用手揑定患處。推之拿之。使其恢復舊位也。如筋急難於轉播筋縱難於運動。骨骱不合縫等。均可應用此法。）卽可復其本位。若因暴力加於骨部而破爲兩片者。可用弦籐作箍。綁於蓋骨之上。俟其愈後則去之。（見抱膝圖）內服接骨紫金丹（見骨折療法）此外如大腿骨之下。脛骨之上之膝骱與胻骱（卽在脛骨腓骨之下之骱也。）之脫臼。其正復法。可倣腕骱手術。卽可復位矣。

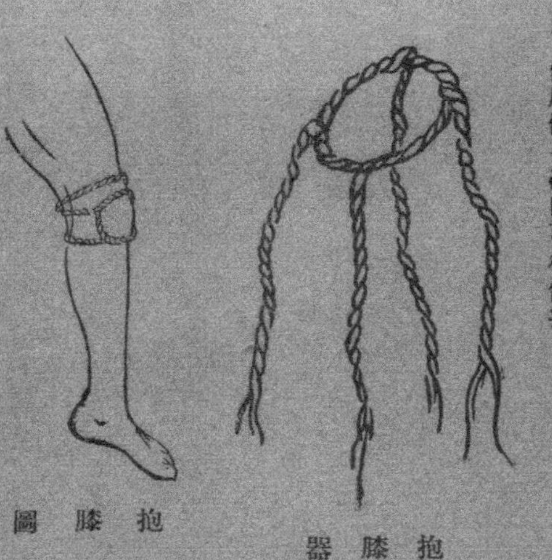

抱膝器

抱膝圖

上述各種症治。悉係臨牀上之實驗心得。不尚空論。惟本人才疏學淺。筆難盡意。對於治療說理方面。難免有欠妥與不明之處。尚希有道者。加以斧政焉。

卒然昏仆之種類及其病理與治療

宋國楨

緒論

卒然昏仆之病。頗爲古今醫家所重視。蓋其病之發也。猶如平地風波。晴天霹靂。使人猝不及防。往往轉瞬之間。而大命以傾。其來勢之暴。症情之險。有非醫藥所能及者。無怪古今上下。醫者病者。皆視爲險惡之大症。然能處之有方。治之得法。顧亦非不治之症也。考自來醫家之論斯病者。有中風。中寒。中惡。中暑。中氣。中食。中痰。中經絡血脈藏府。以及血脫。氣脫。精脫。等等之分。不可謂不詳明而賅備矣。第分類不精。定名繁複。對於病理。更屬糢糊影響。不能闡發眞際。徒令後之學者。目眩心迷。茫茫然不知所宗而已。實爲當今醫界之一大憾事。

夫卒然昏仆。應大別爲閉脫二門。庶有綱領可循。約言其要。則閉爲邪氣壅盛。閉塞竅道。脫爲眞元大虛。精氣外奪。閉者欲其通。不通則死。脫者欲其收。不收亦死。二者虛實涇渭。治法霄壤。辨之不確。生死立判。是以正邪虛實之分。治法通塞之宜。不可不預爲講求。斯能應變起於倉卒。茲將本病列爲三大項目。曰腦出血。曰急性腦充血。曰急性惱貧血。而每項之下。益以原因病理及治療之法。古籍中之種種名稱。俱廢而不用。此非逆情干譽。故作炫異之說以擾醫林。實緣古之名命。膚淺浮誇。不切實際。或同病而異名。或同名而異病。既無標準。又乏系統。不若逕取近代名稱。反覺親切而簡賅也。茲請更申其理。

夫卒然昏仆之病。原因雖多。其主要病竈。不出於腦。蓋腦爲一身知覺運動之主宰。精靈清淨。不容受邪。素問脈要精微論曰。『頭爲精明之府。』李時珍曰。『腦爲元神之府。』此言腦之生理作用也。所謂『精明之府』『元神之府』者。實含有主宰一身知覺運動之意。又素問調經論云。『血之與氣。幷走於上。則爲大厥。厥則暴死。氣復返則生。不返則死。』又素問生氣通天論云。『陽氣者。大怒則形氣絕。而血菀于上。使人薄厥。』又傷寒論云。『寸口諸微亡陽。諸濡亡血。諸弱發熱。諸緊爲寒。諸乘寒者。則爲厥。……』此言腦之病理變化也。所謂『幷走於上』『血于菀上』之上。蓋指腦部而言。氣血上逆於腦。劇則出血。輕則充血。俱足致厥。而後之亡陽亡血。條雖不明言及腦。而古之所謂亡陽、亡血。俱指大汗出、大吐瀉、大失血、後驟見昏仆之症而言。徵諸近今學說。則上述三端。均可直接使腦部貧血而卒倒。是以此條亦可視爲腦貧血之病理說明焉。

吾人既明腦爲知覺運動之主宰矣。復明腦出血腦充血腦貧血俱足致卒倒矣。則卒然昏仆之病。其必爲腦神經之疾患也明矣。質言之。惟腦神經有疾患時。可以致卒倒。苟病而不損及腦。則決無卒倒之現象。根據上述理由可爲本病下一定義曰。『卒然昏仆者。乃腦神經遭某種原因之侵襲。而致知覺運動神經突然廢絕之現象也。』

究古人命名之所以不切。意者因當時對於腦之生理作用。未能闡發底蘊。竟視爲無關重要之器官。試一考古醫籍中。求其眞能闡述腦之功用或病理者。絕不可得。雖內經間有敘述。而語焉不詳。總不能直揭其隱。內經而後。則更杳然無聞矣。以故見卒倒而喉有痰聲者。遂名之曰痰厥。見左右不遂。筋骨不用者。名之曰風邪中經。見口眼喎斜。肌膚不仁者。名之曰風邪中絡。見昏不知人。便溺阻隔者。或神昏不語。唇緩涎流者。名之曰風邪中腑。風邪中臟。有因惱怒後而見本病者。遂認爲肝厥。因暴食後而見本病者。遂認爲食中。因大汗出。大吐瀉後而見本病者。名之曰氣脫。因大失血後而見本病者。名之曰血脫……如此立說。非特無補於治療。且足啓疑竇而亂視聽。蓋分類既繁。則辨認不易。而如斯大症。一息生機稍縱即逝。即醫者能當機立斷。猶恐不及。豈容遲疑猶預耶。而中經，中絡，中臟，中府之分。尤屬無稽。其理由待於腦出血項下述之。又如肝厥。食中。中氣等等。無非爲腦充血之原因而已。即氣脫。血脫。精脫之分。亦可謂多此一舉。考古人之治氣脫精脫。同以人參附子等爲主藥。而大失血之後。古人有血脫益氣之說。亦以參附爲必用之藥。治療既毫無分別。又何必作此徒亂人意之分類歟。

由此觀之。則古人命名之失。可以不待辨而明矣。惟自慚學識淺陋。又苦乏充分之經驗。以爲印證。管窺之見。謬誤必多。深望世之賢達。匡我不逮。則幸甚矣。

腦出血(中風)

素問調經論云。『血之與氣。幷走於上。則爲大厥。厥則暴死。氣復返則生。不返則死。』此言腦出血之病理甚詳。其意即謂凡暴厥之發。悉由肝火亢盛。激動氣血。幷走於上。直冲腦髓。腦部微血管破裂。溢出之血。壓迫附近之神經。則突然卒倒。是即所謂暴厥。斯時若得氣火平復。血不續升。而復原狀。則出血欲止。病竈收縮。其崩壞之內容物漸漸吸收。附近之壓迫減退。則患者可以復醒。是卽所謂氣返則生。設或一往不返。出血不止。則所謂氣不復反而死矣。細繹其意。殊覺精審。斯當爲作萬世定讞。奈後之學者。未能明見及此。以致邪說紛陳。各樹一幟。如河間主火。東垣主虛。丹溪主痰。聚訟紛紜。莫可折衷。而中風之眞義日益曖昧。良可慨也。此外尚有以中風爲外來之風邪。而以辛溫升發之劑爲治者。（如小續命湯。大秦艽湯。羌活愈風湯等。）則更妄誕之極矣。良以氣火升騰之病。鎭攝潛降大劑續進。猶恐不能熄浮燄而靖狂飈。何況以辛溫升發之劑，助其狂瀾。安得不升者愈升。而速其死亡哉。以今日之病理知識言。則腦出血由於動脈硬化。及大腦動脈之粟粒動脈瘤。以及血壓亢進所致。茲分述之。

（一）動脈硬化　動脈硬化云者。動脈因種種原因。失其生理的彈性及潤澤性。而致硬化龜弱之謂。凡人之血液。無時不循環流通於血管內。血液中新陳代謝之殘存物。自然沈着於血管內部。若氣血旺盛之人。自有其吸收排洩新陳代謝殘存物之機能。保持其血管之健全及潤澤性。惟老衰之人。則新陳代謝之機能漸見衰退。而代謝之殘存物復隨時增加。沉着於血管內。積之旣久。則血管失其潤澤性而終轉爲硬化。究其原因。則有因患慢性腎炎。以致障礙代謝殘滓之排洩而起者。有因嗜好飮酒。以致脂肪過多。（酒入人體。易與別種脂肪酸結合。變成脂肪質。）沉着血管而起者。此外如鉛及水銀中毒。痛風。梅毒。心藏肥大。以及不適當之生活。及肥胖者。俱爲形成動脈硬化之原因焉。

（二）腦粟粒動脈瘤　動脈硬化之結果。彈力性消失。收縮力遂因之減弱。不能抵抗血壓之脆弱部份。逐漸擴張而爲動脈瘤。其發見於腦動脈者。形體甚小。自豌豆大以至黍豆大不等。甚或在鏡下始能發見。故名之曰粟粒動脈瘤。據 hillis 及 pick 二氏之研究。是項動脈瘤可分爲二類。一爲分離性動脈瘤。因血管內膜破裂。血液侵入中外膜而起。（按血管爲內中外三膜而成）一爲假性動脈瘤。因血管壁上孔隙與內膜相交通。而以纖維變性之腦組織及變性之血管壁爲界限。——實則一血腫也。——此種小動脈瘤若受血壓突然亢進之影響。極易破裂出血。（按粟粒動脈瘤破裂。爲腦出血之最大原因。據德醫 Dr. charcot 及 Bouchard 二氏之報告。謂解剖腦出血死亡者屍體後。發見粟粒動脈瘤破裂之狀態者。占百分之九十云）

（三）血壓亢進　血壓亢進。爲引起腦出血之誘因。而所以致血壓亢進之原因有三。一爲心理的作用。如憤怒。恐怖。驚愕。喜悅等突發。則神經陡然興奮。皮膚血管收縮而血壓卽隨之亢進。二爲病理的作用。如因血管變硬。彈力缺乏。管腔狹窄而起磨擦。遂爲血壓亢進。如患腎藏炎者。因排尿障礙之結果。尿素蓄積滯留于血液中。直接刺激小動脈壁。或因反射性作用於血管運動神經中樞。以致全身小動脈攣縮。血壓遂因之增加。又如患脚氣病者。因脚氣毒之作用。末梢動脈亦有起攣縮而血壓亢進者。上述三端。（血管硬化狹隘。腎藏炎。脚氣）之結果。左心室或右心室必繼起肥大。（血管硬化狹隘及腎藏炎之結果。則左心室肥大。脚氣之結果。則右心室肥大較多於左心室。）考其所以然之故。則不外乎動脈壁攣縮。管腔狹小。欲以調節血行。故發心室代償性肥大也。而左心室肥大之結果。大動脈血壓亢進。二者互爲因果。血壓亢進遂永久持續。此外如發汗、排尿、排便、等機關之障礙者。俱爲血壓亢進之病理的原因也。三爲外部的刺激作用。如冷水浴、（皮膚血管收縮、而深部充血、）以及飽食、飲酒、交接、溫浴、（使血行旺盛）等。皆爲引起血壓亢進之原動力。

於事實上本病尙有遺傳關係。此所謂遺傳者。並非遺傳其疾患。乃遺傳其素因與體質之謂也。如腦動脈抵抗薄弱。或易罹心藏腎藏疾患之素因。遺傳於其子孫。或生而體格佳良。肥胖多血。頭大頸短者。凡此數者。皆易罹本病。此名中風素質。大抵本病多見於四十歲以上之人。而男子又較女子爲多。

述本病之原因病理既竟。進而述症狀與治療法。則考諸靈樞熱病篇岐伯曰：『中風大法有四。一曰偏枯。二曰風痱。三曰風懿。四曰風痺。』又申其症狀及治法曰：『偏枯者。半身不遂。肌肉偏不用而痛。言不變。智不亂。病在分腠之間。溫臥取汗。益其不足。損其有餘。乃可復也。』『風痱者。身無痛。四肢不收。智亂不甚。言微可知。則可治。卽不能言。不可治。』『風懿者。奄忽不知人。咽中塞窒窒然。舌強不能言。病在藏府。先入陰。後入陽。治之先補于陰。後瀉於陽。發其汗。身轉軟者生。汗不出。身直者七日死。』『風痺、濕痺、周痺、筋痺、脈痺、肌痺、皮痺、胞痺、各有症候。形如風狀。得脈別也。脈微濇。其症身體不仁。』

金匱亦分本病爲四。中絡、中經、中府、中藏。與內經不同。金匱中風歷節病脈症幷治篇云：『寸口脈浮而緊。緊則爲寒。浮則爲虛。寒虛相搏。邪在皮膚。浮者血虛。絡脈空虛。賊邪不瀉。或左或右。邪氣反緩。正氣卽急。正氣引邪。喎僻不遂。邪在於絡。肌膚不仁。邪在於經。卽重不勝。邪入於府。卽不識人。邪入於藏。舌卽難言。口吐涎。』

以內經與金匱所敍之症狀。比類而觀之。則所謂偏枯者。卽中經也。風痺者。卽中絡也。風痱者。卽中府也。風懿者。卽中藏也。其名雖異其實則。同究古人之所以如此命名。者蓋不知神經系統實質上起病。變而誤以風從外入爲病。源故以經絡藏府分別病。態。其意以爲風邪中人。其受病之處。各有深淺。淺則經絡爲病。深則藏府受患。詎知此種見解。僅憑臆測。穿鑿附會。無一是處。吾人當爲之更正之曰：『腦血管因上述之原因而破裂時。其溢出之血液。壓迫大腦皮質則知識昏蒙。卒然仆倒。運動知覺及反射俱廢絕。除心動及呼吸外。殆與死者無異。此時並兼見顏面潮紅。瞳神散大。脈形弦勁。有時或發嘔吐。及二便失禁。喉間及氣管之粘液積聚而發喘鳴。其甚者。則溢出之血液。壓迫關係生命之重要部分。（血管運動中樞神經、及呼吸中樞神經等）則引起痲痺而停止心藏之運動及肺部之呼吸。竟至於死。其或出血較少。壓迫於知覺神經。則肌膚不仁。壓迫舌下神經及顏面神經。則口眼喎斜。口吐涎。舌難言。壓迫運動神經。則半身不遂。筋骨不用。而知覺神經纖維與運動神經纖維多混合一處。且其中樞同在大腦。故半身不遂常與肌膚不仁相併發。』由此可知本病之種種不同的症候。實由出血竈壓迫腦部所轄各種不同之神經而起痲痹所致。而非古人意想之經絡藏府爲病也。

古人之治此病。每依其證候之不同。分類論治。各主專方。未嘗不闡幽索微。煞費心思。豈知捨本逐末。徒勞無功。特古方以治中風。無一效者。職是之故。今者不分經絡。不問藏府。凡在乍發之際，一以潛陽鎮逆爲治。大劑續進。平其血壓。抑其上冲。則神經不受震激。知覺運動皆可恢復。正不必分條辨症。如游騎之無歸也。更視其兼症之不同。損益加減。出入化裁。自可安於無事矣。茲擬定一通治方。并附加減法於後。

腦出血通治方

羚羊角　龍齒　牡蠣　石決明　玳瑁　磁石　眞珠母　鱉甲　龜板

主治　中風乍發。卒然昏仆。面赤唇紅。脈象弦勁有力。或口眼喎邪。語言蹇澀。

加減法　痰涎壅盛。加竹瀝、竺黃、胆星、猴棗。體格壯實者。加稀涎散。（猪牙皂角四挺、去黑皮、晉礬光明者一兩、共研細末、）或滾痰丸。（青礞石一兩、焰硝一兩同入瓦罐、鹽泥封固、煅至石色如金爲度、大黃酒蒸、黃芩酒洗、各八兩、沉香五錢爲末、水丸、薑湯下、）氣機窒塞者。先以通關散（細辛、皂角、等分爲末、）搐鼻取嚔。若口噤不開者。先以烏梅肉擦牙。待其氣機通。口噤開。昏厥漸甦。然後進藥。藥後神識清明。痰涎已除。始可進養津液。行氣血之劑。以促出血竈之早日消滅。

以上所述。乃閉症治療之大概。此外尚有所謂脫症者。脈來微弱無力。或豁大而空。重按則無。呼吸淺表。面白無華。此由出血竈壓迫關係生命之重要部份如血管運動中樞神經、及呼吸中樞神經、而起痲痺。以致心動頓形減弱。呼吸立呈淺表。而亢盛之血壓。一變而爲極度的沉降。當此之際。一息生機間不容髮。頃刻可致心動停止。呼吸斷絕而死。故往往不及救療。致古人之治此症。或以參附湯。或以附子理中湯。大劑續進。總不出囘陽固脫之旨。究是類方劑。確具有興奮神經。促進心藏活動之特效。此則吾人大可效法者也。

急性腦充血

腦爲一身神經之總匯。構造精微。組織嬌嫩。且富含多量之血管。偶因受各種不同之原因而致腦部充血時。則擴張之血管。勢必壓迫附近之神經。而發爲卒然昏仆之症。致急性腦充血有動脈性及靜脈性之分。二者原因各別。虛實互異。而其治療之法。亦截然不同。玆分論之。

一、急性動脈性腦充血——急性動脈性腦充血之名稱。古籍向無記載。此非古時無是病發現。不過不直名爲急性動脈性腦充血耳。今搜集古人記載本病之文字數節。藉作本病病理之說明。

千金方中暍篇云：『人當盛暑。觸冒大熱。客邪熾盛。鬱瘀不宣。陰氣卒絕。陽氣暴壅。經絡不通。奄然悶絕。謂之暍。』

類症治裁中暑條云；『中暑由動而得之。陽症也。夏日遠行。陽氣內伏。熱舍於腎。水不勝火。煩渴喘促。猝然昏暈。』

王孟英醫案暑病類云：『五月下旬。天即酷熱異常。道路受暑而卒死者甚多。即古所謂暍也。而不出庭戶之人。亦有是病。延醫不及。醫亦不識。此症雖死。身不遽冷。且有口鼻流血者……』

以上數說。歸納其意。則謂盛暑之時。烈日當空。吾人奔走疲勞于其下。一則因身體運動而心臟動作亢進。二則因腦部受熱度之刺激。引起反射作用而充血。血管附近之神經。因不堪受充血血管之壓迫。及高熱之灼爍。遂致奄然悶絕。猝然昏暈。不出庭戶之人。亦有患本病而昏仆者。是則其人必陰液素虧。虛火本旺。而悶居暖室之中。（盛暑之際、室內亦極熱）亦可致腦部急劇的充血而昏倒也。由此可知急性動脈性腦充血之原因。爲腦部受熱。並知古之所謂中暑、中暍者。即近今急性動脈性腦充血之症也。

然則此僅爲腦充血原因之一部份。試進而更求其第二原因焉。

醫學大辭典肝厥條云：『肝邪熾張而厥也。此症多因平素陰虛而肝旺。易於惱怒。偶有拂意事刺激。卒然手足厥冷嘔吐昏暈。狀如癲癇。不省人事……』

此言陰分素虧肝陽旺盛之人。（按古人言肝之作用、其一部份殆指近代之神經而言、此云肝陽旺盛者、即神經易於興奮之謂也）因受惱怒之刺激。引起腦神經極度興奮。腦部頓形充血而致卒倒之病理也。由此可知精神興奮。爲急性動脈性腦充血之第二原因。

又醫學大辭典食中條云：『飽食過度。或感風寒。或着氣惱。胸中阻塞。胃氣不行。陰陽痞膈。升降不通。以致厥逆昏迷。舌瘖肢廢。醒後但覺胸膈痞悶。吞酸噯腐。氣口脈盛……』

又張子和云：『邪在胃而頭痛者。必下之。其症必見痞膈嘈酸。噫敗卵臭。或飽食則痛甚。其脈右手滑盛者是。』徵此二說。可知暴飲、暴食。則心肌動作旺盛而腦部充血。輕則頭痛。重則昏迷而人事不省矣。其『氣口脈盛』『右手脈滑盛』者。俱爲心動旺盛。血壓亢進之明證。由此可知暴飲暴食。爲急性動脈性腦充血之第三原因。

此外如常習性出血閉止。（停經）或酒精中毒。及心臟左室肥大等。有時亦爲本病之原因焉。

本病發作之初。先覺頭痛眩暈。繼則手足搐搦而昏仆。人事不省。面紅唇赤。瞳神縮小。脈形弦大滑盛。頸動脈搏動旺盛。呼吸深大而作鼾聲。或煩渴。或嘔吐。其由於暴食者。則兼胸膈痞悶。吞酸噯腐。氣息喘促。（此等症狀、必待患者醒後始可診知、）

至其治療之法。自以沉降血壓。引血下行爲第一要義。然不可潠以冷水。或置於涼爽之地。千金方云：『夫熱暍不可得冷。得冷便死。以熱毒蘊積。不得宣發故也。』此雖僅爲中暍說法。然推之一切急性動脈性腦充血。無不如是。良以極度充血之際。頭部必發高熱。苟驟置寒冷之地。或以冷水潠之。則體工勢必因外來刺激之劇變而不克應付。非特無以愈病。反足促其死亡。是以古人諄諄以不可得冷爲訓。此中含義。精深幽微。吾人當謹遵不渝。而近來西醫之治斯病。每置病人於涼爽之地。覆以冰囊。其不至殆且死者幾稀。茲將古人經驗之外治內服諸法。臚列於下。

外治法

先置患者於閑靜寬廣空氣流通之室。並高舉其頭部。然後擇下面之方法行之。

千金壅心方——取道上熱塵土以壅心上。少冷卽易。氣通止。

千金壅臍方——仰臥暍人。以熱土壅臍上。令人尿之。臍中溫卽愈。

千金熨心方——取屋上南畔瓦。熱熨心。冷易之。

上述數法簡單易舉。最宜急救之用。究其用意。無非欲令胸腹得暖。引腦部之血液向下。此卽西醫之所謂誘導法也。千金本用以治熱暍。今推廣其用。凡急性動脈性腦充血皆宜之。苟非盛暑之時。無現成之熱土可用。以泥土入鍋內炒熱。布包熨胸腹部亦佳。

身體壯實者。可兼行針砭法。

其由暴食而得者。則非上述數法所能勝任。急宜用雞毛探喉取吐。得吐則神識自淸。

內治法

千金飲煖方——張死人口令通。以煖湯徐徐灌口中。小舉死人頭。令湯入腹。須臾卽蘇。

千金飲熱方——可飲熱湯。亦可納少許乾薑、橘皮、甘艸。煮飲之。稍稍嚥。勿頓使飽。但以熱土及熬土壅臍上佳。

以上數法。可與外治法同時應用。(惟由飽食而得者不宜)待病人醒後。再擇下方相機用之。

急性動脈性腦充血通治方

羚羊角　牡蠣　龍齒　石決明　石英　杭菊花　鈎籐　桑葉

加減法　煩渴加西洋參、石膏。有痰加遠志、菖蒲、竹瀝。胸膈痞悶。胃有積食者。加陳皮、厚朴、神麴。身體壯實者。加大黃、檳榔、枳實、

金匱白虎加人參湯

知母　石膏　甘艸　粳米　人參

中暑湯（沈氏尊生書方）

川連六分（用吳萸五粒泡水一二匙拌） 知母一錢（用乾姜一分泡水一二匙拌） 遠志一錢（用石菖蒲汁一二匙拌） 川貝母二錢（用熟艾五厘泡水一二匙拌） 枳實八分 羚羊角一錢 瓜蔞仁三錢 麥冬二錢 西瓜翠衣五錢 清水煎服

傷寒大承氣湯

枳實 厚朴 大黃 芒硝

凡急性動脈性腦充血之症。診得患者之身體可以瀉者。自以一瀉爲妙。而瀉下劑中之大黃。尤爲適宜。蓋因其含有強度刺激作用之格里索佛尕酸及瀉下作用之卡泰林。一入腸部。可使腸壁充血。而起瀉下作用。因之腦部之血壓即可減低。且經瀉下後之卡泰林。在胃腸已無復遺留。同時本品成分中之鞣酸。亦有止瀉作用。故絕無過瀉傷正之弊。是以大黃一藥。確可視爲急性動脈性腦充血之特效劑、

二、急性靜脈性腦充血——靜脈性腦充血多屬慢性。急性者實不常見。有之、則往往不治。巢氏病源尸厥候云：『……身溫而汗。此爲入府。雖卒厥不知人。氣復則自愈也。若唇正青。身冷。此爲入藏。亦卒厥不知人。即死候。……』此所謂入藏之唇青身冷者。蓋即靜脈充血之明證也。

致靜脈性腦充血之原因。約有三端。一曰右心肌衰弱。心藏由中間壁分成爲左右兩半部。每半部又由橫間壁各分成爲上下兩腔。上腔名曰心耳。下腔名曰心室。右心耳通上下兩大靜脈。右心室通肺動脈。若右心肌衰弱時。則其收縮力薄弱。血液不能充分輸至肺動脈。而右心房鬱血。靜脈之還流遂受障礙。于是漸漸波及二大靜脈。復由上大靜脈及于內頸靜脈、及硬腦膜竇、與腦靜脈。（是症多發現于心藏瓣膜病、及心肌心囊有疾患時、）二曰上大靜脈及其末稍枝之壓迫。如自縊、大靜脈瘤、甲狀線腫、頸部淋巴腺腫時。壓迫靜脈管而障礙其還流。則發生腦靜脈充血。三曰窒息。如煤氣中毒、及自縊等。肺部呼吸停止。血液之經肺循環完全障礙。右心室不能輸靜脈血于肺動脈。則右心房鬱血。繼而波及上大靜脈。漸及于腦靜脈以起充血。是以本病所現之症狀。

除痙攣卒倒。人事不省。瞳孔縮小而外。顏面必呈紫藍色。同時因靜脈過于充盈。而呈蛇行狀。

攷古籍對于本病之記載綦少。惟巢氏病源尸厥入藏之候。確爲急性靜脈性腦充血之症。（觀其脣青身冷、可以徵矣、）而後人之所謂中寒。亦頗與本病相似。醫學大辭典中寒條云『……元陽素虛。膚腠空豁。寒邪直入三陰之經。以致身體強直。口噤不語。四肢戰掉。灑淅惡寒。卒然眩暈。身體無汗。或洞泄不禁。脈象遲緊。病發頗驟。急宜施治。否則下部之濁陰上逆。循胸而上者。則咽喉腫痺。舌脹睛突。循背而上者。則頸筋粗大。頭項若冰。瞬卽渾身青紫而死。……』

觀其所謂濁陰上逆之種種症候。乃因靜脈極度充血而致血液瘀滯。故喉腫而痺。舌脹睛突。靜脈充盈故頸筋粗大。頭部之血行障礙。故頭項如冰。至於渾身青紫者則已由腦靜脈充血而陷入全身鬱血矣。故而死不治。茲將本病治法。分條述之於後。

1.卒然昏仆竅閉不通者。宜五積散加香附一錢麝香少許。或酒調蘇合香丸。或用附子作餅熱貼臍間。

五積散——和濟局方

蒼朮（米泔浸炒去皮）八錢　桔梗（去皮）六錢

麻黃（去節根泡）　枳殼（去瓤麩炒）

陳皮（去肉）各五錢　厚朴（去粗皮姜製）

乾姜（泡過）各四錢　半夏（湯洗去衣姜製）

赤苓　甘艸　白芷　歸身　白芍（酒洗）　川芎　肉桂各三錢

研爲末每服四五錢。加生薑三片葱白三莖。水煎熱服。溫覆取微汗。

2.項背強硬。魄汗淋漓者。內服附子、乾姜、猪胆汁之屬。外用撲粉撲止其汗。然後用前藥加當歸、肉桂、以理其營。次加人參、甘草、以調其元。二三劑後。病勢漸減。精神漸復。則加黃耆、白芍、五味之屬調之。

3.面色青黑。不能言語者。用食鹽一撮。放刀口上燒枯。用好汾酒或燒酒一鐘煎滾服。

4.核桃（連殼打碎、）葱頭（連鬚）各七個。細茶葉三錢。滾水泡。薰頭面。幷飲盡。蓋被臥。汗出卽愈。加生薑煎服亦可。

5.取艾丸如豆大。炙氣海關元各七次。以脈漸現爲效。

按本病不論動脈性或靜脈性。俱屬閉症。故動脈性者以苦寒泄熱鎮攝潛降爲治。靜脈性者以辛香走竄通關利竅爲治也。

急性腦貧血

急性腦貧血。多由腦部血管痙攣。血行突受障礙所致。究其原因。約有四端。一曰急劇之多量失血。如外傷、手術時出血、胃腸出血、以及女子之血崩、產後等。往往因失血過多。心力銳減。腦部遂呈極度之貧血而卒倒。二曰多量之脫液。例如大吐瀉、大汗出。以及交接之際。精流不止等。則內藏神經麻痺。腹腔內藏血管擴張。血壓減低。多量血液充盈其間。以致腦部起急劇的貧血狀態。三曰精神感動。如突受驚愕恐佈。則腦部血管運動神經痙攣。而腦貧血。（按精神感動可致腦充血、亦可致腦貧血。此因感動之程度有淺深、而其結果遂截然不同、故驚佈惱怒之際、若腦部血管運動神經因而興奮。則腦爲之充血。若興奮過度、而發痙攣、則腦爲之貧血矣。）四曰劇烈之疼痛。腦部血管運動神經痙攣。而血管收縮。此卽古人之所謂中惡也。巢氏病源中惡候云：『中鬼邪之氣。卒然心腹痛。悶絕。此是客邪暴盛。陰陽爲之離絕。上下不通。故氣暴厥絕如死。……』此外如全身性極度貧血症。及反復之失血後。當時雖不卒倒。而有時於急劇起立時。腦部突受震蕩而遽形昏仆者。亦時有所見。

本病發作時。初覺心到亢進。繼則顏面蒼白。四肢厥冷。自汗耳鳴。視物黑暗。眩暈惡心。以至于卒倒。此時全身反射機能消失。瞳神散大。脈息細數不正。或微細欲絕。呼吸淺表。逾數分鐘醒則生。逾數分鐘不醒則死矣。

本病卒發之際。最宜速治。蓋其一息生機。頃刻飄忽。不可復還。是則外用急救之法。不可不講。待生氣復返。卽以溫補之劑調之。

外治法

醋淬法——用醋一杯。以燒紅鐵烙或炭火淬之。卽有白烟上冲。以此烟熏患者鼻孔。腦神經直接受醋味之刺激而興奮。患者卽可復甦。（此法適宜於一般的急性腦貧血症）

呵吸法——男子久曠。或縱慾太過。以致交接之際精流不止。此時元氣瞬息卽脫。宜仍由女子抱定勿使玉莖外出。急呵熱氣於男子口中。並以兩指捻住男子尾閭。卽可挽救。若驚而脫去。則十有九死。

內治法

獨參湯——張景岳方

人參一味。分量視患者之強弱而定。清水濃煎頓服。（按人參分量宜重不宜輕。蓋生氣幾微。元陽將脫之際。自非大量不爲功。而世之用者。每恐補住邪氣。姑少少以試之。或加消散之味以制之。其權不重。其力不專。則其功效亦無從顯見矣。）

加減法　自汗肢冷者。加附子。（即參附湯）或再加黃耆。吐衄而兼挾虛火者。加生地。童便。產後塊痛未除者。加當歸。炮姜。川芎。桃仁。（即加參生化湯）塊痛甚者。再加肉桂數分。脈微欲絕者。加附子。乾姜。怱白。甘艸。（即通脈四逆湯）其由驚怖劇痛而得者。乃屬閉症之類。除外用醋淬法外。內服蘇合香丸以通利關竅。醒後心腹絞痛未除者。再進烏頭赤石脂丸。或九痛丸之屬。以善其後。

烏頭赤石脂丸（金匱要略方）

主治——心痛徹背。背痛徹心。

烏頭一兩泡　蜀椒　乾姜各一兩　附子五錢　赤石脂一兩

右五味末之。蜜丸如梧子大。食先服一丸。日三服。不知稍加服。（按本方以丸易散。見效尤速。惟藥味辛辣。不堪入口。必須包以糯米紙或豆腐衣。每服三分至五分。開水送下。）

九痛丸（金匱要略方）

主治——九種心痛。兼治卒中惡。腹脹痛。口不能言。又治連年積冷。流注心胸痛。幷冷衝上氣。落馬墜車血疾等皆主之。

附子三兩泡　生狼牙一兩炙香　巴豆一兩（去皮心熬研如脂）　人參　乾姜　吳萸各一兩

右六味。末之。煉蜜丸如梧子大。酒下。強人初服三丸。日三服。弱者二丸。

批　古時病名。都依自覺或他覺症象而假定。後之學者。既昧於病之眞因。僅於病名字義上推敲玩索。遂致舍本逐末。治絲益紛。本篇獨具隻眼。依據病理而分淅。珠璣在握。系統分明。引古證今。尤見恰當。

蔣文芳

胃病概說

吳有方

一、導言　四、預防
二、總論　五、結論
三、各論　六、附方

導言

經云。『胃爲倉廩之官。五味出焉。』又云。『胃爲水穀之海。飲食於胃。游溢精氣。上輸于脾。脾氣散精。上歸于肺。通條水道。下輸膀胱。水津四佈。五經並行。』難經云。『胃者水穀之海。主稟四時。皆以胃氣爲本。是謂四時之變病。死生之要會也。』蓋謂胃爲後天之本。營養賴之以富。氣血賴之以生。一旦有疾。百病叢生。由此觀之。胃之強弱。對于人生之關係莫大矣。按近世胃病之發生。依臨床之觀察。大抵以青年爲多。其勢與肺癆有相持之概。考其原因。實由邇來民智日進。人事繁複。加之市面交易之不盛。生活程度之日高。貧困者無時不在憂思苦悶中。絞其腦筋。營其生活。富有者。無日不在安逸意惰中。進其高粱厚味。吸其不良嗜好。而對於運動衛生。全然不顧。因此胃神經日形疲乏。消化機能日漸退步。以致患者日甚一日。若長此以往。民族前途之禍害。奚堪設想。欲撲滅以往之病患。防備未來之發生。必須有良好之治療適宜之衛生。庶克濟事。而負此二法之重責者。舍醫其誰。吾黨既肆力於醫。卒業期近。將獻身于社會。以冀民族之復興。爰將修習所得。艸作斯編。惟方讀書無多。學識淺陋。聞見不廣。疵錯之處。自知不免。倘希海內先進。吾黨同志加以教正。則幸甚矣。

總論

生理—胃爲人體內之消化器。爲膜質與肌肉質之囊。上接食管。下連小腸。横于横膈膜之下面腹腔之左側。自左至右。長約八寸。上接食管之部名曰賁門。下端呈輪狀而狹窄。其內部有括約筋。及粘膜皺襞。與小腸爲界者。曰幽門。胃分爲上下二緣。上緣小而陷凹。曰小灣。下緣大而隆凸。曰大灣。胃空虛時。大灣向下。小灣向上。充實時。大灣向前。小灣向後。凡飲食物經賁門入胃。與胃液溶合後。出幽門至小腸。胃壁之大部。爲四層之膜集合而成。最外層爲漿液膜。連於腹膜。分泌一種液體。以滑潤胃部之表面。次爲肌肉膜。爲縱横斜三層平滑肌構成。再次爲蜂窩組織。質柔軟。爲連絡内外之用。成于不隨意肌纖維。專管收縮運動。内層爲粘膜。頗多摺皺。有無數胃線。分泌一種酸質。名曰胃液。爲助消化食物之用。胃壁之運動。共分二種。一曰環動。食物入胃後。從賁門沿大灣而至幽門。復由小灣返至賁門端。往返運動約二三次。二曰蠕動。自賁門至幽門。挨次蠕動。逐漸收縮。每隔十分鐘至十五分鐘。收縮一次。以輸送消化食物於小腸。胃壁且富有彈力性。故能隨所食之量而弛緩。俾處處能接觸食物。完成其作用。俟食物消化完竣。傳入於腸後。胃内空虛一無所存。不覺其弛張。以其能逐漸收縮故也。

診斷—經云。『胃病脹滿五日。少腹腰脊痛胻痠。三日背䏚筋痛小便閉。五日身體重。六日不已死。冬夜半後。夏日昳。』又曰『胃中熱則消穀。令人懸心善飢。臍以上皮熱。胃中寒則腹脹。』又云。『面熱者。足陽明病。魚絡血者。手陽明病。兩跗之上脈堅陷者。足陽明病。此胃脈也。』按胃病古來診斷法甚多。似覺煩複。茲收索而統言之。診斷本病之法。第(一)檢查嘔吐食物。還是酸水或雜血液。第(二)脘痛之喜按與否。第(三)納穀之衰減與否。凡具有以上症狀之一者。即爲胃病無疑矣。他如呃逆嘈雜噯氣吞酸等。亦爲本病之特徵。吾人於臨症時。細察之。必不致有誤矣。

原因—夫食物爲人生命之源泉。人體細胞。均賴其營養供給而生。經所謂安穀者昌。絕穀者亡也。東垣云「元氣充足。皆由脾胃之氣無傷。而後能滋養元氣。故治首重之。』良有以也。按本病之發生。原因衆多。據平日診治之所得。約略言之。不外乎内外二因。屬于外者有寒熱二種。寒者由其人中氣素寒。偶感時令之寒襲入于胃。凝結痰飲而發也。屬熱者。因其内有積熱。外感温邪。邪熱薰蒸。胃氣上逆而發也。屬内因者。亦有虛實之分。虛者。由于貧血勞傷。或憂鬱氣滯而起也。實者由于濕熱内生。飲食不愼。或過食膏粱炙煿而生也。在以上數點之中。尤以憂鬱而起之消化不良爲最多。試觀一班事大業居高厦者。往往着筷促眉。雖有良好之食品。亦不足爲歡。雖處娛樂之場所。亦不能解鬱。以致胃納日減。消化日衰。因而罹成胃病矣。况際此世風日下。受環境遭遇之困難。黑暗家庭之壓迫者。又不知凡幾。因之胃病日多。病民日增。凡吾同志於臨床治療時。不可不注意者也。

症狀—屬寒者。症見心下悶痛。惡寒厥冷。二便清利。口吐冷沫。脈見浮緊。屬熱者則心下忽然絞痛。手足清冷。頭汗淋漓。口燥舌乾。尿黄而赤。脈形浮數。苔見黄膩也。以上屬于外感者。又有胃部攻痛。或脹悶吞酸。嘈雜噯氣者。屬胃弱氣滯也。肌膚乾燥。咽乾口渴。四肢倦怠。食入礙滯。脈細無力者。屬血虛勞損也。以上關於內傷之虛者。又有嘔吐清水。面露白斑。唇紅能食。時或吐蚘。脈乍大乍小者。虫積也。胸腹不舒。胃脘脹痛。噯氣吞酸。惡聞食味者。傷食也。以上二種。關于內傷之實者。此卽症狀之簡別也。

治法—本病之療法頗多。簡言之。亦不外乎補脾。溫胃。疎肝。導滯。四法。如外有風邪。內有食滯。胃失通降之令者。當以疏化導滯爲主。保和丸平胃散枳實導滯丸等方。酌加發散之品。則邪散積去。胃病自差矣。如中氣素虛。健運失職者。則宜健脾運中。如小建中湯。六君子湯。補中益氣湯等。均可選用。若貧血津枯者。則宜補血養陰爲主。如生地麥冬當歸石斛乳汁藕汁之屬是也。如因憂思鬱怒肝胃不和所致者。宜以疏肝和胃爲主。如逍遙散歸脾湯半夏秫米湯柴胡疏肝散之類是也。因於蟲積者。宜殺虫爲主。如使君子丸烏梅丸化虫丸等。分別擇用之。

各論

嘔吐—經云『諸逆衝上。皆屬於火。諸嘔吐酸。皆屬於熱。』又曰『寒客于腸胃。厥逆上出。故痛而嘔。』後賢又分爲有物有聲爲嘔。有物無聲爲吐。皆屬胃熱使然。』斯言誠矣。夫嘔吐之原因。昔賢分之甚多。概括之。不外寒熱虛實四種。玆分述于下。

(一)實熱—食入卽吐。無片刻容留。苔見黃膩。脈形浮數。由于胃中有熱。火勢上陷所致。當以清熱瀉火爲主。如大黃甘艸湯三黃瀉心湯之屬。

(二)虛火—頭暈吞酸。或吐苦水。脈形弦滑。由于肝胆火熾。風陽上亢所致。宜以清降柔肝爲主。如左金丸旋覆代赭湯。生白芍竹葉烏梅之屬。

(三)虛寒—朝食暮吐。暮食朝吐。卽俗所謂反胃。症見喜熱惡寒。四肢清冷。舌苔白膩。脈形弱小者。由于脾胃虛寒。清陽不佈。爲冷食所傷致之。當以剛壯溫運爲主。如理中湯合二陳湯。如虛甚者。宜大半夏湯香砂六君子湯等選用。

(四)腎虛—惡寒腰痠。肢冷脈沉而細。或兼泄瀉者。由于腎陽衰微。不能扶土所致。宜補火生土法。如八味丸附子理中湯吳茱萸湯眞武湯等選用。

呃逆—呃逆者。古之噦病也。爲喉間呃呃作聲而無物也。經云『少陰之復。厥氣上行。吐出清水。及爲噦噫。』又云『胃爲氣逆爲噦。』又云『病深者其聲噦。』又云『穀入于胃。胃氣上注于肺。今有故寒氣與新穀氣。具還入于胃。新故相亂。正邪相攻。氣幷相逆。復出于胃。而爲噦。補手太陰。瀉足少陰。』按呃逆得于病後爲多。又有虛實寒熱。痰氣食傷之別。不可不辨也。

(一)寒—元氣不足。胃虛而呃者。宜調中益氣湯。胃氣虛寒。手足厥冷。脈形遲濇者。宜丁香柹蒂湯。老年眞陽衰微。衝氣上逆而致呃逆。痰鳴者。宜黑錫丹。

(二)熱—胃火肝氣上逆。口乾舌燥。面赤便閉。脈洪大而數者。屬實熱。宜。以平胃散加清火藥。若見譫語者。選用三承氣湯。若胃虛木挾相火直衝清道而上者。屬虛熱。宜山梔黃芩木香茯苓半夏之屬。清火理脾。

(三)氣—肝氣上逆。胃失和降。胸悶脇痛。呃聲不暢者。宜疎肝理氣爲主。如沉香降氣湯。旋覆代赭湯。調氣平胃散等方。

(四)痰—痰濕中阻。胃氣不降。手足清冷。惡寒便瀉。飲冷即呃者。患起濕痰。宜二陳湯。厚朴木香蘇子萊菔子杏仁砂仁等。若痰閉於上。火動於下。忽然呃逆者。則屬痰火。宜二陳加黃連姜汁山梔等。若見心下悸。苦白肢冷者。乃屬水氣停鬱而致。宜以二陳加苓桂朮甘湯主之。

(五)食傷—食傷脾胃。復病嘔吐。發呃下利。兩脈微濇者。此陽氣欲盡。濁陰冲逆也。宜理陽驅陰爲主。如吳茱萸湯。丁香柹蒂湯。附子理中湯等。若因飲食塡塞胸中。或食物太急。噎而不下。發爲呃逆者。宜三香散。二陳湯。加枳實砂仁蘇叶等。

(六)病後—久病得之。最爲險候。凡病後久虛發呃。多屬寒症。宜丁香柹蒂湯。附子粳米湯等溫補之。吐利後。胃氣虛寒而呃者。宜附子理中湯。丁香柹蒂湯等。虛熱者。橘皮竹葉湯。如利後氣弱。呃而不連續者。宜六君子湯。補中益氣湯等。如久痢變成噤口。呃逆。口糜食不得下。脈小而數。舌紅無津者。乃肝敗陰傷。肝火上冲之危症。宜洋參石斛黃芩黃連白芍竹葉等清氣陰之劑。致于香燥滲利之品。皆不可忘投。

(七)常人因飲食不愼。而致呃逆者。可以紙燃刺鼻。令嚏即愈。又有因笑而呃逆者。則以燈艸探鼻。取嚏自停。

噎膈—噎膈二字。如若一病。而原因各異。不可不別也。夫飲食到口咽喉之間。噎塞不下。隨即吐出。自噎而轉者。曰噎。病在吸門。吸門者。會厭之間也。位在上焦。多屬胃脘枯燥。血液衰少。是陰虧火旺之病也。如飲食下咽至膈不能直下。乃徐吐出。自膈而轉者。曰膈。病在賁門。賁門者。胃之上口也。位在中焦。多屬憂思鬱怒。以致痰氣鬱結于上膈。或搆離釋之苦思。而結脾中之生意者。是七情之病也。可知噎膈之症。以血涸津枯爲主。亦有偏寒偏熱氣機不舒所致者。玆分別言之。

(一)血——肌膚乾燥。咽乾口渴。四肢倦怠。脈形細軟。由食管欠血液之濡潤。乾燥而不能納食所致。宜生地麥冬當歸石斛人乳韭汁等滋潤之。如大便閉結者。加元明粉。如食物下咽。屈曲自膈而下。梗澀作微痛者。此汚血在胃口也。宜四物加韭汁姜汁。竹瀝童便乳汁蜂蜜等煎膏利之。後以代抵當丸下之。

(二)氣　中脘悶痛。食入梗阻。噯氣頻頻。脈形弦細。由于肝鬱不舒。氣機壅滯所致。宜逍遙散瓜蔞薤白湯。川楝子綠萼梅佛手片。若氣虛者。加參芪之屬。以補氣爲主。

(三)寒　脘腹脹滿。嘔吐清水。飲食不下。脈遲而白者。關于中焦陽氣不充。寒積氣聚。宜五膈丸。若飲食不下。手足厥冷。上氣欬逆者、宜五膈丸

(四)熱　口苦咽乾。食入卽吐。五心煩熱。脈數而赤。由陽燥津枯火逆所致。宜五汁飲。若兼便祕。腹脹若實者。屬實熱。宜調胃承氣湯。有痰者。再加竹瀝。

按噎膈。多屬精神上病。法當靜觀內養以助藥力。於初愈之時不可驟食粥飯。宜獨參湯。加炒陳米不時煎服。旬日後方可小試稀糜。一週後。少食乾飯。遂漸增加。一年之內。嚴戒色慾。否則必復發而死。不可不注意也。

胃脘痛　又名肝胃氣痛。經云『中脘穴屬胃。隱隱痛者。胃脘痛也。』亦有寒熱氣血虛虫飲食之別。分述于下。

(一)氣　食入作脹。脘部攻刺而痛。泛噁呑酸。脈弦由于鬱怒傷肝。肝氣橫逆。胃當其衝。消化機能停頓。氣機因之不暢。宜以降氣柔肝爲主。如沉香降氣湯。加味七氣湯。或左金丸加川楝子延胡　製香附砂仁殼香櫞皮煅瓦楞瓜蔞皮薤白頭等。如挾痰者加二陳湯。

(二)血　痛有定處而不移。轉側勢若刀刺。口中作血腥氣。飲湯水下作呃。脈濇者。關于瘀血阻滯。消化障礙所致。當以破瘀爲主。體壯者。桃仁承氣湯。抵當丸等下之。體弱者。以歸尾川芎丹皮蘇木紅花延胡桂心桃仁赤麯番降通艸麥芽之屬治之。

(三)寒　其痛暴發。痛則綿綿不休。手足厥冷。口鼻氣冷。喜熱惡寒。脈形細軟者。由于寒氣客于胃中。當以溫化爲主。如姜附湯加肉桂或朮桂湯等。寒甚者。以華澄茄一粒。納去核棗中。艸紙包。水濕透煨灰。存性酒或米湯下。日一枚服之甚效，

(四)熱　其痛或作或止。喜冷畏熱。舌燥唇焦。溺赤便閉。脈洪大有力者。由熱鬱于胃。外感風熱所致。當以瀉火清熱爲主。如清中湯瀉心湯等。

(五)飲　乾嘔吐涎。或欬或噫。甚則搖搖作聲。脈滑者。由水飲停積所致。宜以化痰利水爲主。如小半夏加茯苓湯。

(六)食　痛而拒按。心胸脹悶。或吞酸噯腐。脈形緊滑由傷食所致。宜消食爲主。如保和丸胃平散等。

(七)虛　痛時按之則止。得食則減。心死怔忡。脈細無力。由體質羸弱。脾胃虛寒。或受寒滯所致。宜補益爲主。如小建中湯。溫胃湯等。若氣虛便溏者。宜理中湯。補中益氣湯等。血虛者。宜歸脾湯四物湯等。

(八)虫　痛勢陣作。飢時更甚。面白唇紅。唇上下有白斑點。或口吐白沫。四肢清冷。或面黃飢瘦。腹部獨大者。多因小兒飲食傷胃。脾胃不運生濕生虫。虫積內蘊。時動時伏。初起以化虫爲主。繼則以建脾爲先。化虫如烏梅丸化虫丸等。健脾如六君丸之類。「附小兒疳積驗方（炙乾蟾炙雞金炒。白朮使君肉泡姜灰五谷虫等）服之屢效」

吐血　吐血者。血從胃中嘔吐而出。不借欬嗽而吐也。多因陽明過熱。微血管破裂所致。經所謂『陽絡傷血從上溢』也。亦有熱傷損傷胃癰之別。分述于下。

(一)熱傷　由肝火內旺。鼓激胃中之血上湧者。其血吐出如湧。色澤鮮紅。便閉面赤。苔黃脈弦。宜犀角地黃湯。茜艸側柏之屬。如因嗜食炙煿煙酒辛辣而起者。宜加十灰丸。鮮藕汁。竹葉茅根等。如見面白脈微。血色黯黑者。則屬虛寒。宜以溫中爲主。如小建中湯四物湯理中湯之屬。

(二)損傷　由跌仆損傷或負重努力致血管破裂。血從上出也。症見脇肋牽痛不能轉側。血色紫黑有塊。宜以祛瘀爲主。如旋覆花廣鬱金眞猩絳參三七桃仁泥紫丹參歸尾赤芍白茅花之屬。

(三)胃癰　本病由于飲食積滯或嗜食烟酒炙煿或七情

久鬱熱毒之氣。累積于中。胃中清氣下陷。或因胃酸過多。胃受侵蝕。積久而發生潰爛者。其症面白體瘦。吐出之血。混有食物。大便黑色。胃脘部發如灼如切之疼痛。當予丹皮赤芍射干梔子升麻白朮生地之屬。惟本病重于靜養。不宜忘動為要。

宿風　宿食。卽食積。蓋言宿昔之食物。停滯胃腸。而作痛也。多因食物過度。不能消化。以致停滯于中而成。其療法有二。(一)如胸次飽悶。惡聞食氣。噯腐吞酸。舌苔白膩。脈形沉滑者。乃食積于胃。氣機窒塞所致。宜以平胃散保和丸等消導之。(二)若大便不通。腹脹頭痛。脈見滑數者。乃停滯于腸。而腑氣不得下行。而上逆所致。宜以通下法治之。如調胃承氣湯。或單以翻瀉叶泡汁代茶。亦效。有小兒飲食無度。過飽卽睡。致腹硬熱欬吐瀉者。木香丸主之。

飽脹　本病屬于脾胃失運。雖食量食物。胃亦起膨滿之感。當以建胃消道為主。如平胃散保和丸香砂六君丸之類。隨症選用。

嘈雜　多屬中土不足。胃熱薰蒸。肝陽太過所致。患者自覺嘈雜如飢。當以健脾清熱為主。如山藥扁豆茯苓竹茹山梔白芍蘆根石斛麥多蓮子之類擇用。又有因痰多而心嘈者。則當以化痰為主。惟不多見耳。

呑酸　多因過食瓜果冷食。寒飲停阻胃中所致。症見噯氣呑酸。咽中覺有酸水。而不能吐出。至半途復下嚥也。當以溫肝和胃。苦辛通降為主。如牡蠣瓦楞文蛤川連吳萸半夏蔻仁砂仁陳皮之屬。

胃病之預防

胃病之易成與難治。前已言之矣。然則我人欲避免本病之發生。非注意于預防不可。經云『夫病已成而後藥之。亂已成而後治之。譬猶渴而穿井。鬥而鑄錐。不亦晚乎』。金匱云『上工治未病。』語云『當未雨而綢繆。毋臨渴而掘井』。蓋亦示人以預防之意也。茲將預防之大略。例之於後。

(一)宜擇食易消化之食品。凡生冷堅硬炙煿辛辣煙酒等刺激胃臟之物。均不宜過食。

(二)食時宜細嚼。從容愉快。不可急嚥與發怒。

(三)凡劇烈運動。或遠行方止後。精神疲倦時。均不可進食。

(四)食勿過飽。勿食雜物。

(五)食後宜散步。或靜坐。不宜用腦與勞力。

(六)食後不可多服開水。蓋多服開水。能冲散胃液。而消化受其障礙。

（七）食宜有定時。使胃有休息之機會。

（八）每天大便一次。如大便不通者不可忘投攻瀉蕩滌之品。致傷胃氣可于每日清晨飲淡鹽湯一杯或以白開水代之亦可。

以上諸方簡而易爲若能依法行之則胃病自免矣。

結論

胃病之變症雖多。其原因不外乎飲食。無相當之攝生。（例如寒暖不均。飢飽無度。肆食辛辣沉於煙酒等。）或則七情不能調暢（例如思慮過度。抑鬱善怒等諸因而成。）故其治療不離于疎肝和胃健脾消食等法。惟今歐風東漸。文化日開。患胃病之原因。亦有特異。有因過用手術。或外以器械之治療。致胃部受傷者。有因涉海度洋。受波濤之顛仆。而消化機能障礙者。有因職業之關係。久居於有刺激胃臟之場所者。其他類似者甚多。總之此種病之療法。當重于靜養。致于藥物方面。不過用以恢復其機能而已。倘有高明者。發明靈方則希勿吝於公佈。不惟我個人幸甚。即全國民族。亦幸甚矣。

應用成方

平胃散 蒼朮 厚樸 陳皮 甘艸

保和丸 神麯 山查 茯苓 半夏 陳皮 連翹 萊菔子 麥芽

枳實導滯丸 大黃 枳實 黃芩 黃連 神麯 白朮 茯苓 澤瀉

小建中湯 芍藥 桂枝 生姜 甘艸 大棗 飴糖

六君子湯 人參 白朮 茯苓 甘艸 半夏 陳皮

補中益氣湯 黃耆 人參 甘艸 白朮 陳皮 當歸 升麻 柴胡 生姜 紅棗

逍遙散 當歸 芍藥 柴胡 茯苓 白朮 薄荷 甘艸 生姜

歸脾湯 白朮 人參 黃耆 當歸 甘艸 茯苓 遠志 棗仁 木香 龍眼肉 生姜 紅棗

半夏秫米湯 半夏 秫米

柴胡疎肝散 柴胡 陳皮 川芎 白芍 枳殼 香附 甘艸 山梔 煨姜

使君子丸 使君子 南星 檳榔

烏梅丸 細辛 桂枝 人參 附子 川椒 乾姜 黃連 黃栢 當歸

化虫丸 鶴虱 使君 檳榔 蕪荑 苦楝 白礬 胡粉

大黃甘艸湯　大黃　甘艸
三黃瀉心湯　大黃　黃連　黃芩
左金丸　黃連　吳萸
旋覆代赭湯　旋覆花　代赭石　人參　半夏　甘艸　生
姜　大棗
理中湯　甘艸　人參　白朮　乾姜
二陳湯　陳皮　半夏　茯苓　甘艸
大半夏湯　半夏　人參　白蜜
香砂六君湯　木香　砂仁　陳皮　半夏　人參　白朮
茯苓　甘艸
八味丸　附子　肉桂　熟地　山萸　山藥　茯苓　澤瀉
丹皮
附子理中湯　附子　甘艸　人參　白朮　炮姜
吳茱萸湯　人參　吳萸　生姜　大棗
眞武陽　茯苓　白朮　白芍　附子　生姜
調中益氣陽　木香　蒼朮　黃耆　陳皮　升麻　柴胡
人參　甘艸
丁香柿蒂湯　丁香　柿蒂　人參　生姜
黑錫丹　黑錫　硫黃　胡蘆巴　破故紙　茴香沉香　木
香　肉桂　附子　金鈴子　肉荳蔻
大承氣湯　芒硝　枳實　厚樸　大黃
小承氣湯　厚樸　枳實　大黃
調胃承氣湯　芒硝　大黃　甘艸
橘皮竹葉湯　橘皮　竹茹　人參　甘艸　生姜　大棗
半夏　麥冬　枇杷叶
沉香降氣散　沉香　砂仁　香附　炙甘艸
調氣平胃散　木香　檀香　砂仁　蔻仁　厚樸　陳皮
蒼朮　藿香　甘艸
苓桂朮甘湯　茯苓　桂枝　白朮　甘艸
三香散　沉香　木香　荳蔻　蘇叶　藿香
附子粳米湯　附子　粳米　半夏　甘艸　大棗
四物湯　熟地　白芍　當歸　川芎
瓜蔞薤白湯　瓜蔞　薤白頭　白酒
五噎丸　乾姜　川椒　吳萸　桂心　細辛　人參　白朮
陳皮　茯苓　附子
五膈丸　人參　甘艸　麥冬　川椒　遠志　桂心　細辛
乾姜　川附
加味七氣湯　遠志　炙艸　茯苓　菖蒲　半夏　厚樸

紫蘇 生姜 紅棗

桃仁承氣湯 大黃 芒硝 桃仁 桂枝 甘艸

代抵當丸 生地 當歸 赤芍 川芎 五靈脂 大黃

砂糖爲丸

抵當丸 水蛭 䗪虫 桃仁 大黃

姜附湯 乾姜 附子 人參 白朮

朮桂湯 蒼朮 桂枝 麻黃 杏仁 艸蔻仁 半夏 澤

瀉 神麯 陳皮 茯苓 猪苓 黃耆 炙艸

清中湯 香附 陳皮 山梔 金鈴 延胡 甘艸 黃連

小半夏加茯苓湯 半夏 生姜 茯苓

溫胃湯 人參 白朮 炮姜 扁豆 當歸 陳皮 甘艸

十灰丸 大薊 小薊 丹皮 茅根 茜艸 薄荷 側

栢 山梔 陳棕 絲綿

犀角地黃湯 犀角 地黃 芍藥 丹皮

戒烟驗方二則

碧霞

一、處方 旋覆花三錢 淨鶴虱三錢 罌粟殼三錢 煅牡蠣三錢 光杏仁三錢 川厚仲三錢 上沉香三錢 雲茯苓二錢 川鬱金二錢 粉甘草一錢 淨蕘花一錢

煮法 右藥共十一味入水三大碗煎成一碗 另以食鹽五錢炒焦入水二淺大碗煎成一碗 再以煙灰五錢亦另入水二淺大碗煎成一碗各濾汁去渣合成一處入姜汁少許再煎數分鐘後入小蘇打一錢冲和

服法 煙癮重者日三服每服一淺茶杯逐漸減少至不服爲止如癮淺者酌量減少

二、處方 潞黨參三錢 花龍骨六錢 粉歸身二錢 鬧羊花四分 楓茄花六分 韭菜子三錢 生甘草一錢 雲茯苓四錢 罌粟殼三錢

煮法 與煎普通藥同

服法 於服藥前盡量吸煙使醉而止吸煙後即服藥服後就臥

按以上兩方(一)方柔和而(二)方猛烈然第二方服後神志模糊昏睡不醒間或譫語直待一週時方醒醒後並發吐瀉之症所瀉之物盡爲黑色之煙毒所發諸症爲服此方必有之反應無用顧慮自能告愈惟二方中鬧羊花楓茄花均爲麻醉藥品對有心臟病或體虛者恐不相宜則用第一方較爲妥當至于二方服後均不能再吸鴉片愼之愼之

金元四大家學術之檢討

吳枕流

導言

夫當此歐風旁礡侈談科學之時代、吾國向有之一切文化事業。目爲陳腐落後。多在摧殘之例。予所目覩而身受切膚痛者。莫若醫學是古醫籍中素靈內難仲聖百家之作。幾於束之高閣用之覆瓿舉凡數千年來我祖宗實驗得來之活人術足徵文獻者。認爲一無價値而永屏諸人類文化產物之圈外非惟吾儕爲人子孫者所不忍。抑亦全人類所不許也。初驚廢止之聲浪。終得殘喘之苟延。然則起衰振靡。力挽狂瀾。是今日吾醫界最迫切之巨任也已。枕流不自揆。蓄志於此有年焉。歲月怱怱。脩業期促。甯敢貿然撰金元四大家學術之檢討。顧茲學淵奧。窮源覶縷。原非一蹴所能成者。況學術淺薄之予。草草付稿。曾未獲稍加擘勘。是難免豹窺蠡測。舛誤滋多。所幸海內不乏有心人。鑒茲微忱。痛予化裁。或糾其大端之繆。或繩其小節之疏。是予不勝感激企禱者也。

緒論

嘗聞儒之門戶分於宋。醫之門戶分於金元。觀元好問傷寒會要序。知河間之學與易水之學爭。觀戴良作朱震亨傳。知丹溪之學與宣和局方之學爭。因此當代學說從而一變。然所謂金元四大家劉河間。張子和。李東垣。朱丹溪之立說論治。亦各有不同。而自成一家也。若河間篤信古書。喜用涼藥。而爲寒涼之派。子和重在驅邪。善用汗吐下三法。又自成一派。東垣脾胃爲主。創土爲萬物之母論。而爲補土之派。丹溪滋陰降火。創陽常有餘陰常不足論。而爲養陰之派。夫後世之學派紛歧。實四家爲之嚆矢。不觀乎中風一證。河間主火。子和謂風痰。東垣謂氣虛。丹溪謂痰熱。議論大暢。氣法咸備。籍廣內經眞中風之說。千金大小續命湯之圈子也。所以四家之門戶各立。實四家之大有發明處。其可因噎廢食。泯沒不彰。茲就各家學術機杼一家不共生活之處。及揚帆破浪滄海遺珠之犖略。分別檢討之。

劉河間

嘗治河間之學者。恆感有二種不同點。一曰。河間闡明六氣皆從火化。藥主寒涼。一曰。河間著火立論。以治春夏溫熱。補傷寒未備之旨。二者之說。目爲寒涼派則同。而其寒涼之自何根據。則有軒輊焉。按前說。百病纏綿。不離於火。寒涼藥可爲治療之基本。按後說則由擅於溫熱。寒涼爲對證發藥。前後之論。孰是孰非。河間之學。果自何樹立耶。予謂河間雖主寒涼。學有專攻。原非一槪云然六氣皆從火化之說。未敢信也。蓋阿間論六氣者。莫詳於素問玄機原病式一書。考書中處處根據素問闡發病理。實無師心自用之地。經云。亢則害。承乃制。故曰濕病過極。則爲痙。反兼風化制之也。風病過極。則反燥。筋脈勁急。反兼金化制之也。病燥過極則煩渴。反兼火化制之也。病熱過極而反出五液。或爲戰慄惡寒。反兼水化制之也。病寒過極。則血脈凝沍。反兼土化制之也。又曰。風熱燥同。多兼化也。寒濕性同。多兼化也。性異而兼化者有之。亦鮮矣。非明示道不同而不相謀。寒化火濕化燥之難於相混耶。況更謂其制甚而兼化者。乃爲虛象。但當治其過甚之氣。以爲病本。不可反誤治其兼化也。是更明顯六氣之極。縱有兼化論治必求其本。換言之。諸氣便兼火化。不能偏治其火。而用寒涼藥也。再舉其例曰。病火極甚水化制之。反爲戰慄者。大抵熱甚而非寒氣之類。故渴爲熱在裏。而寒戰反渴引飲也。譬之以火鍊金。熱極而反化爲水。雖化爲水。止爲熱極而爲金汁。實非寒丹也。是病諸氣者。必有所因。病本熱而變爲寒者。實亦鮮矣。此雖引火不能化寒之論。然亦可以想見。假病本寒而變爲熱者亦鮮矣。試觀其寒病條例。因寒因熱。並主者有之。安得有寒極化火之異態也。如瘕之爲病。血液不流而爲寒。大小腸熱搏而爲熱。其寒其熱。宜以脈證別之。未嘗言傳變也。又堅痞腹滿急痛。血脈凝沍爲之寒。熱鬱於內爲之熱。寒熱異途。立論何等淸晰也。更若癩疝寒聚急痛。其脈亦急。謂緊脈主痛。急爲痛甚。所以因痛而脈緊急者。有別於緊急洪數。熱痛之類也。夫綜上所論。涇渭分流。誰得含糊影響哉。然則六氣皆從火化之說。何由而來耶。其殆後人不治底蘊。虛搆對象。誤作聰明之武斷語也。然要其暑火立論。實由所謂五運六氣有所更。世態居民有所變。獨創溫熱。以治今病。藥非寒涼。難瘳厥疾。後人於傷寒書外。聚論溫熱。以對立。實河間爲之嚆矢。信乎外感宗仲景。溫熱用河間之說也。暑病主治云。中暑自汗大出。脈虛弱。頭痛口乾。倦怠煩躁。或時惡寒。或畏日氣。無問表裏。通宜白虎湯。或裏熱甚。腹滿而脈沉可下者。宜大承氣湯。或三一承氣湯。或表熱極甚。身疼頭痛不可忍。或眩或嘔。裏有微熱。不可發汗吐下。擬以天水涼膈散之類。又若熱毒。二三下後。熱勢倘甚不能退。本氣虛損而脈不能實。擬更下之。恐下脫而立死。宜黃連解毒湯。以上諸條。溫熱手腕。可睹一斑。淸解直折。各備一格。尤致意於可下不可下之間。誰曰溫證下不厭早哉。惟讀河間傷寒主撰。予不能無疑矣。

如傷寒半表裏小柴胡湯證曰。用天水涼膈敵峻下之劑甚良。傷寒 表實之麻黃湯證曰。用天水散亦良。考其服法。煎葱白豆豉湯下每服水一盞。葱白五寸。豆豉五十枚。煮取七分。調服之。按葱豉雖主宜解。總屬發汗小劑。於解散熱鬱。或可奏効。乃用於寒閉表實證。亦蹈時醫之不敢用麻黃。而代以薄荷荊芥之弊。冀效難矣。

再考河間撰述。有帙失。有增纂。更有竊附河間六書而僞托。足徵於文獻者鮮矣。國史經籍志所載素問要旨八卷。即河間自序云。博採衆賢之論。運氣要妙之說。十萬餘言。九篇三部。勒成一部。命曰內經運氣要旨論一書。及醫學源流所載素問藥證一書。皆出河間手。而今不傳矣。三消論一卷。其論消證原理。極爲精透。後附驗方。亦平易適用。惜輾轉失傳。完本刼於兵火。後於鄉人處復見其文。傳寫舛誤。闕疑滋多。今附刊在丹溪儒門事親者是也。宣明論方。按自序云。三卷。今增纂至十五卷。支離影響。難免瑕瑜互見之慨。其論方多寒涼。與局方立異。是論者謂當時宣明論方行於北。局方行於南。儼然成對峙之勢也。保命集爲張完素撰。今稱河間者誤也。傳今日。最爲完本者。莫若素問玄機原病式一書。其間立論。雖屬五運六氣。然時代使然。不可抹煞。其備舉經旨。闡發一切溫熱病例。可爲既詳且賅。薛注所謂河間平生精力所寓。皆在此書。他書遠不可及。意其亦猶朱子四書集註。改至屬纊而後已歟。至於竊附於河間六書者。有傷寒醫鑑一卷。馬宗素撰。傷寒心要一卷。劉洪撰。傷寒心鏡一卷。常德撰。傷寒直格方三卷。葛雝撰。更若傷寒標本心法類莘二卷。不署原撰。竟爲托河間書。考其文辭。剪碎編次。竄亂究難亂眞。雖然諸子之作。實以河間爲緒論。後世考溫熱病者。諸子書足徵。爲河間派。故附述之。

張子和

經曰。因其輕而揚之。因其高法越之。因其重而減之。軒岐汗吐下三法之論也。原夫醫者去病之根。攻邪之法。莫捷於汗吐下。是仲景著傷寒。論病則條舉六經。論治亦不出此三法。金人張子和出。辨覈精詣。更暢其說。嘗統論諸藥。酸苦甘辛鹹淡。是其味。發汗涌吐泄下是其用。意盡於此。殊不言補。乃聖人止有三法。無第四法也。更謂三法可以兼衆法。如引涎漉涎。嚏氣追淚。凡上行者。皆吐法也。炙蒸熏渫洗熨烙針刺砭射導引按摩。凡解表者。皆汗法也。催生下乳。磨積逐水。破經泄氣。凡下行者。皆下法也。觀其用。如身之使臂。臂之使手。變化自在。要妙莫測。爰特錄其三法要旨如下。大概汗之主病。不離於風寒濕三氣。子和獨擅於善行數變之風病。故有吐法兼汗法之說。經曰。春傷於風。夏生飧泄。其完穀下出。日夜無度。脈俱浮大而長。此以風爲根。風非汗不出。發汗可也。又病破傷風。搐牙關緊急。角弓反張。先宜涌吐。大吐後。肢體柔和。口尚不能語者。再與麻桂湯汗之。又小兒驚風搐搦。涎潮熱鬱。先吐風涎。漸服通聖散涼解之。又酒病頭痛。身熱惡寒。狀類傷寒。而脈俱洪大。經曰。火鬱發之。宜大劑通聖散。葱豉生薑湯和服。復以釵股引咽。探吐之。又久病風寒濕痺。腰脚沉重。兩足浮腫。惡寒風襲。夜間劇痛。痛無定處。腠理如蟲行。先以通聖散導水丸瀉之。再服赤茯湯。川芎湯。防風湯。漐漐然汗出而愈。夫所謂發汗之法。辨陰陽。別表裏。定虛實。然後汗之。隨治隨應。信不誣也。若夫吐法。子和旨本仲景。而推闡之。蓋仲景於飲食酒積在上脘者。邪客胸中者。皆曰當吐。是謂瓜蒂散吐傷寒頭痛。用葱根白豆豉湯。以吐雜病頭痛。或單瓜蒂。名獨聖散。加茶末少許。以吐痰飲食。加全蠍以吐兩脇肋刺痛。濯濯水聲者。因更舉吐藥三十六味。謂用吐法。宜先小服。不涌積漸加之。或用撩痰法。以釵股雞羽探引。不出。以虀汁投之。投之不吐。再投之。且投且探。無不出者。吐至昏眩。愼勿驚疑。書曰。若藥不瞑眩。厥疾弗瘳。強者可一吐而安。弱者可作三次吐之。庶無損也。至於有誤用吐藥而吐不止者。如以藜蘆吐者。用葱白解之。以石藥吐者。用甘草貫衆解之。諸草木吐者。用麝香解之。如吐而頭眩者。可飲冰水立解。如無冰時。新汲水亦可也。然則吐之與汗下。實異途而同歸。病有攻之不能散。達之不能通。捨吐而莫屬焉。再進而述下法。子和於三法中。尤爲擅此。經曰。有不因氣動而病生於外者。如諸落馬墮井。打撲閃肭。損折湯沃火燒。車碾犬傷。腫發焮痛。日夜號泣者。可峻瀉二三十行。痛止腫消。乃以通經散。下導水丸等藥。如瀉少。則可再加湯劑瀉之。後服和血消腫散毒之藥。病去如掃。至若沉積多年。羸劣者。不可服陡攻之藥。可服纏積丹。三稜丸之類。又年老衰弱。有虛中積聚。止可五日一服萬病無憂散。以緩圖之。嘗謂用此法而救杖瘡欲死者。四十年間。二三百人已。更如目黃九疸。可服導水丸禹攻散下之。腰脚胯痛。可用甘遂粉猪腰子煨服之。又諄諄告戒曰。產後潮熱中滿敗血。不可用銀粉杏仁以下。膏粱之體溫熱之病。不可用備急丸以攻。此乃略舉幾端。至如仲景之三承氣湯。證治準繩之導水丸。莫不得其餘緒。立加減法。盡妙用也。由此觀之。子和之於汗吐下三法。得軒岐之要旨。闖仲景之堂奧者矣。何西池云。子和治病。不論何證。皆以汗吐下三法取效。有至理矣。其惟子和專主三法。痛斥補劑。殊不知陰陽應象大論云。形不足者。溫之以氣。精不足者。補之以味。更有勞者溫之。虛者補之。經旨昭昭。食補之外。未嘗無藥補在上云云。古聖止有三法。無第四法。要亦急於立言。不免偏枯之論。凡治其學者。棄其瑕而取其瑜。庶有得矣。何如時人因噎廢食。湮沒其道。汗下之證。趨尙時方。涌吐之法。已成絕響。遂令風痰怪證。束手無策。暴病夭亡。沉疴莫挽。抑何不思之甚耶。噫。

子和著述。按日本櫟蔭拙者醫賸中。敍載較詳。附錄以備考。儒門事親一書。前三卷議論精確。文亦俊逸。後八卷乃體裁殊異。必是別一種書。或出於門人之手焉。後閱心印紺珠經云。子和金宛丘人氏。張戴人是也。有儒門事親三十篇。十形三療一帙。治病百法一帙。三復指迷一帙。治心要一帙。三法六門世傳方一帙。今攷之於醫統正脈所收本。從第一卷七方十劑繩墨訂至第三卷水解。凡三十篇。此即儒門事親也。自第四卷至第五卷。別是一書。自第六至第十一。乃十形三療也。自第十二至第十五。乃三法六門世傳方也。蒔借元板西京伊良子氏而抄之。凡三卷。首有中統年間高鳴序。及金人張頤齋序。後有金人無名氏跋。篇數與紺珠經所載符矣。又按李濂醫史云。子和與麻知幾常仲明輩日遊㶏水之上。講明奧義。辨析玄理。輯儒門事親凡十四卷。蓋子和草創之。知幾潤色之。而仲明又摭其遺。爲治法心要。由是可知紺珠經所云治心要一帙。即醫史之治法心要。爲仲明撰。治要百法一帙。即櫟蔭拙者所云四卷至五卷之別是一書。蓋其篇數卷數。與所云正符。惟不知是書及三法六門十形三療等出自何手。意必知幾仲明輩所僞托者。蓋劉祁歸潛志稱麻知幾使子和論說其術。因而文之。則可知附帙於儒門事親諸書。皆子幾所記也。再今本儒門事親多至十五卷。正脈本亦云十五卷。在醫史則謂十四卷。世善堂書目。金志。許州志。亦俱作十四卷。攷書中十三卷全篇。爲劉河間撰之三消論。便後人附刊之故耳

李東垣

東垣一反河間子和之攻代而學擅補益。攷其緒論。獨詳於飲食勞倦內傷不足之證。所撰內外傷辨。條舉內傷類外感之證狀。而判斷其不同點。辨證既分。以毫釐立方。更絲絲入扣。內傷一門。可謂自成機杼焉。惟泛而言之。外感而類內傷者。若勞風等證。羅謙甫主以秦艽鱉甲散。吳參黃主以柴前梅連散。吳澄則推而廣之。以六淫之氣。皆能成勞。而立諸法。乃東垣書中則絕不著一字。失茲一隅矣。雖然。求其大成則似不足。節其餘韻。有足多稱。是於辨證立方之要妙處。探討之。夫傷於飲食勞役。七情六慾。爲內傷。傷於風暑寒濕。爲外感。左人迎脈主表。外感則人迎大於氣口。浮緊緩大。因證而異。右氣口脈主裏。內傷則氣口大於人迎。飲食不節。

勞役過甚。則氣口脈急大澀數。時而一代。飲食不節。寒溫失所。則右關脈虛損。甚或隱而不見。此內傷外感脈候之辨別也。內傷之寒熱。表虛惡寒。常常有之。其燥熱。間而有之。作寒作燥。二者不齊。其熱上徹頭項。傍及皮毛。渾身躁熱。須待袒衣露居。近寒涼處即已。其寒居處溫暖。添衣蓋被。養其皮膚。所惡風寒。便已不見。外感之寒熱。發熱惡寒。寒熱併作。其熱鼻氣壅塞不通。面赤心中煩悶。稍以袒裸。露其皮膚。已不能禁其寒。其寒雖重衣下幕。逼近烈火。終不能禦。此內傷外感寒熱之辨別也。內傷之外證。必顯在口。口失穀味。腹中不和。且不欲言。縱勉強對答。聲必怯弱。口沃沫。多唾。鼻中清涕。或有或無。外感之外證。必顯在鼻。鼻氣不利。聲重濁不清利。其言壅塞。盛有力。而口中必和。此內傷外感外證之辨別也。此外如手心手背之熱。氣少氣盛之形。筋骨四肢之用。飲食違和之間。在在示辨內傷外感之捷徑。更諄諄謂勞役之人。縱傷外感。表虛不能作表。實治之。虧損之輩。狀類中熱有餘之證。實屬積弱不足之體。切忌寒涼伐之。總上內外傷辨既詳且賅。非東垣孰得而語此哉。再進而言立方。配合之精。運用之廣。則莫若補中益氣湯。他如調中益氣升陽益胃。升陽順氣。黃耆人參等湯。皆由補中益氣一方。隨證變化。加減出之。凡此諸方。皆以參耆甘草為君藥。要其蘊義。柯韻伯說之綦詳。曰。人知火能克金。而不知氣能勝火。人知金能生水。而不知氣即是水。此義唯東垣知之。故曰參耆甘草。除煩熱之聖藥。要知氣旺則火邪自退也。丹溪云。氣有餘便是火。不知氣上騰。便是水也。趙養葵曰。脾胃喜甘而惡苦。善補而惡攻。喜溫而惡寒。喜通而惡滯。喜升而惡降。喜燥而惡濕。補中益氣湯得之。蓋按方中參耆甘草。甘溫除熱。益氣為君。白朮除胃中熱。利腰脊間血。與當歸和血為臣。陳皮助陽氣。散滯氣。為佐使。以升麻柴胡。引黃耆甘草甘溫之氣味上升。能補衞氣之散。而實其表也。是內傷諸證。及諸病陽氣下陷者。此方主之。東醫口訣集。謂常用之有六口訣。其一內傷病頭痛惡寒發熱。寒熱往來。身痛口乾。甚似外感。細察之。果有內傷不足之候者。其二稟受虛弱之人。感受風寒而病。此為內傷挾外感之候。內傷重者。則用此方。從六經之見證。而加減之。外感重者。先用外感之藥。後以此方調理之。其三。稟受雖壯實。已歷汗吐下。猶未愈。因邪盛而正氣虛。故必用此方。其四。瘧久不愈。及瀉利咳嗽等疾。陽氣下陷者。皆宜用之。愚按此條極是。嘗屢試屢驗矣。其五。手足痿弱。或攣痛。或半身不遂。或身如蟲行者。多屬脾胃虛弱。醫為中風之候。用二陳四物排風順氣之類。然細察脈證。當用此方。其六。日晡發熱。小便淋澀。大便燥結。舌裂口乾。自汗盜汗者。為陰血虛。用此方兼與八味丸。或此方合地黃丸料。煎而用之。再按東垣此方主治條下。有動則氣高而喘。則更治喘證。口訣集猶未悟。及近人張錫純推索得之。曰胸中積貯之氣。爲肺臟闔闢之原動力。卽靈樞所謂摶而不行之大氣是此氣一虛。肺臟闔闢之原動力。將欲停止。其人努力呼吸以自救。爲其呼吸努力。其迫促之形狀。有似乎喘。而實與氣逆之喘有天淵之分。此等證法。當升補其胸中大氣。而卽補中益氣湯所主之喘也。惟東垣謂由中氣下陷。錫純斷爲大氣下陷。幸方中之藥。多半可治大氣下陷。是以投之著效。至錫純於衷中參西錄內。立升陷諸方。實東垣法所蛻化者也。

李濂醫史云。東垣所著有醫學發明。脾胃論。內外傷辨惑論。蘭室祕錄。此事難知。藥象論。總若干卷。而試效方。乃其門人羅天益所輯。攷所述頗不詳賅。中此事難知二卷。亦東垣入室弟子王好古撰。更東垣所撰。又有傷寒會要。惟其書已不可見。傳其學者。詳內傷而疏外感。惜哉。俗傳本東垣十書。則僅內外傷辨惑論。脾胃論。蘭室祕藏。各三卷。爲東垣撰。又藥類法象。殆卽醫史云藥象論。附於湯液本草卷首。崔眞人脈訣一卷。稱東垣批評。餘如湯液本草三卷。此事難知二卷。醫壘元戎一卷。癍論萃英一卷。爲王好古撰。學出於東垣。朱丹溪局方發揮一卷。格致餘論一卷。王安道醫經溯洄集一卷。齊德之外科精義二卷。皆與李氏淵源各別矣。俱係以東垣之名。特附識之。至東垣醫學發明九卷。獨不刊。及未知今猶有傳板否。又保嬰集。傳爲東垣撰。或謂明燕士俊及葛哲撰。缺疑待攷。

朱丹溪

吳澄云。氣下陷而不能升者。當用東垣之法爲先。火上升而不能降者。則用丹溪之法莫緩。此雖爲虛損雜病而言。然攷兩家之立說論治。可謂片言核要矣。蓋丹溪力主陽常有餘。陰常不足。病證之對象。在於陰虛火亢。局方多溫燥劑也。大暢古方不能治今病。於局方發揮中痛斥之。試述其說。曰古聖論風論痿。各有篇目。源流不同。治法亦異。世大率以風與諸痿證。滚同論治。良由局方多以治風之藥。通治諸痿也。夫風爲百病之長。善行數變。曰因於露風。曰先受邪。曰在腠理。曰客。曰入。曰傷。曰中。爲病多實而少虛。其治輕寬之腦麝。燥悍之金石。麻黃桂枝烏附輩以外解。葳靈仙黑牽牛輩以行滯。是其的候也。至於論痿。肺熱葉焦。五藏因而受之。發爲痿躄。心熱脈痿。脛不任地。肝熱筋痿。宗筋弛縱。脾熱肉痿。痺而不仁。腎熱骨痿。足不任身。盡屬內傷不足之證。金匱鉤玄云。斷不可作風治。而用風藥。血虛氣弱。是爲本病。濕熱痰瘀。是爲標病。氣虛四君子湯。加蒼朮苓柏之類。血虛四物湯。加蒼朮黃柏下補陰丸。濕熱東垣健步方中加燥濕降火之藥。濕痰二陳湯加燥濕化痰之品。再論局方小續命湯。比之要略少當歸石膏。多附子防風防己。仲景謂汗出則止。藥局方則曰久服差殊。夫仲景意雖屬風藥。不可通治諸風也。又地仙丹云治勞傷腎虛痿證。近之。要其方中補腎滋陰之藥。與僣燥走竄之藥相半並行。腎惡燥。難免流弊矣。於此可見局方之立方失於廣泛。主治每多錯雜。所謂廣絡原野。冀獲一二。寧免許學士之誚。丹溪之燃犀燭隱。盡發揮之能事也。惟治氣一門。推重河間。以火立論。徇情枉直。措辭不免偏激。姑末錄之。夫唯其立論陽有餘陰不足。是有天一丸之降心火。大補丸之降腎火。大補陰丸之降陰火。又如補天丸虎潛丸等。主治陰血虛損。將成勞極。陰虛火亢。不受補納。投以參耆。反滋益病。則捨知柏龜地等滋陰降火之劑。莫可挽回。丹溪於此可謂三折肱矣。雖然滋陰降火劑。亦豈易用。苟治不得要。苦寒之劑。最易伐傷脾胃。飲食日少。諸臟愈虛。元氣不陷。腹痞作瀉。變端百出。卒不可藥救。若虛熱無火之證。藥兼補中。腎火浮散之證。法貴潛陽。仲景有八味順氣之法。東垣設補中益氣之湯。治丹溪學者。亦不可不知也。案丹溪嘗云。如氣病補血。雖不中病。亦無害也。血病補氣。則血愈虛散。散則氣血俱虛。是謂誅罰無過也。乃千慮之失。一偏之論。予不敢阿私附和焉。王節齋明醫雜著。專宗丹溪。主張補陰。可謂誤入其魔蠱。久吾活幼心書及俞守約螢極辨其說之非。殆為確最。久吾晰氣血消長之理曰。予每治便血之虛滑者。婦人產後去血過多而大發熱者。婦人血虛崩漏而下血不止者。俱用參耆薑附為主。而佐以血藥與升提藥。皆獲奇效。安在血病不可補氣乎。守約曰。凡人血病。則當用血藥。若氣虛血弱。又當從氣以人參補之。可謂片言得要矣。

致傳丹溪之學者。莫詳於丹溪心法一書。書凡五卷。內分一百門。外感內傷外證婦科幼科咸備。前有十二經見證等論六篇。後有附錄丹溪翁傳。傳載丹溪晚年。循張翼等請。著格致餘論。局方發揮。傷寒辨疑。本草衍義補遺。外科精要新論（卽外科精要發揮之異名）諸書。而不及心法。蓋此雖非丹溪之所親撰。乃身後門弟子記其師之精義微言。裒集而成。明初刊本數種。文字互有同異。今所行者。為成化時休寧程充之校刊本也。又丹溪治法心要八卷。丹溪纂要一卷（二書傳本校少）皆門弟子所錄也。更有明新安方廣。因程用光訂丹溪心法。贅列附錄。與丹溪或相矛盾。乃削其附錄。獨存一家之言。別以諸家方論與丹溪相發明者。分綴各門之末。及崔眞人脈訣舉要。王節齋明醫雜著。與丹溪本草衍義補遺等。遂成丹溪心法附餘二十四卷。然均非丹溪原書也。

丹溪纂撰。除上述丹溪傳所載各書外。復有活法機要一卷。(書載古今醫統中)內敘泄瀉等二十種病證治法。說理精要。用藥平易。脈因證治四卷。(傳本校少)自卒尸至汗凡七十條。首論病理。次述方治。與活法機要體裁相類。而敘述較詳。脈訣指掌病式圖說一卷。今所行者。新安吳勉校刊本也。金匱鉤玄三卷。則丹溪草創。而明戴思恭校補。中稱戴云。即思恭說。末附論六篇。亦思恭所加也。是書詞旨簡明。思恭所補亦多精確。明史方伎傳載此書於思恭傳中。卷數與今本同。稱其附以己意。人謂不愧其師云。此外以丹溪書名者。如江時途之丹溪發明。趙良仁之丹溪藥要。盧和之丹溪纂要是也。

結論

原夫醫者本權世態之變。方士之宜。因時制作。各繩以法。昔人善採四家之旨者曰。河間子和生於北。北人飲食厚濁。夏則吞冰。冬則圍火。當時非寒涼攻下。一不能愈病。故河間不獨以治火要譽。子和不當以攻擊蒙譏也。東垣生當金元之交。中原擾攘。士失其所。人疲奔命。或以勞倦傷脾。或以憂思傷脾。或以飢飽傷脾。病有緩急。不得不以急爲先務。異知杲者也。丹溪生當承平。見人多酗酒縱慾。精竭火熾。復用剛劑。以致於斃。因爲此救時之說。後人不察。遂以寒涼殺人。此不善學丹溪也。然而後人往往入者主之。出者奴之。堅持一說。膠柱不移。如景岳惟以火爲宗。掊擊朱劉。不遺餘力。節齋惟以陰爲主。食古丹溪。說多乖繆。洄溪漫罵東垣。太無涯岸。常德刻劃子和。似嫌簡陋。既蹈宋人斗火冰盤之誚。抑亦吾國醫學之艱於長進也乎。爲今而欲整理古學。首當痛戒前轍。潛研軒岐仲景之法。旁及諸家之所長。平心靜氣。務除門戶之見。反覆檢討。發揮黯昧之光。想吾醫界先見之士。正多。正宜聲以衆力。永建康莊大道。不然則火已迫於燃眉。瀾莫挽於既倒。要非作者所忍言者矣。

咽喉病

汪家熩

(一)導言

難矣哉。吾人之生於世也。自脫離母體而至於終老。無時不與外界事物相接觸。卽亦無時不與環境相競爭。以求保全正常之狀態。如衣食住行等。因氣候水土種種之關係。偶有不合。卽足直接影響於吾人之健康。且此外界勢力隨時乘隙進攻。其分量與性質乃又蔓無限制。無有已時。而吾人仍能安全生活。不一觸卽死。精神方面亦不見倦怠。是何故歟。殆賴天賦生存之機能。及防禦之組織精密周到。有以致子乎。雖然。天賦之說固不可厚非。然究有一定之限量。苟外侮頻增。旦旦而伐。倘不施以人工之對付。則人非鐵石。豈有不受其摧殘者哉。諺云滴水能穿石。鐵柱可磨針。鐵石尚如此。而况於人乎。是故吾人每當受外界摧殘之際。在身體上精神上。卽呈一種特殊狀態。自覺不快。是謂疾病。疾病既生。吾人必須設法補救。以挽回其原狀。此卽所謂人工對付也。然人工對付之方如何。則非醫不可。此醫之所由興也。故醫者之職責。至重且大。欲保全人之健康。而免於疾病。惟醫是賴。換言之。醫者卽人工對付自然之方法。亦卽保全健康之工具也。

疾病者何。曰。欲明疾病之究竟。必先洞悉健康爲何物。及吾人何故而疾病。蓋凡人之生也。必其軀體之組織成分機能等。完善周密。概無障礙。不起任何變化。方能安適如意。而得謂之健康。反是。則軀體對於保護作用。及反射作用之調節機能。稍有缺乏。而不能一律時。則其抵抗之程度減退。不足以應付。於是致病之因。乘隙而入。逐使組織起形態變化。成分起化學變化。機能起衰弱變化。發現一種異常情形。是曰疾病。疾病者。亦卽中醫所謂陰陽不和。氣血失調之義也。總觀上說。則健康與疾病之由來已明之矣。更知醫者之責任。誠重且大。不啻爲一司命之職。醫之得法。則人因之得生。不得其法。則人必因之而死。爲活人之工具。抑亦殺人之利器。差錯之處。間不容髮。然則爲醫者可不慎歟。

當今社會經濟日益衰落。風俗日益頹敗。飢餓勞作者有之。醉飽荒淫者有之。故得病之因。因種種情事之不同。較昔複雜。治之之法。亦較麻繁。偶或學識未到。卽足以殺人。故宜鄭重注意焉。以吾觀之。疾病固屬駭怕。而諸病之中。尤以咽喉一科爲最危險。何也蓋人寄生於世。一日不可缺者飲食也。一刻不可缺者呼吸也。故飲食與呼吸爲人生二大要素。然此二者之出納。乃咽喉爲必由之徑。若卒然得病。或則喉中腫脹。或則痰聲漉漉。樞紐爲之隔絕。以致言語不出。水穀不納。呼吸不利。命在須臾。誠可驚懼也。故咽喉一科。乃疾病中之最重要者。余雖學識淺陋。每喜研究。及此因作斯文。以與學者共討云爾。

(一)總論

咽喉者。乃肺胃之門戶。亦呼吸與飲食之要道。爲人身一大關鎖也。咽喉二竅。雖同出口腔。而各異其途。蓋咽以嚥物。喉以候氣。喉在前而咽在後。咽竅出自食道。而司飲食。喉竅連接氣管。而司呼吸。故內經云。咽喉者。水穀之道也。喉嚨者。氣之所以上下者也。按內經所謂咽喉者。卽今之咽也。喉嚨者。卽今之喉也。是以咽喉一部。在生理學上。頗居重要地位。卽在醫學上。亦有專科之設。卽所謂咽喉科是也。夫咽喉科之定名。僅就其病情發現顯著之部位而言。考諸病理。則有不然者。因其原因未能若是之簡單。其與氣候七情。固有關係。卽與五臟六腑。亦莫不有互相聯絡之處焉。有因咽喉一部得病。而影響於臟腑者。有因臟腑得病。而暴發於咽喉者。因此種種。在實際上實難囿於一隅而生一孔之見。今舉例以證之。書云。肺爲華蓋。外主皮毛。胃爲倉廩。外主肌肉。吾人處於氣交之中。若腠理鬆疏。抵抗力薄。感冒寒涼。病原卽乘虛而入。潛伏肺胃。一時蘊而不發。蔓延擴大。牽動肝胆之火。引以上衝。現於咽喉。而咽喉之病作。若言其發現之部位。固在咽喉。若究其得病之根源。則在臟腑。且病之入。亦由腠理。非從咽喉治之者。如不探本窮源。徒治咽喉。未有不僨事者。故專咽喉科者。應兼研內科。而專內科者。亦當兼研咽喉科也。吾人須知科名之規定。是根據某病發現之部位而言。非根據某病之病理而言。故吾斯篇各論中所論者。皆本斯旨。凡病之發現於咽喉部位者。則取之。非發現於咽喉部位者。則去之。但病理方面。則不僅限於咽喉部位而已也。

(二)一般病理及治療大概

咽喉之部位既明。則其病之發生。及其變化若何。尚能細心研究。自不難洞悉。病理若了然胸中。則治療方法。更可因症下藥。當無謬誤矣。方書雜稱咽喉之病。有三十二症。又世俗相傳。有七十二症之說。是皆故神其技之言耳。推其原因。不外乎虛實寒熱風痰氣分血分而已。考各家之所載而統計之。大抵咽喉病之屬於挾熱者。十之六七。挾寒者。十之二三。而風寒包火者。則十中之八九。

若挾痰上升。言語不出。飲食不下者，乃危症矣。試觀古人用藥，對於咽喉之開手方。每用甘草桔梗，三因方加以荆芥。如牛蒡子薄荷貝母黃連之類。皆出後人續增。可見咽喉病之療法。不可輕用涼劑。總以開發疏散爲原則。驟投寒涼。非徒無益而且有害。倘覺咽喉腫痛。卽與苦寒之劑頻進。雖覺腫痛勢退。以爲獲效。殊不知上熱未除。中寒復生。其毒氣入腹。漸至於發喘不休。無術救治。可不懼歟。所謂痰結者開之。火鬱者發之。誠爲治療上之金科玉律。不可廢也。及其火勢已盛。則清劑方施。結熱下焦。而攻法始用。非得已也。誠以咽喉位居關要。命如懸縷。可忽乎哉。

大抵咽喉病之自覺症。不外腫與痛。其情形則各有不同。有半邊作痛者。有兩邊俱痛者。欲知患處所在。乃按其頤下空軟處。覺其內有核者。卽患處之根地也。再以壓舌器壓定舌根。視其咽喉。必一目了然。如色紅腫者。胃火上升也。白腫者。氣逆閉塞也。滿喉腐白者。氣邪壅塞也。紫腫血泡者。積熱傷血也。痛如蜂刺。水飲難嚥。而不亦腫者。陰虛氣燥也。有隆冬受寒。卒然咽痛。頤下按之無核。喉亦不紅者。此寒鬱氣分也。有陽春咽乾痛甚者。此伏火發燄也。有喉痛氣喘。痰鳴如拽鋸者。風痰傷肺也。有喉中腫痛。發出膿頭者。將潰膿也。有痛處爛如敗絮者。肌肉腐爛也。有喉中腫脹。數日後忽覺臭氣洩出。膿潰病將痊愈也。有兩邊俱腫。鎖閉不通。痰聲漉漉。鼻流稠涎者。命在須臾。症之最危者也。

若勢來凶猛。藥力不及應付之時。可用手術以助之。凡遇釀膿久不潰者。可用刀點法。（古時此法均不用刀。以喉鎗代之。其製法取純紫毫細長筆。筆根用絲線紮固。濃磨京墨蘸飽。俟乾再蘸。數次使其乾透極硬。用以代刀。吾以爲刀經消毒。遇到較喉鎗爲佳。因喉鎗使用後未能消毒。不免爲傳佈病菌之媒介物）痰多防閉者。用探吐法。（鵝毛洗淨。蘸桐油探入喉中。使痰湧出）腐爛者用揩抹法（可用千分之三雙養水漱之）熱症危急者。針刺少商穴。出紫血以泄其熱。（少商穴屬手太陰肺經。在兩手大指內側端。去爪甲韭葉許）尤須注意者。卽遇重症。不可平臥。總宜靠起上身。淸心靜養。屛思慮。戒嗔怒。忌酒色。遠厚味。果能遵守。在治療上不無有助耳。

（四）各論

（A）喉痧

喉痧乃屬惡性傳染病之一。我國古無是症。迨後世始有之。或名爛喉。或名爛喉丹痧。或名紅痧。日本稱為猩紅熱。皆取象形之義。其傳染力之強。堪稱駭聞。往往沿門闔境而至一鄉一邑。其流行地點。多宜於寒溫地帶。而不宜於熱帶。故每歲以冬春為多。夏秋甚少也。且本症多患於二歲至七歲小孩。若十歲以上者漸少。大人則更罕見。然亦有患之者。故張石頑醫通列此於痲疹門中。謂是症之危。有甚於痘。良以冬春之際。寒暖非時。感觸者蘊釀成病。與疫癘相同。其邪從口鼻而入於肺胃。由肺胃而發於肌表。當初發病時。必惡寒戰慄。繼則壯熱。或乍寒乍熱。頭痛煩躁。嘔吐噁心。鼻塞咳嗽。精神倦怠。咽喉腫痛。灼熱色紅。或深紫黑黃灰白不等。或披有白膜。多呈褐色。且易剝落。同時起紅色痧子。先發自頸部鎖骨部。後則蔓延全體。而成一片。頤部及鼻部因血管痙攣而呈非常之蒼白色。其經過在二日至五日之間。最為盛烈。每多危險。有因熱極而發現咽喉腐爛。甚至頸部化膿。或則耳前後腫頰車不開。神昏譫語。痙攣厥逆。鼻煽音啞而斃者。至五六日後。皮疹漸退。熱度亦漸減。七八日後。皮屑剝落而告痊愈。至治療程序。初宜汗法。次用清法。或用下法。如初起寒熱煩躁。嘔噁。咽喉腫痛腐爛。舌苔或白如積粉。或薄膩而黃。脈或浮數。或鬱數。甚則脈沉似伏。此時邪熱鬱於氣分。速當表散取汗。輕則解肌透痧湯。加減葛根升麻湯。重則麻杏石甘湯。如壯熱口渴煩躁。咽喉腫痛腐爛。舌邊尖紅絳。中有黃苔。痧疹密佈。甚則神昏譫語。此時疫邪化火。漸由氣分入於血分。即當生津清血解毒。佐使疏透。仍望疫邪復從氣分而解。輕則用加減黑膏湯。重則涼營清氣湯。外用錫類散吹之。必待舌色光紅或焦糙。痧子佈齊。氣分之邪已透。改用加減滋陰清肺湯。不可再行表散矣。良恐表散太過。元氣虛陷。引動肝風也。愈後餘邪未息。宜加減竹葉石羔湯。要之。喉痧屬表。初起總宜解散。痧若出齊。喉症自愈。是故當清則清。當下則下。所謂解其毒以泄其病也。用藥固不可姑息。亦切戒太過。又喉痧一症有三忌之稱。一曰鼻塞。二曰音啞。三曰泄瀉。三者有其一。皆是險症。最宜注意。

（B）白喉

白喉亦屬惡性傳染病之一。古書中並無是症。其傳染程度之可驚。與喉痧相類。偶或誤治。壞症立見。諺云。走馬咽喉病。誠非虛語。

夫白喉與喉痧二症。病原絕對不同。而所現症狀。每多混淆。苟不細心診斷。鮮有不誤人者。其難辨處即在二症之發。均有頭痛發熱惡寒。喉間有白膜而腫痛。但喉痧屬表。前篇已言之矣。白喉則屬陰虛。切忌表劑。（此語為多數中醫所公認。然亦有不然者。）

此乃最大之關鍵。其發現時多在冬春二季。亦以小孩爲最多。病原或由體質虛弱。水虧火旺。以致水火不濟。火燄上蒸。或由飲食不節。過啖高粱炙爝。熱毒潛伏於腸胃。胃失降和。上迫於肺。肺失清肅。上衝於喉。病之初起。多類傷寒。脈形浮緊或數。惡寒發熱。頭疼背脹。肢體骨節痠楚。精神癯軟。喉中或極痛或微痛。或有不痛而覺介介如梗狀者。當此毫厘之間。若不愼察。每多僨事。倘認爲表症而投表散。致火毒蔓佈。病危旦夕。當此之時。知藥誤投。欲思挽救。恐噬臍莫及。誠可慨矣。所謂人之生命不死於病而死於藥。良有以也。至二三日後。喉內卽生點狀之物。亦有如條如塊。而連成一片。佈滿喉間者。亦有病隨發而白物隨起者。不易剝脫。同時喉中發脹。嚥飲艱難。咳嗽聲嘶。呼吸迫促。言語蹇澀。舌絳苔薄。脈形細數。倘因循日久。肺陰告竭。腎水虧涸。邪毒內攻於心。神識昏迷。抽搐自汗。面唇青色。鼻孔流血。兩目直視。痰壅氣喘。咽乾流涎。白塊自脫而成肺管炎種種惡候叠見。甚則肺氣上脫而斃。故其治法須以扶正養陰爲本。排泄邪毒爲佐。應以甘寒清潤之品。減少血分之熱。初起喉間白點未見。其症尚輕。宜解毒清熱之法。用除瘟化毒湯。見有白點則用龍虎二仙湯。外吹珠黃散。待白點退盡。當用清涼鎮潤之品。滋陰清肺湯主之。外吹金不換或錫類散。如初起咽閉疼痛。飲水作嗆。眼紅聲啞。白點立見。口出臭氣者。用神仙活命湯。餘如桔梗湯甘草湯猪膚湯一味玄參湯等。亦可隨症選用也。再白喉一症亦有三禁。一禁刮破。二禁近火。三禁多臥。亦爲治療上之要素。不可不知也

咽喉一科種類甚多。當推喉痧與白喉二症。最重且險。而此二症中又以白喉爲最甚。蓋因小兒質弱。又爲純陽之體。易罹此症。凡遇來勢洶湧而變化迅速者。卽連進湯藥。亦難挽遏其勢。補救之法。莫若注射白喉血清。當其初起一二日或二三日。卽見喉間白物滿佈。(或稱義膜)其他所現症狀。皆非尋常。均屬惡候者。卽酌症情之深淺。而注射相當單位之白喉血清。於大腿內側或臂部。次日則白物轉黃。漸次剝脫。精神亦漸恢復。再以吹藥及湯藥助之。如此治法。較全藉吹藥及湯藥者。安全多矣

白喉忌表之說。爲中醫界大多數所公認。故有白喉忌表一書行世。頗極一時之盛。所持議論。謂白喉之病原因由於陰虛火灼。治療方法宜滋陰救液。以甘寒而導毒邪。非若其他咽喉病之宜辛溫發散者可比。而惲鐵樵及冉雪峯獨謂不然。均主以麻杏石甘湯。然麻黃與石膏並用。尙不失其辛散之性。白喉出於陰虛。例外確有表證可憑者。固未嘗必須忌表也。

(C)喉痺

喉痺之症。又名喉閉。經云。一陰一陽結。謂之喉痺。一陰者。手少陰心也。一陽者。手少陽三焦也。心爲君火。三焦爲相火。二火衝擊咽喉痺痛。大抵治法。初起不外清散。如加味甘桔湯之類。然此症症狀未盡相同。因人體質生活嗜好感邪之各異。故其名亦有風熱喉痺。風毒喉痺。酒毒喉痺。陰毒喉痺。傷寒喉痺。肺絕喉痺。種種之稱。今將其原因症狀治療等。從要分述於下。

1. 風熱喉痺　乃由肺胃有積。感受風邪。風與熱相搏而成。喉間紅腫而紫。其形若拳。壯熱惡寒。宜清咽利膈湯。吹冰硼散。若遇內外皆赤而腫者。外敷金箍散。

2. 風毒喉痺　乃因素有痰積而觸風邪。於是風痰相搏。壅塞喉間。內外皆腫。痛連腮頷。初起宜服荊防敗毒散。待寒熱退後。改用清咽利膈湯。內吹玉鑰匙。外敷金箍散

3. 酒毒喉痺　因性嗜酒。或猝飲過度。酒毒蘊蒸於心脾兩經。發如鷄卵。其色鮮紅。壅塞喉間。色澤光潤。發熱惡寒。頭痛項強。治宜刺去惡血。吹冰硼散。內服黏子解毒湯加葛花枳椇子等解酒毒之品。

4. 陰毒喉痺　由陰虛熱邪內結。初覺時癢。紅絲硬痛。其色淡紅。口渴咽乾。或唇紅頰赤。尺脈無神。甘露飲主之。吹珠黃散。

5. 傷寒喉痺　乃經傷寒後餘邪未淨。遺毒不散。熱入心脾兩經。發成喉痺。胸悶心悸。自利。咽喉微腫或痛。宜加味四七湯。吹玉鑰匙

6. 肺絕喉痺　此乃喉痺日久。清降之藥。頻服過劑。以致痰涎壅於咽喉。聲如拽鋸。此肺氣將絕之候。最爲險惡。不易挽救。故其治法亦與其他喉痺不同。未可與尋常者同視。急宜用獨參湯加橘紅縱飲之。或兼進加減八味湯。或兼用十全大補湯。早服者庶可拯救十中之一二也。

(D)喉風

喉風諸症。大抵皆由肺胃臟腑深受風邪。鬱熱。致氣血凝滯。不能流行。而風痰得以上攻。結成種種熱毒。治法多宜鍼刺。開導經絡。使氣血流通。風痰自解。熱邪外出。然後隨佐以湯藥及吹藥。自能得心應手。詳細別之。不下二十餘種。間雖有暴發不同而立名有異者。然治法能彼此融會者。均從略不贅。茲將其要者舉之。有緊喉風。纏喉風。繞舌喉風。鎖喉風。慢喉風。啞瘴喉風。弄舌喉風。酒喉

風。匣舌喉風。白色喉風。陰虛喉風。勞碌喉風等種。並述其概要於下。

1.緊喉風　此症由高粱厚味。啖食太過。肺胃積熱。復受風邪。風熱相搏。上壅咽喉所致。其脈浮數有力。實火實症也。狀似纏喉風。而祇在喉內。多見咽中腫痛。聲音難出。湯水不下。痰涎壅塞之聲。有似拽鋸。治法急刺少商穴。出紫血。以泄其熱。痰甚者用桐油探吐。吐已隨用甘草湯漱之。以解桐油之氣。吹白降雪丹或玉匙開關散。俟關開後服清咽利膈湯。按法調治而得效者順。若面青唇黑。鼻流冷涕者。難治。

2.纏喉風　此症由平日多怒。鬱火不散所致。發時喉腫而大。連項腫痛。喉內有紅絲纏繞。且麻且癢。手指甲青。手心壯熱。痰氣壅盛。手足厥冷。腫勢外達。則紅絲繞及頸項。頭面紅如火光。身發寒熱。先兩日必胸膈氣滯。痰塞氣促。頭目眩暈。最爲急症。勢暴而藥力不勝者。急用針刺頸項腫處。砭去惡血。以去其毒。以雞子清調乳香末潤之。如喉中腫脹紫黑。亦用針刺出血。以鹽湯洗之。餘與緊喉風治法相類。惟此症之險。較緊喉風尤甚。最宜速治。若延過一日夜。則目直牙噤。喉響如雷。燈火近口即滅。此氣已離根。有升無降。不治。喉中兩塊湊合。懸雍上縮。不見氣塞不通者。不治。喘急額汗者。不治。誠可畏也。

3.鎖喉風　此症由肺胃兩經陰陽相結。內塞不通。外無形迹。喉腫大如雞卵。氣塞不通。多痰而喘。較纏喉風爲尤劇。關寸脈弦緊洪大者生。沉遲者死。其治法宜六味湯。加麻黃蘇葉羌活生軍細辛桂枝。煎服或瀉或吐。均妙。餘與纏喉風相似。

4.慢喉風　此症因平素體虛。更兼暴怒。或過食五辛。或憂思太過。以致脾氣不能中護。虛火上炎。其發緩。其色淡。其腫微。其咽乾。其溺清。其便利。唇白如礬。舌苔滑白。脈形微細。此虛火虛證也。其治法。上午作痛者。屬陽虛。宜補中益氣湯。或四君子湯加清涼之劑。如麥冬元參桔梗牛蒡等味。午後作痛作渴者。屬陰虛。忌用苦寒。宜四物湯倍生地加桔梗元參。或少陰甘桔湯宜達之。若面赤咽乾而有虛熱者。脈必虛大。甘露飲清之。俱用冰硼散。或玉鑰匙吹之。

5.酒喉風　酒喉風可分爲二。曰酒毒喉風。曰酒寒喉風。其症狀與治療。亦大同小異。蓋酒毒喉風者。乃喉風之由於酒毒而成者也。其症喉內紅腫。痰多。嚥物不下。肺脈獨遲。兩關皆大。宜六味湯加解酒毒及清熱化痰之品。酒寒喉風者。乃酒後感寒所致者也。發於咽關兩邊。平而不腫。有淡紅塊四五粒。咽物覺痛。身無寒熱。六脈洪大。亦宜六味湯加味。餘參看纏喉風治法。

6.纏舌喉風　由脾腎火鬱所致。其症下頦俱腫。口噤。舌捲腫大。舌根亦腫硬。兩旁糜爛。上有青筋。如蚯蚓狀。生黃刺白苔。宜刺少商穴。用探吐法。並刺舌上青筋。令出血。又刺舌下腫塊。甘草湯漱淨。吹冰硼散。服三黃涼膈散。日久成膿者。千金內託散主之。

7.弄舌喉風　此症由心脾實火。與外寒鬱遏凝滯而成。其候咽喉腫痛。痰涎堵塞。音啞言澀。舌出不縮。時時攪動。覺舌脹悶。常欲以手弄之。急刺少商穴。有血者生。無血者死。再噙蟾酥丸。徐嚥藥汁。若痰涎上湧。不能嚥藥者。用探吐法湧吐之。並服清咽利膈湯。吹玉鑰匙。若喉內如松子如魚鱗。而不垢不塞者。此實陽虛上浮。切忌針刺。宜密灸附子煎汁飲之

8.匝舌喉風　此病由肺肝積毒所致。生于喉之上。下兩邊迫近小舌有泡。或紅或紫。面部皆腫。喉內不腫。舌捲粗大。最爲惡疾。宜六味湯加黃連黃芩生軍連翹煎湯。沖玉樞丹一錢服。或可挽救。如牙關黑腫。齒落頭搖者。不治。

9.啞瘴喉風　此症頗類緊喉。由肺胃蘊熱。積久生痰。外復感受風邪。與內痰熱相搏。湧塞咽膈之上。脈形浮數有力。初起咽喉腫塞。疼痛。湯水難下。言語不出。牙關緊急。乃屬險候。急用雄黃解毒丸。水化五六丸。吹入鼻孔。直達咽喉。藥入即嘔吐出頑痰。其牙關乃鬆。咽喉亦稍開通。先與米飲灌之。次飲清咽利膈湯。兼吹冰硼散。外敷貼喉異功散。用藥不應者險。若唇黑鼻流冷涕者危

10白色喉風　此症由寒包火邪伏於肺經所致。喉白而不腫。上有紅紫爛斑。脈象不數。身熱畏寒。宜六味湯加葛根麻黃蘇葉桂枝羌活柴胡花粉等。兼服八仙散。一二服後。如患處變紅色。前方加元參黃芩山梔木通服之。又有紫色喉風者。即喉風之色紫者是也。治法與白色喉風同。

11.陰虛喉風　此症由肺損所致。喉生斑癬。狀若蝦皮。發熱咳嗽。面赤聲嘶。不宜發表。須用滋補兼解毒藥。然有氣虛與血虛之分。宜吹卯藥並上丑酉二藥。如日久不減者。不治

12.勞碌喉風　此症內由肝腎兩虛。外傷勞役所致。發於關內。根白不腫。滿口紅點。常有血腥氣。脈芤。宜六味湯加元參知母生地丹皮木通。一服後。再加連翹黃芩花粉山梔。兩服後。改用玄參女貞麥冬黃芩生草丹皮枸杞龜板首烏之類。外吹消散藥。

(E)喉疳

喉疳症初起。即覺咽嗌乾燥。如毛草常刺喉中。又如硬物哽於咽下。嘔吐酸水。噦出甜涎。其色淡紅。微腫微痛。紫暗不鮮。頗似凍榴

子色。乃由腎液久虧。相火炎上。消爍肺金所致。及燻燎既久。則腫痛日增。喉中破爛。腐衣疊若蝦皮。聲音嘶啞。喘急多痰臭腐蝕延。其痛倍增。妨礙飲食。胃氣由此漸衰。而虛火益盛矣。其治法凡吐酸嘰涎者。宜甘露飲加川連。便燥者兼服萬氏潤燥膏。五心煩躁者。宜知柏地黃湯。面唇俱白不寐懶食者。宜歸脾湯加黃連。腫吹玉鑰匙。腐吹金不換。喉間上腭有青白紅點。平坦無刺。不啞不咳兩尺脈虛。由腎虛火騰而發者。宜六味湯加減。有楊梅結毒於肺胃而發者。重用土茯苓。外吹吹喉結毒靈藥。可望痊愈也。

(F)喉蛾

喉蛾一名乳蛾。此症由肺經積熱。並受風邪凝結而發。生於咽喉之旁。狀如蠶蛾。亦有形若棗栗者。紅腫疼痛。嚥飲不利。或惡寒發熱或不惡寒發熱。有單有雙。生於會厭之一邊者。謂之單乳蛾。生於會厭之兩傍者。謂之雙乳蛾。雙者輕而單者重。生於關前者。形色易見。吹藥易到。手術易施。故易治。生於關後者。形色難見。吹藥不到。手術難施。故難治。見可鍼者即鍼之。不可鍼者急用刼藥吹藥。吐去痰涎。在喉內者可用探吐法。吐去膿血。初起宜吹冰硼散。外敷貼喉異功散。內服清咽利膈湯。六味湯。腸熱者針之。腐吹金不換。乳蛾一症。除單乳蛾及雙乳蛾外。又有石蛾。連珠蛾。爛乳蛾。風寒乳蛾。白色乳蛾。陰虛乳蛾種種之分。茲各略述於下。

1. 石蛾　此症生於乳蛾地位稍進半寸。由肝火老痰結成惡血所致。遇有勞役即發。初時忌用涼藥。亦忌針刀。用六味湯生地貝母牛蒡麥冬木通丹皮甘草桔梗薄荷燈心等。隨症酌加。外吹退腫藥。
2. 連珠蛾　乳蛾之上下相聯者。宜用子藥。丑藥。巳藥和勻吹之。兼上寅藥。煎藥宜清熱解毒之品。
3. 爛乳蛾　此症喉中紅腫爛斑。大痛難食。六脈弦緊。由肺胃鬱熱所致。初起用六味湯。八仙散。如葛根黃芩蘇叶元參柏枝汁山梔木通生地丹皮浮石花粉等。均可酌用。若聲啞背寒者。宜六味湯加葛根蘇叶羌活細辛。
4. 風寒乳蛾　此症喉間腫大如李。頭項不能俯。氣腫不通。由肺胃感受風寒所致。用六味湯加蘇叶羌活等味。
5. 白色乳蛾　此症腫塞滿口。身發寒熱。六脈浮弦。因肺受風寒所致。宜六味湯加細辛蘇叶羌活。一服可愈。
6. 陰虛乳蛾　乳蛾之由於陰虛者。此症早晨痛輕。下午痛重。至夜尤甚。治用引火湯。喉塞者。用製附片噙口中。立時可通。再用桂附八味丸熱湯送下。並刺少商穴出血少許。乳蛾諸症。治法略同。惟此獨異耳

（G）喉癬

喉癬一症。可分爲二。一由腎虛火旺。發癬於喉。不腫微紅。上有斑點。青白不一。如芥子大。或如針孔菉豆大。每點生芒刺。入水大痛。喉間聲啞咳嗽無痰。六脈細數。治宜知柏地黃湯兼四物湯或桂附八味丸。如玄參女貞人參洋參麥冬枸杞首烏阿膠等隨症採用。如六脈洪數者兼用吹藥。一由過食炙煿藥酒五辛等物。以致熱積於胃。胃火蒸肺而成。其症初覺時癢。旋生苔癬。色暗不紅。燥裂疼痛。時吐臭涎。妨礙飲食。宜服廣筆鼠黏湯或穿山甲散。末潰吹玉鑰匙。已潰吹珠黃散。務須清心寡慾。戒厚味發物。若失治或調理不慎。致生黴爛。延漫開大。叠起腐衣。旁生小孔。若蟻蛀之狀。多至不救。

（H）喉瘤

此症生於關內兩旁。或單或雙。形如龍眼。上裹紅絲。如瘤亦有不時舉發者。由於肝肺二經鬱熱。更兼性躁多言。鬱怒傷肝。或迎風高叫。或元氣素虛。或誦讀太急所致。戒用鍼刀。宜服加味逍遙散。益氣清肺湯。地黃湯之屬。外用消瘤碧玉散。並用夏枯草鬱金煎水代茶飲。日久自消

（I）喉癰

此症由過食辛辣炙煿火酒等物。腸胃積熱所致。脈形浮數有力。實熱實症也。喉中發腫。狀赤有頭。重者寒熱頭痛。初起宜點破其頭出血。內服清咽利膈湯。或犀角地黃湯。並吹玉鑰匙。此外又有單喉癰。積熱喉癰。伏寒喉癰。腫爛喉癰。聲啞喉癰。躍舌喉癰。兜腮喉癰。頷下喉癰。大紅喉癰。淡白喉癰。數種。茲摘要分述於下。

1.單喉癰　卽喉癰之生于一邊者。此症背寒身熱。脾胃脈洪大。寸脈沉濇。有紅點者屬風熱。無紅點者屬風寒。宜六味湯加蘇叶羌活。次日加赤芍歸尾山豆根山梔等。

2.積熱喉癰　此症由胃經受熱。以致喉腫如李。微黃頭有紅絲。痛連項齒。治宜先去其痰。吹藥加元明粉。煎藥加當歸黃芪。

3.伏寒喉癰　此症喉間紅腫。或帶紫色。脈派不數。因積寒在內。復感時邪而發。治宜六味湯加疎邪之品。

4.腫爛癰喉　此症喉中紅腫潰爛。由脾家積熱所致。先用八仙散。再用六味湯。加清熱通便之品。使大便通瀉。然後隨症加減。外

用次藥。

5. 聲啞喉癰　此症喉有爛斑。聲啞。飲食難進。背寒身熱。治宜六味湯。八仙散。玉樞丹。

6. 醾舌喉癰　此症由濃胖性躁。感受外熱。以致舌下又生小舌。連喉腫痛。外吹玉鑰匙。內服犀角地黃湯。如大便結者。加大黃元明粉。小便不利者加六一散。

7. 兜腮喉癰　此症因積寒而發。生於腮下。宜用六味湯加山甲歸尾角針川芎白芷升麻乳香紅花。以消為度。有膿者。針之。成漏者可用參苓內託。

8. 頷下喉癰　此症生於頷下天突穴之上。內外皆腫。飲食難進。初起無痰涎。而亦無形跡。此由風毒為患。治用六味湯。加活血疏風解毒之品。以消為度。已出膿者必成漏管。宜十全大補湯。

9. 大紅喉癰　此症由脾肺積熱所致。喉間鮮紅腫脹。身必寒熱。脈來洪大。急針患處出血。用六味湯加清熱解毒之品。

10. 淡白喉癰　喉癰之色淡白者。此症由脾肺受寒所致。身發寒熱。六脈俱緊。用六味湯加疏風活血之品。不宜涼劑。若誤投之。必作膿。當以針刺。

(J)喉疔

喉疔多生於蒂丁之旁。形如棗核。此症由於心肺二經大毒而發。色紫堅硬。初起但覺麻癢。旋即大痛。先用鍼輕輕點破疔頭。吹冰硼散。隨服三黃涼膈散。用野菊花根葉搗汁沖服。外貼貼喉異功散。脈洪大便結者。下之。再用吳茱萸末醋調敷兩足心。或服除瘟化毒散加味荊防敗毒散俱可。

(K)喉菌

此症喉內生物如菌。因胎毒蘊蓄。或心胃伏火。或憂鬱氣滯。血熱所致。色紫。婦人多患之。忌用針刀。宜服黃連解毒湯。玉樞丹之屬。餘參喉瘤下。

(L)喉球

喉球生於咽喉之上舌根之旁有肉線長五寸餘。吐球出。方可飲食。以手輕捻。痛徹至心。多是心脾二經鬱熱所致。宜清咽利膈湯。每服加麝香二分外以麝香冰片吹之肉線自化若妄用針刀傷斷肉線。即不可救。最宜注意。

(M)梅核氣

梅核氣脈如常乃由七情之氣鬱結而成。或因飲食之時。觸犯惱怒。遂成此症。喉中如有梅核。吐不出。嚥不下。或中脘痞滿。氣不舒暢。或痰飲中滯嘔逆惡心。宜加味四七湯主之。

(N)喉忤

喉極腫而極痛者。宜甘桔射干湯外點燒鹽散。

(O)喉刺

此症因虛勞陰火上升。喉間上腭。遍生紅點。密如蚊咬。死不治。

(五)方劑

古人治病。藥有君臣。方有奇偶。劑有大小。此方劑所由來也。仲景爲方書之祖。自後羣賢輩出。方劑亦漸繁多。蓋所傳諸方劑。皆出自經驗之中。可爲後世楷則。誠如爲方圓者之必有規矩。製器械者之必有準繩也。然而不讀書不足以明理。徒讀書而不知變化。亦不足以成用。古人所傳方劑固善矣美矣。然以之治病。未必遇此症。即可全用此方。其中去留。是在醫者之巧矣。孟子曰。大匠誨人以規矩。不可使人巧。誠哉語之不虛也。本篇所例諸方。皆爲各論中所引用者。茲再加以說明其組織。殆亦即爲方圓者之規矩製器械者之準繩耶。

1. 解肌透痧湯　荊芥穗　淨蟬衣　嫩射干　生甘草　粉葛根　炒牛蒡　輕馬勃　梗桔　前胡　連翹　炙彊蠶　淡豆豉　鮮竹葉　浮萍

2. 加減葛根升麻湯　葛根　升麻　生甘艸　連翹　炙彊蠶　桔梗　銀花　鮮荷葉　薄荷　赤芍　蟬衣　薞蔽

3. 麻杏石甘湯　麻黃　杏仁　生石膏　生甘草

4. 加減黑膏湯　淡豆豉　薄荷　連翹　赤芍　炙彊蠶　鮮生地　生石膏　蟬衣　鮮石斛　生甘艸　象貝母　紫萍草
竹葉　茆蘆根

5. 涼營清氣湯　犀角尖　鮮石斛　黑山梔　牡丹皮　鮮生地　薄荷葉　黃連　赤芍　生石膏　玄參　生甘草　連翹
竹葉　金汁　茆蘆根

6. 錫類散　象牙屑　壁錢　犀黃　大梅片　人指甲　青黛　珠粉

7. 滋陰清肺湯　玄參　麥冬　牡丹皮　白芍　川貝母　薄荷　生地　生甘草

8 加減滋陰清肺湯　生地　元參　鮮石斛　小木通　薄荷葉　金銀花　川雅連　冬桑葉　連翹　甘中黃　大貝母
鮮竹葉　活水蘆根

9. 加減竹葉石膏湯　鮮竹葉　桑白皮　桑葉　金銀花　鮮葦莖　生石膏　杏仁　連翹　生甘草　象貝母　冬瓜子
白蘿蔔汁

10 除瘟化毒湯　葛根　木通　銀花　薄荷　象貝母　桑葉　竹葉　生甘草　生地　枇杷葉

11 龍虎二仙湯　生地　生石膏　犀角　黃芩　炙殭蠶　鼠黏子　馬勃　板藍根　知母　木通　川連　龍膽草　甘草
大青葉　玄參　梔子　粳米

12 珠黃散　滴乳石　犀黃　濂珠　燈心灰　麝香　青果核灰　月石　青黛　辰砂　梅片

13 金不換　元明粉　硼砂　炙殭蠶　硃砂　冰片　西瓜霜　人中白　青黛　犀黃　珍珠

14 神仙活命湯　龍胆草　元參　黃柏　生地　板藍根　瓜蔞皮　馬兜鈴　生石膏　菊花　生甘草

15 桔梗湯　桔梗　生甘草

16 甘草湯　生甘草

17 豬膚湯　豬膚

18 一味玄參湯　玄參

19 加味甘桔湯　生甘草　苦桔梗　荊芥穗　炒牛蒡　川貝母　薄荷

20 清咽利膈湯　荊芥　防風　連翹　牛蒡子　桔梗　薄荷　生甘草　銀花　玄參　黃連　山梔　黃芩　大黃　芒硝　淡竹葉

21 冰硼散　月石　元明粉　硃砂　冰片

22 金箍散　五倍子　川草烏　天南星　黃柏　生半夏　白芷　甘草　狼毒　陳小粉

23 荊防敗毒湯　荊芥　防風　羌活　獨活　前胡　柴胡　枳殼　桔梗　赤苓　川芎　生甘草　人參

24 加味荊防敗毒散　即前方加　連翹殼　金銀花　牛蒡子

25 玉鑰匙　元明粉　硼砂　炙殭蠶　硃砂　大梅片

26 黏子解毒湯　鼠黏子　花粉　生甘草　鮮生地　連翹　升麻　梔子　白朮　防風　苦桔梗　黃芩　川連　青皮　玄參

27 甘露飲　天冬　麥冬　生地　熟地　黃芩　枇杷葉　鮮石斛　枳殼　茵蔯　甘草

28 加味四七湯　白茯苓　蘇梗　檳榔　神麴　半夏　青皮　南星　白豆蔻　枳實　厚朴　杏仁　砂仁　益智仁　生姜

29 獨參湯　人參

30 加減八味湯　熟地　乾山藥　山茱萸肉　白茯苓　牡丹皮　澤瀉　肉桂　五味子

31 十全大補湯　人參　白朮　茯苓　甘草　熟地　白芍　當歸　川芎　黃芪　肉桂

32 白降雪丹　石膏　硼砂　焰硝　胆凡　玄明粉　冰片

33 玉匙開關散　牙皂　明凡　火硝　腰黃　硼砂　殭蠶　山豆根　冰片

34 六味湯 桔梗 生甘草 防風 殭蠶 荊芥穗 薄荷

35 補中益氣湯 黃芪 人參 甘草 當歸身 橘皮 升麻 柴胡 白朮

36 四君子湯 人參 白朮 茯苓 甘草

37 四物湯 熟地 白芍 當歸 川芎

38 少陰甘桔湯 桔梗 甘草 川芎 黃芩 陳皮 玄參 柴胡 升麻 羌活 葱白

39 三黃涼膈散 黃連 黃芩 黃柏 梔子 川芎 赤芍 甘草 薄荷 青皮 陳皮 金銀花 天花粉 當歸 射干
元參 燈心 淡竹葉

40 千金內托散 人參 當歸 桔梗 連翹 甘草 川芎 青皮 陳皮 赤芍 瓜蔞 天花粉 金銀花 厚朴 防風

41 蟾酥丸 酥片 蠍尾 甲片 蜈蚣 籐黃 雄黃 乳香 沒藥 川烏 草烏 銀珠 麝香

42 玉樞丹 山茨菇 五倍子 麝香 大戟 草河車 雄黃 千金子

43 雄黃解毒丹 雄黃 鬱金 巴豆

44 貼喉異功散 斑蝥 眞血竭 乳香 沒藥 全蠍 元參 麝香 冰片

45 八仙散 人中白 大黃 石膏 元參 黃芩 元明粉 殭蠶 瓜硝 輕粉

46 子藥 明硃砂 硼砂 冰片 元明粉

47 丑藥 雄精 冰片 凡胆

48 寅藥 青黛 人中白 山梔 冰片 厚朴

49 卯藥 冰片 雄精 甘草 雞內金 枯凡 靛花 元明粉 川連 黃柏 硼砂 銅青 人中白 鈔紙 鹿角霜

50 己藥 冰片 雄精 焰硝

51 酉藥 雞內金 冰片

52 萬氏潤燥膏　豬脂　白蜜
53 知柏地黃湯　生地　茯苓　澤瀉　山藥　萸肉　知母　丹皮　黃柏
54 歸脾湯　白朮　人參　黃芪　當歸　炙草　茯苓　遠志　棗仁　木香　龍眼肉　生姜　大棗
55 吹喉結毒靈藥　靈藥　人中白
56 引火湯　熟地　元參　茯苓　白芥子　山茱萸　山藥　五味子　肉桂
57 桂附八味丸　肉桂　附子　熟地　山藥　山萸　茯苓　丹皮　澤瀉
58 廣筆鼠黏湯　生地　浙貝　玄參　生草　鼠黏子　花粉　射干　連翹　殭蠶
59 穿山甲散　穿山甲　鱉甲　赤芍　大黃　乾漆　桂心　川芎　芫花　當歸　麝香
60 加味逍遙散　柴胡　當歸　白芍　白朮　茯苓　丹皮　梔子　薄荷　甘草　煨姜
61 益氣清肺湯　潞黨參　川貝母　桔梗　牛蒡子　麥冬　黃芩　茯苓　陳皮　山梔　生甘草　薄荷　淡竹葉　紫蘇
62 地黃湯　生地　赤芍　當歸　川芎
63 消瘤碧玉散　硼砂　胆凡　冰片
64 犀角地黃湯　犀角　生地　丹皮　赤芍
65 六一散　滑石　生甘草
66 除瘟化毒散　葛根　生地　黃芩　白殭蠶　山豆根　浙貝母　蟬退　甘草
67 黃連解毒湯　黃連　黃柏　黃芩　梔子　連翹　柴胡　赤芍
68 甘桔射干湯　甘草　桔梗　射干　山豆根　連翹　防風　荊芥　元參　牛蒡子　竹葉
69 燒鹽散　食鹽　白凡

（六）結論

試觀上章各論中所述，可知咽喉之病，種類甚繁，且屬危險，苟毫厘差失，生死繫焉。夫咽喉部位，所佔幾何，而病狀之多，變化之速，似有出乎意想之外。總括言之，以病性而論，喉痧與白喉，乃具有傳染性，餘則無傳染之可能。且屬於寒者少，而屬於熱者多。以治療而論，除白喉一症，多數認爲忌表外，餘則視病態之轉移而施治之。可表者表之，可清者清之，可下者下之，可溫者溫之，可涼者涼之，可鹹者鹹之。既不可專於寒涼，亦不可過於表散。總須推原究本，參酌舌脈，自不逾規矩。大抵一般咽喉病開手之方，總主開發升散，而忌抑遏清下。是不可不注意也。以病因而論，不外乎天時不正，稟質懦弱，飲食不節，嗜欲無度，勞逸失調，憂怒太過而已。蓋此數種，不特爲咽喉病之成因，亦其他各病之媒介也，如能小心謹慎，防於未然，使生活調和，身體不受損害。精神不受刺激。不僅咽喉疾病。可以免除，即其他疾病，亦可無形減少。若在預防上衛生上，隨時講求。更可却退病魔，而登健康之域。如患喉痧與白喉者。因其能傳染。流行迅速。凡一察覺。即須求醫速治，更須隔離病人。以防傳染。病人居室及衣服器具等項。宜守清潔。即患其他咽喉病者。亦不可疏忽，所用物件，亦當分別。未可混亂，須聽醫生之言，嚴遵禁忌，俾早日痊愈，而減少痛苦也。

夫醫學一道。首重淵博。次貴經驗。不淵博。則理不明。無經驗則變化不知。二者缺一不可，實有相倚之關係存其間焉。本院課程之編制，有課堂指導。臨症實習。臨牀實習。課餘研究之分。更得良師之善誘。益友之切磋。不爲不美矣。無如時間短促，以數年有限之光陰。研究至大無窮之醫學。惜未能一一探摩細討。且余稟質愚鈍。更難洞悉其眞奧。况咽喉一科。非余所長，而余所以強作斯篇者。其意旨在導言中已有表示。故敢昧冒不畏鄙陋。特就平日於醫籍中展閱所得。及實習時之經驗合列篇次。彙要述之。自知貽痕滿幅。精緻全無。倘希同道之明見。有以賜教。匡吾不逮。是幸。

肺癆一席話

金鍵

引言

世之先進各國。對於肺癆病之治療及預防。經之營之。莫不苦心焦慮。引為維護國民健康之一難問題。故歐美及日本之肺病患者。年年得以減少。回顧我國。雖無正確之統計。可以察知。但據各種報告。亦得以推測其日增。憶得去年四月間。滬市衛生局舉辦兒童之體格檢查報告。其中十分之七。皆為肺癆患者。就此事實。則我國各地肺癆之蔓延。可想見矣。我國肺癆之日增。其故安在。實以為政者衛生行政設施之簡陋。而民間對肺癆之常識。又在極幼稚時代。致病勢蔓延日廣。死亡日增。蓋世間流行各病中。醫療之難。彌蔓之廣。莫如斯也。而其犧牲者。尤以青年或壯年為多。故甚有妨礙於國力之進展。至無力療養之無產階級。更往往因此而遽抱危險思想。則尤有關於社會治安者也。肺癆之侵害吾人。隨時隨地。無有間斷。誠為害人最深。斃人最多之傳染病。亦吾人所最為恐懼者也。自古以來。斷定肺癆為必死之病。罹之以後。頗難療治。醫師遇之。束手無策。患者遇之。心驚膽怯。一聞醫師之肺癆診斷。即如讀死刑之宣告書。心神沮喪。日事憂鬱。一切正當之衛生。氣候食物藥品等療法。均置之不問。偶有上工之士。思慮及之。亦未能發明施何種之衛生法。行何種之療養法。家族對於患者。又不知為何種調理。設何種之保護。以致可治癒之疾病。不克治愈。能免傳染之人。不免傳染病毒之害。日趨於盛。其彌蔓之廣。小之一家一鄉。大之一省一國。豈非人生之一大慘事哉。

及至晚近。醫學進步。多數學者。精密研究。同時根據許多實地經驗。知肺癆實非必死之病。且有治愈之道。苟能得正當之衛生。氣候食物藥品等之治療。初中二期中之治愈者。十之八九。即歷時稍久。亦有就痊之望。惟罹之過久。而達末期之患者。無療救之法。然罹病甚久。以致不能療治者。不獨肺癆病為然。吾願世間之人。罹病之初。無忽於正當之衛生。藥品食物氣候等之療法也。況醫學無國境。人類大敵之肺癆。各國最宜相互提攜。以期斯疾之撲滅。以謀共存。故是文之作。選取中西之說。以成斯篇也。

中國肺癆之歷史

考吾國之有肺癆。由來久矣。當距今四千六百餘年之前。古代醫家。已有論及之者。在黃帝素問。謂之五虛五勞。靈樞經謂之四脫。

（精脫。津脫。液脫。血脫。）漢張仲景金匱謂之虛勞。巢氏病源謂之肺勞。骨蒸。扁鵲難經稱之爲虛損。華陀中藏經傳論虛病虛勞。傳尸勞。傷僉爲癆瘵之分類。且揭發傳染之危險。及原因病狀精密周詳。蘇遊論謂之傳屍。千金方謂之風勞。古今醫鑑謂之損勞。聖惠方謂之急勞。徐春甫之古今醫統謂之熱勞。並論及虫候有云「肺虫狀如蠶。令人咳嗽」和劑局方謂之血風勞。儒門事親謂之勞嗽。丹溪心法三因方謂之勞瘵。證治要訣謂之瘵疾。證治準繩謂之傳屍勞。唐之孫思邈論虛癆有五癆六極七傷等稱。醫學正傳云「此病最爲可惡。其熱毒鬱積之久。則生異物惡虫。食人臟腑精華。變生諸般奇狀。誠可驚駭」證諸上說命名雖各不同。考其症狀。皆肺結核病也。

外臺秘要引蘇遊論曰「大都男女傳屍之候。心胸滿悶。背髆煩疼。兩目精明。四肢無力。雖知欲臥。睡常不着。脊膂急痛。膝脛酸疼。多臥少起。狀如佯病。每至旦起。精神尙好。欲似無病。從日午以後。四體微熱。面好顏色。（微紅）喜見人過。常懷忿怒。纔不稱意。卽欲嗔恚。行立腳弱。夜臥盜汗。夢與鬼交通。或見先亡。或多驚悸。有時病急。有時咳嗽。雖思想飲食。而不能多凔。死在須臾。而精神尙好。或兩脅虛脹。或時微利。鼻乾口乾。常多粘唾。有時唇赤。有時欲睡。漸就沉羸。猶如水涸。不覺其死矣」又曰「傳屍之疾。本起於無端。莫問老少男女。皆有斯疾。大都此疾。相尅而生。內傳毒氣。周遍五藏。漸就羸瘦。以至於死。死訖。復易家親一人。故曰傳屍。亦名傳注。以其初得半臥半起。號爲殗殜。氣急咳者。名曰肺痿。骨髓中熱。稱爲骨蒸。肉傳五藏。名之伏連。不解療者。乃至滅門」以上之症狀。與今日之所謂肺結核者。無不相同。

吾國金元以後。每以肺癆病爲陰虛火動。腎水虧乏。爲其病原。明醫雜著曰「勞瘵。男子二十前後。色慾過度。損傷精血。必生陰虛火動之病。睡中盜汗。午後發熱。咳倦無力。飲食少進。甚則痰涎帶血。咯唾出血。或咳血吐血衄血。身熱脈沈數。飢肉消瘦。此名勞瘵。」

醫學正傳曰「嗜慾無節。起居不時。七情六慾之火。時動乎中。飲食勞倦之過。屢傷乎體。漸而至於眞水枯竭。陰火上炎。而發蒸蒸之燥熱。或寒熱進退。似瘧非瘧。古方名曰蒸病。

又曰「其侍奉親密之人。或同氣連枝之屬。薰陶日久。受其惡氣。多遭傳染。名曰傳屍。又曰喪屍。又曰飛屍。曰遁屍。曰殗殜。曰屍注。

曰鬼注蓋表其傳注酷虐而神妙莫能以測之名也。雖然未有不由氣質虛弱勞傷心腎而得之者。初起於一人不謹而後傳注數千百人甚而至於滅族滅門者誠有之矣然此病最爲可惡其熱毒鬱積之久則生異物惡蟲食人臟腑精華變生諸般奇狀誠可驚駭。」又葛可久十藥神書說傳屍勞各期之蟲狀亦主張惡虫食臟腑精華之說則中國醫家於肺癆之傳染臟腑之癆虫固早已瞭然知之設當時有顯微鏡聽肺筒及解剖術以輔其研究則窺測病原發明療法或不落西人之後也

西洋肺癆之歷史

粵稽西洋史籍。在耶蘇紀元前諸書已記載肺結核之病症稱其原因在感冒分泌液之制止及出血等至亞里士多德 Aristeles 時代始知其有傳染性也。自紀元第一世紀至於中古學者對於結核病之智識毫無進步。迨至一九七二年。施爾維斯氏 Sylvius 注意於解剖之變化。發見肺結核患者之肺臟內有形成粟粒大之小結節。結核之名詞始由此而來至十八世紀有蘭奈克氏 Laennec 極力研究結核病學。乃大爲發達始以瘰癧爲淋巴腺之結核性病其識見超出於時醫萬萬也。自維爾邱氏 Vir-chow 出。更闡明蘭氏之說而結核病理乃大有進步矣

依實驗證明結核病之爲傳染性者於一八二四年格連基氏 Klencke 首先實驗以結核性排泄物注射於家兔之耳靜脈。見家兔亦發生結核而得證明移植傳染之事實。維爾邱氏 Virchow 更反覆實驗之遂確定結核病爲傳染性疾病氏精細研究其傳染方法。取患肺結核病者之咯痰爲噴霧而使動物吸入。見該動物發肺結核而死以是爲肺癆因吸入傳染病原而發生之確證。其後孔喜姆氏 Cohnheimu 及衰洛蒙存氏 Salomonsen 以結核組織接種於兔之眼前房見發生特異產生物。即爲結核。

此傳染說尚未爲一般學者所承認。學者多注重於遺傳素因。或以結核爲遺傳傳染病。瘰癧之爲結核。尚無確證。當時贊成結核傳染說者。亦尚躊躇而不敢謂諸種結核性病灶（例如於膿瘍腹膜炎及胸膜炎等所見之結核）同出於一原也。羣言淆亂。莫衷一是。無異在黑闇中也。至一八八二年三月二十四日有德國醫學博士考克 Robent Koch 氏。發見結核菌。此爲醫學界中之大發明。考克氏於顯微鏡標本及動物試驗。證明結核病之爲傳染性病而下一斷案曰。結核菌爲癆病之原因。前

此數千年之學說。可以一掃而空之。自是結核病之細菌學的研究。日益進步。上下千古之一大疑問忽然解決。洵萬世不朽之大功績矣。

肺癆病之原因

肺癆之原因有二。一爲人體健康狀況不克保持正常。所以凡可以破壞身體健康之各種事情均得謂肺癆之豫因。其二乃吸入或嚥入結核桿菌。此爲發生肺癆之直接原動力。不過有時傳染少數結核桿菌或結核桿菌之毒力微弱。則往往不卽發現病症。

甲肺癆之豫因——何種光景。是足以使人類容易感受肺癆者。不僅是醫學上問題而已。凡智識經濟環境習慣皆與之有深切之關係。在此種原力。足使身體健康。失却保障。同時成爲結核桿菌之醞釀沃土。利於繁殖。略舉之如下列種種

一遺傳作用——肺癆不同於梅毒。不能直接在胎裏遺傳。有肺癆病的父母。果然他們子女很多患肺勞病。但此爲遺傳的素因。就是子女容易感染肺癆病和感染肺癆病的機會來得多。而並非先天性的早已埋好了肺癆病種子。所以有肺癆父母的子女。要能自出世以後。依據預防傳染病原則。和父母隔離。在良好環境下生長。可以保全健態。從此點觀察。父母自己不幸而罹肺癆。或其他結核病。當速使子女脫離險地。不然則可愛的小兒女。將很容易犧牲他一生之幸福。

二不衞生之家庭狀況——房屋矮小。人烟稠密。臥室卑濕。空氣汚濁。陽光不到。塵埃厚積。臭氣常留。如此家庭。如此環境之中。就很容易生肺癆病。

三營養缺乏——肺癆病也可說是一小部份的營養缺乏之病。所以貧困人家的小孩。最容易得肺癆和別種結核病。他們食養。不特原料窳鄙。而且烹調不得其法。像脂肪蛋白類最爲缺少。因之對於結核菌抵抗力非常薄弱。就生理化學上觀之。凡缺乏AB兩種維他命營養的人。抵抗結核菌的力量最弱。

四破壞健康之職業——有幾種職業。於吾人健康有損害者。例如空氣汚濁之場所。陽光不到之辦事室。終日困坐之職務。像這類職業。都有破壞身體健康的可能。尤其容易使其染罹肺癆。又如未成年的童工。在設備窳陋的工廠裏。做八小時以上的下層工作。這也是一種破壞健康的職業。

五。年齡之關係—關於結核性病以年齡爲特別之素因。肺結核症。大抵以十八歲至三十歲之間最多。但小兒及四十歲以上之人。然亦往往患之。

六。肺臟有他疾患者—肺弱則易染結核。如胸廓外傷之不能證明者易傳染。又患急性傳染病後。因體力衰弱。極易感染肺癆。傳染病中。尤以屬於呼吸器系的像流行性感冒氣管支肺炎氣管支炎痲疹及百日咳等。很多繼以肺癆病。

七。身體長期之傷害—不論精神上肉體上。凡長時期繼續受傷害。足使抵抗病菌之力減少。無疑的是容易感染肺癆。例如焦心苦慮。精神亢奮。工作過度。勞動無節。及肉體上遭受外傷等。肉體上外傷。往往爲關節結核及骨結核之起點。其餘則恆爲肺癆預因之一。

八。空氣—新鮮空氣不足。易致肺癆。故從事於密閉之工場。就業室及呼吸塵埃之人。常罹肺癆。而山間海邊之住民。則此病甚稀。又都市之居民患此病者多。鄉間之居民患此病者少。而都市中此病之最多者。尤以人家稠密。煙塵迷濛之工場市廛爲甚。

九。體格—凡人之短矮而方形者。徵諸經驗。概無肺癆病。其身長纖弱。蒼白色。胸部長狹。廣張甚少之人。及具癆瘵質之人。常患肺癆。

十。無節制的嗜好—如飲酒。狂啖。磨夜。都足使減低人體抵抗力。不特容易感染肺癆。而其他疾病亦然如是。

乙。肺癆之造因—前述種種。不過是肺癆的預因。至於眞眞造成肺癆之原動力。乃是結核菌。換言之。身體裏必有結核菌存在。然後有發生結核病可能。常人以爲憂鬱傷神。可以漸成癆病。要知憂鬱傷神。僅不過預因之一種。如其從未有結核菌染入體內。根本就談不到發生肺癆。結核菌是一種細菌。是一種極小生活體。狀似桿棒。不能自動。其體甚微。或直或灣。如集其千枚於一處。人目始能辨視。以一郵票之小小面積。須以結核菌一千六百萬枚之多。始能平鋪其上。至其繁殖之法。係本諸自身之分裂作用。由一化二。二化爲四。四再裂爲八。仿此加倍不止。故繁殖率極爲可驚。倘能任其繁殖於一適宜之境地。則一晝夜中一菌變爲數百萬之巨。但世界各處。此等含宜之境地。未必恆有該菌。不至極多者。職此故也。

結核菌之生殖。須賴五端。(一)適當之溫度。須有攝氏二十九度至四十二度。如得人身之體溫。即三拾七度。孳生尤速。(二)潮濕。(三)適當之養氣(四)幽暗無光。(五)食料之含淡與燐者。有此五端。其生必蕃。故在人體之內。該菌最適於蕃殖。菌在空間。常潛伏於塵埃內。痰涕亂吐。便溺亂遺。亦爲發生肺病之原因。乳母之染肺癆者。易由乳汁傳染於嬰孩。據德國海爾雷博士發表。謂患癆病者之一塊痰中。含有三萬萬個以上之結核菌。苟患者每小時略痰一次。則一晝夜中。當有七十二萬之結核菌自該患者之肺內排出而散播於空氣中。世人朝夕蒙其侵襲。然此患者。並不因排出而減其量。因結核菌固如上述之分裂繁殖。無休無歇。勢力漸大。今假定增殖之速力爲每小時營分裂作用一次。則二十四小時內。一個結核菌頓化爲一千六百萬個以上。在數字上。占八位之多。可不懼哉。

結核菌之繁殖力可驚。已是上述。而其抵抗力之强大。尤爲可駭。如將肺癆病患者。所咯之痰液。暴露於空氣中。則結核菌可生存達半年以上。設置於暗室內。則一年以上。尙得保全其生存。但結核菌在人體或動物體之外。不能十分繁殖。且對於日光頗乏抵抗力。如爲强烈之光線所直射。極易死滅。若於日光中晒之。則於數分鐘至二三小時內。卽完全死滅。蓋該菌因溫度時間之關係。影響甚大。於五十五度之熱度中。大抵經六小時卽死滅。於六十度之熱度中。一小時卽死滅。九十度二分鐘卽死滅。除溫度而外。對於許多化學藥品。其抵抗力之頑强。竟出人意表。入於千分之二昇汞水中。經二十四小時。尙不死滅。設加入百分之五之石炭酸水。攪拌一次。或於病痰中加純酒精痰之十倍量。則至二十四小時始歸死滅云。

肺癆病之病理

肺癆之爲病。乃肺因結核菌而生結節之謂。與普通皮膚所生之瘡腫。同一狀態。故今就普通之瘡腫。言其病理。今假定腕上生一小瘡。大都其周圍卽發赤發腫。其發赤發腫之故。蓋因有黴菌在該處蕃殖。故人體之白血球。卽將小瘡之周圍包圍一二十重。欲得之而甘心故耳。如用顯微鏡檢視其腫脹之一部分。皆可見多數白血球將小瘡包圍至一二十重。再稍久。更生結締織。將其周圍圍繞。極類戰爭時所張之鐵絲網。造成防禦之堤防。旣成此完全之堤防。黴菌遂受封鎖。同時斷絕供給糧食之糧道。又受白血球之圍攻。於是黴菌終於死滅。而瘡亦自然而愈。

肺結核者。係肺生出結節。不外肺所生之瘡腫耳。但結核菌係抵抗力極强之黴菌。能絕食二年半。尙不卽死。普通瘡腫之黴菌一受白血球之包擊。或斷絕糧食立卽死滅而結核菌則極頑固。與之不同結核菌雖爲強有力之黴菌。若能厚其周圍之堤防。久斷其糧食。使白血球加以包擊繞以結締織之鐵絲網防禦。愈益堅固圍困。將其圍繞。使不能向外部擴大如此放置二三年之久則無論如何。其結核菌亦不能不趨向死滅。而病全治矣

肺癆之症狀

肺結核之本態。爲慢性疾病。亦有經過僅二三月。或二三週。而病症蔓延兩肺。猝然而死亡者。就普通之肺結核而論經過在數年或十數年以上。遠至數十年者亦有之。又有疾病限於一部分。外觀上患者之身體。絕不蒙何等之影響。與健康者相同。仍克全其天年者。肺結核之患勢。或進行或停止。或緩慢或急劇。或可期治愈。或因是死亡。其間常經種種之階段。患者之容態亦隨之而異。

其症狀多直接與呼吸器有關。多特別注意於咳嗽及咯痰。但有時僅發乾咳者。往往胸部有疼痛。（此疼痛或爲胸側部刺痛或痛於胸部前面或肩胛骨間。）初期結核之背部疼痛。恐由氣管枝淋巴腺結核而起。此外患者屢覺呼吸促迫。尤以身體勞動時爲甚。除此等與呼吸器有關之症狀外。屢現顯著之全身症狀。就中尤爲觸目者。卽患者之羸瘦是也。其羸瘦之因。一部分可歸諸食慾減退。但亦有不能祇以此說明者。此外屢見皮膚蒼白。呈貧血狀。婦女有月經不順者。此外患者漸覺全身倦怠及衰弱。並漸厭勞動。又在病之初期。多有輕度之體溫上昇。患者時覺惡寒及發熱。又往往在早期。已有顯著之盜汗者。脈搏雖無熱。亦概頻數。

肺癆亦有不如上述之徐徐發生者。有時初發卽急激發現。此時患者能知其病始於何時。往往先有一定之障害。爲其誘因。於該障害之後。發生病之初期症狀。障害之中可得而舉者。如風邪。過勞。過度之精神興奮。胸壁外傷等是也。又胸部外傷。過度勞動。亦有引起咯血者。急性發病時之初期症狀。有呼吸器方面之症狀者。如咳嗽。胸痛。呼吸困難等。最爲顯著。亦有全身症狀顯著者。年幼患者。突然發生重症熱性全身症狀。初時不明熱之原因。時或疑爲腸窒扶斯等。及至一時期後。始現出胸部症狀。經物理之檢查。乃診斷爲肺癆。此種病多作急激經過。其所以經過有遲速。容態有輕重者。基於各人體格素質之良否。攝養醫療之當否也。又有繼數種之傳染病起者。如痲疹。百日咳。腸窒扶斯。流行性感冒等。後而續發。氣管枝炎尚未治愈。而移行於肺結核症者。常有之。

前所述者。肺癆症狀之梗概也。且此症病勢愈增進。而愈增惡。且呈他種之容態。今更分局部症狀。全身症狀。及合併症三者。詳述

於后。

局部症狀

咳嗽—在病之初期有時全無咳嗽。故雖無咳嗽。亦不能卽斷爲非肺癆也。但咳嗽全無者毋甯爲例外。通常則其病自始至終皆有咳嗽。不過咳嗽爲一般呼吸系疾病通有之症。若氣管支炎等之咳嗽。有時可以延長累月。病家無疑爲癆。然則肺癆之咳嗽。果有特殊性狀乎。則更似乎很難確定。大致肺癆初起之際。皆爲乾咳。聲短促不透。間有痰則爲一種粘性白色稠液。質量微少。倘病人咽部同被結核菌傳染。咳嗽乃現斷狀。就寢及起身時。咳嗽增加。痰唾亦多。每次飯後。恆起陣咳。其劇者可致嘔吐。至於咳嗽之程度。其強弱與病勢不相一致。人人各異。雖同一患者。亦有增減難易。絕無一定。時或頻發。時或鬆疎。夜間劇烈者有之。清晨初醒時劇烈者亦有之。其他如右側臥左側臥仰臥伏臥。因身體之位置不同。而其咳亦有強弱難易之別。咳嗽之時。有咯出多量之痰者。有咯痰甚少者。有全無咯痰而爲乾痰者。咳嗽劇烈之際。往往於季肋部腹部等感牽引狀疼痛。或兼發嘔氣嘔吐。其最劇烈者則身體不能橫臥。始終端坐。終夜不克安眠。

咯痰—痰爲患部之分泌物。亦卽肺結核之膿也。此痰中含有多數之結核菌。若留於肺胞內。不將其咯出。病變將有再加擴大之虞。氣管之內膜本有纖毛上皮細胞。生有狀如刷毛之纖毛。此纖毛陸續向口腔擺動。有將痰推出作用。咯出之痰。可視病症進行之程度而有差異。初期之痰大抵爲透明如玻璃稀薄而白之粘痰。液粘靱力頗強。混有泡沫。肺臟之病變愈蔓延進行。痰之量愈多。痰中之膿成分漸次增加。其後全屬膿狀痰。病機進行至肺臟生空洞。咯痰卽膿稠。往往具一定之形狀。成貨幣狀痰。Sputa nummalaria 或球狀痰 Sputa glaboea 由不透明常綠色之膿成分而成。帶臭氣者亦有之。不論何種之時期內。肺癆病用顯微鏡檢查之。帶有結核菌。世間之人謂痰入水中浮於水面者非肺病。沉於水中者係肺病。其說非是。蓋泡沫痰浮者爲多。膿狀痰沉者爲多。此浮沉不過爲肺病輕重之標準。烏能區別肺癆病之是與非哉。

咯血—咯血者從肺組織支氣管大氣管喉等處出血。而血自口腔壓隨短咳咯出者。此皆謂之咯血。出血之量。視病情而異。少者僅似米點。多者可至一磅或一磅以上。咯出之時。或單純爲血。或和雜於痰唾粘液內。色鮮紅。但自出血以至流出口部之經過時間長久。其呈紫紅或紫黑色者亦有之。而肺癆患者。痰中往往混有血液。血痰之發生。疾病之初中末三期均有之。所含血量之多寡。全屬無定。與病症之輕重。未必盡爲正比。輕微之肺病。現多量之咯血。劇烈之肺病。反無咯血者有之。然多量之咯血。决非佳良之徵候。痰中血液之極微者。呈小絲狀或點狀。稍多者呈斑狀。過多者全爲血液。過劇之大咯血。卒然自口鼻等噴出者。可引起昏厥及貧血現象。如頭暈目眩耳鳴四肢厥冷。臉色蒼白出汗脈搏細弱等症。同時病人因受精神上驚怖之感動。上述諸症。形顯著沉重。過後可造成不安心悸失眠微熱昏睡等象。出血旺而一時不能制止。亦可因而致命。患肺病之人。如遇激烈運動。遭受刺激。工作過勞。飲酒食辛辣刺激性食物。憤怒抑鬱。興奮爭鬭。劇烈咳嗆。血壓驟昇。最易引起咯血。故當竭力避免之。

胸痛—肺癆患者於咳嗽時。往往感覺胸痛。甚則不於咳嗽時。亦有綿綿之痛感。或偶一生銳利之疼痛。或者疑即肺部損傷。受結核菌侵襲之徵象。其實非也。蓋肺部組織並無感覺。即至腐爛崩壞。絕不起痛感。然則此痛發於何部。是否與肺癆有關。此則不可不加以研究也。按疼痛之發覺。有直接發生於感部者。有患部一無所感而不受病部反覺痛楚者。有患部已覺疼痛。同時他部亦有同樣之感者。疼痛發於患部。爲普通所習知者。若患部一無所感。不受病部反覺疼痛。因兩處爲同一神經所轄。致起此種參互之紛亂。若患部已覺疼痛。同時他部亦有同樣之感者。非兩處爲同一神經所轄。即其患已波及他處矣。肺癆胸痛。由上例而觀之。非與痛部之神經在同一段面中。即池魚受城門失火之殃。已遭波及矣。據診察之結果。乃因久咳不已。肋膜常受震動牽引。蒙其大害。以致併發肋膜炎。炎症侵及包裹肺之薄膜。呼吸之時。激起疼痛。宛如針刺。有如刀尖猛刺。咳嗽時其痛更甚。爲避免痛苦計。患者祇有舒緩其氣。作輕淺之呼吸。凡患胸痛者。同時必發胸部苦悶之狀。蓋呼吸暢達。氣機通順。且使吾人易於窒塞之炭氣。可以盡量呼出。故覺清快舒爽。今因胸痛之關係。呼吸不能自如。遂惹起呼吸困難。而發爲胸脅苦悶。

全身症狀

發熱—肺癆患者之經過中。無熱者少。而發熱者多。吾人普通之體溫。自攝氏三十六度五分至三十七度。肺癆患者之體溫。多較此爲高。初起熱度並不甚高。患者微覺有熱。身感倦怠違和而已。或竟不自知。有時但覺手心灼熱耳。如以探溫器檢之。較平常體溫高出半分至一二分。勞碌之後。熱度則較顯著。然勞碌之後。無論何人。其熱度必較增高。所不同者。一則偶然發見。一則綿綿無已也。肺癆發熱若不早治。愈趨愈甚。最後往往發生高熱。其熱甚烈。耗灼津液。營養消失。以致身體日臻於消瘦。故此種熱度名之謂消耗熱。無論何種病症發現高熱。身體所受之影響必大。矧肺癆原爲慢性衰弱症。而患肺癆者又多爲身體衰弱之人乎。患肺癆者欲知其病勢之進退。以熱度之高低爲判。病增進其熱亦隨之而高。病勢減退。其熱亦隨之而低。如患者其他各症已平。而熱勢尙纏綿未已。此非病勢減退之症。未可許爲樂觀。苟熱度已消。降至平常體温。雖有其他癆症現象。已爲漸趨佳境之症。不難有復原之望矣。肺癆發熱。與普通病症不同。早晨熱勢低落。以探溫器檢之。並無何種熱象。一至下午。則熱勢漸升。如潮水之來。有一定時間。故謂之潮熱。然亦有與上述之熱型相反。午前發熱。而午後無熱者。是謂之反對定型熱。然熱之有一定時間者。如瘧疾。如胃實發熱。亦有此現象。不僅肺癆而已。此際又當審察其他證象。不可含糊。以免僨事。

羸瘦——羸瘦爲肺癆病人必然之結果。在臨床上可分二種時期。一是肺癆前的羸瘦。一是肺癆後的羸瘦。這前與後的劃界是依肺癆發現時期而言。論到結核菌之傳染和潛伏。那就不易如此精密判別。譬如病人先有貧血或神經衰弱症。胃納減少。消化力薄弱。那末飢肉日見瘦弱。體力日見萎靡。體重減輕。皮色蒼白。再進而略見咳嗽。或患氣管支炎。如此病態已頗具肺癆之典型。一朝發現病灶。證實肺癆。那這羸瘦愈覺日有開拓。此種病型。似乎是先羸瘦後肺癆。羸瘦像是肺癆之預因。這在醫藉上也往往如此解說。其實依作者之管見。要是羸瘦而繼之以肺癆之發見。這先期之羸瘦。必有幾分是由結核菌潛伏體內而來。所以像這類病人。除覺有貧血神經衰弱之外。常發生一種莫名其妙之輕熱。這輕熱之熱型。極與潮熱彷彿。不過是偶一而有。而每次輕病以後。羸瘦和萎弱都有顯着進展。食慾睡眠也蒙影響。所以羸瘦在慢性病程中。有繼續進行趨勢。同時有偶一而見之輕熱侵攻。是須預防肺癆之將纏擾。至於已發覺肺癆。身體羸瘦。一爲潮熱所逼成。每次發熱。因養化作用加增。必有多量細胞被其破壞。以致皮下之筋肉漸漸消耗。一爲食慾不振。而食糧漸次減少。同化機能失常。營養攝取便受障礙。這羸瘦是必然結果。故病人體重日減。有時令人驚駭。大致四肢最先羸瘦。頸部組織亦有顯著消瘦。兩顴高突。肋骨暴露。這都是一般通有之徵。假使單側性肺癆。那末胸部飢肉發育漸顯有不等之表示

貧血——肺癆患者。多漸次變成蒼白色。呈貧血性顏貌。檢査血液。則見赤血球之數。及血色素含量已減少。白血球尤其以淋巴球

中国近现代中医药期刊续编·第二辑

之數。概有多少增加。據最近之研究。此淋巴球之增加。或當視爲身體對結核菌之防衛反應之一。然肺癆患者之貧血。爲營養障礙之結果。營養障礙。却由於潮熱及食慾不振所致。因潮熱而使身體肌肉消耗。而使消化力薄弱。所以貧血和羸瘦。間接都由潮熱而起。貧血之症狀。爲缺少血液。如皮色蒼白。唇及眼瞼粘膜灰白。頭眩耳鳴。四肢末端麻冷等。爲其著要之自覺症狀。倘檢驗血液成分。大抵在初期呈萎黃病性變態。即病人血液內紅色素之比數較少。這種現狀。凡少男少女患肺癆病者。很多發現萎黃病狀之貧血。病者臉色灰黃。而若頭眩耳鳴等症。反不甚顯著。至於在肺癆晚期。肺內空洞已成。潮熱趨勢甚熾。那時病者血液。每可發現白血球之大量增多。

食機—胃向來極少患結核性病變。但在肺結核經過中。頗多發諸種胃症。除食思減退外。有食後胃部感覺膨滿。壓重。噯氣。嘈雜。吞酸。惡心。嘔吐等。檢査胃液時。或見有過酸症 SupeRazidital 或反是。而胃部絕無症狀。食慾佳良者。有之。食機亢進之患者。疾病之經過。大都佳良。食機減損。而嫌惡緊要之食物者。（例如牛乳雞卵肉類）身體衰弱甚速。病勢愈增進。名登鬼錄之期。已不遠矣。

盜汗—盜汗者。由於夜間睡眠中。不自然而發洩汗液。濕潤襯衣等者有之。譬諸盜竊之來。乘人不備。故曰盜汗。普通汗液之作用。在於放散體溫。解除高熱。患肺癆者。雖有高度之潮濕。並不因盜汗而稍稍減退。而盜汗不止。衰弱必甚。反能促進熱度之增高。其所以盜汗之原因。有謂由於細菌毒素刺激發汗中樞者。有謂由於細菌蛋白質刺激發汗中樞者。有謂由於日夜心跳之疾徐變動過急者。至今尚無十分確定之學說。盜汗之發現。多半在半夜二時至四時之間。盜汗並不全身有之。病輕者僅有一部分盜汗。或前額。或頸部。或胸部。或四肢。亦有僅半邊盜汗者。盜汗之症狀。除擾亂病人之睡眠外。更能促身體衰弱甚易

呼吸困難—患肺癆者。不論何期。呼吸狀況。多少有些變化。惟大半極微細。不易引起病人之注意。如遇行路。上樓。奔走勞動。及遭受刺激。病人之呼吸。就比常人容易急促。胸部氣悶。心悸亢進。在平臥時。就復常態。至若呼吸而達困難。似乎在肺癆病程中。鮮有之事。除非到末期。病人精力消耗過甚。心臟劇度衰弱。那就引起呼吸困難。爲一般疾病通常徵象。不足爲肺癆之特症。肺癆未至劇重病境。而發現呼吸有困難者。大致皆由下列四種原因所起。第一體溫增高。夫吾人體溫昇高。細胞產生炭酸量遞加。

所需養氣量亦遞加。於是增速呼吸次數。爲攝取多量養氣之必然方法。因此肺癆病人如逢高熱或潮熱則過久呼吸必加速。但熱退旋復常態。要不然第二病人肺部呼吸之面積減小。那雖無熱呼吸亦感困難。面積可因結核區位過廣而減少。不過依鄙管見說。肺組織被結核侵蝕之動機。既極遲緩。呼吸機能喪失。又非一朝一夕之經過。所以多數病人。雖病灶地位頗廣。因健康之氣泡有代償能力。那呼吸之面積。卽是減縮。呼吸次數。倘不至顯然加速。逢着勞動用力後。呼吸遂呈困難之狀。診斷上可藉此知道此人之肺結核已廣漫得可怖矣。第三氣管被痰壅塞。當然可使呼吸困難。第四胸部疼痛。因深長呼吸。可惹起劇烈刺痛。遂致不敢用力呼吸。呼吸自趨短淺加速。屬於此者。在初期肺癆中常有之症。蓋此際病人發生肋膜炎爲數較多。綜之上述四種原因。多爲有時間性之一種動力。所以在一般症狀上論呼吸。皆不至入於困難狀態。

精神—肺癆患者之精神狀態。往往非常旺盛。患者之身體雖日漸疲勞衰弱。而精神反爽快活潑。雄心勃勃。全不知生命之已迫於旦夕。然起始多爲過敏性。易於興奮。往往變成利已主義。其思想常往來於過度之悲觀。與無理之樂觀間。患肺癆之輕症。亦有抱極悲觀之人。患重症者。亦多有絕不自覺。至最後仍以爲不難卽愈者。又色慾往往特易於亢進。

神經系—因肺癆病程中。腦中樞續發結核症之機會較少。所以從沒有一種慢性病人之意志有比肺癆病人再清明。吾人所見之肺癆病人。自起始迄臨歿。十九是意識清明。神志不亂。所以論到神經系症狀。影響於中樞神經系者。比較甚少。下列所舉各種大抵皆爲末稍神經系及由其他病理而惹起之症狀。

1. 神經衰弱—神經衰弱與貧血。爲多數慢性傳染病中常見之併發病。肺癆病人因病程之久長及消耗熱之纏綿。營養之障礙。故神經衰弱之發見極早。多數在第一期之中段以後。病人漸現心悸。睡眠不酣。精神不振。腰痠目眩。頭痛煩躁等症象。同時因貧血狀況日進無已。神經衰弱亦隨之增劇。

2. 怔忡—怔忡一症。多發生於肺癆第一期之末。第二期開始之際。其始是受神經衰弱之影響。所以在上樓。急走。驚恐。睡醒。勞動。房事之後。就覺心搏增速。胸部悶塞。迫乎後期。病人潮熱不去。營養減少。體力消耗。睡眠不佳。遂使血分虧絀。心藏工作疲乏。於機能病之外。復發生器質上變化。如心藏肥大等。其次若病人腎臟發炎。那末血液循環益見不利。於是心藏工作因加劇而衰脫下來。循至怔忡浮腫。呼吸困難等。便隨之而更顯著矣。

3. 遺精—遺精爲神經衰弱之一症。與癆肺似有特殊關係。因有很多肺癆患者。在過去都患劇度之遺精。這當然是斲喪體力之一種頑固病。在這裏也可謂遺精是肺癆預因之一。等到肺癆成功。神經系日見衰弱。這遺精便成爲病體之一大敵。加之病人此際性慾旺熾。房事不制。遺精更難治愈。此於貧血潮熱之外。又是一種消耗之原因。

4. 失眠—在早期病人。似乎患失眠者較爲罕見。不過病人睡眠狀況。多少有些不甚安穩。像多夢易醒。是常見之。又如夜間盜汗。往往使夜寐不酣。

合併症

咽痛音啞—咽痛音啞雖爲癆瘵之一種證象。然肺癆之患者未必盡人皆然也。本症有二種不同之見象。其一患者並無肺癆症狀。但覺發聲障礙。吐音混濁。或極嘶嗄。甚至全失其聲。積漸不治。續發種種肺癆現象。此則俗稱爲啞聲癆者是也。其二在肺癆之中期或末期。咽喉作痛。音聲嘶嗄。此二者皆由癆菌侵襲喉頭所致。卽喉頭結核是也。前者之癆菌由外界傳來。加以高聲談話。吸入塵埃。及刺激性蒸氣。授以侵襲之機。後者之癆菌。由自身傳染。多因吐痰之時。痰中之癆菌。滯留於喉頭粘膜所致。在咳嗽劇烈之際。因喉頭之震動太甚。亦常發生咽痛音啞之症。切不可疑爲癆瘵之徵。而妄起恐慌。蓋因久咳而致者。不咳則痛舒。咽亦漸開。由癆菌侵入喉頭而致者。與咳嗽無涉。卽不咳。其疼痛依然。發音之困難依然。此最易分辨者也。

淋巴腺結核—本症因癆菌侵入淋巴腺而成。其最顯著之徵候。在於癆菌侵入頸部淋巴腺時。(俗曰瘰癧)其他各腺。氣管支淋巴腺。腸間膜淋巴腺等。或隱或伏。不易惹人注目。故多忽之。耳部前後。連及頭項。下至缺盆。皆爲瘰癧發生之所。其形圓而堅硬。有如棋子。大者如雞卵。甚則累累若貫珠。按之略動。而無苦痛之感覺。久則化膿潰爛。起則局部發赤。而現水光之狀。繼則穿破。流稀薄之膿液。以後患部多成瘻管。常常漏膿。幸而快愈。則患處成一瘢痕。其鄰近又繼續發現。此愈彼穿。彼愈此穿。迭相發作。往往久而不能斷根。

結核性肋膜炎—罹肺結核時。病毒往往自肺臟蔓延於肋膜。(又曰胸膜)而成肋膜炎。肋膜炎卽胸膜炎之別名。有乾性肋膜炎與濕性肋膜炎二種乾性肋膜炎一名纖維性肋膜炎爲纖維素沉着於肋膜腔之病其主要症狀係呼吸之時胸部有如刺如裂之疼痛咳嗽噴嚏欠伸等時尤甚此胸痛輕重不一有種種之階級焉濕性肋膜炎一名滲出性肋膜炎爲肋膜腔瀦溜炎性滲出物之病因滲出液之性質不同分爲漿液性肋膜炎出血性肋膜炎化膿性肋膜炎三種此三種肋膜炎均與乾性症相同初期發疼痛咳嗽呼吸促迫發熱尿量減少滲出液愈增加胸痛愈緩解呼吸困難全身違和食慾缺損胸痛劇烈之際患者不能下臥滲出液增多之時患者常宜下臥患者因臥位不能任意而異常煩苦

腹膜結核—腹膜結核可由二種方法從結核性腸潰瘍發生即間有潰瘍破裂腸內容物漏入於腹腔中致發化膿性或腐敗性滲出物之穿孔性腹膜炎者又有雖未穿孔其結核菌從深潰瘍而傳染於腹膜而起腹膜結核或結核性腹膜炎者此二種在臨床上頗難鑑別而呈急性者少呈慢性者多腹部膨滿覺鈍痛起下痢或便祕食慾減退發嘔吐患者身體因此而益瘦削

結喉性腦膜炎—往往有纖肺結核而起結核性腦膜炎者間有中樞神經系中生極大之孤立性結節者結核性腦膜炎爲肺結核經過中最危險之合併症但發是症者甚少其症候於始初一週間起劇烈之頭痛眩暈嘔吐等繼而精神恍惚發譫語項強牙關緊急筋肉痙攣搐搦眼球亦痙搐漸達嗜眠之域人事不省終以昏睡而斃

腸結核—本症乃因肺結核菌侵入腸部所致患肺癆者其痰中含有無數之癆菌吐痰之際往往將咯痰咽下是爲最危之事蓋痰入胃中結核菌亦由是傳入若胃納甚旺消化力強健者則傳入之結核菌爲所撲滅若胃力薄弱而無殺菌之力者其菌轉入腸中即日漸繁殖刺激腸壁不時發生蠕動起結核性滲潤遂現泄瀉之證糞便呈粥狀或水狀或則腸壁形成潰瘍便中混有血液及膿故本症多發生於胃納不旺之患者但本症除嚥咯痰而外亦有由於外界傳入者如初患肺結核繼而發生腸結核現象多由前說所致若肺部素無疾患忽而發生腸結核者其爲由外界傳入無疑外界傳染之途徑有二一由呼吸傳入一由消化器傳入由呼吸而入者即成肺癆腸結核則由消化器傳入故飲食之際宜加意審愼單純患腸結核泄瀉者以小兒爲多即由飲食不愼之故也肺癆至腸結核泄瀉者於治療上殊爲棘手我國古謂上損及下過胃不治下損及上過脾不治是也

腎臟—患肺癆進行時屢見腎臟症狀尤以撤高度之蛋白尿爲最著有血尿者亦不少又尿中沉渣中有多數之圓柱及細胞者

此時壓起全身水腫者。惟腎藏結核與他腎臟病異。血壓不上昇。亦不起心藏肥大。此顯然因結核之毒性產物而起腎藏實質之廣汎性損傷也。但此外尚有由腎臟之結核性局部疾患者。此時尿多溷濁。含有輕度血液或蛋白。其沉渣中可檢出結核菌。

關節——肺癆患者有時於一關節或多數關節。發頑固之腫脹疼痛及運動障礙。但骨或肥厚性關節囊尚未能證明其特殊之結核性變化。此結核患者之僂麻窒斯狀疾患。有時宛似慢性多發性關節炎狀態。有起關節硬化者。

甲狀𦙶——初期肺癆患者有甲狀𦙶腫脹及甲狀腺機能亢進症狀者不少。其中以婦女為尤多。其症狀為脈搏數增加。心悸亢進。神經性興奮及疲勞性震顫。血液中淋巴球增加等。甲狀𦙶機能亢進症在無結核性疾患時。亦概有輕度體溫之上昇。體力減退。脈搏數增加。發汗等。故初期結核與甲狀𦙶機能亢進症之鑑別頗非易易。

心理變態——心理變態。為個人情性作用。原不能列入症狀而論之。但察患肺癆之人。往往有若干心理上之變態。是含有普遍性。換言之。肺癆患者就有幾種情性無形之間。逐漸暴露。這雖與病理無切膚關繫。但在診斷和治療上。似乎也不能忽略。患慢性病者。因遭受肉體時間以及金錢等各種損失。精神上所感痛苦。日積月累之後。必發生幾種心理上之變化。例如意志消渙。行為不檢。思想落伍。精神萎靡。動輒易怒。好生猜疑。易起妒忌。喜笑無常等。皆為常有之狀。在古說即所謂陰虛火旺。肝陽易升。其實一半是神經衰弱之結果。一半是受病痛磨折而起之心理變態。明乎此。家人及看護。當深悉病人情性之乖張暴戾。並非故意之行動。乃是病狀之一種。心理變態不特是一種抽象之病狀。其間有能傷害精神。有礙疾病者。如忿怒與疑慮兩種。是尤著者。據多數生理家研究。忿怒可致胃消化液分泌驟減。可使胃工作突然障礙。可使腦充血或腦貧血。可使反射神經感應敏銳或失効。試問一患肺癆病者。倘日處於如此境況之中。其有礙於榮養消化及神經系若何。至於疑慮。更為肺癆病人通有之徵。個人事業經濟。是使病人憂慮之事。病之結果吉凶未定。當然更足關心。所以疑慮之影響。足以造成失眠不甯。恍惚怔忡等。由斯觀之。心理變態乃為病人自己所造成之一種有害病理影響。所及。固不可等閑視之。

肺癆之診斷

疾病各有治療之機會。但錯過機會。就不易着手。而治療機會。則根據於診斷。倘診斷不確。藥不對症。幾度蹉跎。便將可治愈之機會錯過待至病原發見診斷確切時間上就無法挽回雖耗盡智力亦難奏厥効如肺癆一症就是一例肺癆成爲人類之大敵消極說是預防法之不周積極說是治療太遲及治不得宜是以病家往往得到醫生「你看得太遲矣」之按語其實在病家也有從起病卽投醫求藥那這「看得太遲」之說其中半數就害在診斷之游移不實及藥石雜投上肺癆病之不易有効十之七八也就被害於此我國之診斷疾病皆憑望聞問切四者而此四者有時不足盡診斷之能事則宜取西法以佐之如早期肺癆診斷確是很費事之工作一因病人自覺症狀平淡不顯而肺癆所有之症狀如咳嗽胸痛等症並非特有之徵極難和其他疾病區別二因病人全身衰弱狀況尚未顯著因此在早期肺癆雖用望聞問切之四法診斷之其結果往往很模糊那就一方靠醫生之經驗和毅力一方可檢驗體溫測量體重驗痰聽診打診結核菌種植法，光攝影及檢察法等等而診斷之雖任何病人非必逐一應用但在疑慮不決之時可逐一進行互相參證一再探索不厭周詳多方搜覓引證這早期肺癆終有水落石出之時今更將肺癆之形色舌苔脈搏述於左。

肺癆之形色—患肺癆之人類有特殊之體質望而能知之有此體質之人體格瘦長兩肩圓削胸部扁平肩闊與下肋彷彿有軀幹雖高長而骨格則微小筋肉瘦削少色澤故顏面蒼白然脈管之運動神經系易於興奮故稍行勞動或精神興奮顏面卽現潮紅皮膚愈泛蒼白背部往往可以透視其毛細管靜脈尤顯明可見所謂青筋暴露者是也此等人屬於神經質最易傳染肺癆其有非神經質之人因生活及環境之關係陷入此途者無不漸次羸瘦萎黃呈貧血之象體量亦因以減少其原因一爲食慾不振食量漸次減少一爲久長之發熱以致皮下之肌肉漸漸消耗瘦削衰弱與貧血齊來故皮膚亦呈蒼白色非神經質而轉爲神經質矣。

肺臟一側受病之患後其同側之頰部發現潮熱而盛於他側之頰部故望頰部之潮紅色可卽知肺之何側侵害最甚。

患肺癆者其毛髮皆爲乾燥眼目之光輝特異鞏膜現青白色眼球凹陷眼瞼印暗青色之暈翳肩胛瘦削而平或高聳鎖骨處凹陷胸部長而扁平皆營養失充肺量狹窄之故也。

肺癆之舌苔—患肺癆之舌苔有二種現象其一舌根有白苔或微黃苔而尖邊光亦有邊根有苔而中心乾光者乃液體虧耗之

中国近现代中医药期刊续编·第二辑

故。其一滿舌白苔。其苔與普通之苔迥異。揩粘如毫毛。刮之不易去。

肺癆之脈象—靈樞玉版篇謂「脈小以疾」確爲肺癆之脈。蓋肺癆之脈。無特別現象。祇因虛熱不退。故稍現疾數耳。若羸瘦衰弱等增進之時。則血液虧損。血管縮小。雖數而帶細小軟弱。若倫現虛弱。或沉細之象。乃其他之衰弱症候。非肺癆也。

肺癆之治療

肺癆若能於初期診斷治療。可使之完全治愈。或使病勢停止進行。近於治愈者甚多。即至中末之期。醫生應就各種適合各人之狀態。爲正當之治療。一面患者抱有堅實治愈之信念。及充分之時日。受醫生之指導。善自攝生。則亦不難將此頑固之病祛除之。即有完備之治療。肺癆不難治愈。完備之治療者何。藥物治療與天然療養二者並施是也。

常人就醫生之診視。即以醫生所開給之藥。將治愈其肺病。偏重其藥。而置天然療養於腦後。實屬誤解。所謂患肺癆之人。其結核菌在肺部蕃殖。此結核菌爲強有力之微菌。非藥物所易消滅。若以可殺結核菌之強烈之藥。使患者服下。或者注射。設其人並非活跳之生物。而爲鐵石所製者。或可不致傷及人體。而祇殺盡其體中之結核菌。無奈人身本爲一生物。恐藥未及肺內之結核菌。而人身已先受其殃矣。蓋能殺結核菌之強烈藥。究竟非人身所能堪受。故欲以藥品撲滅結核菌。世間安得有此事。醫生所給之藥品。不過輔助患者之體力。破壞疾病之進程。無非自然療能而已。若誤認爲根本療法。向四方追求殺結核菌之良藥。實爲本末顛倒。世上有幾千百種殺結核菌之治療劑。爭售於市。足見並無一特效之藥。無論此藥彼藥。皆一樣無甚效。囊無多資之患者。或震於報上雜誌上之誇大廣告。購無用之藥物。而反置天然療養及輔助體力之藥物於腦後。其愚誠不可及。故是篇治療。於藥物療法與天然療養二者並列述之。

(一)藥物療法

本病無特效之藥。雖歐亞各國醫家朝夕研究。創立很多學說。如鈣化治療。砒質治療。矽酸治療。金劑治療。黃體脂肪治療。煤油治療……等。但都不算是特效治療。至外科療法。如膈膜神經截除術。人工氣胸術。胸膛改形術。全太陽燈紫光療法。及各種物理療法等。僅也不過獲得一部之奏功而已。肺結核症之治療上用藥之目的。實非直接殺滅結核菌。乃全與衛生營養療法之企圖相同不外乎由此亢進其人體之組織細胞發揮其身體之自然療能耳。蓋不問動物或植物。凡生物均有此種自然治愈機能。例如。試折斷植物之枝。卽在該處再行生芽。損傷動物之皮膚。卽在該處作成瘢痕而愈。此爲人所熟知之自然療能也。換言之用藥物者。卽一面對身體組織之機能。與以一種良好之刺戟。十分亢進其機能。使細胞攻擊征服結核菌。一面促進結締織之增殖。作成牆壁。使從速圍繞病灶。而成爲對身體無害之一團塊。使病變作用完全不能活動。終則病變作用停止。以致達於治愈之狀態。然則欲使病灶迅速圍繞治愈。則凡可攻擊征服結核菌及增殖結締織之藥物。皆適應本症。亦卽所謂凡能旺盛自然療能之藥物。皆可治愈本症。故下列所選之方藥。皆本此旨而擇之。

千金補腎丸補—(腎)黨參膏　熟地　山藥　杜仲　當歸　茯苓　萸肉　枸杞子　菟絲子　淡蓯蓉

河間地黃丸—(滋補心腎)熟地　山萸　石斛　附子　肉桂　巴戟天　肉蓯蓉　茯苓　五味子　遠志　菖蒲　麥冬

温腎丸—(温補腎)熟地　杜仲　菟絲子　石斛　黃耆　續斷　肉桂　磁石　牛膝　沉香　五加皮　山藥

黃耆散—(補氣血)黃耆　參　苓　半夏　當歸　牛膝　五味子　桂心　附子　熟地　芍藥

黃芪建中湯—(健脾胃)黃芪　桂枝　生薑　甘草　大棗　芍藥　膠飴

小建中湯—(健脾胃)桂枝　生姜　甘草　大棗　芍藥　膠飴

八味腎氣丸—(滋補腎)地黃　薯蕷　萸肉　澤瀉　茯苓　肉桂　丹皮　附子

酸棗仁湯—(強心臟)酸棗仁　甘草　知母　茯苓　芎藭

天雄散—(一般強壯劑)天雄　桂枝　白朮　龍骨

桂枝加龍牡湯—(調營衛鎮浮陽)桂枝　芍藥　甘草　生姜　大棗　龍骨　牡蠣

黃芪桂枝五物湯—(行氣血)黃芪　桂枝　生姜　大棗　芍藥

薯蕷丸—(強壯滋補)人參　阿膠　芍藥　芎藭　當歸　地黃　麥冬　薯蕷　白朮　茯苓　乾姜　甘草　大棗　神麴

桂枝　豆卷　柴胡　防風　杏仁　桔梗　白歛

大黃䗪虫丸—(緩中補虛去舊生新)大黃　䗪虫　蝱虫　水蛭　蠐螬　乾漆　黃芩　芍藥　桃仁　杏仁　甘草　地黃

大補元煎—(益氣血)人參　山藥　熟地　杜仲　當歸　山萸　枸杞　炙草

五福飲—(益氣血)人參　熟地　當歸　白朮　炙草

十全大補湯—(滋補氣血)人參　白朮　茯苓　炙草　熟地　當歸　川芎　芍藥　黃芪　肉桂

左歸飲—(滋補劑)熟地　山藥　枸杞　炙草　茯苓　山茱萸

左歸丸—(滋補劑)大熟地　山藥　枸杞　山萸　川牛膝　兔絲子　鹿膠　龜膠

補中益氣湯—(強脾胃)人參　黃芪　白朮　甘草　當歸　陳皮　升麻　柴胡　生姜　大棗

右歸飲—(強壯滋補劑)熟地　山藥　山萸　枸杞　甘草　杜仲　附子　肉桂

右歸丸—(強壯滋補劑)熟地　山藥　山萸　枸杞　鹿角膠　兔絲子　杜仲　當歸　肉桂　附子

四味回陽飲—(強壯劑)人參　附子　甘草　炮姜

一陰煎—(滋補劑)生熟地　芍藥　麥冬　甘草　牛膝　丹參

二陰煎—(滋補劑)生地　麥冬　棗仁　生草　元參　黃連　茯苓　木通

六味回陽飲—(強壯滋補劑)人參　附子　炮姜　炙草　熟地　歸身

四陰煎—(滋補劑)生地　麥冬　白芍　百合　沙參　生草　茯苓

五陰煎—(滋補劑)熟地　山藥　扁豆　炙草　茯苓　芍藥　五味子　人參　白朮

理中湯—(強脾胃)人參　白朮　乾姜　甘草

理陰煎—(強脾腎)熟地　當歸　炙草　乾姜　肉桂

六氣煎—(強壯劑)黃芪　肉桂　人參　白朮　當歸　炙草

溫胃飲—(強脾胃)人參　白朮　扁豆　陳皮　乾姜　炙草　當歸

小榮煎家—(補血)當歸　熟地　芍藥　山藥　枸杞　炙草

金水六君煎—(強肺腎)當歸　熟地　陳皮　半夏　茯苓　炙草　生薑

鎮陰煎—(強壯滋補)—熟地　牛膝　炙草　澤瀉　肉桂　附子

十補丸—(強腎)附子　五味　山藥　山萸　丹皮　桂心　鹿茸　茯苓　澤瀉

附子理中湯—(強脾胃)附子　人參　白朮　乾姜　炙草

貝母丸—(潤肺)貝母一兩為末用沙糖或蜜和丸龍眼大或噙化或嚼服之乃治標之劑

安腎丸—(強腎)肉桂　川烏　白朮　山藥　茯苓　肉蓯蓉　巴戟　破故紙　萆薢　桃仁　石斛　白蒺藜

局才黑錫丹—(強腎)黑錫　硫黃　肉桂　附子　木香　沉香　舶茴香　破故紙　陽起石　胡蘆巴　肉豆蔻　金鈴子

局方黃芪鱉甲煎—(滋補退熱)黃芪　鱉甲　人參　知母　桑白皮　紫苑　桔梗　甘草　地骨皮　秦艽　柴胡　生地　芍藥　天冬　白茯苓　肉桂

坎離既濟丹—(補心腎)蓯蓉　枸杞　歸身　白芍　天冬　麥冬　人參　棗仁　生地　熟地　丹皮　茯神　澤瀉　山萸　五味子　遠志　黃柏

人參散　(補氣血)人參　甘草　黃耆　當歸　白芍　白朮　熟地　麥冬　酸棗仁

大菟絲子丸—(強腎)菟絲子　鹿茸　肉桂　石龍肉　附子　澤瀉　熟地　牛膝　山萸　杜仲　茯苓　肉蓯蓉　續斷　石斛　防風　補骨脂　蓽撥　巴戟天　沉香　茴香　川芎　五味子　桑螵蛸　覆盆子

鱉甲地黃湯—(退煩熱)鱉甲　熟地　人參　白朮　當歸　麥冬　茯苓　石斛　柴胡　秦艽　肉桂　甘草

地黃膏—補血退熱)地黃　歸身　芍藥　枸杞　天麥冬　川芎　丹皮　蓮肉　知母　地骨皮人參　甘草

人參平補湯—(一般強壯滋補劑)人參　川芎　當歸　熟地　白芍　白茯苓　菟絲子　杜仲　北五味　白朮　巴戟　半夏麯　橘紅　牛膝　破故紙　益智仁　葫蘆巴　炙草　石菖蒲　姜　棗

補脾湯—（強脾胃）人參　茯苓　草果　乾姜　麥蘗　甘草　厚朴　陳皮　白朮

養胃湯—（強脾胃）藿香　厚朴　半夏　茯苓　草果　附子　甘草　陳皮　人參　白朮

七珍散—（強脾胃）人參　白朮　黃耆　山芋　茯苓　粟米　甘草

加味虎潛丸—（強腎）熟地　人參　炙黃耆　當歸　杜仲（酥炙）　牛膝（酒蒸）　瑣陽（酒洗）　龜版（酥炙）　兎絲子
茯苓　破故紙　黃柏（蜜水炒）　知母（酒炒）　虎骨（酥炙）　山藥（炒）　枸杞子

人參五味子湯—（補肺）人參　五味子　熟地　當歸　白朮　白茯苓　炙草　陳皮　桔梗　前胡　黃芪　地骨皮　桑
白皮　枳壳　柴胡

𡎺勞散—（一般滋補劑）白芍　人參　黃芪　當歸　熟地　甘草　白茯苓　五味子（杵炒）　阿膠（炒）　製半夏　姜
棗

大補地黃丸—（滋補肝腎）黃柏　熟地　當歸　山藥　枸杞　知母　山萸　白芍　生地　肉蓯蓉　玄參

瓊玉膏—（補肺）鮮地黃　人參　白茯苓　沉香　琥珀

四味鹿茸丸—（強肝腎）鹿茸（酥炙另搗成泥）　五味子　當歸身　熟地

濟生鹿茸丸—（壯腎）鹿茸（酒炙）　牛膝　五味子　石斛　巴戟天　附子　川楝子（酒蒸）　山藥　肉桂　杜仲（鹽酒
炒）澤瀉（鹽水炒）　沉香

十灰散—（止血）大薊　小薊　柏叶　薄荷　茜根　茅根　山梔　大黃　丹皮　櫻櫚皮（各燒灰存性）

瑞金丹—（止血）川大黃　眞秋石

童眞丸—（止血治暖）眞秋石　川貝母

龜鹿二仙膏—（一般強壯滋補劑）鹿肉膠　龜版膠　枸杞　人參　龍眼肉

聚精丸—（補腎）鰾膠　沙苑蒺藜

大補黃庭丸—(強脾胃) 人參 茯苓山藥 鮮紫河車

半夏湯—(滋肺脾)半夏 生姜 桂心 甘草 厚朴 人參 橘皮 麥冬

芎歸血餘散—(退煩熱)室女頂門生髮 芎藭 當歸 木香 桃仁 眞安息香 雄黃 全蠍 降眞香 獺肝

鱉甲生犀散—(強脾)天靈蓋(酥炙) 鱉甲(酥炙) 虎長牙(酥炙) 安息香 桃仁 尖檳榔 生犀角 木香 甘遂
降眞香 乾漆(炒令烟盡) 眞阿魏(酒研) 雷丸 穿山甲(七炒) 全蠍(醋炒) 地龍(生研) 香豉
蓮鬚 葱白 童便

補肺湯—(補肺)黃耆 甘草 鐘乳 人參 地黃 桂心 茯苓 白石英 桑白皮 厚朴 乾姜 紫菀 橘皮 當歸
五味子 遠志 麥冬 大棗

酥蜜膏酒—(強肺)酥 崖蜜 胎糖 生姜汁 生百部汁 棗肉 杏仁 柑皮

大建中湯—(強脾胃)黃耆 當歸 桂心 芍藥 人參 甘草 半夏 黑附子

炙甘草湯—(強心肺)炙草 桂枝 生姜 麥冬 麻仁 人參 阿膠 大棗 生地

朱雀湯—(補肺脾)雄雀 赤小豆 人參 赤苓 紫石英 小麥 大棗 紫菀 遠志 丹參 炙草

紫菀湯—(強肺)紫菀茸 乾姜 黃耆 人參 五味子 鐘乳粉 杏仁(麩炒) 炙草

保和湯—(補肺)知母 貝母 天冬 麥冬 款冬 花紛 薏仁 杏仁 炙草 紫菀 五味子 馬兜鈴 百合 桔梗
阿膠 生地 當歸 紫蘇 簿荷 生姜

遠志引子—(補心)遠志 茯神 肉桂 人參 棗仁 黃耆 當歸 甘草

千金治虛補勞方—(補脾胃)猪肚 人參 蜀椒 乾姜 葱白 白粱米 上諸物納入肚中縫合煮爛食之

又(強脾胃)—羊肚 白朮

濟生白朮湯—(補脾胃)人參 白朮 草菓 肉豆蔻 厚朴 陳皮 木香 麥芽 炙草

百一選方—(強壯劑)天靈蓋　鱉甲　桃仁　青蛇腦　虎糞內骨　安息香　檳榔　麝香　青蒿　豉　楓叶　葱根　童便

獺肝散—(補肝殺虫)獺肝一具陰乾杵末

寶鑑紫河車丸—(強壯退熱)紫河車　鱉甲(酥炙)　桔梗　胡黃連　芍藥　大黃　敗鼓皮心(醋炙)　貝母　龍胆草　黃藥子　知母　芒硝　犀角　蓬朮　硃砂

保元湯—(強脾胃)人參　黃耆　白朮　炙草　陳皮

牛膝丸—(強肝腎)牛膝　萆薢　杜仲　防風　蓯蓉　桂心　蒺藜　兎絲餅

金剛丸—(補腎)萆打　杜仲　蓯蓉　兎絲餅　猪腰子

煨腎丸—(強肝腎)牛膝　萆薢　杜仲　防風　蓯蓉　桂心　故紙　胡蘆巴　兎絲餅　猪腰子

五歸丸—(補肝腎)熟地　山藥　杞子　山萸　牛膝　兎絲餅　鹿膠　龜膠

橘皮煎—(強脾腎)橘皮　甘草　當歸　萆薢　蓯蓉　吳萸　厚朴　肉桂　巴戟　石斛　附子　牛膝　鹿茸　杜仲　兎絲子　乾姜

黑丸—(補肝)當歸　鹿茸　烏梅肉

滋陰養營丸—(滋補劑)遠志　白芍　黃耆　白朮　熟地　人參　五味子　川芎　當歸　山藥　陳皮　茯苓　生地　山萸

茸珠丸(一般強壯劑)鹿茸　鹿角膠　熟地　當歸　蓯蓉　棗仁　柏子仁　黃耆　附子　陽起石

巴戟丸—(補肝腎)五味　巴戟　蓯蓉　兎絲子　覆盆子　益智　牡蠣　龍骨　人參　白朮　熟地　骨碎補　茴香

九龍丹—(補腎)金櫻子　杞子　蓮鬚　熟地　芡實　茯苓　當歸　山萸肉

調營養胃湯—(補血健胃)人參　白朮　陳皮　茯苓　當歸　白芍　麥冬　五味子　生熟地　黃耆　山藥　遠志　山

萸　鴨血

歸脾湯—（強心脾）人參　焦朮　茯神　棗仁　龍眼　炙耆　當歸　遠志　木香　甘草　姜　棗

鹿胎丸—（一般強壯滋補劑）鹿胎　熟地　人乳　山藥　兎絲子　杞子　製首烏　人參　金石斛　巴戟　黃耆　青蒿

膏丸

參苓建中湯—（強脾胃）人參　茯苓　當歸　白芍　陳皮　甘草　桂枝　半夏　麥冬　前胡

河車丸—（滋補退熱）紫河車　人中白　秋石　五味子　人參　阿膠　人乳　地骨皮　鱉甲　銀柴胡　百部　青蒿

童便　陳酒

樂令建中湯—（強壯退熱）前胡　細辛　黃耆　人參　桂心　橘皮　當歸　白芍　茯苓　麥冬　甘草　半夏

聖愈湯—（滋補）熟地　生地　當歸　人參　黃耆　川芎

黑地黃丸—（強肺腎）蒼朮　熟地　五味子　乾姜

還少丹—（強脾腎）乾山藥　牛膝　遠志　山萸　白茯苓　五味子　巴戟　肉蓯蓉　石菖蒲　楮實　杜仲　舶茴香

枸杞子　熟地黃

天眞丸—（補氣血強脾腎）精羊參　肉蓯蓉　當歸　山藥　天冬

參朮膏—（補脾胃）人參　白朮

嚴氏耆附湯—（一般強壯劑）黃耆　附子

參附湯—（一般強壯劑）人參　附子

黃芪鱉甲散—（退熱劑）鱉甲　天冬　知母　黃耆　赤芍　地骨皮　白茯苓　秦艽　柴胡　生乾地黃　桑白皮　半夏

紫菀　甘草　人參　肉桂　桔梗

太上混元丹—（一般強壯劑）紫河車　沉香　硃砂　人參　肉蓯蓉　乳香　安息香　白茯苓

補虛丸—(補脾腎)人參　白朮　山藥　枸杞　鎖陽

瑣陽丸—(補腎)—龜版　知母　黃柏　虎骨　牛膝　杜仲　鎖陽　破故紙　續斷　當歸　地黃

黃芪益損湯—(一般滋補)官桂　熟地　半夏　甘草　石斛　當歸　川芎　黃芪　白朮　白芍　北五味　木香

鹿茸大補湯—(一般强壯滋補)鹿茸　當歸　白茯苓　熟地　白芍　白朮　附子　人參　肉桂　半夏　石斛　五味子　肉蓯蓉　甘草　杜仲

究原雙補丸—(一般滋補)鹿角霜　熟地　沉香　兎絲子　覆盆子　白茯苓　人參　宣木瓜　苡仁　黃耆　蓯蓉　五味　石斛　當歸　澤瀉　麝香

究原心腎丸—(强心腎)牛膝　熟地　蓯蓉　鹿茸　附子　人參　遠志　甘草　茯神　黃耆　山藥　當歸　龍骨　兎絲子

瑞蓮丸—(補腎)蒼朮　枸杞　五味　蓮肉　破故紙　熟地

蓯蓉丸—(補氣血)熟地　紫巴戟　嫩鹿茸　龍齒　當歸　人參　石蓮肉　肉蓯蓉　五味　黃耆　茯苓　兎絲子

鹿茸四斤丸—(補肝腎)肉蓯蓉　天麻　兎絲子　牛膝　熟地　杜仲　鹿茸　乾木瓜

五味子丸—(强脾腎)益智仁　肉蓯蓉　川巴戟　人參　五味子　骨碎補　玉茴香　白朮　覆盆子　白龍骨　熟地　兎絲子　牡礪

無比山藥丸—(補肝腎)赤石脂　茯神　巴戟　澤瀉　乾熟地黃　山萸肉　山藥　牛膝　杜仲　兎絲子　蓯蓉　五味子

小兎絲丸—(補腎)石蓮肉　兎絲子　白茯苓　山藥

葉氏十補湯—(一般滋補劑)沉香　木香　半夏　白芍　當歸　黃耆　生乾地黃　茯神　肉桂　五味　酸棗仁　陳皮　台烏藥　麥冬　人參　白朮

平補鎮心丹—（調節心腎）白茯苓　五味子　車前子　茯神　肉桂　麥冬　遠志　天冬　山藥　熟地　酸棗仁　人參
龍齒　硃砂

十四友丸—（調節心腎）白茯苓　白茯神　酸棗仁　人參　龍齒　阿膠　黃耆　遠志　當歸　熟地　柏子仁　肉桂
紫石英　辰砂

靈砂寧志丸—（一般強壯）辰砂　白朮　鹿茸　黃耆　茯神　人參　石菖蒲

葉氏鎮心爽神湯—（補心肺腎）石菖蒲　甘草　人參　赤茯苓　酸棗仁　當歸　南星　陳皮　乾山藥　細辛　紫菀
半夏　川芎　五味　通草　麥冬　覆盆子　柏子仁　枸杞子

補心神效丸—（滋補劑）黃耆　茯神　人參　生乾地黃　柏子仁　酸棗仁　遠志

寬中進食丸—（強脾胃）大麥蘖　半夏　豬苓　草豆蔻仁　神麯　枳實　橘皮　白朮　茯苓　澤瀉　砂仁　乾生姜
甘草　人參　青皮

厚朴溫中湯—（強脾胃）厚朴　橘皮　甘草　草豆蔻仁　茯苓　木香　乾姜

沉香溫胃丸—（強脾胃）附子　巴戟　乾姜　茴香　官桂　沉香　甘草　當歸　吳萸　人參　白朮　白芍　茯苓　良
姜　木香　丁香

雙芝丸—（補肝腎）熟乾地黃　石斛　五味　黃耆　肉蓯蓉　牛膝　杜仲　兎絲子　麋鹿角霜　沉香　麝香　人參
茯苓　覆盆子　乾山藥　木瓜　天麻　秦艽　薏仁

內固丹—（強脾腎）肉蓯蓉　茴香　破故紙　胡蘆巴　巴戟天　黑附子　川楝子　胡桃仁

大補丸—（強脾腎）陳韮子　陳蘿蔔子　蕤仁　川山甲　麝香

金纓丹—（強腎）龍骨　兎絲子　破故紙　韮子　澤瀉　牡蠣　麝香

和氣地黃丸—（調和氣血）木香　楝桂　茯苓　白芥子　白朮　山藥　川芎　當歸　桂花　砂仁　甘草

水中金丹—(強腎)陽起石　木香　乳香　青鹽　茴香　骨碎補　杜仲　白龍骨　黃戌腎　白茯苓

當歸丸—(補血)當歸　香附子　杜蒺藜　芍藥

鎖陽丹—(強腎)桑螵蛸　龍骨　茯苓

補肝湯—(補血)當歸　川芎　白芍　熟地　棗仁　炙草　木瓜

救肺湯—(補肺)當歸　白芍　麥冬　五味　人參　黃耆　炙草　百合　款冬　紫苑　馬兜鈴

猪肚丸—(健脾胃)牡蠣　白朮　苦參　上爲細末以猪肚一具煮極爛搗研如膏和丸

百勞丸—(去瘀生新)當歸　乳香　沒藥　䖟虫　人參　大黃　水蛭　桃仁

資生湯—(補肺脾)生山藥　玄參　於朮　生雞內金　牛蒡子

十全育眞湯—(補肺脾腎)野台參　生黃耆　生山藥　知母　玄參　生龍骨　生牡蠣　丹參　三稜　莪朮

醴泉飲—(退熱治咳)生山藥　大生地　人參　玄參　生赭石　牛蒡子　天冬　甘草

一味薯蕷飲—(一般滋養劑)生懷山藥四兩切片煮汁兩大碗以當茶徐徐溫飲之

珠玉二寶粥—(滋養脾肺)生山藥　生苡米　柿霜餅　先將山藥苡米搗成粗渣煮至爛熟再將柿霜餅切碎調入融化隨意服之

水晶桃—(補肺腎)核桃仁　柿霜餅　先將核桃仁飯甑蒸熟再與柿霜同裝入瓷器內蒸之融化爲一晾冷隨意服之

既濟湯—(強壯滋補劑)熟地　萸肉　生山藥　生龍骨　生牡蠣　茯苓　生杭芍　烏附子

來復湯—(退熱止汗)萸肉　生龍骨　生牡蠣　生杭芍　野台參　甘草

鎮攝湯—(補脾胃)野台參　生赭石　生芡實　生山藥　萸肉　淸半夏　茯苓

敦復湯—(補脾腎)野台參　烏附子　生山藥　補骨脂　核桃仁　萸肉　茯苓　生雞內金

益脾餅—(強脾胃、白朮　乾姜　雞內金　熟棗仁

扶中湯—(補脾胃)於朮 生山藥 龍眼肉

逍遙散—(疏肝健胃)當歸 芍藥 白朮 甘草 茯苓 柴胡 薄荷

溫肺湯—(強肺)人參 甘草 半夏 肉桂 橘紅 乾姜 木香

補中甯嗽湯—(強脾胃)白朮 茯苓 半夏 藍葛 陳皮 山查 人參 砂仁 甘草

團參飲子—(止咳劑)人參 紫苑 阿膠 百部 細辛 款冬 杏仁 天冬 半夏 五味 桑叶

安肺湯—(補肺脾)人參 茯苓 白朮 甘草 當歸 白芍 川芎 麥冬 五味 桑叶 阿膠

柏子養心湯—(強壯劑)黃耆 當歸 茯苓神 川芎 半夏 柏子仁 棗仁 遠志 五味 人參 桂心 甘草

祕旨安神丸—(安心補血)人參 棗仁 茯神 半夏 當歸 白芍 橘紅 五味 甘草

參苓白朮散—(強脾胃)人參 茯苓 白朮 甘草 山藥 苡仁 蓮肉 砂仁 陳皮 桔梗

調中益氣湯—(強脾胃)黃耆 人參 甘草 當歸 白朮 白芍 五味 升麻 柴胡 陳皮

聖惠鱉甲散—(滋補退熱)鱉甲 芍藥 當歸 茯苓 白朮 黃耆 人參 甘草 木香 柴胡

壽脾煎—(補脾胃)白朮 山藥 當歸 人參 甘草 棗仁 遠志 炮姜 蓮肉

補天丸—(補腎)紫河車 黃柏 龜板 杜仲 牛膝 陳皮

金鎖固精丸—(強腎)潼蒺藜 黃芡實 蓮肉 蓮鬚 龍骨 牡蠣

鹿角膠丸—(補脾腎)鹿角霜 熟地 人參 當歸 牛膝 茯苓 兎絲子 白朮 杜仲 虎骨 龜版

祕精丸—(強脾腎)白朮 山藥 茯苓神 蓮肉 蓮皮 貢芡 牡蠣 黃柏 車前

補天大造丸—(一般強壯滋補劑)紫河車 鹿茸 虎脛骨 龜版 生地 山藥 澤瀉 蓯蓉 茯苓 丹皮 萸肉 天
麥冬 五味子 杞子 補骨脂 當歸身 兎絲子 牛膝 杜仲

王母桃—(補脾腎)白朮 熟地 首烏 巴戟天 枸杞子

六君子湯—(強脾胃)人參　白朮　茯苓　甘草　陳皮　半夏

加味六君子湯—(強脾胃)人參　白朮　黃耆　山藥　甘草　茯苓　砂仁　厚朴　肉豆蔻

人參養營湯—(一般強壯滋補劑)人參　黃耆　當歸　白朮　炙草　桂心　陳皮　熟地　五味　茯苓　白芍　遠志　薑　棗

十四味大建中湯—(一般強壯滋補劑)人參　白朮　茯苓　甘草　川芎　當歸　白芍　熟地　黃耆　肉桂　附子　麥冬　半夏　肉蓯蓉

歸腎丸—(補腎)熟地　山藥　山萸肉　茯苓　當歸　枸杞　杜仲　菟絲子

養心湯—(補心)黃耆　當歸　茯苓　茯神　川芎　半夏　柏子仁　棗仁　遠志　五味子　人參　桂心

又(一般強壯滋補劑)參　朮　歸　耆　杞　山藥　胡桃　龍眼　大棗　沙蒺藜　補骨脂　人乳　鹿膠　鹿茸　羊肉　羊腎　海參

又(一般滋補劑)麥　味　杏　貝　熟地　首烏　蓯蓉　燕窩　烏雞　阿膠　淡菜　秋石　紫河車　豬羊髓　龜膠　白蜜

四神丸—(溫脾腎)補骨脂　吳萸　五味子　肉豆蔻。

胃關煎—(補脾腎)熟地　山藥　白扁豆　炙草　焦乾姜　吳萸　白朮

上所錄之方藥為增強自然療能之劑。然亦兼有對症療法之劑。或以未加適應證之說明為憾。因斯證無論在初中末三期。其病灶固在於肺而有因於肺部直接受病累及於他臟。有因於他臟受病而連累於肺。必須經過詳密之診斷手續。從側面增強其自然療能。此即本內經急則治標緩則治本之意。遇有新症時。如感冒停滯…等。當本仲景金匱之夫病痼疾。加以卒病。當先治其卒病。後乃治其痼疾也之旨。或宜兼顧治之。

(二)天然療法

天然療法者。卽營養。空氣。安靜。精神。運動。日光……等療法是也。在現時醫學程度。尚未有能將肺內繁殖之結核菌殺滅或阻遏其繁殖。或化其毒爲無害之治療法。故治療肺結核之方針。僅不過增強患者之體力。使其體力足以戰勝肺結核菌而已。卽我國醫所謂正氣者是。夫醫之治病。貴在能利用自身之體力以袪病。(卽自然療能是)抑藥物者。乃輔助自然療能之不逮。非能直接作用於病毒。而消滅之於無形也。肺癆既不能專恃藥物。則所望者。惟天然療法耳。天然療法云者。卽令患者勵行下述各種療法。增強其自然抗病機能。以征服結核菌之謂也。天然療法頗多。玆舉其要者數種如次。

甲 營養療法

營養療法之目的。在攝取多量之滋養品。(惟不可超出食慾範圍之外)藉以充實體力。亢進其組織之生理的防禦機能。(卽自然療能) 使病灶被包於結締組織而自愈。但欲達此種目的。不得不先使其營養佳良。於是而營養療法尙矣。所謂營養療法者。無他巧妙。卽使病人攝取多量富於滋養之食物。以養成其組織之活潑力也。吾人日常所攝取之食物。其有効成分。可分六種。卽蛋白質。脂肪。炭水化合物。無機鹽類。水分。與維他命等六種是也。富於蛋白質之食品。於動物性則爲一切鳥獸魚類等肉。與雞蛋乳質等。而於植物性。則爲豆類及其製品等。尤以豆腐豆餅等爲最著。富於脂肪者。如動物性中仍以各種肉類卵乳等。於植物界則以落花生。蘿苔。芝蔴。豆類等爲含量最多。至於魚肝油。菜油。猪油。乾酪。芝蔴油等。殆全部爲脂肪。炭水化合物。於澱粉類則以米麥等之穀類。豆類。慈菇。甘薯。馬鈴薯。百合。栗。菜蔬等。爲含量最多。而於糖類則以蔗糖。蜂蜜。糖食等爲豐富。無機鹽類之必要者爲鈣。鉀。鈉。鐵。鎂。與氯。磷。硫。碘等諸元素及其各化合物皆是也。此類於吾人日常所用之食物中。均含有其少量。故各種混合者。決無鹽類缺乏之虞也。惟氯化鈉(卽食鹽)爲食物中所常用。

維他命有下列五種。1.維他命A。在動物性食品中。以魚肝油。蛋黃。牛酪。魚卵。鰻。含量爲最多。牛乳。臟器(例如牛猪雞等之肝腎心臟等) 羊油。魚油。人乳。山羊乳。及其他動物性脂肪次之。而猪油中則殆無其存在。而以牛油。脫脂乳。煉乳。乳酪。牛羊肉等。爲最少。在植物中則多存在於綠葉與胚子之部分。如菜蔬類以菠菜。捲心菜。萵苣。胡蘿蔔。蕃茄。甘藷。芹菜。豆莢等爲含量較多。而以馬鈴薯。菜菔。花生油。種油。胡桃。大豆。香蕉。海苔。玄米等爲最少。2.維他命B。以米糠。糙米。飯。雞蛋。麥麴。大豆。菠薐菜。蕃茄。檸檬。葡萄。橘柑及其他穀類含量爲最多。惟白米中則全無。肝臟。腦。脺臟。黍。豌豆。胡桃。等次之。牛羊肉。腎臟。牛乳。煉乳。乳酪。小麥。捲心菜。萵苣。馬鈴薯。香蕉。蜂蜜。海苔。等爲含量最少。3.維他命C常存在於新鮮之蔬菜水果中。尤以柑橘。檸檬。捲心菜。蕃茄。菠菜。葡萄。香蕉。青菜。萵苣等含量最多。胡蘿蔔。豆芽。穀芽。麥芽。等含量較次之。牛羊肉。肝臟。生牛乳。綠茶汁。馬鈴薯。蘋果等含量最少。4.維他命D常存在於肝油。牛奶。蛋黃。植物性油。蔬菜。小麥等中。又動物及人體受日光與人工紫外線之作用時。則可由脂肪以造成此維他命D。食物中缺之D時。則發生佝僂病。更易生虫芽。5.維他命E常存在於捲心菜。萵苣。菠菜等中。特小麥芽中含量最多。食物中缺此。則妨害娠妊。其對於繁殖大有關係。

又富於鉄質之食品。爲菠菜。蛋黃。猪肝。牛肉。蘋果。石刀柏。等於貧血之人。最爲適宜。又肺病人每多缺乏燐酸鈣。磷酸鈣等。故宜攝取富於鈣分之食物。如吾人日常食品中之小烏。小魚等。骨皆自然之鈣劑。惟碎嚼而食之可也。

此數者食物之有效成分。必交換或混合而取食之。庶足以維持體力。而使組織營其机能焉。但攝取營養之際。尤不可漫無限制。要宜以其胃腸之消化力爲衡。庶無遺憾。否則胃腸內一時輸入多量食品。非特不克營完全之消化。且將有損其胃腸机能焉。但宇宙之內。食品種類。種種不一。其選擇之道。究應如何。亦一問題。大抵能以病人食慾。及嗜好爲標準。最爲適當。又烹調之法。亦應以適於本人胃口者爲佳。且縱使該食品爲病人所嗜。亦應時時變更其烹飪法而與之。以免日久生厭。夫食品苟爲病人所厭忌而強與之。則卽使甚有滋養。徒足減少食慾。妨害消化。絕無利益之可言。故病人家屬。不得不於此三致意焉。

乙　空氣療法

清淨新鮮之空氣。在肺癆人之治療上。爲至要之一種。空中養氣。足以保持吾人之生命。不可須臾或缺者也。患肺癆者。尤必藉新鮮清淨之空氣。使之作用於血液。俾得十分亢進其机能焉。是故新鮮之空氣。在肺癆病治療上。較之滋養食品。尤屬可貴。苟空氣不甚清新。則吸入肺臟後。其中有害成分。可直接刺戟結核病灶。瘡面。能促其增惡者也。夫吾人四肢之皮膚。一有外傷。卽施以消毒之繃帶。以防止各種不潔物之附着於瘡面。而刺戟之。乃使瘡面速就治愈之第一要義也。今肺臟亦然。且肺臟之瘡面。不能消毒而施以怕帶。外氣又須時時觸接流通於其瘡面上。則肺癆病人。所呼吸之空氣清淨。實爲使瘡面速就治愈之必要方法。

治療肺癆。既以呼吸清新空氣最爲必要。故欲達此目的。（一）宜使病人呼吸室外空氣。（二）宜使其常居室外空氣中。愈久愈妙。其所以必使居於室外者。因其空氣較之室內爲清新故也。徵之實驗。被關鎖之室內。不但空氣中所含之細菌較之戶外殆十百倍。而其他塵埃及有毒氣體之含量。殆亦與是相比例焉。夫新鮮空氣。不特夾雜之有害成分較少。且能使吾人體組織細胞之活力增進。即使生理的防禦机能之著明亢進也。其細織細胞之活力增進。則全身爽適。食慾增加。榮養亦漸臻佳善。對於患肺癆病者。尤有著效。故病者不僅清朗溫暖之氣候。即陰天雨天夜間冬季。最好能長時間繼續接觸外氣。

實踐空氣療法。至爲簡易。可不必更加說明。即凡強壯而無熱之肺癆病人。均使久居於室外空氣中可也。但天氣晴明之際。行之病人固大爲爽適。若陰雨黑夜氣溫低降時。則均危懼而不敢停留於室外。何以故。蓋世俗之人以爲寒冷對於病患最爲危險。因此易於感冒。致起種種不適。或暫時增劇其咳嗽者有之。故避之惟恐不謹也。雖然寒冷之空氣。其影響於肺癆治療上者。實不若世俗所慮之甚。試觀肺癆。無論在四季溫暖之南方海浜。或終年沍寒之北方山地。均有罹者。而察本病之經過。在北方者反多緩慢而爲良性。在南方者反常取急劇不良之經過。歐洲最初之肺癆病療養院。勃來美而氏肺病院。在德國北部之山間。極寒冷之地。冬季常有攝氏零下十二度之寒冷。患者悠悠散步於室外之積雪中。頗奏良效。氣候之中。對於病人最可厭者。爲「風」。空氣中之急劇變動。尤以「風」對於氣道疾病最爲危險。故當施行空氣療法時。不可不勉力避之。然同一「風」也。其僅感於皮膚而覺愉快之「微風」。能助室內之空氣變換。有驅逐不潔空氣及塵埃之功。反屬必要。但稍強之風。則爲有害。即急速奪去口鼻腔粘膜及皮膚之溫度。多爲感冒之原因。

行外氣療法之初。在室外停留之時間宜短。倘初時使呼吸長時間之新鮮空氣。有多數患者因尚未習慣。反使體力弛緩。不眠。眩暈。全身違和。或使咳嗽增加。但治療經久後。此等障礙漸漸減少。終則全然消失。迨習慣後始可停留室外。初期僅擇天氣晴朗溫暖之日行室外空氣療法。迨漸漸習慣對寒冷之外氣。上氣道有抵抗力後。則可日日繼續滯留於室外矣。

以上所述。爲在室外所行空氣療法之一般。但在有熱期之患者。停留室外常感困難。則不可不爲室內施行之準備。其要一言以蔽之。即使病室內之空氣與室外之大氣。在同一之條件。注意家屋之周圍。而使塵埃之飛揚少。流動室內之空氣。而使室內之塵埃容易驅除病室之窗不僅在晝間宜開放。卽夜間開放之亦無礙。故對於病室之構造及位置不可不深注意之。雖有熱之患者亦宜晝夜接觸外氣。開放病室以漸次養成所謂「開放生活」之習慣。爲預防病室空氣之不純起見。宜嚴禁室內多數人之出入或集會。

行空氣療法之時。其最不可缺者。爲橫臥療法。試觀療養院中之醫家。對於入院患者之橫臥療法。如何傾其全力使之嚴正履行。在自宅行橫臥療法。可擇南向病室。日光可及之廊下。放一籐製之寢椅。待日出後溫暖時。病者以溫暖之毛巾包裹全身以達足趾之端。仰臥於椅上。繼續至日沒爲止。此時顏面須遮斷日光之直射。可用屏風等遮蔽之。少量之微風。於橫臥療法固無妨。若外氣流動過敏。欲防止之。可備一接近病床容易移動之屏風。有熱者專在室內或廊下行之。在輕微之發熱或無熱者。則當無風之日。可在室外之庭園或空地行之。在室內行橫臥療法時。當無風溫暖之日。宜開放室之全部。稍稍有風之日。閉其三方。僅開放置有橫臥椅子之一方。風不可吹過病床。宜注意之。在黃昏及夜間尤宜注意。茲爲避免誤解。再進一言。卽橫臥療法之目的。因臥床時之水平體位。自已之身體各部爲弛緩之狀態。身體全爲受動的位置。使身體各部之十分休息。與安靜得以永久持續。並同時施行空氣療法之意也。其橫臥之椅子。固無何等之作用。如有不慣此橫臥椅子者。卽在床上仰臥亦可。又橫臥椅子之形狀及屈折之角度。隨自己之舒適而造之可也。

丙　安靜療法

在肺結核治療上。最切要者爲安靜療法與空氣療法。所謂安靜空氣療法者。乃肺癆療養法之主要原則也。雖然世俗謬見。恆以肺病爲運動不足而發生。須勸獎運動。此種誤謬。實因不知安靜在本病治療上之重要者。故不憚詳述其所以必須安靜之理由如次。

肺癆之發病。原多起於身心之過勞。故在治療上必需休養。卽首在安靜。(一)因安靜能節省體力之消耗。卽可得活力之節省。以此餘力而與病魔相戰鬬。(二)蓋吾人體不能直接殺滅結核菌。欲除幫助該部身體組織之防禦機能。用安靜法使新生之結締組織速將病灶完全圍繞。以助長自然之瘢痕形成。而使之治愈。(三)不守安靜。則呼吸荒亂。脈搏急速。因之有病變之肺臟不能保持其安穩。則其病區之修理工作。亦難以進行矣。（四）運動則病變部之毒素散出。流入血中。促成發熱。使神經過敏。妨害食慾。此外更能使全身諸器官之機能發生障礙。此種毒素乃由結核菌所發生者。最少則刺擊細胞。量多則成爲上述之害毒。若守安靜。則此多量濃厚之毒素。惟停滯於病區內。且能防止結核菌自身之繁殖。不然。仍事運動。則血液淋巴等之循環亢進。肺組織受其牽動伸縮之作用。其結果使病區內所蓄積之毒素。皆循血行而四散。爲害全身。且與結核菌以活動之機會。由此觀之。患本病者愈守安靜。則病變部之治愈也愈速。乃固然之理也。

雖然安靜如達適當之時期後。則亦應徐徐從事適宜之運動。其詳細俟後運動療法項內述之。

又身體雖達安靜。若其精神憂鬱沉悶。動搖不能安靜者。則屢發食欲不振。睡眠不安等等障礙。於治療上皆受妨害。精神感動。可以引起發熱。乃所常遇。欲避免之。宜休養精神。勿爲瑣細之事而煩惱。勿以世之毀譽褒貶而介意。超越環境。死生使心無繫。自然無往而不自得。

丁　療法

肺癆患者。保持安靜。爲療養之要法。既如上述。然至適當時期。應有適度運動之必要。因運動則血行旺盛。可使病灶部之結核毒素循血行而散布全身。其毒素流出過多。體力太弱時。則生大害。反是毒素量少。體力較強時。則反可刺戟其組織。而增益其防禦力。故運動得宜。則爲良藥。而奏偉效。用不得當。（如時期過早運動過多）則成劇毒。而反生危害也。故運動與安靜。必須相俟而行。常保調節。又在運動開始時期與程度等。最當戒慎。不然。殊甚危險。因安靜而遭損者極少。然由運動以致失敗者實甚多也。至其運動開始之時期。及其程度如何。茲略述之。凡病機停止。發熱全然消退。已得治愈之先兆者。均可從事於輕度之運動。因此時之運動。能增進食慾。使全身之榮養漸就佳良。一方可促成結核病灶部之硬化。使敗殘之結核菌幽閉於強固結締織之金城鐵壁中。他方更能徐徐強練其習於安靜。久成衰弱之肉體。使四肢之筋肉與心臟恢復其強健。以揣運動。而漸次可活動於社會間也。本病人當運動之初。雖須遵守醫生之指導。然其大概情形。則以體溫爲標準。在久無熱候者。起於一日內。僅可於午膳前步行平地五分鐘。或在寓園內閑散數分鐘亦可。但步行後。應卽歸床橫臥。以免疲勞。翌日可中止其步行。因運動後之發熱。往往有起於翌日者若復見發熱則爲運動過早之症應卽中止使復無熱後斯可再行運動也蓋此時期在本病治療上意義非常重大病症之能否治愈唯在此時之療養如何耳故本病當此際務宜以嚴愼周密而試行之斯可獲萬全隔日一次五分鐘之步行如至三次都無熱候則可每日行之如是更漸次延長其時間至每日十分鐘十五分鐘久之則延至二十分鐘但時間之增加不可過急急則反招其害耳若漸就強健則可步行傾斜之坂道以強鍊其心力但一日之步行時間最多不得逾三小時且一次惟局限於一時間內。

戊　日光療法

日光乃生活力之源泉。一切生物莫不直接間接沐此日光之恩惠暗處之鳥獸發育不良。陰地之草木成長欠佳此盡人皆知者也而日光甚影響於吾人之健康亦何獨不然所謂「日光不入之家醫生入之」者蓋言生活於幽暗之家者常憔悴而病弱也日光之作用在能使吾人精神爽適皮膚強固與身體諸細胞以微妙之刺戟而敏活各臟器之生理的機能也更能增多赤血球之數又可使其血色素之含量增加而令血液之氧素吸收機能旺盛此血色素之於人類猶葉綠素之於植物也植物受日光之恩澤則可由白色之嫩葉而變爲森森之綠色故吾人常得日光之照射者亦自能血色豔麗消化力增加新陳代謝之機能旺盛。肺臟爲日光所照則足以障礙細菌之發育又肺臟長接於光線則漸起充血而組織之機能可得佳良之影響故日光療法於結核腺病以及神經病腎臟病心臟病生殖器病全身病等均有裨益

日光適度照射吾人身體固爲極佳之刺戟可使新陳代謝旺盛自然無可疑餘地然對於濫用日光則不可不戒結核菌受日之直射四三小時卽死然結核菌在肺而以人體受過烈之日光日光未能及於肺之結核菌而人則獨受其害日光旣可死結核菌則人體之受害亦爲當然

自五月至九月之日光人體若受其直射一小時皮膚必爲之變黑此乃人體欲防日光之害深及體內於皮膚下生成黑色素層以吸收光線而防光線深入人體內故耳此生理上自然生成色素膜以阻止害物使入體內也但以日光可殺黴菌故謂肺病亦可直射日光則實危險對此有相當知識之人尚且爲之尤當注意故自五月至九月日光強烈時宜避免日光之直射若係向南

病室。將窗戶開放。已有多量反射之日光。空中可充分浴受日光。不必再故冒危險。受直射之日光。

惟退熱後經二月以上。於恢復期已漸可出戶外散步。更自然可十分接觸空氣日光。更無庸靜臥以受直射日光時。欲使身體漸次強壯。可每日照射日光一次。每次約五分鐘。最先係祇照射身體之一部分（分爲足手胸背腹等各部）但此絕對不宜聽常人自爲之。必須受有經驗醫生之指示。行之方爲安全。此係欲使各部分逐漸能堪直射日光。以鍛鍊身體。故見有發熱食慾不進等者。應立即中止。不可不注意。直射日光。已如上述。但反射日光。對於吾人之生活。可作適度之刺戟。絕對必要。故病室以南向可充分射入反射日光最佳。不光亮之室。殊不相宜。

人工太陽燈。愛克司光等。非注意行之。有時不但未得其益。而且反受其害。肺及肋膜之結核。以不用爲安全。

巳　精神療法

患肺癆病之人。其性情每多鬱怒。舉天下可憂可患可悲可憤之境。交集於一人之身。鬱鬱然朝唏而暮唶。其精神最不安寧。由此而病勢日益加劇者。比比皆是。故肺癆病人。宜專注意於精神療法。

（一）病中須生大解脫心

試入戲院。觀演戲者。窮通得喪。離合悲歡。外像宛然。而心內坦然。彼優伶何所得。而能不動心若斯。彼明知形像假。做情境假。作傾刻互換。而無損益於已也。吾人處世。宛如優伶之登台演戲。彼以半小時或數小時爲一齣。其時短。故能知其假。我以數十寒暑爲一齣。其時長。故妄以爲眞。妄以爲眞。追鑼鼓一歇。則種種幻態。皆歸於無。與短劇之結果何異。故吾人在數十寒暑中。須知富貴貧賤。萬緣皆假。一切日用供給之品。皆　中之塵垢也。胡爲乎與凡庸之輩。事多寡。較美惡於塵垢間哉。

精神療法者。須於病中生大解脫。任其生死。莫起恐怖。人生能有幾時。石火電光。旺眼便過。世間榮華富貴。不過片時。厄難苦惱。亦不過片時。將身外事。幷此身四肢百骸。盡情放下。使空無一物。若必不可歇者。亦權且歇下。待後日處之。視田宅金銀器皿衣服等物。如水上浮漚。風中飛絮。聚散無常。來去皆幻。過去如幻。現在如幻。未來如幻。自此心華湛然。一切聲色無礙。知見頓空。此心一絲不掛。萬緣俱寂。空空洞洞。不知有身。不知有世。幷不知我。今日所患之病。果能如是。則體力必漸復。而病魔必漸退矣。不急求愈。乃速愈之良方也。

(二)病中須生大歡喜心

病爲衆生之良藥。人於病中當生大歡喜心。一切不如意處莫起煩惱。宜竭力使中心快樂。飾爲笑顏。自有融融洩洩藹然如春之致。久之自習慣而成自然矣。

境無苦樂從心所起。同一花晨月夕。有心曠神怡之人。卽有感極而悲之客。昔人云。神仙無法祗生歡喜不生愁。然非胸襟曠達者。不足以語此

苦悶之可懼。如滴水然。一滴之水勢不能穿魯縞。滴之不已。則岩石可斷。偶爾苦悶爲害誠細。然累之積之。則能弱體而傷生。蓋苦悶之力足礙消化害營養傷腦細胞。其害之及人雖非如揮劍斷脛演血雨之慘劇。然冥冥中實刻刻縮短其生命。猶碎首而扶其腦不絕以小槌敲擊之也。腦病學者云。前世紀中以苦悶死者。實多於戰死之兵士。其害誠烈矣哉

凡事皆能感人而快樂何獨不然。人當傷時感物憂憤塡膺之際。親知不能勸。醇酒不能消。無端而覩小兒之一笑。未有不爲釋然者。蓋快樂之感人至深。實有不能自已耳。且快樂之爲用。如燈光然。燈光未嘗因分光於他物而減損其光。故吾人以巳樂而樂人。既有利於人而已亦無所損也。則發一二笑樂之語以樂人。亦人之義務耳

肺癆之預防

夫本病之險。傳染之易。瀰蔓之廣。醫治之難。旣如上述。然則吾人苟欲免此危險。惟有預防之一法。內經云「夫病已成而後藥之。亂已成而後治之。譬猶渴而穿井。鬬而鑄兵。不亦晚乎。」金匱云「上工治未病」諺云「當未雨而綢繆。毋臨渴而掘井。」蓋亦卽示人以預防之意也

凡傳染病必有「病原菌之存在」以爲之因。「抵抗力之缺乏」以爲之緣。因緣湊合。始克成立。苟僅有病原菌存在。而吾人體力旺盛。縱使細菌進入體內。亦不致發生疾病。反是。如體力薄弱。而無病原菌侵犯。更不足以成立其傳染也。是故傳染病預防上之根本原則。一面宜使病原菌絕滅於吾人世界。一面宜養成得以防禦之體質。俾病原菌縱或進入。亦無能作祟焉。故肺癆之預

防。亦不出此二端茲將二法之梗概略述於后。

一　增強身體之抵抗力

吾人接觸肺癆之患者頗多在實際上文明國之各個人幾皆受過肺癆菌之傳染據諸家應用「Tuberculin 杜白克林」反應之檢查成績百人中有九十人以上在兒童時代已傳染肺癆菌雖傳染者有如此之多但並非人人皆發進行性肺癆故對於肺癆菌之侵入體內與患肺癆者應全然加以區別須知有多數人雖有肺癆菌侵入體內但並未發生何種之病症也其或患進行性肺癆或則安然無恙者蓋與各個人之抵抗力之強弱大有關係故就各個人之立脚地言預防肺癆之第一要義應歸於增強身體之抵抗力故生活之規律宜有一定平日宜行適當之運動以強固皮膚肌肉使身體營養佳良又在可能範圍內應力求居處於少塵埃之清潔空氣中改善一切生活狀態避免肉體及精神的過勞勿恣意縱慾一切疾患宜速行治療以免體力之減弱。肺臟病患最易誘發肺癆故尤宜速治厥爲對於肺癆之最要預防法也

二　避免傳染機會及撲滅病原菌

如上所述就個人之立脚地言奉行一般養生法強健身體以養成其抵抗力爲預防肺癆之第一義但身體雖極強健若受一定度以上之巨量病原菌侵入仍可發進行性肺癆故尤須時時力求避免傳染之機會與撲滅病原菌肺癆菌並非不論何處皆有多數之存在惟肺癆患者之周圍及肺癆患者之排泄物分泌物中必有大量之結核菌存在無疑故勿接近結核患者於預防肺癆上最爲切要萬一家人之中偶有一人患肺癆者視力所能及以隔離居住爲佳對於患者本身及康健上皆極切要患肺癆之母弗哺乳於其子又不可與之同衾撲滅病菌首宜令患者於咳嗽時以手巾覆於口前以免咳時含有無數結核菌之痰沫飛散於其四周凡咯痰概應吐於痰盂集而棄諸廁所如不得已時則以手巾或軟紙盛之紙宜投於廁所或聚而焚燬手巾宜即浸於水內聚合數條十分煮沸而洗濯之又患者所用過之杯碗等他人如即取用亦屬危險又患者所著之衣裳被褥等皆有傳染之危險皆宜經煮沸消毒或用他種消毒器消毒或至少應經長時間晒於日光此外如肺癆患者所居之室及室中所置種種物品。皆須消毒且窗牖宜常行開放俾日光能得充分射入而呈其殺菌作用污穢斗室而居住多人時設中有一肺癆患者最易染及

他人故對貧民所居家室尤宜考慮此點。

以上兩法必交相爲用而預防始稱完全但世之所謂衞生學者。每偏重於消毒殺菌之方法但就消毒殺菌之觀念。而加以鼓吹。是誠大謬不然。何則凡人類生存之所無不有結核病人。苟有病人必有結核病菌吾人既不能使肺癆菌絕對不相接觸。則對於肺癆斷斷不能恃消毒殺菌之法。以爲預防必強健其身體俾得爲金城鐵壁縱與肺癆菌接觸亦有相當之防禦力以抵抗之而後可以無患也。

春季始業二年級日課表

時間	課目 ＼ 星期	1	2	3	4	5	6
上午	1						
	2	方劑	方劑	病理	病理	病理	傳染
	3	傳染	國文	黨義	治腹	傳染	方劑
	4	診斷	傷寒	診斷	傷寒	國文	傷寒
下午	5	雜病	外科	藥物	雜病	雜病	藥物
	6	溫病	藥物	溫病	藥物	溫病	論文
	7	選粹	治療	選粹	外科	治療	
	8						

氣候與疾病

邱允珍

氣候者。即空氣寒暖狀態之變遷也。茲先申述空氣之性質與人類生活之關係。庶可說明構成氣候之各要素。而準確了解其爲何物也。

夫空氣之主要成分爲氧。氮。炭酸。及少量之臭氣與水蒸汽。此外僅稍含其他物質而已。而其最主要者又爲氧氣。氧氣者。固可當爲人類生活上一種不可或缺之食物也。以其吸入肺臟。轉至血液。供紅血球吸收。與鐵質融和。輸於各組織。發生化學之燃燒作用。而爲人類體溫之來源。以主持人身機能之動作。而營肉體之生活及榮養也。故空氣者。實爲人類養命之源。猶魚之於水中。不能片刻相離。而人類呼吸。固亦不能一息間斷也。內經曰「九竅五臟十二節。皆通乎天氣」吾人生活於大自然界中。一呼一吸。既與空氣息息相通。因之氣候一有變遷。則不免影響吾人身體之健康。甚至釀成疾病。試就微細生物類推之。不觀乎天地之間。一切昆虫。莫不生於春。而殺於秋。長於夏。而藏於冬者。何哉。空氣之變化爲之也。其與吾人之關係。雖不如是之甚。然而寒來暑往。氣候冷暖。變遷靡定。偶一不愼。易罹疾病。此因空氣寒暖之變化而成疾者。謂之外感病。但同屬外感。而內因尚多。西醫有三因鼎立之說。則空氣亦爲主因之一。若強謂氣候與疾病無關。非特不合於中說。亦且有背乎西理。可見疾病與氣候之變遷。係焉明矣。尤其最易予吾人感覺者。莫如當天氣高爽之時。散步郊外。跋涉山野之間。則未有不頓覺心情愉快。精神煥發。舉步輕捷者。不然一至天氣陰晦。空氣潮濕。則未有不反感胸懷煩懣。肢體痿倦者矣。倘遇久雨。則望晴以暢適。而久晴則望雨以潤澤。此因氣候不齊。而空氣之良否。直接關係吾人神經之感覺也。苟吾人身體孱弱。抵抗力缺乏之者。則必受其影響而成疾矣。而強者僅有不適之感耳。蓋吾人自呱呱墮地。以迄成人。一舉一動。莫不與空氣互相接觸。久經鍛練。已成習慣。對於自然界氣象之變化。常能調節抵抗。維持健康。若氣候微有變遷。尚可應付自如。甚至變遷稍劇。而吾人身體抵抗力強者。亦未必致病。是故氣候之稍有差異者。非至極端。固未嘗有大害。設突然大變。則爲患頗烈。所謂六淫者是。淫即太過之意也。

空氣與地勢及人體之關係

山地

凡物之在地球上者。莫不受大氣之包圍。而大氣之重量恆予其一定之壓力。謂之氣壓。人類生活於地上。自亦不能例外。然氣壓距離地面愈高則愈減輕。如希馬拉亞山高聳五〇〇〇m之高度。則其空氣稀薄而氣壓亦減輕矣。夫氣壓最低而人類生活所能堪者。爲水銀柱四三八mm若超此限度不遠亦無大礙。否則相差過甚則易罹高山病Die Berg Kran Kheit 其症狀全身脫力心悸亢進不省人事。呼吸不整往往嘔吐齒齦口唇出血等。此氣壓減輕所以不宜人類之生活也。反之氣壓增高亦有障礙。如血行增速呼吸困難等症。但此尤無大害。若由高壓突然至於低壓中則爲害甚劇。如全身脫力胸部窘迫耳鳴痙攣關節四肢疼痛。耳目鼻肺出血。瞳孔散大。時或有痲痺昏倒譫語等症。極爲危險甚至致死。然人體與氣壓高低之關係亦視體質之習慣而有差異。有登高山達三五〇〇m之高度者。尚不罹高山病。而常住海拔一八〇〇m之高原者。已發生高山病云。至於登達五〇〇〇m之高處者。則未有不罹高山病云

然而人類亦有常住高山達三〇〇〇至四〇〇〇m之高處而仍健康者何也。蓋人類有氣候馴化 Acc Limatisation 以適應環境之能力。故向居平地者移住高山。由低而高逐漸遷移。久而久之則成習慣。順乎自然而無任何影響於身體之健康。此乃氣候馴化使然也

雖然山地氣候有害於人體者固多。而有益於人體者亦復不少。因其氣壓少變。氣濕既輕。氣溫亦低。氣候稀薄而乾燥。少含塵垢及細菌。加以氣壓低小能使脈搏頻數及呼吸深度之增加。而助胸廓擴張。並能引致動脈性之鬱血及白血球之增加。因之皮膚及肺臟之血液循環大爲促進。而食慾及榮養轉佳。故居於稀薄空氣中之人體。以其心肺二臟之機能增進。而其血液中之血球數亦甚增加也。要之山地氣候影響人體之作用。在乎使全身機能亢奮及物質代謝增進。是故對於人體發育有良好之影響焉。但身體衰弱神經過敏者。或有心臟病素因者。則山居不甚適宜。恐因氣候之興奮感應。反起不良之結果也。

溫度

夫水分之所以成爲蒸氣而混於空氣中者。則視乎空氣之溫暖與否而增減。大凡空氣愈溫暖。則空氣中之水蒸氣亦愈多。猶地

方雨量多者則其間空氣之濕度亦多此自然之理何以知之蓋地上受温度蒸發之濕度上騰而成雲遇冷則下降而爲雨。不怪夫乾燥之地其雨量恆較少於濕潤之地驗諸事實信而有徵理益明顯豈可忽哉据氣候學上言之凡非常濕潤之氣候有大害於人體之健康。蓋人體中之水分適度自無疾病之患若稍增多必由呼氣及皮膚以放散於外界此種作用幾無間斷設空氣中水分含量甚多則人體之蒸發作用亦甚困難温熱之放散乃受妨礙故凡人之生活於濕潤氣候者其體內未有不含水分與温熱之餘者因之身體遂感不適倘一旦氣候變遷空氣中之氣濕與氣温一齊增加則人體必受其刺戟而致疾病如中熱症是也然與濕潤相對者爲乾燥吾人處于乾燥空氣中身體蒸發水分之作用增多在低温中固無妨至高温中卽生渴感但倘堪受如埃及位居熱帶該地土人或白人雖當炎夏仍能勞動於烈日中而身體上受害極少蓋其空氣乾燥最易促進蒸發作用及散温機能俱增便人身體温隨蒸發放散而喪失甚多故也由是其人對於寒冷之感覺反爲鋭敏此乃體温消耗之結果所致也

沙漠

沙漠氣候爲乾燥而温暖故凡多濕地方之各種疾病如風濕痺……等選擇此種氣候轉地療養頗易見效。

海濱

海濱地方。氣濕較大。氣壓亦高但因海水之調節作用氣温無甚變化而氣流旺盛空氣新鮮海面反射日光之作用亦強對於人體能興奮末梢神經。強健體力。促進深呼吸。增加食慾及榮養雖與山地不同而能使全身代謝增進則無異也但在體質孱弱者有時反引起不眠喀血食慾不振等症。因海濱氣候冬季最適於病體虛弱者之療養其氣候温暖而濕度高者。大凡對於易感刺戟而少抵抗力者諸症最爲適宜如喀痰甚少之慢性支氣管粘膜炎肺氣腫喘息喉結核第二期以前之肺核等其氣候温暖而乾燥者則最宜於多痰之慢性支氣管炎慢性肺癆及肋膜炎諸症之病後調養至於南方海濱氣候因夏季海面及砂土受烈日反射之下而熱度甚高。不宜於病者療養對於虛弱之患者爲害尤劇設當盛暑避之爲妥

三帶

土地因位置不同而氣候各殊之關係。地理學上分爲三帶最接近赤道左右者爲熱帶。如埃及。亞比西利亞。南洋羣島……等地。

次之接近南北回歸線者爲温帶如西班牙葡萄牙土耳其意大利及中國……等地再次之距離赤道最遠者爲寒帶如北西美利加西伯利亞瑞典那威……等地考玆三者因土地氣候有寒熱温之三種性狀苟温帶人士移居熱帶時因身體上之散温機能受該地氣温與氣濕太甚之阻礙遂由放散減少而至困塞以致發生蓄温症…… 故閩粵人士僑居南洋羣島或其他熱帶地方時初必對於起居飲食格外注意以合乎馴化之方法不然危險殊甚英軍初駐印度即其例也然馴化之難易視乎土地距離之遠近遠者難而近者易若西班牙意大利日本葡萄牙及中國廣東福建雲南等地人士移居熱帶則馴化較易反是非但馴化較難甚且易發生種種危險因熱帶土地氣温甚高氣濕亦重適合細菌繁育而傳染病爲患頗劇同時日射病中熱病黄熱赤痢及其他胃腸病等亦甚多故初移居其地而不知自愼者鮮有不受其害也移居寒帶者則此種疾病較少蓋人類抵抗低温之力強而抵抗高温之力弱也證之於法俄之戰日俄之役結果法日之成績爾佳反之當歐洲之行軍於斐洲日人之始居於台灣其死亡於疫癘者動輒萬千由此觀之益信其然温帶位於寒熱兩帶之間氣候變化不一而大陸性之所謂內地則更甚一年之間可分四季其疾病以呼吸器病爲多而四季之中氣候懸殊其影響於人體極爲複雜而疾病亦各異也寒帶居人患呼吸器病者稍多而傳染病甚少此皆氣候與地位之不同而影響人體疾病之種類亦因之而有別焉

空氣變化——風寒暑濕燥火（即六氣一稱六淫）

夫空氣之變化係於太陽蓋太陽之温熱有改變氣壓之能力氣壓一有差異而空氣之性狀每欲保持其平均彼此不足互相補充於是氣界動搖而氣流生焉此所謂風也据物理學熱脹冷縮之理推之即知太陽之温熱能使空氣膨脹而稀薄因之體量變輕而氣壓減低此種受熱之空氣體量減輕而上升同時寒冷之空氣乃流注以補之而温暖與寒冷之氣可以互相交換大自然界中此種均衡循環不息遂成爲自兩極向赤道與自赤道向兩極之二大氣流此即指貿易風也然而氣候上通常之風非指此種大氣流而言乃限於一定地帶之氣流焉至於空氣流動而成風之理則一也夫中國土地位居温帶東南之海洋西北之高原及中央濱海之平原等三處之氣候濕燥不同南方之廣東較近熱帶北方之蒙古較近寒帶及居中之温帶三者之氣候冷熱又各異故風自東南海面來者多熱而含濕氣自西北高原來者多寒而挾燥氣依照太陽之直射與斜射論之則知夏日因太陽直

射赤道之北。故此時氣温甚高。而人體温度較低。則易發生暑熱之感覺矣。冬日因太陽行赤道之南。光線斜射地面。故此時氣温甚低。而人體温度向較低之氣温放散。則易發生寒冷之感覺矣。大半空氣冷者多挾燥氣。熱者多混濕氣。此因太陽與空氣之關係。引起種種之變化不同者。中醫分爲六氣。卽指此也。

風

當空氣蒸熱膨脹。或含有多量水蒸氣時。空氣重量變輕。而氣壓大減。於是人體內向外壓力之空氣。與外界之氣壓不能平均。而體內空氣有向外膨脹之勢。此時人體甚感不適。反望大風一起。以調平氣壓。冀得精神舒適。若於盛暑之日。暑氣熏蒸。精神疲倦。一得微風送涼。未有不情怡心爽。頓亡疲倦者。此因風之益也。然速行之風。對於人體之作用。則能奪却皮膚面之温熱。故在温度低而風力強者。則頗有害於人體也。蓋皮膚薄弱者。往往因之而感冒焉。但此尚輕。若風中挾有寒氣。或燥氣。或濕氣。或温熱之氣。吾人由口鼻及皮膚毛孔中吸收入裏。或妨礙人體蒸發機能與放散作用。而致全身物質代謝困難。甚至杜絕。因此便發生風寒風燥風濕風熱等病。風論云「風者善行而數變」其所以然者。乃因冷熱二氣鼓盪而成也。古人云風能燥物。僅道其一耳。不知含濕氣之風著於物體。亦能潮濕也。風之變化多端。由此可知矣。故寒暑濕燥火之中人也。亦必賴風爲之先導。靈樞五色篇云「風者百病之始也」而風之爲物。隨四時節令之變遷而各異。春風暖和。夏風炎熱。秋風肅殺。冬風嚴寒。其刺戟皮膚而成病者。亦因時令之不同。而疾病種類不一也。其中於人之皮膚。能使毛竅疎泄。交感神經弛緩。汗腺放縱。發熱惡風。脈緩。卽傷寒論中桂枝湯證是也。

寒者。因空氣氣温減低而成者也。四時之間。尤以冬令最盛。而人體對於寒冷之感覺。亦有差異。甲覺以爲寒者。乙或不覺。因甲之皮膚神經及血管較乙薄弱。故寒冷之刺戟易於感受。可知人體抵抗寒冷之能力。亦有強弱之分焉。如窮人當嚴冬之時。身着單薄衣裳。而罕見有感寒之病。此因其皮膚常在習練。皮膚神經血管漸次強化。故其抵抗寒氣之力大也。又有屬於先後天抵抗力不完備者。如南人習於温暖。皮膚對於寒冷素少鍛鍊。設往北方。卽易感冒。此屬先天者也。若性好蟄居温暖之內者。或膏粱子弟。重衾取暖。對於寒氣素乏鍛鍊。其皮膚神經血管漸次薄弱。而抵抗寒氣之力衰。此屬後天者也。不然人體本有天賦之抵抗力足以自衞。且寒威盛時。尙可着衣以禦之。其所以能感寒而成疾者。多因皮膚防備疎懈。出其不意。突來暴寒。以致人體之調節機能不及應付。則不免因而受傷矣。其傷於人也。能使毫毛畢直。肌膚縮緊。毛孔閉塞。惡寒身熱。無汗脈緊。卽傷論中麻黃湯證是也。或曰人體之稟賦各異。而皮膚有粗疎與緻密之別。謂皮膚緻密者罹太陽病則爲無汗之麻黃湯證。而皮膚粗疎者罹太陽病則爲有汗之桂枝湯證。一若二者決不相混。然奚以同一人。而有時爲桂枝湯證。有時反爲麻黃湯證何也。傷寒論中言之詳矣。設或太陽病先以麻黃湯發其汗。表解而熱未退。更易桂枝湯以和緩之。此其一定療法。且有時患太陽體表病症。必以麻黃桂枝二湯先後用之。始能愈病。可知病症須視受邪之性質若何而定。恐非由皮膚緻密與粗疏之關係也。否則可以規定一方。始終應用矣。予未敢許爲定論也。

暑

中國夏季。太陽移向北回歸線。其光線直射甚強。蒸晒大地。溫度亢烈。是謂暑氣。夫暑之傷人(古名傷暑)其證候爲頭痛。身熱口渴。心煩自汗。脈洪而虛。六一散主之。甚者大渴大汗。則宜白虎加人參湯矣。有因暑天炎熱之際。避暑於深堂水閣。或乘涼於密樹濃陰之間。則風寒襲表。汗無從泄。人體溫度不能隨蒸發作用而放散於外。故不免而受其害矣(古人所謂靜而得者卽指此也)其證候爲發熱頭痛。惡寒無汗。身形拘急。肢體痠疼。脈浮緊。或浮弦有力。宜以疎解香薷飲。或藿香正氣散主之。又有因盛暑烈日之下。跋涉長途。勞役田野。過受日光直接反射。燔灼人體。遂發生急性之腦溢血(古所謂動而得者卽指此也)其證候爲頭暈痛心煩。面赤大渴。身熱肢冷。昏倒無知。自汗脈虛。宜以清化爲主。益元散白虎湯竹葉石膏湯等劑。皆可隨證選用。

濕

濕之原爲水。由液體受蒸發作用。而化爲有質無形之水蒸氣。飽和於空氣中。而其原質不滅。故浸漬物體。便覺潮濕。而吾人生活於其間。則體中過賸之水分。因受外界空氣濕度太重之阻礙。而體中蒸發水分之作用困難。於是逗遛於體中而病濕。其症候爲胸滿不飢。頭昏如蒙。筋骨痠困。二便不爽。脈象緩滯。舌苔厚膩。療法則視病情之輕重而化裁也。或香燥以化之。或淡滲以利之。因症而制宜。尤以通利小便爲主。惟治溼之最要者。莫如健脾助運以化溼濁。始可謂標本兼顧而使全身代謝機能增進以却病也。

或曰水豈非更甚於溼乎。何以漁人篙工舵師漚麻洴澼日與水居而不病溼耶。無他。此因習以爲常抵抗力強故也。

燥

燥者乃涼氣凝縮所致也。古人云燥屬次寒。固燥矣。而熱極亦燥。所謂枯燥之極而火就燥。易從火化者即指此也。燥與寒及熱亦有別焉。不過病機相類耳。夫燥病何以少發於盛暑亢旱與嚴冬地裂之時。而獨多病於秋分之後者何也。蓋秋分以前尚當暑溼。忽轉秋涼。立刻反應皮膚毛孔感涼而收縮。汗液不能蒸發。同時淋巴液亦不得由汗泉而出。於是下降而爲溺。無以灌溉周身。榮養失潤。遂現肌膚枯燥之象。此因氣候之關係。故肺部與皮膚易感受而病燥。其證候爲鼻塞而咳咯痰不爽。筋急爪枯。肌膚枯燥。舌乾脈濇……等。然燥病古無專方。漢唐而後多昧於此。鮮有揭櫫。即雖有立論者。亦僅至於內傷之肝腎燥血枯虛燥而已。無所謂外感燥氣而爲病者當若何療治也。迨喻嘉言起始倡明之。並立清燥救肺湯以治之。闡發金匱之未備。誠爲有功於醫林也。惟其認燥爲熱而以甘潤微寒之劑治之。沈目南又引燥屬次寒之句而詆喻氏用甘寒之治非法。卓哉此亦未始非有所領悟也。可佩總之二氏之論各有所見。一則謂燥之復氣爲火。即伏火內動。一則謂燥之勝氣爲寒。即次寒外加。若因寒而燥爲燥之化氣。由燥而熱乃燥之本氣。人但知熱燥爲燥之常。而不知寒燥爲燥之變。其標雖異而實同。不怪夫人之所見各異而各是其是矣。究竟寒歟熱歟。觀此不亦明乎。故二者不可任意偏廢也。然諸賢辯論雖詳。而尚未能深發精微。蓋秋燥爲病外感之外。必有所兼。乃受涼邪外襲。蘊火內發。有以致之也。葉氏醫案有新涼外加。伏暑內發一證。雖未指爲燥而意寓其中矣。故知燥病除陰凝乾燥與陰竭乾燥外。又有內熱充斥。感秋涼之氣而爲病燥者。即指此也。

火

火即熱也。夫人體外界熱力最強者。厥惟太陽。宇宙萬物。莫不賴之以生長。此固有益於萬物者。然亦不能無害焉。試以凸透鏡收聚其光線集成一焦點。即能使物起燃燒作用而爲火也。人體觸之必受其傷。故於炎暑烈日照射之下。皮膚柔嫩者亦能受傷而起泡。與火傷無異。其所以不能如焦點之厲害者。因太陽距離地球甚遠。其光線已散漫故也。而其熱力尚足以變化空氣。增加溫度。如春應溫而熱。秋應涼而熱。冬應寒而熱。故病有春溫秋溫冬溫……此皆因太陽變化空氣而影響於人體。其病因無非爲熱。

熱卽火也。

前所論者乃空氣之變化而成六氣六氣之交錯而爲致病之外因而人體內傷者爲內因亦有風寒燥濕火故一病之生也雖曰外因然又何嘗非同性相引內外感應所致耶爰錄杜氏六淫解釋一則以資致證。

風　風是氣的變態神經興奮過度起強度的充血致發生癲瘓現像時都叫做風但神經作用往往興奮過甚就變沉滯沉滯過甚又起興奮所以痙攣和麻痺當相間而作像「驚風」「中風」等都是兼有痙攣的現象就是充血中兼有鬱血的意思。

寒　神經沉滯動脈血行緩慢時叫做寒全體微血管起貧血的現象時叫做寒戰局部貧血也叫寒像「胃寒」「脾寒」「子宮寒」都是局部貧血的意思。

熱　神經興奮動脈血行速疾時叫做熱或叫做內熱全體微血管起充血現象時叫做發熱或叫做表熱局部充血叫做火像「胃火」「肝火」都是局部充血的意思。「君火」「相火」就是生理的局部充血。

溼　神經沉滯靜脈血行緩慢時叫做濕全體起鬱血現象或局部鬱血時都叫做濕像「皮溼」「脾溼」都是局部鬱血的意思。

燥　燥是熱的繼續發生的現象因爲內熱或表熱以致血液中的漿液分泌過度水分蒸發太多血液漸漸減少時就叫做燥。所以燥是血分中兼有貧血的意思。

此說純以內因爲釋恐與古人認六淫致病爲外感之旨不侔與其謂全屬內因固不可而謂全屬外因者亦未必可恃也。必有內外二因兼焉惟中暑則多爲外因而燥溼二者則以內因爲主燥因內熱燔灼水分消耗溼因蒸發阻礙水分停積體中其病以消化系爲主體（古稱脾爲溼土）不能消化則水穀停留不能吸收則精華糟粕不別（古稱卑監）不能排泄則糟粕堆積（古稱敦阜）不能分配則津液凝滯（如小兒疳疾）致生嘔吐泄瀉胸脘痞滿舌苦白膩脈弦緩滯等證至於外因風寒之傷人也必其人之體質有弱點而風寒始得乘隙而客猶三陽經之太陽中風主以桂枝湯而太陽傷寒則主以麻黃湯三陰經之少陰傷寒主以麻附細辛湯以解表而兼溫內寒也甚者或主以四逆通脈等湯以補助心臟之衰弱而挽回欲絕之脈也然風者有內外二因之別。古之所謂中風實含二種不同之疾症。卽今之感冒及中風腦出血也。若治感冒用風藥以解表。誰曰不宜。但有誤認中風（指腦出血）大痲風鶴膝風腸風。歷節風癘風……等類爲風作祟。概用風藥。實則非風。其不効也。宜矣。

夫火之易於使人含糊亦然。不可不辨。凡屬火者爲熱。西名炎症。据西醫病理學云「炎症者組織對於有害物質作用所起之生活反應」也。故西醫用藥無分温涼。惟以殺菌消毒爲主。此固非無因也。是以我儕對於「炎」字。祇宜以一種生理反應目之。勿以西醫斷爲炎。而視爲熱病也。例如四季傳染病中小兒肺炎治驗一節。在西醫斷爲「肺炎」設指炎爲火。則宜清化。何以反用桂附乾薑以回陽而挽狂瀾於既倒耶。倘專以『炎者火也』來解釋。則未有不僨事者。而悉以爲生理反應者。亦似失之過簡也。須知中醫對於熱之確定。必根据診斷及視人體之稟賦。偏寒偏熱。屬虛屬實。此所以有「實火」「虛火」「鬱火」……之辨。而用藥則有可瀉。可補。可發……之法。不容籠統以治之。然有誤認疔瘡發背癰疽丹毒流火流注發疹……等類。歸之於火。概投苓連知蘗。以爲痛癢瘡瘍皆屬心火。實則非火。不怪乎其無一効也。蓋倘未悟「火」之眞義焉。

凡受外因六氣之刺戟所起之病症。均屬體內生理功用之變化而引起寒熱燥溼等項疾病。茲如此者。既由六氣之刺戟而起。則療法亦必依生理上之變化而治其偏盛。使其中和以恢復其自然之狀態也。

故仲景氏治外因之「風」處用桂枝湯之微汗以調節血液之流行。而「寒」處用黃痲湯之發汗。以洩汗腺之閉塞。由此推及白虎湯之祛暑以減腦部之充血。五苓散之利溼。以促進膀尿管之通利。復脈湯之潤燥。以增加血液中之水分。三黃之淸火。以減少動脈之充血。此類方劑。何一非爲生理功用變化之病而設耶。

然而西論疾病之原因。往往歸諸細菌作祟。信矣。但細菌生於何處。處處可生。果能一致發病乎。揆之事實。恐非如是。驗之物理。亦有未然也。蓋無空氣之處（眞空）卽細菌不能存在。而無細菌之處。空氣猶可依然自若也。故因氣候之種種變化。則六氣由然而生焉。在某種六氣之下。適於某種細菌繁殖。於是某種細菌則必乘機活動。其不適於某種六氣者。則必受其淘汰而死滅。所謂天氣者。造微生物也。常先變而後人類病。微生物者。爲天氣所製造者也。常人類病而後見天氣有改變。微生物之能。微生物無改變天氣之權。由是證之。天氣細菌先鋒後勁。果何屬乎。

靈樞百病始生篇

夫病之生也皆生於風寒暑溼燥火以之化之變也。

素問陰陽應象論

六氣應象

風勝則動

寒勝則浮

熱勝則腫

溼勝則濡瀉

火勝則乾

六氣分屬諸病

風類　諸暴強直。支痛緛戾。裏急筋縮。

寒類　諸病上下所出水液澄澈清冷。癥瘕㿗疝。堅痞腹滿急痛下利清白食已不飢吐利腥穢屈伸不便厥禁固

熱類　諸肚腹脹大按之如鼓小便渾濁喘吐酸暴注下迫轉筋癃且瘍疹瘤氣結核昏屑腫脹衄血溢血泄淋閟身熱悲笑譫妄

衄衊血汗

溼類　諸痙項強直稍飲痞隔中滿霍亂吐下體重胕腫肉如泥按之不起

燥類　諸痿喘嘔澀枯涸乾勁皴揭

火類　諸禁鼓慄如喪神守冒昧躁擾狂越詈罵驚駭氣逆衝上嚏衄耳鳴胕腫疼痠及轉嘔涌溢食不下暴注瞤瘛暴病暴死

以上六氣應象所謂勝者卽有餘也。有餘者何。物極則反。故能爲害。其傷人也。視乎人體之虛實而有不同焉。虛者易受其所乘。而實都無隙可入也。奚以較之靈樞始生篇云卒然逢疾風暴雨而不病者。蓋無虛故邪不能獨傷人此必因虛邪之風。與其身形兩

虛相得。乃客其形。兩實相逢。衆人肉堅。其中於虛邪也。因於天時與其身形。參以虛實大病乃成。此僅就風而論。其他為病。理亦如是。其病狀如六氣分屬諸病。演繹之則六氣能致諸病。歸納之則諸病由於六氣。其理顯然。但又有再分屬五臟六味者如下。

六氣分屬五臟

諸風掉眩皆屬於肝

諸寒收引皆屬於腎

諸濕腫滿皆屬於脾

諸氣膹鬱皆屬於肺（指燥而言）

諸痛癢瘡皆屬於心（指火而言）

素問至眞要大論

六氣分屬六味

風淫所勝平以辛涼佐以苦甘以甘緩之以酸瀉之

熱淫所勝平以鹹寒佐以苦甘以酸收之以苦發之

溼淫所勝平以苦熱佐以酸辛以苦燥之以淡泄之

火淫所勝平以酸冷佐以苦甘以酸收之以苦發之以酸復之

燥淫所勝平以苦溫近以酸辛以苦下之

寒淫所勝平以辛熱佐以甘苦以鹹瀉之

此以六氣分配五臟者。似有硬貼板滯之失。而以六氣分配六味者。更覺牽強呆笨之嫌。實起五行生尅之漸。非活潑靈通之法也。

嘗聞中西醫者對於病因。一言六氣為患。一謂細菌作祟。各是其是。莫衷一切。實則細菌寄生於六氣之中。常隨六氣之變化而繁滋。然其形體渺小。非肉眼所能見。必賴顯微鏡下觀之。始顯。即知有球狀桿狀螺狀……等類細菌。其侵入於人體之途徑不一。或由空氣。或由飲食。或由昆虫。或由接觸。或由創傷……等。其病之種類亦多。如猩紅熱、流行性腮腺炎。痲疹天哮喘痢症梅毒。淋病。霍亂。痲瘋。壞疽產褥熱瘰癧……等是。而某菌能致某病。經多方試驗證明。旣爲現代學者所公認。然各種細菌要有適宜之空氣始可滋生。苟需要此種空氣之某細菌無此種空氣則斃。嫌惡此種空氣之某細菌遇之卽死。或需氧氣而好動者風也。好低溫者寒也。好潮潤者濕也。好高溫者暑燥火也。靈樞所謂化之變也。卽六氣各有化學性之變動。能使某氣適於某菌繁殖。而爲疾病之來。原靈樞知其化而不知其所以化。細菌學家知其化而不究其化之所從也。是則靈樞導路於其前。而細菌學家闡發於其後也。由此觀之。中西學理。大有相得益彰之美。故知細菌之繁育。必先有一種特殊之氣候。不適於人體之健康。而適於細菌之活動。始能爲患於人體。是當以六氣爲本。而病菌爲標耳。

但是六氣難見。而細菌易顯。一屬哲學範圍。一屬科學範圍。有關六氣之說者。一切均以六氣命焉。以爲專談玄妙渺茫者爲精博。是則未免講哲學而涉於虛杳者矣。而闡細菌之說者。百病皆謂細菌祟之。以爲專事預防禁止者可安全。是則未免講科學而泥於迹象者矣。實則二者各有所偏焉。先哲不云乎。戾氣爲病。偏於一方。延門闔戶。衆人相同。（疫癘）此非細菌學說而何。惜當時無顯微鏡以窺見證明耳。此外又有所謂雜氣。皆屬細菌之類。能傳染於人也。如犯兩性不潔之接觸者。則得淋病。或梅毒等。中醫謂之淫毒。或溼熱下注。此豈非淋菌與梅毒菌作祟所致乎。但此僅謂有細菌能傳染而已。然又不可專從傳染着眼。擯棄氣候之寒暑不問。而一味以細菌立說者。是無異捨本而論末也。猶霍亂一症。有細菌爲祟。固矣。然何以不發生於任何一季。而獨盛行於夏日乎。又何以一旦天氣轉涼。則漸減少乎。非以夏日之氣候。適於此種細菌之繁殖而何。是以戾氣雜氣等之爲病。雖非六氣之偏盛所能窺測度其本源。然而細菌則現代所發見者。僅十數種。且未能一病便得一菌。又安能賅括天下萬病。而謂與氣候之變遷無關乎。

綜上所論。由太陽地勢位置之關係。而氣候之變化迥異。其影響於人體之疾病。亦不一。尤以中國之氣候。更爲複襍。蓋中國土地位居溫帶。南靠熱帶。北靠寒帶。東則低溼。西則高燥。此四方氣候不等。其所起之作用。莫不關係中國氣象。中國有此特點。中醫之理論亦由此產生。中醫論疾病。多以六氣爲基礎。西醫論疾病。每以細菌爲病原。治法則根據細菌。專以殺菌消毒爲能事。此固未可厚非也。或云中醫不用殺菌消毒之藥安能治有菌作祟之病乎。殊不知中醫乃依六氣施治以順乎自然之療法也。故用姜附之祛寒以治霍亂及羚犀之清熱以治腦炎而俱效者。非姜附羚犀有殺菌之力也。蓋治適宜於病菌發育之六氣。以恢復人體生理功用之失職也。故不殺菌而菌自滅矣。

夫氣候既有四時之分。而疾病之應時發生者亦多。此時便得此病宜用此藥。彼時則爲彼病宜用彼。則凡病由感於時氣而得者則用藥宜順乎時氣以養太和也。但勿拘拘於某時令所得者便斷爲某病而徒守成法。輒以某藥投之要之時令可以影響疾病、而百病豈全隨其轉變也乎、揆之事實亦非如是。蓋疾病有時與時令絕對相反者亦未嘗無有也、是在醫者臨證診斷之卓識妙悟耳。苟執一死訣應付萬病鮮不僨事。毫釐千里。可不懼哉

秋季始業壹年級日課表

秋 一

時間 / 科目 / 星期	上午 1	上午 2	上午 3	上午 4	下午 5	下午 6	下午 7	下午 8
1		病現	傷寒	國文	生理	藥物	診斷	
2		病理	醫史	內經	通論	韻文	藥物	
3		內經	傷寒	國文	生理	韻文	通論	
4		內經	醫史	病理	通論	韻文	藥物	
5		內經	傷寒	內經	生理	藥物	診斷	
6		病理	黨義	國文	通論	論文		

經帶病論

周兆岐

總論

夫天地之生萬物。有陰陽之分。人居萬物之首。靈超萬物之上。故有男女之異焉。人之所以分男女者。以其生理之不同也。故婦女之病。異於男子者。不外經帶胎產而已。夫經帶兩病。爲女子普通之疾。蓋治病之道難。治婦人之病。則尤難矣。昔丹溪云「甯治十男子。莫治一婦人。」由是觀之。可知婦人之病。多不易治也。因婦人之生理心理病理。有異於男子。故病亦異矣。金匱云。婦女經帶病。其因有三。一因虛—因虛者。因經期生產脫血之後。其體虛弱也。二結氣—結氣者。夫婦反目。舅姑婆嫂勃谿。妯娌不睦等是也。三積冷—積冷者。袒胸乳子。早起烹飪。冷水澣衣。強食生冷等物是也。經有此三因。則經帶病作矣。蓋婦女幽居。情爵憂恚。愛憎多疑。所懷不遂。性情偏拗。情感易動之故也。男子則苟能清心寡慾。調節得時。康健尙保。遇病亦不越正軌。醫者從其病而治之。察其癥結而療之。烏得有不中肯者。但治婦人之病則不然。蓋婦人每月受月事之羈束。一時寒熱不愼。或心理有所不快。則月經隨之不調。於是則百病叢生。故治婦科者。必與研究經帶。若非悉心辨症。精與處方。則實難收效焉。

經病

內經云。「女子二七而天癸至。任脈通。太衝脈盛。月事以時下。故能有子。丈夫二八而天癸至。精氣溢。陰陽和。故有子。」又云「婦人七七則天癸竭。男子八八則天癸盡。」可知二者皆有天癸。不過在男子則指精液。在女子則指月經。初必無分別也。顧人生宙宇之間。六淫侵于外。七情動于內。倘一不愼。卽發生病理之現象。在女子則更易事也。因女子當有月經之來也。或爲六淫所襲。或爲七情所迫。因而發生疾病。病及月經。則不能如期而至也。然月經者。一名月信。又名紅潮。每越三旬一行。月月如斯者。則其常也。若或前或後。或通或塞。或乍多乍少。則爲病矣。惟其有稟賦之異者。則有兩月一行。謂之並月。三月一行。謂之居經。一年一行。謂之避年。有一生不至而能受孕者。謂之暗經。此乃所稟之不同。生理之變態。非病也。若經行吐血衄血。上溢妄行者。是謂逆經。有受孕之後。月月經行而產子者。是謂胎盛。俗名垢胎。有受孕數月。其血忽下。而胎不損者。是謂漏胎。此月經之異常者也。蓋此必性情乖僻。即經所云「以罔爲本」者也。然其不調之原因即所謂內因外因不內外因等是也。內因者。因百病皆生于氣。故其七情之發也。如凡事不得專主憂思忿怒爵氣所傷。血之行止順逆。皆由一氣率而行之也。蓋氣爲血之帥。若氣不暢流。則血不調矣。外因者，經云。天地溫和。則經水安靜。天寒地凍。則經水凝滯。天暑地熱。則經水沸溢。卒風暴起。則經水波湧。六淫之邪。損及胞中。則損衝任矣。所謂不內外因者。以血爲水。如之精氣在男子則化爲精。在婦人則化爲血。上爲乳汁。下爲月水也。若內傷脾胃。健運失職。飲食減少。血無以生。則經不調矣。又云。女子血未行。強與之合。他日必有難名之疾。夫女子未及天癸之期。則生理尙未成熟也。至有月事適來。未斷之時。而縱慾不已。任脈損傷。血海不固。生理變化。皆能致成經病也。然考其最要者。應審其體質之肥瘦。色澤之正否。來潮之多寡。性情之暴溫。咸宜細察之。蓋體質肥胖者。多卜虛而淡。勝體質瘦弱者。多陰虛而火旺。經水之色。其鮮紅若血者。固常理也。然經色之或黑或淡。又爲疾病之特徵矣。故經之色澤。又爲寒熱之標準也。因血屬陽。從陰化。故以正紅爲正也。以紫爲有風熱。以黑爲熱甚。淡白者。虛寒也。如來如米泔水。如屋漏水。如豆汁。或黃色者。爲溼也。或成塊結片而色不變者。氣滯也。至于來潮之多寡者。乃水火之消長也。熱則狂崩。寒則艱少。熱則孔涸。寒則凝結。皆足資以辨證也。性情溫柔者。工愁善鬱。性情暴厲者。氣旺易怒。自可察其形而審其性。探其源以溯其流矣。至如經水一月再見。其經色正而多者。爲血旺也。經色不正而少者。爲血衰也。如每月一見。其經色正而旺者。爲血海虛寒也。經色正而少者。爲血海瘀滯也。經行或超前或落後。不能合乎常度者。是氣血不和。妄行而不循經也。經行而後腹痛者。爲血虛也。經行而腹先痛者。爲氣滯也。經行腰脇作痛者。爲肝虛血滯也。經行而肢　困倦者。爲肝弱不能統血也。經色淡而帶黃者。火虛不能化赤也。經色黑而兼暗者。瘀血且有伏熱也。經來成塊赤紫黑者。血阻將有暴崩也。

經行淋瀝。不斷者。衝任氣虛也。此惟經水不調之大概耳。

經行先期——婦人有經行先期者。成說皆主血熱也。然實亦有氣份之熱者。傅青主曰。經行先期而來多者。乃腎中水火交旺之故也。火太旺則血熱。水太旺則血多。實熱則經來甚多。虛熱則經來必少。血份之熱。色多鮮豔。氣份之熱。色多紫黑。此乃有餘之故也。非不足之病。治宜探其互濟之道也。然火不可任其有餘。而水斷不可使之不足。治之之法。但少淸其熱。不必兼洩其水也。宜用調經湯主之。又有經期先來而祇有一二點者。成說皆主爲血熱極也。然確是腎中火旺。而陰水虧也。夫先期而來多者。火盛而水亦有餘也。先期而來少者。火盛而水益不足也。倘俱以爲有餘之熱。但洩其火而不補其水或更水火兩洩之。其病有不增劇者乎。故治宜兩地湯主之考經期先來者。其內可分四因。卽陰虛血熱。脾氣虛弱。溼滯中虛。肝逆鬱怒是也。蓋陰虛血熱者。其證爲面赤口渴。心中煩熱。夜寐不安。舌苔光絳。脈息帶數。經色紫黑或竟成塊臭惡難聞。平時白帶亦夥。腰膝痿軟等症。治法須宜滋腎水。上濟元陽。亦以兩地湯爲主。脾氣虛弱者。其證虛羸少氣。食少便溏。或解而不暢。氣覺下墜。舌苔薄白。脈虛軟其色亦不甚黑。形瘦神疲，色淡。治宜補中益氣湯。歸脾湯主之。溼痰中虛者。其證爲飲食甘美。胃腸之消化轉滯。安居好逸。身體之運動遲弛以致體肥呆重。平日帶下頗夥。有淸冷者。其芒淡白而黏滑。若痰溼積久。傷及陰分亦有舌底絳赤者。法宗局方二陳湯主之。肝逆鬱怒者。其證爲口渴舌絳。處事易怒甚則脘悶腹脹。大便不快。五心煩熱。頭眩腦痛。脈弦細。口味常苦。法宗加味逍遙散主之。

經行後期—經水後期而來者。人咸以爲血病於虛之故也。實則不然。傅靑主曰。非血之虛。而爲血之有餘也蓋後期屬虛象。而後期之經來多寡。則各有不同矣。後期來少者。乃血之寒而不足也。後期而來多者。則血之寒而有餘也。蓋經水原出於腎。而其流則五臟六腑之血皆歸之。故與經水之行。則諸經血來赴。血既出矣則有餘者亦成不足也。故治宜補中溫散之不得謂逾期者之全不足也。宜溫經攝血湯主之。然經行後期之症。亦可分爲四因。一卽胞中有寒。二卽生冷寒滯。三卽血虛。四卽血熱是也。蓋胞中有寒者，其證爲經行時。少腹痛如刀割。或非寒熱而經來涓譎不暢。色晦黯。有如泥塵。舌淡如常人。惟脈搏則尺部沉緊。總之。此寒非生冷內積。乃爲風露外乘之寒也。治法可用坐導法。內服溫劑。因于生冷寒滯者。其證大腹疞痛。脈細。舌苔白滑潤。亦有灰黑者。其有脾胃積寒。而陰分又不足者。舌絳。經來之色黑暗。亦有成塊者。口有渴。有不渴。法與加味烏藥湯治之。因于血虛者其證經來色淡。唇淡面白。心蕩。脈形沉細。治宜四物湯歸脾湯加減之。因于血熱者。其證爲臍腹作陣痛舌灰黑。脈沉細。喜熱飲。經來色黑。氣極穢腥。心多煩熱。法宜四物加芩連湯加生薑一片主之可也

經行先後無定—夫經水斷續。或先或後。無定期者。皆以爲血肝之虛也。然往往因於腎之鬱結。經出于腎。肝爲腎子。肝鬱則腎亦鬱矣。故經來之先後斷續。卽肝氣之或通或閉也。腎氣不宜。則肝氣鬱結。治法宜舒肝之鬱卽所以開腎之鬱也。乙癸同治。則經水有定期矣。故疏肝。尤爲急務。其症爲噯氣腹脹。得谷不舒。兩脇刺痛。或不能向左側臥。其人必靜默寡言深思善慮。其脈弦數。舌無

胎。口常覺苦。時出清液。法宗傅青主定經湯治之。惟尤宜曠達情志。毋擾于懷則佳。

經來過多——婦人有經來過多者。乃行後復行也。身體困倦面色痿黃者。乃血虛而不能歸經也。或謂血旺則經多。血虛則經宿也。今則經多而血虛者。蓋經能統血。雖旺而經亦不多。血不歸經。雖衰而經亦不少也。惟世人每見經水過多。而即謂是血之旺。不亦左乎。倘經多果是血旺。自是健壯之體。便當經盡即止也。必不至一行而再行。漫無收攝。此測血虛之明徵矣。血虛則氣弱。陰傷及陽則倦。於一身血損精散。骨中髓空。所以色不華於面也。治法宜大補血而引之歸經。宜用四物湯加味治之。又因來多而氣虛血虛者。蓋心主血。統血肝。藏血。是血之系統所在也。氣血虛者。乃三藏之血氣虛弱也。此症與血崩相去幾希。神情倦怠。昏然奄臥。或頭眩目花。耳鳴唇青。脈虛軟無力。最危者。則脈見浮大無根也。法宜加味八珍湯治之。經來多而血熱妄行者。其證見口渴口若。心中煩熱。腰腹痛疼。經來有傾瀉之勢。色紫黑。氣腥穢。成塊而下。脈數大。治宜加味當歸散主之可也。

經來腹痛——夫經來腹痛者。有經前腹痛。經後腹痛之別。蓋經後腹痛者。則爲氣血虛弱也。經前腹痛者。則爲氣血凝滯也。若因氣滯血者。則多腹脹。血滯氣者則多疼痛。更當審其凝滯之爲氣爲血。或因虛因實。因寒因熱。而分治之也。夫經水者。行氣血。和陰陽。以榮于身者也。氣血盛。陰陽和，則形體通。感外虧衛氣之充養。內乏榮血之灌溉。氣血不足。經候欲行。則腹先痛也。經來腹痛而虛者。有因血虛。有因氣虛。然其實者多痛未行之前。經過則痛自減也。虛痛者。多痛于既行之後。血去而痛未止。或血去而痛益甚。大都以可按可揉者爲虛。拒按拒揉者爲實也。有滯無滯。則由此可擦矣。然實中有虛。虛中有實者。與形氣稟質。兼而辨之也。其治之之法。有氣逆作痛者。全滯而不虛也。須順其氣。宜調經散主之。甚者。如排氣飲之類。若氣血俱滯者，宜失笑散主之。若寒滯于經或因外寒所逆。或數日不慎寒涼。以致凝滯不行。則留聚爲痛。而無虛者。須去其寒。宜調經飲加味治之。或和胃飲。若血熱血燥。以致滯澀而作痛者。宜加味四物湯或保陰煎治之。又經來腹痛。由風冷客于胞絡。衝任。或傷于太陽少陰經者，用溫經湯。或桂枝桃仁湯治之。氣鬱血滯者。地黃痛經丸。或桂枝桃仁湯治之。經後而作痛者。乃虛中有熱也。經將來而作痛者。血實也。四物加黃連香附治之。臨行時腹痛。乃鬱滯有瘀血也。宜四物湯加紅花。桃仁莪朮延胡。香附治之。欲行而腹痠痛者。爲血滯也。四物湯加延胡苦楝。木香。檳榔。腹痛于經行時者。乃氣滯也。烏藥湯治之。經水將來。陣痛陣止者。爲血實也。四物加延胡。木香。黃連。香附治之。經後腹痛者。爲血虛也。八珍湯小烏雞丸主之。經前經後作痛者。地黃丸滋陰百補丸主之。至於經前腹痛與經後腹痛之原因證治。述之于后。

經前腹痛—婦人有經水將來三五日前。臍下作痛如刀刺者。或寒熱交作。所下如黑豆汁。乃下焦寒溼相爭也。夫寒溼者。乃邪氣也。蓋婦人有衝任之脈。居于下焦。最惡寒溼。衝爲血海。任爲血室。主胞胎。經水由二經而外出。而寒溼侵之。邪正相爭而作痛也。邪愈盛而正日衰。治宜利其溼而溫其寒。使衝任無邪氣之侵。斯臍下無疼痛之苦也。宜溫臍化溼湯主之。又經前腹痛數日而後行經者。其經血多爲紫黑塊。皆以爲寒極而然也。實乃熱極而火不化之故也。蓋肝屬木。其中有火。肝行則通暢。鬱則不揚。經欲行而肝不應。則抑鬱其氣而疼生矣。然經滿則不能內藏。而肝中之鬱火焚燒。內逼經出。則其火亦因之而怒洩。其紫黑成塊。正鬱火內奪其權耳。治宜大洩肝中之火。然洩肝中之火而不解肝之鬱。則熱之標可去。而熱之本未治也。其何能益。宜宣鬱通經湯主之。

經後腹痛—夫婦人有少腹疼于經行之後者。人皆以爲氣血之虛也。實乃腎氣之涸也。經水乃天一眞水。滿則溢而虛則閉。蓋腎水一虛。則水不涵木。木必剋土。土木相爭。則氣必逆。故爾作痛也。治以舒肝爲主。而益以補腎之味。則水足而肝氣益安。肝氣安而逆氣自順。故宜調肝湯爲主也。

熱入血室—夫婦人當傷風傷寒發熱之時。其月經適來者。乃邪入心胞也。晝則安靜。暮則譫語。如見鬼狀。又如鬼瘋狂。又如瘧狀。此乃熱入血室之症也。治者無犯胃氣及上二焦。宜服小柴胡湯。若脈遲身涼。當與刺期門穴。若前證而因勞氣或怒氣發熱。適遇經行而患者。亦宜小柴胡湯加生地黃治之。或因血虛者。用四物湯加柴胡治之。若病愈而熱未退。或元氣素弱。並用補中益氣湯。氣血素虛者。宜十全大補湯主之。脾氣所鬱者。宜濟生歸脾湯主之。

枯閉崩漏—夫枯閉崩漏者。實非一證也。蓋經事過多。輕者謂之漏。重者謂之崩。崩者。乃忽然大下。如山岳之崩頹也。漏者。乃淋漓無常。如屋中之漏水也。經水不足。月事不通者。爲之枯閉。夫衝任之脈。宜求滋養。陰陽不偏。月事以時下。則體康魄健。病無從生。若經行失常。喜怒不節。疲倦過度。思慮焦鬱。而傷其肝。肝傷則不能統血于胞宮。而宮不得血于血海矣。故現枯閉崩漏之證也。鄭氏曰「婦人暴崩下血者。此腎水陰虛不鎮制胞絡相火。故血走而崩也。宜涼血地黃湯主之」漏下者淋瀝不斷也。崩中暴下如注。

乃漏下之甚者。其狀如猪肝。如泔如涕。如爛瓜汁。至有黑如乾血相雜者。亦有純下瘀血者。此皆衝任虛損。喜怒勞役之甚。致傷肝而然也。治法宜投平肝補氣之品。如補中益氣湯地黃丸參朮大補丸等。以平爲度。枯閉者。欲其不枯。必須榮養氣血。大補經水。不能濫用攻血之劑。如視其虛實。分而治之。益枯閉之症。多由飲食起居失宜。或勞心過度。衝任虛損所致。宜補養陰分。使血脈漸充。則經水自行矣。若血滯經閉而枯者。大黃乾漆之類治之。推陳致新。俾舊血去而新血生也。若氣旺而血枯者。起于勞役焦思。則宜溫和滋補之。或兼痰火濕熱者。尤宜清之涼之。但治者切不可純用峻劑。以傷營陰。而致有意外之變遷發生也。

帶方

夫帶下一症。婦女患者至夥。諺有十桃九痒十女九帶。則可知矣。惟帶下過多。則爲病也。益帶下之病。皆屬于濕。謂之帶者。以病在帶脈而名也。帶脈者。所以約束胞胎之繫。其脈通于任督。任督病則帶脈無力。難以提繫。必致胞胎不固。故帶脈弱者。胎易墜焉。帶脈傷者。胎則不牢。至于氣不化經。寖成帶病。則凡脾氣之虛。肝氣之鬱。濕熱之侵。皆能致之也。巢氏病源云「帶下者。勞傷過度。損動經血。致令體虛。風冷乘虛。入于胞絡。搏其血脈。衝任爲血脈之海。故病帶下」。然帶脈者。乃奇經八脈之一。起于少腹季脇之端。環周一身。約束衝任督脈。如束帶之狀。故名曰帶也。內經云「任脈爲病。男子則內結七疝。女子則帶下瘕聚」。蓋帶下一症。多因下焦腎氣虛損。或喜怒憂思。或產育房勞。致營衛氣滯而成。或因鬱怒傷肝。肝乘脾土。土傷生濕。濕鬱生熱。熱則通流滑濁之物。滲入膀胱。故肘流積冷粘液。或兼有五色。或祇有赤白。保命集曰「赤者入小腸。白者入大腸。其本皆濕熱結于脈。故津液溢是爲赤白帶下矣」。患此病者。多見面色無光。腰痛腿痠。頭暈目花。精神短少。種種疾患。倘疏于醫治。則終身爲患。可不懼哉。夫帶下之爲病。乃濕熱與虛弱耳。總之其最大者。不過四點而已。由于脾濕下注。陷于子宮而成者一也。由任脈下注子宮而成者二也。由腎臟失職。而乏分祕之力者三也。更有子宮局部受病者四也。猶有白濁白淫。則尤不同矣。蓋帶下之病。如男子之夢遺同。但男子夢遺。往往不覺。婦女之帶下。則未有不知者也。故男子夢遺。以有夢無夢辨虛實。婦女帶下。則以形質氣色究源因也。按帶下病可切虛實兩種。新病實者多。久病虛者多。理固然也。故凡新病而實者。可以通因通用。久病而虛者。可以塞因塞用。同一病也。其治療則大相逕庭。不可膠柱鼓瑟。可知矣。如憂思抑鬱。心火不靜者。治與清火。宜加味逍遙散清心蓮子飲之屬。因慾事過度。而滑泄不固者。治宜固攝爲主。以祕元煎固陰煎等治之。體素羸弱。先天不足者。可服六味丸腎氣丸。濕熱下注者。可進清白散解帶散。如心氣虛者。硃砂安神丸直指固精丸治之。因產後氣血並虛者。治須補益。八珍湯七福丸等主之。他如血虛內熱者。柴芩四物湯治之。肝火濕盛者。以龍胆瀉肝湯主之。脾虛濕盛者。加減勝濕丸主之。下焦虛寒者。桂枝附子湯主之。夫傅青主之治帶症。有五色之分。卽白帶青帶黃帶黑帶赤帶是也。玆分述于後。

白帶者。婦人終年累月下流白物。如涕如唾。甚則氣穢者是也。乃濕盛而火衰。肝鬱而氣弱。則脾精不守。旣不能化榮血以爲經水。則濕土之氣。卽下陷而爲滑白之物。由陰道直下。欲自禁而又不可得也。治宜大補脾胃之氣。而稍佐以舒肝之品。氣健濕除。自無帶患矣。宜完帶湯治之。

青帶者。帶下色青。甚則綠如綠荳汁。稠粘不斷。其氣腥臭者是也。此乃肝經濕熱。肝屬木。木色青。故有青帶下流。如綠荳汁者。但胆最喜水潤。而惡濕熱。以濕爲土之氣也。以所惡者合之所喜。必有所違。然肝之性對違。則肝之氣必逆也。氣欲上升。而濕欲下降。兩相牽掣。停住于中焦之間。而走入帶脈。遂有青綠之帶下。乃其乘肝木之氣化也。逆輕者。熱少輕而色青。逆重者。熱必重而色綠。似乎治青易而治綠難也。但治之得法。則均無所謂難矣。法宜解肝木之火。而利膀胱之水。則青綠之帶病均除矣。以逍遙散加味治之。

黃帶者。宛如黃荼濃汁。其氣亦腥穢。乃任脈中之濕熱也。蓋任脈本不能容水。濕氣安得而不化爲黃帶乎。則以脈帶橫生。通于任脈。任脈直上。走于唇齒。唇齒之間。原有不斷之泉。下貫于任脈以化精。惟任脈有熱氣之擾。則華池之津液。不化精而反化濕也。蓋濕者。土之氣而水成之。熱者。火之氣而木生之。水色本黑。火色本紅。今濕與熱合。欲化紅而不能。欲反黑而不得。煎熬成汁。變而爲黃。此乃不從水火之化。而從濕化。所以有黃色之帶下矣。治宜補任脈之虛。清腎火之炎。若僅以黃色屬脾。單去治脾。不得痊也。以易黃湯主之。使水火旣濟。寒熱平調。任脈不虧。血流充盈。則何黃帶之有也哉。

黑帶者。帶下黑如豆汁。其氣亦腥。乃火熱之極也。其證爲腹中痛。小便時如刀刺。陰門必發腫。面色必發紅。日久必黃瘦。心下必躁煩。口中必熱渴。飲涼水少覺寬快。此胃火太旺。與命門三焦膀胱之中合而煎熬。所以熬乾而變成黑色之帶下。故謂火熱之極也。至于不致發狂者。全賴腎水與肺金無痛。養其生生不息之氣。潤心濟胃以救之。所以成黑帶之證者。猶是火結于下而不炎于上

耳。治法惟以洩火爲主則熱退而濕自除矣宜用利火湯主之

赤帶者帶下色赤似血非血淋漓不斷者是也。蓋赤帶亦濕病也濕是土之氣。宜見黃白色今不見黃白而見赤者火熱之故也火色赤故帶下亦赤也此非命門之火出而擾之也乃帶脈通于腎。腎氣通于肝。婦人憂思傷脾。鬱怒傷肝。于是肝經火熾。下剋脾土。脾不運化。故濕熱之氣陷于帶脈之間而肝不藏血亦滲入帶脈之內。此皆脾氣受傷運化無力。濕熱之氣同血俱下。所以有似血非血之形象。現于其色也。治法須清肝火而快脾氣。以清肝止淋湯主之。

白淫白濁——蓋白淫之證狀爲溺後流出似精質薄不多。此婦人不節房勞精室不守也。或氣虛神弱。則男精不攝也。至于白濁。即淋濁性之白帶耳。此膀胱失其清化使然也。又云白淫白濁者皆由心腎不交。養水火不升降。或因勞傷于腎。腎氣虛冷之故也。腎主水而開于陰陽爲溲便之道。胞冷腎損。故有白濁白淫也。故其治法宜局方金瑣正元丹。或因心虛而得者宜服平補鎮心丹降心丹威喜丸之類。若思慮過度致使陰陽不分者則清濁相干而成白濁矣。乃思傷脾也。宜四七湯吞白丸子。小烏沉湯加味治之。前證若因元氣下陷者宜補中益氣。營脾胃虧損者六君加升麻柴胡治之。脾經鬱結者宜歸脾湯加黃柏山梔治之。肝經怒火者宜龍胆瀉肝湯治之。虛則用加味逍遙散主之可也。

經帶病之應用方劑。

四物湯　熟地　白芍　當歸　川芎

逍遙散　當歸　柴胡　白芍　白朮　茯苓　炙草　煨姜　薄荷

人參養榮湯　人參　白朮　茯苓　炙草　熟地　白芍　當歸　陳皮　桂心　黃芪　五味子　遠志　生姜　紅棗

補氣養營湯　歸身　白芍　川芎　茯苓　木香　白豆蔻　人參　白朮

越鞠丸　香附（童便製）　山查（炒）　撫芎　神麯　蒼朮　以蒸餅爲丸每服三錢陳米湯送下

六君子湯　人參　白朮　茯苓　甘草　陳皮　半夏

抵當湯　水蛭　蝱虫　大黃　桃仁

桃仁承氣湯　桃仁　大黃　芒硝　甘草　桂枝

溫經湯　吳茱萸　當歸　川芎　芍藥　人參　桂枝　阿膠　丹皮　甘草　生姜　半夏　麥冬

桂附八味湯　熟地黃　丹皮　山茱肉　淮山藥　茯苓　澤瀉　肉桂　炮附子

清經湯　青蒿　地骨皮　丹皮　黃柏　熟地　白芍　白茯苓

兩地湯　生地　白芍　地骨皮　元參　麥冬　阿膠

溫經攝血湯　熟地　白芍　五茯子　續斷　川芎　白苓　柴胡　肉桂

定經湯　當歸　白芍　熟地　兔絲子　山藥　茯苓　柴胡　黑芥穗

宣鬱通經湯　當歸　白芍　柴胡　丹皮　黑山梔　香附　甘草　鬱金　黃芩　白芥子

溫臍化濕湯　白朮　白果　茯苓　山藥　巴戟天　白扁豆　建蓮肉

順經兩安湯　人參　麥冬　熟地　當歸　白芍　白朮　升麻　萸肉　巴戟天　黑芥穗

調肝湯　當歸　白芍　阿膠　山藥　萸肉　甘草　巴戟肉

健固湯　人參　白朮　茯苓　米仁　巴戟肉

安老湯　人參　黃芪　熟地　山萸肉　阿膠　當歸　黑芥穗　白朮　甘草　香附　木耳炭

益經湯　人參　當歸　棗仁　丹皮　沙參　白芍　柴胡　白朮　熟地　山藥　杜仲

紅花湯　紅花　當歸　白芍　琥珀　沒藥　桂枝　桃仁　蘇木　麝香

艾附丸　蘄艾　香附　當歸　半酒半醋炒醋糊丸

調經琥珀湯　三棱　蓬朮　白芍　當歸　劉寄奴　熟地　官桂　甘菊　蒲黃　延胡索　痛經加炮姜　紅花　桃仁

牛膝　蘇木　香附

麝香琥珀丸　土鱉虫　血珀末　麝香　酒打　和丸

通經丸　桂心　川烏　桃仁　當歸　附子　乳姜　川椒　大黃　靑皮

右藥各等分爲末準一兩以四錢用米醋熬成膏將餘藥末六錢入臼中杵千下可丸則丸淡醋湯下溫酒亦可。

澤蘭湯　澤蘭葉　當歸　芍藥　甘草

固經丸　黃柏　白芍　黃芩　龜板　樗根皮　香附　酒糊爲丸

調元湯　生地　阿膠　白芍　當歸　茺蔚子　澤蘭　杜仲　天冬　鹿角霜　桂圓肉

滌邪湯　澤蘭　琥珀　丹皮　天冬　荊芥炭　黃芩　煨天麻　白薇　桔梗　山梔

禦邪湯　澤蘭　黃芩　山梔　杏仁　天麻　琥珀　川芎　當歸　荊芥　竹葉

化原湯　生鱉甲　川芎　當歸　琥珀　黃芩　茯神　棗仁　鮮生地　澤蘭　神麯　益母草

固眞丸　煅白石脂　柴胡　酒洗當歸　白芍　酒炒黃柏　炮姜　糊丸每卅丸沸湯下少頃以粥壓之勿令熱藥犯胃。

附桂湯　肉桂　附子　黃柏　知母

利火湯　黃連　知母　大黃　茯苓　王不留行　煅石膏　梔子　劉寄奴　白朮　酒炒車前子

淸肝止淋湯　酒炒當歸　酒炒白芍　小黑豆　酒炒生地　麵炒阿膠　丹皮　黃柏　牛膝　紅棗

不謝方　茵陳蒿　黃柏　山梔　赤芍　丹皮　牛膝　車前子　豬苓　茯苓　澤瀉

斷下丸　杞子　覆盆子　煅龍骨　棉子仁　黨參　車前子　煅牡蠣　茯苓　淮山　杜仲　赤石脂　柴胡　生地　共研末煉蜜爲丸白朮泡湯送之。

淸白散　當歸　川芎　熟地　白芍　黃柏　樗根皮　貝母　黑姜　甘草

鎖精丸　破故紙　靑鹽　白茯苓　五味子酒糊丸鹽湯送下。

葉氏經驗方　酒炒當歸　酒洗生地　酒炒白芍　白鷄蔻花子　蜜炙白朮　川芎　建蓮肉　炙甘草　扁豆花

老年帶下方　黃柏　五味子　杜仲　萸肉　補骨脂　煅牡蠣　製香附　砂仁　川椒　蘄芎　茯苓　車前子　麥葉

阿膠　白芍　鹿角膠丸　鹽湯下

滋腎飲　黃柏　青鹽　升麻

龜鹿桂枝湯　龜腹板　鹿角霜　紫石英　杜仲　當歸身　蓮鬚　桂枝　白芍　甘草　生姜　大棗

導水丸　牽牛　黃芩　滑石　大黃　研末蒸餅爲丸

萬安丸　牽牛　胡椒　木香　小茴香　研末水泛爲丸

旣濟丹　鹿角霜　當歸　茯苓　石菖蒲　遠志　煅龍骨　煅白石脂　益智仁研末用山藥粉糊丸。

完帶湯　白朮　山藥　人參　白芍　車前子　蒼朮　甘草　陳皮　黑芥穗　柴胡

易黃湯　山藥　黃實　黃柏　車前　白果

固陰煎　生地炭　白芍　阿膠　生龍骨　生牡蠣　茯神　淮山　秋石　知母　黃柏

加減勝濕丸　蒼朮　白芍　滑石　椿根皮　枳殼　甘草　茯苓　陳皮　黨參　葛花　蓮鬚

當歸地黃丸　當歸　川芎　白芍　熟地　丹皮　延胡　人參　參芪

十全大補湯　人參　白朮　茯苓　黃芪　當歸　熟地　白芍　甘草　川芎　肉桂

歸脾湯　人參　甘草　炙黃芪　白朮　茯神　當歸　龍眼　遠志　棗仁　木香　大棗　生姜

六神湯　當歸　川芎　白芍　熟地　黃芪　地骨皮

小柴胡湯　柴胡　黃芩　半夏　人參　甘草　生姜　大棗

順納湯　當歸　生地　白芍　丹皮　白茯神　沙參　黑芥穗

六味地黃湯　熟地　萸肉　淮山　茯神　澤瀉　丹皮

先期湯　生地　芍藥　知母　黃連　阿膠　香附　當歸　黃柏　黃芩　川芎　艾葉　甘草

過期飲　熟地　當歸　川芎　桃仁　木通　肉桂　白芍　香附　紅花　義朮　甘草　木香

補中益氣湯　黃芪　白朮　人參　甘草　當歸　陳皮　升麻　柴胡

解帶湯　當歸　白芍　香附　蒼朮　白茯苓　陳皮　丹皮　川芎　玄胡索　甘草

清心蓮子飲　石蓮　人參　黃芪　茯苓　柴胡　黃芩　地骨皮　車前子　麥冬　甘草

震靈丹　禹餘量　赤石脂　代赭石　紫石英　硃砂　乳香　沒藥　五靈脂　研末糯米粉打糊丸。醋湯下

結論

夫綜上所論。爲經帶病證治之大概也。論其總因不外乎氣血兩端之失調耳。蓋此二症爲頑固之疾。治之匪易。故治者當溫者溫之。當清者清之。應補則補之。應利則利之。宜升則升之。宜濇則濇之。臨症時又當參其脈苔。辨其原由。方可用藥。施法貴在臨時隨機應變也。

秋二

秋季始業二年級日課表

星期＼科目＼時間	上午 1	2	3	4	下午 5	6	7	8
1		傳染	方劑	傷寒	藥物	外科	溫病	
2		診斷	病理	國文	藥物	治療	選粹	
3		傳染	方劑	傷寒	雜病	外科	溫病	
4		診斷	病理	治療	藥物	雜病	選粹	
5		傳染	國文	傷寒	藥物	治療	溫病	
6		黨義	病理	方劑	雜病	論文		

溫熱眞諦

周效寅

自神農嘗藥黃帝論醫以來。迄今四千餘年。名醫輩出。偉著如林。累世不能窮其業。業之者多摭拾古方。墨守成規。且有不學無術販夫走卒之類。輒可爲醫。自鳴一得。以誇燿人。混擾醫林。致中國醫學千年以來。無日不沉溺於衰憊不進之狀態中。尤以明清二朝。溫病傷寒之辨別。爲中醫聚訟之點。學說更爲分歧。於是物腐蠹生。攻斥遙起。近年屢受西醫之強力摧殘。亦吾同道所共知。中醫學若不將諸糾紛。一掃而空之。劃眞確之系統。有序不紊。則永無革新進步之可言。勢必被時代巨輪所陷壓而淘汰。可不危乎。夫仲景傷寒論。爲傷寒有五之傷寒。爲廣義之傷寒。安得於傷寒論外另有溫病在也。自吳鞠通溫病條辨。王孟英溫熱經緯。葉天士臨證指南。廣溫熱論等書。流傳以後。獨樹一幟。治絲益紛。致後之學者。撲朔迷離。彷徨十字街頭。未得入門之嘆。寅雖不敏。學醫有年。未嘗一日不存昌明中醫學之志願。顧有志於醫而愧無心得。今將溫熱之眞際定義。考摘今古聖賢明訓。輯成斯文。闢其謬誤。闡其眞理。爲後之學者覓一坦途。藉明究竟也。

內經曰。今夫熱病者。皆傷寒之類也。岐伯曰。人之傷於寒也。則爲熱病。難經以中風。傷寒。溫病。熱病。濕溫。皆爲傷寒。良以六淫傷人。必自表入。太陽主一身之表。爲寒水之經。病始太陽。故名傷寒。可知古人所謂傷寒。實總括六淫外感而言。並非專指感受寒邪而言。溫熱之隸屬於傷寒。已有明證。復何容疑。

蓋人身本有陽氣。太陽陽明少陽三經所主。太陽之陽氣。發原於小腸膀胱。小腸屬火。膀胱屬水。水火相蒸。化而爲氣。遍布周身。循行皮膚之內。透出毛孔之外。陽明之陽氣。發原於胃與大腸。循陽明之經。行於肌肉。少陽之陽氣。發原於膽與三焦。循少陽之經。充於腠理。三陽之氣。以太陽爲主。太陽之氣流通。則體溫調節。太陽之氣閉塞。則排泄障礙。人傷於寒。則皮膚先受。血液凝滯。毛孔閉塞。體溫不能放散。鬱於皮膚。而熱症作矣。若使之熱化入裏。則由陽明少陽以及三陰。無非由寒化熱。傳變而已。王秉衡曰。風寒暑濕。悉能化火。血氣鬱蒸。無不生火。所以人之熱症獨多焉。

傷寒論本可統治六氣。非僅爲寒邪而設。如用麻黃湯之治寒。桂枝湯以治風。白虎湯以治暑。五苓散以治濕。炙甘草湯以治燥。大小承氣以治火。此顯明六氣統治之書。若以爲耑治寒邪。

本屬錯見。謂傷寒方不能治温病。尤屬可笑、考論中一百一十三方治熱之方。佔其大半。治寒之方。如太陽篇中麻黄湯桂枝湯葛根湯青龍湯等方治傷寒於表。桂枝附子湯乾姜附子湯茯苓桂朮甘湯。芍藥甘草附子湯茯苓四逆湯温藥扶陽。太陰篇之理中湯。少陰篇之麻黄附子細辛湯眞武湯吳茱萸湯四逆湯白通湯。厥陰篇之當歸四逆湯。治寒邪中於三陰。惟此而已。他如白虎湯。五瀉心。三承氣。大小柴胡。竹葉石羔等。均為治熱之方。吳鞠通氏泰半攬入條辨中。據為已有。即銀喬散桑菊飲亦由麻杏石膏湯化出。三甲復脈由炙甘草湯化出。由斯觀之。仲景論中治温之法。獨精且詳。又如太陽表症見煩燥一症。即於麻黄桂枝合方內加石羔。名大青龍湯。及喘而有熱者。麻杏石甘湯。温病在陽明之裏。則用黄芩湯白虎湯。温病在少陽之表者。口苦咽干胸滿脅痛。小柴胡湯。若温邪入太陰。咽乾復滿。大便實。大柴胡湯。若温邪陷入太陰。煩燥不眠。用黄連阿膠湯。若温邪陷入厥陰。下痢便膿血者。白頭翁湯之類。謂傷寒方不能治温病者。當可憬然而會其通矣。

嘗聞温病重三焦。傷寒重六經。故有異也。殊不知傷寒分六經。實較三焦詳明多矣。觀論中曰胸中。心下。心中。胸脅下。胃中。腹中。安不較三焦之籠統名稱。更為細明乎。仲景之書。果為治百病之大法。立萬方之綱領。歷代醫家。莫不奉為金科玉律。然學者泥古不化。非仲景之書不讀。非仲景之方不用。自命傷寒有專長。則鮮有不殺人者矣。當用仲景之法。化仲景之方。不愧為善讀書者。否則雖自視為仲景之信徒。實仲景之罪人也。諺曰「與其讀死書不如不讀書」誠哉斯言。仲景之所以分六經。當先有病然後分六經。必先聚症然後稱病。非先有太陽病而後有脈浮頭項強痛惡寒之症。故治病當以認症為首要。切勿拘泥於刻版文字上。經云「寒者熱之。熱者寒之。堅者削之。甚者從之。微者逆之。客者除之。勞者温之。結者散之。留者攻之。燥者需之。急者緩之。散者收之。損者益之。逸者行之。驚者平之」寥寥十數語。實為千百世下治病之鍼繩。

昔吳鞠通氏以温病列為九類。曰風温、温幸、温疫、温毒、暑温、濕温、秋燥、冬温、温瘧。其自注云。風温者。初春陽氣開始。厥陰行令。風挾温也。温熱者。春末夏初。陽氣弛張。温盛為熱也。温疫者。厲氣流行。多兼穢濁。家家如是。若役使然。温毒者。諸温挾毒。穢濁太甚也。暑温者。正夏之時。暑之偏於熱者也。濕温者。長夏初秋。濕中生熱。即暑之偏於濕者也。秋燥者。秋金燥烈之氣也。冬温者。冬應寒而反温。陽不潛藏。民病温也。温瘧者。陰氣先傷。又因於暑。陽氣獨發云云。不究病之原理。不辨病之症狀。自條自辨。

猶不能言之眞切。徒亂人意。章師巨膺駁之甚爲確當。風溫溫熱以春初春末爲別。陽氣開始與陽氣弛張之異。不知陽氣弛張至如何程度爲溫熱。更不知春之半病溫者爲風溫抑溫熱。多兼穢濁。穢濁太甚。同是穢濁。何以一則流行爲溫疫。一則不流行爲溫毒。暑之偏於熱者。句不辭已甚。秋金燥烈之氣與熱病何干。只得望文生義。作此模糊影響而已。

曩昔喻嘉言誤解經文。創伏氣發溫之說。以「冬傷於寒。春必病溫。」「冬不藏精。春必病溫。」「冬傷於寒。更兼冬不藏精。」定爲三綱。後之學者。靡然宗之。以春溫爲由於冬受微寒。內伏少陰。待來春感冒外邪。引動伏氣而發。實爲錯見。若於冬受微寒。當發熱而爲傷寒。安得有寒邪藏於肌膚。至春方爲病之理。西籍有謂潛伏期者。亦僅二三日。決無如斯長久之潛伏。喻說之謬。當可瞭然矣。惲鐵樵先生曰。四時之生長收藏。常影響於軀體生理之形能。因而變更疾病之形能。其事至確。春爲風。故春病熱者爲風溫。夏爲熱。故夏病熱爲暑溫。長夏爲濕。故長夏病熱者爲濕混。其病本是傷寒。因時令之異。而兼六氣之化。故命名如此。然而冬有非時之暖。春有非時之寒。氣有未至而至。至而不至之時。於是冬日之熱病。有與春日同者。夏日之熱病。有與冬日同者。則就前驅證辨之而定名。於是冬日有風溫。夏日有傷寒矣。爰將溫熱之症治大綱分述如下

春溫——由於外感風寒熱化而發

症狀——發熱有汗。微惡寒。頭痛骨楚。咳嗽。鼾息。舉之有餘。數而兼大。

療法——初起發熱不惡寒而惡熱。有汗口渴。當用辛涼解表。其有微惡寒無汗者。祇能以荊芥防風已足矣。不宜麻桂溫熱條辨第一方取桂枝湯。是爲謬誤。桂枝湯爲傷寒表病理和者設。溫病爲伏寒變溫。雖有新舊合邪。不可更用辛熱助津而刼其津也。

葛根黃芩黃連湯主之——葛根　黃芩　黃連　甘草

此爲溫熱正治之方。凡溫證初起發熱。無論有汗無汗。咸得用之。隨證酌加副藥。凡病在太陽。恆惡寒。傳入陽明始惡寒罷而惡熱。乃成溫病。溫病論中已有明載。『太陽病發寒而渴不惡寒者爲溫病』故傷寒與溫病所不同者。爲惡寒與不惡寒。無汗與有汗之分。陸九芝曰。凡傷寒有五。而傳入陽明。遂成溫病。葛根爲陽明之耑藥。治頭痛骨楚。大行熱氣。嘔逆。發散解肌。開胃止渴。實爲治溫之必要藥也。溫熱寒爲邪所中。由表入裏。纏釀肌膝。故用葛根之解肌。而忌麻黃之辛散。若病在太陽頭痛而不渴者。則葛根亦非所宜矣。本方取葛根之甘平以化在表之熱。

用苓連之苦寒。以泄在裏之熱。誠治濕溫之無上良方。若骨楚甚者。加蓁艽。欬嗽加杏仁象貝。渴不多飲舌苦白膩者。有濕宜加蒼朮厚朴葉吳王輩。以爲溫熱不宜苦寒。遏伏而改用甘潤。詎知溫病未有不至陽明者。苦寒始有泄熱之功。彼謂熱病最易刼津。每用甘潤之石斛。以顧津。未識石斛爲黏膩之品。能厚腸胃。於是熱留不泄。如油入麵。其病反劇。要知此乃因熱傷陰。非因陰傷而熱。不得據爲滋陰退熱之理。故斯時之陰虛。當積極去其熱。不當消極滋其陰。所謂揚湯止沸。不如釜底抽薪也。

備用成方

荊防敗毒散　準繩

荊芥穗　防風　羗活　獨活　前胡　柴胡　枳殼　桔梗

赤茯苓　川芎　人參　甘草　薄荷

柴葛解肌湯　陶華方

柴胡　甘草　芍藥　白芷　葛根　黃芩　羌活　桔梗

葛根葱白湯　張石頑

葛根　白芍　知母　川芎　葱白　姜皮

普濟消毒飲　東垣試效

薄荷　連喬　牛蒡　柴胡　梗桔　黃芩　黃連　馬勃

人參　元參　橘紅　生草　殭蠶　板藍根

銀喬桑菊飲　鞠通

連喬　銀花　桔梗　薄荷　竹葉　生草　荊芥　豆豉

牛蒡　杏仁　桑葉　菊花　葦根

暑溫——夏日受暑之病也。昔有動而得之爲中暍。靜而得之爲中暑。其實暑與暍皆日氣也。故未可據爲確切。動靜不過勞逸之分。既均受暑。治法不甚相遠。無須多立名目。以亂人意。惟有陰暑一症。由於納涼水閣山房。感冒微寒。或靜夜著涼爲病。此明爲感受寒邪。當以辛溫散表。與暑病之治法相差不可以道里計矣。安可以暑名之。學者切勿誤之

症狀——初起一二日身大熱而微惡寒。症與傷寒相同。但傷寒先惡熱而後發熱。雖熱甚而仍惡寒。暑溫則先發大熱。熱極而後惡寒。纔則但熱不寒。口大渴而大汗出。面垢齒燥。心中懊憹。脈多洪數。熱極而厥

治法——白虎湯主之　石羔　知母　甘草　粳米　若脈虛而多不汗止者白虎方中加人參治之

人體每多濕伏。外暑易於蒸動內濕。故醫籍有暑病皆兼濕治。當以去濕熱清心利小便爲主之說。惟亦有無濕之人。津液已爲火耗。當須顧其津液。若用益元散等妄利小便。竭其下泉。枯槁立至。故凡汗多之人。即不可利小便也。夫暑月傷寒最多兼

挾之證。如先感暑而又復感暴寒或濕。者卽暑寓於寒濕之中。爲寒濕吸收而同化斯時則不可先治濕散寒卽所以散暑。治濕卽所以治暑。此惟陽虛多濕者爲然。醫者宜明辨之。

備用成方

黃芩湯　仲景方

黃芩　白芍　甘草　大棗

三黃瀉心湯　伊尹方

大黃　黃連　黃芩

竹葉石羔湯　仲景

竹葉　石羔　粳米　甘草　人參　半夏　麥冬　生姜

香薷飲　局方

香薷　厚朴　白扁豆　甘草　加黃連名連黃香薷飲　加茯苓名五物香薷飲　加木瓜參芪橘朮名十味香薷飲隨證加減盡香薷之用也

清暑益氣湯　東垣

黃芪　蒼朮　升麻　人參　白朮　陳皮　神麯　澤瀉　甘草　黃柏　乾葛　青皮　歸身　麥門冬　加姜棗

六一散　河間

滑石　生甘草　一名天水散加辰砂名益元散加薄荷名雞蘇散加青黛名碧玉散

濕溫——由於春夏之交。氣候溫煗。因濕與熱相搏而成。但有內因與外因之分。治者務宜分清表裏之界限。用藥方始無誤。蓋外因者。由于涉水雨露。其淫從外而受。束于軀體而成。又內因者。由於嗜飲茶酒。恣嗜瓜果。其濕從內而生。盤踞脾胃而成。

症狀——初起惡寒無汗。頭痛身重。四肢倦怠。蘊熱不退。午後熱甚。狀如陰虛。繼則汗出而熱不解。小溲短赤。大便溏。口粘膩。滑而渴不多飲。舌苦白或滑黃。脈緩滯。熱甚者。則頭痕昏痛。口燥而渴。嘔吐不食。

療法——是症纏綿難愈。素爲醫者所厭惡。病家所恐懼。以其粘膩之邪。不易速去故也。夫前賢論治。條分縷晰。準繩可循。淺學如予。原可毋容置贅。聊以治法大綱。謬誤之點。約述於后。以冀就正於同道。

濕溫一症。以常言之。厥分四級。初起惡寒發熱。頭痕且疼。胸前滿悶。舌苔白膩。口不作渴。其脈浮緩。此濕邪在表。當以清宣爲主。以冀濕從汗解。略佐寬中化濕之品。以防引動內濕。病發三四日而見骨節酸楚。身重或痛。發熱脈細。邪在肌肉之分。當以芳香化濁。淡滲利水爲佐。五六日涉及陽明。胃熱上薰。清竅被蒙。宜以清泄化濕。若便結而兼神昏者。可通之。末步熱勝化燥。

傷陰刼津逼入營陰。竄走胞絡。壯熱口渴。舌絳或黑。甚者發痙發厥譫語妄笑。犀角生地菖蒲紫雪至寶之類皆可用之。此爲治療濕温之大法也。濕家忌汗之說歷爲醫家所宗。依予管窺之見。亦未可據爲確論。謂有忌汗之濕則可。謂濕家一槪忌汗則爲大謬。夫霧露之濕從表侵入。流注於經絡支節之間。湊合於皮膚肌肉之分。舍表之外。何以去其濕。詎可執一而論。金匱有麻黃加朮麻杏苡甘湯諸方。皆爲淫家立法。固未嘗云忌汗也。彼自命不凡者。偏謂濕温忌汗。翻遍內經與仲景之書。祇有濕温可汗。絕無濕温忌汗之文。一盲引衆盲。誤盡天下蒼生。予每見濕温無不死於白痦。乃失汗所造就者也。在病家一見白痦。必以爲症情之危重。而在醫家嘵嘵然給於病家曰。見白痦乃良好現象。一若白痦爲濕温中必不幸免者。觀論中有「病在陽。應以汗解之。反以冷水潠之。若灌之。其熱被却不得去。彌更益煩。肉上粟起。意欲飲水。反不渴者。服文蛤散。若不瘥者。與五苓散」一文。所謂肉上粟起。即白痦無疑。其病在表。當汗解反以冷水灌之。即當汗不汗之謂也。於是其熱鬱遏於表。衛陽無以外津。煩躁當然益甚。白痦之症現矣。待至白痦已見。而猶不識治法。徒以表散以冀透達。而致人於危殆。仲師以一味文蛤處之蓄如蓋文。蛤性燥而味鹹。鹹以泄水。燥以勝濕。若猶不瘥與五苓散，使從小便而解。由此以觀。白痦之發現。庸非鬱遏不解。失汗之變證。失汗之壞病歟。

備用成方

五苓散　仲景方

豬苓　雲苓　白朮　澤瀉　桂枝

蒼朮白虎湯　白虎湯中加蒼朮

三仁湯　鞠通方

杏仁　扣仁　苡仁　厚朴　滑石　通草　竹葉　半夏

甘露消毒丹　天士

飛滑石　茵陳　黃芩　川貝　石菖蒲　木通　藿香　射干　連喬　薄荷　豆扣

藿香正氣散　惠民

藿香　半夏　陳皮　白朮　腹皮　茯苓　甘草　厚朴　白芷　紫蘇　桔梗

梔子厚朴湯　仲景

梔子　厚朴　枳實

（完）

中國脈學之鳥瞰

竺獨還

緒言

中國醫學易學而難精。夫人皆知脈學為中國醫學診斷中之一種學說。又何獨不然。例如浮脈屬表。沉脈屬裏。遲脈為寒。數脈為熱。乃至結為陰邪而結代為元氣不續等之說。凡攻岐黃之學者。莫不知之。又莫不能道之。故曰易學也。至於從三指之下眞能洞察病機而決斷生死者。恐非人人能矣。故曰難精也。其所以然者。脈學之眞理極其精微玄奧。非有深慧靈思者。不易於領會。非具有豐富之經驗者。又不易於貫通。此無可諱言者也。余何人斯。敢云對於脈學有何心得。今為此文者。不過藉此增進個人研究之興味而已。豈有他哉。第本文取材多參照內難及各家脈書。庶使所云有所據而不致失脈理之眞面。倘高明能進而指正。則吾不勝厚望之至矣。至於本文全篇次第如下。一動脈之發源。二脈動之原理。三脈與生理之關係。四脈與病理之關係。五脈與生死之關係。六脈與症之關係。七切脈在診斷上之價值。八切脈在治療上之價值。九脈性總論。十脈性別論。十一診查類似脈應有之鑑別。十二診查眞假脈應有之鑑別。十三診查常態脈應有之認識。十四診查病態脈應有之認識。十五診查死亡脈應有之認識。十六診查順逆脈應有之認識結論。

一　動脈之發源

嘗考吾人生理上有動靜二脈。靜脈與本文無關。姑置不論。動脈係起自心房。其主要者。有總脈管左右二肺管及肝脈管。此外更有無數之小脈管分佈於全身。莫不由於大脈管一再分支而成者也。故動脈發源於心藏。中醫因此有心主脈之說。至於動脈管內所含者為血液。血液又莫不從心房而來。故中醫因此又有心生血之說。如內經云『脈者。血之府也。』又云『營行脈中。衞行脈外。』是脈與心藏及氣血有密切之關係也。明矣。然此種動脈在人迎寸口頰車合谷附陽諸處均有其跳動。其淺在皮下最易觸知者。厥維手腕處外側之動脈。即中醫所謂寸口。西醫所謂橈骨動脈是也。故今之醫者皆以寸口為診脈之標準部位焉。

二　脈動之原理

脈之搏動。西醫名為脈搏。中醫號曰脈息。其名雖異。其義則同。然脈何以作不斷之搏動。此急需說明者也。考西說脈搏由心藏而來。當心室收縮時。突將血液壓入動脈。大動脈之血壓即突形增高。而大動脈因有彈力性。故亦向外澎漲。同時血流亦增速。於是即造成一次波動。待心室放弛時。則心室中無血液入大動脈。大動脈乃恢復原狀。以造成血流之不間斷之現象。故吾人之心藏一收一放之時。即脈管一漲一縮之時。此種一漲一縮所發生之波動。即爲脈搏。中醫名之爲脈息。如內經云『人一呼脈再動。一吸脈亦再動。呼吸定息脈五動。閏以太息命曰平人。』此言脈息之意義也。考中醫說脈動由于氣血而來。氣因血生。血因氣行。無氣則血不能行。無血則氣無所附。故氣血周流於全身。無時或已。脈波之所以起不間斷之搏動者。皆賴氣爲之行動耳。蓋肺主氣。肺有呼吸。脈之跳動不已。又莫不與肺有關。如內經云『胃爲五藏六府之海。其清氣上注於肺。肺氣從太陰而行之。其行也以息往來。故人一呼脈再動。一呼脈亦再動。呼吸不已。故動而不止。』此與西說亦頗有可通之點也。

二　脈與生理之關係

考脈者。血之府也。言血而氣亦與焉。故脈與生理之關係密而切矣。何以言之。如氣血素盛者。其心藏必強。心藏強則脈搏必和緩有神且有力矣。反之如氣血素虛者。其心藏必弱。心藏弱則脈搏必徵弱無神且無力矣。此爲生理上之關係固如是者。他如外無六淫之侵犯。內無七情之戕傷。身心健康。氣血調協。其脈搏必如常態。否則脈搏即起反常之現象矣。由此可知診脈不僅可以察知病機。亦且可以推知心藏之強弱。氣血之貧富也明矣。

四　脈與病理之關係

成人之脈息在常態時。一息約四五至。一分鐘約七十至七十六至。甚爲均勻。無或遲或數之差異。脈波亦有一定之強度及形態。無或大或小或浮或沉之不平等。脈調亦平等而整齊。無或結或代之不調整。但在病態時。脈息即隨病勢之輕重及或寒或熱而有減少及增加之異。脈性亦因之而不整。脈調亦有一二休息時。毫不能觸知脈搏者。是皆與病理有關者也。故內經云『夫脈者血之府也。長則氣治。短則氣病。數則煩心。大爲病進。上盛則氣高。下盛則氣脹。代則氣衰。細則氣少。濇則心痛。』是脈爲疾病之外候也。舉凡生理上起病變時。脈搏皆立即反常。是脈與病理有莫大之關係也明矣。

五　脈與生死之關係

中醫有心生血之說。血液充否。與心藏有密切之關係在焉。凡心藏強者。其血氣必盛。其脈亦必充。反之心藏弱者。其血氣必虛其脈亦必弱。所謂血實脈實。血虛脈虛者。此之謂也。故醫者臨床時。對病者心臟之強弱。莫不重視。若病者脈搏微細或虛弱無神者。其心臟衰弱可知。雖形氣有餘。病勢不重。亦覺岌岌可危也。故內經云。『形盛脈細。少氣不足以息者死。』形瘦脈大。胸中多氣者死。三部九候皆相失者死。目內陷者死。故人之生死。全視心臟之強健與否以爲斷。初非僅以形氣及病勢爲依據也。故中醫每遇病人脈息微細而氣陽將竭之時。輒用附子以扶陽。人參以固氣。俾不致驟然陷于虛脫之絕境。此與西醫遇病者心臟衰弱時用強心劑以延長其生命之意義無異也。若病人脈息和緩而有神。或縱有浮沉遲數等之病脈者。心力若未至極度衰憊之時。雖邪重或形氣不足。均不足畏也。良以心臟強健。則正氣有根。抵抗力即強。足以勝邪。邪退則正即復也。是脈與生死之關係。密而且切也明矣。

六　脈與症之關係

大凡診病之時。先必察症。所謂察症者。運用視聽之感覺。偵查表現於外之各種症狀與症情也。症狀及症情。非常複雜。可藉望聞問三種診法而審查之。所以診一病人。先必觀其五色。察其五官。以窺其內藏之強弱癥結之所在及神氣之得失。次須聞其音聲。聽其言語。以探其正氣之盛衰及神經之清昏。再次即詢問其過去之生活環境情形及現在病情之經過。以察其身心之苦樂及病情之吉凶。經此一番診查。醫者雖對于病情已得悉其大半。若不切其脈息。又不能敢斷其確實。是故必再診查其脈息如何。以測心力之強弱及氣血之盛衰。然後再合望診聞診及問診而參照之。如是始得最後之準確結果。若僅察症而不察其脈。其診斷結果不甚準確可知。此所以察症必須察脈也。蓋脈者是隱于內者也。症者乃現于外者也。有諸內必形諸外。現于外必由于內。故脈與症在正氣與邪氣相等之下。多有一致之現象。例如外感諸症。脈必見浮。內傷諸症。脈必見沉。陰寒諸症。脈必見遲。熱性諸症。脈必見數。乃至陰邪固結之症。脈必見結。元氣不續之症。脈必見代。有是症必見如是脈。有是脈必見如是症。其脈症之連帶關係。固如是也。然外感症亦有見脈沉者。內傷症亦有見浮脈者。寒症亦有見數脈者。熱症亦有見遲脈者。乃至陰結症亦有不見結脈。及元氣不續症亦有不見代脈者。此皆爲脈症相乖之現象。醫者在臨床時有時可以見之。（此容在脈性別論中詳述之）不過脈症相符與脈症相乖兩者比較之。則前者順而後者逆。前者易治而後者難療也。

七　切脈在診診上之價値

中醫診斷上有望診聞診問診及切診之四法。故難經六十一難云『經言望而知之謂之神。聞而知之謂之聖。問而知之謂之工。切脈而知之謂之巧』寥寥數語。實已具中醫診斷學之綱要。雖四診中以切殿其後。而切在診斷上實較望聞問三診為重要。內經豈不云乎『微妙在脈。不可不察。察之有紀。從陰陽始。始之有經。從五行生。生之有度。四時為宜。補瀉勿失。與天地如一。得一之情。以知死生』又云『食入於胃。散精於肝。淫氣於筋……氣口成寸。以决死生飲入於胃。游溢精氣……揆度以為常也』切脈之重要。已溢于言表矣。蓋因脈之搏動。緣乎心藏之收放。心藏若一有變化（指強弱而言）則脈搏必因之而受直接之影響。呈反常之現象。故診脈可以推知心藏之強弱。疾病之起源。罹病之淺深。及生命之吉凶也。尤其在辨症上。更覺切脈為可貴。試舉一例以明之。譬比今有一病人來乞診曰『吾身熱也』試問此人為表熱抑為裏熱。為實熱抑為虛熱。為真熱抑為假熱。若不診其脈。僅就望聞問三診以斷病。吾恐難獲準確之答復。必也診其脈之狀態。是遲是數。是浮是沉。是虛抑是實。然後以上問題。即可迎刃而解矣。須知凡熱性諸病。脈搏皆數也。數雖同。若見兼象。則熱之虛實表裏及真假。即易鑑別矣。若浮而數者為表熱也。若沉而數者為裏熱也。若實而數者為實熱也。（陽實內熱）若虛而數者為虛熱也。（陰虛內熱）若脈微細。反見面赤煩躁者。為陰盛格陽之假熱也。若脈洪大。更見壯熱大渴者。為氣血燔灼之真熱也。一實一虛。一表一裏。一真一假。相差不可以道里計。若不憑脈以為權衡。又焉能判別耶。由此觀之。切脈在診斷上之價值。於此可見一斑矣。

八　切脈在治療上之價值

中醫之治療不可僅憑症狀以為標準。須與脈象合照始不僨事。如浮脈為表病之脈象。夫人皆知新病通以發散為初期之適當療法。若久病見脈浮者。此為元氣外脫之象。治療以固本為急。若誤認為表病。照常法投以疏散。則岌岌危矣。又如沉脈為裏病之脈象。夫人皆知通常皆從裏而治之。若表邪初感之時。風寒束於外表。經絡壅盛。或陽氣素虛。亦有得沉脈者。此應以扶陽達表為治。若誤認為裏病。照常法投以治裏之劑。則表邪必內陷而陽更被傷矣。又如遲脈屬寒。夫人皆知通常應予以溫法。若熱邪內結。或寒氣外鬱。亦有得遲脈者。此當以治陽明熱病法治之方合。若誤認為寒症。照常法投以溫熱。則必邁于燎原之勢矣。又如數脈為熱病之脈象。夫人皆知通常以清熱為對症之療法。若陰邪暴虛陽外越之假熱。或癆瘵之虛熱。亦均有得數脈者。若誤認爲實熱眞熱。亦照常投以以清凉則離虛脫不遠矣。此不過略舉四脈。以明脈有虛實正反之異。治療亦應憑脈性爲標準。然後汗吐下和溫清攻補方不致誤不然差之毫釐。謬以千里。切脈在治療上之價値。於此可見一班矣。

九　脈性總論

綜上所述。無非脈學之汎論而已。茲請進言其脈性。考脈性大別爲三十種。所謂浮沉遲數虛實大小弦濡滑濇長短洪微緊弱芤動伏細疾牢革促結代緩散是也。浮屬表。輕舉卽得。沉屬裏。重按乃見。故以候表裏之病機。若洪大散芤濡革長弦等脈。皆浮脈之類也。若伏牢細短等脈。皆沉脈之類也。遲爲寒。一息三至。數爲熱。一息六至。均依呼吸計數而得之。故以候寒熱之病情。若緩結微弱代小濇等脈。皆遲脈之類也。若緊促動疾滑等脈。皆數脈之類也。虛爲氣血不足。實爲氣血有餘。其形一柔一剛。故以候正氣之強弱也。脈之大綱。不過如是。蓋脈應諸病。有諸內必形諸外。病變雖繁。就其病位病情及病勢歸納言之。不過表裏寒熱虛實而已矣。脈性雖別三十。就其脈位脈態及脈勢歸納言之。亦不出表裏寒熱虛實之範圍耳。以脈象單見者少。兼見多故也。又三十脈可區分爲平脈病脈危脈及死脈四大類。如緩脈單見。爲脾家之正脈。是平脈也。（兼見例外）長脈單見。爲氣治之正脈。亦平脈之類也。（兼見例外）若浮沉遲數大小短虛實滑濇弦濇微緊弱芤動伏細等脈。其勢態並有餘卽不足。非太過卽不及。故皆爲病脈也。若疾脈乃孤陽上越眞陰下竭之惡候。牢脈爲病氣牢固胃氣竭絕之頑候。代脈爲元氣不續之虛極候。病勢至此。皆岌岌有不可終日之虞。散脈爲元氣離散之敗象。凡病者得之。皆難有生望。故爲死脈也。此不過略述脈性之梗概。下節請進爲脈性各別之敍述。

十　脈性別論

浮脈

（一）形狀　在皮表上跳動。如木漂在水面然。輕舉卽得。重按反覺不足。

（二）原因　人體受外邪侵犯之時。營衞卽頓失調節之常態。正氣卽鼓動搏擊於肌表之間。有向外抗邪之勢。所謂邪正相爭者此也。但此就新病而言。若久病得之。爲元氣外脫之凶兆。不可不辨。

（三）主病　新病爲外感。例如傷寒中風風濕風熱等。久病則爲內傷。例如癆瘵等。

（四）兼脈　浮而緊爲傷寒。浮而緩爲中風。浮而數爲風熱。

浮而濇爲風濕。浮而虛爲傷暑。浮而芤爲失血。浮而散爲痨極。浮而洪爲虛熱。

（五）宜忌　新病得之者順。有此病得此脈。其正氣未傷可知。易已。久病得之者逆。無此病反得此脈。其正氣虧虛可知。難治。按浮脈通常以爲屬表。屬新病。殊不知中氣虧乏不能自守之久病亦見是脈。是浮脈非可概言爲表爲新病也明矣。

沉脈

（一）形狀　沉至筋骨之下。如石投於水底然。重按有餘。輕舉不足。

（二）原因　沉爲正氣消沉。無振作之勢力。不能與外邪相抗。所謂正不勝邪者。此也。

（三）主病　皆爲裏病陰病。例如冷痛痰飲泄痢冷積之類是也。

（四）兼脈　沉而遲爲痼冷。沉而數爲內熱。沉而滑爲痰飲。沉而濇爲氣鬱。沉而牢爲冷積。沉而緊爲內痛。

（五）宜忌　裏病陰病得之者順。若表病陽病得之者逆。無此症反得此脈。此非表邪內陷。卽屬正氣不足也。

按沉脈通常以爲屬裏屬陰。殊不知表邪初感之際。風寒外束經絡壅盛。或陽氣不足。亦有得沉緊之脈者。此沉脈是不可概認爲裏也。明矣。

遲脈

（一）形狀　脈來極慢。一息三至。一分鐘六十至弱。

（二）原因　遲爲陽氣失職之候。體溫低減。血泣氣滯。致脈之流行遲慢。所謂陰盛陽虛者。此也。

（三）主病　皆爲陰寒之病。例如寒疝癥積陽痿之類是也。

（四）兼脈　遲而弦爲冷痛。遲而濡爲虛寒。浮而遲爲表寒。沉而遲爲裏寒。遲而濇爲血病。遲而滑爲氣病。

（五）宜忌　微遲可治。遲甚難生。以有陽則生。無陽則死故也。

按遲脈通常均認屬寒。殊不知熱邪內結。或寒氣外鬱。亦有得遲脈者。（詳於傷寒陽明病篇）是遲脈又不盡屬寒也明矣。

數脈

（一）形狀　脈來頻數。一息六至。一分鐘約八十至至百至。

（二）原因　數爲陽盛陰虧。熱邪流博於經絡之象。體溫亢進。氣血燔灼。脈博因之增速。所謂陰微陽亢者。此也。

（三）主病　多爲火熱之病。例如胃火肝火口瘡肺癰之類是也。

（四）兼脈　浮而數爲表熱。沉而數爲內熱。實而數爲內熱。寸口見之爲肺癰。虛而數爲虛熱。寸口見之爲肺痿。

(五)宜忌　實病得之無妨。虛病得之甚忌。以實者正氣充足易治。而虛者心藏衰弱難療故也。

按數脈通常均認爲熱。而不知非熱病亦有見數者。如身體運動。精神興奮等。脈博皆見增加。此爲生理之反應現象。與病理。絕對無關。若慢性熱病及心藏病等。均見數脈。不過虛實有異耳。他如眞陰虧損之人。脈亦急數。是正氣外脫之敗象。虛癆病多見之。又小兒在常態亦見數脈。是數脈之診斷。又不可不細辨也。

滑脈

(一)形狀　脈之往來。靈滑流利。如珠之應指然。

(二)原因　滑爲血實氣壅之候。蓋血液之性。有如水之滑利。血旣盛。則脈波當流利矣。所謂陰氣有餘者。此也。

(三)主病　多爲陰氣有餘之病。例如痰飲宿食蓄血之類是也。

(四)兼脈　浮而滑爲風痰。沉而滑爲食痰。滑而數爲火痰。滑而短爲氣滯。

(五)宜忌　實病得之者順。虛家若反見是脈。乃元氣外泄之候。是所忌也。

按滑脈通常認爲陰氣有餘。殊不知平人脈滑而和緩。爲營衛充實之佳兆。婦人脈滑而經斷者爲妊娠。是不得泥以病脈論。

濇脈

(一)形狀　脈之往來。艱濇塞滯。有如以刀剖竹之勢然。

(二)原因　濇爲津血虧少。不能濡潤經絡之象。多由于七情之不遂。營衛耗傷。血無以充。氣無以暢。脈波乃因之濇滯。所謂血少精傷者。此也。

(三)主病　多爲血虛精傷之病。例如血痺。經枯。亡血。心痛之類是也。

(四)兼脈　沉而濇爲血結。浮而濇爲汗出不徹。

(五)宜忌　內傷病者得之宜。外感病者得之忌。

虛脈

(一)形狀　脈來如綿。遲大且輭。按之無神。甚則穩沒。

(二)原因　虛爲氣來不實之象。蓋因正氣旣虛。脈安得有力有神。所謂血虛脈虛者。此也。

(三)主病　皆爲虛候。例如氣短自汗驚悸陽萎之類是也。

(四)兼脈　虛而數爲陰虛內熱。虛而遲爲陽虛外寒。其實諸脈兼虛者。皆爲虛候。

(五)宜忌　久病得之宜。以脈症相符故也。新病得之忌。以攻補皆難故也。

實脈

(一)形狀　脈來牢極長大而弦。沉浮皆得。應指愊愊。

(二)原因　實爲中外壅滿之象。乃因氣血充實故也。所謂血實脈實者。此也。

(三)主病　如傷寒陽明病及陽毒之類。皆見本脈。

(四)兼脈　實而大爲陽明腑實。實而緊爲寒積稽留。

(五)宜忌　新病實病得之者順。久病虛病得之者逆。按實脈有邪實正實之別。邪實必見慓悍之象。正實必見和柔之徵。端憑指下別之耳。

長脈

(一)形狀　脈來迢迢。如循長竿。尺寸二部俱過本位。

(二)原因　長爲氣治之象。乃胃家之平脈。單見與病理無關。若兼浮。非經邪方盛。卽病邪向愈。

(三)主病　兼見多爲有餘之病。例如陽實陽毒癲癇之類是也。

(四)兼脈　長而浮爲經邪方盛。長而緩爲正氣健旺。

(五)宜忌　平人得之爲胃家平脈。病者得之爲病邪向愈。故無忌。

按長脈單見爲胃脈。與病脈不可同日而語。病邪向愈。亦見長脈兼浮方爲經邪方盛之候。又長脈亦有得自稟賦者。如肌瘦血管外露者。脈恆長。烏可不辨。

短脈

(一)形狀　脈來短縮。應指卽回。尺寸俱不及本位。

(二)原因　短爲氣病。蓋氣不足或胃氣阨塞。則百脈不能條暢。血液卽不能前進。脈波因之而短縮。

(三)主病　多爲不足之病。例如短氣脫血之類是也。若三焦氣壅或宿食不消。亦有見本脈者。

(四)兼脈　短而濇爲胃氣阨塞。或痰氣食積。

(五)宜忌　三秋得之無恙。春夏得之卽忌。又仲景云『發汗多者。重發汗者。亡其陽。譫語脈短者死。』

按短脈有得自稟賦者。如體肥血管隱蔽者。其脈恆短。有應于時令者。如三秋脈恆短。有因于正氣者。正氣不足者。脈恆短。豈僅爲氣病而已哉。

洪脈

(一)形狀　脈如洪濤滔滔而來。來盛去衰。來大去長。

(二)原因　洪爲血氣燔灼大熱之候。乃因血脈受邪熱之薰蒸。血液因之猶如洪水到來。所謂陽氣亢盛者。此也。

(三)主病　溫熱病等

(四)兼脈　浮而洪爲表熱。沉而洪爲裏熱。

(五)宜忌　新病實病得之無妨以脈症相順也。若病後久虛虛癆失血身汗如油及泄瀉脫元等病得之。甚爲可怖。所謂無此症而得此脈則危者此也。

微脈

(一)形狀　脈來旣細復耎。似有似無。欲絕非絕。有依稀模糊之象

(二)原因　微爲陽虛之候。陽氣虛則脈卽不能鼓舞而有神。所謂心藏衰弱者此之謂也。

(三)主病　皆爲陽虛之病。例如男子諸虛勞損女子崩中帶下。及傷寒少陰病之類是也。

(四)兼脈　微而細爲傷寒少陰病。餘數推。

(五)宜忌　卒病得之生。以卒病陽雖虛倘未至虛極之地步故稍扶其陽。其病易愈也。長病得之死。以久病正氣已虛。復見微脈其心藏衰弱可知安望其能久存乎。

緊脈

(一)形狀　脈來力足。彈人手指。緊如轉索。數似轉繩。

(二)原因　緊爲寒邪束表之象。乃因外感寒邪。腠理閉塞。體溫不能放散於體外。則內外緊張。所謂熱因寒束者。此也。

(三)主病　非寒卽痛。例如傷寒太陽病身痛腹痛寒疝奔豚之類是也。

(四)兼脈　浮而緊爲表寒。沉而緊爲內痛。緊而弦爲邪盛。緊而濡爲正虛。

(五)宜忌　表寒內痛得之者無妨。若中惡見浮緊。咳嗽見沉緊者。皆爲死症。以脈症相反故也。

緩脈

(一)形狀　脈來從容和緩。一息四至。一分鐘約七十至七十六至。

(二)原因　緩爲平人之正脈。乃因胃陽穀氣兩皆充足。氣血調和。身心安泰。脈搏因之和緩而有神也。

(三)主病　單見無疾病可言。以其爲脾家之正脈故也。若兼見其他脈象時。其主病卽爲中風痿痺之類

(四)兼脈　浮而緩爲中風。沉而緩爲寒濕。緩而大爲風虛。緩而弱爲脾虛

(五)宜忌　平人得之爲無恙。久病得之爲欲愈。汗後得之爲邪退。高年得之爲長壽。無論陰陽久暫及有病無病得之。均無忌也。

芤脈

（一）形狀　脈來浮大而爽外實而中空按之如慈葱然。

（二）原因　芤爲失血亡陰之候。乃因血液暴失。動脈管內血量頓形減少。故脈中空。血既失脫則氣即無所附而外浮。故脈外實。

（三）主病　例如鼻衄吐血腸風血崩之類皆見本脈

（四）兼脈　兼浮。其他則無。

（五）宜忌　失血亡陰得之者順因偶爾失血或亡陰易恢復其原狀也。久病虛極得之者逆因病勢至此難挽救於萬一也。

弦脈

（一）形狀　脈來有力。端直以長按之如琴瑟之絃然

（二）原因　弦爲陽中含陰之象。乃因弦爲肝脈。肝主筋。筋一有拘急或收引。脈管即失其柔和委曲之常態而呈有彈力性之緊張現象也

（三）主病　瘧疾痰飲腹痛脅痛及疝氣等皆見弦脈

（四）兼脈　浮而弦爲支飲沉而弦爲懸飲。弦而數爲多熱。弦而遲爲多寒。弦而大爲虛癆。弦而細爲拘急。陽弦爲頭痛。陰弦爲腹痛

（五）宜忌　弦而有胃氣則生。如經云輕虛以滑者平。弦而無胃氣則死。如經又云。急勁如新張弓弦者死。

革脈

（一）形狀　脈來浮虛。弦而兼芤。如按鼓皮然。內空虛而外繃急。

（二）原因　革爲血少中寒之候。因其血少脈管方呈中空之狀因其中寒脈管始成鼓革之狀。所謂弦則爲寒。芤則爲虛。虛寒相搏即此曰革者。此也。

（三）主病　男子亡血失精女子半產漏下。

（四）兼脈。無

（五）宜忌　卒病得之者生。以正氣尚充盛故也。長病得之者死。以正氣已虛極故也。

牢脈

（一）形狀　脈來沉實。大長微弦。似沉似伏。須推骨著筋始能得之

（二）原因　牢爲病氣牢固之狀。蓋因氣血結實於內。牢不可破之所致。所謂寒則牢堅者。此也。

（三）主病　風痙拘急寒疝暴逆堅積內伏等病皆見本脈。

（四）兼脈　無

（五）宜忌　卒病得之者生。長病得之者危。可與革脈宜忌參照之。

濡脈

(一)形狀　脈來如綿浮在表面輕手卽得重按不見。

(二)原因　濡爲胃氣不充之徵乃因胃氣充則營養良而心臟強否則消化力薄弱營養不良則脈氣又焉能有力耶按濡脈卽爲軟脈因爲其氣虛而脈波動態柔軟無力也。

(三)主病　內傷虛痨泄瀉少食自汗喘乏精傷痿弱等病皆見本脈

(四)兼脈　濡而數爲濕熱濡而遲爲寒濕但諸脈見濡者皆爲胃氣不充之象。

(五)宜忌　病後產中或久病老年得之者無妨以脈症相順故也平人少壯及暴病得之者忌無此症反得此脈必脈氣無根而有虛脫之虞矣。

弱脈

(一)形狀　脈來軟弱既沉復細舉之不見按之乃有。

(二)原因　弱爲氣虛陽微之象乃因陽氣強盛則脈氣方無萎靡之態否則體力減退脈態安有不因之而弱乎。

(三)主病　胃寒脾虛及虛痨者皆見本脈。

(四)兼脈　諸脈兼弱者皆爲陽氣衰微之候弱而遲爲胃寒弱而緩爲脾虛。

(五)宜忌　血痺虛痨久嗽失血新產及老人久虛得之者順以與生理及脈理俱相合也他若少壯新病得之者逆以與生理及病理皆相乖也

散脈

(一)形狀　脈來渙散如楊花漫飛然至數參差有表無裏。

(二)原因　散爲元氣離散之候乃因元氣衰竭失去統攝之機能虛陽不斂正氣將脫也

(三)主病　無大抵得本脈者皆在久病久虛正氣不支行將脫氣之時百病得之生機垂絕初非僅主一病也。

(四)兼脈　代而散爲必死其他亦屬危候。

(五)宜忌　無論新病久病少壯老人俱忌見本脈以本脈爲死脈故也。

細脈

(一)形狀　脈象如絲細直而爽應指常有較微明顯。

(二)原因　細爲少氣之候氣少則不能充分行血於是乃見脈象微軟如絲。

(三)主病　諸虛痨損及暴受寒冷等皆見本脈。

(四)兼脈　微而細爲傷寒少陰病細而滑爲平脈細而濇爲血虛細而弦數爲勞怯。

(五)宜忌　老弱之人及秋冬之時得之者宜。以脈與生理及時令皆相合也。少壯之人及春夏之時得之者忌。以脈與生理及時令皆相乖也。

伏脈

(一)形狀　脈來沉潛。穩伏難見。須著骨推筋。乃能得之。

(二)原因　伏爲陰陽潛伏阻隔閉塞之候。乃因新邪內閉。或伏陰在內。致氣血壅滯。而脈道爲之不宣通也。

(三)主病　霍亂疝瘕寒飲水腫宿食老痰及新邪內閉氣鬱不達等。皆見本脈。

(四)兼脈　無。

(五)宜忌　暴病或邪實得之。通其陽。達其表。則脈自復。故無忌也。久病或正虛得之。俱忌。病勢至此。必爲氣陽漸竭之危候矣。

動脈

(一)形伏　脈來帶數。首尾不見。厥厥動搖。如豆然。

(二)原因　動爲陰陽相搏之候。乃因氣血勢力平衡。互相搏擊而動也。

(三)主病　驚悸痛症等。皆見本脈。

(四)兼脈　動而芤。爲男子失精。女子夢交。動而弱。爲驚悸。動而弦。爲痛症。

(五)宜忌　強人得之宜。虛人得之忌。

按動脈平人亦有得之者。又婦人手少陰脈動甚者。孕子也。是動脈不可通以病脈論也。

促脈

(一)形狀　脈來數促。時而一歇。有如嬰兒之趨欲蹶之狀。

(二)原因　促爲陽邪內陷之候。乃因表病誤下。則外邪隨下之勢而陷於裏。固有之體溫。因之不能放散於體外。外來之邪。又復在內。蘊釀而化熱。熱盛則干經矣。

(三)主病　發狂斑毒痰積毒癰暴怒及氣逆傷寒下後胸滿下利不止手足厥逆等。皆見本脈。

(四)兼脈　無。

(五)宜忌　暴病或表病誤下後得之者。不必慮。以元氣未敗也。沉疴或虛癆病後得之者。則岌岌有垂危之虞矣。若促勢有增無已。亦爲危候。

結脈

(一)形狀　脈來緩慢。時而一止。止而復來。徐行不怠。

(二)原因　結爲陰邪固結之象。乃因陽氣衰微。陰邪阻礙于經絡之間。使脈波不能暢於流行。以致時而間歇也。

(三)主病　寒飲死血吐利癥瘕蟲積氣鬱等病。皆見本脈。

(四)兼脈　無。

(五)宜忌　新病得之。元氣未衰。尚無虞。久病得之。元氣將殘。則甚危。至于無病而亦有結脈者。恐事實上甚少也。

代脈

(一)形狀　脈有常數。動而中止。不能自還。良久復來。

(二)原因　代爲氣血虛憊。正氣不支之象。乃因心藏收縮力失去均恆。血液不能充分送入動脈故也。

(三)主病　傷寒心動悸。七情太過。跌仆重傷及風家痛家等皆見本脈。

(四)兼脈　無。

(五)宜忌　因病見代脈。無妨。無病見代脈。則危。

按代脈有云爲死脈者。頗不盡然。即如前主病中所列各病。雖均見代脈。但尚有炙甘草湯等治法。足見非爲絕候也。又如婦人懷孕三月。亦見代脈。更徵代死之說。不足信也。惟久病或高年得之。多難藥救。此又不可不知也。

大脈

(一)形狀　脈來甚粗。其形如繩。

(二)原因　在新病爲邪強。脈有移兵赴敵之勢。在夙痾爲正虛。脈有外實中空之態。當別之。

(三)主病　實症爲傷寒陽明病。(脈多大而實)。虛症爲癆瘵。(脈多大而弦)。

(四)兼脈　洪而大爲壯熱。浮而大爲正虛。實而大爲陽明腑實。弦而大爲虛癆。

(五)宜忌　新病得之。無妨。以胃氣尚未衰。正足以抗邪也。久病得之。頗危。以元氣必甚虛。藥石難救于萬一也。

小脈

(一)形狀　脈來甚細。按之如線。

(二)原因　小爲氣血虛寒之象。乃因心力衰弱。動脈系內血量較往常減少而然也。

(三)主病　多爲正氣不充之病。惟婦人得平脈。陰脈小弱爲妊娠。

(四)兼脈　小而濡爲虛寒。小而弦爲冷痛。沉小而遲爲脫氣。沉而小爲水病。

(五)宜忌　新病得之。無妨。久病得之。甚危。可與大脈參照之。

疾脈

(一)形狀　脈來急疾。較數尤快。呼吸之間。脈七八至。

(二)原因　此脈有虛實眞假寒熱之分。由于陰竭陽亢者爲陽實。爲眞熱。由于陰盛格陽者。爲陽虛。爲假熱。在按之益堅或按之不鼓之形態上。可以別之。

（三）主病　實病爲傷寒熱極陽毒陰毒。虛病爲癆極虛極及藏陽症等。

（四）兼脈　疾而洪大苦煩滿。疾而沉細腹中痛。

（五）宜忌　暴厥暴驚脈至如喘如數者。無慮。待氣恢復常態。卽自平也。虛癆喘促聲嘶脈來疾數無倫者。則岌岌有虛陽外脫之虞矣。

十一　診查類似脈應有之鑑別

綜上所述。三十脈之形狀至數及調節。均各不同。然其中類似者。亦頗不少。玆略就其犖犖大者一述之。例如微細小三脈似同而實異。微脈似有似無。欲絕不絕。按之稍有模糊之狀。細脈往來如髮。指下顯然。小脈三部皆小。指下顯然。綜此三脈參照。卽易鑑別其異也。緊脈乃以形態言。不可以至數論。狀如轉索按之雖實不堅。數脈乃以至數論。呼吸定息六至以上。雖速而不過急疾。疾脈亦以至數論。呼吸之間。脈七八至。較數脈尤快二至。故緊數疾三脈雖類似而實不同也。牢脈弦大而長。舉之減小。按之實強。如弦縷之狀。實脈重濁滑盛。相應如參舂。按之如石堅。革脈弦大而數。浮取強直。重按中空。如鼓皮之狀。故牢實革三脈雖類似而實有異也。虛脈指下虛大而耎。如循雞羽之狀。中取重按。皆弱而少力。久按仍不乏根。弱脈沉細而耎。按之乃得。舉之如無。濡脈虛耎少力。應指虛細。如絮浮水面。輕手乍來。重手乍去。故虛弱濡三脈雖類似而實有異也。結脈指下遲緩中。頻見歇止。少頃復來。代脈動而中止。不能自還。因而復動。促脈往來數疾中。忽一止復來。故結代促三脈雖類似而實有異也。洪脈既大且數。指下纍纍如連珠。如循琅玕。按之稍緩大脈應指滿溢。倍于尋常。長脈指下迢迢。過于本位。三部舉按皆然。故洪大長三脈雖類似而實有異也。滑脈往來流利。如珠之應指。毫無艱澀之態。動脈厥厥動搖。無頭尾如豆大。故滑動二脈雖類似而實有異也。遲脈一息三至。緩脈一息四至。息數有依稀相似之處。然一多一少。仍不同也。以上所述類似之諸脈。在病理上均各有異。在主病上亦復各別。差之毫釐。謬以千里。吾人診查脈息時。對此等處。豈可不細心辨別哉。

十二　診查眞假脈應有之鑑別

古人治病之法。有從症不從脈者。此卽言症眞而脈假也。有從脈不從症者。此卽言脈眞而症假也。所謂症眞而脈假者。何謂也。如中氣虧乏不能內守之久病。脈亦有見浮者。但久病正氣必虛弱。脈必沉細或沉遲而濡。決無見外感浮脈之理。有之亦是正氣虛耗而外越之凶兆。脈必浮中兼大。宜舍脈從症治之庶幾不誤。否則以浮脈當表病治以發散。是徒見其敗矣。又如虛癆之人。脈息往往亦頻數。若照病理言之。虛癆屬于內傷。正氣必衰微不堪。焉有見熱病數脈之理。有之。亦是虛性心悸亢進之所致。脈必數中兼虛。決無兼實之象。癆瘵者之脈數。大抵如是也。又如因陰虛而內熱之人。脈息亦見頻數。其病理亦與虛癆同。是皆症眞而脈假也。治療宜分從癆者溫之及養陰潛陽之例以爲法。若誤認此數脈爲熱病投以淸涼。則僨事必矣。關於舍脈從症之治例。仲景亦有此法。如脈浮而大。心下反鞕。有熱屬藏者。攻之。不令發汗。又如少陰病始得之。反發熱脈沉者。麻黃附子細辛湯主之。又陽明病。脈遲。不惡寒。身體濈然汗出。則用大承氣湯攻之。此皆舍脈從症之治法也。所謂脈眞而症假者。又何謂耶。例如一人顴赤。頭痛。口乾。煩躁。脈息反沉細或沉遲。觀其症有似熱病。論其脈卻屬寒候。其所以成此矛盾現象者。乃因陰邪內盛。虛陽外浮之所致。此爲症假而脈眞。宜附子乾姜之類溫中而扶陽。始爲適當之療法。若不在沉細沉遲之脈息上注意。而徒在顴赤頭痛口乾煩躁之症狀上着眼。反誤認其病爲熱候。投以苦寒瀉火。其結果又何堪設想也。關于舍症從脈之治例。仲景亦有此法。如病發熱。頭痛。脈反沉。身體痛。當溫之。宜四逆湯。又日晡發熱者。屬陽明病。脈浮虛者。宜發汗。用桂枝湯。又結胸症具。當與陷胸湯下之。脈浮大者。不可下。當與桂枝人參湯溫之。又身體痛疼。當以麻桂發汗。然尺中遲者。不可發汗。當與小建中湯和之。此皆舍症從脈之治法也。由此觀之。病者之脈息。有時爲眞。有時爲假。此種辨別端在表裏虛實寒熱病狀上求之。假脈不可憑。而眞脈宜從。假脈治其標。而眞脈宜治其本。此爲診斷上與治療上極關重要之處。若一稍誤。則變症莫測。故醫者診脈時對于脈之眞假之分別。實不可不加以注意也。

十三　診查常態脈應有之認識

人生於宇宙間。外無受六淫之侵襲。內無七情之戕傷。飲食有一定節制。起居有一定規律。則肉體上自能保持健康之常態。精神上自亦感非常之愉快。疾病云乎哉。是故平人氣血調暢。營衛和諧。身心安泰。其脈息因之和緩而有神無有偏勝。大人平均一息約四五至。一分鐘約七十至七十六至。小兒脈息較爲急數。老人脈息較爲濡緩。此皆因生理與年齡氣血之關係而然。大抵平人一息四五至爲常態脈。不可以病脈論也。如內經云。『人一呼脈再動。一吸脈亦再動。呼吸定息脈五至。閏以太息。命曰平人。』由此觀之。平人一息四五至之脈。是胃氣充盛之佳兆。任何時任何人得此脈均吉也，反此。則爲病脈矣。即緩脈單見亦爲平脈。若兼見弱濡浮或細。又屬於病理矣。此又不可不辨也。但在常人脈無病時。因年齡生理及氣血等等之關係。脈之至數及脈息調節均隨之而差異。但與病理絕對無關也。玆當分述之於後。醫者診脈時。不可不加以注意焉。

(一)年齡　幼年小兒之脈息較大人爲速。初生小兒一息約八九至。一分鐘約百四十至。至十歲時。一息約六七至。一分鐘約九十至。此因小兒爲純陽(據多數言)之體。氣血均向發旺。故脈息較大人爲速也。十五歲以後。至四十歲左右時。血氣充足。發育穩定。一息約四五至。一分鐘七十至七十六至。如五十歲以上之老人。脈常濡緩。一息約三四至。一分鐘六十至弱。此因氣血衰弱。血行遲緩故也。

(二)生理　男子脈較女子浮大。女子脈較男子沉細。雖有此說。殊不盡然。又男子脈寸強而尺弱。以男子主氣。氣性上升故也。女子脈寸微而尺盛。以女子主血。血性下降故也。

(三)體格　肥壯者脈細實。因橈骨動脈處肌肉脂肪俱厚而豐。致動脈管深藏於肌肉脂肪之下。觸之祗得細實之象也。羸瘦者脈長大。因橈骨動脈處肌肉脂肪俱薄而少。動脈管淺在皮下。觸之即得長大之象也。

(四)個性　性情粗暴及嗜動之人。脈多躁。性情柔和及嗜靜之人脈多靜。此個性使然也。

(五)時期　人醒時較睡時脈息略數。以動時血行較速於靜時故也。又早晨脈至數較少。日中數增。入夜減少。以中午血壓高而朝暮血壓低故也。

(六)飲食　當吾人進飲食之時。或食後。脈息增數。以飲食之熱薰蒸。血行較速故也。

(七)精神興奮　當吾人精神受刺激時。例如吸烟飲酒及進其他有刺激性之食品時。脈息至數增加。又人受驚恐時。脈息亦增數。尤以神經過敏者較常人爲尤著也。

(八)身體運動　當身體運動時。脈息至數增加。且較平時爲洪大。此亦運動時血行較速於平時故也。

(九)溫度　人之脈常隨溫度升降之影響而增減。溫度升則脈增數。溫度降則脈數減。

(十)時令　人之脈常隨四季時令而有變化。例如春脈弦。夏脈鈎。長夏脈耎弱。秋脈毛。及冬脈石者。皆四時平脈也。脈之所以有四時之異者。皆因春暖夏熱長夏多濕秋涼冬寒氣候變遷之所致也

(十一)處境　處境優裕或富貴者。脈多流暢。此因胸襟愉快

氣血調暢之所致也。處境困苦或貧賤者。脈多濇滯。因此情懷抑鬱氣血失和之所致也。

(十二)氣血　凡人氣血素盛者。其脈多盛。氣血素衰者。其脈多衰。體質素多寒者。其脈較遲。體質素多熱者其脈較數

十四　診查病態脈應有之認識

吾人之生活起居。若不注意於衞生。或身體氣血不足。抵抗力薄弱。往往卽易受六淫七情之侵傷。生理上卽易發生病苦。脈搏卽呈反常之現象。而爲病脈矣。如內經云。『人一呼脈一動。一吸脈一動曰少氣。人一呼脈三動。一吸脈三動而躁。尺熱曰病溫。尺不熱脈滑曰病風。脈濇曰痺。』又云。『獨大者病。獨小者病。獨疾者病。獨遲者病。獨熱者病。獨寒者病。獨陷者病。』是脈一有所偏勝。卽由常態而變爲病態矣。又如春脈應弦而不弦。夏脈應鉤而不鉤。長夏脈應耎弱而不耎弱。秋脈應毛而不毛。冬脈應石而不石。此皆失其四時者。皆病脈也。又如肝脈應弦而不弦。心脈應鉤而不鉤。脾脈應耎弱而不耎弱。肺脈應毛而不毛。腎脈應石而不石。皆脈病也。他如三十脈除緩長二脈單見不爲病脈外。皆作病脈看也。故吾人對于病脈之診查。不可不加以認識也。

十五　診查死亡脈應有之認識

人以胃氣爲主。有胃氣則生。無胃氣則死。是胃氣誠爲人之第二生命也。但胃氣之有無。可驗之於脈息。脈息若太過或不及。則胃氣失而人卽死矣。如內經云。『人一呼脈四動以上曰死。脈絕不至者死。乍疎乍數者死。』又云。『平人之常氣稟於胃。胃者平人之常氣也。人無胃氣曰逆。逆者死』由此觀之。胃氣之有無與人之生命之關係。不亦重且大乎。於玆尤有進言者。內經中所云之眞藏脈。卽此所謂之死脈也。如內經云。『眞肝脈至。中外急。如循刀刃。責責然如按琴瑟弦。色青白不澤。毛折乃死。眞心脈至。堅而搏。如循薏苡子。累累然。色赤黑不澤。毛折乃死。眞肺脈至。大而虛。如以毛羽中人膚。色白赤不澤。毛折乃死。眞腎脈至。損而絕。如指彈石。辟辟然。色黑黃不澤。毛折乃死。眞脾脈至。弱而乍數乍疎。色黃赤不澤。毛折乃死。見眞藏曰死。何也。五藏者。皆稟於胃。胃氣者。五藏之本也。藏氣者。不能自至于手太陰。必因于胃氣乃至于手太陰也。故五藏各以其時自爲而至于手太陰也。故邪氣盛者。精氣衰也。故病甚者。胃氣不能與之俱至于手太陰。故眞藏之氣獨見。獨見者。病勝藏也。故曰死』由此觀之。死脈可見一斑矣。又如四時之脈失胃氣者。皆主死也。他如雀啄屋漏魚翔蝦游彈石解索釜沸及偃刀轉荳麻促等怪脈。皆死脈之類也。古人云『死生亦大矣。豈不痛

哉。』是故吾人診脈時。對於死脈又豈可不加以認識哉

十六　診查順逆脈應有之認識

凡脈與症合者順。脈與症乖者逆。此診脈應有之認識也。如表病見浮脈則順見沉脈則逆。所謂陽病見陰脈者死。正謂此也。如裏病見沉脈則順。見浮脈則逆。蓋因裏病見浮脈。此必元氣有外越之趨勢也。如寒病見遲脈則順。見數脈則逆。蓋因寒病見數脈此必心臟衰弱而呈虛性之亢進也。如熱病見數脈則順。見遲脈則逆。蓋因熱病見遲脈。此必爲虛陽外浮之象也。如虛病見虛脈則順。見實脈則逆。蓋因虛病見實脈。此必爲邪盛而非正氣本充也。如實病見實脈則順。見虛脈則逆。蓋因實病見虛脈。攻之既不可。補之又不能。治療極感困難也。他如新病不能見久病脈象。久病亦不能見新病脈象。外感不能見內傷脈象。內傷亦不能見外感脈象。舉凡脈症相合者。易治。脈症相乖者。難醫。不過尤有脈症眞假之差別。當又或舍脈而從症或從症而舍脈。豈可拘執哉。

結論

綜上所述。不過爲脈學之一種鳥瞰而已。關於脈學上其他之敍述及研究甚多。甚多。吾今因時間及篇幅之所限。未多闡發。殊深遺憾。然於此更有不能已於言者中醫向以寸關尺三部爲診查自頭部以至足部疾病之標準。又以兩手寸關尺六脈分配藏府。爲診查五藏六府疾患之依據。詎今日西醫對於此說多有詆斥之者。即今日稍具科學思想之中醫。亦有懷疑者。彼詆斥及懷疑者之言曰。同一動脈管。脈搏當一律無疑。何竟有三部之差別耶。又左右兩手動脈同生在一人身上。脈搏當無左右之不同。何竟有左右之異耶。此種疑問。在今日之中國脈學上已成不易解答之懸案。但偶以前說實之於今日富有經驗之少數中醫者。據言確有三部與左右之不同。不過必須多經驗方能證得耳。若然。吾儕今而後亦可以從實驗中求之矣。

咳嗽症治概論

卓騰國

導言

咳嗽一症。四時皆有。自古論咳之醫家。不下數百而能得其眞髓者。實所罕見。是以遝其方藥以圖治收效實難。前賢論咳。雖分五臟六腑詳細無遺。顧對於診斷療治仍無把握。卽今世界醫學家。認爲新療法者對於咳嗽一症。亦無圓滿之解决。以爲乃肺病而已。夫疾病之痛苦最久者莫若咳嗽足以毀滅人體可憫可畏者。亦莫若咳嗽一症。近人稱之曰惡疾。以其性甚頑固治之不易。就瘵也。患斯病者。固無分中外。獨我國人患者最多。因之死亡者亦累累不絕。東亞病夫之稱。由是以起。噫何以我國獨多。最近據專家考察其說有二。一曰國事蜩螗。內政不修。民智未開。衛生不講。以致斯病得以繁殖無已。一曰我國人多由先天遺傳。雖數月嬰孩。亦有同類之症。較之他國人體質絕對不同也。余曰斯言良是。觀夫古人能盡終其天年。度百歲乃去者。莫不衛生自愼。起居有常。不妄作勞。形與神俱。故邪無進犯之地也。今人之體格。既不如古人。而又衛生之不講。情慾之不節。在在足以自戕其生機。卽當無病之時。已弱不禁風。況素不謹愼外邪之侵。其何能禦斯病之比比皆是。安足怪乎。余習醫有年。今願以平日之研究探討。公于同好。惟冀我國之死亡率日後得能逐漸減少。余之願也。諒亦國人之願也

總論

夫咳嗽者爲氣管呼吸器官病理之現象。肺部有風寒火痰之激刺。則喉中發聲而咳嗽。五臟六腑皆令人咳。非獨肺也。皮毛者。肺之合也。皮毛先受邪氣。邪氣以從其合也。其有因寒飲入胃。上冲於肺則肺寒。肺寒則外內合邪。因而客之則爲肺咳。五臟各以其時受病。非其時。各傳以與之。然其主要病因總不離乎內傷與外感兩大綱。風寒暑濕之感于外者。必自皮毛而入。皮毛爲肺之合故先入於肺。久則遞傳于五臟也。內傷者。飲食不節。醉飽無常。晏眠遲起。七情六慾等皆可致斯病也。但由外界引誘。非單獨而發者居多。如內經云。邪之所湊。其氣必虛。孟子曰。物必先腐而後虫生之。此言本身有弱點。而後外邪得以侵之也。體格健全之人治療尙易。雖寥寥數味。亦足以致痊。身體不健全者。治療實難。往往成爲癆病。遂致不治。且肺爲嬌臟。不能受外界侵襲。於是淸肅失

司。氣必上于于肺。氣不條達。則津液凝滯，不及分泌。遂因而成痰有稀白，亦有稠而色黃。甚至膠粘頑固而咳嗽之症以作矣。其初起者氣急鼻流清涕。輕無寒熱。雖不藥而愈。重者往往發熱惡寒頭痛骨楚舌黃白膩。脈象浮滑與傷寒略同。雖麻黃桂枝。亦可相參而用也。以外界風寒而引起咳嗽。當解以透邪。爲其主要治法也

脈象

咳嗽之脈浮爲風緊爲寒洪數爲熱濡細爲溼寸關濇而左尺內弦緊爲房勞陰虛右關濡大爲飲食傷脾左關弦數爲疲極肝傷。右寸浮短爲傷肺逆濇爲肺寒洪滑爲多痰弦濇爲少血而唾血脈滑者可治浮輭者易治或沉或浮聲不損者易治脈來洪數形瘦面赤腎臟氣衰不能上循于喉而聲啞者難治。（亦有肺管壅塞而聲啞者不在此例）暴病咳嗽。睡臥不下爲肺脹可治久病喘嗽。左側不能臥者。爲肺損無問新久皆不可治咳嗽脈小堅急爲逆不出十五日死。咳嗽而脫形身熱脈疾不過五日死。咳而溲血形肉脫。脈搏指者死咳嘔腹脹且飧泄脈絕不出一時死咳嗽形羸脈形堅大及沉緊伏匿者俱死。咳而嘔腹滿泄瀉脈弦急欲絕者死。若其脈虛者必苦冒其人本有支飲在胸中故也。

治療　咳之由於外因者

1. 感外風而咳者其狀憎寒壯熱自汗惡風煩躁口乾頭痛脈浮苔白薄膩而咳甚者治宜辛涼疏解。
2. 感外寒而咳者其狀增寒發熱無汗惡寒煩躁不渴頭痛如破鼻塞流涕脈緊而弦苔白膩治宜辛溫解表
3. 感外暑而咳者其狀煩熱引飲口燥或涎吐沫聲嘶咯血脈形滑大苔積絳治宜甘涼疏化
4. 感外濕而咳者其狀口膩頭暈骨節煩痛四肢重著。洒洒淅淅胸痞不舒苔白黃有白而或膩滑脈滑濡而弦按之微數者其咳聲重濁治宜芳香化濕以利氣機
5. 感外燥而咳者其狀喉中哽哽咽乾口渴微微惡寒苔白而濁。以秋涼後感者爲多其咳連聲而脅痛治宜潤燥清肺。
6. 感火而咳者其狀口鼻熱目赤心煩脈促不得臥脈來滑數而實質苔黃絳者宜通便利腸導赤清火

咳之由於內因者

1.心咳由於喜氣傷心宜養心化痰如觀音應夢散等。

2.小腸咳由於心咳不已移熱于小腸宜清腑温膽湯加黃芩可也。

3.肝咳由於大怒傷肝宜芎枳四七等法升降其氣甚則旋覆葱絳之屬氣絡一和自無事矣。

4.膽咳由于肝咳不已引動膽火治或小柴胡或張景岳柴前連梅煎法以緩和其氣而泄其膽火。

5.脾咳由於多思慮傷脾之液致津氣不克四佈宜用甘温如苓桂朮甘二陳加味之屬以治之。

6.胃咳由於脾咳不已胃熱加甚治宜清氣滌熱。

7.肺咳由於憂愁傷肺肺氣憤鬱宜潤燥清金化痰爲要。

8.大腸咳由於肺咳不已移熱於大腸治宜清肺瀉熱之類上竅宜則下竅利矣。

9.腎咳由於腎陰先虧宜滋陰潛陽攝納衝任之法

10膀胱咳由於腎咳不已傳入膀胱咳甚則脬氣不固而爲遺尿也治宜縮脾丸合兎絲沙苑杜仲蠶繭之屬以固其氣茯苓甘草泄濕以和其中

11三焦咳無論何臟之咳延久不已必傳三焦咳而腹滿不欲食飲治三焦之咳者當辨其何臟傳來兼證何若而定施治然亦不外七氣湯加温膽法也

結論

咳嗽一症無論內因外因當初起之時第一辨症明晰依法治之便可漸愈若延遲不治則必由外而內由輕而重傳變滋多矣甚則成爲肺腎同病而牽及脾胃遂成癆咳之症西醫名爲肺結核蓋因損而不復卽成虛虧而不復卽成癆此虛癆二者所以相繼而成也然患者多係青年壯年次之老人最少夫青年知覺易於興奮神經過敏於是發生種種之妄想遂發成病貧血失眠遺精等症積久累月漸成虛損足爲癆病之誘因其初起與外感症無異倘不加注意病卽轉入中期于是肺液缺乏涵養勢必乾咳無痰氣急咯血之症逐漸發生形神憔悴頭眩目花病勢由淺入深咳嗽音啞膿血並出皮骨相附足腫腹瀉病狀至此雖有靈丹妙藥亦無濟於事矣望吾人愼之愼之

胎產概論

胡倩霞

引言

天地間之萬物。有滅必有生。有生必有亡。此乃自然之造化。如佛經中所謂不生不滅是也。人之生生不息。亦猶如是。蓋吾人有婚配而後有夫婦。有夫婦而後有新生命產生。婦女因生理上之秉賦不同。故負有胎產之專責。對於民族之延續。有絕大之貢獻。醫家自當竭其智能維護產母。俾得完成繼往開來之工作。作者既有鑒于胎產之重要。爰特將古今中西醫籍之關于胎產者。分為胎前產後二部。採其精萃附以己意。以供檢討。惟限于學陋識薄。倘希知者能予以指正焉。

胎前症治

惡阻　金匱曰婦人得平脈陰脈小弱其人渴不能食無寒熱名妊娠于法六十日當有此症設有醫治逆者却一月加吐下者則絕之所謂絕之者即停止服藥待其自安之謂也

因胎而成之惡阻　「原因」婦人受孕。卵得子宮栽植後。子宮壁發生胎盤之組織。周圍生假膜。至二月之期。因胎兒之發育。牽動胃部感覺神經。而成惡阻。「症狀」頭部眩冒嘔吐食慾不振。身體壯實者。可免此症。「療法」用平肝溫胃降逆安胎桂枝加半夏湯。能應手者治之。即曰就愈。不應手者雖竭盡智力不效也。此因本乎其人之體質。非藥石所能為也

因不遵胎教之惡阻　「原因」受孕經閉後。飲食相搏。氣不宣通。有因怒氣所激。肝為所傷。挾胎氣上逆。亦成此症。「症狀」心下憤悶。頭眩眼花。四肢倦怠。聞食即吐。惡寒發熱。脈左弦而弱。「治療」當順氣理血。豁痰導水。加味參橘飲。因怒者茯苓半夏湯。

胞阻　「原因」一因子宮虛寒。營養缺乏。胎卵發育障碍。一因飲食消化不良。食滯腸胃。影響及于子宮。此症發生。概在妊娠四五月之時期。「症狀」腹痛惡寒少腹疞痛如扇。一似小產狀。「療法」當以平胃散安胎。兼食者。與加味平胃散。臟寒腹痛。與膠艾四物湯。

轉胞　「原因」妊娠後半期中。（妊娠五月後）子宮因胎兒之發育。逐漸擴張。若子宮基底向後屈。則子宮頸壓迫膀胱頸。致礙及小便通利。古云胞系了戾者。蓋即氣虛而致之小便不利也。「證狀」小腹急痛。膨脹如裂。不得小便。狀如癃閉。

甚或脚腿浮腫煩熱不得臥。「療法」子宮基底後屈者。須用手術矯正子宮俾輸尿管分泌復原氣虛者加減補中益氣湯胃虛而致小便不利者。用八味腎氣丸。

「子癇」「原因」子癇一症古名姙娠中風。其因有二。一由心肝二經鬱熱。激動腦部神經。一由風火之邪上逆傷腦。致腦血管溢血。「症狀」頭項強直。四肢攣急。神識昏迷。不省人事病退後知覺如初。「療法」緣心肝熱甚者。用羚羊角散。預後多佳良。腦出血者當參中風門療治。但預後多不良。

「子煩」「原因」平素胸宇不寬內熱壯盛。氣滯與熱。鬱結而致丹溪云子煩者因胎元壅遏熱氣所致「症狀」氣鬱不舒。心中煩悶驚悸胆怯煩燥不眠舌黃苔膩。「療法」當以清熱舒氣加味竹叶湯或柏子養心湯

「子瘖」「原因」內經奇病論黃帝曰。婦人重身九月而瘖。此何為也。岐伯曰。胞之絡脈絕也帝曰何以言之。岐伯曰。胞絡者。繫于腎少陰之脈貫腎繫舌本故不能言帝曰何以治之。岐伯曰何治也。十月自復症狀聲音低細或竟不能開聲「療法」原可勿藥若欲治之宜以補腎煎。

「子懸」「原因」氣分不舒濕濁阻中致胎氣上攻「症狀」姙娠四五月後。自覺胎氣上舉。胸膈脹滿。嘔吐氣逆。「療法」當以疏鬱降逵分利和化紫蘇飲主之。

「子嗽」「原因」有數種1由寒暖不慎感冒風寒而嗽2素有痰飲。受孕後欬嗽上逆增劇。3肺有結核菌。即俗所稱抱兒癆是。「症狀」由感冒者。惡寒發熱鼻塞聲重。痰飲者。痰涎壅盛吐咯不盡。咳嗽氣喘肺病者則咳嗽肺痛唾血痰。「療法」肺結核者當以養陰和肺。然預後多不良肺冒欬嗽者。以參蘇飲去人參半夏痰飲者用滌痰湯

「子淋」「原因」姙娠後膀胱尿道因濕熱而發炎。滴瀝刺痛。此症與有淋病菌傳染之淋病不同「症狀」小腹脹急溲時陰道刺痛點滴不爽。「療法」當清熱利便。與加味五淋湯。

「子瘧」「原因」姙娠病瘧多由營衞虛弱不慎風寒生冷致邪犯少陽寒熱往來與麻拉利亞所發之間歇熱相同「症狀」寒熱往來或有定時。或無定時「療法」熱多寒少者以清脾飲去半夏寒多熱少者。人參養胃湯去半夏延久身虛元弱者四獸飲惟禁服金鷄納霜（因平人皆知金鷄納霜為治瘧之聖藥）以其能收縮子宮有使胎墮之可能性慎之

「子腫子滿子氣」婦科胎孕書中有子腫子滿子氣以及

胎水或琉璃胎等之分。然其名稱雖多。約言之不外有形之水。與無形之氣爲患而已。故以此三症合併而言之。

「原因」循環分泌二系統發生障礙。水氣停聚於皮下組織。行于外則頭面遍身腫。聚于內則肚腹脹大。滯于下則脚腿作腫。 「症狀」頭面四肢遍身浮腫爲子腫。大腹膨脹而滿爲子滿。子氣在膝以下有腫滿形能股中寒甚者。脚趾出黃水。

「療法」當以分清利水。子腫者加味苓朮湯。子滿者與天仙藤散。子氣者與五皮五子飲。其有兼症者。當參體質之強弱。而定攻補之法耳。

「胎漏激經」 「原因」妊娠而致胎漏。其原有三。1.因胎息未實。不節房事。致子宮虛滑。2.母體羸弱。胎之胞膜不全。3.跌仆損胎。致成漏下。 激經一名垢胎。卽於受孕後。仍按月經來。此則由于血盛氣衰。或有特別之生理。可勿治之。 「症狀」腰痠腹痛胎氣下墜經來或兼流黃水。「療法」不節房事所致者。宜阿膠濟陰湯。母體羸弱者四君子湯。跌仆者。加味四物湯。

「子鳴」 「原因」產寶云腹中臍帶上之疙瘩。兒在胎中含于口內以其全恃胎盤臍中之動靜脈循環以吸收營養。夫胎兒在胎盤中無空氣接觸。本無發聲之可能。若婦人登高舉臂疙瘩脫出兒口者。口內空無所有。是以嗚嗚發聲 「症狀」腹中啼聲時發時止。是以亦有稱子啼者。此症之發生。概在九月及臨月之期 「療法」在藥物上新舊醫尚未見發明。大概均以安胎和氣之類。以應付之。產寶云令婦人曲腰就地如拾物狀。使疙瘩仍入兒口卽止。又云以空巖房中鼠穴土。用黃連煎汁同飲。亦效。沈堯封云治此祇須撒豆一把在地。令妊婦細細拾完卽愈。效之與否。我人不得而知。錄之以增治療一格耳。

「鬼胎」 「原因」概由于妊婦妄想妄見思子心切致精神上起異感。故說鬼胎。西說謂由胎中組織物異常所致。 「症狀」精神疲倦。經水停止。腹中脹大。擇食惡食。嘔吐泛噁。與受孕之證相似惟面色青黃不勻。身有異感。脈息乍大乍小。無流利和滑狀。「療法」用催產下胎藥如牡丹皮散不效者當用手術入子宮內去葡萄樣之塊狀物。（卽組織。異常之胎物）故亦有稱之爲葡萄鬼胎者。

妊娠藥忌

在妊娠期中凡大毒大熱及破血開竅下行重墜之品概爲所忌。是以有妊娠藥忌歌之產生。各婦科胎產編均有是類之歌曰蚖（蚖青卽青娘子）斑水蛭與蝱蟲烏頭附子及天雄野葛水銀及巴豆牛膝薏仁幷蜈蚣稜莪赭石芫花麝大戟蛇蛻黃雌雄砒石硝黄牡丹桂槐花牽牛皂角同半夏(生者)南星(生者)兼通草瞿麥干姜桃木通地膽茅根與䗪虫藜蘆茜朴及薇銜欓根閭茹葵花子赤箭茼草刺蝟皮鬼箭紅花蘇方木麥櫱常山蒺藜蟬甘遂沒藥破故紙延胡商陸五靈脂凡此皆為胎前忌當須慎謹記心胸

胎前症之所以欲分白條論治者以其為特有症也。其他如傷寒溫病雜症泄痢中風等之類。參常人治病之通例。胎前雖有藥忌 于必須時可勿拘泥此說有病則病當之即內經云有故無殞亦無殞也之意

產後症治

「血暈」 「原因」其原有三1.因勞倦竭甚而氣竭神昏。2.因下血過多以致腦部貧血而暈3.下血少致敗血上逆而暈 「症狀」下血多者昏悶煩亂不省人事 下血少者。腦部眩暈眼花胸悶口噤或痰涎壅盛。 「療法」下血多而暈者。宜清魂散加減。下血少而暈者失笑散。勞倦者。補中益氣湯 「外治」救急法用鐵錘燒紅澆以米醋以煙熏鼻。並用熱手巾揩面。用以治失血過多之腦貧血症。

發痙 仲景曰。新產婦人有三病。一病痙二病鬱冒。三病大便難。又曰。腰背反張無汗者。為剛痙主以葛根湯。有汗者為柔痙。主以桂枝加葛根湯按桂枝湯乃治風之主方。故主有汗之風痙。葛根湯中用麻黄以散寒故以治無汗之剛痙然如產後之血虛無風者當大補氣血為主正似薛立齋云產後肢體抽搐因亡血過多。筋無所養而致大補氣血方可無虞若發表驅風。百不全一之道也 「原因」失血過多元氣虧極或與外邪相搏陰火內動「症狀」牙關緊急腰背反張四肢抽搐。兩目連劄 「療法」以滋養榮活絡湯主之有痰加竹瀝半夏。有汗加炮姜附子。有食加山查神曲若見兩手摸空循衣摸床者。為真陽脫越之兆不治。

蓐勞 「原因」蓐勞一名產勞其原有二。一內傷由產理不順調養失宜憂勞思慮七情內傷其臟腑。致營衛不宣。二因氣血虛弱風冷乘之葡萄球菌及連鎖球菌因子宮陰道產後粘膜微破侵入血管致起熱症 「症狀」寒熱往來骨蒸煩熱。自汗盜汗。頭疼骨節疼痛。胸悶喘乏形容憔悴惡露停止腹中疼痛。 「治療加減法」當扶正氣為主宜補虛湯脾肺氣虛而見欬嗽口乾者異功散加麥冬肝腎虛弱者六味丸。骨蒸煩熱筋骨疼痛。惡露不下。腹痛如絞。宜人參鱉甲散此症因脾胃虛弱而致者居多故士方有用龍眼肉(十二枚) 紅棗(十二枚) 冰糖(乙兩) 河水煎。加生鶏子一枚搗爛同服每日

清晨服之。連服一百二十日。間每多生效云。

汗出　「原因」產後營養陰虧損。心肝脾爲勞怒所傷。致汗出。延久不治。當變痙病。「療法」不宜卽加斂汗之品。恐其惡露未盡滯留而生他症。宜先服生化湯。繼服調衛止汗湯。不效者宜補心。因心主血。又汗爲心液。心血耗。故病汗也。宜于上方中參入白芍棗仁五味等。

浮腫　「原因」脾虛不能制水。腎虛不能行水。水蓄停留而致。「症狀」分氣病水氣病二種。四肢浮腫。皮膚色白光瑩。如裏水者。爲水病。氣病則于浮腫處按之。窅然皮色厚而不變。「療法」水病者宜用紫蘇飲。兼食者加消導藥。惡露停滯而腫者。宜服小調經散。肺氣不疎而面目浮腫者。當輕疏開肺。

血崩　「原因」產後營衛衰弱。心肝脾爲驚怒勞所致。傷失攝統之權。以致血下如注。「症狀」血液注下。腰痠腹痛喜按口唇沒白。汗多氣弱。形脫肢冷。甚者氣粗喘促。「療法」宜大補氣血。斯陽生陰長。治以升舉大補湯。渴者加麥冬五味。瀉者加澤瀉蓮子。有痰加半夏。

大便不通　「原因」金匱云產後便祕者。亡津液。胃燥故也。「療法」不可誤用苦寒導滯。宜以四物湯加鮮首烏麻仁等以潤之。若診斷確有實邪燥屎者。如舌黃而糙。胸悶痞滿。大腹脹鞕。腹痛拒按。則可用承氣。不在此例。

陰門不閉疼痛。　產後陰門不閉者。由氣血虛弱。子宮不能收縮故也。當以十全大補湯隨症加減而治之。產後陰痛一證。難產者每多有之。有因產後起居太早。產門感風。亦能致之。治以定痛湯。

尿血遺尿　產後尿血有虛實之分。虛者爲中州氣陷。以補中益氣湯。實者爲膀胱蘊熱。補在禁例。當以淸理治與平人同。遺尿概由氣血虛而不能約束。以八珍湯加升麻柴胡。甚加熟附子。

丹溪云。產後爲氣血虛弱最甚之時。當以補虛爲先。雖有他症。以末治之。是言雖具至理。尚不能作爲治產後等病之唯一標的。應症情合參。有瘀去瘀。虛者補之。實者攻之。總不脫此二法耳。

附方

加味生化湯　歸尾　桃仁　紅花　烏藥　川朴　枳實
砂仁　木香　茯苓　滑石　炮姜　炙草

桂枝加半夏湯　桂枝　芍藥　甘草　姜棗半夏

加味平胃散　蒼朮　陳皮　朴硝　川朴　生草

茯苓半夏湯　半夏　生姜　地黃　茯苓　橘皮　旋覆花

細辛 人參 芍藥 川芎 當歸 桔梗 甘草
加味參橘飲 人參 白朮 砂仁 厚朴 橘紅 當歸
香附 甘草 姜竹茹
膠艾四物湯 當歸 川芎 芍藥 地黃 阿膠 艾葉
甘草 香附
加減補中益氣湯 升麻 柴胡 人參 黃芪 陳皮 茯
苓 澤瀉 當歸 木通
八味腎氣丸 熟地 山萸肉 山藥 澤瀉 丹皮 安桂
附片 白茯苓
羚羊角散 羚羊角 酸棗仁 杏仁 木香 防風 獨活
苡仁 五茄皮 當歸 川芎 茯神 甘草
鈎藤散 鈎藤 茯神 洋參 寄生 桂枝
加味竹葉湯 鮮竹葉 橘絡 麥冬 小生地 金橘葉
酒芩 木通 白芍 當歸 川楝 花粉
柏子養心湯 柏子仁 茯神 琥珀 當歸 五味子 麥
冬 人參 白芍 川連
加味補腎煎 甘杞子 山萸肉 菟絲子 當歸 熟地
沙參 茯苓 杜仲 白芍 陳皮 六麯
紫蘇散 紫蘇 陳皮 白朮 腹皮 當歸 川芎 人參

甘艸 姜 葱白
參蘇飲 蘇葉 橘紅 只殼 前胡 木香 桔梗 干葛
滌痰湯 蔞皮 蘇子 川貝 杏仁 半夏 黃芩 沉香
玉金 枇杷葉 生艸 陳皮 茯苓
加味五淋湯 黑梔 赤苓 黃柏 草梢 生地 澤瀉
車前 滑石
清脾飲 白朮 茯苓 知母 青皮 厚朴 黃芩 甘
艸
人參養胃湯 人參 蒼朮 藿香 厚朴 陳皮 艸果
茯苓 炙艸 生姜
四獸飲 人參 白朮 茯苓 炙艸 陳皮 艸果 黑棗
生姜 烏梅
加朮味苓湯 白朮 茯苓 陳皮 生姜皮 香附 蘇葉
腹皮
天仙藤散 天仙藤 木瓜 烏藥 茵陳 車前
五皮五子飲 陳皮 茯苓皮 姜皮 腹皮 桑皮 車前
子 蘇子 五味子 川楝子 杏子
阿膠濟陰湯 阿膠 白朮 地黃 白芍 當歸 川芎
砂仁殼 條芩 香附 蘄艾 炙草

四君子湯　人參　白朮　茯苓　甘艸
加味四物湯　當歸　白芍　地黄　川芎　續斷　牛膝
棕炭　黑梔　香附
淸魂散　蘇葉　當歸　人參　川芎　甘艸　黑芥穗　黑
姜
加味失笑散　蒲黄　五靈脂　山甲片　乳香　沒藥　炮
姜
補中益氣湯　人參　白朮　黄芪　甘艸　當歸　陳皮
升麻　柴胡　生姜　大棗
補虚湯　人參　黄芪　肉桂　炙艸　川芎　當歸　白芍
姜　棗
異功散　人參　白朮　茯苓　甘艸　陳皮
六味丸　山茱萸肉　山藥　牡丹皮　茯苓　澤瀉　熟地
人參鼈甲散　人參　當歸　茯苓　肉桂　白芍　熟地
桃仁　麥冬　甘艸　寄生　川斷　牛膝　鼈甲　黄芪
猪腰
調衞止汗湯　黄芪　麻黄根　當歸　防風　桂枝　炙艸
小調經散　沒藥　琥珀　桂心　芍藥　當歸　細辛　麝
香

升舉大補湯　人參　白朮　川芎　當歸　熟地　黄芪
白芷　荆芥　陳皮　黄連　黄柏　羌活　防風　升麻
甘草
十全大補湯　四君合四物加
定痛湯　川芎　當歸獨活　防風　肉桂　荆芥　茯苓
地黄　大棗
八珍湯　四物合四君

肺癆病論治

胡惠康

肺藏居於胸部之內。分爲左右兩大葉。左葉又分爲三支葉。右葉則分爲二支葉。其色淡紅微灰。乃海棉狀之氣胞組合而成。其工作能爲血液排除炭氣。而吸收養氣。灌漑全身。以營養百骸。乃是人體之重要機關。且肺爲嬌藏。柔弱異常。稍一不愼。則易致病焉。玆擇肺癆一病論述之。其中有錯誤之處。還希高明教之也。

一、病原　乃一種微小之桿狀菌。（卽結核菌。）侵入肺中所致。爲一八八二年德國學者 Koch 所發明。每當人體抗病力薄弱之時。則乘機侵入體內。深達肺部。發育繁殖。爲慢性傳染病之一。其傳染路徑。可分下列兩種。一曰直接傳染。例如與病者談話接吻。傳受其病毒。因而成病之謂也。一曰間接傳染。病菌由種種媒介物。造成傳染作用者。是如患本病之痰。（含有無數之菌。）乾燥後。隨塵埃飛揚於空中。吾人若一旦吸入之。因而成病之謂也。但此種結核菌侵入之門戶。則以咽喉。口鼻等處居多數也。

二、證狀　按本病分爲三期。玆述之如後。

第一期——大都作輕微之欬嗽。吐黏膩之痰。發低度之潮熱。或乾欬。欬甚則痰中帶血。自覺證爲肢體疲倦。胃口不佳而已。

第二期——則證狀大有進步。發高度之潮熱。（按本病之潮熱。朝則輕。入暮則盛。靜則輕。勞動則盛。）痰作黏黃色。而咯血爲此期之特徵。惟多夾於痰中。（亦有乾欬帶血者。）有如點狀者。有如絲狀者。有如塊狀者。其色澤亦不一。或鮮紅。或粉紅。亦有黯紫色者。肌肉日見消瘦。面色憔悴。入晚盜汗頻頻。氣息喘急。幷有咽喉乾痛。口燥渴。五心煩熱。胸脅作痛。及眩暈。怔忡。遺精。（在女性則爲經閉。）之兼證。

第三期——證象愈益增重。發極高度之熱。形消骨立。面色鬱白。顴赤脣紅。皮膚乾枯。毛髮不澤。盜汗不禁。音啞。呼吸短促。飲食困難。甚至有大便溏薄。膝下清冷。或泄瀉。而兼不能進食者。（乃屬消化器敗壞之徵象。則有立亡之虞也。）

三、治法　有藥物療法。自然療法。兩種。玆述之如下。

一、藥物療法——初期宜淸涼。第二三期俱宜淸補。而溫補一法。第三期亦可用之。惟肉桂附子等品。宜愼用。蓋本病根據國醫理論解釋之。總不外陰虛。腎水不能上濟。虛火上炎。肺受焦灼所致。（但亦有屬於瘀濁留戀者。）故治法當淸肺補腎。而健脾及解血中毒素。亦極重要。蓋脾爲後天之本。脾氣虛弱。則不能運化水穀。致氣血無從而生矣。解血毒者。蓋肺主呼吸。肺旣受此重病。則其助血液排除炭氣而吸收養氣之力。自然減低。（按本病有氣息喘急或短促之明證。）以致血液汚穢。含有毒素。而本病往往潮熱不退者。亦卽此故也。若咯血黯紫色者。則以驅瘀爲主。視其血必成塊狀。蓋因肺傷瘀濁停留故也。又致桂附等辛溫藥。雖能引火歸元。用之不當。無異火上加油。燒灼津液益甚。徒使肺體及皮膚等處。愈見乾枯耳。故非必用時希遠之。卽甘溫之品。如飴糖亦不甚相宜。偏用苦寒藥。則又易戕胃。當愼之。

處方

一、清肺飲　黃芩　白芍　瓜蔞　竹茹　桑葉　杏仁　象貝　桔梗　枳殼　甘草。

主治　肺癆初起。陰分未傷者。

服法　清水煎服。

按此乃清肺化痰之方也。

二、保陰煎（四科簡效方）　生地　熟地　天冬　麥冬　玉竹　牛膝　山藥　茯苓　龍眼肉　龜板

主治　肺癆由於稟賦虛弱。眞陰不足。咯血。潮熱。盜汗。食減者。

服法　清水煎服。

按此方多屬純甘之品。功能補腎。健脾。清肺。滋肝。數方兼顧。效頗卓著也。

三、人參黃耆湯（六科準繩方）　人參　黃耆　天冬　半夏　知母　桑白皮　赤芍　紫菀　甘草　鱉甲　茯苓　柴胡　秦艽　生地　熟地　地骨皮　桔梗

主治　肺癆消瘦。倦怠。口燥咽乾。潮熱。五心煩熱。盜汗。胸滿。少食。作渴。咳血者。

服法　剉散。每服三五錢。清水煎服。

按此方俱屬滋陰。清肺。化痰。止嗽血之品。惟半夏一品。性極溫燥。宜愼用。

四、秦艽鱉甲散（衞生寶鑑方）　秦艽　鱉甲　柴胡　地骨皮　知母　當歸

主治　肺癆骨蒸壯熱。肌肉消瘦。舌紅。頰赤。氣粗。盜汗者。

服法　研爲粗末。每服五錢。清水一盞。加烏梅一枚。青蒿五葉煎服。

五、清骨散（證治準繩方）　銀柴胡　胡黃連　秦艽　鱉甲　地骨皮　青蒿　知母　甘草

主治　骨蒸勞熱。

服法　清水煎服

按上兩方皆是退虛熱之方也。

六、五味子湯（千金方）　五味子　桔梗　桑白皮　紫菀　續斷　竹茹　生地　赤豆　甘草

主治　肺癆欬血。潮熱。痛引胸脅。皮膚乾枯。

服法　清水煎。空腹時服。

按此方用五味子補腎。桔梗宣肺。桑皮。竹茹化痰熱。紫菀止嗽血。并有續斷通血脈。以治胸脅痛。其中赤小豆一味尤妙。蓋能佐生地。以排除血中之毒素者也。

七、犀角地黃湯（千金方）　犀角　生地　丹皮　芍藥

主治　肺癆咯血。壯熱不退者。

服法　清水煎。去渣。入生犀角汁。熱服。

按此方以犀角生地為主。乃消除血毒之要藥。得丹皮芍藥輔佐之。則其力更大也。惟丹皮於本病若兼盜汗多者。則宜忌之。

八、移熱湯（沈氏尊生書方）　生地　竹葉　木通　甘草　茯苓　豬苓　澤瀉　白朮

主治　肺癆壯熱不退。小便黃濁。或短赤者。

服法　清水煎服。

按此乃導赤散與四苓散之合方也。功能清血利小便。使毒素得從下面排洩也。

九、獨聖散（驗方）　白芨三兩

主治　多年欬嗽。咯血。

服法　研為細末。每服二錢。臨臥時。糯米湯調下。甚驗。

按白芨富有膠黏之質。故能凝固血液。使不致再有破裂。非但能補肺止血。且具化痰之功。若本病屬於瘀濁停留者。與參三七同用亦效。蓋此兩品均能去瘀也。

十、黃雌雞飯（壽親養老新書方）　黃雌雞一隻（去毛及內藏）　生百合一顆　粳米一盞（洗淨）

主治　虛癆久嗽。潮熱。盜汗。羸瘦者。

製法　將粳米百合入雞腹內。以線縫好。用五味汁煮雞令熟。

服法　開雞肚取百合粳米飯。以雞汁調和食之。食雞肉亦妙。

按此方本治產後虛羸之方。但施之於本病。亦甚靈驗。蓋雞性甘溫。大補氣血。得百合粳米之甘平以輔佐之。則不致有動火之弊。且百合有清涼退熱。潤肺止欬之功。粳米有補脾益胃之能。惟宜常服。始能見效也。

十一、花蕊石散（葛可久方）　花蕊石（火煆存性研如粉）

主治　肺癆欬血。色黯紫成塊狀之屬瘀血者。

服法　以童便一鍾煎溫。調末三錢。甚者五錢。

男用酒半鍾女用醋半鍾調入童便服之。

按本方以花蕊石之去瘀爲君。童便之鹹寒降火引血下行爲臣。酒醋之温熱開瘀結爲佐。配合成方亦不致有偏寒偏熱之弊也。若先以童便一盅頓服再用花蕊石四錢煎服。治欬血之不由於瘀濁積蓄者亦效。蓋此兩品止血之力俱甚捷也。

十二、大黃䗪蟲丸（金匱要略方） 大黃 黄芩 甘草 桃仁 杏仁 䗪蟲 芍藥 乾漆 乾地黄 水蛭 虻蟲 蠐螬

主治 肺癆欬血成塊狀者。

製法 共研爲末。煉蜜和丸如小豆大。

服法 每服五丸。温酒送下。一日三次。

按此方多屬驅瘀之品。但有黄芩清肺熱。杏仁潤肺燥。芍藥補肝血。地黄滋腎陰。甘草協和諸藥。攻補并用之方。使不致損傷正氣也。

十三、清熱補氣湯（證治準繩方） 人參 茯苓 白朮 甘草 麥冬 五味子 玄參 當歸 白芍 升麻

主治 虛癆潮熱。形體削瘦。食慾不振。盜汗音啞氣短者。

服法 清水煎服。

服此方用參苓朮草補氣以健脾。麥冬清肺以生津。五味子益腎以納氣。並佐玄參壯水。歸芍補血。惟升麻乃屬升提之品。宜忌之。

十四、河車丸（證治準繩方） 紫河車一枚（於長流水中蕩洗血淨入瓷器內重湯煮爛入藥） 白茯苓五錢 人參一兩 乾山藥二兩

製法 研爲細末。入河車汁。加麵糊爲丸如梧桐子大。麝香末少許爲衣

主治 虛癆潮熱。盜汗。形容憔悴。唇紅。頰赤。音啞。時覺肢體骨空。乃屬癆熱深入之候者。

服法 每服三五十丸。空腹時米飲或鹽湯送下。

按本方用紫河車益腎補氣血。爲虛癆之要藥。得人參之佐。則效力更著。茯苓山藥非但能健脾。且有退虛熱之功也

十五、歸脾湯（濟生方） 人參 黄耆 白朮 甘草 遠志 茯苓 酸棗仁 龍眼 當歸 木香

主治 虛癆洩瀉。食少體倦者。

服法 加生薑大棗。清水煎服。

按此方補氣血益脾安神。且有木香以行氣也。

二、自然療法 乃增加人體自然抗病之能力者是也。茲略述其法如下。宜多進滋養品如雞汁。牛肉汁。魚肝油。牛奶。雞蛋。及

新鮮蔬菜等。確爲本病極佳之食品。世人皆知之矣。惟有一物。應宜注意者。厥爲豆腐漿。蓋此品補肺益氣之力頗大。兼能滋陰清熱。除服藥外。宜於每日清晨作早餐食之。不可間斷。且價廉味美。貧富皆宜也。他如病者所居之處。須求清潔。多開窗戶。使空氣流通。但忌風寒之侵襲也。每日宜在日光下久曬。以殺滅肺部之病菌。而病者之身心須守絕對的安靜。不可憂鬱及勞動。蓋鬱則肺部不舒。動則潮熱增高耳。以上種種。皆肺癆病自然療法之大概也。又本病之禁忌頗多。如煙酒及辛辣之物與色慾俱宜禁絕。並忌多數人與病者同聚一處。以免空氣污濁及喧擾也。而病者之痰。須吐在痰盂內。施之以臭藥水。其他所用之器具。如杯碟。手巾等。宜常用沸水煮過。亦至要也。

疫病證治淺說

郁昌祖

緒論

夫疫者。役也。如搖役者然。不能或免。其流行也。市邑鄉井。以及山陬海澨。而所患相同。故內經有云。「疫者。民皆疾也。」疫字之名。所有來也。蓋疫之爲病。非風寒暑濕燥火六淫之邪。乃由於天地間。別有之癘氣所觸感。或謂曰。「疫病爲四時不正之氣。侵襲人身。而民病亦都相似。乃指爲疫。」殊不知寒熱溫涼。爲四時之常氣。太過不及之候。雖能致病。當屬傷寒溫病之時感。其與疫病。豈可同日而語哉。且傷寒溫病之感。由於毛竅而入肌腠。疫病之成。從口鼻而入膜原。則疫病與傷寒溫病之別。更可昭然明矣。或有醫者。不解其由。每遇疫病。卽爲傷寒。遂以傷寒法治之。而病家亦誤聽其七日當愈。不爾十四日必瘳。因而失治。有不及期而死者。或妄用峻劑攻補。失序而死者。或醫者見解不到，心疑胆怯。急以緩藥治之。雖不受害。然遷延時日。坐失治療機會。倘所感輕者。倘獲僥倖。感之重者。因循失治。故其枉死者。不知其幾許。誠可惜也。後自東垣又可賢輩出。論疫周詳。著有瘟疫論一書。專論疫病門中之症狀變化。且以普濟消毒飲及達原飲二方。爲後世醫者治疫之聖劑。當東垣之時。爲金元之世。又可當朱明之末。兵禍連年。變亂頻仍。民咸染疾。則疫病盛行。於是東垣又可二家。始創治疫之法。然此二方。東垣之普濟消毒飲倡於先。又可之達原飲創於後。而就藥辨症。誠屬二途。可知時代之不同。地勢之關係。故疫邪亦有不同。而二家之說。亦各自分別矣。然後之醫者。每遇疫病。輒以二方爲治。往往不效。而反受挫折。此醫者不辨症之虛實寒熱。邪之輕重深淺。治有補瀉汗吐也。余才疏學淺。不揣冒昧。聊申陋見。並參諸家之論。尚祈高明斧政。則幸甚。茲將疫病分別論之如后。

瘟疫之症治

夫瘟者。溫也。亦熱漸也。而或有醫者。以瘟溫作二解。殊不知去氵加疒。乃取其與疾字相關。實則瘟溫相同。而以瘟溫作二解者誤矣。蓋疫者。役也。如搖役者然。去彳加疒者。亦取其與疾字相關耳。然瘟疫之症。小者沿門闔戶。大者城邑鄉里。無問老小強弱。觸之卽病。而其症狀。咸都相似。故以疫名之也。其起病之原因。由於天地間之癘氣。瀰散宇宙之間。人於氣交之中。自口鼻而吸入。觸犯正氣由而興起或由兵荒之後必有大疫以屍體腐化汚穢濁邪之氣遊佈空氣之間自口鼻吸入亦能致病故諺云「大役之後必有大疫」其邪氣自口鼻入卽舍於伏膂之內去表不遠附胃亦近乃界乎表裏之間卽半表半裏是也內經所謂橫連膜原是也然其邪之感人本自口鼻而入而其感之深者中而卽發其感之輕者邪不勝正不能頓作必待正氣虛損則邪氣始得張溢營衞運行之機乃爲之阻吾人之陽氣因而不振而熱病始也必先凜凜惡寒甚則四肢厥冷以格陽於內不及於表乃邪氣使陽氣鬱遏故而然也既而陽氣漸結鬱極而通則陽氣勃發必厥回而中外皆發熱頭痛昏昏不爽壯熱自汗以邪伏於膜原當以汗解則愈倘汗之而熱不退者必俟伏邪外發表氣潛行於內精氣自內達表則表裏相通大汗淋漓自作則邪亦自外解而脈靜身涼病乃脫體若伏邪未盡留連不化則復發熱其變端百出故瘟疫有十傳之說今舉其各條之症治如下（一）但表不裏謂邪襲於表無關於裏其症頭痛身疼發熱而復凜凜惡寒不煩不渴此邪氣外傳由肌而出可從汗而解或自發斑而消。當用疏解汗表之劑。如柴胡葛根荊芥防風薄荷銀花連翹之類若汗不徹而發熱不退者宜白虎湯主之（石膏知母梗米甘草）斑出而不透明熱不解退者可用舉班湯（柴胡升麻當歸白芍白芷山甲）若汗出不徹班出不透而熱仍不退者可用白虎合舉班湯同用之（二）有表而再表者謂其餘邪仍隱居於膜原之間數日不解仍似前症之發熱脈洪而數表症仍在者當依前法疏解汗表或發班而消。（三）但裏不表者當無頭痛身疼之表症。惟胸悶膈痞欲吐而不吐此邪傳於裏之上焦當先從吐法如瓜蒂散（瓜蒂）邪從吐解矣若便閉燥結或熱結旁流或協熱下利或大腸膠閉乃邪之傳於裏之下焦當用下法如承氣之輩（三承氣湯是也）以導其邪從下而去也（四）有裏而再裏者以裏症經愈而隔數日前症復作當測其邪在裏之上者仍依前法吐之邪之在下者仍宜導下之法（五）有表裏分傳者始則邪氣伏於膜原其邪半入於裏當現裏症半出於表當顯表症此本屬瘟家之常情然表裏俱病內外壅閉既不得汗又不得下倘強求之亦不可得則當先下之以通其裏裏氣既通則鬱於肌表之邪可乘勢而外解或自汗解或由斑消宜隨其性而升洩之則表裏之邪悉除其治法依前條類推若表裏症退而熱仍不退者以膜原之邪未盡宜三消飲調之（葛根柴胡大黃梹榔厚樸草菓知母白芍黃芩甘草姜棗）（六）有表裏分傳而再分傳者依前條表裏俱病經三消飲治愈後而復發似前象則仍可用復下復汗之法治法依前類推（七）有表勝於裏者謂膜原之伏邪其在表之邪多於裏其症象必表症多而裏症少則當治表爲本。治裏爲兼治法。可依前推測（八）有裏勝於表者。當裏症多而表症少。不待言喻。法當治裏爲本。治表爲標。治法亦可推度（九）。先表而後裏者。（十）有先裏而後表者。此二者謂邪之出入有先後也。此瘟疫病十傳症治之大概也。然瘟疫之症。總之爲半表半裏之病。即膜原之爲患。雖有十傳之說。其證亦不出乎表裏之外。故治法亦不出乎汗下之劑。其邪居於表者。可先解肌汗表之。其邪伏於裏者。可用通達導下之。表裏症俱見者。可用和解之法。故東垣治疫用普濟消毒飲。（柴胡升麻黃芩黃連連翹薄荷牛蒡馬勃板藍根元參殭蠶陳皮人參甘草）又可治疫以達原飲。（黃芩檳榔厚樸草菓知母白芍甘草）此二家爲治疫之聖手。人咸宗之。而揆此二方。則東垣之普濟消毒飲以治瘟疫之邪在表者爲的當。以方中都屬辛涼清熱疏洩解毒之品也。又可之達原飲。方中以清熱導滯爲主。以治疫邪之在裏爲最適。而後之醫者。每以此二方、概治疫病。治愈者當屬不少。而誤事者亦屬難免。殊不知疫邪有在表在裏之不同。治有汗下之各異。雖東垣又可二方。爲治疫之聖劑。不揆其義。豈能與人醫治。故醫者不可泥定成見。當活法加減。隨機應變。方克有濟矣。

寒疫之證治

近世醫者論疫。皆以瘟疫概稱。豈疫祇有瘟。（瘟與溫通）而無寒哉。故醫者每遇疫病。不辨溫寒。輒以瘟疫症概治。每致無效。反增危篤。而誤人性命。誠可惜也。前賢又可之說。寒疫乃由於春夏秋之時。偶感暴寒之氣而成。殊不知偶感暴寒。係人身不愼。不善攝生而成疾。爲自取之病。故症當屬於感冒之例。不可當作寒疫而論也。然所謂寒疫者。當天氣正常溫暖之際。毛竅孔開之候。驟而淒風暴雨。即被寒氣所束迫。寒疫之症。由是而興。此疫天實爲之。故亦不失乎疫字之名目矣。又可之說。不當作寒疫者。更可明矣。然寒疫之症。不若瘟疫症變化之複雜。病必頭痛身疼。發熱脊強。惡寒拘急。無汗。或徃來寒熱。氣擁痰喘。咳嗽胸痛。鼻塞聲重。涕唾稠黏。咽痛齒痛等症。圖治之法。當用辛溫疏散之劑。如紫蘇。羌活。防風。陳皮。淡豆豉。生姜。葱白之類。以紫蘇溫中達表。能散風寒。羌活爲治太陽症之寒邪。淡豆豉解肌發汗。且能治疫毒。防風能防禦外風。隨所引而至。陳皮利氣而能使寒鬱易解。生姜可驅風寒之邪。葱白能發汗。其藥雖平淡而爲治寒疫之要劑也。若見兼他症者。則可隨宜加減。如有食積者。可加麥芽神麯。或有風痰而氣塞。涕唾稠黏者。加前胡。欬嗽氣急者。加杏仁象貝。胸腹膨脹者。可加製朴。胸臆痞悶而塞者。可加枳殼。其兼症繁多。而治法亦隨之更變務求醫者隨症施治斟酌增損故不克細贅其詳由上觀之寒疫之症治與瘟症治當有宵壤之差雖都從汗解疏散一則辛涼一則辛溫豈可同日而語故爲醫者能不加察乎

雜疫

蓋疫病之症以瘟疫爲最多寒疫爲次除二者外尚有大頭瘟蝦蟆瘟鸕鷀瘟絞腸瘟白喉痹痧腦膜炎諸疫症以其名目繁多不勝枚舉故括入於雜疫門中今選其最主要之症爲近世之所常見者概其症治分別各論如后

A. 腦膜炎

腦膜炎者爲西醫之名稱我中醫稱之爲疫痙以疫邪外侵發成痙病之象故得此名也其病由於風温疫邪以外邪必先從表而入從上而下以致邪氣自上而受循太陽經上入於腦然後竄於項中挾脊下行始於腦膜繼則脊髓以致受疫氣而發炎則腦神經失其清靜之用由是而頭痛而項強而昏迷此感雜邪之輕者其感之重者一起而即項強昏迷而無頭痛者最屬危險往往數小時即斃不待朝夕誠足聞之胆寒而其緩者項強頭痛一二日或三四日乃至昏迷昏迷者尚可圖治然亦十中一二而已當數年前此症盛行各地朝發暮死都不可救且病屬創見醫者不知所措西醫以脊髓發炎即用脊髓抽水之法血清注射及服強心之劑等自謂確治然卒無大驗而吾國醫當時由報紙披載以蔡濟平先生所擬之生地龍胆艸丹皮當歸黃連回天丸一方風行一時而亦無確效以致醫者議論叢叢見其項強而用葛羗麻桂之驅風見其昏迷則用犀羚之清銳及至或寶之宣竅兼見嘔而便秘者用三黃石膏之解毒導下而終無奇驗殊不知醫者不解風温疫邪之炎灼腦脊未能針鋒相對其藥雜方紛豈能湊効故其不效也亦宜按風温疫邪當用辛涼熄風解毒之品以辛散之以涼解之如薄荷牛蒡鮮菖蒲冬桑葉菊花地龍鈎籐石决蓮翹銀花之類隨用行軍散或玉樞丹冲汁灌服或用羚羊角煎湯混合並服且外用括痧之法自項至脊以紫爲度此法頗見確效當時治愈者爲數極多雖不能百發百中而十中得愈者七八此方乃由友人得於名醫之傳故余特採之以供同道者研討也

B. 白喉痹痧

此症發於夏秋者少起於春冬者爲多以冬令應寒而反温爲冬不藏陽春時應温而反冷爲暴寒所迫以致釀成疫癘之邪而灑

布空間。人於氣交之中。由口鼻吸入。伏於肺胃二經。暴寒束於外。疫毒蘊於內。且引動厥少二經之火。乘勢上亢。蒸騰肺胃兩經。其症必咽喉腐爛如霜。卽爛喉痱痧是也。發於咽喉者何也。以咽喉爲兩經之所主。卽二經之門戶。故發於咽喉者宜也。然痱痧二症略有區別。痱者成片。痧者成粒。而疫喉痧之症象變端。繁多。故治法亦隨之更變。今將白喉痱痧之證。分爲屬氣屬榮二症。其屬氣分者。症必寒熱發作。煩燥嘔噁。咽喉紅腫。舌苔白如積粉。或薄膩帶黃。脈形浮數。或鬱或伏。是屬沉疫邪伏於氣分。急當表散。其症。輕者治以荆防敗毒散。（荆芥防風連翹薄荷牛蒡蒲黃石膏赤芍象貝益母艸殭蠶板藍根生草）或清咽利膈湯去硝黃。（荆芥防風連翹牛蒡桔梗薄荷甘艸銀花玄參黃連山梔黃芩大黃芒硝淡竹葉）其症重者。宜麻杏石甘湯加味主之。（麻黃杏仁石膏甘艸薄荷玄參射干貝象連翹殭蠶竹葉蘿蔔汁）若壯熱口渴。煩燥。咽喉腫痛腐爛。舌苔尖紅絳邊中黃膩。痱痧密佈。甚則神昏譫語。此邪疫化火。由氣入榮。急當用清營生津解毒之輩。並佐疏透之品。將邪從氣分而解。其症輕者。宜黑膏湯加石斛豆豉之類。（犀角山梔連翹薄荷生地玄參赤芍石膏丹皮黃連生草竹葉）其症重者。宜犀角地黃湯。（犀角生地白芍丹皮）加以疏化之品。待其痧子齊佈。舌苔光紅。氣分之邪已經透達。而後用大劑清榮解毒之品。以補其眞元之氣。此白喉痱痧治法之次第也。由上觀之。白喉痱痧之症。初起宜表。後者宜清。然前有曰喉忌表一書。專言白喉病象。而其治法。切忌表散。殊不知陰虛白喉。固當忌表。白喉之由於疫邪。由表而襲者。於裏。非用解表之劑。其邪安能從出。其症如何痊愈。故自白喉忌表一書之出。醫者泥而不化。以致誤人性命。比比皆是。豈不嘆乎哉。

C. 霍亂

霍亂俗名絞腸瘟。西醫謂之虎列拉。其傳染之性。能漫延鄉里市城。每或感之。皆驚心胆寒也。是症發於夏秋二季爲最多。以夏秋之間。天炎地燥。以致起有暑穢之氣。吾人吸受其氣。或感風寒暑濕之邪。或由飲食生冷之物。停滯鬱結於腸胃之間。正不能堪。一任邪之揮霍撩亂。三焦混淆。遂致清濁相干。亂於腸胃。卽上吐下瀉。乃霍亂之症成矣。夫霍亂之症可分爲二。一曰熱霍亂。二曰寒霍亂。此二症以熱霍亂之症爲最多見。霍亂症於未病之前數日。先有目中流火。肛門灼熱等之預兆。既病後則嘔吐瀉利。腸中絞痛。四肢厥冷。冷汗粘指。大煩大渴。脈伏不起。或沉濇。或洪大。羅紋癟陷。甚則目陷失音。兩足轉筋等。此爲通常之見象也。然寒熱霍亂之鑑別須加注意。熱霍亂者。必苦黃。口渴欲飲冷。熱邪爲患也。其苦白口渴不欲飲者。乃屬於寒濕之氣。謂之寒霍亂也。其通治之法。概用芳香闢穢之劑如行軍散。紫雪丹。蘇合香丸玉樞丹等。以取其芳能化濁。香可宣開之義也。但症有寒熱。而治法當有溫清之各異。大概治熱霍亂者。取其以寒勝熱。如白虎湯。左金丸。紫雪丹。地漿水之類。寒霍亂者。當以溫勝寒。如正氣飲。吳茱萸湯。四逆湯。來復丹之屬。設遇熱症投以蘇合丸之溫開。倘無大礙。夫以溫治熱。固屬抱薪救火。殊不知溫能開發其鬱遏。則熱邪可以透達。而後涼劑可救。但此法宜於陰液未耗之際。不可輕用。若寒症而用淸開。則陰邪愈横。不特無益。反能爲禍。故當愼之者也。考雷豐之治霍亂。有治亂保安之法。（藿香　烏藥　木香　半夏　茯苓、蒼朮　砂仁　伏龍肝）且以其邪之在上在中在下之不同。而方有加減之活法。如邪在上焦則吐多。中焦則吐瀉俱甚。下焦則瀉多。風甚則加蘇葉桔紅。寒甚加草蔻木瓜。暑甚加蘆根竹茹。吐多加黃連乾薑。瀉多加葛根荷葉。吐瀉不已則。用四逆之輩。以挽救其中焦眞元之陽氣。恐其虛脫故也。又有孟英之蠶矢湯。（蠶砂木瓜苡仁豆卷川連半夏黃芩吳萸山梔）以治霍亂。此法依仲聖之金匱中轉筋入腹者。鷄矢白散主之之條。以宗其意。而改立變方也。其功能伸筋通絡。遇寒症者。去黃連黃芩二品。患霍亂病者。最宜注意。飲食。以病者腸胃眞元之氣。必虧損虛弱。雖渴而飲。務以冷開水藕汁。冬瓜湯等。作飲料。皆所以救燎源也。飢而欲食者。需禁食一週。雖不免有枵腹之苦。良以邪氣入胃。不能消化。往往加劇故也。至於病後。最宜調理。蓋邪退正虛。腸胃之津液枯涸。雖屬寒屬熱。終於亡津液者一也。當以致和湯最爲適合。（北沙參鮮竹葉生甘草生扁豆陳木瓜石斛麥冬枇杷葉陳倉米）所以救其津液也。然寒熱霍亂之外。而又有乾霍亂者。其症欲吐不吐。欲瀉不瀉。最爲危險。急用古方炒鹽調童便服之探吐。吐則愈。若舌卷筋縮。卵陰入腹者。爲難治之凶兆也。大率霍亂之症。其脈洪大而滑者。生。微濇而漸遲者死也。

病疫之應用藥一覽表

發表之類　葛根　柴胡　羌活　豆豉　葱白　蒼朮　升麻　生薑　洋糖　防風　荊芥　薄荷　青蒿　蟬衣　香薷
前胡　浮萍　赤檉柳　杏仁

攻裏之類　大黃　芒硝　枳實　檳榔　厚樸　草菓　鉄落　山甲　括蔞

寒涼之類　生地　元參　麥冬　天冬　梔子　黃芩　黃連　黃柏　銀花　連翹　石膏　丹皮　犀角　羚羊　知母
菉豆　竹蓙　童便　大青　青黛　花粉　桔梗　竹葉　竹茹　白芍(生)　牛蒡　柿霜　西瓜　水梨　荸薺　甘草
茅根　蘆根　雪水　射干　茵陳　山豆根　板藍根

利水之類　車前　澤瀉　木通　秦艽　茯苓　瞿麥　扁蓄　石葦　茯苓　滑石

理氣之類　枳殼　陳皮　佛手　香橼　桔紅　香附　鬱金　蘇子　青皮

理血之類　歸尾　桃仁　紅花　川芎　䗪虫　京墨　紫草　赤芍

逐邪之類　藿香　雄黃　硃砂　龍齒　大蒜　檀香　降香

消導之類　穀芽　麥芽　神麴　山查　鷄金　萊菔

化痰之類　蔞仁　川貝　象貝　半夏　胆星　白芥子　殭蠶　牙皂

溫補之類　熟地　當歸　人參　白朮　炙草　阿膠　山藥　百合　茯神　首烏　大棗　藕

按上述各類之藥品。爲治疫病之所要。醫者隨其症之所屬。以採藥品之所合。而後立法成方。適合病症。庶克有濟耳。

結論

疫病之情狀。業已粗舉其概。不過證情變化。本無常軌。所謂醫無常方。務在臨床之際。隨機應變。病症當可告瘳。祖學識淺陋。未獲升堂。故難窺其竟。姑就所知。略陳管見。然乎否乎。希冀高明大加藻斧。爲幸甚矣。

中風之探討

施慶麟

緒論

中風一症。甚爲險惡。往往昏仆不醒。頃刻致命。幸而得蘇。亦遺半身不遂。口眼喎斜之痼疾。談虎色變。堪駭聽聞。爲吾國古時所極注重者也。攷古來醫籍之雜症門。中風輒列卷首。蓋宗內經風爲百病長之語也。須知中風其名。非風其實。據病理言。乃係腦出血之爲病。與素問調經論所謂血之與氣。并走於上。則爲大厥。厥則暴死。氣反則生。不反則死之義。若合符節。不意六朝以降。咸以金匱爲宗。竟以猝然昏仆之大厥。作卒中風邪解。而又患其不能與病悉符。更曲曲爲之附會。造作內風外風。眞中類中之名。中經中絡中藏中府之別。含糊穩約。疑是疑非。聚訟紛紜。莫衷一是。所用藥物。續命愈風。萬方一律。千載授受。罕有或非。雖曰開門揖盜。似無後災。豈知釜底添薪。頃刻灰燼。予不敏。目覩心悲。草作斯篇。藉明究竟。惟學識譾陋。疵誤之處。在所不免。尚希明達諸公。匡予不逮。有以教之。則幸甚矣。

總論

攷中風之病。當軒岐時。己有是患。惟不名中風耳。迄乎後漢。仲景著傷寒金匱。始謂之中風。故中風之名。實始於後漢也。金匱要略中風篇。曰。夫風之爲病。當半身不遂。或但臂不遂者。此爲痺。脈微而數。中風使然。又曰。寸口脈微而緊。緊則爲寒。浮則爲虛。寒虛相搏。邪在皮膚。浮者血虛。絡脈空虛。賊邪不瀉。或左或右。邪氣反緩。正氣卽急。正氣引邪。喎僻不遂。邪在於絡。肌膚不仁。邪在於經。卽重不勝。邪入於腑。卽不識人。邪入於藏。舌卽難言。口吐涎。夫仲景之所以名爲中風者。實本乎內經風爲百病長之語也。緣仲景之時。解剖之學未興。所謂腦主運動知覺之理。茫然無知。而猝然昏仆。瘈瘲抽搐之疾。又莫明其所以然之故。因思善行數變。惟風爲速。故創中風之名。在經在絡入藏入腑之說。此說成立。學者宗之。以昏瞀痙厥之中風。皆作外風論治。辛溫發散。習爲常例。續命愈風。連類而書。以訛傳訛。鐵鑄六州之大錯。推源禍首。當以金匱爲始作俑者。然仲景爲醫中之聖。其傷寒金匱。詳明簡約。後學南針。獨此病倒果爲因。混淆不清。亦智者千慮之一失也。逮乎金元。劉河間。李東垣。朱丹溪。三子者出。始悟此症病屬內因。與感觸外邪不類。創類中之說。所論始與昔人立異。而中風之說爲之一變。劉河間曰。中風癱瘓者。非謂肝木之風實甚而卒中之也。亦非外中于風耳。由乎將息失宜。而心火暴盛。腎水白。不能製之。則陰虛陽實。而熱氣怫鬱。心神昏冒。筋骨不用。而卒倒無知也。多因喜怒思悲恐五志。有所過極。而卒中之也。此由五志過極。熱甚故也。俗云風者。言末而忘其本也。李東垣曰。中風者。卒然昏憒、不省人事。痰涎壅盛。語言謇澀。六脈沉伏。非外來風邪。乃本氣自病也。凡人年過四旬。氣衰之際。或因憂喜忿怒傷其氣者。多有此症、壯歲之時。無有也。肥盛或間有之。亦是形盛氣衰故也。朱丹溪曰。西北氣寒。爲風所中。誠有之矣。東南氣溫。而地多濕。有風病者。非風也。皆濕土生痰。痰生熱。熱生風也。觀三子之論。河間主火。謂將息失宜。心火暴盛。因而卒倒無知。頗能勘透中風之原委。不愧爲金元之大家。惜其治法。猶必斤斤然以續命爲主。遂不足爲後世法。良可慨也。丹溪主痰。謂痰生熱。熱生痰。殊不知中風之症。莫不風涎壅盛。其痰壅病流者。乃病後之見症。非因也。丹溪以痰爲因。張冠李戴。失之遠矣。然豁痰爲治中風必兼之法。丹氣之說。未可全非。東垣主氣。謂年老氣衰之際。多有此症。如其所言。當以補氣爲主。試問猝倒無知。痰涎湧壅之際。補氣藥果可投乎。豈不抱薪救火。速其斃耳。雖婦人稚子。皆知其非也。東垣此說。未免信口開河。不怪乎中醫之日趨落伍。不爲國人所掛齒。自此以降。眞中類中。判若兩途。後賢繼出。如薛立齋。繆仲淳。趙養葵。張景岳。張介賓。李士材。喻嘉言。輩。雖有所論述。然總不能越此範圍。且各縱其辭。愈演愈幻。徒使後學。無所適從。興望洋之嘆。光緒中葉。魯人張伯龍。著類中祕旨一篇。發前人所未論。可謂深識中風之情狀。而得其奧矣。伯龍之言曰。中風一症。腎水虛而內風動者。多若眞爲外來之風所中。則甚少。此當分內風外風二證。其外來之中風。中字當讀去聲。如矢石之中人也。然外風傷人。必由漸而入。自淺及深。雖有次第傳變。必有惡寒見證。縱在極虛之體。萬無毫不自覺而猝爲邪風所侵。即已深入五臟。昏迷不醒之理。當有凜寒身熱。或手足痲木及疼痛等證。其內動之中風。則中字當讀平聲。是爲肝風自中而發。由於水虧木動。火熾風生。而氣血上奔。痰涎猝壅。此即素問氣血幷走於上之大厥。亦即西醫所謂血冲腦經。若激擾前腦。則肢體不動。激擾後腦。則昏不識人。激擾一邊。則口眼喎斜。半身不遂。左右癱瘓等證。是以猝然昏仆。左右喎斜。痰涎壅塞者。皆無凜寒身熱外感見證。即間有微見發熱者。亦斷無畏風惡寒也。此證而以古方中風之溫升燥烈疏散之藥治。未有不輕病致重。重病致死者。伯龍此論、衷中參西。融會貫通。闡幽獨隱。言之中肯。不啻暗室之明燈。救世之慈航。中風眞義。斯得大白於天下後世矣。嗚呼中風。之眞義晦而不彰者千餘年矣歷來。之治是症者。莫不含含渾渾。如在五里霧中。一遇斯疾。不問皂白。續命愈風。信手拈來。孜孜汲汲。帷風是去。雖日殺千萬人。亦不自知其助紂爲虐之咎也。所謂死者含寃。生者莫白。悲慘之事。曷甚於斯。自歐化東漸。西洋之醫學輸入。始識此病爲腦溢血。由於腦中血管破裂而致。蓋腦爲神經之中樞。其中血管構造複雜。粗細不同。若所經腦葉各部之中途。偶有破裂。則全身各器官。遂形種種之障礙。或人事不省。口眼喎斜。或癱瘓不仁。語言謇澀。則中風之症成矣。伯龍引申其義。力掃浮言。據素問大厥之旨。闡發原委。苦心孤詣。融會貫通。可謂醫學之能事畢矣。而今而後。淵源有自。庶無迷離影響。岐路亡羊之嘆。嗚呼。醫豈易言乎哉。

原因

自軒岐以降。言卒中原因者。多矣。異說紛陳。莫衷一是。古者科學未昌。無所借鑑。各種臆說。乃勢所必然。吾人正不必更爲之曲曲庇護附會者也。夫中風之成。由於腦溢血。腦溢血之所由起。則其因甚多。茲將其因分論於後。

1. 卒中體質　劉河間曰。肥人多中風。以形厚氣虛。難以周流。而多鬱滯生痰。痰壅氣塞。而多暴厥也。蓋體肥脛短。顏面潮紅。富於脂肪之人。往往血液流動不良。血管變性。血壓亢進。易罹中風之疾。謂之中風性體格。

2. 年齡關係　李東垣曰。凡人年逾四旬。氣衰之際。多患中風。良由年事日高。血管硬化。失其彈力。潤澤之性。一遇高血壓。輒易破裂。故中風之患者。多在四十歲以上。

3. 遺傳關係　腦出血之由於遺傳者。實繁有徒。此爲醫界所極注重者也。然所謂遺傳者。非遺傳其疾患。乃遺傳其血管。易於破裂趨向之素因也。故其父母因腦出血而亡者。其人雖無中風之素質。亦有中風之虞。

4. 飲酒關係　酒之一物。爲害甚屬。一進體內。卽起劇烈之氧化作用。發生高溫。吸收水份。使血管硬化。血壓亢進。消化不良。排泄失常。酒家之所以易於中風者。職是故耳。故飲酒直接或間接爲腦出血之原因者。無可疑矣。

5. 動脈瘤　動脈硬化。失其彈力。不能抵抗血液循環之壓力。血管壁之一部。擴張變厚。現出隆突之狀。謂之動脈瘤。此瘤若遇高血壓。輒易破裂。而患中風。故大動脈生粟粒動脈瘤。爲致腦出血之最大原因。

6.血壓關係　血壓亢進。爲致腦出血之最大副因。蓋動脈病變。若血壓亢進。祫如長堤之遇洪水。決則潰矣。然血壓之所以亢進。其因甚多。如血管狹窄。心臟內慢性腎炎。或突然驚恐忿怒喜悅等。皆所以致其亢進之因也

症狀

中風之症。猝然傾仆。不省人事。牙關緊急。口眼喎斜。癱瘓不仁。瘈瘲抽搐。語言謇澁。痰涎壅塞。顏面潮紅。脈博強實。呼吸緊促。瞳孔散大。甚則目閉口開。手撒遺尿。顏色蒼白。四肢逆冷。聲息細微。汗出淋漓。種種危證。不一而足。或頃刻致命。名登鬼錄。或遷延數時漸至於亡。僥倖苟活。亦遺半身不遂。口眼喎斜。成終身之廢人。錯綜變化。莫可端倪。其症情之險惡。死亡之迅速。令人不寒而慄。然此病也。其未發之前。必有先兆。患者往往頭暈頭痛。耳鳴眼花。昏憒多忘。語言滯澁。感情敏銳。易起興奮。或口唇牽動。手指時覺麻木。或步履維艱。時欲眴仆。如此種種。即腦內小出血之徵也。苟能於此時。力加調護。似可無恙。若俟其暴發。雖扁倉再世。華佗重生。亦無能爲力。

治法

中風之症。往往發於倉卒之間。不及措手。頃刻致命。故救療之法。尤爲當務之急。於初起之際。切莫張惶。先令患者。高舉頭部。以毛巾浸濕冷水。罩覆其上。(冰袋亦可)或以水蛭貼於顳顬部。或以醋水灌腸。或用下劑。以通其便。俾腦內之血液下行。血壓減低。以緩其衝逆之勢。然後因病施治。對症用藥。莫容或緩。若猝然昏倒。不省人事。口眼喎斜。癱瘓不仁。痰涎壅塞。顏面潮紅。語言謇澁。此即伯龍所謂。肝火旺盛。化風煽動。激其氣血。并走於上。直冲犯腦。震擾神經。速宜潛陽熄風。平肝降火。佐以豁痰。夫潛陽熄風。即所以鎮靜神經。平肝降火。即所以減低血壓。使血液下行。血壓減低。神經沉靜。則出血之部。漸至吸收。而恢復其常態。潛陽之藥。首推介類。古方潛陽之劑。寥若晨星。欲求其無疵者。更如麟角鳳毛。爰選數方。以爲治療之堦範。

風引湯(金匱)　大黃　乾姜　龍骨　牡蠣　桂枝　甘草　滑石　石羔　寒水石　赤石脂　白石脂　紫石英

右十二味杵爲散取三指撮并花水三升煎三沸溫服一升

鐵精湯(千金)　黃鐵三十斤以流水八斗揚之三千遍以炭燒鐵令赤投流水復燒七遍如此澄清取汁二斗。人參

半夏　麥冬　白薇　黃芩　甘艸　白芍　石羔　生姜　大棗

右十味內前汁中煑取六升服一升日三服兩日令盡

建瓴湯（錫純）　懷山　牛膝　赭石　龍骨　牡蠣　地黃　白芍　柏棗仁

右八味磨取鐵鏽濃水用以煎藥

當歸蘆薈丸（河間）　當歸龍胆草　黃芩　黃連　黃柏　梔子　蘆薈　大黃　靑黛　木香　麝香

右十一味爲末神麯和丸

涼膈散（局方）　大黃　芒硝　甘草　連翹　黃芩　山梔　薄荷

右八味爲散加竹葉蜂蜜少許水煎溫服

礞石滾痰丸（隱君）　靑礞石　沈香　大黃　黃芩

右礞石打碎用燄硝一兩同入瓦罐泥固火煅石色如金色爲度研末和諸藥水丸梧子大

溫膽湯（局方）　半夏　茯苓　陳皮　甘草　枳實　竹茹

右六味水煎空心溫服

若卒然牙關緊急。兩手握固。目定口呆。痰壅氣塞。無從下藥。此中風閉證也。正壽頤所謂。雖有神丹。而重門不開。何能透此一層關隘。以建掃穴犂庭之績。速宜開其關竅。決其痰涎。以冀納藥。所謂開關通竅者。搐鼻揩齒。探吐。皆其法也。

救急稀涎散（本事）　猪牙皂角　晉礬

右二味合爲細末。和均。溫水調灌下。不大嘔。吐但微微冷涎出一二升。便得醒。次服諸湯藥。

又方　白礬　巴豆

右將二味于新瓦上煅。令焦赤爲度。煉蜜丸。黃實大。每用一丸。綿裹放患人口中近喉處。良久吐出痰。立愈。

通關散　細辛　猪牙皂角

右二味等分炒炭爲末每以少許吹入鼻中取嚏。

又方　白礬。巴豆。皂角。煅研爲末。吹入鼻中。

又方　用烏梅肉擦齒。使酸收肝火。化剛爲柔。則牙關緊閉得開。

若閉不開。神不清。顏色倉白。四肢靡冷。目閉口開。手撒遺尿。汗出如珠。此中風脫證也。徐靈胎謂之藏絕。張介賓謂之厥竭。症至此。已十殆其九。無法挽救矣。速宜固脫。因病制宜。不可固執、

參附湯　人參　附子

右以人參倍附子。水煎服。有痰加竹瀝。

獨參湯　人參

右以人參一味。濃煎頻灌。不拘時服。

黑錫圓（本事）　黑錫　硫黃　茴香　附子　胡芦巴　破故紙　川楝子　內豆蔻　巴戟天　木香　沉香

右將藥爲末研勻入碾以黑光色爲度酒糊梧子大

地黃飲子（河間）　地黃　巴戟肉　山萸肉　石斛　肉蓯蓉　附子　五味子　官桂　茯苓　麥門冬　昌蒲　遠志

右十二味各等分水煎服

若神識清醒。半身不遂。肢體癱瘓。口眼喎斜。語言謇濇。知覺遲鈍。此腦溢血損及運動神經也。至此治療。殊非易易。往往終身難愈。成殘廢之人。言念及此。不勝悲哀。腦溢血旬日後。於痲痺部可施輕度之按摩。或通以電流。投通經宣絡之劑。以防其不動性萎縮發生。

桑枝煎（外臺）　桑枝

右將桑枝一味以水一大斗煎取二大升每日服一盞

獨活寄生湯（千金） 獨活 寄生 杜仲 牛膝 細辛 秦艽 茯苓 桂心 防風 川芎 地黃 人參 甘草 當歸 白芍

右十五味以水一升煮取三升分三服

外臺方 牛蒡根 地黃 牛膝 枸杞子

右四味水煎空腹服之

起痿湯（錫純） 黃芪 赭石 牛膝 天花粉 元參 柏子仁 生杭芍 生沒藥 蟅虫 製馬錢子末二分

右拾一味將前十味煎湯送服馬錢子末二分

中風大症。千變萬化。幽微莫測。上列治法。寥寥無幾。似難以應付劇恙。須知語云大匠祇能授人以規矩。不能使人巧。上列治法。雖寥寥無幾。中風之大法備矣。若能觸類邊通。不難左右逢源。

預防法

中風之病。既若是之險惡。則防禦之法。自不容緩。金匱云上工治未病。語云當未雨而綢繆。故善治病者。治未病。止於萌芽也。若病已成而後治之。猶之內經所謂。渴而穿井。鬬而鑄兵。不亦晚乎。預防中風之法。當以原因著手。如飲酒。梅毒。及不適當生活等。能使動脈病變者。皆須禁絕。如驚恐忿怒哄笑飲酒精神感動劇烈運動等。能誘徐動脈破裂者。亦須戒避。劉河間曰。禍患之機。藏於細微。非常人之預見。及其至也。雖智不能善其後。故中風者。必有先兆之證。凡人如覺大拇指及次指麻木不仁。或手足不用。或肌肉蠕動。三年內必有中風之至。經曰。急則治標。緩則治本。宜常服防風通聖散。加減。預防其病。則風疾不作。而獲其安矣。

葉天士評傳

馬士彥

（一）葉天士事略
（二）葉氏年表
（三）天士著作之考證
（四）天士學說之重心
（五）天士思想之泉源
（六）天士遺留之影響
（七）對於葉氏之批評

溫熱學之完成。實爲清代醫學上一大收獲。吳門葉天士力主其成。自屬一代宗匠。仲景之學。博厚雄偉。有若仁者樂山。而葉氏則清靈活潑。有若智者之樂水。故其學說之良窳。見仁見智。久無定論。要之爲有清三百年之醫學。開一可喜可觀之境界。則天士實與有力焉。雨窗無俚。取天士遺案。一一體味。覺其讀書之多。積驗之富。有非恆人所能幾及者。克享大名。要非倖致。然則考求天士之遺事。而整理其學說。以待當代學者之論定者。正治醫者應有之工作。懷鉛提槧。以申我鄙意。亦豈得已。

（一）葉天士事略

長洲沈歸愚有書葉天士先生傳云。

君名桂。字天士。號香巖。先世自歙遷吳。諸生蘟山公曾祖也。祖紫帆。有孝行。通醫理。至君考陽生。而精其術。范少參長倩無子。晚得伏庵太史。生無穀道。啼不止。延醫視之。皆束手。陽生翁至。曰。是膜裹。須金刀割劃之。而穀道果開。太史既長。爲紫帆翁作傳以報焉。君少從師受經書。暮歸。陽生翁授以岐黃學。年十四。翁棄養。君乃從翁門朱君某專業爲醫。朱君即舉翁平日所教教之。君聞言即徹其蘊。見出朱君上。因有聞於時。君察脈望色。聽聲寫形。言病之所在。如見五藏。癥結治方。不執成見。嘗云。劑之寒溫。視疾之涼熱。自河間以暑火立論。專用寒涼。東垣論脾胃之火。必務溫養。習用參附。丹溪創陰虛火動之論。又偏於寒涼。嗣是宗丹溪者多寒涼。宗東垣者多溫養。近之醫者。茫無定識。假兼備以倖中。借和平以藏拙。甚至朝用一方。暮易一劑。而無定見。蓋病有見證。有變證。有轉證。必灼見其初終轉變。胸有成竹。施之以方。否則以藥治病。實以人試藥也。持論如是。以是名著朝野。即下至販夫豎子。至鄰省外服。無不知有葉天士先生。由其實至而名歸也。居家敦倫紀。

內行修備。交朋友信。人以事就商。爲剖析成敗利鈍。如決疾。然洞中竅會。以患難相告者。傾橐拯之。無所顧惜。君又不止以醫擅名者也。沒年八十。配潘孺人。子二。奕章。龍章。奕章亦善醫。以君名掩。孫二人。曰堂。曰堅。曾孫三人。習儒業。食君之德。高大家聲。將於是乎在。論曰。自太史公傳倉公。條繫其事。陳承祚作華陀傳因之。後戴九靈。宋景濂。仿其體。作名醫傳。君不欲以醫自名。幷不欲以醫傳世。臨末誡其子曰。醫可爲而不可爲。必天資敏悟。又讀萬卷書。而後可借術濟世。不然。尠有不殺人者。是以藥餌者刀刃也。吾死。吾子孫愼毋輕言醫。嗚呼。可謂達且仁矣。——王天雄歸硯錄卷二

讀歸愚宗伯此傳。則天士生平之志與業。已見其槩範。王葑亭先生友亮。作葉天士小傳。文佚不傳。陸定圃冷廬醫話載其片簡云。

年十二至十八。凡更十七師。聞某人善治某證。卽往執弟子禮甚恭。旣得其術。輒棄去。故能集衆以美成名。——冷廬醫話卷一醫範。

葉氏之虛懷求知。誠常人之所難。宜其爲一代大醫也。天士醫名旣籠蓋朝野。故野史逸乘。往往筆其遺事。擇其略有意味者。錄寫如左。

陸定圃云。震澤吳曉鉦茂才劍森言。乾隆某年。吳門大疫。郡設醫局以濟貧者。諸名醫日一造也。有更夫某者。身面浮腫。徧作黃白色。詣局求治。薛生白先至。診其脈。麾之去。曰。水腫已劇。不治。病者出。而葉天士至。從肩輿中遙視之。曰。爾非更夫耶。此驅蚊帶受毒所致。二劑可已。遂處方與之。薛爲之失色。因有掃葉莊踏雪齋之舉。二人以盛名相軋。蓋由於此。其說得之吳中老醫顧某。顧某得之於其師。其師蓋目擊云。——冷廬醫話卷一醫範

徐晦堂云。葉母嘗得疾。天士自療之不愈。日惟徬徨斗室。誦黃連二字不輟。詢其僕曰。近處醫人有良者否。僕曰。惟一章姓者。好爲大言。自詡術過主人。天士曰。能爲大言。必有實學。卽遣僕招之。途次。章與僕偶語。僕具以誦黃連之事告之。章爲葉母診病畢。索方觀之。曰。藥不誤。惟少黃連。天士躍然起曰。某慮老人眞火衰耳。章曰。尊堂兩尺有神。黃連無害。如其言。一劑而愈。——聽雨軒筆記

吳薌厈云。孝廉某公車北上。體偶不適。詣葉求診。天士曰。公小疾當愈。惟必苦消渴。藥石無靈矣。孝廉猶疑信參半。旣餌其藥。疾果失。遂日以消渴爲憂。鬱鬱不樂。道過金山。

同年等強之作山寺游。一老僧方爲人治病。孝廉駐聽久之。異其奇中。遂語以天士之說。僧笑曰。公消渴必發。惟死則未必。此去舍舟登陸。可買梨一車。飢渴皆食梨。梨盡當無恙。孝廉下第歸。自幸更生。以京師方物及廉金遺老僧。僧納物却金曰。方外人無須此物。第爲我告天士足矣。天士聞孝廉病愈始末。即散弟子。易姓名。往從老僧游。積月餘。察僧亦無他異。遂請曰。弟子願爲師分勞。僧許其自爲人治病。及覩天士所書方。咤曰。汝技已埒葉天士。曷不自樹一幟。乃從老僧游乎。天士對以弟子恐如葉某之自誤誤人耳。僧頷之曰。汝此語勝天士多矣。後數日。天士診得一病困於蟲。書信石三分。僧見之曰。汝知其有蟲固矣。顧未知此蟲之鉅細。此汝之所以遜余也。蟲踞腹久。長已徑尺。三分信石可暫困而無以殺之。蟲蘇則爲害更烈。再投信石。蟲不食而人受其毒矣。語甫竟。遽以白丸納病者咽中。蓋信石一錢也。薄暮蟲下。病家持以入寺。赤喙而體修尺許。一如老所僧所測。天士乃服。投地自陳。僧重慼其意。出祕笈授之。天士自是技益進。鮮棘手之證矣。——客窗閒話（此條與前聽雨軒筆記一條。因案頭無此兩書。皆係背寫。文字不免略有異同。而原意則仍其舊貫。）

王秉衡云。香巖先生治痘多活法。嘗于肩輿中見採桑婦。先生令輿人往摟其夫人。怒詈。將扭輿夫毆打。先生曉之曰。汝婦痘已在皮膜間。因氣滯閉不能出。吾特激之使怒。今夜可遽發。否則殆矣。已而果驗。又一富家子病痘閉。諸醫束手。先生命取新潔大漆桌十餘張。裸兒臥於上。以手輾轉之。桌熱即易。如是殆徧。至夜痘怒發得生。又先生之外孫。甫一齡。痘閉不出。母乃抱歸求救。先生視之甚逆。沉思良久。裸兒鍵置空室中。禁女勿啓視。且夜深始出之。痘已遍體粒粒如珠。因空屋多蚊。借其嘬膚以發也。（下略）重慶堂隨筆卷上

案重慶堂隨筆記天士治採桑婦伏痘一案。與老山愚人絳雲樓俊遇。所述喻嘉言治悶痘相類。絳雲樓俊遇云。

嘉言舟過一村落。見一少女於沙際搗衣。注視良久。忽呼停棹。命一壯僕曰。汝登岸潛近此女身。亟從後抱之。非我命無釋手。僕如其言。女怒且罵。僕抱持益力。女益怒罵。大呼其父母。其父母出。欲毆之。嘉言徐諭曰。我俞某。（原書喻皆作愈。詳後）適見此女將數危症。故相救。非惡謔也。女父母素聞愈名。乃止。俞問曰。此女未痘乎。曰然。俞曰。數日將發悶痘。萬無可救。吾所以令僕激其怒者。乘其未發。

先洩其肝火使勢稍衰日後藥力可施也至期可於北城外某處來取藥無遲越數日忽有夜叩俞廬者則向所遇村中少女之父也言女得熱疾。煩躁不寧狀俞問膚間有痘影否曰不但見影且現形計慰之曰汝女得生矣乃畀以托裏之劑此女漸致發透其痘獲無恙（原書謂嘉言本姓朱江西人明之宗室也鼎革後諱其姓加朱以捺爲余後又易朱以刖爲俞故原書皆作兪字但嘉言所著書。何以又自稱爲喻嘉言設絳雲樓後遇易姓之說不誣想又係晚年所易矣）

葉喻兩寧機杅相同疑社會上本有此種傳說任意嫁名以神其說固難爲信史也其餘數說亦多出自傳聞不能置信冷廬醫話又載天士桐葉催生客窗閒話又記天士轉女爲男徒若餘酒後之談助梁□鮀浪跡叢談謂贛南張眞人指葉氏爲天醫星言外於天士有微詞則厚誣古人矣。

（二）葉氏年譜

康熙五年（西曆一六六六年）葉天士先生生。

葉氏醫案存眞石韞玉殿撰序云吾鄉葉天士先生生在康熙初沒於乾隆十年案乾隆以前世宗（雍正）在位十三年聖祖（康熙）在位六十一年由此上推葉氏應生於康熙五年。

康熙十八年（西曆一六七九年）先生父陽生公卒。

沈歸愚撰先生傳云年十四翁葉養據聽雨軒筆記則天士醫道大行時其母尚存惜不知其沒於何年也

乾隆十年（西曆一七四五年）先生卒享年八十。

據沈歸愚撰先生傳天士沒年八十冷廬醫話等皆同。

乾隆三十一年（西曆一七六六年）先生遺作臨證指南醫案付梓

錫山華岫雲集先生方案約萬首分門別類授之手民名臨證指南醫案凡十卷。

乾隆四十年（西曆一七七五年）先生遺作續補臨證指南醫案溫熱論刊行。

華岫雲於乾隆三十七年壬辰將續補醫案溫熱論與平生所集各種經驗方（即種福堂公選良方）付刊以備救急忽於三十八年癸巳謝世其方止刻十之二三半途而廢聞者咸爲惋惜華君好友岳君廷璋不忍膜視力勸徵蘇吳儀洛葉兩君子授梓完璧以公同好見邱愛棠杜玉林吳翮堂序。

道光十二年（西歷一八三二年）先生遺作葉案存眞付梓。先生玄孫萬靑字訥人取家藏方案及研六齋天元醫案中所載葉案又陳順庵家摘錄先生方案百十條選錄爲三卷見存眞自序

（二）天士著作之考證

舊稱天士生平未嘗著述風行一時之臨證指南爲華岫雲所輯前節已述其凡指南入四庫全書存目四庫提要云

臨證指南醫案十卷。浙江巡撫採進本國朝葉桂撰桂字天士。吳縣人以醫術名於近時。生平無所著述是編乃門人取其方藥治驗分門別類附以論院未必盡桂本意也。

提要亦謂天士生平無所著述。是修纂四庫全書時。除指南以外。尙無其他遺作發現也指南纂輯者華岫雲述其編纂之旨趣云。

近見吳閶葉氏晚年日記醫案辭簡理明悟超象外。其審證則卓識絕倫處方則簡潔明淨案中評症方中氣味於理相合。能運古法而仍周以中規化爲新奇而仍折以中矩。先生固幼稟穎絕之才。衆新素稔。然徒恃資敏。若不具沉潛力學。恐未易臻此神化惜其醫案所得無多不過二三年間之遺蹟。每細心參玩祇覺靈機滿紙。其於軒岐之學一如程朱之於孔孟深得夫道統之眞傳者以此垂訓後人。是卽先生不朽之立言也故亟付剞劂以諸公世——臨證指南華序。

據華氏原序則指南不過二三年間之醫案未足以盡天士之學也指南第六卷有幼科要略王孟英謂爲天士所手定（溫熱經緯卷二）華氏續刻之醫案附有溫熱論一卷或作溫證論治。初刻於唐笠三吳醫彙講。唐刻有小引云先生游於洞庭山門人顧景文隨之舟中以當時所語信筆錄記。一時未經修飾。是以辭多佶屈。語亦稍亂。讀者未免眩目。不揣冒昧竊以語句稍爲條達。前後少爲竄掇。惟使晦者明之。而先生立論之要旨。未敢稍更一字也。其後貯春仙館刻之。拜石山房刻之。而華氏又刻之。華氏所刻文字。與唐笠三吳醫會講略有不同。蓋又經一度刪潤矣。指南復流入日本存目於丹波元胤醫籍考方論四十四華氏所集之種福堂公選良方醫籍考同時存目鱗次於指南之後焉。

葉萬靑葉案存眞自序謂嘉慶丙子。獲見天元醫案於研六齋周謝庵合丈家。又凡例謂研六齋藏本。後有馬元儀方案及祁正明王晉三數案。是指南刊行以後。存眞未刻以前。已先有天元醫案一種。亦天士之遺澤也。嘉善兪東扶古今醫案按載

天士醫案數則為指南存眞所未錄，凌曉五醫學薪傳名家門有如下之簡單記載。

葉氏醫書十種。國朝葉桂天士。

是葉氏遺書據凌曉五所知當有十種而薪傳所載祇有下例七種。

本草經解要國朝葉桂香巖（見醫學薪傳宜今門。冷廬醫話卷五載楊希洛本草經解要考證一書）

臨證指南醫案十卷國朝葉桂徐大椿批本。（見薪傳學案門

葉氏兒科一卷。國朝葉桂（薪傳小兒科門。殆即幼科要略）

痘學眞傳八卷。葉桂天士（痘疹門。

葉氏眼科方一卷國朝葉桂。（眼科門。案此書在蕩牆叢刻中治法重在內服清散藥時用羌防芎柴。與葉氏平素手法不同。）

醫效祕傳國朝葉桂（時術門

溫熱論一卷前人 同上）

以上七種。其中痘學眞傳為葉大椿所作見冷廬醫話卷二今書門及卷五藥品門。凌曉五謂為天士所作者誤淵博如凌氏。尙不免千慮之失甚矣。著書之難也痘學眞傳既非天士之作則薪傳存目實僅六種其餘四種則凌氏未述及。

冷廬醫話引天士書六種如下。

葉天士醫驗錄（卷一愼藥門引

景岳全書發揮（同上）

本事方釋義（卷二今書門）

本草經解要（同上）

醫效祕傳（同上）

陶氏全生集評（同上）

醫驗錄發揮釋義全生集評四種。薪傳皆不載合薪傳存目之六種適得十種然流布市上之天士遺書其數溢出十種以外足知其贋鼎之多也。

周學海葉案存眞凡例附識記天士遺著七種。為—

溫熱論

兒科要略

許氏本事方釋義

本草經解

陶氏全生集評

景岳發揮

柯氏傷寒注評

溫熱論至發揮六種。已見前述。柯氏傷寒注評。則為薪傳冷廬所未及。是天士遺著。又增一種。

丁福保歷代醫學書目載軒岐心印四卷。題葉天士著。坊間有本草再新十二卷。葉選醫衡二卷。皆題葉天士著。吳子音刻三家醫案。為葉天士薛生白繆宜亭三家。陳修園神農本草經讀。兼採張隱庵及天士之說。葉氏遺書之流行者大略如此。葉案存眞凡例云。

家藏復有女科數卷。現在編校未成。俟續出。

然葉氏女科。竟未出版。惜哉。葉氏遺作。以今考之。大率出於僞託。如景岳發揮。為無錫姚球所作。見冷廬醫話卷二。今耆門陸定圃云。

武進曹畸庵禾醫學讀書志謂此書為梁溪姚球所撰。坊賈因書不售。剜補桂名。遂致吳中紙貴。（中略）余（陸氏自稱）觀數書中景岳全書為最勝。惟盡情斥詈之處。有傷雅道。知其非天士手筆也。（姚球字頤眞。於河間丹溪之學。頗有心得）

然陸氏早年亦未知發揮為僞書。冷廬醫話卷二云。

張景岳偏主溫補。尊而信之者不少。近日攻擊之者亦復有人。如葉天士魏玉横章虛谷陳修園。其最著者也。葉天士發揮一書。尤為深切詳盡。究之景岳之重扶陽。時勢適然。亦以救弊。學者循覽其書。必當與發揮參觀。斯不為其所誤。惟發揮為家藏之板。久不印行。余歷年搜訪。至丁己歲。始於吳門購得一部。惜力綿未能重刊廣傳也。

循此觀察。是陸氏初亦不知此書之僞。醫話本陸氏歷年之札記。故前後略有參攷也。陸氏又引曹畸庵讀書志謂陶氏全生集評為山陰劉大化撰。本草經解要醫效祕傳本事方釋義皆僞託葉氏。是則僞託者固不止發揮一書也。今搜輯諸家辨僞之論議如下。

周學海云。致先生所著書。現行於世者。有溫熱論兒科要略。陶氏全生集評。許氏本事方釋義。本草經解。至於指南與此書（指葉案存眞）乃後人所輯。眞僞不分。柯氏傷寒注評僅數條。不為成書。若景岳發揮與先生言行不類。僞託無疑。且其書瑣屑。洋刻與醫貫砭新方砭相近。而遠遜於局方發揮溯洄集矣。不足取也——葉案存眞凡例附識

柳寶詒云。吾吳葉天士先生。以穎敏之才。探靈蘭之奧。一時活人之名。震乎宇內。世傳醫案數種。非其所手定。其中

眞贋相參瑜瑕不掩讀者病焉外如景岳發揮一書雖有闡發而言多憤似激非著作體裁又有本草經注事方釋義兩種類以五行五藏配合敷衍絕少精意似亦非先生手筆或者先生名重當時門弟子竊其緒餘著爲成書遂託其名於先生歟惟溫熱論一卷雖篇帙無多而其中發明證治補前賢之遺闕示後學以指歸言皆精要語不其移洵可法可傳之作而溫邪犯犯肺逆傳心包一語猶爲後人指摘則信乎著述之難而醫理之不可不衡以臺是也審矣——葉選醫衡序

陸九芝曰坊間有醫效祕傳亦云是葉先生語爲吳子音所刻祕傳已極不堪至於葉薛繆三家醫案非特用藥之謬彼此相似卽詞句間亦多驗類同明是一副筆墨不問不可知其僞志稱薛與葉積不相能嘗自署所居曰埽葉山莊則豈有薛而肯從葉派者乎繆則我之自出不聞其有此方案偏是此種讏言最易動聽不託於兩先生置之可也乃假借大醫使人信從以售其欺害斯大矣——世補齋醫書前集卷十一

周氏指出景岳發揮之僞柳氏指出發揮本草經注本事方釋義之僞陸氏指出醫效祕傳及三家醫案之僞以余觀之則除指南存眞溫熱論幼科要略四種較爲可恃外餘則什九皆爲僞託也本草再新爲陳修園藏本恐爲陳氏所僞造修園善作僞書其醫學從衆錄凡例云

是書前曾託名葉天士今特收回

蓋修園少年貧窶故僞造以射利晚年名心未死故收回以垂後也則僞造本草再新亦在意中矣又十藥神書一卷舊稱葉天士藏本疑亦託名以取重也

（四）天士學說之重心

葉氏之學說當以溫熱爲大纛而以『溫邪上受首先犯肺逆傳心包』十二字爲溫熱之提綱又謂傷寒分六經溫病分三焦傷寒足經主治溫病手經主治傷寒始於足太陽溫病始於手太陰古人以溫病爲伏氣所發葉氏則以爲有感而卽病此天士異於古人之創見而溫熱學派之星宿海也語其變化則——

『溫邪熱變最速未傳心包邪尙在肺辛涼散風甘淡驅濕若病仍不解是漸欲入營也營分受熱則血液受刼心神不安夜甚無寐或斑點隱隱』溫熱論

血液未受刼以前首先犯肺其病在氣分血液受刼心神不安則病在血分卽所謂逆傳心包此溫邪由氣入由肺傳心之情

形也。若——

其邪始於在氣分流連者可冀其戰汗透邪——温熱論

或則——

氣病有不傳血分。而邪留三焦。亦如傷寒中少陽症也。——温熱論

舊說以肺爲上焦。胃爲中焦。（古人所謂胃包括腸部在內）肝腎爲下焦。葉氏醫案中。數稱『上焦』『肺』『氣分』三位一體。此處又稱邪留三焦。似三焦悉屬於氣分。未免自亂其例。中醫術語涵義之不一。有如此者。又邪留三焦不解。則——不得從外解。必致成裏結——於何在陽明胃與腸也。——温熱論

其他如——

昏厥爲痙。

舌絳欲伸出口。而抵齒驟難伸者。

舌本不縮而硬。

舌乾枯而痿者。

舌無胎。而有如烟煤隱隱者。

齒黄如醬瓣。

齒光燥如石。

齒垢如灰糕樣。

齒焦無垢。（以上俱摘自温熱論。）

皆温熱之劇期而垂危者。温熱論述之彌詳。此天士對於温熱型與病理之觀察也。另有一種白干。天士述其證治云。

小粒如水晶色。此温熱傷肺。邪雖出而氣液濕也。必得枯藥補之。或未之久延。傷及氣液。乃濕鬱衛分。汗出不徹之故。當理氣分之邪。或白如枯骨者多凶。爲氣液竭也。——温熱論

關於診斷。則葉氏注目於齒舌。於舌則詳其舌黄舌絳舌白如粉。舌燥舌黑舌淡紅無色而殿之以論齒。蓋齒舌爲寒熱虛實之標幟。診斷之關鍵也。關於治療。則辛涼輕劑。甘寒生津。育陰退熱。淸血解毒。芳香開泄。皆葉氏一己之經驗。參以古說而有得者也。

（五）天士思想之泉源

天士生平力學。盡書萬卷。衆流歸海。江淮無別。欲確指其思想之泉源。了非易事。第天士所受影響較深者。有二人焉。據天士自述。則爲劉河間。以作者觀察。則爲喩嘉言。葉氏方案中屢稱劉河間如

暑熱必挾濕。吸氣而受。先傷於上。故仲景傷寒先分六經。河間溫熱須究三焦（中略）擬三焦分淸。治從河間法。（指南暑門）

陰分固有伏邪。眞陽亦不肯收納。擬仿劉河間濁藥輕投。不爲上焦熱阻。下焦根蒂自立（指南溫熱門）

溫病分三焦。爲天士重要之學說。天士既謂河間溫熱須究三焦。是得力於河間者不可謂不深。然河間遺作從未論及三焦。陸九芝云

臨證指南暑病門楊姓案云。仲景傷寒先分六經。河間溫熱須究三焦。夫河間治法亦惟六經是言。而三焦兩字。始終不見於六書。初不解指南之何以有是語。久之而悟指南於西昌之論瘟。認作河間之論溫。約略記得河間之書人皆說是異於仲景者。故即不妨託之於河間耳。——世補齋醫書前集卷九

是三焦之說。天士自謂出於河間者。乃臨證倉卒之誤耳。指南除時稱劉河間外。亦時稱喻嘉言如——

邪溫鬱蒸。乃無形質。而醫藥都是形質氣味。正如隔靴搔癢。近代喻嘉言議謂芳香逐穢宜竅。頗爲合理。（指南溫熱門）

淸疏血分。輕劑以透斑。更參入芳香逐穢。以開內竅。近代喻嘉言申明戒律。宜遵也。（指南癍疹瘰門）

則葉氏芳香逐穢之法。乃淵源於喻氏也。喻嘉言尙論前篇。詳論溫疫以破大惑一節。論疫邪在三焦。其治法亦須三焦分療。喻氏云

四時不正之氣。感之者因而致病。初不名疫也。因病致死。病氣尸氣。混合不正之氣。斯爲疫矣（中略）昌幸微窺仲景一斑。其平脈篇中云。寸口脈陰陽俱緊者。法當淸邪中於上焦。濁邪中於下焦。淸邪中上。名曰潔也。濁邪中下。名曰渾也。陰中於邪。名內慄也。凡二百六十九字。闡發奧理。全非傷寒中所有事。乃論疫邪從入之門。變病之總。所謂赤文綠字。開天闢地之寶符。人自不識耳。

又曰傷寒之邪。先行身之背。次行身之前。次行身之側。由外廓而入。溫疫之邪。則直行中道。流布上焦。上焦爲淸陽。故淸邪從之上入。下焦爲陰濁。故濁邪從之下入。傷寒邪中外廓。一表即行。在散疫邪中道。表之不散。傷寒邪入胃府。則腹滿便堅。故可攻下。疫邪在三焦。散漫不收。下之復合。治法未病前先飲芳香正氣藥。則邪不能入。此爲上也。邪既入。即以逐穢爲第一義。上焦如霧。升而逐之。兼以解

毒中焦如漏疏而逐之兼以解毒。下焦如瀆决而逐之兼以解毒

吾意天士之芳香逐穢。固胎於喻氏。而溫病須究三焦。葉氏謂得之河間者。殆亦汲喻氏之流也。葉氏指南噎膈門一案謂『經云味過辛熱肝陽有餘』查內難兩經無此二語。殆亦臨證時倉卒誤憶。然則手揮五絃。目送飛鴻。得力於喻嘉言。而誤屬之劉河間者。固意中事耳。喻氏尙論後篇又云

凡傷寒之種種危候。溫證皆得有之。亦以正虛邪盛。不能勝其任耳。至於熱證。尤爲十中八九。緣眞陰爲熱邪久耗。無以制元陽。而燎原不熄也。以故病溫之人。邪退而陰氣尤存一綫者。方可得生。然多骨瘦皮乾。津枯肉爍。經年善調。始復未病之體。——溫證上篇

又曰。若大汗則重傷津液。——同上

又曰。發汗則虛其表。且亡其津液。內熱愈熾。——同上

觀喻氏之治溫。着眼於眞陰。着眼於津液。然則天士之育陰退熱。疑亦喻氏所啓發也。故天士於溫病之三焦學說及芳香逐穢育陰退熱之法。治承受喻氏之孤緒也。夫天士爲清代溫熱學派之導師。而喻氏則予天士以甚深之影響。若然則謂喻氏爲清代●熱學派之嚆矢也。亦無不可。飲水思源。於喻氏有仰止之感。

(六)天士遺留之影響

受天士之影響。繼起而發皇其學說者。以吳鞠通章虛谷王孟英三人爲最著。有此三人。而溫熱學說之基礎逐漸鞏固。而溫熱學派亦於焉形成。誠天士最篤實之信徒也。

吳瑭鞠通淮陰人。著溫病條辨五卷。其凡例云。

惟葉天士持論平和。立法精細。然葉氏吳人。所治多南方證。又立論甚簡。但有論醫案。見於雜證之中。人多忽之而不深究。瑭故歷取諸賢精妙。考之內經。論以心得。爲是編之作。

鞠通溫病條辨之編制。從葉案揣摩而出。『一卷爲上焦篇。凡一切溫病之屬上焦者係之。二卷爲中焦。凡溫病之屬中焦者係之。三卷爲下焦篇。凡溫病之屬下焦者之。』其他辛涼輕劑育陰清熱等。亦皆天士遺法。故溫病條辨實爲整理天士溫病學說之較有系統者也

章楠虛谷會稽人。著醫門棒喝四卷。其自序云。

吳門葉天士醫案。其發明奧旨。如點龍睛。而鎔鑄百家。匯歸經義。乃於臨證之頃、隨趕設施。揭其理蘊。而因時制宜。無法不備。如造化生物。無跡可求。各得自然之用。惜楠生

晚。不獲親承提命。幸得讀先生書。略窺醫理之奧。而見諸家意旨所在。

棒喝內容以論六氣伏氣暑病風溫瘟疫爲主。大旨在辨正歷代諸家之錯誤。有辨明尤在涇之學說者如——

六氣爲病。源流不同。辨別未清。治難盡善。仲景之論。後人編輯。將傷寒溫病。攙混莫辨。自古皆然。如貫珠集一書。吳門尤在涇先生所編。乃將黃芩白虎之證。列於太陽傷寒正治法內。試思黃芩白虎。豈可爲太陽傷寒正治之法乎。若黃芩白虎可治傷寒。則麻黃桂枝等。將治何病乎。

有辨明吳又可之學說者如——

吳又可見傷寒溫病多牽混之害。乃著瘟疫論以辨異。雖能自立主見。獨開生面。而多有發明。而不體究經旨。不辨伏氣爲病之理。直闢經文。混稱一切溫病爲瘟疫。遂使淺學將風溫暑等。盡作瘟疫而治。病輕藥重。爲害甚多。

有矯正吳鞠通之學說者——

近時淮陰吳鞠通先生。欲明六氣爲病之理。著溫病條辨。雖多透明之處。又將風溫瘟候疫并爲一類。不分明之輕重。病之淺深。反謂吳又可之論未善。而不自知鑑混之誤。其冬傷寒春病論之伏。亦一證。氣不分白論列。更將素問秋傷於濕之濕字。臆解穿鑿。大手義理。

有矯正戴北山之學說者——

康熙間上元戴麟郊先生。推廣吳又可之論。著廣瘟疫病。辨析雖較又可爲詳。但亦白未將溫風暑濕春溫分清。而概稱爲時行瘟疫。既云時行。爲仍如又可之混稱一切溫病爲瘟疫矣。且言大青龍九味羌活等湯。皆古治溫病之方。致害者多矣。是廣瘟疫論亦未辨別盡善也。

章氏既一一辨正。終則推重天士。以爲治溫之指歸。作醫門之當頭棒喝。爲葉門之護法尊者。

王士雄孟英海寧人。著溫熱經緯四卷。自序云。

內經云。天有四時五行。以生長收藏。以生風寒暑燥濕。夫此五氣。原以化生萬物。而人或感之爲病者。非天氣有偏。即人氣有未和也。難經云。傷寒有五。有中風。有傷寒。有溫病。有熱病。有溫病。此五氣感人。古人皆謂之傷寒。故仲聖著論。亦以傷寒統之。而條分中風傷寒溫病濕暍五者之證治。與內經難經淵源一轍。法雖未盡。名也備焉。陰符經云。天有五賊。見之者昌。後賢不見。遂致議論愈多。至理愈晦。或以傷寒爲溫熱。或以溫熱爲傷寒。或併疫於風溫。或併風溫於疫。或不知有伏氣爲病。或不知有外感之溫甚至併著暍二字而不識。良可慨已。雖不揣愚昧。以軒岐仲景之文爲經。葉薛諸家之辯爲緯。纂爲溫熱經緯五卷。

天士之學。至鞠通而一變。鞠通分立三焦。將溫病割用分類歸納於上中下三焦。非天士本意。虛谷稱天士之溫熱論爲外感之溫病。而謂仲景之溫病爲伏氣之溫病。王孟英溫熱經緯則又另立仲景外感熱病篇。蓋溫病之學。自天士至孟英。凡一變再變而三。熱一學派之成立。非變遷不能成其大。亦自然之趨勢也。關係溫熱之著作。現存者不下數十種。而衢州雷少逸之時病論。條理井然。歸安淩曉五之溫熱類編。採擷繁富。皆溫熱學中之要籍也。

（七）對於葉氏之批評

天士學說之全體。不能有醇而無疵。吳江徐靈胎等。伺其間隙。爲批郤導窾之論。亦有中其肯綮者。徐氏有臨證指南評本。於傷寒一病。尤致其駁詰。又徐氏蘭臺軌範凡例云。

凡事最忌耳食。孔子所謂道德而塗說也。如治浮火者。當引火歸元。乃指腎藏虛寒。火不能納。非治實火及別藏之火也。如類中風用地黃引子。乃治少陰純虛之痱證。非治風火痰厥之中風也。如大便不通用蘆薈丸。乃治廣腸堅結。諸藥不效之病。非治津枯液燥之病也。虛勞用建中湯。乃治陽虛脈遲之證。非治陰虛火旺之證。近人耳聞有此數方。並不細審病因。惘然施用。受禍必烈。

又徐氏愼疾芻言云。

醫藥爲人民所關。較他事尤宜謹愼。今乃炫奇立異。竟視爲兒戲矣。其創始之人。不過欲駭愚人之耳目。繼而互相效尤。竟以爲行道之捷徑。而病家則以爲名醫異人之處在此。將古人精思妙法。反全然不考。其弊何所底止。今略舉數端如左。

河車臍帶。補腎丸藥偶用。今入煎劑。腥穢不堪。海參淡菜。鹿厥魚肚鹿尾。皆食品。不入劑藥。必須先煎極淨。加以姜椒葱酒。方可入口。今與熟地麥冬附桂同煎。則腥臭欲嘔。醋炒半夏。醋煅赭石。麻油炒半夏。皆能傷肺。以上各種。其性之和平者。服之雖無大害。亦有小損。至諸不常用及腥毒之物。病家皆不能炮製。必至臭穢惡劣。試使立方之人。取而自嘗之。亦必伸舌攢眉。嘔吐噦逆。入腹之後。必至脹痛瞀亂。然後深悔從前服我藥之人。不知如何能耐此苦楚。恨嘗之不早。枉令人受此茶毒也。（節錄）

兩書雖未指明葉氏。然明眼人觀之。知其皆爲葉氏發也。抨擊天士最烈者。靈胎而外。無過於陸九芝。然世補齋醫書。不直斥天士而歸罪於顧景文華玉堂等。尙不失忠恕之道。九芝有評駁臨證指南一種書未成而卒。見世補齋醫書後集陸儋序跋。西醫余雲岫著溫熱發揮於中醫攻擊備至。尤集矢於天士其論曰。

葉天士溫熱論之開端十二字。深謬不通。余已論之。蓋病可以溫熱名。而邪不可以溫熱名。以六氣非邪故也。則溫邪二字。不可通矣。葉氏又云。溫邪則熱變最速。在表初用辛涼輕用。挾風則加入薄荷牛上之屬。挾濕則加蘆根滑石之流。或透風於熱外。或滲濕於熱下。不熱與搏相。勢必孤矣。又曰。前言辛涼散風。甘淡驅濕。若病仍不解。是漸欲入營也。覈其前後。則薄荷牛負無透風之功。蘆根滑石無濕之效用。薄荷牛房蘆根遂滑石而病之欲入營者。仍逍遙自在。如入無人之境。此何故耶。將謂風濕毒重。非薄荷牛各蘆根滑石所能去耶。則宜別謀去風濕之法。奈何束手坐視而任其入營乎。

葉氏學說。誠不能盛水不漏。顧余氏以立場之不同。批判失其正鵠。並其精萃之義而悉唾蔑之。則過矣。要之葉氏之學。短長互見。其瑕固不衷於悠悠之口。其瑜亦不得一筆抹殺也。舍疵取醇。是在學者之自擇。抑中醫之學說。夙以棼然釐亂稱。即此溫熱一端。已有紛理無從之感。況更在溫熱之外哉。擱筆凝思。爲之憮然而不能自己。

三焦攷正

馬雲翔

一、引言

三焦之名，由來尚已：著於內經，述於越人，引於仲景，雜出於宋元諸子之書，其正義體用宜其彰彰昭於世矣；然而代益遠，流益廣，載籍引益多，而正義傳益晦也；豈習矣而不攷，攷矣而不正，有以致之歟？予自習醫以來，每誦醫籍至三焦之處，輒恍惚不得其旨，經時費日，茫然無所識；因銳意披諸書，冀攷核以正，非好辯也，亦不得已耳！夫居今之世，攷古之名，智者不爲，況其空虛無裨實用之如三焦者乎？翔雖愚昧，亦頗識去就之分矣，豈敢有以自擾？特以三焦名實，漠焉不詳，誠恐與我同病者多，而益荒之有爲之時與力耳。因不自量力，撮其一得之愚，供諸同病，既以備大雅之攷，且以就明達者正。

二、字義之攷正

孔氏云：『必也正名乎？名不正，則言不順；言不順，則事不成』。三焦之名，漢魏以降，不正久矣，欲其言順事成難已！唐宋金元明清之世，雖代有聞人，究其義理，攷其是非，然或關於造字本旨，昧乎立名時代，惟出一己知能臆度，比辭屬詞，故雖前後千載，亦少有能中其肯綮者：翔不敏，材朽智窮，無以道問學，於訓詁之學尤茫然無所覩，乃今訾議古人，非其智有愈於古人處也，亦『智者見其智，仁者見其仁』也云爾！

【攷】夫文字六書之出，必由象形指事而會意，由會意而形聲假借，轉注乃當時方言之殊異，無關造字本旨（註一），亦即葉德輝所謂『其點畫不外象事象形象意象聲之四者』者也（註二），叔重說文解字列焦字於形聲，解曰：『火所傷也，從火，雥聲；或作焦，』二徐玉栽無所標異；然則三焦之體固何取於『火所傷』之義而『火所傷』之義，又何取於三焦之體？此三焦之名所以千古不易正焉攷假借之義，元明以上，向混一談，有清之世，於文字之學研幾特深，始以假借之名，釐然判二，名同音者曰假借，同義者曰引伸；叔重說解序所引『令長』二字，蓋即屬同義假借者也近世，『惟然』諸介係詞則又爲同音假借之例矣。予縱觀皇甫士安甲乙經，楊上善內經太素，王冰次註黃帝內經，暨越人難經，仲景傷寒論雜病論諸唐宋以上書。其所列三焦之文，字義蓋有出於同義假借，與夫同音假借之二道也者，今請分而述之：

1.依同假借(引伸)解　焦依同義假借解者何因？『火所傷』而引伸爲空虛耳。甲乙經形氣盛衰大論曰：『九十歲腎氣焦，藏乃萎枯，經脈空虛，』靈樞天年篇，太素壽限篇，除末句各作『四藏經脈空虛』與『藏枯經脈空虛』外，別無異文；而甲乙經十二經脈絡脈支別篇所謂：「氣弗營則皮毛焦」之焦，亦似有萎縮空虛之意；凡此皆可爲焦字引伸空虛意之證。夫所謂空虛者，無他，無物可觸，無實可指，而以虛於上者名上(上焦)，虛於中下者名中下(中焦下焦)耳；難經二十七難曰：『心主與三焦爲表裏，俱有名而無形。』三十八難亦曰：『主持諸氣，有名而無形，(楊註曰：「三焦者，有位而無形。」)』殆以此也；而他書(指上引諸唐宋以上書)所載三焦之體用，亦多有與本義合者，(見後引述各節)是三焦之義，似未始不可以同義假借之例相訓解矣

2.依同音假借法解　焦者，爵也，虛而中空，可以盛酒漿，可以涵水氣，有口可以瀉，有把可以持，一若人身軀殼之內藏府之外，虛渺以通，可瀉可持，可盛可涵者然，故假以爲號也。夫焦之與爵，古以同音通用，觀乎許叔重說文解字之制，可以見矣：『焦』下曰：『醬也，焦取從爵』『樵』下曰：『早取穀也；』段注曰：『焦即焦字，亦作樵，古爵與焦同音通用也』韓詩說。曰：『爵盡也；』白虎通說爵祿亦曰：『爵盡也，所以盡人材；』說文『焦』下亦曰：『盡也，』楊倞註荀子語亦曰：『潐，盡也；』蓋『焦』訓『火所傷，』亦有盡義，此殆所以從當以焦『焦』以會意歟？夫爵焦二字，古同部同音(註三)，可以相假用，三爵之假三焦，其源當亦出乎此，是故，三焦者，三爵也，三爵者，軀殼之內，藏府之外，虛而空，迷而通，上中下三部假借之名也。其實指體用，當詳後各述條。

靈樞背腧篇載五焦七焦九焦十一焦十四焦之名，該是近世脊椎字之譌文，無關三焦本旨；大惑篇以上焦作『上重，』而許書無『瞧』篆，當亦爲後人所竄改；言夏不徵杞，言殷不徵宋，文獻不是故也

【正】　三焦之爲辭，徵之六書，信而有其據者，惟假借一途而已；依同義假借解，則由說文『火所傷』而引伸爲空虛，由空虛而假借爲人體上中下三部罅隙處之名；依同音假借解，則

三焦乃爲三爵之假借詞，因古焦爵二字，同部同音，可以通用故也。人體藏器之外，軀殼之內，上而中，中而下，凡諸胸腹之膜間隙部份，有似爵之鼎立，故假以狀其形而名其部也。二者釋三焦之義，皆有空虛可以得盛之意，惟古聖人之所以以三焦定名者，苦難決其取捨，或竟一背乎予之所致，而取意於其他之處，翦陋如予，雖婦人小子，固知其必可能也。吾道明人，倘祈有以正之！

三、部位之攷正

三焦之位，求諸素靈，無人決也，因參徵乎難經傷寒金匱諸書，其有關三焦部位之語者，羅列之，歸納之，雖未可定其實指，亦庶幾乎其近之矣。

【攷】（一）上焦：

1. 胃上——

（甲）、楊上善內經太素六氣篇曰：『辛入於胃，其氣上走上焦』（甲乙經五味所宜五藏生病大論同，靈樞五味論亦同，惟於『胃』上少『於』字。

（丁）靈樞五味論曰：『甘入於胃，其氣弱小，不能上至於上焦，而與穀留於胃中者，令人柔潤者也，』（太素六氣篇同，）既云『入於胃，』又云『上於上焦。』上焦在胃上明矣

（丙）、傷寒論曰：『無犯胃氣及上下焦，』是蓋暗指上焦在胃上，下焦在胃下者也。

（丁、）傷寒論又曰：『食穀欲嘔者，屬陽明也（指胃，）吳茱萸湯主之；得湯反劇者，屬上焦也。』嘔爲胃與胸隔間病所共有之症狀，今得吳茱萸湯而反劇，是病不在胃而在胸膈間也，故曰『屬上焦也。』

2. 當肺部——此項本可與上項合併，今爲引述及說明之便利計，故分列之。

（甲、）金匱肺痿肺癰欬嗽上氣病篇曰：『熱在上焦者，因欬爲肺痿，』（五藏風寒積聚篇亦有此語）

（乙、）水氣病篇曰：『上焦有寒，其口吐涎』

3. 心下下膈，胃上口——難經三十一難曰：『上焦者，在心下下膈在胃上口，主內而不出，其治在膻中玉堂下一寸六分，直兩乳間陷者是，』按胃有二，上口介賁門接食管，下口介幽門接十二指腸，古人於胃腸所居部份，雖多曖昧，惟其實際解剖關係，當必有所知見，豈卽以食管部份名之曰胃上口歟？是難經之所謂心下下膈胃上口者，其意當亦指胃上而言

（二）中焦：

1. 胃上——內經太素六氣篇曰：『鹹入於胃，其氣上走中焦

』（甲乙經靈樞經俱同）按古人以胃之眞實部份屬之心藏，其所稱胃部，乃皆指上腹部而言，故欲致正中焦部位，宜於他處定之本文爲辨誤析疑計因並錄之。

2.心下——金匱五藏風寒積聚篇曰：『熱在中焦者則爲堅。』按此堅蓋指心下而言，如『心下堅鞕』『心下堅』之類是也

3.胃中脘不上不下——難經三十一難曰：『中焦者，在胃中脘不上不下』

（三）下焦：

1.迴腸膀胱間——

（甲）、內經太素卷十二（篇名已佚）曰：『下焦者，別迴腸，注於膀胱而滲入焉。』（甲乙經營衛三焦篇同。）

（乙）、太素卷二十九津液篇曰：水穀並於腸胃之中，別於迴腸，留於下焦，不得滲於膀胱，則下焦脹』（甲乙經津液五別篇全同，靈樞本篇『幷於』作『幷行。』）

（丙）、傷寒論曰；『理中者，理中焦，此利在下焦，赤石脂禹餘糧湯主之。』利卽瀉下，稱利在下焦，此下焦當亦指迴腸膀胱間而言。

（丁）、傷寒論又曰：『小便白者，以下焦虛有寒，不能制水，故令色白也。』

（戊）、五藏風寒積聚病篇曰：『熱在下焦者，則尿血。』

2.小腹部——此項本可以與上項合致，今亦爲便於引述及說明計，故另列於此。

（甲）、傷寒論曰：『以熱在下焦，少腹當鞕滿。』

（乙）、內經太素腸度篇曰：『上焦中焦出氣，其精微慓悍滑疾；下焦下漑諸腸。』（甲乙經骨度腸胃所受篇作『上焦泄氣，』下焦亦稱『下漑泄諸小腸』）

3.膀胱上口——此項亦可歸入『1.項。』難經三十一難曰：『下焦者，當膀胱上口。』而三十五難：『膀胱者謂黑腸、下焦所治也』云云、亦可取爲佐證。

（四）三焦：　此項所引，乃諸經籍之以三焦並稱者，義雖混淆。尙可爲他項借鏡，故並錄之。

1、缺盆胸中間——

（甲）、內經太素經脈正別篇曰：『手少陽之正，指天，別於巔。入於缺盆，下走三焦，散於胸中。手心主之別、下淵液三寸，入於胸中，別屬三焦，上循喉嚨……』（甲乙經十二經脈絡脈支別篇，與此大同小異。

（乙）、甲乙經營氣篇曰：『……上行注膻中，散於三焦，從三

焦注胆出臨』(靈樞營氣篇同，太素卷十二所載大同小異。)

2.膈下——

(甲)、太素卷八(篇名已佚)曰：『三焦手少陽之脈，(中略)布膻中，散絡心包，下膈，偏屬三焦；……』(甲乙經十二經脈絡脈支別篇，靈樞經脈篇，與此俱大同小異。)

(乙)、甲乙經十二經脈絡脈支別篇曰：『心主手厥陰之脈，(中略)下膈，歷脈三焦』(靈樞經脈篇與此亦大同小異。)

(丙)、甲乙經三焦約內閉發不得大小便篇曰：『三焦約，大小便不通，水道主之。』大小便官能，皆出膈下，既云『三焦約，大小便不通』其三焦自指膈下而言。

(丁)、靈樞邪氣藏府病形篇曰：『三焦病者，腹脹氣滿，小腹尤堅，不得小便，窘急。)

3.統指藏府上下——

(甲)、內經太素津液篇曰：『陰陽氣道不通，四海閉塞，三焦不瀉，津液不化，……』)甲乙經津液五別篇同。

(乙)、靈樞五味論曰：『苦入上脘，三焦之道皆閉而不通，故變嘔。』(甲乙經五味所宜五藏生病大論篇所載大同小異。)

(丙)、難經三十一難曰：『三焦者，水穀之道路，氣之所終始也。』六十六難曰：『五藏俞者，三焦之所行，氣之所留止也，(中略)三焦者，原氣之別使也，主通行三氣，經歷五藏六府。』

【正】楊康候曰：『自膈以上，名曰上焦；(中略)自齊以上，名曰中焦(中略)自齊以下，名曰下焦(下略)』此蓋徵於古，酌乎今，體夫醫聖之意，所謂要言而不繁者也；(仲景氏取三焦其義未嘗背乎此內經改竄者多，故混亂難一)上引各醫經所記，雖微有一二出入，要皆之可以以此意消息至『三焦』一節所引，有天壤異趣之處者，乃上中下各焦，皆爲三焦之一部，因稱述便利而假借之耳；如『缺盆胸中間』一節，爲上焦之假詞，『膈下』一節，爲中下焦之假詞，是後人吳塘鞠通氏著溫病條辨，通篇以三焦定治，其法雖有未善，其取三焦之義，固去博辨而不顧經旨者遠矣。

四、形態之攷正

難經稱三焦『有名而無形，』康候亦以『有位無形』之語相註解，是三焦之形態，宜其不可以正矣！夫雖然，難經康候之言，言其質也，本條之欲言，言其境與界也，其質雖無形，其境界未必無狀，故本條仍依前條之例，攷而正之。

【攷】(一)上焦：

1.霧——甲乙經營衛三焦篇曰：『上焦如霧。』太素靈樞俱同。）

2.竅——白虎通性情篇曰：『上焦若竅』唐上載籍，其所列上焦文字，前後不下數十起，而其有關形態之言者，則除此二字而外，別無相當語矣。夫竅，穴也，有穴隙可以瀉也；霧，冒也，氣冒於地，迷亂不可辨東西也（劉熙釋名曰：『霧，冒也，氣蒙亂覆冒物也。』（古人於無形之三焦，既不克確證乎解剖所見，乃不得不依其假定作用，爲擬實際形態；甲乙經『如霧』之喻，蓋喻其本體之狀也，班氏『若竅』之譬，則又譬其下界中焦部之形矣：語皆想像，未可刻求。

（二）中焦：

1.漚——甲乙經營衛三焦篇曰：『中焦如漚。』（太素靈樞同。）

2.編——白虎通情性篇曰：『中焦者編。』

3.注——甲乙經五味所宜五藏生辨大論篇曰：『鹹入胃，其氣上走中焦，注於諸脈。』太素癰疽篇曰：『中焦出氣如露。上注谿谷。）

4.露——引見上。（甲乙經作出氣如霧）

漚者，久漬也，（見說文解字，）謂久浸於水，使之沤入也，詩經云：『東門之池，可以漚麻，』即屬此意；編者，編織也，絲縷相次有序也；注，灌也，水之傾向於一處而不外流也；露者，水點也，水氣之所聚也；觀此，則所謂編也漚也露也注也，次第焉，其氣之未盈也，相次如絲縷之織也，其始充也，浸潤如麻之久漬也，其既盛也，點點如霧露之聚也，其已積也，汩汩如水之注也；其文字表面，雖皆就作用立論，未嘗以形態爲言，然而不言形而形在其中矣；其所以名『編』者，狀其未動時之本形也，稱『漚』者，述其氣欲充時之情狀也，云『露』者，記其氣已盛時之變態也，謂之『注』者，爲其水氣因盛而聚，且如水竇之旁注也：素問靈蘭祕典論所謂『三焦者，決瀆之官，水道出焉』云云，可以爲本項注脚。

（三）下焦：

1.瀆——甲乙經營衛三焦篇曰：『下焦如瀆。』白虎通亦曰：『下焦若瀆』

2.滲——甲乙經津液五別篇：『留於下焦，不得滲於膀胱。』（靈樞同，）太素春十二亦曰：『濟泌別汁，循下焦而滲入膀胱焉』。

說文解字『瀆』下曰：『溝』也，段注曰：『瀆之言竇也，凡水所行之孔曰瀆，小大皆得稱瀆。』論語所稱『自經於溝瀆』

是矣，滲之爲言下漉也，謂由微孔而緩緩下漏也；司馬相如文曰：『海液滲漉，』可以參徵。然則古所謂下焦云者，必如溝瀆之有管腔無疑矣，特其腔穴細微，不能泛流，祗堪以滲漉耳。

【正】 上焦之形纖維綱布，彌漫如霧；當其下接中焦之處，則又會合成微孔，一若瓏穴者然。中焦居上焦之下，亦如絲縷之相織，卽班氏所謂『若編』者也；惟當其水氣漸充，則如麻之久漬，及其既盛，又若露之聚而旁注，故甲乙經與內經太素等，特以『如漏』『如露』『如注』諸喻名具用而狀其形也。下焦後三焦之尾閭，水氣由中焦下注，而成數多如穴如瀆之孔，以滲諸膀胱。三焦形態，攷諸經而可得正者，如是而已，至其是非得失，固非不學如余儞能知也。

五、作用之攷正

【攷】 經籍稱三焦作用，廣泛駁雜，浩瀚不可以數言盡，然玩索其函義而歸納之，亦惟行氣運水之二者而已，今姑援經籍之言條列而攷之

1. 行氣。

（甲、）素問擧痛論：『恐則精却，却則上焦閉，閉則「氣」還，還則下焦脹，故「氣」不行矣』此蓋言氣不得出於上而還於下，以致下焦脹也。（太素六氣篇同。）

（乙、）內經太素六氣篇：『酸入胃，其「氣」濇以收，上之兩焦，弗能出入也』又曰：『辛入於胃，其「氣」上走中焦』又曰：『辛入於胃，其「氣」走於上焦。』又曰：『苦入於胃，五穀之氣皆不能勝苦；苦入下管（靈樞作「脘」），三焦之道皆閉而不通，故變嘔。』末後一節，蓋言五穀之氣，本應運行三焦，今三焦之道，因苦而閉，故穀氣無所行而作嘔也（靈樞五味論所載，與此大同小異。）又癰疽篇曰：『腸胃受穀，上焦出「氣」以溫分肉而養骨節，通腠理；中焦出「氣」如露，上注谿谷而滲孫脈，津液和調，變化而赤——爲血。』（靈樞癰疽篇同，）以上三節，乃專就穀氣之運輸而言者。

（丙、）太素脹論：『三焦脹者，「氣」滿於皮膚中，殼殼然而不堅。』

2. 運水：

（甲、）甲乙經五藏六府陰陽表裏篇：『三焦者，中瀆之府，水道出焉；屬膀胱，是孤之府也。』（素問靈蘭祕典論與此略異，太素本輸篇則全同。）

（乙、）內經太素十二水篇：『腎合三焦膀胱，三焦膀胱者，腠理毫毛其應也。』藏府應疾篇亦曰：『密理厚皮者，三焦膀胱厚；粗理薄皮者，三焦膀胱薄；腠理疎者，三焦膀胱緩；皮急而無

毫毛者，三焦膀胱急；……』（甲乙經五藏大小六府應疾篇同。）此蓋以『汗尿同源，』（汗多者尿少，汗少者尿多，）作用相類，三焦既與腎藏膀胱同主運水，故亦以腠理毫毛爲應也。

（丙）、素問五藏別論：『夫胃大腸小腸膀胱，此五者，天氣之所生也，其氣象天，故寫而不藏。』五寫者，蓋胃大腸小腸三者，可以寫糟粕，而三焦膀胱，所以寫水也。（『寫』字今通作瀉。）

三焦之作用，除上述二種外，似尙有兼司二便之功能，如甲乙經所謂『三焦約，大小便不通，』與靈樞所謂『三焦病者，腹脹氣滿，小腹尤堅，不得小便、窘急』之類是也；惟細辨之，上下各焦，亦有少少異者，爰再撮其梗概於後：

1. 上焦——受陽氣（水穀淸氣，）出衛氣，主內而不出。

（甲）、甲乙經五藏六府虛實大論：『陽受氣於上焦，以溫皮膚分肉之間』又五味所宜五藏生病大論曰：『上焦者，受諸氣而營諸湯者也。』……受陽氣

（乙）、太素卷十二（篇名已佚）曰：『衛出於上焦』。靈樞生會篇作『下焦，』非是；又卷二十七七邪篇中——岐伯對帝問卒然多臥之語曰：『邪氣留於上焦（靈樞大惑篇作上膲，）上焦閉而不通；已食若飮湯，衛反留於陰而不行（甲乙經衛下有氣字，）故卒然多臥。』……出衛氣

（丁）、難經三十一難曰：『上焦者，（中略，）主內而不出，……』

2. 中焦——受汁，出營氣，主腐熟水穀。

（甲）、甲乙經陰陽清濁精氣津液血脈篇：『中焦受汁，變化而赤，是謂血』（靈樞決氣篇作『受氣取汁變化。』）太素癰疽篇亦曰：『中焦出氣如露』露卽所謂汁也甲乙經作『如露』）……受汁

（乙）、內經太素卷十二曰：『營出於中焦。』（甲乙經營衛三焦篇同）……出營氣

（丙）、難經三十一難曰：『中焦者，（中略，）主腐熟水穀』

3. 下焦——行水，泌尿，分別清濁，主出而不內，以傳導也

（甲）、內經太素津液篇：『留於下焦，不得滲於膀胱，則下焦脹，水溢則爲水脹』（甲乙焦與靈樞之津液五別篇俱同』又靈樞九鍼篇曰：『膀胱不約爲遺溺，下焦溢爲水』上引二節，雖未明言下焦有行水作用，然言病理而生理在其中矣：……行水

（乙）、甲乙經營衛三焦篇曰：『（上略）而爲下焦，滲而俱下，

滲泄別汁，循下焦而滲入膀胱也，』（太素「滲泄別汁」語，作「濟泌別汁。」）此云「滲而俱下，」「滲泄別汁。」「滲入膀胱」諸語，似針對今日生理學上所稱之腎藏作用而言、蓋古時解剖生理之學未精，既以睪丸卵巢之作用歸之腎，乃不得不另以泌尿作用，屬之「行於諸陽」之三焦。諸經籍稱腎藏藏而不瀉，三焦瀉而不藏，殆以此也……泌尿

（丙、）太素卷十二有曰：『水穀者，常幷居於胃中成糟粕，而俱下於大腸，而成下焦；滲而俱下，濟泌別汁。』難經三十一難曰：『下焦者，（中略，）主分別清濁，主出而不內，以傳導也，』此言大小便分利作用，出自下焦也。

【正】三焦作用，縱言諸經籍所記，類皆以上焦主輕清而出氣，有今日生理學所載淋巴液傳送營養科之功；中焦主生血而助消化，有今日骨髓造血細胞，與夫消化器醱酵素之能；下焦主分別涇溲而泌尿，有今日腎藏作用，暨血液淋巴轉送清濁之用、經稱「上焦如霧者，」即謂其「受氣」也，「中焦如漚，」謂其「受汁」也，「下焦如瀆，」謂其「滲泄別汁」也。總之：古人於生理解剖之學未精，其所記作用與實質，往往指東話西，風馬牛不相及也；且常依其想像原理，雜取多數其他組織官能之一部，以爲其整箇作用。後之人不體斯旨，輒以「古之某物，卽今之某物」相攷正，而紛紛擬書者，皆妄而已矣；近人陸氏淵雷，智明士也，然於金匱今釋釋三焦一節，引素問靈蘭秘典論與靈樞營衞生會篇之片段文字，斥唐宗海以三焦爲油綱之荒妄，而附和章氏太淡與祝氏味菊等以三焦爲淋巴管之說，自謂得其眞，亦何怪世之學閥而蒙昧者歟！？

六、實質之攷正

難經既以『有名無形』釋三焦，是三焦固已無實質可云矣，何攷正爲？然縱觀上列諸條所引，其形其質，見歷歷如指掌，又烏可因難經一言之異而遽廢之哉？故幷識於此。

（○）三焦實質，諸經籍所記，指以皮肌之內，藏府之外，脂肪結締諸組織間質而言，亦卽唐宗海所謂「油綱」者也；內經太素脹論以「三焦脹」與「膚脹」同舉，前者曰：『氣滿於皮膚中，殼殼然不堅，』後則曰：『寒氣客於皮膚之間，殼殼然不堅；』病名各異，而外疾悉同，可以證矣。至別分上中下三部之名者，亦因記筋便利而劃分之耳：橫膈以上，肋肺膜之間（胸腔）者，上焦所屬也，如素問舉痛論所載『悲則心系急，肺布葉舉而上焦不通』；是肝胆脾胃之外，聯綴綱布者，中焦所主也，如甲乙經營衞三焦篇所舉「中焦亦並於胃口，」與難經三十一難『在胃中脘不上不下』諸語，是腹膜腸管之間（

腹腔）連糸羅張者，下焦所居也，如靈樞津液五別篇所稱「別于迴腸，留於下焦，不得滲於膀胱，則下焦脹，」與夫九鍼篇『膀胱不約爲遺尿，下焦溢爲水』諸語。是總之，三焦之實質，徵諸經而可得言者，如是而已，其有別解經文部份之言，而以三焦爲胃旁之三口者，則非不學如予所敢知矣（註四）

七、合配六府之攷正

以三焦合配六府，其所由來遠矣，太素脹論舉之，難經三十八難解之；然而素問氣厥論遍論五藏六府寒熱相移，有「胞」面獨不及三焦；太素十二水藏府相配，以三焦附合腎藏；難經六十六難更稱之『涌行三氣，經歷五藏六府，』一若不認三焦爲六府也者，又蓋故哉？蓋三焦之配乎府，初非必然之事，亦以其行於諸陽，功與他府相𩌏，故強以合之耳；難經三十九難曰：『府有五者何也？』『然，五藏各一府，三焦亦是一府，然不屬於五藏，故言府有五也』六十二難曰：『藏井滎有五（註五、）府獨有六者何也？』然『，府者陽也，三焦行於諸陽，故置一輸，名曰原；府有六者，亦與三焦共一氣也』云云，可以見矣。

八　結論

三焦者，三𠁆也，因『火所傷』而引伸爲空虛也（字義；）古人於解剖生理之學，尚未能精究，故凡胸腔腹腕之有罅隙流通處者，一以三焦包之（實質；）而於淋巴液血液腎藏諸作用，摭拾一二，用爲厥功（作用；）內經以『上焦如霧，中焦如漚，下焦如瀆』諸語狀其形態，亦卽本乎此也（形態；）若夫三焦部位，則經言駁雜，難以正矣，惟楊康候以「自膈以上，名曰上焦，』『自齊以上，名曰中焦，』『自齊以下，名曰下焦，』似離乎經而無悖乎故之語，故余亦善而從之。總之，三焦之名，爲上古解剖生理諸學科，未臻昌明時之所創，非今之所宜採也；卽或引而用矣，亦當一掃其實質效用，但取爲上中下三部之代名詞已足，不必泥古而強合也。

【附識】　三焦之名，始於內經，內經之書，雖不必成於秦前，當亦爲漢上作也；流傳既久，竄誤自多，今爲『三焦攻正，』苟據一書所載，易爲魯魚亥豕所誤，故本文於甲乙經內經太素黃帝內經難經傷寒論金匱要略諸書，凡我國醫所尊爲醫經者，無不彙蒐；其關係文字而正之唐後載籍，文勝於質，不一求證，厭其史也。

（註一）文字六書之辯，自來於轉注一端，議論特多，（轉注者，卽許序所謂『建類一首，同意相受，考老是也。』）然皆晦而不顯；予讀中庸至『書同文』一語，始知周初文字各方尙多差異，（直至秦漢之間，猶有異體之制；）並悟山海經中所以吳楚各以『必律』『聿』等錯綜名筆之含義；蓋各地言方不同，文字互異，雖同物同意，或異其字之形音，降及有漢，其風殺而未滅，叔重撰說文解字，取之通國，刀並錄而轉注也；語出臆說，因附註於此。

（註二）見葉著六書假借卽本義說。

（註三）見說文解字『唯』下注。

（註四）嘗聞有因誤解靈樞營衞稱一段文字，而以三焦爲實有三口者、不知該篇所言，乃記其所主經行，非狀其實質也；今爲引說於此，以見是非：『上焦出於胃上口，並咽以上，貫膈，布胸中，走腋，循太陰之分而行，還至於陽明（太素作還注）上至舌，下足陽明，常與營俱行，（太素營下有衞字，）（中略，）中焦亦並胃中（太素作胃口）、出上焦之後，（下略。）』

（註五）楊康候曰：『五藏之脈，皆以所出爲井，所流爲榮，所注爲輸，所行爲經，所入爲合。』

辨證概要

分列陰陽表裏寒熱虛實之證狀　採擇古今名家簡明切要之學說

馬芝馨

緒言

夫醫學浩如烟海。窮天地水土之宜。究人身陰陽之理。其道至深。其理至奧。非深於生機微妙之旨者。曷能貫幽而達微。且自軒岐而下。代有發明。載籍充棟。無非結晶之言。經驗成方。悉合應手之證。如入寶山。如進瑯環。日述五色。美不勝收。然間有意求浩博。失之駁雜不純。思騖玄虛。遂至茫昧難解。論或囿于一地。識遂陷於一偏。師之承受有異。處方遂別經時。地之高下有殊。用藥攸分凉熱。由是異學爭鳴。同人互駁。置身此境者。欲廣徵萬卷。不啻岐路亡羊。專執一家。何異守株待兎。嗟乎。茫茫大海。孰渡彼岸之筏。漫漫長夜。難求暗室之燈。若斯而求其升岐軒之堂。入秦張之室。誠戛乎難矣。此古人有十年讀書天下無可治之病而孟子有盡信書。不如無書之說也。然此特讀書不得其要爲然也。得其要則一言可終。不得其要則流散無窮。故讀盡毛詩。一言以蔽之曰思無邪。讀盡禮記，一伽以蔽之曰毋不敬。此卽得提綱挈領之要矣。夫醫亦何獨不然。得其要。則一言亦足以盡之。蓋百病之證侯雖殊。而百病之成因有限。百病之變化莫測。而百病之病情可窮。內因外因不內外因病之因也。陰陽表裏寒熱虛實病之情也。辨病情而病因卽寓其中。實際卽陰陽表裏寒熱虛實八字而已。病情既不外此。卽辨症之法。亦不出此。故明此八字。則可執簡馭繁。千頭萬緒之症候。變化錯綜之病狀。以此辨之。或以脈勘症。以症斷病。則病無遁情。自能洞見癥結。藥到病除矣。卽往哲著作之書。治驗之案。其互相攻訐聚訟不決者。胥循此求之。或以症狀推測其病理。或以病理推測其學說。則諸家得失。均可瞭然於胸。庶無盲從之患矣。故此八字。約之則在指掌之中。推之可應無窮之變。以之讀書。則可融會貫通。以之治病。則可左右逢源。此實中醫不傳之祕。亦卽中醫顚撲不破之本也。馨不敏。請從事於斯道。爰採集諸家之說。分條列症于症同而虛實迥異者則另註辨之。務使約而簡。顯而明。俾一目瞭然。則於臨診時。庶不無小補云。第學識譾陋。舛謬之處。在所不免。乞醫界明達有以教之爲幸。

陰

陰即物質。有性質可憑。而非空洞可言。凡一切具質量之氣體液體固體等皆屬陰。故凡質之重濁下降者。氣味之酸苦涌泄者。病之屬寒屬虛屬裏者皆爲陰。至人身之陰。則爲血液津液等液體之代名詞。內經云。五臟主藏精者也。不可傷。傷則失守而陰虛。蓋藏有所傷。或過度運用。致液體供不應求。則成陰虛之症矣。茲列陰虛之證如下。陰盛之證另詳寒門。

陰虛證提綱

脈數無力。（數而有力爲實熱。無力爲虛熱。陰虛之脈。大都細數。）虛火時炎。（面赤如飲酒之態者是。平人面赤。如白裹朱。若面赤如粧。中風之脫症也。面赤兩顴淡紅嬌嫩。游移不定者。陰症戴陽也。面緣緣正赤者。陽氣怫鬱在表也。又陽明鬱熱。亦見面赤。）口燥。（亦有邪熱聚胃。消津液而口燥者。有邪入少陰腎熱水涸者。）脣焦。（有屬胃表邪熱者。有屬食積者。）內熱。（陰虛之內熱。但覺口燥而不欲多飲。實症之內熱。便大渴欲冷飲矣。）便結。（有腎虛液枯者。有大腸熱者。有胃實者。有脾約者。有陰結者。）怔忡。（有痰盛火而怔忡者。有寒痰停蓄心下。而怔忡者。有氣鬱不宣而怔忡者。）盜汗。（傷寒邪在少陽及陽明裏熱均見盜汗。）

陰虛之重證

骨蒸。（身熱如從骨中出也。亦有屬實者。如瘀血遏鬱。陽氣不得疏達。則作骨蒸。溫症愈後。餘熱留於陰分。亦作骨蒸。虛損骨蒸。按至皮膚間甚熱。勞瘵骨蒸。按至皮膚不熱。按至骨筋乃熱。）潮熱。（如潮之來。不失其時。一日一發。日晡時至者是。亦有邪入陽明而潮熱者。有因傷食而潮熱者。有因痰飲結聚而潮熱者。）咽瘡。（有胃中實熱上蒸者。有梅毒過服截劑。致毒火上升者。）音啞。（風痰伏火怒喊哀號。均足致啞。）咳而喘急。（風寒濕痰鬱肺。亦見咳喘。）骨痛如折。（骨痛不能舉立。由眞陰竭也。若骨痛寒熱。爲表邪。骨節痠痛爲骨痺。歷節攣痛爲痛風）

陰脫之證狀

血崩不止。（血暴下成塊。如山岳之崩頹者是。有因脾虛不攝血者。有因肝火迫血妄行者。有因暴怒傷肝。血熱沸騰者。有因脾經鬱火血不歸經者。有因悲傷心胞。血乃下脫者。）泄瀉不止。（泄者大便溏薄。瀉者大便直下。）精泄如注。（交合精脫在男子爲脫陽。其症精泄不止。肢體癱軟神識委糊。在女子爲脫陰。其症陰精大下。口中氣促。牙關緊閉。目睛直視。身體發强。）

大汗淋漓（大汗出而身熱者爲亡陰。又汗熱不粘其味鹹口渴欲飲冷均爲亡陰之症）氣短喘促（少氣不足以息。呼吸不相接續。出多入少爲氣短。促促氣急喝喝痰聲。張口抬肩。搖身擷肚之爲喘）脈微（浮而極薄。卻非極細。應指無力。而模糊者。亡陰之微也。初見洪。按之無根者。陰欲亡也。脈微來如雀啄者。陰已亡也。）舌乾。（水枯津涸也。）

附外科之陰證

腫不高　痛不甚　皮外無色　或色沉黑　皮厚　陽

陽

陽卽能力。無形質可憑。而有動態可言。凡一切能使物質行動而生變化者。皆爲陽。故凡質之清輕上升者。氣味之辛甘發散者。病之屬表屬熱屬實者。皆爲陽。至人身之陽。卽爲氣之代名詞。內經謂陽化氣是也。陽盛則熱。體溫增高。陽虛則寒。體溫低落。體溫卽衞氣。卽陽氣所發生之能力也。設陽氣不足。則內外皆寒。而虛寒之症現矣。茲列陽虛之症狀如下。陽盛之證詳下熱門。

陽虛證提綱

脈大無力。（大脈按之如繩。其形粗。陽虛則脈雖大而中空。）怯寒。（陽虛不能外衞也。）少氣。（言蹇而微者是。）脣淡口和。（脾臟虛寒也。）自汗。（陽虛自汗必惡寒。火熱自汗必躁熱。傷濕自汗困倦身重。傷風自汗身熱咳嗽鼻塞流涕。傷暑自汗身熱口渴煩躁面垢。痰症自汗頭眩嘔逆胸滿吐痰。柔痓則搐搦自汗。陽明症則潮熱自汗。勞倦則體倦自汗。亡陽則自汗出不止。溫病自汗脈動數。中風自汗脈浮緩。）喘之。（虛喘息促不足。實喘氣長有餘。）肢冷。（脾寒陽氣于四末則不行肢冷。實熱肢冷多由痰涎壅于經隧。久病老人肢冷乃陽氣不足。兼有濕痰在脾胃也。）便溏。（亦有溏泄污積黏垢屬於濕熱者。）食少運遲。（脾胃虛寒難以腐化水穀也。）

陽虛之重證

吸短。（呼出氣多吸入氣短。由腎不納氣也。）偏臥。（平臥腎氣易於上逆作喘也。）脈弱。（沉細而軟。按之乃得。舉之似無者是。）陽痿。（命門火衰。精氣虛寒。則陽痿。亦有不因火衰。而由于陰氣薄弱者。有憂思驚恐過度者。脾腎氣衰者。及肝腎濕熱。致宗筋弛縱而陽痿者。）食入不化（亦有能食不能化屬于胃熱脾寒者。）滑泄不禁。（腎虛失閉藏之職也。）

陽脫之證狀

喘促不續。額汗如雨。（大汗出而身冷者爲亡陽。又珠汗不流。汗出如油。汗冷而粘。其味淡。口渴而能熱飲者。均爲亡陽之證。）手足厥逆。（指冷曰清。過腕曰厥。上越肘膝曰逆。陽脫者必四肢冷過肘膝）心神浮越。（虛陽內擾也。亦有因受驚駭。神志不甯者。或痰火內踞。擾亂神明者。）起臥不安。（亦有邪在上焦膈中。心煩懊憹。寸脈盛而起臥不安者。）脈微。（沉而極薄。且又極細。似見弦勁。應指無力。不甚模糊者。亡陽之微也。初見浮洪。陽欲亡也。脈微如絕。陽已亡也。）舌潤。（僅氣脫。陰液未亡也。然汗爲陰液。多汗亡陽。陰液未有不傷。舌潤二字宜活看。大抵陽亡陰未隨之俱亡者。其舌潤。亡陽陰亦隨之俱亡者。其舌乾。初起陽亡其半。而猶陰未亡。或陰亡其半。而陽猶未亡。其症可辨。尙可及治。若陰陽同時離決。則無從措手。而症亦難以剖拆。爲亡陰亡亡矣。）

陰陽俱脫之證狀

猝然顚仆。（眞陰虧損。肝膽之火。挾氣血上衝腦部也。有因火、虛、濕、寒、暑、惡食、熱惡之不同。）遺尿失禁。（腎絕也。亦有腎與膀胱氣虛。不能約束而遺者。肺虛不能化氣而遺者。若恐懼輒遺者。心氣不足。下及肝腎也。睡中自遺者。下元虧損也。小兒自遺者。多屬熱。老人自遺者。多屬寒。）鼻聲鼾。（肺絕也。）大汗出。（按類中脫症。除上列諸證外。更有手撒爲脾絕。眼合爲肝絕。口張爲心絕。以及吐沫。直視。搖頭。上竄。髮直如粧等症。皆爲脫絕之象。

附外科之陽證

腫高　色赤　痛甚　皮薄而澤

表

表者外也。指皮毛肌腠而言也。在六經則三陽爲表。在臟腑則六腑爲表。在全體則四肢背部爲表。經言善治者。治皮毛。蓋皮毛爲最外之表。層夫治則病毒傳裏。而變症蠭起矣。傷寒之表。不離三陽。溫病之表。始發自肺。此其別也。茲分列症狀于下

表證提綱

發熱。（勞力陰虛。陽虛。氣鬱。火鬱。傷食。傷酒。挾瘀。挾痰。瘡毒。虛煩。皆能發熱。手按輕舉則熱。重按不熱。是熱在皮毛血脈間。重按方寒。輕舉不熱。是熱在筋骨間。輕手重手俱不熱。不輕不重乃熱者。是寒在肌肉間也。）惡寒。（陽虛勞倦。風寒暑濕痰火鬱瘀。癰瘡等症。均令惡寒。外感惡寒。雖近燄火不除。內傷惡寒。稍近溫煖即止。）頭痛。（外感頭痛如破如裂。無有休息。內傷頭痛。其勢稍緩。時作時止。頭腦痛連兩額屬太陽。頭額痛連目齒屬陽明。頭角痛連耳根屬少陽。太陽穴痛屬脾虛。巔頂痛屬腎。目系痛屬肝。）鼻塞。（肺受風寒火熱。及寒客于腦。均令鼻塞。又鼻塞久不愈者。由內傷肺胃。淸氣不能上升也。）咳嗽。（有聲無痰曰咳。有痰無聲曰嗽。有外感內傷。五臟六府之別。外

感咳嗽。其來暴。多兼頭痛寒熱鼻塞聲重等症。內傷咳嗽。多兼潮熱盜汗。痰中挾血。形瘦喘促。咽喉乾燥等症）脈浮。（浮雖屬表而陰虛血少。中氣虧弱者脈多見浮）舌無苔。（外邪纔中。舌多無苔。迨與內之濕痰相合。則現苔矣。即有胎亦多白浮薄澤。其苔刮之卽還。伏邪初發。舌亦無胎。迨由裏外達。則黃膩之苔漸生。）口不渴。（邪未入內化熱。則口不渴。溫病邪初在衞。未入氣分。口亦不渴。迨熱入血分後。口又不渴矣。又熱邪挾濕痰者。裏雖熱。而往往不渴。）

大陽之表證

惡寒發熱。頭項強痛。（痓病亦頭項強痛但痓病頭向後仰。如角弓之反張然。太陽病。則但覺頭項強急而痛也。）體痛。（體酸骨痛。不利屈伸者。濕流關節也。一身盡痛者。風濕相搏也。身痛偏左者。血虛風乘也。遍身疼痛者。風痺也。身痛游走不定者風也。身痛在一處如冰冷者痰也。身痛多汗者。血虛不榮也。）嘔逆。（肝逆。胃虛。受寒。傷食。痰飲。均令嘔逆。）脈浮。（傷寒脈浮緊。中風脈浮緩）

少陽之表證（本條移陽明症後）

往來寒熱。（寒往熱來。熱往寒來。作止無時者。是若寒熱作止有時。長短有定者。爲瘧。惡寒發熱。齊作無間。外感之寒熱也。寒熱間作不齊。內傷之寒熱也）口苦。（膽熱心熱均口苦）目眩。（肝火。血虛。痰飲。均見目眩。）耳聾。（腎虛精脫。痰火上升。其耳亦聾。又膏粱厚味太過。則左右均聾。暴聾多屬氣。久聾多由腎虧。）胸滿。（氣滯。濕遏。傷食停飲。均見胸滿。巳下爲結胸。未下爲邪入少陽。素慣胸滿者。多鬱多痰火下虛）脇痛。（痰飲。傷食跌仆。血瘀暴怒。氣結。濕熱。鬱火。皆令脅痛。左爲肝火與氣或鬱。右爲脾火或痰或食。至腎虛之人。則不拘左右。隱隱微痛。）嘔吐。（口燥渴。嘔吐黃水者胃熱也。嘔吐清涎沫口鼻氣冷。手足厥冷者。胃寒也。渴飲水而復嘔。咳引脅下痛者。停飲也。嘔吐飲食。胸膈脹滿。吞酸噯腐者。食積也。隨食隨吐者火也。朝食暮吐者寒也。）頭汗。（有相火迫腎水上行而頭汗者。有陽虛飛越于高巔而頭汗者。有因寒濕相搏者。有因瘀血內蓄者。若關格小便不通而頭汗。陽脫唇舌口鼻清冷而頭汗。亡血家身無汗而頭汗者。俱難治。）盜汗。舌胎滑。（白胎滑者。風寒與濕也。白滑而膩者。濕與痰也。滑黏而厚者。濕痰與寒也。兩條滑膩者。非內停濕滯。卽痰飲停胃也。）脈弦。（端直而長。按之有力者。是弦緩者。平脈也。純弦者死脈也。弦而軟者其病輕。弦而硬者其病重。）

陽明之表證（本篇移少陽症前）

頭額痛。目痛。(亦有肝氣上逆而目痛者。)鼻乾。(肺熱亦鼻乾。又鼻乾而塞。不聞香臭者。風熱壅肺也。)唇焦。漱水不欲嚥。(本腑無熱。表病裏和。故僅口乾。漱水而不欲嚥。其有裏症已見。漱水不欲嚥者。爲內有瘀血也。又陰極發躁。亦漱水不欲嚥。)脈長。(長脈不大不小。迢迢自若。如循長竿末梢爲平。如引繩如循長竿爲病。)

溫病之表證

脈不緩。(非太陽中風。)不緊。(非太陽傷寒。)而動數。(風火相煽之象也。)或兩寸獨大。(邪熱盛于上焦也。)尺膚熱。(火爍陰也。)頭痛。微惡風寒。(初起微惡風寒。纔則但熱不寒。)身熱自汗。(太陽中風。陽明病。及傷暑。均身熱自汗。)口渴。(熱在氣分則口渴。少陰受邪。津液不上升則渴。又濕遏陽氣不化津液以上升。亦口渴。)或不渴而咳。午後熱甚者。(午後熱屬血分。又濁邪歸下。火旺時也。陰受火尅之象也。午前屬氣分。晝熱而夜安靜。是陽旺也。晝靜夜發熱是陽陷陰分也。晝夜盡發熱。重陽無陰也。)

裏

裏者內也。指腸胃等內臟而言也。在六經則三陰爲裏。在臟腑則臟爲裏。在五臟則肝腎爲裏。在全體則胸腹爲裏。傷寒有邪入三陰之裏者。有邪傳陽明之裏至無可復傳者。玆俱列證如下。

裏證提綱

潮熱。惡熱。腹痛。(痛而脹悶者多實。痛不脹悶者多虛痛。拒按者爲實。可按者爲虛。喜寒者多實。愛熱者多虛。飽則甚者多實。飢卽甚者多虛。脈強氣粗者多實。脈虛氣少者多虛。新病年壯。及補而不效者多實。久病年老。攻而愈劇者多虛。)口燥。(但漱水不欲嚥者。表熱也。燥渴欲飲冷者。裏熱也。)舌苔黃黑。(內熱盛也。)脈息沉。(沉雖屬裏。而外感之深者。寒束經絡。脈不能達。必見沉緊。)

裏中之裏證(卽陽明府證)

潮熱。譫語。(亂言無次。數數更端爲譫語。鄭重其辭。重疊煩言。不換他說爲鄭聲。譫語有入血室者。有熱入心胞者。亦有屬於虛者。如傷寒發汗多。若重發汗。亡其陽而譫語者。更有強責少陰汗而有譫語者。)狂亂。(有太陽病不解。熱結膀胱。其人如狂者。有以火刦汗。遂至亡陽發爲驚狂者。有陰躁亂不安。欲坐臥泥水中者。)不得眠。(有痰火阻痺煩擾不寐者。有驚恐傷神。心虛不寐者。有心血虧耗不眠者。有思慮傷脾不眠者。有陰虧孤陽浮越不眠者。有病後虛煩不眠者。有膽虛不眠者。有喘促不眠者。燥渴　自汗　手足心腋下有汗。（亦有陽明虛冷中寒不能食泄瀉水谷不分。手足冷汗自出者。）便閉　繞臍硬痛。（中脘痛屬太陰。臍腹痛屬少陰。小腹痛屬厥陰。）轉矢氣。（有脘腹脹痛得矢氣則稍寬者。肝鬱也。勞碌後頻轉矢氣。而後氣升上逆。短促如喘者。腎不納氣也。）

太陰之裏證

腹滿而吐。（腹滿不減者爲裏實。腹滿時減者爲裏虛。脾胃虛寒則腹滿而吐。飲食積滯。亦腹滿而吐。）食不下。（脘悶食不下者。積食也。能飲水而食難下者上脘槁也。水漿不下者。胃氣絕也。）自利益甚。（不經攻下而自泄瀉者爲自利。自利有協熱協寒之別。協熱利者。臍下必熱。渴欲飲水。泄下黃赤。發熱後重。脈數者是也。協寒利者。臍下必寒。自利不渴。泄下清穀。脈微惡寒者是也。）時腹自痛。

少陰之裏證

惡寒。　踡臥。（表受寒侵。亦有踡臥者。）脈微細。（少陰虛寒之證也。然亦有暴受寒冷極痛。壅遏經絡。致脈見沉細而微之象者。）但欲寐。（倦怠嗜寐者。脾虛也。身重多寐者。溼勝也。口苦嗜寐者。胆熱也。沉迷嗜寐者。痰阻也。長夏倦臥四肢不收者。脾肺氣弱而傷暑也。病後身熱好眠者。餘邪未淸。正氣未復也。汗出身重。鼻乾語濇。目不了了而多眠者。風溫也。脣黑有瘡。咽乾聲啞。默默多眠者。狐惑也。）

厥陰之裏證

消渴。（飲水多而小便少者。是消渴。喜飲冷者在氣分。消渴喜熱飲者在血分。消渴咽乾便祕者。肺火也。消渴小水赤澀者。心火也。渴飲無度爲上消。善饑能食而瘦爲中消。善飲溺濁如膏爲下消。）氣上衝心。（肝氣上逆也。亦有衝氣上衝者。胃氣上衝者。相火上衝者之別。）心中疼熱。（心中痛。亦有因于痰食熱氣血悸虫疰飲者。）饑不欲食。（亦有邪結胸中。心下滿而煩。饑不能食者。）食卽吐蚘。（有胃中熱極。蚘難存身而吐者。有胃中寒極。蚘上求食而吐者。）下之利不止。

寒

寒有表裏眞假之分。寒邪外侵。此寒之由于表也。陽虛陰盛。此寒之由于裏也。至表裏皆寒。則少陰直中之兩感也。眞寒識之匪難。雖在庸俗。當無大誤。假寒最易混淆。偶或不愼。卽足僨事。更有外寒內熱。內寒外熱。上寒下熱。下寒上熱者。茲俱列於下。以備參考。

寒症提綱

口不渴。　或渴不消水。　喜飲熱湯。　手足厥冷。　溺淸長（

清長爲寒。短赤爲熱。又清利爲邪在表。赤濇爲邪在裏。）便溏。

脈遲。（遲雖屬寒。而凡傷寒初退餘熱。非清。脈多遲滑。）

表寒之證狀（見後實門傷寒條）

裏寒之證狀（見上）

表裏皆寒之證狀（卽少陰直中兩感證）

無汗　惡寒　發熱　脈沉

眞寒之證狀

脈沉細遲弱　厥逆　腹痛　飧泄。（完谷不化脈弦腸鳴爲飧泄。）下利。小便清頻。

假寒之證狀（本條與後熱症參看）

惡寒戰慄而不欲覆衣。四肢厥冷而口渴欲飲。脈雖沉而滑數鼓指。下利臭穢。（若而而澄澈清冷。儼如鴨鶩之糞者。爲寒瀉。）小水赤濇。（嘔多瀉多汗多之虛寒症。亦有小便赤濇者。）

外寒內熱之證狀

身大寒反不欲近衣。（寒在皮膚。熱在骨髓也。亦有火鬱於內。外寒內熱。脈沉而數者。）

內寒外熱之證狀

身大熱反欲得近衣。（在熱皮膚。寒在骨髓也。亦有陰盛於內。格陽于外。內眞寒。而皮膚肌肉間發熱者。）

上寒下熱之證狀

腰以下至足熱。腰以上寒。（陽火下乘陰部也。亦有濕熱壅于下焦。清陽不能上升者。亦有陽陷于下。而上寒下熱者。）

下寒上熱之證狀

腰以上至頭熱。腰以下寒。（陰火上乘陽位也。亦有熱壅上焦。陽不下達者。下元虛寒。火不歸元者。而下寒上熱者。）

熱

熱有表裏虛實眞假之分。又有衞氣營血之別。經云陽盛生外熱。此所謂實熱也。又曰陰虛生內熱。此所謂虛熱也。至若翕翕發熱。則太陽之表病也。蒸蒸發熱。則陽明之裏病也。他如眞熱則假寒。所謂陽極似陰也。眞寒則假熱。所謂陰極似陽也。溫病分衞氣營血者。別病之淺深也。玆俱列症于下以資鑑別。）

熱證提綱

口渴喜冷飲。煩躁。（煩乃心神不安。而形如故。躁則揚手擲足。形神俱亂。亦有不因於熱者。如傷寒下後復發汗。晝日煩躁。夜而安靜。不嘔不渴。無表症。脈沉微之。爲陽虛少陰吐利。手足冷。煩躁欲死者之。爲陰盛。又發汗若下之。病仍不解煩躁者之。爲水火離隔等。）溺短赤。（小便黃赤而短。亦有不屬於熱者。

有中氣不足不能通調水道者。有腎水大虧由於瀉利亡陰者。有寒盛于中而陽逼于下者。有妄用滲利而逼乾眞汁者。有元陽不暖而水無以化者凡此均足使小便黃赤或短濇）便結

脈數。（數雖爲熱而眞陰虧損之症亦必見數。虛甚者數必愈甚）

表熱之證狀（見前大陽證）

裏熱之證狀（見前陽明證）

表裏皆熱之證狀（見前陽明經症）

眞熱之證狀（本條與裏症參看）

脈數有力　滑大而實　煩躁　喘滿　聲音壯厲。（出言壯厲。先輕後重者。外感之客邪也出言懶怯。先重後經者。內傷元氣也。）發熱掀衣。　便祕　溲赤　舌乾燥。（熱傷津也。）苔黃黑。（凡黃苔如沉香色。或灰黃色。或中有斷紋。皆宜下。舌根有黑苔而燥者亦宜下。若苔雖黑潤而不燥。或無苔如煙煤隱隱者。虛寒症也。）

假熱之證狀（本條與前寒症參看）

脈數而重按無力　身熱而衣被不撤　喜冷飲而不多或欲熱飲　壯熱而神則靜　詁忘而聲則微　舌黑而潤滑有津。（舌黑乾燥無津。便是熱症矣。）面赤而手足厥冷。（戴陽症也。）小水多利　大便不結

虛熱之證狀

發熱。（晝夜發熱。晝重夜輕。口中無味爲陽虛。午後發熱。夜半則止口中知味爲陰虛。或晝或夜或作或止不時而發者。爲脾胃氣血俱虛也。）胸爽。（內無阻滯也。）食少　自汗　短氣。（氣短則氣微力弱。非若喘症之氣粗奔迫也。支飲及結胸風濕相搏症亦見短氣。）

實熱之證狀

發熱。　胸悶。　噁心。　引飲。　便實。

衛分熱之證狀

發熱。　微惡寒。（温病惡寒。與風暑濕不同。諸證惡寒。無時不甚。温證惡寒有時而甚。惡寒之後。必發熱。既熱則不復寒非若諸證惡寒發熱之相兼也。）

氣分熱之證狀

不惡寒。　而惡熱。　小便色黃。

營分熱之證狀

脈數　舌絳。（初傳絳色中兼黃白色。氣分之邪未盡也。純絳鮮色者。色絡受病也。絳而潤爲虛熱。絳而乾爲實熱。絳而燥刺。火熱盛也。絳而光嫩爲陰液不足。絳光燥烈爲陰液大傷）

血分熱之證狀

舌深絳　煩擾不寐　或夜有譫語

虛

虛者精氣奪也。精氣者。即氣血精津液等。凡賴以營養身體者。皆謂之精氣。苟精氣不足。頹伤而呈衰弱之形者。則謂之虛。然有病毒失治致虛者。有勞慾過度致虛者。成虛之因不同。由于精氣之奪則一也。茲分氣血精津液及五臟之虛症如下。

虛證提綱

病中多汗。腹脹時減復如故。痛而喜按。按之痛止。病久稟弱。脈虛無力。

氣虛之證狀（見前陽虛條）

血虛之證狀（見前陰虛條）

精虛之證狀

腰痛。（腎虛氣滯。痰積。血瘀。風寒濕熱。均見腰痛。）腿乏。（有肝腎不足者。有濕熱下注者。）陽痿。目暗。（精華不能上注于目也。）記憶薄弱。（精虛則腦不滿也。）

津虛之證狀

口乾　便難

液虛之證狀

骨節屈伸不利。（亦有因于風濕痰痰。阻于骨節間者。）色夭。（色枯不華也。）腦髓消。脛痠。耳數鳴。（腎虛則耳鳴。肝膽之火上升。耳亦鳴。）

肝虛之證狀

脈左關必弱（左關屬肝）或空大　脇痛　頭眩。（肝虛血少而風火動也。又濕熱上升。火炎痰升。亦令頭眩。）目乾。（腎虛液枯也。）眉稜骨眶痛。（亦有屬于風熱與痰者。若見光則眉稜骨痛者。肝血虛也。）心悸。（無驚自動爲心悸。）口渴煩躁　發熱。（虛火亢也。）

心虛之證狀

脈左寸必弱（左寸屬心。）驚悸不得臥。（有觸心動曰驚。）健忘（心血不足也。亦有天稟不足者。痰迷心竅者。邪熱擾亂神明者。）虛痛。（似饑似肌。似手撫心。喜得手按者是。）怔忡遺精（有夢爲遺精。屬心虛。無夢爲滑精。屬腎虛。有相火妄動者。有心不攝腎者。有飲酒厚味。痰火濕熱擾亂精府者。有淫慾太過。精關不固者。有脾虛下陷者。有肝火熾甚者。）

脾虛之證狀

脈右關細軟。（右關屬脾。）嘔吐。（有聲無物曰嘔。有物無聲曰吐。內傷飲食。久病胃。胃虛熱。胃寒。胃中有膿。停水。停痰。均令嘔吐。）泄瀉，（泄水腹不痛者濕也，完谷不化者，氣虛也，腹痛腸鳴，水泄一陣痛一陣者火也。時瀉時止者。痰也，瀉後痛減者。食積也。）久痢。（下利赤白。裏急後重者。爲痢多緣濕熱積滯而成。久痢則脾腎兩傷。）肢軟。（脾主四肢。脾虛故肢軟。亦有濕熱蘊脾或勞力過度而四肢無力者。）面黃。（脾在色爲黃。黃欲如羅裹雄黃。不欲如黃土。久病見面黃色澤者。病欲愈也，面色乾黃者。爲津液枯槁多凶。面黃色鮮明者爲濕熱。色暗晦者爲寒濕）發腫。（因濕熱濁滯致水腫者爲陽水，因肺脾腎虛致水溢者爲陰水。）肌瘦。（脾主肌肉。脾虛故肌肉不充也，）鼓脹、（外堅中空。擊之有聲。按之無形。色蒼黃。腹筋起。故曰鼓脹，脹有寒熱濕痰氣血鬱滯蟲積之別。）惡寒。自汗。積滯不消。（無運化力也。）飲食化痰。（脾不吸收。故飲食不歸正化。）脫肛。（脾虛氣下陷也。亦有濕熱下墜。疼痛脫肛者。有便祕努掙致脫者。）腸紅。（血色朝稠者。爲實熱。色稀淡者。爲虛寒。色瘀晦者爲陽虛不攝。）

肺虛之證狀

右寸脈細（右寸屬肺。）自汗　咳嗽　氣急　咯血。（不嗽而喉中咯出小血塊或血點者是。）肺痿。（始則寒熱自汗。口吐濁沫。或唾紅絲膿血。脈虛而數者是也。）虛勞。（精氣內奪則虛。積虛成損，積損成勞。甚而爲瘵。勞有五。肺勞損氣。心勞損神。脾勞損食。肝勞損血。腎勞損精。

腎虛之證狀

脈兩尺細軟。（兩尺屬腎，）頭痛　耳鳴　耳聾　盜汗　夜熱　健忘　咳喘　吐血。（風火暑濕之邪。肝腎心脾之損。墜跌努力烟酒之傷。均令吐血。吐血水內浮者肺血。沉者肝血。半浮半沉心血。色赤如太陽之紅。腎血也。痰內挾血絲者。肺血也。巨口吐血成塊者。胃血也。）腰痛　腿痠　足軟　目視無光　大便結　小便不禁（腎虛無約束力也。亦有熱病神昏而小便不禁者。）戴陽。（頭面紅赤。煩擾不歇。脈豁大空。寸盛尺虛。由眞陽敗竭。火不歸源也。）久痢　久瘧。（瘧有風。寒、暑、濕、溫、瘴、疫、鬼、瘴、痰、食、虛、勞之別。久瘧則脾腎兩傷。）

附外科之虛證

脈微細　腫而不潰　潰而不歛　膿出清稀　飲食不加　精神疲倦　嘔吐泄瀉　手足淸冷

實

實者邪氣盛也。邪氣者。即風寒暑濕燥火之外因。以及瘀食痰蟲水飲等之內因。凡足以危害身體者。皆謂之邪氣。苟邪氣侵襲。或外留腠理。或內阻胸腹。致病毒充塞於體內。人體抵抗而呈壯實之狀者則謂之實。茲將外因內因之證狀分列於下。

實證提綱

病中無汗。腹脹拒按。病新得。人稟厚。脈實有力 茲將實證分別述之。

風之證狀

發熱。汗出。惡風。脈緩。

寒之證狀

發熱。惡寒。體痛。脈陰陽俱緊。

暑之證狀

發熱。自汗。身痛。心煩。喘渴。脈虛。神倦。

濕之證狀

頭痛。(或脹而重。)發熱 惡寒 自汗 身重 跗腫 骨節痛。(肢節攣痛。屈伸不利者。血虛液燥也。肢節煩痛。肩背沉重者。濕熱相搏也。肢節刺痛。停著不移者。瘀濁阻絡也。肢節熱痛。夜間尤劇者。陰火灼筋也。肢節痠痛短氣脈沉者。留飲也。)脈浮緩(浮緩濕在表。沈緩濕在裏。)

燥之證狀

煩渴。嗌乾。鼻燥乾咳。皮膚皺揭。脈細濇小。

火之證狀

頭痛 齒痛。(上齒屬胃下齒屬大腸。風熱痛齒齦腫風冷痛齦不腫。日漸動搖腸胃積熱痛齦腫臭腐。客寒犯腦齒連頭俱痛。溫邪上胃。痛連頭頂。少陽火鬱結核齦痛痰火注絡齒攻痛。血瘀痛如針刺。蟲蝕痛有蛀孔。齦腮俱痛連頭面腫者。實火也。齒齦腫痛頭面不腫者虛火也)口糜。(有膀胱移熱于小腸膈腸不便。氣上衝而生口糜者有心火上炎薰蒸于口而生者。亦有濕熱上蒸者。若久病口糜爲胃敗不治。)喉痺。(喉中閉塞。呼吸言語不利者。是其腫痛閉塞者爲風痰鬱火。惡寒寸脈小爲表邪。不惡寒寸脈大滑實。爲裏熱。脈浮大重取或濇者。陰虛陽浮。痰結于上也)吐衄(吐血出于胃。衄血出于經)躁煩 脈洪數。

瘀積之證狀

煩躁 漱水不欲嚥 胸前及心下痛。(此瘀在上焦也。凡痛處拒按而軟者痛如針刺者瘀也。)如狂 善忘 譫語 發黃 小腹硬滿 小便自利 大便色黑。(色黑光亮如漆者瘀也。比瘀積下焦也。)

食積之證狀

胸膈痞悶 嚥酸 噫臭。(如敗卵之臭者是。)嘔逆 嘈心 欲吐不吐 惡聞食氣 脈關部滑實。

痰積之證狀

喘咳　噁心　嘔吐　胸膈痞塞　眩暈。(陰虛木旺。風火上升亦見眩暈。) 驚悸　顛狂。(顛多喜笑症屬心脾不足。狂多忿怒症屬肝胃有餘) 背冷 (背心中常作一點冰冷者。痰也。) 四肢麻木。(指尖麻者經氣虛也。十指麻木者。胃有痰濕死血也。大指次指麻木或眉稜骨痛者。中風之預兆也。按痰症。凡眼胞目下如烟薰黑者。目睛微定。暫時轉動者。痰也。眼黑而行步呻吟。舉動艱難。遍身疼痛者。痰入骨也。眼黑而面帶土色。四肢痿痺。屈伸不便者。風濕痰也。

蟲積之證狀

腹痛陣作　食減羸瘦　睡坐不安　眼眶鼻下帶青色　面色萎黃。(或生白斑。) 唇瘡如粟。(或生紅白點。) 嗜食生米茶葉泥紙炭等　脈乍大乍小。

水積之證狀

肢面浮腫。(水腫有陽水陰水之別。遍身腫。皮色黃赤。煩渴溺濇。大便閉。脈沉數。為陽水。遍身腫。皮色青白。不渴。大便溏。小便少不濇。為陰水。腫由腹散入四肢者可治。由四肢脹入腹者難治。若唇黑。缺盆平。臍突。背平。足心平。為難治。) 腹大如鼓。(其皮薄而澤。若皮厚色蒼。則屬氣矣。) 按之隨手而起　如裹水之狀。(按之不成凹而即起者。氣也。按之成凹。不即起者。濕也。) 目窠微腫 (如新臥起之狀) 時咳　臥則喘急 (水氣上逆也。先喘後腫。為肺不化氣。水流為腫。先腫後喘。為脾不運化。水泛為喘也。)

飲積之證狀

頭眩　胸痞　背寒　心悸　口渴不欲飲　嘔吐清稀涎沫。(清澈為飲。稠濁為痰。) 脈弦　短氣。(按飲有六。素盛今瘦。水走腸間。漉漉有聲。謂之痰飲。飲後水流脅下。咳唾引痛。謂之懸飲。飲水流於四肢。當汗不汗。身體疼重。謂之溢飲。咳逆倚息不得臥。其形如腫。謂之支飲。水停心下。背寒冷如掌大。短氣。肢節痛。脅痛引缺盆。脈沉。為留飲。膈滿喘咳嘔吐。寒熱腰背痛。身振瞤。為伏飲)

附外科之實證

脈實滑洪數　焮腫堅硬　痛不可近　煩渴便結

結論

留之現於外者為證。證者據也。一病必有一病之特殊證據。然後方可確定是何病症。陰陽表裏寒熱虛實。百病之綱總也。列其特殊證狀。則種類雖多。變化雖繁之病症。均可歷歷如繪。一一呈現吾人眼簾中矣。但陰陽表裏寒熱虛實之範圍甚廣。若詳細言之。非數十萬言不能盡。編者學識有限。復因時間匆促。未克充分參考其他書籍。只得擇其尤要者言之。其掛漏之處。當所不免。祈讀者諒之。並乞　指正

中風商兌

夏子均

(一)引言

我總是這樣幻想。人類實在太不幸了。生活既是要受經濟上種種的壓迫。爲什麼生命還要給那病魔無故深深地鼶視呢。它猙獰着臉。每年不知要劍奪幾千萬人的生命來做它的食料。同時。被鼶視而未遭果入魔腹的人們。假使在腦海裏再不留一些唇亡齒寒的印象。好好地設法來防患未然。豈不容易給牠闖出「將無噍類」的慘果麼。所以我現在雖然不學無術。却也要石中搾油似地替中風賊寇擬幾句討伐的檄文。

中風這個病名。在東半球上的人類。可以說已經是無人不知。無人不曉的了。同時牠頑固兇狠的程度。自然更是提心吊胆。臨深履薄的受驚有人了它如風雨似的侵凌。雷電似的襲擊。卒然昏仆。人事不醒。比較僥幸的昏仆後或者還能漸漸清醒。不幸的自然便要因此而一蹶不振。「還爐」「折做」了。

以治療爲目的的國醫幾千年來雖然有相當的成功。而在學理方面則議論紛紛莫衷一是這裏先把歷代先賢關於中風的理論和治療。分斷成一段比較有系統的文字不過本人的學識很淺陋。管窺之見。錯誤必多。極希希海內的先進者。不辭麻煩地加以糾正。那就萬幸了。

(二)中風的沿革考

1. 中風的定名混淆。唐漢以降以辭害意。誤解中風爲外因病變

在上古時代病理學還未十分發達以前。對於這氣血上併。昏憒暴仆。如風雨之驟至的病簡直莫明其妙命名也不知從何說起因想到風爲百病之長善行數變於是就牽強附會地叫牠中風又想到傷寒論中載有中風的明文便又依門傍壁地仿傚太陽篇的成例製成麻桂合方的小續命湯。妄稱能統治六經。可續命於須臾。於是風起雲湧後賢的論中風幾無不引古證今。奉爲圭臬矢的。既認爲外因。治療自然就只有泄表散風的一法。麻桂羌防千篇一律。現在不妨舉幾個例子來證明一下。

巢氏病源

『風邪之氣若先中陰病發五臟者其狀奄忽不知人喉裏噫

噤然有聲舌強不能言。

風口噤候——諸陽經筋皆在於頭。三陽之經並絡入頰。夾於口。諸陽爲風寒客。則筋急。故口噤不開也。

風舌強不得語候——脾脈絡胃夾咽連舌本今心脾二臟受風邪。故舌強不得語也。

風口喎候——風邪入於足陽明手太陽之經。遇寒則筋急引頰。故使口喎僻。言語不正。而目不能平視。』

千金方

『小續命湯——治卒中風欲死。身體緩急。口目不正。舌強不能語。奄奄忽忽。神情悶亂。麻黃(去節泡) 桂心 甘草 杏仁 芎藥 芎藭各一兩 防風一兩半 人參 黃芩 防已各一兩 大附子一枚 生薑五兩

大八風湯——主治……始遇病時。卒倒悶絕。卽不能便。失瘖。半身不遂。不仁。沉重。——當歸一兩半 升麻 五味子 烏頭 黃芩 藥芍 遠志 獨活 防風 芎藭 麻黃 秦艽 石斛 人參 茯苓 石羔 黃耆 紫苑 甘草 桂心 乾薑各二兩 杏仁四十枚 大豆一升

續命煎散——主風無輕重。皆可治也——麻黃 芎藭 獨活 防已 甘草 杏仁各三兩 桂心 附子 茯苓 升麻 細辛 人參 防風各二兩 石羔五兩 白朮四兩』

巢氏論中風的病源。無非外邪。千金論中風的治法。總是祛風。因此怪不可識的小續命湯。大八風湯。續命煎散等方劑中的麻黃、細辛、附子、防風、荆芥……辛香走竄的藥品。在在皆是使氣血併走之勢。變本加厲。益發不止。而把傷寒論中「太病陽發熱汗出惡風者。名曰中風。桂枝湯治主之」的中風。與卒然昏仆傾跌的中風。混爲一談。於是廬山眞面再也沒有人賞鑑識別了。

2. 直到金元明清的時候。方始變更論調。辨識內因。金元時的四大家。感覺到卒然昏仆的中風。與傷寒論中的中風是絕不相同的。於是把歷代的主張逐一推翻。探幽發微。各抒所見。

除了河間的主火。(謂中風癱瘓者。非謂肝木之風實甚而卒中之。亦非外中於風。良由平日飲食起居。動靜失宜。心火暴甚。腎水虛衰。不能制之。則陰虛陽實。而熱氣怫鬱。心神昏冒。筋骨不用。而卒倒無知也。)東垣的主氣。(謂中風者。卒然昏憒不省人事。痰涎壅盛。語言蹇澀。六脂沉伏。此非外來風邪。乃本氣自病也。凡人年踰四旬。氣衰之際。或憂喜忿怒。傷其氣者。多有此證。壯歲之時無有也。若肥盛者。亦間有之。形盛氣衰故也。)

溪丹的主痰（謂人有氣虛有血虛有濕痰、左手不脈足及左半身不遂者、四物加薑汁竹瀝。右手脈不足及右半身不遂者、四君子佐薑汁竹瀝。如氣血兩虛而夾痰盛者二陳加南星半夏竹瀝薑汁之類）等的各種學說之外。明張景岳也有內傷敗頽爲中風病原的主張。（謂風之爲病最多誤治者。在不明其表裏耳。蓋外風者。八方之所中也。內風者五臟之本病也、八風自外而入。必先有發熱惡寒頭疼身熱等證顯然可察也、五風由內而病。則絕無外證。而忽病如風、其由內傷可知也、……凡類中風多痰者。悉由中虛而然。夫痰卽水也、其本在腎、其標在脾。在腎者以水不歸水泛爲痰也。在脾者。以食飲不化土不制水也。故治痰而不知實脾堤水。非其治也。）

以上諸家學說。雖各有見地。但在中風的病理尚未瞭解以前。對於這「氣之與血併走於上則爲暴厥。厥則暴死氣復返則生。不返則死」的腦出血症。難免無一偏之見。劉河間的主「心火暴甚熱氣怫鬱。心神昏冒。筋骨不用而卒倒無知」他的意思是病灶在心而不在腦。南轅北轍。仍落入古人「熱閉心竅」的俗套。李東垣的主「本氣自病。……凡人年踰四旬。氣衰之際。或憂喜忿怒傷其氣者。多有此證」雖然較爲肯切但仍不能闡發盡淨。朱丹溪的主「氣虛血虛痰濕、……氣虛者。四居子佐薑汁竹瀝。血虛者四物湯加薑汁竹瀝。氣血兩虛而痰盛者二陳加南星半夏薑汁之類。」則未免論證浮泛治失竅。實證重藥輕。難免有杯水車薪之患。張石頑曰「持此以治多不效或少延而久必斃也」誠非過譏之語。至於張景岳的主「內傷敗頽……實脾堤水。」專用一派滋補養陰之品。尤失本病大法。試問在氣血上併。痰涎壅塞的時候。投此滋補養陰之品。豈非助桀爲虐。當時他在社會中。竟有張熟地的綽號。其偏心也就可見一斑了

清末光緒的時候有著「類中祕旨」的張伯龍先生。確能闡發經旨。謂「氣之與血併走於上則爲大厥。厥則暴死。氣復返則生。不返則死。」爲中風的眞正原因。與西說腦出血的病理暗合。治法主張潛降攝納。又爲本症治法的綱領。並以科學的方法。作實地動物試驗。他說「余曾以兩兔用鍼傷其腦。以試驗此說之是否可信。一則傷其前腦。而卽僵仆不動。然自能飲食。越十餘日不死。一則傷其後腦。而時時奔走。遇物礙之則仆。而不知飲食數日餓死。」從此議論紛紛的中風。賴以探驪得珠。症情大白。玄妙邪說。一掃而盡。一切中經中絡屬臟屬腑等臆說。也就可不繁言而解了。

「血之與氣併走於上則爲大厥厥則暴死。氣復返則生不返

則死」的實藏深埋了二千多年直到最近方始利用了科學的利器把中風一病的真理在重重的烏煙瘴氣下發掘出來。這在醫學史上不能算不是一件重大的貢獻。

中風一症經過了許多科學界的解剖和研究知道是因着血壓過高腦動脈血管破裂以致腦部出血的緣故但是血壓究竟爲什麼會過高那當然是一個應有的疑問在這裏我們應當再作更進一步的探討。

(三)中風的病理和證治

1. 腦出的原因

A. 飲食　經云「擊仆偏枯高粱之疾也。」富貴人大多甘肥過度以致脂肪過剩形成肥胖症或引起動脈內膜肥厚突起成動脈硬化症同時多吃酒類的人也因爲常常刺激血管的運動神經使血行增速久而久之心臟起代償性的擴張肥大血管的彈力性減退。一旦血壓突然亢高中風自然就無法避免了。

B. 年齡　李東垣說「有中風者卒然昏憒人事不醒……乃本氣自病也人年四十而陰氣自半起居衰矣故多犯之。」有中風素因的人他的血管常隨着年齡遞變年齡愈小則血管變化的程度愈深所以罹中風症的人大多在四十歲以上。

2. 腦出血的動機

A. 血管壁的變化

(一)脂肪變性——多食脂肪質或酒類的人使動脈內膜肥厚突起內腔狹窄脈管硬化血壓亢進。

(二)粉瘤變性——有中風誘因的人腦部的小動脈硬變成粟粒動脈瘤。

(三)動脈瘤形成——血壓過高血管的一部分擴張遂成動脈瘤。

B. 血行的關係

(一)靜脈血行的障礙——由靜脈血的還流障礙而生鬱血結果使血壓亢進鬱血的程度愈高則血壓亢進愈強。

(二)全身性血壓的亢進——由於酒精中毒梅毒脂肪變性等等使全身動脈血管硬化致使血壓亢進。

動血有病變的人往往因憤怒、勞動、飽食、飲酒、交接、溫浴(使血行旺盛)冷水浴(皮膚血管收縮使深部充血)等種種誘因使血壓突然亢進致腦部的動脈血管破裂而出血又如萎縮腎動脈硬化時。使心臟左室肥大。大動脈血壓亢進。亦易誘起本病、但在事實上本病似有遺傳關係因腦動脈抵抗微弱或易罹心臟腎臟疾病的素因遺傳給他的子孫所致。此外也有自父母直接遺傳梅毒和酒精的毒素而發的

3. 腦出血的證狀

本症的經過可分預兆期和卒中期二階段。但各期的症狀未必都很完備。（如前驅期的或有或無）

A. 預兆期——腦部的脈管充血。自覺眩暈頭痛、眼花閃發、耳鳴、不眠、精神興奮。過此則脈管呈小出血現象。言語略帶澀滯。半身或一臂的知覺運動障礙，偏側如有蟻走樣的感覺

B. 卒中期——患者卒然昏仆人事不省。運動知覺完全廢絕。除呼吸和心働之外。幾與死人無異（西說名電擊性中風）在昏瞶的時候。顏面潮紅。頸脈和顳顬動脈強度搏動呼吸深長而發鼾聲。瞳孔散大反應缺如。咽頭粘液分泌旺盛。積聚而發喘鳴呼吸時頰部陷沒眼球角膜同時混濁、體溫先降後升。遂至於死。若呼吸和心働未停止以前。腦出血即而歇止。病灶收縮。崩潰的內客物漸漸吸收。附近的壓迫減退。知覺運動逐漸恢復則病者自醒。

C. 預後——一般的中風因知覺運動不能完全恢復的關係、都有遺後症如口眼喎斜。半身不遂。或一臂不遂。肌膚不仁。舌強言蹇四肢不收……等等

4. 療法

在沒有明瞭中風眞正的病理以前。意想中的療法。自然祇有祛風邪的一法。千金云「諸急卒病。多是風初得輕微、人所不與，宜速與續命湯。依俞穴灸之。」不辨中風的屬閉屬脫、妄投續命。卒香走竄泄表祛風。未免南轅北轍。現在病理既白。原因亦明。中風的正當療法。最重要的自然是實症宜降。潛鎮攝納，脫症宜固、回陽培元如果還是涇渭不分而龐雜亂投。等於火上澆油地給他送死

A 實症——當血壓亢進。氣血上倂。腦動脈充血極度緊張。致脈管破裂出血而然卒昏仆的時候。病者咽頭黏液積聚而發喘鳴曳鋸。牙關緊閉。氣粗息短。面色脣色潮紅脈搏洪數弦勁搏指不撓。這時的急救法急宜降逆開閉。先取通關散搐鼻開竅並鍼刺水溝穴及合谷穴。回蘇知覺。（水溝穴在上脣正中。又名人中。刺入三分。合谷手陽明穴。在手大指次指兩岐骨間。

俗名虎口，刺入寸餘，必透過手心正中之勞宮穴，猛力左右旋轉，回蘇知覺極驗。）牙關緊閉的用烏梅擦牙，自能開啓。此時宜速投潛陽攝納化痰之品，否則雖有神丹在側，也是無能爲力的。（潛陽之品如羚羊角、眞珠母、石決明、玳瑁、牡蠣、貝齒、龍齒、磁石、代赭石等等。化痰之品如胆星；天竹黃、萊菔子、牛黃、猴棗等等）若體溫升騰不退者，宜清降實熱，如石羔、寒水石、元精石、紫石英、白石英等等。痰涎湧塞氣道，致血壓不能降低者，急宜用探吐法，如稀涎散、滾痰丸、控涎丹、青州白丸等等，以作孤注之擲。

B脫症——當腦部出血不止，如洪水泛濫的時候，腦部（包括小腦大腦皮質等）充滿着瘀血，神經中樞受到壓迫而漸趨麻痺狀態，因之血管和心肺的運動神經漸失作用而緩慢，這時脈搏沉伏，血壓降低，面色唇色多淡白無華，四肢清冷，目合口開，手不握固，聲嘶氣息細微，甚則心慟與呼吸俱廢絕，自汗淋漓，二便不禁。此皆元陰告匱，眞氣不續之故，脫象畢露，命在傾刻，治宜急進回陽培元之劑，如參附湯、四逆湯、三生飲等等。急起直追，方可挽救於萬一。稍緩片刻，即有絕命之險。

C.遺後症——等到血壓降低，腦部的血管出血中止，病灶漸漸收縮，附近的壓迫物漸漸吸收，神智甦醒之後，往往因年齡或他種的關係，病灶部的內容物不能吸收盡淨，因此就造成了各種不同的遺後症。如出血灶在內囊附近，則他半側身體的運動神經麻痺而成半身不遂，顏面和舌下神經麻痺，以致肌腱偏勝而成口眼喎斜，唇緩流涎等症。四肢的神經麻痺，則又發生四肢不遂諸變。金匱將中風分中經、中絡、中臟、中腑四綱，謂「邪入於絡，肌膚不仁，邪在於經，即重不勝，邪入於腑，即不識人，邪入於臟，舌即難言，口吐涎」。考金匱的所謂中經中絡中腑中藏，除中腑似爲卒中期的症狀之外，其他的中經中絡中臟三者，幾無一非中風後的遺後症。而所以分中經中絡中腑中臟者，是因古人不知神經病變的緣故，所以才牽強附會立了這樣的名稱。至於治療方面，葉香巖替牠分門別類，謂「經屬氣，絡屬血……治風先治血，血行風自滅」，雷少逸更博古證今，擬順氣搜風、活血祛風等法，好像眞的有風邪中經中絡似的。所以出口搜風。閉口祛風。那都是不明瞭中風病理的緣故。不過話又要說囘來。他的方法。雖然不足道。但是他所用的藥物。像酒炒當歸。川芎。鷄血籐。橘絡。烏藥。陳皮等等。倒都是行氣活血。促進新陳代謝的要藥。所以我們現在也不必因噎而廢食。把他一筆鈎消。近賢祝味菊先生說。『喻嘉言的「資壽解語湯——防風、附子泡、天麻、酸棗仁、羚羊角、官桂、羌活、甘草、加竹瀝、生薑汁」附子與羚羊角同用。一則防止血壓的亢進。一則強心使血行旺盛。促進新陳代謝。使崩潰物迅速吸收。用意深奧。可法可師。但方中的防風羌活辛香疏表。刺激汗腺。非常用之品。用時宜審愼』可謂要言不繁。

(四)成方詮解

1. 實症類

A. 開閉劑

(一)通關散——準繩方——(治卒中風口噤氣塞。人事不省。)細辛猪牙皂角、薄荷、雄黃各一錢。(一方有南星半夏。)研爲末。每用少許。吹入鼻中取嚏。)

(二)救急稀涎散——本事方——(治中風忽然昏若醉。形體昏悶。四肢不收。風痰潮於上膈。氣閉不通。)猪牙皂角四兩(肥實不注者去黑皮。)晉礬一兩(光明者。)右研爲細末。輕者半錢。重者三字七。溫水調灌下。不大嘔吐。但微微冷涎出一二升。便得醒。後用調治法。不可大服。亦恐過服傷人。

(三)勝金圓——本事方(治同前。)薄荷半兩。豬牙皂角二兩。搥碎。水一升。同薄荷擣取汁。慢火熬膏。瓜蒂末。藜蘆末各一兩。硃砂半兩研末。右將硃砂末一分。與二味末研勻。用搜膏子和圓如龍眼大。以餘硃砂爲衣。溫酒化服一圓。甚者二圓。以吐爲度。得吐卽省。不省者不可治。(按唐朝以前以二十四銖爲一兩。用藥分量以六銖爲進退。恆以一兩分作四分加減。例如六銖爲一兩的四分之一。十二銖爲一兩的二分之一。十八銖爲一兩的四分之三等是。)

(四)白礬散——聖濟方——(治急中風口閉涎上。欲垂死者。)白礬一兩。生薑一兩連皮搗。水二升。煎取一升二合。研分三服。旋旋灌之。須臾吐出痰。方可服諸湯散。若氣衰力弱。不宜吐之

「方解」　按皂角性辛鹹。富刺激性宣通開竅是它的特長。明礬酸寒而濇。善探吐痰涎稀涎散實爲開痰的聖濟。藜蘆瓜蒂。酸苦涌泄。是探吐藥中尙猛將。勝金圓與稀涎散。有異曲同工之妙。佐雄黃的平寒以解熱毒。薄荷的辛凉以宣肺氣。氣順則痰易出而重重關隘。得以開通。通關散和白礬丸。俱從上方脫化而來。爲探吐劑中的穩健方。

B. 化痰劑

(一)二陳湯——局方——(治脾胃痰濕。)半夏(薑製)二錢半　茯苓二錢　陳皮一錢(去白)　甘草一錢(炙)　右五味空心温服。

(二)温胆湯——(治心胆虛怯。觸事易驚。多汗不寐。短氣乏力。皆由寒涎沃胆所致。)卽二湯加枳實竹茹。

(三)導痰湯——(治痰濕內外壅盛。)卽二陳湯加南星半夏。

(四)滌痰湯——(治中風痰迷心竅。舌強不能言。)卽導痰湯加菖蒲人參竹茹。

「方解」　二陳湯中的陳皮半夏。利氣燥濕化痰。佐茯苓的淡滲。甘草的和中。性和平而功專。導痰湯的加枳實南星。則破氣化痰之功益猛。濕痰壅盛的重症。非得有衝牆倒壁之力。不能破此重關。滌痰湯的加菖蒲人參竹茹。則爲邪盛正虛而設。以南星半夏枳實陳皮竹茹的利氣化痰。賴人參菖蒲的扶正達邪。使邪祛而正不損。此爲攻補益施的妙法。

C. 下痰劑

(一)控涎丹——三因方——(治脅下痰積作痛。)甘遂。大戟。白芥子等分爲末。麵糊爲丸。薑湯下十五丸至二十丸

(二)礞石滾痰丸——養生主論方——(治頑痰積滯。)青礞石一兩　沈香五錢　大黃(酒蒸熟切晒)　黃芩各八兩　右礞石打碎。用燄硝一兩同入瓦罐泥固火煅。石色如金爲度。研末和諸藥。水丸梧子大。白湯食後服。人壯氣實者。可至百丸。當下痰積惡物。

(三)指迷茯苓丸——千金方——(治中脘留伏痰飲。臂難舉。手足不能轉移。背上凜凜惡寒。)半夏麵二兩　茯苓一兩　枳壳　風化硝各半兩　薑汁打。神麴糊丸。梧子大。每服三五十丸。淡薑湯下。

「方解」　控涎丹。指迷茯苓丸。礞石滾痰丸。三者俱爲下痰劑。適應於中風的先驅期或卒中期。刺激腸胃。使下部充血。減低血壓。和緩腦部脈管充血的緊張性。以免大量出血。釜底抽

薪。在先驅期間。是一個最重要的急救法。古人記載控涎丹的治驗。謂「忽患胸背腰胯手脚痛不可忍。牽連筋骨坐臥不甯。走移無定。是痰涎伏在胸鬲上下。變爲此病。或頭重不可舉。或神志昏倦多睡。或飲食無味。痰吐稠粘。口角流涎。臥則喉中有聲。手脚腫痺。疑是癱瘓。但服此藥數服。其症如失。」按頭重不可舉。神志昏倦。多睡。痰吐稠粘。口角流涎等等。全是中風的先驅症。惜古人未悟及中風。故云「是痰涎伏在胸膈上下。變爲此病。」然而治法則眞切對症。有法可師。

D. 濬降劑

(一)風引湯——金匱附方(「千金作紫石散」)——治大人風引。小兒驚癇瘛瘲日數十發。醫所不療者。桂枝作桂心。甘草牡蠣作各三兩。餘同」除熱癱癇)大黃、乾薑。龍骨各四兩 桂枝 三兩 甘草 牡蠣 各二兩 滑石 寒水石 石羔 赤石脂 白石脂 紫石英 各六兩 右十二味杵爲散。取三指撮。井花水三升。煎三沸。溫服一升。

(二)五石湯——千金方——(治產後卒中風。口噤倒悶。吐沫瘛瘲。眩冒不知人)紫石英三兩 鍾乳石 赤石脂 石羔 白石英 牡蠣 人參 黃芩 白朮 甘草 括蔞根 芎藭 桂心 防已 當歸 乾薑各二兩 獨活 二兩 葛根 四兩 右八味㕮咀。諸藥以水一斗四升。煑取三升半。分五服。日三夜二。(一方有寒水石滑石各二兩 棗廿枚。)

(三)張文仲療祛風寒水石煎散方——外臺方——寒水石 石羔 滑石 白石脂 龍骨 各八兩 桂心 甘草(炙)各三兩 赤石脂 乾薑 大黃各四兩 犀角屑 一兩 右十二味擣篩。以水一升。煑五六沸。內方寸匕藥。煑七八沸。澄清頓服。

(四)廣濟療風癇卒倒嘔沫無省覺方——外臺方——麻黃(去節) 大黃 牡蠣 黃芩 各四兩 寒水石 白石脂 石膏 赤石脂 紫石英 滑石 各捌兩 人參 桂心 各二兩 蛇脫皮(炙)一兩 龍齒(研) 六兩 紫草(炙)三兩 右十五味擣篩爲散。八兩一薄。以緝袋盛散藥。用水一升五合。煑取一薄。取七合。絞去滓。頓服之。(方下謂八兩一薄。又謂煑取一薄。不解。恐在傳寫的時候。以一服誤爲一薄。)

「方解」 按石膏、寒水石、紫石英、滑石、龍骨、牡蠣、犀角、黃芩諸寒涼清降之品。最宜於卒中發作。血壓極度亢進。氣血奔騰

之時。得大劑清熱潛降之劑。能一鼓而平。但方中的麻黃、升麻、桂心、乾薑、都是辛温動血的興奮藥。用時宜審慎

2. 脫症類

興奮劑

(一)參附湯——世醫得效方——(治猝暴昏仆。氣血暴脫。體冷汗流口開目合等證。)人參一兩 附子(炮去皮臍)五錢 加生薑大棗清水煎。徐徐温服。

(二)三生飲——局方——(治卒中痰塞昏仆不醒。脈沉無熱。)生南星生川烏、生附子等分。加木香生薑水煎服。

(三)四逆湯——傷寒論方——(治四肢拘急厥冷脈微欲絕。)

「方解」 按附子、乾薑、南星性辛温。富有興奮性。善強心。當腦部出血不止。瘀血壓迫神經而趨麻痺狀態。心髒和呼吸將要停止動作的時候。非進以興奮神經。鼓動心髒和肺動之品。則不足以挽回氣血暴脫之危症。佐人參的甘寒培元。扶正達邪。共奏回天之力

3. 遺後症類

行通氣血劑

(一)地黃飲——河間宣明論方——(治痦癈腎虛厥逆。語聲不出足廢不用。)熟地 巴戟肉 山萸肉 石斛 肉蓯蓉 附子(炮) 五味子 官桂 白茯苓 麥門冬 菖蒲 遠志肉 各等分 研爲末 每服三錢 生薑五片 大棗一枚水煎服。

(二)順風勻氣散——蘇沈良方——(治中風中氣半身不遂口眼喎斜。及風氣腰痛。)白朮四兩 人參 天麻各一錢 沈香 白芷 紫蘇葉 木瓜 青皮 甘草(炙)各五分 烏藥三錢 分作三劑每劑用清水二盞加生薑三片煎至八分。温服滓再煎服。

(三)活血祛風法——雷少逸方——(治風邪中絡口眼喎斜。肌膚不仁。)全當歸(酒炒) 川芎 白芍(酒炒) 秦艽 冬桑葉 鷄血籐膠 橘絡。

「方解」 神經既爲崩潰物壓迫而趨麻痺狀態發生半身不遂一臂不遂四肢不遂口眼喎斜。及唇緩流涎等證狀。則治療的原則自然就得行通氣血。促進新陳代謝使崩潰物加速吸收。上方的地黃飲順風勻氣散。活血祛風法。就是依着這種原理而作行通氣血培本扶元促進新陳代謝使早復健康的施治

鼠疫

桂士琳

鼠疫。爲極可恐佈之流行病也。淸同治年間。初發現于安南。漸乃傳入廣西。而廣東。而福建。于廣東地面猖獗尤甚。瀰漫至七八年之久。始漸形消滅。宣統時。此疫復流行於吉林。黑龍江等處。其爲害之烈。動輒死人累萬。民國拾年。東三省鼠疫又起。一時民間大起恐慌。恆惴惴然慮其傳染及之也。於是政府方爲之設局防疫。交通亦爲斷絕。宅處方幸未遭延及。然東三省一隅之人民。慘遭死亡者。已不可勝計。蓋吾國民智幼稚。思想亦復固堅。事前既不知預防。疫發復不肯它遷。又不知防範。以至每逢疫發。卽挨戶相傳。周遍一方。甚至千里蔓延。城市爲墟。然幸得。當時交通不便。波及之處不廣。不然。疫發。全國將無寧日矣。雖然鼠疫雖厲。苟防範得法。初起急治。亦不至家家戶戶。慘遭死亡。茲爲挽救浩刼起見。僅就所知。條分于後。然自知學術譾陋。未敢認爲全璧。尙希賢明補充爲幸。

病原

此症未患之初。人恆見鼠成羣結隊。涉水遠飄。數日後。其未走者。則白日出現。咸行不數武。卽行倒斃。頃刻腐臭。人觸其氣卽病。或未見死鼠。但嗅着穢臭之氣。亦隨感病。細檢之。咸有死鼠發現。又其症將發。恆有熱氣自地而升。人若觸之。懵然不自知。但覺頭暈嘔吐。旁人則見其熱氣。由足而脛而股而腰。直往上升。于是有由死鼠染者。有感毒氣而發者。轉展相傳。疫症作矣。一千八百九十四年。耶新。北里。兩氏。發現此病之病原菌爲粗短不運動之一種桿菌。其形兩端實而中空。鼠患疾後。由地下之黑蟻及鼠身上寄生之蚤蝨。將此菌傳之于人。於是發病。凡患此病者之尿。糞。咯痰。及潰瘍之膿血。等之排泄物分泌物中。均含有此菌。他人若不經意。卽從口。鼻。或皮膚損破處而傳入之。是則疫症之發生。皆由此菌作祟也。然則此菌何由而來。若曰由死鼠而生。則吾國民衆素不以死鼠爲意。往往將死鼠隨意拋棄于街巷之中。或田野之間。聽其腐爛。雖然對於衛生。不無有害。然從未見此鼠疫隨處發生也。且發生鼠疫之鼠，其質雖堅而毛鬆。眼赤睛突。狀甚可怖。剖驗之。軀質不變。惟臟腑之間。滿積瘀血。與尋常之鼠迥異。是則此鼠之死。亦已感疫毒矣。藥言隨筆言鼠之死曰。「感天地氣之偏。以鼠穴居之性。晝伏夜動。藉地氣以生存。如地氣不達。陰氣失職。鼠失其養。卽不能居。是以宅徙。不怖則斃。」羅芝園曰。「汚穢鬱而成沴毒。熱毒重蒸。鼠先受之。人隨感之。」張石頑曰。「時疫之邪。皆從濕土鬱蒸而發。土爲受盛之區。平時汙穢之物。無所不容。適當邪氣蒸騰。不異瘴霧。」是則此菌由四時不正之氣。及汚穢之毒。鬱而所發。深藏于地層適當之處。蓋此菌性喜濕。得適當溫度則生。遇乾燥日光則死。至地氣上升之時。隨水汽蒸而上。故多發于春夏生長之季。鼠伏于地下。得毒氣最早。故先患之。非定由鼠感受而傳于人也。且此種毒菌。非隨時隨地皆有。須得某種氣質始生。故吳又可曰。「疫氣者。兩間之戾氣濁氣。不常有者也。」

證狀

此症自觸毒氣之後。其菌先潛伏于微絲血管中二日至七日。始微覺頭痛。眩暈。全身倦怠。食慾不進。容貌類似癡呆。時帶恐怖疑惑。苦悶。疼痛。之形狀。待毒菌漸次傳入血管。血毒蘊結。障礙血液循環。影響於全身時。則卽於發生強烈之惡寒。或嘔吐。泄瀉。全身不安。四肢痺痛。等之前驅症。然亦有于俄頃之際。大發戰慄後。卽轉變大熱。但既熱之後。卽不再見戰慄惡寒等前驅證。繼而熱度升騰。顏面潮紅。表皮枯燥。精神散亂。意識或昏或淸無定。甚則詀語。企逃。或有發狂之象。脈搏急疾而且沉數有力。每分鐘約九十至至百二十至。然皆右盛於左。亦有反見遲緩虛弱之脈象者。甚則呼吸疾速。喘滿。氣急。眼球結膜充血。發紅。舌苔乾燥厚白而黃。而焦。甚則汚紫如熟李。一二日內。其頸脅兩胯大腿間之淋巴核。或一處。或數處。腫脹疼痛。漸卽起核。或如豆粒。或如栗子。不旋踵間。核之周圍組織。暨核上皮膚。咸起焮熱。漸成暗赤色。此症之毒中之者有輕。有重。或侵及臟。或侵及腑。故其發病亦有不同。是以有核腫性。血毒性。肺炎性之分。核腫性者。以其毒菌聚于淋巴核者特多。故其腫脹特甚。此症每發于俄頃之間。大發戰慄。旋卽發熱。熱度每升至華氏表百零五度或至百零六七度不等。頭痛眩暈煩躁大渴。全身痺痛脈搏頻數。舌被厚苔。經一二日。其外面之淋巴核。如股核。鼠蹊核。脅窩核。頸核等。咸腫脹疼痛。核之周圍組織。及其附近皮膚。亦均熱腫發紅。四面浮腫。形如癰狀。始帶青赤色而硬。漸乃軟化。或生無數小疱。疱長甚速。頃卽化膿而成壞疽。此症之輕者。于五六日之後。其腫脹之淋巴核不致化膿。自行漸次消散。大熱亦漸次解退。其退熱之時。屢見大汗。熱退而病卽愈。重者熱度升騰。其核發炎。經久不散。周圍焮熱刺痛。甚則屢起壞疽。若熱毒攻裏。則時發眩暈。甚或昏瞶詀語。唇焦齒枯。脈搏急亂。間有反常者熱度下降。或脈搏平靜如無病者。脈症相左。則于五六日內。多見心臟痲痺而死亡。血毒性者。以病毒侵入血管而起之敗血症狀也。其症初起狀如核腫性。惟其淋巴核腫脹甚微。熱度較之更酷。府閉不通。小溲短赤。多見嘔吐。舌質漸形汚紫。牙齦出血。旋由下肢而上肢而頭面。現出斑點。微覺疼痛。大小青紫狀如葡萄。故又名葡萄瘟。其皮膚及粘膜時有血液滲出。若毒邪內攻。則口腔牙齦咸爲起腐。神識昏沉。脈象弱而散亂。或有或無。二三日。全身斑點若有光澤。則尚有萬一之救。若其斑點變爲枯紫黑暗。則不旋踵間。七竅流血而死。傳染甚速。間或有一二治愈者。痊後其全身皮膚鬚髮指甲均乾枯而漸次剝脫。此症之最重者。初起之時。不即見淋巴核之腫脹。及戰慄大熱各種症象。乃驟發劇烈之全身痺痛。心脾脹大。于一二日內。即行斃命。以其致死之速。如電擊然。故名之電擊性鼠疫。此爲鼠疫桿菌直竄入心臟而起之鼠疫性敗血症也。肺炎性鼠疫者。以其毒菌侵入肺臟也。其淋巴核亦無顯著之腫痕疼痛等象。初發戰慄後。即發熱。熱甚則咳。眼結膜旋即發炎。咽喉充血。呼吸短促而困難。心胸搏動脅肋刺痛。初則痰中帶血。繼則咯血吐膿。病入精神朦朧。時發詀語。脈則弱小而數。

三日間若熱度不降。漸即脾臟腫大虛脫而斃。此症毒氣最盛。傳染尤速。

雖然此症有核腫性。血毒性。肺炎性之分。然其本總不外乎熱毒而瘀血爲其標症也。初起戰寒。非眞惡寒。蓋熱毒內侵。邪正相搏。即所謂白血球與桿菌相鬥也。其時營衛失其職守。毛孔開張。寒風內侵。自覺懍懍寒戰。正敗于邪。則戰死之紅白血球咸瘀塞於微絲血管。血管被阻。漸積漸壅。內則體溫無以調節。外則神經末梢被其侵犯而發炎。于是大熱頭痛身痛四肢痿痺。淋巴核爲聚毒之處。毒瘀互壅。漸紅漸腫。起而成核成癰。邪毒內攻。侵及肝胃。則起嘔吐。侵及大腸則有泄瀉。其時瘀毒爭相內侵。血液循環被阻。擾亂心神。則神昏詀語甚而發狂。瘀毒愈壅愈熾。津液耗散。於是大渴引飲。舌焦唇裂。便結溲缺等症紛起。若毒瘀壅甚。心臟血管被其阻塞。則起炎而痲痺以死。肺臟血管被其拴塞。則肺無營養。機能失職。炭氣滿佈。初則血球外溢。繼則壅腫潰膿而亡。其有直中心肺者。則無顯著之淋巴核腫症。此疾之特有絕症。則爲脾臟腫大。蓋脾爲製造白血球之機關。爲淋巴腺之總匯處。最易招聚毒菌。於是死血敗菌壅塞于內。機能被阻。漸積漸瘀。初則隱痛。繼即發炎而腫脹矣。此症毒深毒重。初起即甚明顯。然初起毒淺毒輕時。有寒有不寒者。既熱之後。即不惡寒。或先有核而後熱。或先熱而後有核。或熱核同見。或有核無熱。或有熱而無核。或有汗。或無汗。或渴或不渴。皆無定型。故此均不足持以斷定鼠疫。要皆見頭痛。身痛。四肢痿痺。脈右盛于左者。方爲的證。以此症之邪毒。

于肺脾胃三經影響最重。故脈右盛于左也。總之有汗有核者症輕。若無汗無核則爲重症。至若見紫斑。疔瘡。咯血。吐膿。昏沉。顛狂。痞滿。腹痛。便結旁流。唇焦舌裂。或如熟李。鼻黑目瞑。脈厥體厥。皆爲惡候也。

此疫之名攷之吾國古人書中。雖無專稱。然核其症象。則知吾國先聖。已發現于千餘年前矣。定其名曰惡核。而不以鼠疫名也。茲錄其記載于後。

巢源曰。「惡核者。肉裏忽有核。累累如梅李。小如豆粒。皮肉燥痛。左右走身中。卒然而起。此風邪挾毒所成。其亦似射工毒。初得無常處。多惻惻痛。不卽治。毒入腹。煩悶惡寒卽殺人。」

千金曰。「惡核病者。肉中忽有核累大。如梅李核。小者如豆粒。皮肉㾦痛。壯熱瘵索。惡寒是也。與諸瘡根瘰癧結筋相似。其瘡根瘰癧因瘡而生。似緩無毒。惡核病卒然而起。有毒。若不治。入腹煩悶殺人。皆由冬月受溫風。至春夏有暴寒相搏。氣結成此瘮也。」又曰。「凡惡核初似被射工毒。無常定處。多惻惻然痛。或時不痛。人不痛者。便不憂。不憂則救遲。救遲卽殺人。是以宜早防之。其疾初如粟米。或似麻子。在肉裏而堅。似皰。長甚速。初得多惡寒。須臾卽短氣。速服藥。令毒散止。卽不入腹也。入腹則致禍矣。切愼之。凡痛處。多惻惻然痛。」又曰。「惡核病。多病。喜發四肢。其狀赤脈起如編繩。急痛壯熱。其發於足。喜從腨起至踝。發於膊。喜着腋下。若不急治。其久潰膿。」又曰。「惡核病。多起嶺表。仕人往彼。深須預防。防之無法。必遭其毒。」

由此觀之。鼠疫卽惡核病也。於我國隋唐之時。卽已發現。亦多起於粵中。且亦知有傳染性。故曰。仕人往彼。深須預防。防之無法。必遭其毒也。

治方

此症初起急宜速治。不可稍延時刻。遲則誤事。其治不論屬於何種。或初起者。均宜以重量之解毒活血去瘀藥爲主。若初起症輕。日服一二劑不拘。至重症則須急追連服。日四五劑。或七八劑。若體壯毒重。則須雙劑合煎。晝夜連服。須至汗出熱減。方可漸減劑量。蓋卽吳又可所云。「急症急攻法也。」其核腫性者。同時須外敷藥消散。若腫大成膿。則可用銀針刺破。擠去膿血。若全身痺痛甚。則以布包藥渣。溫熨周身。血毒性者。可用藥渣重煎。待溫。以消毒棉蘸藥楷之。今將前賢經驗各方舉列於後。

初起若頭身微痛。四肢痠痺。熱不盛。核小或無。脈不沉不浮。滑速有力。精神疲倦。苔薄舌潤者用下方

治疫奇方（鼠疫彙編以下簡稱彙編）金銀花三錢　生艸二錢　小烏豆炒五錢　白礬二錢，淨黄土五錢水煎温服日一劑汗出熱退病愈爲止

銀翹散　連翹錢半　銀花三錢　苦桔梗二錢　薄荷一錢　竹葉三錢　生甘艸一錢　荆芥二錢　淡豆豉三錢　大力子三錢

菊花甘艸湯　甘菊花四兩　生甘艸四錢

桑菊飲　杏仁二錢　連翹錢半　薄荷（後入）一錢　桑葉二錢半　菊花一錢　苦桔梗二錢　甘艸八分　鮮蘆根五錢

若全身痺痛大熱面紅核腫神昏口渴苔燥黄而脈道阻滯者用下方

鼠疫驗方彙編　大青三錢　青黛二錢　黄芩三錢　花粉三錢　人中黄三錢　紫艸三錢　連翹三錢　銀花三錢　梔子二錢

王孟英結核方　金銀花二兩　蒲公英二兩　皂刺錢半　粉甘艸錢半　加神犀丹一粒

普濟消毒飲　黄芩五錢　黄連五錢　連翹一錢　薄荷（後入）一錢　桔梗二錢　牛蒡一錢　馬勃一錢　板藍一錢
元參二錢　殭蠶（研冲）七分　升麻（研冲）七分　柴胡二錢　陳皮二錢　人參一錢　生艸二錢

經驗方（衷中參西錄）生石膏（搗）三兩　知母八錢　玄參八錢　懷山藥六錢　野台參五錢　甘艸三錢

鼠疫經驗方彙編　桃仁（去皮尖打）八錢　紅花五錢　當歸錢半　川朴一錢　柴胡一錢　連翹三錢　赤芍三錢
生地五錢　生艸一錢　葛根一錢

附加減法此症熱瘀甚者。傳表加白虎。傳裏加承氣。毒甚加羚犀。如連進後汗出熱清。可減柴。葛。毒下瘀少可減輕桃仁。紅花。輕症照原方一服。稍重證日夜二服。加銀花竹葉各二錢。如口渴微汗。如石膏五錢。知母三錢。重症危症。於初起惡寒。本方柴胡葛根各加一錢。若見大熱。初加銀花。竹葉各三錢。紅花一錢。危證錢半或加紫艸三錢。蘇木三錢。疔瘡加紫花地丁三錢。菊葉汁一杯冲。小便不利加車前子三錢。痰多加川貝母三錢。生萊菔汁半杯冲。若痰壅神昏當加鮮石菖蒲一瓢冲。鮮竹瀝兩瓢冲或礞石滚痰丸三錢。若見顛狂。雙劑合服。加重白虎。並竹葉心。羚犀。紅花各三錢。血從上逆。見衄咯等症。加丹皮三錢。鮮茅蘆根各四兩。

見斑加石羔一兩。知母五錢。玄參三錢。犀角二錢。見瘆加銀花大力子各三錢。竹葉。大青葉。丹皮各二錢。老弱幼小。急追祇用單劑日夜惟二服。所加各藥。小兒皆宜減半。若孕婦加黃芩。桑寄生。各三錢。以安胎。桃仁。紅花。可改用紫草。紫背天葵。各三錢。惟宜下者。朴硝不可用。若以犀羚價昂。熱盛可改用石膏。知母。竹葉。或螺螄艸。龍胆艸。白茅根之類。毒盛可以金銀花。大力子。人中黃之類。若熱入心包。可代以竹葉心。燈心。黃芩。梔子。麥冬心。蓮子心。元參心之類。又如肝陽素盛者。本方去柴胡。葛根。加桑葉。菊花。肺陰素虛者。去柴葛。厚朴。加桑葉。貝母。知母。腎陰素虛者。減輕柴葛。加知母。穭豆。亡血後。去柴葛。桃紅。加丹參。桑葉。側柏。白薇等。隨症加減治之。

若口燥舌乾。齒黑唇焦。反不甚熱渴。脈見虛大。則於彙編鼠疫經驗方中除去柴葛。加一甲復脈湯。蓋此爲邪已深入。而陰將亡之壞症也。

一甲復脈湯　炙甘艸六錢　乾地黃六錢　生白芍六錢　阿膠三錢　帶心麥冬五錢　生牡蠣五錢

肺炎性鼠疫方

坎離互根湯（衷中參西錄）　生石羔（搗）三兩　知母八錢　玄參八錢　野台參五錢　甘艸二錢　鷄子黃三枚　另鮮茅根四兩　煎湯代水一次煎成分三次温服每次調入鷄子黃一枚。

咳嗽者加川貝三錢咽喉疼者加射干三錢嘔吐血水者加三七末二錢犀角羚羊角末各一錢三味和勻分三次送服

血毒性鼠疫方

吳子存經驗方　大黃三錢　厚朴一錢　枳實二錢　朴硝二錢　犀角（磨冲）一錢　羚羊角（磨冲）一錢　川黃連二錢　黃芩三錢　車前子三錢　澤瀉三錢　連翹三錢　大力子三錢　大桃仁四錢　紅花錢半　紫艸三錢　紫花地丁三錢　紫背天葵三錢

淸心涼膈散　連翹二錢　桔梗二錢　黃芩三錢　薄荷一錢　甘艸二錢　黑山梔五錢　竹葉三錢　生蜜（冲）一匙

辟穢驅毒飲　西牛黃（研冲）八分　人中黃三錢　九節菖蒲五分　靛葉錢半　忍冬藤五錢　野鬱金一錢

二一解毒湯（平潭李健頤）金銀花五錢　連翹三錢　荊芥穗三錢　貝母三錢　紫草皮二錢　板藍根二錢　生石膏二兩　赤芍藥三錢　桃仁四錢　紅花三錢　生地黃五錢　大青葉三錢　正腦片五分　雄黃精一錢　另鮮蘆根四兩煎湯代水

神犀丹　犀角磨汁　石菖蒲　黃芩各六兩　生地黃（冷水洗淨浸透搗絞汁）銀花各一斤　糞清　連翹各拾兩　板藍根九兩　淡香豉八兩　大元參七兩　天花粉　紫草各四兩　上藥各生曬研細以犀角地黃汁糞清和搗爲丸每重三錢涼開水化服日二次小兒減半

核腫性鼠疫方

應驗疫證方彙編　紫花地丁四錢　紫背天葵四錢　甘草節二錢　荊芥穗二錢　生大黃二錢　穿山甲二錢　牙皂錢半　土銀花一兩　野菊花一兩　西藏紅花六分　熊胆六分

鼠疫毒核消毒散彙編　銀花　連芥　元參　桔梗各一兩　殭蠶　板藍根　甘草各五錢　馬勃四錢　牛蒡六錢　荊芥穗　薄荷各三錢　共爲粗末每服六錢病重八錢以蘆根湯煎藥末二三滾去渣服輕者一日三服重者一時一服

鼠疫結核方（欒州朱鉢文）川大黃五錢　甘草五錢　生牡蠣（搗）六錢　瓜蔞仁（搗）四十粒　連翹三錢

經驗涂核散彙編　飛硃砂五錢　木鼈仁八錢　雄黃五錢　莊大黃五錢　上冰片二錢　眞蟾酥二錢　紫花地丁五錢　山茨菇八錢　上藥共研細末用小磁瓶分貯黃蠟封口用時以茶油或清茶調塗

經驗敷核方彙編　鮮蒲公英二錢　鮮柏樹葉二錢　鮮浮萍二錢　天生子一錢　雄黃一錢　冰片五分　共搗爛和蜜敷之

經驗化核散（鼠疫約編）山慈菇三錢　眞青黛一錢　生黃柏錢半　象貝錢半　赤小豆二錢　共研細末以蔴油調日敷三四次以消爲度

若核潰膿盡以下方敷之即能生肌收口

八寶散（鼠疫約編）珍珠（一錢人乳浸三日或裝豆腐中煑透取出研細如飛麵）真血竭五分　粉口兒茶五分　煅石羔一錢　爐甘石（一錢以黃連五分煎汁煆淬研細水飛淨）赤石脂一錢　陳絲棉（五分煆存性）梅花冰片（一分二厘）　共研磁瓶貯

若疫盛行時。忽手足抽搐。不省人事。面目周身。皆赤者。此鼠疫急症也。速用銀針刺兩手足灣處。約深半分。撚出毒血。其人必醒。醒後可按法施治之。

善後豫防

此病雖熱退身涼之後。亦宜續服清涼之劑一星期。以解餘熱。宜服清絡飲。若口渴者。宜服清燥湯。若愈後七八日。不大便腹無所苦者。爲精液未充。可服六成湯。若愈後昏昏欲睡。身與足浮腫者。爲血虛未復。氣無所依附也。服補血湯。若初愈手足微冷。爲氣血未充。切忌溫補。熱退復熱者。非復病也。可用滋陰藥調養十餘日。自愈。此病最忌穀食。可服以綦豆苡米番薯藕粉等之薄湯。雖愈後。亦宜服此。半月後方可稍進薄粥。切忌肉類。須待恢復健康後。方可食服。且宜長期靜養節飲食。戒惱怒也。其初疫發之時。急宜泛舟於江湖之上。或避居嶺頂四面當風之處。若不宅徙。則宅中每日均宜以硫黃。雄黃。蒼朮。菖蒲。等燒烟熏之。或以石炭酸水洒之。溯濕之處宜鋪以石灰。人則宜居樓上。或高爽通風之處。耳門。鼻孔。常塗以如意油。或千金雄黃散。或以小袋盛千金太乙流金散佩之身旁。方可避免。如有病人發生。急宜送入時疫醫院。若在家。療治則宜另擇高爽之室。除一二看護外。餘均宜隔離之。俾免傳染且病室亦不宜有多人也。看護者。可日服千金斷瘟丸數粒。凡病室中物件。日須消毒。飲食用具。均須另備。不與常人共。排泄分泌物中。須注以石灰水或昇汞水充分消毒。

清絡飲　金銀花三錢　竹葉三錢　扁豆花二錢　西瓜翠衣五錢　絲瓜絡三錢　荷葉一錢

清燥湯　知母二錢　麥冬三錢　生地二錢　元參二錢　人中黃三錢　粉丹皮錢半

六成湯　當歸錢半　生地五錢　白芍一錢　天冬一錢　麥冬一錢　烏玄參五錢

補血湯　生芪八錢　當歸四錢

千金雄黃散　雄黃五兩　硃砂二兩　九節菖蒲二兩　鬼臼二兩　上藥研末過篩磁罐收貯每用錢許調井水塗。

千金太乙流金散　雄黃二兩　雌黃二兩　礬石兩半　鬼箭羽兩半　煆羚羊二兩　研過篩磁罐收貯。

千金斷瘟丸　赤小豆　鬼箭羽　鬼臼　雄黃　上藥四味各等分研末過篩以蜜杵爲丸如小豆磁罐收貯

脚氣論

桂良溥

夫脚氣一病。自昔已有。顧於吾國古方書上。未嘗覩有此病名之記載。所載者僅爲本病一鱗半爪之症狀。晉蘇敬始見有惡寒發熱頭痛等類似傷寒者。而其病起自足膝腫痛。是乃與傷寒所異者也。其兩足軟弱。雖類似痿痺之病。而時發時止。且痛專在脚。是則與痿病之一廢不復。痺病之遊走無定。又各不同。又如其氣逆上行。雖有似風厥之象。而痛極以至悶倒。是則與風厥又有異也。攷諸書史。有謂黃帝素問內之所謂厥疾。卽爲此病。有謂兩漢間之所謂緩風。及宋齊以後之所謂脚弱者。均爲此病之別名。直至大唐之時。因見腫痛專在脚。故始稱之曰脚氣病。名雖各異。其指本病而言則一也。此乃關於命名。故不多贅。但是否同爲一病。尙無可稽。不能決定。或爲相彷類似。亦未可知。惟深愧學識俱疎。癡錯之處。在所不免。尙希賢明諸公。進而教之。則幸甚矣。茲將本病之原因。症狀。療發。攝生等。分略論之。

I. 原因

本病病原。中西雖各異其說。各是其是。然二者均有能吻合者在也。茲述之於下。

1. 中說——中說對於本病。多謂因溼之所致。如厚味醇醪之上承。以致溼熱下注。蹈寒涉水之下受。以致淸溼上升。如此上壅下注。兩相格鬥。壅滯交成。故古方書上。亦有名之曰壅疾者。本病多見於東南。而西北罕見。蓋東南之地氣卑溼。且食米飯故易罹之。而西北則反是。蓋地氣高燥。且食麥麵之故也。自金李東垣氏倡說。謂「南方因地氣卑溼。淸溼襲虛、是則疾卽起於下。此爲外感。治之者以寒爲主。北方地高氣燥。又常食湩乳。且飲酒太過。致脾胃有損。不能運化。水溼下流而發者。乃因內而致外者也。治之者須作溼熱治之」之論。後人因拘泥不察。遂各堅執一辭。以爲南方患脚氣者總屬寒。北方患脚氣者總屬溼熱。致有分爲南北二派者。如此彼此拘執。不加研究。視疾病有如兒戲，鮮有不僨事者矣。況東垣氏明有指示。謂前者因溼之外侵。如久處卑溼之地。受溼令之濁氣。或蹈寒涉水等。致令溼邪襲入肌膚經絡。而入臟腑。以致罹病者。乃屬於外因。後者因酒溼內傷。如恣啖肥甘。炙煿厚味。酒醴無節。或每食乳酪等。致令壅塞經絡。下注足脛而發病者。乃屬於內因。東垣氏言之了了。其意不過告人致病之因。有由於內者。有由於外者而已。何嘗拘執分南北方而定治病之理耶。其所以有南方北方之分者。亦爲明示後人疾病之與土地。飲食。起居。均有莫大之關係耳。茲再攷之內經。素問云「蹠跛。風寒溼之病也。」又。「傷於溼者。下先受之。」及「身半以下。溼中之也。」靈樞云「清溼襲虛。則病起於下。」又。「脾有邪。其氣流於兩股。腎有邪。其氣流於兩膕。」觀於內經所述。言之亦詳且備矣。更攷之西說。亦謂本病多發於近海濱。河岸等卑溼之地。以及瘧疾流行之區域。且與時節有密切之關係。自五月漸次增加。至七、八、九月。爲極度發病時期。隨後秋冬二季。乃逐漸減少。故有以一、二、三、四、四月爲非脚氣期。五、六、十一、十二、四月爲中間期。七、八、九、十四月爲脚氣期者。且於陰翳溽暑之夏期。多有本病發現云云。觀乎此。則中西二說。同出一軌。顯而易見也。其所謂發於瘧疾區域者。蓋瘧疾之病。亦發源近泥沼之處。因土壤蒸發濁氣蘊結而成。且西所稱瘧疾之英文爲 Malaria 此字之譯意。爲癘氣。毒氣。（即惡空氣之意）與吾國古說。謂瘧疾自溼氣正同。又謂於陰翳溽暑之夏季。多有本病發現者。蓋溽暑者。即溼暑也。禮記所謂「土潤溽暑」是也。由此觀之。以上所述之各說。是知脚氣之因溼所致。可以無疑義矣。

2. 西說——西說則謂因多數末梢神經發生變性之炎症而起。至其病原。亦各有其說。有謂係傳染病者。有謂因中毒所致者。其中最有力而爲世所公認者。則爲缺乏維他命乙（Vitamin B）之說。茲將各說略述於下。

（a）傳染病說——首倡此說者。爲倍士（Baelz）及斯開皮（Scheube）諸氏。倡本病係一種癘氣性之傳染病。而歸原於多發性之神經炎症。嗣後有多數學者。如溫克納（Winkler）田代。都築諸氏。均贊同此說。更有檢驗患者之血液而得到之結果者。如格羅納氏。（Glogner）於患者之赤血球中。發現有阿米巴（Amoba）原虫之類似物。田中氏則發現一種 Spirochaete 之黴菌。

（b）中毒之說——關於此說。更有謂米中毒及魚中毒二者之說。

（1）米中毒說——此說較魚中毒說爲有力。且有相當之實驗。蓋學者每於食米之地。即發現本病。故戒禁米飯。而易以麥食。則見本病逐漸減少。且已患者。改食麥飯後。亦日漸輕減。于是。知食米飯實有誘發。以致中毒而成本病者。

日本爲脚氣病流行最劇烈之一國。自高木氏改良兵食之後。海軍部卽以西洋糧食代充米食。果見本病日漸減少。幾至滅跡。高氏乃倡米之炭窒說。謂因米飯含窒素量少。以致炭與窒素之比例不適當。有礙營養。遂發本病云云。榊氏則倡黴米（腐敗之米）有毒說。謂食黴米後。則見本病發生。此說有山極氏贊同之。且亦經實驗。山氏嘗以白米使之發酵。（成爲黴米）然後取其液體注射于鷄內。于是被注射後之鷄。則呈脚氣類似之症象。自此實驗後。更有贊同此說者。如堀內。稻垣諸氏。謂附于米上之酵母。實爲製造本病毒素之基也云云。迨一千八百九十七年。荷蘭化學家愛克曼氏。（Eikymann）單以白米（經精礦者）飼鷄及鳩。遂于二三週間。發現鷄與鳩均呈一種神經系之病狀。如麻痺癱輭。與脚氣病相類似。後又以糠粃混入白米。或與以糙米。（未礦者）再飼與已麻痺之鷄鳩。則已麻痺之鷄鳩。乃逐漸恢復原態。更以此糠粃米飼與其他良好之鷄鳩。則未曾見有任何變態發生。于是愛氏遂倡白米實能中毒之說。彼謂糠粃所以能解白米之毒者。乃因糠粃內含有一種酸類之故。因此種酸類。能中和白米之毒素也云云。以上諸說。均謂食米後所發生之狀態。係中毒所致之也。

（2）魚中毒說——倡此說者爲三浦氏。乃謂青魚科之魚。不新鮮者。食之能發本病。或謂乾燥之魚。含有一種寄生虫。食之遂能誘發本病云云。此說未有贊同者。

（C）缺乏維他命乙之說——自有米中毒倡說後。學者仍努力攷察。于是至一千九百〇七年。夫勒塞（Trasea）及斯丹呑（St,nton）諸氏。對于食米而發生脚氣病之問題。相繼研究。乃發明以米糠浸入酒精內。所浸出之物。可治脚氣病。德人豐克氏。（Funk）更以化學分離法試驗研究。結果。于米糠之酒精浸出物中。發現有結晶性之物質，自後卽認爲此結晶性之物質。乃爲抗脚氣性之有效本體。遂定名曰維他命。（Uitamin）（譯音）又日人鈴木氏。亦試驗米糠之有效成分。得結晶物質。于是更證明豐氏所倡。確爲有效之學說。鈴氏乃名之曰奧里紮民。（Orygamin）豐克氏于一千九百十一年。始發表謂人生除原有之主要營養素外。（蛋白質。脂肪。炭水化物。無機鹽類。水）更有一種主要之副營養素。卽爲維他命。（新營養素）倘此新營養素缺少時。雖有上述原有之五種營養素充足。亦能發生一定之疾病。如壞血病。神經炎。佝僂病等。脚氣病亦爲其一。自此學說發表後。更引起世人之研究興味。曾有以鼠作試驗者。均得有圓滿之結果。故此說至今。遂爲世所公認。而爲最有力之學說。更未有能加以否認者。因而以前所謂米能中毒可致罹脚氣病之說。切紛紛推翻。遂知食白米所以呈此現象者。實爲缺乏人生營養上之主要成分所致。非中毒之故也。蓋此種新營養素。係附于米之胚芽及糙皮下之糊精細胞。若米一經精碾之後。則此稱要素。俱隨米糠及胚芽而減。因而食之。則營養缺乏。血液乃失抵抗之力。不能維持常態而罹病矣。至此新營養素之命名。尚無統一。有譯爲活力素。護生素。生命素。副養素。生機素者。或有仍取其譯音。名曰維他命。綜觀以上中西二說之因。一則謂溼之所致。一則謂神經發生炎症所致。（故列入神經系疾病內）二者之說。似有風馬牛各不相及曰。不然。正有能吻合者在焉。試申述之。且觀時賢杜亞泉先生對于中說之六淫。有詳盡之解釋。茲錄「溼」之解釋于下。凡神經沉滯。靜脈血流行緩慢時。叫做溼。全體起鬱血現象。或局部鬱血時。亦叫濕……」觀杜氏所述「凡神經沉滯。靜脈血流行緩慢時叫做濕」一說。則可知中說之濕。實對于神經系有關係也。是故本病在中說爲濕之所致。是言其因。在西說則謂神經起變性之炎症而起。是言其果。一言其因。一說其果。非一而二二而一耶。此二說能吻合者一也。更攷先師金匱要略之中風歷節病篇。最末條云。「礬石湯。治脚氣衝心」先師于此條。對于「歷節。」未提及一字。而獨有言述「脚氣衝心」之症。是則脚氣爲歷節內之一種。吾人可以悟知矣。而歷節。張三省謂卽今之痺症是也。攷之痺症。西說謂因腦髓神經受障所致。（故亦列入神經系疾病內）由此觀之。先師列中風。歷節于一篇。（中風「腦充血」爲神經系疾病早已公認。）亦非無因也。是則脚氣列入神經系。先師早有暗示矣。此二說能吻合者二也。又乾性脚氣。中說謂先因血虛。而爲邪所侵襲。故所用之方。亦以補血爲主。（爲四物加減）今西說謂營養不足。致血液先抵抗力所致。二者之說。又同出一軌。蓋中說之所謂「血虛。」非西說之「血液先抵抗力」則何耶。此二說又能吻合者三也。當今科學昌明。萬事萬物。日新月異。各種發明。層出不窮。而不知我國固有國粹。正有能與之媲美者在也。所可惜者。不加研究。誣爲「不合科學。」盡情鄙棄。而他人不聲不響。暗地竊取。加以精研。一旦發明。遂屬于彼。誠令人浩歎者也。

II 症狀

本病既爲神經發生變性炎症。故其主徵爲神經受障可知。然亦有影響波及其他臟器而發現他症者。如循環受障。則見心臟疾患。消化受障，則見胃部脹滿等狀也。其病况。則見膝部至足。或麻痺拘攣而冷痛。或痿弱攣急礙步履。或兩脛腫滿。或有不腫者。或脚膝枯細。或少腹不仁。或舉體轉筋或冷則如冰。或熱則似火。或飲慾不振。或能食如故。或有物如指。發自腨腓部。甚則見心悸亢進。氣上衝心。胸脅苦悶等主症。他如頭痛。身痛。發熱。惡寒。腹痛。嘔吐等證。兼有見者。臨診之機。亦不可不審也。其症之緩者。其來也漸。初起時極輕度而徐緩。患者每有不自覺者。飲食起居。亦一一如故。毫無異常。惟僅於數日或數週後。始爲逐漸顯現之狀態。如全身倦怠。食慾減退。便利失調。惡寒頭痛。或體溫升騰。以致不能就業或有發加答兒 (Catarrh) 症者。如鼻加答兒。氣管支加答兒。以及胃腸加答兒等。此等現象。均爲本病之前驅症也。迨此前驅症消散後。遂起本病之固有症狀。病勢亦逐漸進步。如膝腿部感覺萎弱倦憊。稍一行動。或偶因小勞。即疲勞異常。腓腸肌(小腿肌)發緊張之感。手指足部等末稍神經。亦呈鈍麻之感。頭重口渴容易發汗。病勢再進。則知覺亡失、心悸亢進等。延于危殆之狀。症之急者。其來也有如電擊然。猝然由足腫至膝。爲第一期。由膝腫至腿股。爲第二期。由腿股再上心腹。爲第三期。此即衝心危期也。設此症蔓延悮醫。則名登鬼錄。期在不遠矣。其脈象浮弦者。因于風也。濡弱者。因于濕也。洪數者。因于熱也。通濇者。因于寒也。沉而伏者。毒在筋骨也。指下濇濇不調者毒在血分也。玆更有乾性。濕性。及急性三類之分。

1. 乾性脚氣 (萎縮消削性。)

此症先起于足及小腿。知覺異常。自覺腓腸部緊張壓痛。膝蓋腱反射減退。或至消失。故脚或軟弱。或頑麻。或攣急。因無力支持。故步行時蹣跚而蹠躓。甚至顛躓或有如虫行之感。脚部逐漸枯細萎縮。幾呈一種畸形之狀。肢關節呈輕度之屈惡。膝部以下則懸垂。有呈內翻馬足狀者。隨後病勢漸進。上肢之運動亦漸漸波及。受害筋肉萎縮。魚際及小魚際肌亦漸扁平而至陷沒。更進則軀幹筋肉亦被侵害。患者之運動機能。逐至消失。但運動麻痺之筋肉。稍有觸及。即感疼痛異常。有因不能忍而頻頻呼痛者。蓋此運動麻痺之筋肉。對于壓迫。呈感覺過敏故也。患者之筋肉及顏面。亦因病勢而日漸消削枯瘦。終至形銷骨立。若病愈後。此瘦削之筋肉。欲其新生恢復。非短時期所能見效。故愈後對于療養攝生。須嚴加注意之也。其知覺障礙。或發於下腹部或眼瞼。耳廓等處。脚部手指及口圍。但呈知覺鈍麻而已。至於知覺亡失。於本症則極其罕見。心臟亦僅因運動而略易亢進。脈膊亦因而增數。如困頓床褥。不伎動彈。則均無甚異常。若胃部覺有膨滿。或有壓痛之感。乃消化器蒙受障礙之故也。其壓痛見以食後爲甚。此症但呈極輕度之浮腫。不易窺見。且又因萎削之故。更不甚顯明也。（濕性則反是故二者以此爲辨別之特徵。）

2. 濕性脚氣（水腫性症。）

本病見症。除上述乾性之各症外。其浮腫及循環器障礙。爲本病之特徵。初起亦以脚部萎弱見始。因下肢之肌力減退。故步行亦感艱難。其運動麻痺。筋肉萎縮。則不如前症所述之劇。惟心悸亢進。脈搏頻數。胸內苦悶。呼吸困難。此蓋水腫之故。故前症未有見者。其浮腫則起自足背及小腿之前面。且麻痺以手按之則窅然而不起。是後逐漸蔓延於身之他部。以及於全身。顏面部亦浮腫。且呈蒼白色。其膀胱及直腸每易受障。故尿量縮減。且色濃汁厚。大便亦閉結不通。腓腸肌緊張而硬固。且肥大異常。甚爲顯者。若膀胱一旦復原。則排泄機能得以照常工作。因而全身水腫。盡能由此道消散。惟水腫雖得以消散而愈。然筋肉復又消削。而遺留成爲乾性脚氣。是故此症爲最棘手。且厭煩者也。若治不得法。厥氣上逆。濕瀉不降。以致由膝上犯入腹衝肺。欲絕嘔噦。腹脹。心悸亢進。知覺鈍麻。或入脅部而作痞悶。短氣而嘔。精神萎麻。見有此等現象發生者。皆屬危候也。惟此症患者甚少。與乾性成六對一之比例

1. 急性脚氣（心臟惡性症。）

此症卽前已述及之衝心症是也。其特徵爲急性心臟機能不全。猝然於健康時起始。其前驅期。或以輕度之脚氣症候爲兆。患者多爲壯年及強壯者。症勢甚急而惡劣。數小時卽能畢命者。若勢較緩者。或可牽延數日。見症如心悸亢進。呼吸促迫。體溫則因合併症故。而有升騰發熱者。胸脅苦悶。心嘔嘔吐。心窩博動。輾轉反側。其苦悶之狀。有非筆墨所能形容者也。其呼吸促迫。若因橫膈膜及呼吸肌陷於不全麻痺者。則更感難受。其膀胱直腸亦易受障。故尿量減縮。大便閉結。脈搏因心悸亢進

亦增數。症勢較輕者。每分鐘自八十至一百。病勢愈急。則更頻速。由百至乃達一百四十以上。呼吸亦愈加促迫。膚色青蒼。麻木益劇。自後乃見下利。或腹痛綿綿。且脚膝部倦怠異常。腓腸肌亦覺緊張而有握痛之感。下肢亦是輕度之浮腫。知覺受障而鈍麻。運動機能亦痲痺。少腹不仁。病勢更劇。則有似彈丸爆裂之狀。發自胸際。其苦悶較前更甚。殆難名狀。眼目張開。且瞳孔散大。反射作用通鈍。口鼻亦張。精神亡失。自汗淋漓。四肢厥冷。且因鬱血而現紫青色。脈搏散亂如髮。輭弱無力。體溫亦下降。肺臟陷于急性氣腫。病勢至此。僅存奄奄一息。若心臟痲痺陷于極度。終因不支而殆矣。

按除上所述三類之外。尚有脚氣成漏之症，乃因脚氣注於踝中所致。其孔之深。有至半寸許者。每于午後。則發疼痛。甚則痛不可忍也。又日湯本求眞氏于金匱要略內之「崔氏八味丸治脚氣上入少腹不仁。」條中註云「此丸所治之脚氣。據余（求眞氏自稱）之實驗。與普通患者不同。多發于姙產婦。尤以產後之婦人爲特種之病證。俗稱血脚氣者是也」云云。致「血脚氣」之名稱。吾國方書未曾見載。卽西醫書籍。亦未見有此病之名稱。觀湯氏所云。不過由產後得之而已。至其所謂「俗稱」者。料係彼國（日）俗所稱之名也。唐孫思邈千金方內。亦多謂「產後多有此疾」之語。惟陳無擇氏則云「脚氣固是常疾。未聞產後能轉爲者。」觀求眞思邈二氏之說。可知陳氏少見聞而已。

III 療法及方

1. 療法大綱——夫病之在表者。因而汗之。在上者。因而越之。在裏者。因而導之。此施治之法。千古不易之定義也。今本病既爲濕之所致。（對水腫性脚氣而言）故去濕爲第一要義。然風濕寒濕。乃由外入內。故治當表散。濕熱則多由內出外。故治當通利也。若血液失抵抗力所致者。（對萎縮性而言）補血爲不二法門。此皆治本之法也。經云「治病必求其本」。誠爲治則之綱要。蓋治本卽所以斬根除源。不然標病雖去。而不免有後患之慮。然經又有「急則治其標」云者。乃示人亦不可固執太過。須知標病急者。有「正不能勝邪」之勢。不治其急之標。本安能支持乎。（如急性心臟衰弱。強心爲急）是故治標治本。要在醫者臨機視症而執法耳。治濕之法。宜淸熱利小便爲主。洩小便可以引濕出外。通大便亦可逐濕。用風藥可以勝濕。陽虛宜補火。陰虛宜壯水。濕而有熱者。宜苦寒之劑以泄之。濕而有寒者。宜辛熱之劑以燥之。各隨證施治可也。夫通利雖爲治濕之大法。然有非專爲通利所能奏效者。是故有行氣利濕法。健脾除濕法。及開肺逐濕諸法之設。蓋行氣者。所以助濕之消也。所謂氣盛則行速。乃取「着者行之」之義也。健脾者。亦爲驅濕之一途。此係對內因而設。如本病之內因。爲酒濕內傷。脾胃受損所致。（上已述之）蓋脾爲土臟。主乎運水。全身水道。均賴脾爲通調。故內經有「諸溼腫滿皆屬于脾」之說。今脾受損水道不得通調。因而發爲水腫性脚氣。治以利濕而更健其脾。脾運既健。則固有之機能得以恢復。其工作水道既得通調。何患水種之有。此雙管齊下。標本兼固之法也。至於開肺逐濕之一法。誠有令人不可思議之妙。蓋肺主氣。倘肺氣一旦滯不通暢。則水濕亦不能消散。若誤認脾運不健。而以上述之健脾除濕法治之。縱然施以大劑健脾。或一味通利。亦無建樹。是勞而無功也。若明其因。運用此法。遂有應手之妙。理無他。譬之吾人日常有以兩頭相通之筆管吸水。應用之法。係以一手指閉其上口。使空氣不得相通。則水聚管中。不能下洩。若將上閉之手指揭開。則水自然滴下矣。以上諸法。均爲治水腫性之大法也。乾性脚氣。因於血虛。故以補血爲主。（方如四物加減等）若兼見他症。則以他法佐之可也。至於急性惡性症。因心臟機能障礙而衰弱。舍強心別無他法。（方如崔氏八味丸。或鷄鳴散加附桂等。）若來勢猛急。方藥不及者。可施行皮下注射。如 Antiberiberin 兼以樟腦油。一日可數次施行之。英醫某氏。於衝心症之心力強盛者。行刺絡法。瀉血三百至四百瓦此法。吾國方書。早有載及。且內經亦有明文。「蓄則腫熱。砭石之也」。此又不約而同者也。至於心力較弱者。則可用水蛭六十以至百條。貼於胸壁心臟部。蓋水蛭。亦能排除惡血。膿血。以及鬱積之毒血。而不傷及人身也。但須注意者。印巳吸吮毒血後之水蛭。不可復用。慎之爲要。惟二法均爲「急則治標」之法。故僅能得一時之輕快。非長久之計耳。

2. 對症療方——脚氣初發。一身盡疼。或肢節腫。便溺阻隔者。爲溼熱也。宜先以羌活導滯湯導之。後以當歸拈痛湯除之。若初發從足起至膝。脛骨腫疼者。宜千金葲麻叶裏法。若自汗走注。脈浮弦者。爲風勝也。宜越婢加朮湯。若無汗。攣急掣痛。脈過濇者。爲寒勝也。宜酒浸牛膝丸。若腫痛甚而脈過細者。爲溼勝也。宜除濕湯。若遍身腫痛。喘促煩悶者。宜木通散。若冷痺惡風者。非朮附汗之。或麻附細辛湯加朮桂。必不能開。若脚攣冷痛或蟲熱不可屈伸者。宜千金獨活湯。若風冷脚痹。宜千金烏頭湯。若脚氣入腹。喘急腹脹者。宜蘇子降氣湯。佐以養正丹。下氣甚速。其由產後得之者。宜大補氣血爲主。佐以小續命湯。或獨活寄生湯。若不應。可用大防風湯。以上均爲普通對症之方也。其他兼症。皆賴醫者臨機以應變。此不過大匠之授人以規矩而已。」日湯本求眞氏。對於大承氣湯。謂能治脚氣衝心症。茲節錄於下。「脚氣。胸腹鞕滿。一身浮腫。胸動如怒濤。短氣而嘔。二便閉澀者。衝以非基也。此者方不能折衝其迅劇之勢。蕩滌結轄之毒。又脚。氣證其人。胸中跳動以下鞕。短氣。腹滿。便祕而脈數者。假饒其狀似緩證。決不可輕視。必有不測之禍。早用此方。逐除鬱毒。則不至大患。執七者不可忽諸」云云。觀求眞氏所述二則。均爲告人若見有者等現象者。爲衝心之候。不可忽略者也。爲防患於未然之計。故以此峻劑先制服之。鄙按此方雖有「非大劑不能克邪」之勢。然須視人之體格。病之久暫而定。不然。心臟衰弱之際。豈能受此攻伐哉。求眞氏對於柴胡湯。亦謂能治本症云。「脚氣病。續發心臟病時。見有胸脅苦滿證。可選用柴胡中之適方。則原發之脚氣病治愈。續發之心臟症亦可隨之而愈」云云。此則頗有可取之處也。又仲師風引湯。後人有取以治脚氣者。章太炎先生闢之云。「今之治脚氣者。驗其血中多石灰質。故用藥以石灰質爲禁。而風引湯。乃有石藥八味。（壯蠣雖動物。其殼亦灰石也。）以適得其反。蓋風引湯爲治熱病差後足脛痲痺之方。後人係誤取治脚氣耳。」又本病雖有忌渫洗之說。乃係指外感溼氣乘虛襲入而言。若內受溼氣。注下腫痛。則又宜淋渫以泄越其邪也。至脚氣成漏症。了以人中白火煅敷之。或俟煨時有水出。取滴瘡口中。

3.脚氣列方——下列諸方。均爲先賢實驗者。然諸藥之分量。概不從錄。蓋古之分量與今異。且人之體質各有不同。病之時期亦有久暫。況老少職業。以及環境。亦莫不有關。他如病之屬虛屬實。屬寒屬熱。以及其他兼證。均在醫者臨診之機斟酌增減。或擴大其方。或制小其劑。神而明之。存乎其人。是希諒之。

「鷄鳴散」（準繩） 此方爲脚氣之第一方。不論男女。皆可服之。如感風溼流注脚痛浮腫者。亦宜服之。

橘紅 木爪 梹榔 吳萸 蘇叶 桔梗 生薑 （按此方乃外台唐侍中一方加桔梗而成。爲治脚氣之套藥也。）

「羌活導滯湯」（東垣） 治脚氣初起。一身悉痛。手足腫痛。大小便滯結。

羌活 枳實 防己 歸尾 獨活 大黃

「當歸拈痛湯」（東垣） 治脚氣瘡瘍。

當歸　羌活　防風　升麻　猪苓　澤瀉　茵陳　黃芩　葛根　蒼朮　白朮　苦參　知母　炙艸　（劉宗厚曰。此方東垣本治濕熱脚氣。後人用治諸瘡甚驗也。）

〔檳榔散〕（聖惠）　主治脚氣。春宜防發。服之以疏風調氣。

檳榔　枳實　大黃　獨活　茯苓　羚羊角　沈香　川芎　甘艸

〔牛膝散〕（聖惠）　治脚氣腫脹。小便不利。

牛膝　甘艸　丹皮　檳榔　桃仁　肉桂　大黃　羚羊角　芍藥　防己　芒硝

〔澤瀉散〕（準繩）　治脚氣二便祕澀。膀胱氣壅。心腹痞悶。

澤瀉　赤苓　枳殼　木通　猪苓　檳榔　牽牛

〔茱萸散〕（準繩）　治脚氣入腹。喘急欲死。

川木瓜　泡吳萸　（等分爲末。酒調下。）

〔防己飲〕（丹溪）　治脚氣溼熱。

防己　木通　蒼朮　川芎　犀角　黃柏　生地　檳榔　甘草

〔丹溪外治方〕（丹溪）　治脚氣腫痛。

白芥子　白芷　（等分爲末。酒調敷。）

〔追風獨剉散〕（直指）　治脚氣熱多證。疏泄風毒。

獨活　大黃　檳榔　防風　桑白皮　郁李仁　（加黑豆煎服。）

〔木瓜湯〕（醫級）　治風溼脚氣。

木瓜　茯苓　炙艸　紫蘇　大腹皮　陳皮　羌活　木香

〔大戟丸〕（聖濟）　治脚氣攻注。心腹脹滿。小便赤澀。

炒大戟　炒葶藶　炒續隨子　炒澇花　炒巴豆　（爲末密丸。如桐子大每服十丸。燈心湯下。）

〔搜風丸〕（午存）治脚氣內壅大便不道。

大黃　黑牽子　梹榔　枳實　（爲末米糊丸。桐子大。食前飯湯下。）

〔廣濟半夏湯〕（外召）治脚氣衝心。煩悶氣急。臥不安。

半夏　生姜　梹榔　桂心

〔沉香湯〕（奇效）治脚氣衝心。煩悶氣促。脚疼。

沉亦　梹榔　紫蘇　木通　芍藥　吳萸

〔紫蘇子湯〕（千金）治脚弱上氣。

紫蘇子　厚朴　半夏　柴胡　甘艸　當歸　橘皮　桂枝　（或加杏仁。治逆上氣。）

〔犀角旋覆花湯〕（千金）治脚氣腫滿。小便祕澀。氣急衝心。

犀角　生姜　茯苓　橘皮　旋覆花　紫蘇　莖叶

〔半夏湯〕（千金）治脚氣上入腹。腹急上衝胸。氣急欲絕。

半夏　人參　桂心　乾姜　附子　甘艸　細辛　蜀椒

〔風引獨活湯〕（千金）治脚氣兼補方。

獨活　茯苓　大豆　炙艸　升麻　桂心　人參　防風　芍葉　當歸　乾姜　附子　芪黃

IV 預防及攝生。

預防及攝生對於本病。均有密切之關係。不可忽諸。而尤以病中及愈後之攝生爲最須愼而又愼之也。本病多因處卑溼之地而發。故對於居室。須加以嚴格選擇。必欲地勢高燥始妥。海灘河岸之居室。均爲不宜。且陰溝時常亦須加以注意。水道是否通暢。若有游塞。立使疏通爲要。他如光線之充足。空氣之流通以及室內外之清潔。亦不可不注意及之。再如經精糠之米飯。雖雪白細膩可口。然易招斯疾。非所宜也。而糙黃之米。實有補益人身多多也。至於已罹病者。宜使患者靜臥。禁飽食。且一切食餌。均須取流動性易於消化者。如牛乳。鷄蛋。麵包等。他如黃豆。赤小豆。薯蕷。薏苡仁等。（蓋均富含營養素）或和粥煮食。或煎湯作茶。均可。菜類以白菜。菠菜。及芹菜最佳。飯粥則極須以黃糙米煮作。若改變麥食則更佳。酒色亦須戒絕。溫浴亦宜慎避。蓋防血管之弛緩增加也。愈後亦當長時療養為要。每於食後。則緩行數百步。以助消化。且使血脈流通。亦可預防拘攣。而運動亦得速以恢復。惟不可太過。但求適可而止。若稍覺疲勞。即告休息。或假寐片刻。或靜坐數分。每日睡眠。亦須早臥早起。晨起呼吸新鮮空氣。實大有俾益身體也。總之。一切費腦力勞筋骨及刺激品。均一一謹避。經云「外不勞形於事。內無思想之患。以恬愉為務。以自得為功。形體不敝。精神不散。亦可以百數」由此觀之。療養之功大矣。若能逐日耐心依行。則健康之途。定在不遠也。

V 豫後及免疫。

本病之豫後。各因病勢而異。乾性脚氣較他二種輕淺。故易治。而豫後亦多佳良。惟患此症者。因筋肉消削之程度特深。故恢復原態。勢非經長期之療養。並注意飲食及攝生不可。（上已言之）若於疾病之初期。即注意攝生。慎守醫戒。日以療養。則恢復之期。亦較速也。而濕性脚氣則不然。蓋因水腫之故。常有侵及心臟而被害。故對於本病。實受害匪淺。（非惟本病如此。即其他各病。若心臟被侵。亦大有礙病機也）經云。「心者。君主之官。神明出焉。」可知心臟之重要。實甲於其他各臟。故有「心君不能受邪。受邪則死。心君不能有病。有病則廢」之說。由斯觀之。心臟對於人身之重要。概可想見矣。且本症之水腫。設已消盡。然肌肉纖又萎縮消削。而成乾性脚氣。是故纏綿異常。更非短時期所能恢復者也。因此等之故。故豫後亦多受影響。而不能完全恢復固有之佳良也。至於急性惡性之症。其來也急。直奔於心。是故心臟之蒙受其害。不待言而可知矣。故預後亦多惡劣也。其併發於熱性病及呼吸器病者。預後亦不佳良。本病之死亡數。約為八・二%。至本病之免疫性。雖有。然非一次即能。患者每於溽暑夏季。仍反覆罹病。經數度之反覆後。病勢始得漸趨減退。而能成免疫矣。然初起之時。雖罹輕度之疾病。而後反覆。病勢未必亦輕。是故反覆之期。亦有陷候重危之於者。不可不知也。

失血舉隅

孫鳳皋

一 導言

今有人焉。面色紅潤。軀幹雄偉。情感熱烈。思想靈敏。奮發有爲。勇往直前者。無不足以表現。其神氣之活躍也。若有人於此。容華慘淡。體態嬌柔。心性萎靡。神經衰弱。庸懦無能。畏葸不振者。適在在足以表現其神氣之頹喪矣。是則視其人神氣之衰旺。卽足以覘其體格之強弱。有健全之體格。始有驚人之事業。社會人士。都有驚人之事業。以表暴於世界。則其國家之聲威。民族之榮譽。可以雄視於寰球。可以無敵於天下。內經曾有言曰。血者神氣也。是神氣乃血之表現。血盛則形體盛。而神旺氣壯。血虧則形體羸。而神衰氣餒。試環顧我國之民衆。其所表現之神氣。果何如耶。玆姑略爲分析。舉其要而言之。大抵居於鄉村者。聊免於凍餒之虞。面多菜色。顯現貧血之象。居於都市者。沉迷於酒色之場。臉多靑黯。顯現少血之徵。爲商賈者。受不景之潮流。皺紋滿額。爲勞動者。被生活所驅使。憔悴可憐。無莫非血枯之表現也。又何怪夫老大之病夫。積弱之民族。著稱於世界。見輕於異族哉。我固庸工。奚敢侈談醫國。願在醫言醫。對於患各種血病之人。使之恢復於健康。倘有其技。強國必先強種。則斯篇之作。雖言醫人。對於國家民族。似若不無小補。

二 血之源流

經云。心生血。蓋言心房主持血液之循環。而爲五臟六腑之大主也。又云。中焦受氣取汁。變化而赤。是爲血。緣人受氣於穀。穀入於胃。運輸於脾。散精於肝。此所謂受氣者。泌糟粕。蒸精液。化其精微。上注於肺脈。乃化而爲血。以奉生身。是故血之源流。無非水穀之精微。生化於脾。總統於心。宣佈於肺。藏受於肝。施泄於腎。和調五藏。洒陳於六府。營養百骸。灌溉於一身。流溢於中。佈散於外。行於經隧。注之於脈。目得之而能視。耳得之而能聽。手得之而能攝。掌得之而能握。足得之而能步。是以人之神氣煥發。可以知其血之充盛。神氣衰頹。可以知其血之枯貧。誠哉。莫貴於此也。得之則存。失之則亡。吾人於平居衛生之道。顧可不愼重保養。而使之有失也乎。

三 失血總論

經云。人之血氣精神者。所以奉生而周於性命者也。經脈者。所以行血氣而營陰陽。濡筋骨而利關節者也。血氣精神。經脈並舉者。蓋因氣爲血之帥。血隨氣而行。血爲氣之守。氣由血而養。孟子言養氣之功。道家言運氣之法。無非華血之靜謐。而無所失也。血榮於內。則神華於外。神馳於內。則血行紊亂。神無所御。則血亦無所適從而聽命焉。故曰。心者生之本。神之變也。又曰。心者君主之官。神明出焉。主不明。則十二官危。心神不安。其影響於血行爲何如。攝生者。對於心神之修養。詎可忽乎。精以養神。精氣奪則虛。故精專者行於經隧。循環無已。終而復始。脈者。血之府也。脈氣流經。脈道以通。血氣乃行。是則經隧脈絡。流暢無阻。而後血和。故曰。血和則經脈流行。營覆陰陽。筋骨勁強。關節淸利。若血行有阻。始則脈絡凝滯。繼而經隧損傷。於是血乃妄行。從上而溢。則爲吐衄。咳嘔。唾。咯等症。從下而走。則爲崩中。便紅。溲血等症。甚則泄於九竅。而爲大衄。溢於毛孔。而爲肌衄。血液汎濫。榮氣暴衰。生化不易。神機難復。強者轉弱。弱者更羸。變幻多端。病症不一。眞元耗散。漸成勞瘵。幸不至於死者。蓋亦僅矣。

四 失血原因

病之來也。或從於外。或從於內。起居失於調節。則寒暑傷形。情志失於中和。則喜怒傷氣。飲食勞倦。肌飽無度。則藏器內損。墮墜創傷。出於意外。則血瘀留滯。千般疢疾。固不越於三因。萬病回春。尤在探其原本。玆將失血之原因分述於左。

(1)外因　經云。歲火太過。炎暑流行。肺金受邪。民病血溢。血泄。又云。少陽之復。火氣內發。血溢。血泄。是火氣能使人失血也。又云。太陽司天。寒淫所勝。血變於中。民病嘔血。血泄。鼽衄。又云。太陽在泉。民病血見。是寒氣能使人失血也。又云。太陰在泉。溼淫所勝。民病血見。是淫氣能使人失血也。又云。少陰司天之政。水火寒熱持於氣。多熱病生於上。冷病生於下。寒熱凌犯而爭於中。民病血溢。血泄。是寒熱凌犯而能使人失血也。又云。太陰司天之政。初之氣。風濕相搏。民病血溢。是風濕相搏能使人血溢也。又云。歲金太過。燥氣流行。民病反側咳逆。甚則血溢。是燥氣亦能使人血溢也。然則六氣皆能使人失血。固不獨因於火與熱。若不詳審病原。動輒以苦寒施治。蓋亦左矣。

(2)內因　外因於六淫之邪。動血猶輕。明辨其因。去其因而血自安瀾、神氣固未至於大傷也。即有所受傷。而調治亦易。若內因於酒傷色、憂怒而致動血。則本元先損。血逆於經。與氣相失、與神俱傷、欲其恢復健康。甚非易焉。經云。怒則氣逆。甚則嘔血。又云。大怒則形氣絕。而血菀於上。此則因怒而動血也。又云。悲哀太甚。則胞絡絕。胞絡絕。則陽氣內動。發則心下崩。數溲血。此則因悲哀而動血也。至若積憂傷肺、煩思傷脾。失志傷腎。暴喜傷心。無不足以動其血。所謂離絕菀結。憂恐喜怒。五臟空虛。血氣離守。正此類也。金匱以驚悸吐衄奔豚火邪四部之病。皆從驚恐得之。此皆因七情之過當而動血者也。至如少年時。有所大脫血。致先患吐血。而時時前後血者。岐伯推其原。則責之于醉入房中。氣竭傷肝。至腸澼爲痔。固由于筋脈橫解。而推其原。則因于飽食。景仲于酒客之咳。斷爲必至吐血。此因豪飲過度所致。又謂無寒熱。短氣。裏急。小便不利。面色白。時目瞑。兼衄。小腹滿。此爲勞使之然。皆因于飲食房勞。及勞役所傷而致動血者也。經云。陰虛陽搏爲之崩。又云。欬而有血者。陽脈傷也。又云。脾移熱于肝。則爲驚衄。又云。胆移熱于腦。傳爲衄衊。又云。結陰者便血。又云。胞移熱于膀胱。則爲癃溺血。金匱云。男子面色薄者。主渴及亡血。卒喘悸。脈虛者。裏虛也。又云。心氣不足。吐血衄血。又云。病人面無色。無寒熱。脈沉弦者衄。浮弱手按之絕者。下血。煩渴者。必吐血。脈沉弦而浮取絕。無知上部之虛。浮弱而重按絕。無知下部之虛。煩渴知陽氣之擾亂。又有病者。如熱狀、而脈反無熱。責之于陰伏。而有瘀。此皆因于藏氣之相乘。及因于裏虛不足。停瘀而致患失血諸症也。爲醫者。可不明辨其因而施治乎。

(3)不內外因　經云。起居不節。用力過度。則絡脈傷。陽絡傷。則血外溢。血外溢則衄血。陰絡傷。則血內溢。血內溢則後血。又云。有所墮墜。惡血留內。更有因于藥石之所激。而致動血。爲此皆屬于不內外之因也。然病之發也。必先有素因。而後觸發于誘因。參以虛實。大病乃成。若身形無虛。則精神內守。病安從來。方今之世。非競爭不足以取勝。而腦汁之構思。神機之曲運。皆足以使精氣竭絕。

形體毀沮。患失血者。滿目皆是。又何足怪哉。

五 失血病理

失血之病理。一言以蔽之。曰血管破損而已。所謂陽絡傷者。則上部之血管部損也。陰絡傷者。則下部之血管破損也。血管之所以破損。不外乎血行失其正常之軌道。血行之所以失其正軌。無非經隧中有所障礙而已。其所受之障礙。或由于局部之爲患。或由于他臟之牽涉。或由于外傷、或由于中毒、此卽上述之所謂三因是也。黏膜損傷。則血液之滲出者不多。而屢發屢止。成習慣性者。亦足以致貧血。若損及靜脈與動脈、則頓時溢出大量之血液。往往氣隨血脫。性極危險、無論其溢出之血液。爲少量與大量。在治療以前之先決問題。則必尤當明辨其障礙之原。明爲第一義。然能明辨障礙之原因者。豈易言哉。夫血液之流行于經隧。本循環而無端也。或過于迅速。或過于遲緩、則失其常軌。緣其所以遲與速。則無非因于寒與熱而已。血流過于迅速。則脈管充血。血壓亢進。漸至經隧不能約束。于是血管突破。隨其所裂之部位。或上或下。而溢出于外矣。若血流過于遲緩。則脈管鬱血。血壓收縮、漸至經隧逐步緊張。血管亦因此而破裂。世人徒知熱則逼血妄行。殊未知寒則血管收縮至於緊張而破裂、仲師用側柏湯以治吐血不止。其主要之藥。在于炮薑。用黃土湯以治便血。其主要之藥、在于附子、均斯意也、又有寒熱相搏、清濁相干、下寒上熱。陰盛于下。則逼陽于上。外顯假熱之症。而血溢于上。命門火衰。而血脫于下。若下熱上寒。熱鬱于裏、則陽氣不得宣泄。陰陽之氣不相順接。厥陽獨行。而外顯逆冷之象。血之上溢也、喉鼻之間。若冷氣之上衝。泄而下陷。則暴注下迫。腸鳴切痛。猶若冷氣之下失。斯乃陰虛陽必走之象。若此二者。寒熱之分。微乎其微。鑑別有失。差之毫釐。謬以千里。用藥不當。生死立判。若上部失血。血之衝逆於上者。亦有由于下部血管之裂裂。婦人之倒經。卽其一例。下部失血。血之奔迫于下者。亦有因于上部血管之破裂。此皆當詳細鑑別者也、

六 鑑別方法

失血諸症。方書所載。頭緒紛繁。翻閱涉獵。腦目爲眩。非特初學入手之人。望洋而興歎。卽臨床多年之工、亦當廢書而冥搜。茲從亂絲之中。循其頭緒。漸理漸抽、俾得一線到底。蓋斯證之鑑別方法。先宜平分上下二綱、從二綱中、加以分析。而爲證類之鑑別。來源之鑑別。證情之鑑別、脈象之鑑別、從此方法以診斷、則羅輯有術。庶幾提綱潔領。而不至于迷惑

1.證類之鑑別　從上部而出血者。鼻管出血。名曰鼻衂。倘出如泉湧。則爲腦衄。耳出血名曰耳衄。目出血名曰目衄。耳目口鼻九竅一齊出血者。名曰大衄。齒牙出血。名曰齒衄。舌上出血。名曰舌衄。肌膚出血。名曰肌衄。又曰紅汗。從口而出。綦多吐者名曰吐血。嘔者名曰嘔血。嘔吐之分。嘔則上逆有漉漉之聲。吐則無聲也。因咳嗽而出血者。名曰咳血。嗽血。痰中帶血。名曰咯血。因涎唾而出者。名曰唾血。從上部而出血者。女子經血大下。名曰血崩。大便下血。名曰便血。而有腸風。臟毒。痔血。血痢。腸澼之分。小便下血。名曰溲血。而又有溺血與血淋之分。證以類別。必先定名。名不正。則言不順。顧名思義。庶幾一望便清。認證不誤。

2.來源之鑑別　鼻衄以太陽陽明二經爲主。所謂太陽經者。即脊髓膜之損傷。陽明經者。即胃出血也。而衝脈隸于陽明。衝爲血海。亦即大動脈之破錠。大衄大吐。當責之于衝。而衝脈之血、則下由任脈以輸于子宮。故月經代償性之出血。（即倒經）及血崩漏下。均以衝任爲主源。腦衄由督脈而來。即脊管之破損也。肺出血及支氣管微絲血管損傷。多爲咳血與喇血。胃出血及食道損傷。多爲嘔吐咯血。至肝靜脈之鬱血還入于胃。亦爲嘔吐之一大來源。即所謂嘔血出於肝也。唾血隨胰唾腺而滲出。此則胰線出血與腎出血。亦即所謂涎出于脾。唾出于腎也。若吐膿血者。則爲肺癰。與胃脘之內潰也。心房瓣膜之損傷及心胞絡出血。往往于痰涎中包裹一點血星及一條血絲。此實最危險之症也。心房作痛。而致吐衄崩下者。醫書中謂之殺心痛出血。每多不治。則因心房出血。大循環之紊亂也。耳衄鼻衄。多有由局部黏膜之損傷。每不治而自止。其因于腦膜滲漏者。則頭痛偏劇若涓涓不絕。則其來源甚遠。或由于肝。或由于肺。或由于腎。均由絡脈而上。隨滲漏之處而外出。眼衄則由腦系從太陽之絡而滲入于睛明之穴。又有從厥陰之絡而上逆者。故凡耳目鼻衄。無不由于上部之充血也。若血中中毒。隨經絡而激行于上者。則九竅湧出。此大危症也。齒衄者。亦屬于胃出血與腎出血。是血由陽明與少陰之絡而滲出也。肌衄由于淺層微絲血管充血者其病輕。若由于動脈鬱血則汩汩爲泉湧。若由一孔射出者。爲血箭。乃致氣血暴衰。恐有虛脫之虞。舌尖出血雖爲局部。而來源則由于心胃鬱熱之上攻、殊未可忽視也。崩漏之源。雖由于子宮內之血管充血而血管之失於收縮者。則凡心肝脾臟之血液。無不隨衝脈而下漏也。大便下血。近而淺者。則由腸壁之破裂。遠而深者。或由于胃。或由于脾膵。或由於肺肝之出血。濕溫末傳。因腸穿孔而出血者。十中僅可救二三。小溲出血。或由於腎臟而來。或由於膀胱。或由於尿道而來。綜上所述。凡少量出血則由於黏膜之損傷。大量出血則由於動靜脈之破裂也。

3.證情之鑑別　辨症乃用藥之準繩。病名認識。來源庶得清楚。而寒熱虛實之分別。則非從證情鑑別不可。有寒熱者。屬於外感。無寒熱者。屬於內傷。凡見頭痛。而兩目瞑眩。口渴而漱水不欲嚥。咽喉作癢而發甜。欲作噁心之狀。心悸亢進。目睛暈黃。胸脘煩悶。腰背痠重者。皆為出血之先驅症狀。但腰背痠重。出於清道者為多。胸腹煩滿者。出於濁道者為多。此其大較也。從血色之鮮黯。以辨寒熱。殊未足恃。緣從動脈而來者。迫而冲急。色多鮮紅。從靜脈而來者。緩而點滴。色多紫黯。鮮紅濃厚者。則屬於火盛。紫黑固屬於熱而青紫黑黯者。則又屬於寒。晦淡無光。固屬於虛寒。而黯淡帶黃色者。則又屬於濕熱。粉紅者。肺血。多帶痰沫。亦如硃漆光者。心胞血若吐出便凝。摸之不粘指者。為守藏之血。見之必死。鮮紫濃厚者。多出於胃。上溢則傾盆盈盞。汪洋滿地。多兼水液痰涎。奔注於下。則勢甚急迫。倘青紫稠濃。或帶血縷。或有結塊。則出于肝。痰唾雜紅點紅絲者。則出於腎。雖不若心胞出血之光澤，而亦屬危症。欲知血之出於何藏者。可置於水中。浮者肺血。沉者肝血。半浮半沉者心血。至於血之下脫者。其色澤可照上法以鑑別之。若下注於大腸。腸風則下血清鮮。而四射如箭。臟毒則濁黯而點滴。痔血雖出肛門。而射出如線。血痢則腹痛而下純血。色澤紅紫滯下不爽。腸澼下血則如澌桶湧出。血色深紅或紫黑。小便下血。痛者為血淋。不痛者為溺血。此證情鑑別之大概也。

4.脈象之鑑別　病之大綱。不外表裏寒熱虛實。浮則為表。沉則為裏。遲緩微細為寒。洪數弦滑為熱。無力為虛。有力為實。此脈之大概也。然浮濡散大而重按無力。則下焦之眞陽欲脫。不能作為表病斷矣。沉細弦緊。每多表邪下陷。不能作為裏病斷矣。遲緩微細。固屬於寒。而又有熱伏之證。洪數弦滑。固屬於熱。而亦有寒鬱之症。此必當以症情合參者也。右手浮數。肺肺出血。若見浮大則為肺虛氣脫之象。細數則為陰虛。而血中有鬱熱。若見細濇。則虛而挾瘀。左手浮大。心陽浮越。若見細數。心火內擾。兩關獨盛。或見洪大。或見浮數。則為肝胃熱灼。血量必多。若見細數。血量必少。兩尺洪數。腎經血熱。細數無力。血弱下脫。兩尺微弱。下焦虛寒。左尺浮大。陰虛火旺。右尺浮大。浮陽上越。亦脈沉遲。陽虛可知。六脈弦細。陰虛之徵。關部弦緊。肝胃寒鬱。寸口沉微。氣陽不足。失血過多非芤即細。以上辨脈綱要。雖未能盡窺夫癥結。而亦所以辨出血之來源也。

七　治療要訣

當出血之際，或從上溢，或從下泄。神志自清者。則心慌無主。侍疾看護者。亦驚惶失措。醫者之急務。首當彌補其血管之損傷。則止血之法尙矣然徒事彌補血管而不除去其脈管之障礙。雖凝結於暫時。安見不隨凝結以後而仍告破裂乎。此所以失血諸症。無論其爲少量與大量往往致於貧血與血脫之途。脈管之障礙維何。卽直接使損傷破裂原因是也。因於脈管之瘀阻者。則消而行之。因於脈管之緊張者則疏而利之。（如外感之類）因於脈管之弛緩者。則收而斂之。血壓高漲者鎭而降之。引而下之。血壓低陷者。守而攝之。外而舉之。因於熱者。清之。有清氣清血之分。因於寒者。溫之。有溫氣溫血之分。因於寒熱之相持者。則調之而使趨於平。虛者補而益之。實者通而泄之。大抵血之上溢者。宜乎鎭降爲主。而有清降與溫降之別。並宜引而下之。更有升降並用者。血之下走者。宜乎守中固攝爲主。而有清攝與溫攝之分。並宜升而舉之。更有通攝並用者。果能於此明辨清澈。則胸有成竹。不必拘執於成方。而自有適應之藥品。用以加減損益。則左右逢源。得心應手。自足以應無窮之變矣。茲將應用藥品分類演述於下。並附例案。以資參攷。

守血之品（當歸　白芍）　守中之品（人參　黃芪　白朮　茯苓　甘艸）　鎭降之品（磁石　代赭石　白石英　紫石英）

收斂之品（白芍　五味子　炒萸肉　烏梅）　固濇之品（龍骨　牡蠣　赤石脂　茯龍肝）　止血之品（側柏炭　茜根炭　白茅花　百草霜　旱蓮草　藕節炭　陳棕炭　地楡炭　血餘炭）　行瘀之品（丹皮炭　鬱金　赤芍　桃仁　紅花　歸尾　參三七）　膠質之品（阿膠　白芨　生地　熟地）　引下之品（牛膝　小木通　童便　當歸梢）　升舉之品（升麻　柴胡　荷葉　當歸頭　蓮房炭）　清法（黑山梔　小川連　黃芩）　降氣之品（大黃　辰麥　麥冬　竹葉）　溫法（炮薑　附子　肉桂　艾葉）　降氣之品（沉香　蘇子　旋覆花）　溫清合法（生地　炮薑　炭同用）　六淫疏利之品（風寒——荊芥炭　蘇梗　防風　甚則　桂枝　麻黃　風熱——桑葉　薄荷　銀花　連翹　暑熱——青蒿　知母　竹葉　蘆根　石羔　濕熱——米仁　滑石　梗通　燥熱——桑皮　玉竹　花粉　鮮沙參）

案例　吐血

胃熱內熾肝火上冲頭疼身熱面紅目赤胸脇滿悶忽吐鮮血煩燥不安舌苔黃脈形弦數法當清降治之

鮮生地四錢　杭白芍二錢　粉丹皮二錢　生赭石四錢　靈磁石四錢　川鬱金錢半　細川連五分　熟軍三錢　淮牛膝三錢　鮮茅根一扎　鮮藕汁一杯　荆芥炭錢半

上爲吐血之淸降法也。若大量出血。可加犀角。嘔血衄血用藥亦大致相同。證見身熱。知有表邪。故佐以荆芥炭。卽身不熱。亦可用以止血。此兩借法也。

屢患失血面色慘白形寒氣短舌淡苔白脈形芤弱頭暈心悸此爲中虛當從血脫益氣之例

潞黨參二錢　野於朮二錢　白歸身二錢　杭白芍二錢　靈磁石四錢　白茯苓三錢　遠志肉錢半　茜根炭錢半

側柏炭三錢　飛女貞二錢　旱蓮草二錢　炮薑炭四分

上案爲吐血之溫鎭法。並兼守中以納腎氣。若崩中漏下。可去磁石。加伏龍肝。則亦可爲守中溫攝法。或去茜草側柏。易地楡乾陳棕炭。並可加升柴以舉陷。

欬血

先因咳吐鮮血繼乃痰嗽帶紅午後發熱心悸盜汗時或遺泄夢多不寐左脈細數右脈虛軟尺部帶浮舌乾少液此乃陰虛火旺肺葉受灼勞損之漸久延堪慮

大生地四錢　炙龜板四錢　天麥冬(各)二錢　南北沙參(各)二錢　甜杏仁三錢　象貝母二錢　地骨皮三錢　肥知母二錢　左牡蠣四錢　硃茯神三錢　遠志肉錢半　烏梅炭一錢

上爲嗽血中之育陰潛陽法。因用龜板牡蠣。故不須鎭降。若脈見弦數。則爲肝火乘肺。去龜牡。加旋覆赭石。仍爲淸降法也。若六脈虛軟而數。重按無力。舌淡而潤。雖見發熱。乃陽虛而不能收攝之症。當改用溫納之法。如熟地。萸肉。山藥。茯苓。白朮。白芍。磁石。牡蠣。炮薑。五味。杏仁。川貝。橘紅等品。

肺胃積熱風寒外束身發寒熱咳嗽吐血胸悶引痛頭暈目重肌表無汗脈反沉數舌尖紅苔白黃先以解表爲治

淡豆豉三錢　荆芥錢半　黑山梔三錢　川鬱金錢半　炒丹皮二錢　全瓜蔞三錢　光杏仁三錢　象貝母二錢　白

茯苓三錢　白石英四錢　橘絡一錢　仙鶴草二錢

此爲外散而兼清降之法。卽仲景不發汗因致衄者。可更發汗之例。但不用麻桂。倘得汗而血仍不止。則表邪已解。當直清肺胃之積熱。去豆豉荆芥黑山梔。加桑皮芩連。若脈沉弦數。無汗者。去豆豉加柴胡。有汗者。並去荆芥山梔。加黃芩。白芍。白石英改用牡蠣。

此爲伏火與鬱火之例。法當升泄。又有肺部伏寒之證。身無寒熱。脈沉遲緩。舌苔薄白。雖欬日血久。猶當以柴胡炮薑易豆豉山梔。

此又爲上部出血之變法也。但升藥必當與降藥並用。此亦要訣也。

崩漏

經來如崩腰背痠病頭目眩暈心悸少寐脈形弦細此肝火逼血妄行也當以清肝攝血爲治

生地炭四錢　當歸身二錢　杭白芍二錢　黑山梔三錢　丹皮炭二錢　遠志肉錢半　生棗仁三錢　抱茯神三錢

血餘炭二錢

此爲崩漏之清攝法也。

便血

便血如注色澤紫黑脈形緩滑舌苔黃膩此由濕熱內蘊陽明當以清化爲治

杭白芍二錢　當歸身二錢　炒子芩錢半　炒川柏二錢　地榆炭三錢　銀花炭三錢　澤瀉三錢　白茯苓三錢　江

枳殼一兩　蓮房炭二錢

此爲便血之藏毒症。故用清化之法。若下血清鮮。四射如箭。則爲腸風。去川柏。銀花。加荆芥。防風炭。槐角。若見腹痛。則爲血痢腸澼。當用煨木香。炒川連等。若脈沉微細。或遲弱。則當參用上述之溫法。

以上所舉例案。似頗簡單。倘能詳參分類用藥。隨證加減。觸類旁通。梚其綱要。當能應付裕如也。

八　結論

失血之餘。神氣大傷。恢復健康。端在病後調理。而調理之要旨。則以脾胃爲主。蓋因脾胃爲資生之源。後天之本。得穀則昌。失穀者亡。理固然也。而人之氣稟。有偏陰偏陽之異。陽盛則陰虛。宜以養血藥爲主。調脾胃之藥爲佐。陰盛則陽虛。宜以調脾胃之藥爲主。養血之藥爲佐。醫者之大患。亦在偏執。喜用寒涼者。動輒芩連知柏。而遇證之應溫者。則無生理矣。喜用溫熱者。動輒附桂薑萸。而遇證之應淸者。亦無生理矣。又有自命執中之派。專用不寒不熱之品。而遺誤病機。亦同趨於死路。余生也晚。經歷猶淺。奚敢妄加訾議。惟心欲其細。胆欲其大。二者相輔。始無偏頗之弊。以上演述。無不以寒熱二端並舉者。固不僅專於醫病。亦寓微意於醫醫。病固不易於醫。而醫者之病。尤屬難醫。更復進論於醫國。能不爲之悔然。

春季始業三年級日課表

時間 科目 星期	上午 1	上午 2	上午 3	上午 4	下午 5	下午 6	下午 7	下午 8
1		醫案	兒科	婦科	實習			眼科
2		外科	方劑	雜病				針科
3		醫案	西外	解剖				眼科
4		外科	兒料	雜病				傷科
5		醫案	西外	解剖				眼科
6		醫案	方劑	婦科				

溫熱我見

唐本善

緒言

東南氣候溫暖。正傷寒症極少。溫熱症常見。蓋人之傷寒。於霜降後春分前。氣候嚴寒之時。感而卽發。寒邪閉其腠理。故非辛溫之劑。不足以散之。此仲景所以立桂枝麻黃等湯。也溫熱在霜降後春分前。感不卽發。寒邪伏於肌肉。至春夏氣候暄熱。伏邪自內達外。鬱於腠理。無寒在表。故非辛涼之劑。不足解也。此後輩之所以立桑菊銀翹等劑歟。仲景曰。太陽病發熱。渴而不惡寒者爲溫病。不惡寒則病非外來。渴則知其熱自內熾。凡不渴而惡寒者。非溫病明矣。由斯觀之。仲景傷寒論其義甚廣。所以內經凡熱病皆歸納傷寒之類。難經云。傷寒有五。曰傷寒曰中風。曰熱病。曰濕溫。曰溫病。惟世以溫熱病混稱傷寒。視傷寒投以溫熱劑。溫熱反投以傷寒劑者不鮮。此何也。緣時醫含混其症。不加詳細辯別。因無系統之故耳。尤其溫熱病有新感伏氣之殊。凡言新感者。不知凡幾。而論伏氣者。聊無一二。蓋伏氣由先時潛伏。逾時而發。經云冬傷於寒。春必病溫。玆可證也。試將伏氣溫熱。舉一系統。求其辯症明晰。頭緒易入。不致有馬鹿之犯。卽斯作之微旨也。

(一)伏邪辯

謂人身之中。何處可容邪伏。越時許久而後發耶。此不知有膜原之情形耳。皮裏肉外。膜膈腹裏。腸胃夾層。藏府夾層。隔肓之體。橫隔中焦。夾層中空。豈非居容伏邪之所在哉。平野廣大之處。雖大氣往來。邪伏於中。與正氣無礙也。藥者。不過鼓正氣以攻邪。設正氣旺。則邪亦無由而伏。氣隙寬濶正氣有可行之道。邪正相避。無着力之處。邪正不必、値。故難經謂溫熱之脈。行在諸經。不知何經之動。各隨其所在而取之。候其旣動而後治之之義。吳又可曰。瘟疫之邪。盈溢膜原。俟邪氣自行發動。與正氣相觸。始現於形。有專經之證。隨施專藥。內經曰。四時之傷伏氣爲病。於是膜原之名可立。且人有累愈累發之疾。爲楊梅結毒。或一年數年。其根不斷。或發於年少。翌年治愈。其根不除。至衰老時。仍有梅毒遺性。此非內伏之明證耶。邪之遽入。由皮毛者。中於表。若發則爲惡寒等狀。感伏而至再感時並發。由呼吸入者。中於肺。發爲氣逆咳嗆。中於胃。必泛噁嘔滿。或以其微而無能爲力。或攻驅而未盡。適犯勞力汗出房室等事。膜原中之大氣。暫告虛憊。因之踞入而不自知覺矣。漸而深入身中。隱匿不自在。口渴眩暈。汗出爲常。畏寒畏熱。雖苦氣短。不任勞。肢少力。手心熱。小溲赤。大便泄或秘。食不消或增。苦厚少味。夜眠不安。紛紜多變。其發也寒化溫。風化泄。隨陰陽之盛衰。治當疏表清裏。輾轉治療。久而乃愈。蓋邪在膜原。始表散之。繼清泄之。復乘其外發而散之。因其內留而泄之。散而泄。泄而散。則其邪可净。

(二)四時皆有溫熱論

伏邪之發作。往往由新感而引動者。隨所兼之邪而別其病名。故因於風者曰風溫。因於寒者曰冷溫。因於暑者曰暑溫。因於濕者曰濕溫。因於穢毒者曰溫毒。或因其時令而定其病名者。如發於春者曰春溫。發於夏者曰夏熱。發於秋者曰秋溫。發於冬者曰冬溫。但以東南氣溫。病始於春。盛於夏。極於秋、衰於冬。然盛於夏秋者果然。惟盛於春冬者亦有之。蓋以春冬養氣多孤炭氣少。空氣清激。夏秋炭氣多而養氣少。空氣汚濁。水土被日光之蒸晒。濕熱交蒸。而人在氣交之中。本氣薄弱。甯能幸勉哉。良以濁熱黏膩。化生微菌、恆易發爲濕溫也。書云濕爲黏膩之邪。最難驟化。由是觀之。其症多而變症亦繁。爲溫病中之較難治者。經云太陽病發熱而渴。不惡寒。曰溫病。此其本也。凡有風寒暑濕燥等兼病。皆其標也。當標本兩治。無兼病者。不拘四時。然宜因時制用。是爲醫德。曰神而明之。存乎其人。武穆之言。誠不謬也。

(三)分論

春溫證治

原因……冬受微寒、伏於肌膜之間。膜原寬廣。所以不卽發動。冬不藏精。腎氣虛虧。邪氣乘隙而入。深伏少陰。亦不卽發。待來春陽氣升發。加之外感寒邪之引動。於是乃作。內經曰冬傷於寒。春必病溫。冬不藏精。春必病溫是也。

症狀……(一)初證頭身皆疼。寒熱無汗。咳嗆口渴。舌苔薄白。脈息有力。或弦緊。或滑數。

(二)溫熱襲於胃氣。舌苔化燥。化黃。化焦。

(三)溫熱襲於陽明營分。舌絳齒燥。譫語神昏。

(四)熱極生風。手足瘈瘲。脈來弦數。

(五)溫熱竄入心包。昏不識人。若尸厥狀。

治方……(一)辛溫解表法 防風 桔梗 杏仁 陳皮 淡豆豉 葱白頭

(二)涼解裏熱法 鮮芦根 大豆卷 天花粉

生石膏　生甘草

(三)清熱解毒法　西洋參　大麥冬　鮮生地

元參　金錢花　青連翹　菉豆衣

(四)却熱息風法　大麥冬　鮮生地　滁菊花

羚羊片　老鈎藤

(五)祛熱宣竅法　净連翹　犀角尖　川貝母

鮮菖蒲　牛黄至寶丹

風温證治

原因……按風温症與春温無異。因其爲風所傷。故觸而即發。

症狀……頭痛惡風。身熱自汗。咳嗆口渴。舌苔微白。脈象浮而兼數。以後變症。悉同春温。蓋所感之邪不一。而伏藏之氣無殊也。然亦宜辨别。若其勢漸者。爲辛勞而得。若其勢速者。爲冬不藏精使然。

治方……辛凉解表法　薄荷　蟬衣　前胡　淡豆豉　括蔞根　牛蒡子　天花粉　(在於陰虛者。宜兼清滋之品。不論任何温病。顧其津液。爲第一要訣。)

濕温證治

原因……冬令伏寒久釀爲熱。因濕而引動。以夏秋水土鬱蒸。其氣最濁。俗云霉雨蒸桂花蒸之際。蓋夏秋濕中有熱。熱中有濕。濕熱互侵。化生微菌。於是濕温乃成。其症有莫測之變端。吾儕更宜精詳細察也

症狀……濕温一症。有濕多熱多之分。症狀亦因之兩别。濕多者。病發太陰。多神疲嗜臥。惡寒足冷。肢體痠楚。難以轉側。頭身皆重。腦部脹痛。肌肉疼而胸膈痞滿。渴不喜飲。溲赤便溏。午後寒熱。有陰虛之狀。苔膩脈糊。熱多者病發陽明。神煩口渴。而不多飲。甚則耳聾乾嘔。口氣穢濁。面色紅黄黑混雜。或因胸腹熱滿。按之灼手。瘧則作痛。頭目眩昏。良由濕熱鬱蒸太過。清竅被蒙之故。其有濕遏熱伏發爲陰黄陽黄者。又有濕熱內結於脾。或成濕霍亂者。倘有邪走皮膚。或發斑疹者。凡温病當補當消。當下當表。各適所宜。勿膠柱可也

治方……濕重者(輕開肺氣)藿朴陳苓湯　藿香　川朴　半夏　赤苓　杏仁　苡米　白蔻末　豬苓　香豉　澤瀉

熱重者(表利兩解)小陷胸湯　瓜蔞　半夏　川連　加枳實　梔子　豆豉　茵陳　云苓　木通　(如渴甚脈大有燥意者。重用石羔知母蘆根燈芯。)

或竟用白虎湯加竹葉杷葉之類。如過虛者。可酌用洋參。）

濕熱內蒙清竅者（芳香辛淡）藿香　半夏　赤苓　豬苓　杏仁　苡仁　香豉　澤瀉　細辛　白芥子　蘆根　滑石

陰黃無熱象（苦辛淡溫）茵陳五苓散　茵陳　生晒朮　川桂枝　浙苓　澤瀉　豬苓

陽黃有煩喝象（苦辛淡清）清熱滲濕湯　川柏　蒼朮　川連　澤瀉　生晒朮　淡竹葉　生草梢　赤茯苓

濕霍亂（辛開溫化）蠶矢湯　晚蠶砂　苡仁　豆卷　通草　木瓜　仙夏　山梔　黃芩（茱萸川連）同拌炒

苔白膩轉黃滑（辛開清解）藿香左金湯　廣藿香　吳茱萸　川連　陳皮　姜夏　枳殼　車前　赤苓　木通　澤瀉　六一散發達爲斑疹（辛涼開）杏仁　牛蒡　木賊　姜皮　川貝　銀花　連翹　竹葉　通草　紫草　丹皮（熱重加元參銀花蘆根紫地丁）

温病證治

原因……冬令受寒。伏而不發。待來春氣候溫暖。不由感受風寒濕之新邪而引動者。實隨陽氣之升發。伏邪自內而達外。

症狀……表理皆熱。口渴惡熱。脈象洪大。重按更甚。

治方……（症非表邪故起首卽與氣溫之辛散不同。）

初病無汗者。宜清涼透邪法　鮮蘆根　生石膏　青連翹　鮮竹葉　淡豆豉　藁豆衣　嫩前胡

有汗者。則宜清熱保津法　連翹　天花粉　鮮石斛　鮮生地　原麥冬　參葉

壯熱譫語。脈洪大且數。熱在三焦。清涼蕩熱法　青連翹　西洋參　生石膏　生甘草　知母　鮮生地　粳米

口渴譫語。妄言不自知。舌苔乾燥。脈沉實有力者。熱在陽明胃府。宜潤下救陰法　生大黃　元明粉　甘草　元參　原麥冬　鮮生地

温毒證治

原因……冬當寒冷而反暖熱。發生乖戾之氣，人感而受之。至春夏間。復感溫熱。或患風溫溫病冬溫。誤服辛熱之

品以熱濟熱。於是温毒症發矣。

症狀……(一)脈盛煩渴。咳嗽喉疼舌絳苔黃。

(二)因温熱之毒入於陽明。發於肌肉而成斑點。其色紅者較輕。紫者重。黑者危。

(三)温熱入於營分而成疹。發於皮毛。故屬太陰。而病之凶吉。亦以顏色而分明之。

(四)温熱之毒協同少陽相火。上攻而爲耳下硬腫疼痛。此名曰頤。

(五)温熱之毒越於上。結於喉。成腫痺。少陰少陽二火。動則痰生。痰壅故腫。腫甚則痺。痺甚則不通而死矣。

治方……(一)清熱解毒法　西洋參　大麥冬　鮮生地　元參　金銀花　青連翹　菉豆衣　生甘草　玉桔梗

(二)清凉透斑法　生石膏　生甘草　銀花　連翹　鮮蘆根　大豆卷(如斑出神蒙者加犀角元參)

(三)辛凉解表法　防風　桔梗　杏仁　陳皮　豆豉(或加葱白生地菉豆衣甚者加青黛連翹)

(四)消腫退硬法　白芷　漏蘆　山甲　皂角(外將水仙花根搗敷乾則易之數而可愈)

(五)鮮毒開喉法　嫩射干　西洋參　大麥冬　鮮生地　京元參　金銀花　淨連翹　殭蠶　桔梗　牛蒡(再用玉鑰匙開之)

結論

以上所述。大都出諸醫書。繁者削之。簡者增之。作者不敏。稍抒管見。草成斯篇。以塞責。蓋温熱之名。爲廣義傷寒之一種。後學者議論紛紜。莫衷一是。迄今仍無定說。拙篇雖有各症分論之名。必多遺漏之處。讀者於體諒之餘。亦宜融會他作以貫通也。孰爲風當疏。孰爲寒當温。孰爲暑當清。孰爲濕當利。孰爲燥當潤。孰爲火當瀉。孰爲虛當補。孰爲實當攻。此治病之常規也。自古醫無死法。人有貧富。體有執實。病有新久。藥有炒炙。在女子兼詢經期。在婦人兼詳胎產。各隨其宜而施。不大意慌亂。庶無差忒。醫道無境止。在當胆大而心細。精益求精。是則目前國醫之勃興。並可綿綿傳於後世者也。

神經衰弱

張克勁

一 引言

神經衰弱是一種文明病。世界的文明愈進步。那麼患這病的也愈多。考我國古代醫書。沒有這種名詞。可是記載着症狀相同的。倒亦不少。綜而觀之。大概都歸納在虛症裏面。也許古時生活簡單。虛榮追逐的事也少。因之神經衰弱的患者稀微。著書的人。就沒有與虛症另分類別。總括言之了。

神經衰弱是一種慢性病。非三五日可能造成。牠的痊可。也非三五日即可完愈。但患了這病。若能照內經所謂『恬淡虛無』。把一切雜務拋盡。心神暢達。並進以適當之藥劑。也自然會『眞氣從之。』日漸痊可的。因之一般人。以其症狀既無十分痛苦。治療也尙容易。（初期）於是就把牠當爲不緊要的病。也有簡直把牠認爲不是病。雖然神經衰弱是這麼的不値注意。可是有了這個禍根。不但可以引起許處可怕的病來。——如腦溢血。精神病等。並且還能妨害了一生的事業與幸福。令人惰氣叢生。頭腦失却精密。作事能率不進。故講得嚴重些。匪止有關個人。社會國家亦受害不淺。世界的文明愈進步。人類生活的負擔也隨之而增。科學底便利。雖帶來無限的歡悅。可是又誰想到賜給人們精神上以更大的痛苦。因之神經衰弱的患者將日增一日。定可預卜。勁不敏。但以我醫界對於此病之注意者甚少。頗引爲憾。故撰斯文。幸同道先進有以教之。非趕時髦。也非反對文明。惟求補救於萬一。聊盡醫者之責耳。

二 原因與病理

本病原因甚多。有屬先天。有屬後天。但大體看來。都屬後天。其屬先天者。祇爲一種神經質的素因。容易患這種病而已。可是結果總是爲了後天保養失宜。而致起病。牠的保養失宜。大致都爲操勞過度。非肉體的操勞過度。是思想神經上的操勞過度。試看患此病者。男子較女子多。都市較農村多。近時較古代多。已可證明。蓋因肉體過於勞役。容易復元。神經過於勞役。則不易復元。如普通遠行負重後。經過一浴一睡。就可照常。若苦於用腦之後。神經感到極度疲乏混亂。就非一二日內得以恢復。可見天天將神經勞役。不予以適量之調濟。就難免要患着衰弱了。

吾人在欲知病因之前。當宜先知神經的解剖與生理。但本篇未能詳述。姑約略言之。

夫神經共分爲二大系。一爲動物性神經系。專司支配隨意肌及感覺器之運用多應付外界而敏捷。——如手足之動作皮膚之感覺。——一爲植物性神經系。專司支配各臟腑及全身血管之運用。多對付內體而遲緩。且有連續性。——如肺之弛張。心之搏動。腸之蠕動。——此二者各有中樞與末梢。分佈其統轄之區域。無微不至。各盡其應盡之義務。不稍間歇。乃爲一切組織與臟器之主宰。而形成人體最高貴之器官。

神經之散佈人身。猶如電網。其傳佈之快。也如電般。神經之中樞與末梢。猶電之總線與支線。神經之主管爲腦。猶電廠也。是故廠中之發電機不佳。或過於使用。不予以修理加油。其所發之電。則陰暗不明。由此可知吾人之先天稟賦不良。後天不保養失宜。自當難免罹有此症矣。茲將本病先後天之原因分述如下。

屬於先天者　患者當責於父母。蓋因未出世之前。已中父母影響。如父母患貧血。萎黃。結核。梅毒等者。其子女必多神經衰弱。但亦有父母患神經衰弱而遺給子女者。猶如證之自然。則草本之種子不良。所生之草木花菓。亦是萎弱不挺。俗所謂『龍生龍。鳳生鳳。老鼠生兒打地洞』是也。證之於電。卽發電機不良也。若能後天保養得宜。亦可避免。此之所謂遺傳。不過遺傳給一種神經質而已。神經質者。卽前所謂易於患神經衰弱之素質是也。但也有父母健全而生個孩子神經質。其原因大概多爲姙娠時。母患重病。或酒醉受姙等所致。孩子一有神經質。父母就該注意。勿強命勤讀工作。心神過勞。以資避免。如一只本來就不良之發電機。明知易於毀壞。若能時加注意修理。當亦可安然無事。神經質之普通症候。爲狂躁。好哭。咬爪。歪顏等。

屬於後天者　症之由於後天而起者。又可分爲精神誘因。及肉體誘因二大類。當更爲分述之。

精神誘因　近代文明進步。生活多反自然。遠不如古之穴居巢室。朝出暮入。毫無頭腦運用。今者生活程度。日高一日。人類負担亦與之俱增。故終日之忙於事事者。無非爲解決生計。追逐虛榮耳。因之身體之運動不足。精神之勞役過甚。且夜以繼日。夕復一夕。晝夜常受刺激。妨害應有之睡眠。如是則未有不患於斯症者矣。其對於環境。年齡之關係頗大。當再爲分述之。

一、對於生活環境之關係　凡家境寬裕生活輕便者較少。但此等人。又將心猿意馬。別有所圖。故亦未能確定。以大體言之。家境清苦。職業繁重。尤以靠筆墨頭腦掙飯者爲多。蓋因過勞則休息睡眠之時間不足。疲勞物質。不能十分排泄。且神經營養物之消耗。亦未能補給故也。他如都市之人。較諸農村爲多。乃因都市人之頭腦復雜。且大多整日沉於設法營利。競爭事業中。頗少肉體運動之調劑。不若鄉人日出而作。日入而息之合於自然也。故神經衰弱。認爲文明病。亦是此理。近代世界各國。以美國之文明最發達。故美國之患神經衰弱者亦最多。

二、對於情感之關係　人之稟賦不同。人之性情亦各異。有好動者。有好靜者。有善樂觀者。有善悲感者。是故患者之多寡。亦以性情而有異矣。如好靜而善悲之人。易患斯症。有因家庭之失睦。事業之失敗。希望之成夢想。心中常懷憂鬱。疑懼不安。不特神經之刺戟太深。而最寶貴之睡眠。亦被剝奪。日久遂成衰弱矣。亦有因暴來之刺戟。若火災盜刧後。神經之緊張驚憂過甚。而陷此症

三、對於性別之關係　男性較女性多。蓋因男性之事業。不若女子烹飪之簡易也。且一家之生活。大都專恃男子之勞碌所得。故一切憂慮設計。均在男子矣。反之女子之由於過靜而成神經之機能減退。或家庭瑣事之憂鬱而成神經鬱結。引起衰弱者。亦屢見不鮮。

四、對於年齡之關係　患者都屬成年。幼年少年。不易多見。一來因此時適爲吾人之成長時期。神經皆頗充滿。二來因生活之負担。世事之憂鬱。尚未加之於其身上。故毫無牽慮。自鮮衰弱矣。中年之人。正與環境掙扎之時。難免將神經過於勞役。老年之人。更因各臟衰疲。神經之營養不足。而易起衰弱。猶老舊之發電機然。故患者以中老年爲最多。大概二十歲至十歲間。最易罹得本症

肉體誘因　其中亦可分爲數類如下。

一、對於疾病之關係　病後體質多傷。且持久之病。其傷及體質之程度亦深。神經之營養缺乏。自成衰弱矣。如患肺結核者。每日體溫之昇騰。及咳嗽。盜汗。其累致神經衰弱固不待言。且世人皆以肺結核爲必死之病。一旦罹此疾病。繼以恐佈煩悶則

神經之衰弱愈甚矣。故後期之肺結核。及愈後之肺結核。大都患有此症。又如患瘧疾者。其赤血球每日因破壞而減少。致成營養不良而陷本症。故久瘧者。多兼患之。其他更有貧血。梅毒。淋病。睪丸病。脊髓病。腸窒扶斯。及失血濫下。(或久下大下)中毒之後。婦人頻囘分娩。授乳等。皆可造成本症。

二、對於色慾之關係　房事過度。每爲神經衰弱之一大原因。蓋泄精過多。恆較失多量之血爲甚。精中之精虫。以近年醫學之研究。非但專爲分體繁殖之作用。且更可輔助身體之酸化作用。一方又可保持神經與奮力之效用。故縱慾之害。可見一斑矣。其他如手淫之爲害。亦非淺顯。蓋其直接剌戟中樞神經頗強。且手淫之後。恆以日常醫籍誇張其貽害爲憂慮。精神抑鬱。日漸則神經由怠疲而轉爲衰弱矣。

三、對於飲食之關係　凡飲食之屬於剌激性者。皆有害神經。如辣茄。胡椒等。多食之。均可致其衰弱。且有貧苦之人。飲食中缺少營養。神經之營養不足。而成本症。

四、對於嗜好之關係　嗜好品中。以菸。茶。酒。爲最普遍。其他如咖啡。雅片……等。然屬於嗜好品者。多含有剌激性。少食之固可興奮神經。過量則可使神經之興奮極度。而陷於衰弱。如酒中之酒精。菸中之尼哥丁。茶中之茶素。及鞣酸。皆爲剌激而有害神經之原素。宜愼加注意之。

五、對於缺少運動之關係　神經之勞役後。每賴肉體運動以調劑之。令其舒暢流達。若日常能得適度之運動。且可強壯神經。是故文人書生。缺少運動。則患者亦多。今以某醫生之調查。美國婦人之兩脚。自汽車盛行後。年有退化之傾向。蓋機件不用則萎靡。此乃局部之衰弱現象也。

六、對於空氣之關係　空氣不潔。亦可爲致病之基。蓋吾人生存之第一要件。爲呼吸作用。新鮮之空氣。富於養氣。可使人身勢力旺盛。近如多數人合聚場所。——工場。學校等。——衞生之設備不佳。其換氣未能充分。則空氣汚濁。含有多量之有毒氣體。令人新陳代謝缺乏效力。故常累致神經衰弱。

七、對於藥石之關係　藥石之屬於寒性者。大抵皆能消伐神經。令其失去強壯。而致萎疲不振。減退其固有之勢力。然過服香燥辛散之品。亦可使神經過於興奮。而陷衰弱現象。

八、對於內分泌障礙之關係　如甲狀腺卵巢等內分泌之障礙。亦可成為本症。蓋神經失其刺激與指使之機能。而呈停頓或疲弱之狀態也。

三　症狀

本來無論何病。都有一定之症狀。但神經衰弱獨異。其症狀。多視患者之輕重而不同。蓋神經之範圍太廣。上自腦脊髓及中樞神經。下至四肢臟腑之末梢神經。皆為彼之領土。其所發症狀。有見於神經之一小部。有見於神經之一大部。甚有見其全部者。誠非其他局部症候之可同日語也。今姑以日常通見之候。分為見於身體及見於精神二類。述之如下。

一、見於身體者　時覺頭重。頭痛。及頭內昏矇。煩脹。仰視運動久坐之後。恆有眩昏。眼花。耳鳴等症。睡眠亦不能充分。有整夜只睡一二小時者。有整夜皆未得睡者。亦有睡而多為惡夢所襲者。於是人體之休息不能滿足。疲勞物質為之積滯。翌日則精神倦怠。而致終日沉迷睡鄉。病者皮膚之感覺。時有四肢厥冷。或溫暖。或麻木。或發躁。或如蟻走樣。或毛髮觸之覺疼。皮膚之感應過敏。項、背、腰、脊、四肢、均痠脹無力。顏面蒼白。或易潮紅。甚或浮腫。心臟之跳動加劇。而成怔忡。心悸。或衰疲而徐弱。脈搏虛遲無力。或浮大疾輭。或弦細而徐。或挫頓不一。脾胃之消化不佳。食慾缺乏。噯氣。嘈雜。惡心。嘔吐。亦時有所見。生殖器之感覺退落。而成陽萎。或亢進而成滑精。遺精。早泄。攝護腺漏等。分泌機能亦起自汗。盜汗。尿量增多。或短數。多淚。皮膚乾燥等象。由是人體之營養愈為不敷。則身重減低。形容憔悴。體溫下落。外貌與姿勢亦沉鬱而不活潑。意而無倦生氣。

二、見於精神者　其見於精神者。恆有過敏與遲鈍之別。分述如下。

A.過敏者　情感易起變化。各種刺激之反應。亦過敏。常妒忌猜疑他人之行動。與己有關。朝夕之喜怒無常。稍不如意。即雷霆大發。偶聞高聲。即自相驚恐。其觀念亦妙入空空。猶夏日之奇雲層疊。追究懷疑。則不知所屆。因注意頗難集中。且常安居一室。惟恐屋塌火起。稍染不潔。即慮病菌傳入。更如黑夜驚怖。動物恐怖。疾病恐怖。所在恐怖等等。總之其終日之所思者。煩悶與恐怖而已矣。

B.遲鈍者　終日情威抑鬱。不喜與人多言。對於他人之悲喜。亦漠漠不相關係。常杜門獨居。或隱於山間。遁歸空門。或厭世而自殺。因之生趣索然。其如服務社會經商營業者。當無進取之心矣。其思想觀念。亦遲鈍不敏。鎮日默坐。似思非思。即思亦不知所思。運動全廢。記憶薄弱。如讀書之反覆誦讀至數百篇。亦不能背解。若偶想辦事。未及其半。已覺煩厭疲乏。其觀念多傾於悲。如春花秋月。臨水登山。之他人認為可喜而足奮發者。然伊則反似有無限悲意。對於親朋之情感。多落落難合。則自嘆孤零。如天地之大。竟無插足之地。總之其整日之見於精神者。惟悲感消極與呆滯而已矣。

四　診斷

本症診斷。並無十分困難。祇須明晰既往之病歷。與現象如何。即可定奪。然與類似之病。不可不辯。其最易與本症混亂者。為歇私的里。與精神病二症。玆分述之。

一、與歇私的里之辨別　歇私的里之起病。多因子宮有所障礙。觀念發生機轉。而呈神經之錯亂。非由衰弱而起。故其來也驟。不若神經衰弱之漸也。其中遲速之辯。即為主要之診斷。他如患歇私的里者。往往發有子宮痛。五官之感覺脫失。及筋肉與粘膜之知覺脫失……等症。本病則無……等等之異別。亦為診斷時之必須參考者。

二、與精神病之辨別　精神病之初起。實為神經衰弱。是故精神病之初期。即是神經衰弱矣。吾人辨之。當宜明其病由。須知精神病者。多因神經衰弱。復受意外之重大刺戟。而或呈癲狂式。故精神病以之治療，刺激較衰弱為着重。神經衰弱之治療則當衰弱與環境並重矣。

五　神經衰弱與古陽虛症之參合

神經衰弱之古無名詞。已如前述。是故其究屬何虛。則難臆斷矣。然以勁之分析。幾有無虛不兼有神經衰弱者，如陽虛腎虛脾虛等。今姑以鄙見所及。述之如下。

夫人身之構成。乃骨肉臟腑等可為吾人所見之物質是也。其所以能各盡其用。自由運動者。乃為吾人目不能見之勢力是也。故總而言之。構成人身之主要素。即物質與勢力而已。近賢祝味菊先生所著之病理發揮中。將物質勢力。歸之於我國醫之陰陽。類爲滴當然余以勢力也陽也。實卽神經之作用也。

人體之勢力何以卽是神經之作用。試申述之。吾人須知四肢之能運動。乃神經使拮抗肌之伸縮而成也。食物之能消化。乃神經使腸胃各腺之分泌消化液並促進腸胃之蠕動而成也。排洩器之能順常。亦神經使其開闔也。是故人體之無論何臟。非神經不能有用。卽使各臟之物質如何充滿。無神經之勢力使之各盡其職。則亦等於無用。可見物質之能用勢力也。勢力者。神經之作用矣。

考古人之言陽。亦指神經而謂也。素問曰。『陽者。其精并於上。』又曰。『陽氣出上竅。』此乃指腦神經而言也。又曰。『背爲陽。』乃指脊髓之中樞神經而言也。且腦爲神經之發源地。脊背爲神經之總幹部。古人之言陽。可爲扼要矣。近者科學發達。始能以精細之解剖察知神經之爲物。出於腦。集於脊背。佈於全身。今參之古說。則不謀而合。他如陽動陰靜等說。其吻合處更令人嘆爲觀止。不過古人祗言其大概。而未能如近代之更知其精細之構造也。(古無器械之解剖。不足爲怪。)

吾人既知國醫之「陽」。卽是神經之作用。則神經衰弱。卽屬陽虛也明矣。其他如脾虛腎虛等症。似與神經無關，但亦不然。須知脾有脾陽。腎有腎陽。脾陽及腎陽虛者。乃脾神經及腎神經之勢力不足也。反之脾有脾陰。腎亦有腎陰。脾陰及腎陰虛者。乃其分泌及腺之物質不足也。故二者不可混雜。然亦不能強分。往往見有一症。陰陽俱虛者何也。曰。凡其虛。必有一先虛。若脾陽先虛者。因神經不足以刺激其分泌。攝取外界之營養。日久則脾陰自感不敷矣。若脾陰先虛者。乃因物質不足以營養神經。日久亦自陽虛也。亦有物質與勢力同時皆感不敷。而形成陰陽俱虛症者。此如觀之。二者既不可混雜。亦不可顯然劃界。實有莫上之連帶關係也。

六 治療

本症治療。非專恃藥石之能奏效。其他如飲食精神手術等療法。亦爲吾人之不可或廢者。茲分述如後。

一、藥物治療　神經衰弱之患者。既可分爲二類。(一屬過敏性。一屬遲鈍性。卽前者症狀有虛性興奮。後者無之也。)則其治療。亦當有所不同矣。但雖似有異。而其強壯神經之主旨。實屬同樣也。不過過敏性者往往專投強壯之劑。神經驟藥力之助。

其虛性興奮。反爲亢進。故宜加鎮濳之品。遲鈍者。本來神經之勢力卽委頓不振。故雖投強壯藥。亦無興奮之虞。因之一般醫者。往往爲求一時之效。投興奮之劑。病者亦以精神之不能振作。喜服咖啡茶酒等物刺激之。但其結果更使加深疾病。反之過敏者。醫士恆喜投清涼之劑。指爲肝火上升。於是愈平愈狠。雖然亦有見效一時。其反應與結果。多較初起爲甚。是故吾人診後。確屬神經衰弱者。當切忌興奮與清涼之劑。蓋二者皆足以消失勢力固有之強壯也。內經有『勞者溫之』之說。實屬至言。且內經更有『甘湯除大熱』句。（其所稱之大熱。卽虛性興奮之熱象也。亦卽一般醫者之認爲肝火太旺症也）更足爲吾人治本症時處方之座右銘。

吾人旣知神經衰弱之治療。宜於強壯。則各臟之衰弱。亦是如此矣。一面尙須明察其致病之因。究竟是由物質不足而來。或其他疾病障礙而來。抑本身之勢力不足。於是則本其因而分別治之。未有不愈者。今姑將我國藥石之足以強壯神經。鎮濳神經。安寧神經。以及填補物質（卽間接營養神經藥）之品。臚列如下。惟配合之法。則在各人靈妙運用。已非拙筆之能盡述矣。

1.強壯一般神經藥

鹿茸　鹿角　鹿角膠　附子　肉桂　人參　黃芪　潞黨參　紫河車

2.強壯局部神經藥

膃肭臍（腎）　杜仲（肝腎）　破紙（腎）　肉蓯蓉（腎）　益智（腎）　白朮（脾）　山藥（脾）　黃精（脾）　大棗（脾）

菟絲子（肝腎）　山茱萸（肝腎）　桑寄生（肝腎）　仙靈脾（腎）　甘枸杞（心肝腎）　覆盆子（腎）　女貞子（肝腎）

續斷（腎）　巴戟天（腎）　瑣陽（腎）　羊肉（脾胃）

3.鎮濳神經藥

龍齒　龍骨　磁石　牡蠣　石決明　白石英　紫石英

4.安甯神經藥

酸棗仁　柏子仁　硃砂　茯神　琥珀　金箔

5.填補物質藥（間接營養神經藥）

熟地　阿膠　龍眼　雞子　龜板　鱉甲　何首烏　當歸　乳汁　牛肉

二、手術治療　本法可分爲按摩水治及電療三種。分述如下。

1.按摩法　每日施行一次。時間以三十分至一時半爲度。施行於全身或上下肢。或祇於頭部。其法有輕擦法。揉捏法。強擦法。叩打法。振顫法……隨人體之感覺而異。功能催進血液及淋巴液之循環。加速活潑物質之交換作用。並可增強消化力。使疲勞恢復。惟病者須有信仰。平靜其心神。消除一切妄念。則起快感而可催促其睡眠。

2.水治法　夫此法古頗盛行。因後人之濫用。反致疾病增劇。故至今已不多見矣。其效能爲刺激中樞神經。促其反應。則脈搏稍減。呼吸微增。皮膚之血管。始因寒收縮。繼則經按摩而反爲擴張。血液之循環旺盛。新陳代謝之功能加效。於是分泌盛。消化強。皮膚固抵抗厚矣。其法有冷却法。即以布浸冷水中。或以冰囊接於局部。多宜頭痛眩暈心臟跳動劇烈之人。有濕布摩擦法。以光滑之布。侵透溫水或冷水。用以摩擦週身。令皮膚發赤而感溫暖爲度。然後以乾布拭去水漬。其水之溫度。老羸宜逐日減低。若加食鹽少許尤佳。有洗浴法。用冷水或溫水洗後。當以乾布摩擦。使膚色變赤。有洗全身。有洗下身。亦有祇洗手足者。當以人之體質強弱而異也。他如溫泉浴。海水浴。對於本症。亦頗有益。蓋因二者之水。所含成份。以化學之分析。於人身皮膚病頗多功效。如本症之由梅毒等皮膚病而起者。則更有效矣。惟其施行之時間與次數。均不宜多。並須經醫生之檢查許可。始得施行。否則匪但無益。反爲貽害不淺也。

3.電療法　每日施行一次。或間日一次。每次時間。以五分至二十分鐘爲度。施行於全身或局部。當視症而異位。功能使神經暢適。血流正常。惟需裝置。故行者頗少。

三、精神治療　本症之起因。一般皆由於精神不快而來。今以精神治療治之。當爲根本療法矣。然以其行之非易。且見效頗緩。故無恆心者。多鄙棄之。今姑述之如後。

1.暗示法　即催眠術是也。令患者確信其病已脫體。或必能治愈。則精神之苦悶解除。自可奮發矣。

2.說諭法　醫者當以合理之言辭以說諭之。切勿引起其恐怖而增其苦也。若患者致病之因由於破產。失業。失戀而起者。尤宜用此法以排解之。惟頗難如願耳。倘能以其他情事用以說諭。令患者之苦悶點轉移。或消失。則精神不致鬱結。病自可愈矣。

3.靜坐法　此法古頗盛行。以其施行匪易。今已少見。若用於本症。甚有益處。可令病者之思想停頓。休養神經之疲勞。使末梢神經舒暢。營其日常之生活也。

四、環境治療　環境之對本症。關係頗大。故亦宜加注意也。其法有二。述之如下。

1.改良作業　凡神經衰弱之患者。每易厭倦其日常之生活。故醫生宜加以勸告。惟精神勞作之生活。最好勿使担任。選業之時。當以較有規則而易生興趣者爲宜。若能吻合以下諸條者尤佳。

A規則身體之肌肉運動。而成習慣。可以調節血液循環。使各機關之運用圓活。且可防愈後之復發。

B.適當身體動作。可以鎮靜色慾之興奮。

C.適當作業成習慣。則患者感一種快活。且生勇氣與自信力。對工作亦生希望心。

D.患者注意集中於嗜好之工作。忘却病感。

2.易地治療　此法對於本症。頗足可取。如患者久居海濱。覺有厭倦。一旦結鄰高山。則心境之興趣。爲之一振。神經之舒暢。亦爲之而適快也。故亦有以旅行航海而治之者。惟不宜過勞耳。

五、空氣法療　地位以海濱。高山。森林。或鑛泉地等處爲宜。以其空氣之新鮮。可使新陳代謝之機能發達。血液盛旺。勢力強壯。則間接直接之對於神經。頗多益處。但病者以何地爲宜。亦視症之經重。體之強弱。本人之嗜好而異之。如體質極虛者。及血行器有病者。不宜於高山。呼吸器有病者。不宜於多風之地等是也。更如冬夏氣候之變遷。飲食生活之便利。亦宜顧及也。

六、飲食治療　本法之目的。在求攝取適當之滋養物。故一般無益於營養之興奮性食物。(茶酒咖啡等)均宜禁食也。然亦有以減食某一種滋養品而治之者。如減却法之禁食脂肪與含水炭素之食物。——多應用於肥胖及老年血管硬化之人。—

——此固不可例言。以普遍之藉於飲食營養者。大抵專恃植物。如豆。麥。馬鈴薯類。惟亦不宜專食一種。應有混合性。蓋如此非但對口味有所厭倦。且有害於人體。其他如烹煮法之改良。亦足以增進食者之食慾。宜加注意也。

七、運動治療　運動與本症關係。已如前述。故亦可利用爲治療之一法。每日最好於朝夕。定一適當時間。施行二三次。每次以一時左右爲度。如散步。徒手操。器械操。打球。銃獵。競走。騎馬等均可。惟不宜過度。使感疲勞也。有不喜運動。而他人代爲運動其筋肉者。亦無不可。

七　預防

本症之預防。亦無異於他病。其主要目的。即爲驅除形成本症之一切原因耳。吾人既知本病大都由過勞而來。故其預防。亦當以規則日常之生活爲首。從業與休息有度。睡眠務使充足。不正娛樂。與傷身無益之事。均不可爲。不流安逸。不陷放蕩。青年處身於競爭生活之劇烈場所。欲求貫徹一己之目的。亦當寬縱有宜。勿虐精神之過勞。對本身之體質。該有相當準備。他若精神之安慰。亦屬重要。家庭糾紛。宜爲避免。春秋佳日。自然之賜與。儘可接受。音樂藝術之陶冶。可驅除一切精神苦悶。園藝游獵。亦足以忘却疲勞。餘如運動。飲食。空氣……等之注意。均可參照治療法中。恕不贅述。

八　結論

夫古人之知本病早矣。見於內經。則詳載無遺。其對本症之病因。述之頗詳。曰『喜傷心。怒傷肝。思傷脾。憂傷肺。恐傷腎。』曰『喜怒傷氣。』（氣即陽也內經有『陽爲氣』句）此言七情致病之因也。關於病理。則言之尤佳。曰『喜則氣緩。』曰『喜則氣和志達。榮衞通利。』曰『怒則氣上。』曰『怒則氣逆。甚則嘔血飧泄。』曰『悲則氣消。』曰『悲則心系急。肺布葉舉。而上焦不通。榮衞不散。』曰『恐則氣下。』曰『恐則精卻。卻則上焦閉。閉則氣還。』曰『驚則氣亂。』曰『驚則心無所倚。神無所歸。慮無所定。』曰『勞則氣耗。』曰『勞則喘息汗出。外內皆越。』曰『思則氣結。』曰『思則心有所存。神有所歸。正氣留而不行。』曰『愁憂者。氣閉塞而不行。』對於治法及保養法。則曰『恬憺虛無。眞氣從之。精神內守。病安從來。』以上乃皆對神經系病。就精神之病理。及精神之保養與治療而立論也。更有曰『酒傷肺。色傷腎。』曰『勞者溫之。』曰『形不足者。溫之以氣。精不足者。補之以味』乃指肉體之病因及物質之治療法而言也。雖然內經言之頗詳。但總觀歷朝名醫之著述及醫案抄錄。終是關於本症。簡而不詳。分析其原因。卽患者。太半均爲病後。或營養不足而來。與近代之文明問題。幾有絕對不同之概。——但亦不可斷言。古之埋頭書堆。窮理求奧者多矣。不過較近者爲生活問題而掙扎之普遍不同耳。——由是可見非古人不知此病。實患者稀微也。因之成方之足以採用者極少。惟吾人若能本強壯之主旨。亦無問題矣。不過最宜注意者。乃內經之所謂『下虛上實』之虛性與奮症。切勿認爲實症治之也。其他如規則日常生活。亦爲必要。某醫者言。若能過日出而作。日入而息。耕田而食。掘井而飲之原始生活。決無此病。故盧梭氏主張復歸自然說。頗能適合於本症之治療與預防也。

春季始業三年級日課表

秋 三

時間 / 科目 / 星期	上午 1	上午 2	上午 3	上午 4	下午 5	下午 6	下午 7	下午 8
1					方劑	兒科	醫案	
2					雜病	外科	婦科	
3					解剖	西外	醫案	
4					雜病	兒科	婦科	
5					解剖	西外	外科	
6					方劑	醫案		

痢疾論

張秀杭

小引

余未習醫以前。以爲治病不難。難於知病。苟已知其何病。施以治法。當無不效。詎進醫校以後。始知病名雖不甚多。而症象萬千。苟貿然施治。無不僨事。故治病不難。難於辨症。語云『三折肱爲良醫。』以其治病多而辨症熟也。予學識淺薄。臨症不多。實有愧夫治病。但自思苟能擅長其一。亦足以應付病家。於是予對於痢病。特別注意。因予於數年前。曾患此病。其痛苦難以名狀。痢下日夜無度。坐臥不安。適神倦欲眠。而又裏急後重。登闈則無。遍迫惱人。間或不及登圊。而穢物自遺。室內臭氣。較他病獨重。精神異常萎靡。不數日。則形瘦骨立。眶陷色瘁。且本症潛伏期頗短。急性者。朝受暮發。慢性者。隔數日卽發。決不致經年累月而後發也。余在三年級時。實習嚴蒼山先生處。見先生治此病。或疎邪導滯。或行血理氣。或用溫通。或用補濇、或調中開噤。或扶正達邪。無不應手而瘥。余極感興趣。再竊自瀏覽各種書籍。痢疾稍有心得。爰不揣鄙陋。草成斯文。惟期博雅君子。賜以教正焉。

名稱

痢疾名稱不一。間嘗考諸古籍。曰腸癖。曰滯下。曰大瘕泄。曰下痢……。皆痢疾之別名也。更以原因症象之不同。又分爲赤痢。白痢。疫痢。休息痢。噤口痢。五色痢。水穀痢。奇恆痢等諸名稱。寒熱虛實。各有見症。故治法亦隨之而大異矣。

原因

濕熱挾積滯。蘊阻腸胃。以致氣機不暢。傳化失司。釀成痢疾。此其大概也。證諸古訓。內經太陰陽明篇云。『食飲不節。起居不時。則陰受之。陰受之則入五臟。入五臟。則䐜滿閉塞。下爲飧泄。久爲腸避。』素問六元正紀大論曰。『太陽司天。風濕交爭。民病注下赤白。』又素問著至教篇曰。『三陽者。至陽也。積幷則爲驚。病起疾風。至如礔礰。九竅皆塞。陽氣滂溢。乾嗌喉塞。幷於陰。則上下無常。薄爲腸癖。』金匱曰。『下利。寸脈反浮數。尺中自濇者。必圊膿血。』張景岳曰。『痢疾之病。多發於夏秋之交。古法相傳。皆謂炎暑大行。相火司令。酷暑之毒。蓄積而爲痢。』吳本立云。『凡痢初起。有因暑濕而得者。有喜食生冷瓜菓。或坐涼亭水閣。或露坐當風。皆虛者得之。』總觀經文及各家論說。皆不離乎濕熱生冷積滯。熱重傷血分者。則紅多爲赤痢。濕重傷氣分者。則白多爲白痢。今則科學昌明。乃謂赤痢。純爲細菌作祟。盤據腸壁。腸膜發炎。潰腐若生瘡癤。其菌爲一桿狀短菌。兩端鈍圓。或孤立。或兩個連結。無運動性。不生芽胞。附着於瓜菓蔬菜及坑厠流水等處。故夏秋細菌蔓生之際。患此病者最多。亦爲急性傳染病之一也。而參今酌古。尚稱吻合。其由飲食不慎。爲致病之總因。可無異議。諺云『病由口入』洵不誣矣。

症狀

初起食慾不振。腹痛且脹。大便不正。次數增多。或寒熱頭疼骨楚。繼則裏急後重。閉滯不利。臨圊而不便。晝夜數十行。甚則百餘次。而每次便量極微。其色或白或赤。或赤白相間。此常見必具之症也。重則氣陷肛墜。肌瘦目陷。面色皖白。下爛肉汁。或似黑豆汁。或如屋漏水。或下純紅。若厥逆冷汗。呃逆不止。熱不退。食不進。藥不能開。驟然能食。皆死症也。又身熱脈大。下如魚腦。或如猪肝色者。危症也。

痢疾之分類

1. 寒濕痢

病因——炎暑過食生冷。或內臟虛寒。脾陽不運而下陷。清氣不升所致。

症狀——痢下白色。間或赤色。稀而清腥。腹痛綿綿不已。胸悶口冷。

脈舌——脈遲。或濡滑不數。苔白膩。或黃潤。

治療——宜煖培卑監之法。

方藥——米炒黨參　白茯苓　土炒於朮　清炙草　炮姜炭　土炒茅朮　益智仁　煨葛根　粳米　肉桂心　寒甚者。加熟附片。

2. 熱痢

病因——陽臟之體。夏秋感受濕熱。熱重濕輕。蘊伏腸胃。與積滯并發。下迫成痢。

症狀——痢下赤色。裏急後重。或如魚腦。或黏而穢。奔迫無度。肛門發熱。小便短赤。煩渴引飲。喜冷畏熱。

脈舌——脈滑數而有力。苔黃膩。

治療——宜清痢蕩積之法。

方藥——煨木香　酒炒黃連　生川軍　銀花炭　麩炒枳實　酒黃芩　酒炒赤白芍　粉甘草　當歸炭　鮮荷葉　炒荊防　焦山查　小青皮

附註——體弱者。生軍改用製軍。

3. 暑痢

病因——感受暑穢之氣。挾肥膩瓜菓積滯。蘊釀成痢。由大腸奔迫而下。

症狀——痢血頻迸。自汗壯熱。面垢神呆。煩渴引飲。腹中攻痛。小便不通。

脈舌——脈數大而強。舌苔黃燥。

治療——法宜清涼滌暑。宣導陽明。

方藥——飛滑石　生甘草　香青蒿　白扁豆　炒川連　炒黃芩　炒枳實　西瓜翠衣　生川軍　炒荊防　炒赤芍　當歸炭　銀花炭

4. 濕熱痢

病因——濕熱兩盛。挾積蘊阻腸胃。陽明傳化失司。遂致下迫為痢。

症狀——便下赤白。裏急後重。小便熱濇。脘腹脹悶。身熱不揚。形寒頭脹。四肢痠重。

脈舌——脈濡數。苔黃而厚膩。

治療——枳實導滯法加減。

方藥——麩炒枳實　炒荊防　酒黃芩　當歸炭　小青皮　酒炒川連　炒神麯　煨大黃　花檳榔　銀花炭　焦山查　炒赤白芍

5. 陰虛痢

病因——平日烟酒色慾。斲喪過度。致精液暗耗。真陰虧損。一觸外邪。熱積不化。遂成痢下。或久痢陰虛傷腎。下焦不攝所致。

症狀——痢下赤色。黯淡不鮮。時有潮熱。入夜尤甚。憔悴不堪。夜不成寐。渴飲不食。裏急後重。虛坐努責。

脈舌——脈細弦帶數。尺部不振。舌光絳少津。甚則生糜。

治療——養陰清熱。行血理氣。略佐止濇。

方藥——嫩白薇　銀花炭　粉丹皮　赤白芍　酒當歸　阿膠珠　大生地炭　石蓮肉　烏梅炭　石榴皮

附註——此症多屬危候。

6. 噤口痢

病因——脾有濕熱。壅塞胃口。或多服下藥。犯及胃氣。或止濇過早。邪留於中。或穢積於下。惡氣上蒸。或過服升提。濁邪上壅。故不能食而作嘔。

症狀——下痢不食。或納食即吐。胸悶舌乾。咽濇。

脈舌——胃虛則右部浮濡沉細。或緩怠無力。濁氣上壅。則渾渾浮大。或浮弦。火熱則洪大急滑。宿食則沉滑。

或右濇滯肝強則弦急舌苔實者黃膩虛者淡白。

治療——先用調中開噤能食嘔止仍宜導下。如痢久胃虛。應以叅苓白朮散爲主。(人叅　茯苓　土炒白朮　陳皮　山藥　炙甘草　炒扁豆　炒蓮肉　炒苡仁　砂仁　桔梗　紅棗湯或米湯調下。)

方藥——米炒北沙叅　姜川連　製半夏　廣藿梗　石蓮肉　陳廩米(荷葉包)

如嘔止能食仍仿前濕熱痢治法以通下之或清痢蕩積法。(見上熱痢)

附註——此症之因非詳辨其脈。不能明也。如遇粒米不進。痢下無度者則不治惟獨叅湯合陳廩米濃煎頻服或可挽其萬一。

7.水穀痢

病因——脾胃虛寒無火蒸化水穀。虛則不能健運。寒則不能化穀。腸胃蠕動呆滯而成。

症狀——糟粕膿血雜下腹中微痛登圊頻頻肢倦納呆。

脈舌——脈緩無力或關部弦舌薄白。

治療——煖培卑監法加白芍防風炭。

方藥——煖培卑監法。(見上寒濕痢)

附註——因勞役而脾陽困頓者。上方加黃耆荷葉。下焦腎陽虛。不能熟腐者。加破故紙吳萸。久痢中虛飲食停積者。加陳皮查肉。

8.休息痢

病因——大都由於止濇過早。瘀留大小腸迴環曲屈之處。或通之不暢。濕熱積滯瘀阻下焦。偶遇飲食不節。風寒不愼。觸之則病作焉亦有腎虛不固者。或元氣下陷而成。

症狀——痢後下血時發時止。經年累月，面黃形削。甚則肛門虛墜神疲懶食。

脈舌——，脈濡滑舌本常膩。

治療——屬實者宜枳實導滯法。(見上濕熱痢)加減。熱重者用川連。寒者加吳萸姜炭。肛門下陷者。用補中益氣湯。(蜜炙黃芪　人叅　炙甘草　土炒白朮　陳皮　當歸身　炙升麻　酒炒柴胡　生姜　紅棗

9.五色痢

病因——腸壁瘀滯未淸加以固濇則醞釀腐爛愈甚。腸壁剝落膿血合腸脂交下。故成數色。

症狀——痢下膿血混雜。實者尙有腹痛。

脈舌——實症者。脈實而有力。虛症者。脈虛而無力。舌黃濁厚膩。

治療——實者。淸痢蕩積法。(已見熱痢。)虛者。補火生土法。

方藥——補火生土法　淡附片　上肉桂　菟絲子　破故紙　泡吳萸　益智仁　蘇芡實　蓮子肉

附註——有臟腑屍臭氣者。爲凶。

10 虛滑痢

病因——操勞過度。脾陽受傷。脾不健運。元氣下陷。穀食難化。故下糟粕如痢。倘係久痢而成者。乃胃虛不攝。蓋腎爲胃關。開竅於二陰。痢久火土交衰之故。

症狀——痢下糟粕。腹中微痛。四肢疲乏。但有虛坐而無努責。肛墜滑脫不禁。

脈舌——六脈沉伏。或應指糢糊。舌質淡白無華。

治療——補中益氣法。加益智。破故。肉桂。或補中收脫法亦效。

方藥——補中益氣法。(見上休息痢。)

補中收脫法——東洋參　米炒黃芪　訶黎勒　土炒於朮　粉甘草　罌粟殼　土炒白芍　石榴皮

結論

綜上數類。不過就痢疾常見言之。他如虫疰痢。痧毒痢。疳痢。驚痢。痘後痢等。罕見之症。限於學識而不舉。殊屬汗顏。設能細玩前例。亦可應付病家。綽乎有餘矣。蓋痢雖變症多端。然其原因。則不外乎脾胃不和。飲食過度。停積於腸胃之間。不得運化。又爲風寒暑濕之氣干之。其病灶則不離乎腸胃。其症亦不外乎寒熱虛實而已。但世人常以色赤爲熱。色白爲寒。非可爲據。如熱生瘡癰而出白膿。豈可以白爲寒乎。又如赤白相雜而下者。抑寒熱俱留於胃腸之間而爲痢歟。原病式曰。『痢爲濕熱甚於腸胃之間。拂鬱而成。其病皆熱症也。』竊思此言稍屬偏斷。苟以痢症皆熱。而醫者悉予淸熱導滯可矣。且既謂濕熱。當有一勝一負。故濕勝於熱。腐化成汁。則下白痢。熱勝於濕。血管滲漏。則下赤痢。濕熱互阻。則下赤白。腸管發赤。膜油發腫。甚則潰爛。則腹痛而便膿瘀。更有因寒血滯而下赤者。由此足見痢之赤白。不得以寒熱爲憑。當以脈症相考。猶脈滑數而有力。腹脹急痛拒按。煩渴引飲。喜冷長熱。雖下白色。亦屬熱也。脈濡數而無力。腹痛綿綿喜按。渴欲熱飲。雖下赤色。亦屬寒也。頭痛身熱。筋骨疼痛者。實也。裏急欲便。久坐不得便者。虛也。新病後重爲實。久病後重爲虛。審證既清。自無誤治之患焉。大抵痢疾初起。以通導爲主。排除腸胃之積滯。藉免腸壁發炎增劇。猶外科之瘡瘍。既已釀膿。當以排毒爲先。稍久則即宜理脾胃。恐不勝其任。猶毒將盡。當以補托。久痢不止。則宜補濇。亦猶毒盡而口不斂。進以溫補生肌。冀元氣恢復。而口自斂矣。惟高年產後。素弱之體。雖初起。亦須補養而兼蕩滌。獨怪世之庸工。泥古四忌。誤人者多焉。如遇發熱惡寒。頭痛身疼。腹痛後重。無汗脈浮等證。若徒蕩滌腸垢。則表邪即有內陷之虞。法以人參敗毒散（人參。茯苓。枳殼。桔梗。柴胡。前胡。羌獨活。甘草。薄荷。生姜。）去參主之。或葛根芩連湯。（葛根。黃連。黃芩。炙草。）先解其表。而表證既罷。痢疾自鬆矣。不過補濇。實不可早施。否則恐蘊積膠滯。閉門留寇。致成休息痢重症。然久痢脫肛。或產後下痢。虛寒滑脫。又非眞人養臟湯。（人參。炒白朮。當歸。酒白芍。木香。生甘草。蜜炙粟壳。麩煨訶子。麩煨肉豆蔻。肉桂。（一方中無當歸。）臟寒加附子。）補濇不可。若因病後痢疾。完穀不化者。攻下固非所宜。當以四君子（人參。白朮。茯苓。甘草。）之類。健脾補養爲尙。如胸悶納呆。腹滿堅硬。疼痛拒按。下淸水者。又非大承氣湯（酒洗大黃。芒硝。厚朴。枳實。）攻下不應。痢非泄瀉。若用分利津液。愈耗身發壯熱。痢所忌也。是以古之四忌。未可必信。須視病症而變遷。方無誤事矣。今之病家。每於新愈。恣啖厚味。以致復發。緣痢本腸胃爲患。痢雖止。而消化力仍弱。創傷亦未即愈。故忌進固體。及刺戟性食物。而宜液體及柔軟性食品。飯焦煎湯代茶。頻頻進服。以助元氣。最爲適宜。總之。以素淨薄味爲主。柔軟易於消化爲目的。本文痢疾。大體粗具於斯。惟謬誤不逹之處。在所難免。尙希高明者正之。則幸甚矣。

產後症治綱要

張育麟

緒言

女科之病。異於男子者。不外生理之不同。故負有胎產之專職。昔扁鵲過邯鄲。爲帶下醫。此爲女科之始。仲景列婦人科於雜編。皆歸納於專書。巢氏病源。眞人千金之專科。則所自昉矣。唐白敏中訪昝殷備安驗方三百七十八首。而爲產寶。斯爲最著。至王宇泰之女科準繩。武叔卿之濟陰綱目。萬氏竹林。傅氏周氏等女科專書。諸先賢之立說。各有精義。其佳作名著。傳播於世。無不奉爲金科玉律。蓋產後一症。因氣血大損。百病叢生。輕則有倦乏之苦。重則有生命之虞。然古書所載。其類繁多。如仲景產後病脈症。察其治療總綱。不外四種。卽一主於虛。一主不虛。一主於全實。一主去瘀。其大體可盡。今將產後諸症治分述於下。

瘀血

產後瘀血。緣係胞宮之內。胎兒居十月之久。當在胞室之時。所賴以生活者。即此血也。已出胞宮之後。周圍之血液。必不能隨胎兒以俱下。則停留腹中。而排泄機能失常。失其新陳代謝之作用。於是瘀血以聚。其治療不一。民間多用益母草或膏餌之。在壯實之婦。其病可愈。在體弱之人。流弊滋多。故先聖立胎產論瘀血篇。以生化湯爲最合法。精工巧配。義在去瘀生新。無使瘀血停留於腹膜之中。

血暈

產後最急之症。莫如血暈。其原因有二。卽一虛一實是也。一爲氣血兩虛。神經起貧血而衰弱。一爲敗血冲心。腦部受鬱。中樞神經受敗血惡質所阻。救急之法有二。一用鐵塊放於爐火燒紅。同時取醋一碗。將鐵塊投入碗中。使鼻薰之。其血管收縮而神經清醒。一用銀針刺入眉心。得血出則腦部鬱血下行。而神經起緩性作用。以復常態。虛症方用當歸補血湯或清魂散。在危急之際。脈象細弱。或幾於欲絕。可投以獨參湯。少加肉桂以強心。或痰涎上壅。嘔吐頻作。可用抵聖散去赤芍加炮姜茯苓。壯實者不妨加竹瀝。因敗血上冲神經而致昏暈者。每有發狂譫語。(虛症則昏而不語)當用生化湯加澤蘭童便或失笑散加鬱金。虛者合參蘇飲以助其氣。若作中風治之則殆。

心腹痛

產後惡露不下。停留腹中。俱爲氣血大虛不運。惡血上攻心包。乃作劇痛。當用理中湯。佐以當歸。若惡露未淨。小便不利。可用琥珀地黃丸溫而散之。或嘔吐涎沫。治當大岩蜜湯。若真心痛者。朝發夕死。夕發朝死。非藥石可能効也。若腹痛惡露已淨。是皆產後子宮收縮遲滯。下焦虛寒也。虛用金匱當歸生薑羊肉湯。寒用理中湯加肉桂當歸。若產後殘血餘屑不清而停滯者。當用芎歸膠艾湯加蓬朮肉桂桃仁。隨症酌治。產後小腹作痛。虛中感寒飲冷。其寒下攻。謂之血塊痛。方用失笑散或四物湯加蓬朮山查之品。或有腰部酸痛難堪。原因產勞傷腎。當用十全大補湯加附子。因血堅而不破。心下痞滿。體質壯者。用一味硃血竭調酒和服。可以推陳致新耳。

寒熱

產後血室空虛。抵抗力薄弱。適遇天時不和。偶一不愼。易感外邪。往往有寒熱等症。有因惡露作祟者。有但寒不熱者。有寒熱往來者。有時寒時熱者。有憎寒憎熱者。大抵但寒不熱。可見衞氣之虛。其例同於陽虛生外寒。如惡露未淨者。當從生化湯加荊芥防風桂枝黃耆赤芍生薑。去瘀驅寒之品。若惡露已淨。可用十全大補湯。但熱不寒。血虛者爲多。所謂陰虛生內熱。瘀未淨者。以生化湯去姜炭加丹皮丹參。表邪盛者。加白薇艮柴胡葱白之類。若寒熱往來者。類乎似瘧。多屬於氣血虛損。陰陽不和。當辯其外感有汗無汗。頭疼與不疼。頭疼無汗者。生化湯加丹皮防風荊芥葱白之類。自汗反頭痛者。全屬虛症。宜柴胡四物各半湯。汗則不及遍身。而四肢不溫者。防其欲脫。方用十全補助之劑。若憎寒憎熱者。不論有無外感。總以生化湯加荊芥丹皮爲最穩睷。乍寒乍熱多停瘀食積。以生化湯加枳殼麥芽山查神麯之類。隨症斟酌。

中風

產後氣血暴竭。血不營筋。類中風症。非真中也。口禁牙閉。手足瘛瘲。脈來虛浮。血暈。四肢強直。丹溪云。欲泄其邪。必補其虛。調其氣血。次論諸病。雖有虛火。禁用苦寒之藥。恐尅伐胃氣。其病有挾風。挾氣。挾痰之各異。用金匱陽旦湯或加荊芥。挾氣當用局方七氣湯。挾痰方用二陳加生薑竹瀝。推本窮源。其病機可轉。

發痓

產後發痓。緣因下血過多。元氣大虧。或爲外邪相博。或爲陰火內動。或傷寒病汗下太過。其症發時。多現牙關緊閉。腰背強直。角弓反張。重則氣息欲絕。兩目直視。忽忽搖頭。方用十全大補湯。汗多重用附子炮姜。大虛倍用參耆。若汗拭不止。兩手循衣摸床。此則病入膏肓矣。書主不治。

蓐勞

產後蓐勞。皆由產理不順。疲極筋力。憂勞思慮。將養失宜。以致氣血虛羸。風邪乘虛而客。致令虛羸喘乏。寒熱如瘧。頭痛自汗。肢體倦怠。咳嗽痞逆。腹中絞刺。且風冷博於氣血中。則肌膚不振。令人虛乏勞倦。乍臥乍煩。顏色憔悴。飲食難進。進則不消。肺客寒邪則咳嗽口乾。頭疼暈眩。百節疼痛。風邪流注。四肢不舉。盜汗煩悶。此爲蓐勞之候也，治當以扶正氣爲主。以六君子湯加當歸。若脾肺氣虛。咳嗽口乾。用補中益氣湯倍用歸耆。若肝經血虛。肢體作痛。當用四物湯加參朮肉桂。若肝腎虛弱。自汗盜汗。往來寒熱。治當六味丸加五味子。大抵此證。多因脾胃虛弱。飲食減少。精氣生源不振。以致疲憊。然此當補脾胃。飲食進。則臟氣復常。其病自愈矣。

咳嗽

產後咳嗽。多因腠理不密。易感外邪。蓋肺主氣。爲華蓋之所。大全云。肺主諸氣。產後肺虛。一感微邪。便成咳嗽。或寒。或濕。或風。或熱。皆令人咳嗽。若產後吃鹽過多。而致咳嗽者難治。誠哉斯言。產後咳嗽。或陰血虛損者。當用四物湯加參朮陳皮桔梗之類。或因肺氣傷者。當用異功散加桂枝桔梗之類。或因陰火上炎而咳嗽者。當用六味地黃丸。若因風寒所感者。當用桔梗湯加紫蘇葱白香豉生薑之類。若瘀血入肺。必面黑發喘。甚則鼻出惡血。與短氣似喘大不相同。急用參蘇飲。以冀片刻之挽救。然而所患之因。均緣產後胃氣不足所致。經云。肺屬辛金。生於巳土。若脾土有虛。則不能生金。其治法首當壯金土生腎水。以制於火。若不補其虛。泥執治其病。則貽誤不淺。頗足慮也。

浮腫

產後呈現浮腫症狀。大約三端。一屬於瘀。一屬於水。一屬於氣。血之兩虛。瘀者小便自利。而腹部膨脹。現有青筋。症屬惡露未淨。敗血流經。仍從生化湯加肉桂澤蘭琥珀牛七之類。因於水濕者。此屬脾虛不能制水。腎虛不能行水之故。以致停滯浮腫。治當參蘇飲或胃苓湯。因氣血兩虛者。其腠理不密。風邪所乘。邪博於氣。不得宣越。故令浮腫。陳無擇云。產後浮腫多端。有自懷姙至產後不退者。亦有產後失於處理者。外感寒暑風濕。內則喜怒憂驚。血與氣搏。留注經絡。氣分血分。不可不辯。丹溪又以產後浮腫。大補氣血為主。其旨可信。

泄瀉與下痢

產後泄瀉。其因甚多。而最顯者。不外五種。一因胎前瀉泄未止。產後尤甚。一因臨產過傷飲食。產後滑脫。一因新產過食肥腥之品。不能剋運。一因煩渴恣飲太過。水穀混亂。一因新產失護。臍腹臟腑受冷侵襲。皆致瀉之由來也。產後中氣虛寒。傳化失職。洞瀉腸鳴。治以理中湯為主。加枳實山查茯苓桂心木香谷芽之類。隨症斟酌。產後下痢。多由產勞傷伐臟腑。日月未滿。虛羸未復。勞動太早。或誤食生冷。外傷風冷。乘虛而入腸胃。內傷飲食。脾胃失運。機能障礙。皆令洞泄水瀉。重則變為痢矣。蓋昔人有言。胎前患痢。產後不止。以七日為必死之候。頗足取信。若胃氣未敗。則生命倘有可復。當進伏龍肝湯。一因產後臍腹受冷侵入。飲食不化。惡露不行。腹痛頻作。日夜便痢無度。產後本虛。更加久痢不止。形瘦力乏。愈見羸弱。以理中湯為主。挾白者加吳茱木香。挾赤者加茯苓桂心。一因誤食生冷。或臨產飲食過度。致產後泄瀉下痢。亦宜理中湯。並助以溫補導滯。挾白者佐以枳實厚樸茯苓木香。挾赤者佐以香附炮姜查肉芍藥。若現虛象者。倍用人參肉桂。間有熱痢後重者。當以白頭翁湯或阿膠散清理之。熱則涼之。冷則溫之。補之。冷熱相搏。則兼調之。滑者主澀。虛者主補。水穀不分。當利其小便。若產婦稟性拘執者。當順其氣。大抵產後下痢之症。治當顧慮其元神。為本旨也。

汗多發渴

產後血虛。營衛不密。陰虛陽越。裏虛表實。陽氣獨發。致汗線開放。過度排泄。大汗不止。而陰液盡竭。或因遇風。變為發痙。當用麻黃根湯。若虛脫汗多。四肢厥逆。不妨加入附子。發渴之病。因產後失血過多。或汗出太過。以致陰液不足。虛火上炎。發熱煩躁。以生脈散加天花粉竹葉文蛤治之。

大小便諸病

產後血水俱下。腸胃氣虛。津液不足。運化薄弱。大便閉澀。而致五七日大便始行。此其常也。斷不可以期計之。若血虛火燥。腹部脹滿。其結在於直腸之間。當以麻仁丸加龍荷首烏以滑潤之。若誤投寒涼清導。反傷中焦元氣。致痛瀉不止。必成敗症。又有產後日久。病外感熱結之症。有實邪燥屎者。當用承氣或大柴胡湯下之。切不可拘拘泥執。反貽誤也。又有小便不利。由血水過失。或氣閉所致。而起腹脹如鼓。方用妙鹽麝香葱白蘄蘄。氣酒共搗。封於臍上。得熱氣入腹。其氣必宣。則小便當下。若熱結膀胱。小便不利。或帶少澀。當用五苓散或桃仁。則熱濁下而小便利矣。一由產後淋濁。因產時妨害尿胞。或難產氣虛。產後血氣更虛。致病淋瀝。當用峻補。主以參耆芎歸。佐以桃仁陳皮。一由熱客於脬中內虛則頻數。熱則澀痛。治以滑石通淋湯。若因氣虛挾熱。熱邪博血。滲入於胞。血隨小便而下。謂之血淋。治以茅根瞿麥湯。

產門不閉腫痛

產時。子宮道受着無限創傷。同時助產士婆動施手術妨害產婦。或爲產後血弱。而氣不運。神經弛緩。不能呈起收縮。輕則掀腫疼痛。重則腐爛流連。苦痛非凡。惟以石灰。蛤殼。梅片研末。調茶油敷之獲効。

結論

醫者負理。理何負於醫。處方負藥。藥何負於方。是先聖之立說處方。廖廖數千萬卷。爲婦人科之寶鑑。醫者尤須悉心研究，庶幾不辱使命。蓋胎產之病。較雜病更感密切。胎產學之興廢有關國家之盛衰。以及人民之衆寡強弱。血統之嗣續斷絕。豈可忽視者哉。憶我國醫學。以積數千餘年之經驗。在史地上可聲稱爲醫學鼻祖。乃爾來庸醫叠出。以一方而治千病。往往有不斃於病之慨。貽禍非淺。希我界人士。切加注意。以維護生命爲責志。無誤陷於虛虛實實之阱。要之胎產問題。以調養爲首務。次以餌藥安病。毋違自然。毋忽人事。爲人家造一福音。亦盡仁人之務而已。

方劑

生化湯

當歸　川芎　炮姜　桃仁　炙草

當歸補血湯

當歸　黃耆

嚴氏清魂散

人參　川芎　澤蘭　荆芥　甘草

抵聖散

人參　半夏　澤蘭　橘桔　赤芍　蒲黃　靈脂　甘草

失笑散

生薑　蒲黃　靈脂

參蘇飲

人參　蘇葉　茯苓　陳皮　枳殼　木香　姜夏　前胡　粉葛　桔梗　甘草　生薑　大棗

理中湯

人參　白朮　炮姜　炙草

琥碧地黃丸

琥碧 玄胡 當歸 蒲黃 地黃 生薑

大岩蜜湯

當歸 熟地 玉活 吳茱 芍藥 遠志 桂心 細辛

乾姜 甘草 雪蜜

當歸生薑羊肉湯

羊肉 當歸 生薑

膠艾湯

當歸 川芎 阿膠 蘄艾 芍藥 地黃 炙草

四物湯

當歸 川芎 芍藥 熟地

小柴胡湯

人參 柴胡 半夏 黃芩 甘草 生薑 大棗

十全大補湯

人參 茯苓 白朮 當歸 黃耆 肉桂 川芎 芍藥

熟地 炙草

金匱陽旦湯

桂枝 芍藥 附子 炙草 生薑 大棗

局方七氣湯

人參 肉桂 半夏 炙草 生薑

二陳湯

雲茯 半夏 陳皮 炙草

六君子湯

人參 白朮 茯苓 香附 砂仁 炙草

補中益氣湯

人參 黃耆 白朮 當歸 陳皮 升蔴 柴胡 甘草

六味丸

茯苓 淮山 澤瀉 棗肉 熟地 丹皮

異功散

人參 茯苓 白朮 陳皮 炙草

桔梗湯

桔梗 甘草

二味參蘇飲

人參 蘇木

胃苓湯

蒼朮 厚樸 茯苓 姜夏 陳皮 白朮 澤瀉 豬苓

官桂

伏龍肝湯

伏龍肝 生地黃 赤石脂 肉桂 艾葉 甘草 生薑

白頭翁湯

白頭翁 黃蓮 秦皮 黃柏

阿膠湯

阿膠 茯苓 白朮 當歸 川芎 陳皮 炙草

麻黃根湯

人參 當歸 麻黃根 黃耆 白朮 牡蠣 浮麥 炙草

生脈散

人參 麥冬 五味子

麻仁丸

火麻仁 枳殼 大黃 芍藥 川樸 杏仁

大承氣湯

芒硝 大黃 枳實 厚樸

大柴胡湯

柴胡 大黃 枳實 黃芩 白芍 生薑 大棗

五苓散

白朮 澤瀉 赤苓 豬苓 官桂

滑石通淋湯

飛滑石 赤茯苓 澤瀉 黃蓮 豬苓 白朮 瞿麥穗

生梔子 車前 木通

茅根瞿麥湯

茅根 瞿麥 車前 鯉魚齒 通草 草稍

其珊自選集

陳其珊

引言

予於屬稿。具趣味。暇輒從事之。迄今略有存積。致力平衡。殆無軒輊。乃期近修業告一段落。校方星火索稿。即選以應。學友過而見之。承囑以其珊自選集名篇。

廿五年。三月。十六日。

目次

疣贅之中西談

疣贅爲上皮贅殖隆起於皮膚表面之謂。其色或黃或帶黑。多發於手足頸及顏面部、罕有見於他處者。其原因。西說尚無定論。或以爲一定素因。或以爲係乳嘴血管鬱血。或以爲係一種傳染病。中說謂多由少陽經風熱血燥。或怒動肝火。或肝客濕氣所致。其種類。彼西醫分尋常疣贅。絲狀疣贅。少年扁平疣贅。老人疣贅四種。吾中醫分風熱血燥筋縮者。怒動肝火者。腎枯筋縮者三種。其症狀。尋常疣贅 (Uerruca·Uuegaris) 爲半球形、或扁平圓板狀之皮膚贅殖。小者如麻仁。大者如豌豆。小者表面始終平滑。大者始雖平滑。後則於頂端呈風化樣狀。變爲粗糙面。經過爲慢性。或僅見風化樣之分裂破潰。其餘皆無變化、絲狀疣贅 (Uerruca Fieihormis) 不呈半球形。而呈細長絲狀。好發於頸部及上眼瞼。少年扁平疣贅 (Uerrucae Planae Juveniles) 形甚小。爲數頗多。色黃褐、稍隆起於皮膚上。專發于小兒及幼年。老人疣贅 (Uerruca Senilis) 專發於年老之人。其形扁平不正。其色褐。表面粗糙。隆起於皮膚之上。其治療。尋常疣贅。及絲狀疣贅。法當用銳匙剔出之。或以刀切去表皮部。再用腐蝕藥腐蝕乳嘴以下之部分。又用發烟硝酸。籠僧格魯兒醋酸。純撒里矢爾酸。十倍昇汞古魯苜謨等除去之。（其珊按，單用腐蝕藥亦有效，唯費時較久。）又有用電氣分解法者。少年扁平疣贅法當內服亞砒酸或亞篤羅必涅，並用乳酸（Acidum Laelicum）二・○。撒里矢爾酸（Acidum Salieylicum）三・○古魯冐謨（Coeeoauim）五○・○外治之。老人疣贅法。常先貼綠石鹼後用收斂性軟膏或苦利沙羅並。至於內服國藥成方則內熱血燥筋縮者。宜八味逍遙散加黃連。或淸肝益榮湯。怒動肝火者。宜柴胡淸肝湯。腎枯筋縮者。宜腎氣丸。

又中藥薏苡仁日人醫籍中。多有言其治疣效能者。片倉元周著靑囊瑣探神方中云：『用薏苡仁（二錢）甘草（一錢。）水一盞半。煎一盞溫服。四五日疣脫如掃。』又石黑忠德著外科說約治疣法中云。『自昔喜用薏苡仁末內服。予嘗聞其說於柳元永翁。因其理不明。故不之信。邇來逢全身生有小疣數個者五人（其珊按。疣罕有生於身體部份者。殆爲手足頸顏面部之誤乎。）使服薏苡仁末。其中二人。經三四日而全治。疣皆脫落。因質之友人。皆云有効。雖尙未詳其理。但實際有效。故附記於此。』勿誤藥室方函口訣麻杏薏甘湯條曰。「……又一男子。周身生疣子數百走痛者與此方而治」湯本求眞氏加以按語云「此湯之治疣。不外薏苡仁之作用。故單用亦可有效。但其硬固陳久者效少。」寺尾國平氏云。『予於明治二十六年初，試用薏苡仁治疣。邇來每有機會。輒實地試驗。見薏苡仁之效果，由疣之種類而大有差異。蓋疣有二種，（其珊按。大別之，固僅尋常疣及老人疣二種，細分之，則可得四種也。）一作半球形隆起，其質柔軟。表面光滑。一則恰如尖圭「昆琪洛姆」（Conayeoma）其面斷裂。呈鋸齒狀，徵以予之實驗前有用此數日至十數日，必可見效。後者則連用十數日。乃絕無效果。（其珊按，卽治尋常疣之大者無效。而小者有效也）至于薏苡仁之用法，或以其粉末外敷。或用於內服，予則將薏苡仁連同其殼剉細，用爲煎劑，使粘滑無味，便於服下。』

夫薏苡仁治疣。有非常之功。已鐵案如山。嗣後吾人治疣。殆不可將其忘懷乎？

山蟹與蟹形疽

有疽如蟹形。名曰蟹形疽。山蟹之外。無藥能治之，施手術亦屬徒然。（此語並非蠡測。有事實爲依據，蓋余戚嚴某。嘗患斯症。就醫於西醫牛惠霖君處，屢動手術，而未見寸效也。）殆其形如蟹。故必蟹然後可治歟。

闡明癆瘵死期不倫之原委

病同癆瘵也，有期年而死，有十年二十年而死。此無他，期年而死者。其病起於藏、傳其所勝也。十年二十年而死者、其病起於府。傳其子也、傳其所勝奈何。傳其子又奈何。五十三難曰。『（上略）七傳者。傳其所勝也、間藏者。傳其子也。何以言之。假令心病傳脾、脾傳肝、肝傳脾、脾傳腎。腎傳心。一藏不再病。故曰七傳者死。假令心病傳脾、脾傳肺、肺傳腎。腎傳肝、肝傳心。是母子相傳。竟而復始。如環之無端。故曰生也。』五十四難曰。『藏病難治。府病易治、何謂也、有藏病所以難治者。傳其所勝也。府病易治者。傳其子也、與七傳間藏同法也。』

痹症小語

凡筋得寒則凝。得熱則縱、寒亟為拘、弛長為痿、風寒濕三氣雜至合而成痺。風勝為行痺、寒勝為痛痺、濕勝為著痺、宜風逐寒。燥濕通絡。乃治療之大法。因證施治。則氣虛加參芪、血虛加芎地。患在肩背加羌活。狗脊鹿膠。腰脊加杜仲。沙苑子。臂指加薑黃桂枝。骨節加油松節。虎膝。下部加牛膝薏苡五茄皮虎脛骨。經絡加桑寄生。威靈仙。鈎藤。苟歷久不痊。必有濕痰敗血。瘀滯經絡。加桂心。竹瀝川烏。地龍紅花。桃仁以搜逐之。

上為總論。今復各論之如次

寒痺之為病。左臂自肩以下。骨節大痛。蓋即經之所謂寒勝則痛者也。其發驟然。宜作急圖。若遊走上下。骨骱白虎歷節風。或夾如痛。毒螫刻不能忍。治非厲劑不可成功。必也投以川烏草烏。松節。杜仲。白朮。牛膝。續斷。桂枝諸品。並令飲酒半斤。酒客倍之。醺然擁重被而臥。但須一身汗出。病勢即可見輕也。

風痺之為病。走注疼痛。忽而上。忽而下。忽而左。忽而右。莫有定所。故亦名行痺也。唯真氣不固者患之。宜黃芪為君。人參。當歸。芍藥為臣。桂枝鈎藤荊瀝竹瀝薑汁為佐以治之。

濕痺之為病。或一處痲痺不仁。或手足不舉。或半身不能轉側。治可內服桂心茯苓。牛膝。杜仲。白朮蒼朮當歸。獨活。桂枝等。外用防風。桂枝。木瓜。當歸。豨薟。葱白六味。煎湯薰洗。汗出為度。

又有肢痺者。乃痺之輕者也。其為病。僅手不能舉。或僅作痛而已。舒筋湯加寄生主之。服藥以外。能每日再食猪蹄筋數條。成效當可益著。

治衄不可概用寒涼說

衄自古分眼衄、鼻衄、齒衄、舌衄、乳衄、膕衄。肌衄種種。七竅出血。九竅出血、髮際出血、口鼻出血、臍中出血、血箭。血汗。亦衄之類也。今人以他種衄症之罕觀、遽用以為鼻中出血之專稱、論其證治也、曰頭眩口渴而苦、脈弦數、象龍湯（羚羊角牡蠣石斛沙參麥冬、夏枯草、丹皮、荊芥、薄荷、茜草牛膝茅根藕）主之、又連及牙齒而出血者、乃胃火熾盛、血熱而上壅、脈洪大者、則面紅目赤。煩擾不安。蒼玉潛龍湯（生地。龜板。石膏。龍齒。石斛。花粉。丹皮。知母）主之。斯得實熱症治法之簡要矣。然猶有上盛下虛者焉。其見證與實熱者迥異。蓋血淌綫綫。一若雨霧簷水之滴。然有歷旬而猶未止者。色作淡白。治宜辛溫（磁石。黃厚附片。覆盆子之屬）以補命門。唯其虛實熱之見證相絕異。故有眞知灼見者。臨此症自能識之。苟腹笥不藏。紙有虛熱之知。則未免不敢放膽用辛溫之藥。彼懵懵者。甚至仍投寒涼。人命重事。豈容草菅。用特爲之說。所以杜寒寒之路。而闡明紙症應有虛實熱之分也。

寒疝靈方錄

溫病條辨。『暴感寒濕成疝。寒熱往來。脈弦反數。舌白滑。或無苦不渴。當臍痛或脅下痛。椒桂湯（川椒（六錢）桂枝（六錢）柴胡（六錢）良姜（三錢）小茴香（四錢）廣皮（三錢）吳萸（四錢）青皮（三錢））主之。』清代名醫魏筱泉屢試屢驗。乃記之曰。『凡寒熱似瘧。而又疝痛者。用此無不應驗。』余用之效如所云。唯其有效。故錄之。所以廣流傳而免有效不彰也。

傷寒論條文摘釋

大病差後勞復者。枳實梔子豉湯主之。若有宿食者。加大黃如博棊子大五六枚。——原文

（釋）讀此條文。難免不發此疑問：苟初病爲枳實梔子豉湯症。則勞復自再可服枳實梔子豉湯。初風枳實梔子豉湯症而勞復。豈亦可服枳實梔子豉湯者。爰請闡明正義。以釋疑團。蓋仲景文字素以簡奧稱。此條文義即不能得之於文內。而須求之於言外。如文直訓者。皆未中其肯綮者也。明顯言之。應作無論何疾。勞復須用原方。唯仲景先生。雅好簡奧迂迴曲折。用太陰藥大黃。少陰藥梔子。厥陰藥枳實。以示明勞復務用原方之意。雖此外另有「傷寒差巳後更發熱者。小柴胡湯主之。脈浮者以汗解之。脈沉者以下解之」之文互相發明。隱隱露顯。然無蘊心巧想者。即併觀及之。亦未始能窺破奧妙之機乎？

太陽篇類方證之鑑別

桂枝類方證元鑑別

桂枝湯證。爲頭痛。發熱。汗出。惡風。脈浮弱。桂枝加桂湯。與桂枝湯同。其藥味唯加重桂枝量。治桂枝湯證而上衝劇者。桂枝加芍藥湯。藥味亦與桂枝湯同。唯加重芍藥量。治桂枝湯證而腹滿時痛者。桂枝加大黃湯。是於桂枝芍藥湯中。更加大黃。治桂枝芍藥湯證而再有停滯者。桂枝去芍藥湯。是於桂枝湯中去芍藥。治桂枝湯證之不拘攣而脈促胸滿者。桂枝加葛根湯。是於桂枝湯中。再加葛根。治桂枝湯證而項加強急者。括蔞桂枝

湯。是於桂枝湯中。再加括蔞。治太陽病。其證備。身體強几几然。脈反沉遲者。桂枝加黃芪湯。是於桂枝湯中加黃芪。治黃疸病。脈浮者。桂枝加芍藥生薑人參湯。爲桂枝加芍藥湯之加味方。治桂枝加芍藥湯證而心下痞鞕。時嘔。身疼痛者。桂枝加厚朴杏仁湯。治桂枝湯證而胸滿微喘者。桂枝加附子湯。治桂枝湯證之無熱而身疼痛。小便難。四肢微急。難以屈伸者。桂枝去芍藥加附子湯。爲桂枝去芍藥湯中加附子。治桂枝去芍藥湯證。而微惡寒者。桂枝附子湯。與桂枝去芍藥加附子湯。同其藥味。唯增重附子量。治桂枝去芍藥加附子湯證。而身疼不能自轉側者。甘草附子湯。治骨節煩疼。不得屈伸。上衝。汗出。惡寒。小便不利者。桂枝去芍藥加茯苓白朮湯。治頭項強痛。翕翕發熱。無汗。心下滿。微痛。小便不利者。桂枝去芍藥加皂莢湯。治熱在上焦。肺氣痿弱。咳有濁唾涎沫。脈數者。桂枝加龍骨牡蠣湯。治桂枝湯證而胸腹動者。桂枝去芍藥加蜀漆龍骨牡蠣湯。治桂枝去芍藥湯證而胸腹動劇者。桂枝甘草龍骨牡蠣湯。治桂枝甘草湯證而胸腹有動者。

麻黃類方證之鑑別

麻黃湯證。爲喘而無汗。頭痛。發熱。惡寒。身體疼痛者。麻黃加朮湯。治麻黃湯證而小便不利者。甘草麻黃湯。治皮水。喘息急迫。或自汗。或無汗者。麻黃附子甘草湯。治甘草麻黃湯證。而惡寒或身微痛者。麻黃附子細辛湯。治麻黃附子甘草湯證之不急迫。而有痰飲之變者。麻杏石甘湯。治甘草麻黃湯證之咳而煩渴者。麻黃杏仁薏苡甘草湯。治麻杏石甘湯證之或不喘滿。而不煩渴。有水氣者。牡蠣湯。治甘草麻黃湯證而胸腹動者。桂枝二麻黃一湯。治桂枝湯證多。麻黃湯證少者。桂枝麻黃各半湯。治桂枝湯麻黃湯二方證之相半者。桂枝去芍藥加麻黃附子細辛湯。治桂枝去芍藥湯。麻黃附子細辛湯。二方證之相合者。桂枝芍藥知母湯。治歷節外因之脚腫。肢節痛。頭眩。身體尫羸者。續命湯。治中風。身體不能自收。口不能言。冒昧不知痛處。或拘急不得轉側。麻黃連軺赤小豆湯。治邪氣在表之時。因失解散。以致身體發黃者。射干麻黃湯。治咳而上氣。喉中水雞聲。厚朴麻黃湯。治熱強脈浮。喘息上氣者。

青龍類方證之鑑別

小青龍湯證。爲表不解。而心下有水氣。喘咳者。小青龍加石膏湯。治小青龍湯證而上氣煩躁者。大青龍湯。治喘。咳嗽。渴欲飲水。上衝。或身痛。惡風寒者。

文蛤類方證之鑑別

文蛤湯證。爲煩躁而渴。惡寒。喘咳急迫者。文蛤散。治渴欲飲水不止者。

越婢類方證之鑑別

越婢湯證。爲一身悉腫喘而渴自汗出。惡風者。越婢加朮湯，治越婢湯證而小便不利者。越婢加半夏湯治越婢湯證而嘔吐煩渴者。桂枝二越婢一湯治太陽病發熱惡寒。熱多寒少。脈浮而有力者。

葛根類方證之鑑別

葛根湯證。爲項背強急。發熱惡風。或喘。或身疼痛。葛根加半夏湯。治葛根湯證而嘔者。葛根黃芩黃連湯。治心下痞。心悸。下利。或項背強急者。

麋銜攷

「麋銜」今藥肆中不備焉。藥肆中人咸不知有「麋銜」之藥。更莫明其性味效能用爲一致之。內經素問有病身熱解墮汗出如浴。惡風。少氣。病名曰酒風。以澤瀉。朮各十分。「麋銜」五分。合以三指撮。爲後飯。』張云『……麋銜卽薇銜。一名無心草。南人呼爲吳風草。味苦平微寒。主治風濕。……』本經『薇銜一名薇銜。』張殆據此而云乎？唐本註云『一名鹿銜草。言鹿有疾。銜此草差。陳讀嘉云『麋鹿有疾。銜此草差。素問之名。因此出。』

斑痧疹瘖證治鑑別之概況

陳鳳翔

緒論

夫斑痧疹瘖。爲時病門中四大重症。推厥原因。凡溫。熱。暑。濕。風。火。疫癘諸氣。皆爲斯病之主因。惟視人體質之強弱。與夫受邪之輕重。或由一氣偏勝。或由數氣合併。或襲於表。或入於裏之分耳。故其初起形症。頗多類同。內經所謂同於標。則異於本。同於本。則異於標。岐路紛繁。若非學有師承。富饒經驗者。往往不能辨認也。考諸方書。亦多籠統。良由各地風土之不同。名稱因之而各異。使後學諸子。幾無成法可遵。譬如紅疹一症。吳地名爲痧子。浙人名爲瘄子。川陝名爲疹子。山東名爲痲子。異名同症。往往然也。爲醫者。豈可玩忽而不加考證耶。查古代醫籍。祇有斑痧紅疹。而無白瘖。惟近世南醫輩出。始得論及。諒係南北地勢之高下。氣候之寒溫。疾病之流行。因之變遷。夫我國地勢。西北高而東南下。西北地高氣燥。河海遙隔。雨露罕有。故西北風燥之區。每盛斑疹。東南地卑氣濕。沿江瀕海。霧露潮汐。較別處爲甚。故東南濕熱之地。最多白瘖。然其發也。豈無混淆。此特言其大概耳。至於發殖之混淆。如或斑中兼疹。疹中挾痧。疹後見瘖。是以方書有斑疹。麻疹。丹痧。痧疹諸變。輒名目其夾雜而發。於斯可見一般矣。然欲明是症。務須先識四者單純之狀態。而後求之夾雜。則瞭若指掌。不難辨認矣。考前賢論載。以斑爲陽明熱毒。點大而色鮮。疹爲太陰風熱。點細而色紅。痧爲心肺火毒。遍體紅暈。瘖爲肺脾濕熱。粒如水晶而色白。不甚稠密也。此爲四症之簡要區別。至於詳細情形。分述于后。其是其非。尚祈明哲正之。

分論

斑之原因及病理　發斑之原。雖有多端。要不外溫毒使然。凡冬令溫煖。氣候乖戾。人感是氣。甚者即病。則爲冬溫。微者不即病。其氣伏藏於肌膚。或伏藏於少陰。至來年春夏之交。復感溫熱。觸動伏邪。兩熱相併。遂成溫毒。傷寒論云。陽脈洪數。陰脈實大。更感溫熱。伏毒自內而出。亦爲溫毒。總之舉凡一切溫病。或重感溫邪。或誤投辛溫。皆足以釀成溫毒也。溫毒爲病。最重也。伏毒與時熱交併。耗陰爍液。表裏俱熱。故其脈浮沉俱盛。其症心煩熱渴。咳嗽喉痛。溺赤便閉。舌絳苔黃。斯時溫熱尚在陽明衛分。亟以清熱解毒之品投之。或可使熱退毒散而就愈至於素稟陰虧火盛之體。一遇温熱。猶如火上潑油雖投前法。終鮮奏効所謂杯水難濟車薪之火。火勢一盛由衞入營燎原之勢。其來必盛咽喉爲肺胃之門戶。燄燄上攻咽喉首當其衝發爲咽喉腫痛腐爛。故發斑之症。咽喉必爛。世人所謂爛喉斑痧者，即此症歟。温毒既抵陽明營分。陽明屬胃。胃主肌肉。火熱入血。血熱不散隱現於皮膚肌肉之間。輕則如蚊跡。甚則如錦紋。其色紅者爲胃熱輕也。紫爲熱甚者重也。黑爲熱極者危也。惟色現鮮紅。爲邪已透盡者吉也。然據上述之說。發斑全屬於胃者。定無疑義矣。而又有言屬於經脈者。何也。蓋以經脈爲血之道路。温毒鬱遏於經脈。與營血相併。蒸迫血液。血流呆滯。外露於肌表。邪毒出路也。二說各俱至理。不可偏廢。照鄙意度之。一而二。二而一者也。其所可分者。不過淺深輕重而已哉。緣其所謂經脈者。指陽明之經脈而言也。經脈在外。其邪淺。其病輕。胃府在裏。其邪深。其病重。以毒邪自內而出。入於經脈者。直接即能達表。既抵於胃。再由經脈而始能達表。是屬間接也。其淺深輕重也如是。故其愈期之遲早。從之而不同。邪出自經脈者。斑消則愈。邪發於胃者。以裏症爲主。往往斑已透齊。而譫妄如故。或斑出數日已消。而昏沉不退。必待裏熱全清。二便清利而後愈。至其症治之界限。殊不能顯爲分別。茲姑舉先哲之條目。略述於后。作爲治療之標準也。

斑之症狀及治療　斑發於胃。治重中焦。藥務寒涼清火。大忌苦寒攻下之劑。所以承氣宜於陽明內實。白虎宜於胃家熱甚。蓋結爲有形之質。熱爲無形之邪。燥矢內實。上下壅塞。鬱熱益甚。津液愈耗。非下不可。仲師所謂急下以存津液者是也。若温熱在裏。無形無質。下之徒虛其胃。邪必內陷。熱必益增。所以前人昭戒温病忌下。職是故歟。發斑一症。亦爲温毒盤踞陽明。故吳鞠通氏温病條辨中。治斑以化斑湯爲主。化斑湯即從白虎湯加味。取其專清陽明之熱也。然化斑湯亦非一概可施。湯名化斑。是在斑已透露。裏熱仍熾。乃可用化斑以化之。至其始終變幻。略舉條目以明之。凡温毒初起。經汗下之不解。而有胸中煩悶。咳嗆嘔逆。躁熱起臥不安。耳聾足冷者。便是發斑之徵。蓋汗下之不解。熱毒內攻。邪無出路。蘊於胃府。宜清熱疏解。使熱宣泄。古方以升麻葛根湯（升麻葛根白芍甘草）加犀角黑參。近世多以辛涼透表之品。如薄荷大力荆芥連翹杏仁前胡枇杷葉。甚或加犀角元參之類。若熱毒勢甚。胃火炎炎。胃絡上通於心。陽明之經上挾咽喉。發爲咽痛喉爛。目赤心煩。狂言悶亂者。仍宜清解。如犀角黑參湯。（犀角黑參升麻射干黃芩人參甘草）去人參升麻。加大力薄荷大青馬勃桔梗山豆根之類。使其斑隨汗透。熱從汗泄。而漸愈矣。若斑已透露。熱勢不衰。而有煩熱口渴。咽喉腐爛。齒枯。舌黃尖絳。此胃熱已甚。宜化班湯。(石膏知母生草元參犀角白粳米)加連翹黑梔射干大青等味。以清氣化班。若斑已滿布。熱猶不退。而煩熱神昏。舌黃尖絳。夜則譫語。此陰液內虧。宜玉女煎。(石膏知母麥冬地黃牛膝)加元參連翹人中黃鮮石斛鮮菖蒲青竹葉等類。以養陰清熱。其或舌絳而黑。神昏譫語。煩躁妄笑。此熱入心胞。宜玉女煎。合清宮湯(元參心蓮子心連翹心連心麥冬竹葉捲心犀角)加鮮菖蒲。牛黃丸等味。以清營開竅也。至於末傳又有動風一症。內經所謂熱極生風。而現揚手擲足。尋衣摸床。神昏妄笑。舌黑尖絳。宜大劑涼血熄風。如犀角地黃湯。(犀角生地連翹甘草)加羚羊角元參心竹捲心鮮菖蒲人中黃牛黃丸。或至寶丹之類。若斑色紫黑。而有如前症之舌黑。神昏譫語。手足振搐。是爲熱極瘀滯。宜於前方中。加紫草山甲主之。涼血逐瘀。甚或舌黑短縮。便閉脈促。可加大黃元明粉。以攻熱逐邪。若得斑色轉紅。舌黑頓化。便是回天之兆。如黑而枯晦。根點散漫。此天眞將盡。勢難挽回。勉以前方加人參附子。大劑服之。然亦聊盡人事而已矣。以上症治。皆爲溫毒發斑。復有陰陽二毒發斑。與時疫發斑。究與前症有何差別。不得不提出並論及之。足爲比擬也。金匱云。陽毒之爲病。面赤斑斑如錦紋。咽喉病。唾膿血。五日可治。七日不可治。升麻鱉甲湯。(升麻甘草蜀椒當歸雄黃鱉甲)主之。陰毒之爲病。面目青。身痛如被杖。咽喉痛。五日可治。七日不可治。升麻鱉甲湯。去雄黃蜀椒主之。觀此二症症狀。陰陽固有顯判。而其治法。則寒熱反常。旣曰陽毒。豈用辛溫之蜀椒。名爲陰毒。反去蜀椒。抑以年遠傳寫之誤。抑亦另有至理。後世諸家。紛紛辨論。王安道曰。陰陽二毒。與陰陽二症迴異。仲景書中。雖有陰毒之名。然其所敘見症。不過面目青。身痛如被杖。咽喉痛而已。並不言陰寒極甚之證。況其所治之方。不過升麻甘草當歸鱉甲而已。並不用大溫大熱之藥。是仲景所謂陰毒。非陰寒之病。乃感天地之惡毒異氣。入於陰經。故曰陰毒。後人遂以陰寒極甚之證。參入仲景證中。却用附子散等溫藥以治。竊謂陰寒極甚之症。或內傷冷物。或暴中陰寒。或過服涼藥所變。內外俱冷。固可名爲陰毒。然終非仲景所言惡毒異氣所中之謂也。由此觀之。仲景之所謂陰毒發斑。即後世之所謂時疫傳染發斑。後世之所謂陰毒發斑。當另有一種。考陰毒之由來。不特上述數因。而又有因初起之時。邪在三陽。已成斑證。過服冷藥。毒邪內陷。從陰制化。由是結寒伏於下。微陽消於上。遂成陰盛格陽之症。故其症身雖有熱。而安靜不煩。四肢清冷。脈來沉細者是也。數日後。胸前手足。發出淡紅稀暗之小斑。雖在盛夏。禁用冷藥。宜附子理中湯。(附子人參白朮甘草乾姜)去朮加藿香升麻橘皮等以救陽疏透也。甚則額上冷汗。爪甲青紫。嘔噦呃逆。或腹中絞痛。或面赤足冷。厥逆渴躁。身發青黑斑。舌黑而卷。莖與囊皆縮。六脈沉細而遲。此微陽將脫。急以葱餅置於臍上熨之。隨用附子散。（附子桂心當歸白朮乾姜半夏）主之。若熨之藥之。而四肢不和煖者。則不救矣。總之用藥不可偏勝。寒則溫之。熱則寒之。中病止。即太過與不及。皆非所宜也。

⿸疒丹之原因及病理　⿸疒丹痧一症。古來論者極少。而其發現亦頗罕鮮。以致後學者類多略而不究。是以近年來。偶有罹此患者。袖手待斃。幾無法挽救其危也。考古來所論者。大多附載於咽喉門中。或附於疫病書中。然多論也不詳。治也不確。主溫散則禁寒涼。主清解則禁溫散。遂使閱者目炫神迷。無所適從。徒自暗中摸索。各逞詞鋒。庸可不深嘆耶。間常取內經而尋繹之。讀至運氣篇。少陽司天條下。有客勝則丹疹外發。及為丹熛瘡瘍。嘔逆喉痺。頭痛嗌腫。血溢內為瘛瘲之文。不禁自得。以為此即⿸疒丹證之病歟。考少陽司天之年。客氣初之氣為少陰。二之氣為太陰。三之氣為少陽。蓋少陰內合君火。少陽內合相火。太陰內合肺脾。客氣勝之。內必響應。此自然之理也。當冬春之際。寒煖非時。氣候乖戾。釀成疫癘。人在氣交之中。由口鼻而侵入。鼻通於肺。口通於胃。咽喉為肺胃之門戶。皮膚肌肉。又為肺胃二經之所司。肺胃之分野。既為癘氣所盤踞。薰蒸於內。厥少之火。乘勢上攻。薰爍咽喉。咽喉為之腫痛。甚則腐爛。內經云。一陰一陽結。謂之喉痺。蓋指少陰少陽君相二火也。君火與疫毒締結。火勢益張。心為生血之臟。全身血運循環。以此為中心點。火熱一盛。迫血妄行。滲出血絡。而外出於皮膚。一片如雲頭突起者為⿸疒丹。⿸疒丹者丹也。如塗丹然。故名之也。其隱於肌肉而成點者。為痧。痧者沙也。紅暈如散沙然。⿸疒丹痧二症。頗多同發。故名亦隨之。⿸疒丹痧二症。色皆紅赤。紅赤乃火與血之色也。聞其名。則知其形。見其色。則知其因矣。

⿸疒丹之症狀及治療　⿸疒丹為心肺火毒。心宜清涼。肺宜宣解。為治此症之大法也。然考歷來諸論。以為火毒內鬱。最易傷陰。故多不敢宣暢其表。不知此症。重在⿸疒丹痧。不重在咽喉。蓋溫厲之邪。鬱之深而發之暴。不能外出於表。勢必上竄咽喉。苟非洞開毛竅。何以洩其毒而殺其勢耶。是故善治者。開手必用麻黃。所以宣其毒也。倘為日已多。誤治在前。毒陷一深。揚之不達。甚至津液枯竭。厲氣與氣血交併。此時散之無可散。清之不能清。雖使扁倉復生。亦恐徹謝不敏矣。抑知致此之由。半由於因循坐誤。半由於縱橫雜治。誠能循經按法。詎至此哉。翔不揣翦陋。爰本古聖先哲之立法。為暢其義而發揚之焉。考其證治。大概可分三期。初起有表證者。汗之表解而熱甚者清之。熱極者下之。夫痧瘄初起。以先由疫癘之毒潛伏於內。故其未發之先。必先現五內煩熱。手掌心熱。漸致咽喉腫痛。憎寒發熱。胸悶口渴泛泛作嘔。舌苔白膩，脈浮而數。或鬱數不揚。或脈沉如伏。此爲疫邪鬱於氣分。欲發痧瘄之先兆也。在此期中。速當解表。以荆防麻豉湯。(荆芥防風麻黄豆豉大力桔梗杏仁象貝甘中黄西河柳)最爲相宜。泛嘔甚者。可先予太乙玉樞丹。或太乙救苦丹之類。以芳香化濁也。倘若咽喉已呈腐爛。舌苔白如積粉。或薄膩而黄。此時疫邪雖仍在氣分。而鬱熱已甚。宜升麻葛根湯。加大力射干馬勃姜蚕桔梗蟬衣薄荷銀花連翹等類治之。若熱毒勢甚。則宜用麻杏甘石陽。(麻黄杏仁甘草石膏)加射干姜蚕象貝薄荷竹葉元參白萊菔汁等品。以宣表清熱焉。此項證治。適合於初期一二日之大概情形也。至二三日後。壯熱益增。口渴煩躁。咽喉腫痛腐爛。舌邊尖紅。中有黄苔。痧瘄透露。此時疫邪已化爲火。漸由氣入營。不可再予重劑表散。恐傷津液。宜黑膏湯法。以生地合豆豉。加鮮石斛生甘草生石膏薄荷竹葉赤芍連翹象貝姜蚕蟬衣浮萍茆蘆根。清營解毒。佐使疏透。仍望邪從氣分而解。如咽喉腫痛腐爛。牙關緊閉，湯水不能下咽者。同時幷以開關散塞鼻。復以針刺手大指內側少商穴。出紫血。以開其竅。外用玉鑰匙吹之。以開其喉。俟牙關已開。換以錫類散。以去其腐。若舌色光絳。或已焦糙。苔膩盡化。痧瘄佈齊。氣分之邪已透。津液內虧。火勢猖獗，而呈神昏譫語者。宜大劑滋陰。不可再行表散。以加減滋陰清肺腸。(鮮地鮮斛玄參黄連銀花連翹貝母竹葉荷葉桑葉木通甘中黄活蘆根)主之。愈後餘燄未息。宜加減竹葉石膏湯(鮮竹葉鮮葦莖桑白皮生石膏象貝桑葉杏仁銀花連翹生草冬瓜子白蘿蔔汁) 主之。其有初起失於表散。邪陷於內。其初陷則在少陽陽明耳前後腫。路之深。則頰車不開。唇緊膚黑。神昏譫語。瘄色焦紫。其舌黄厚者。熱邪猶在氣分，爲陽明火毒極甚。宜用釜底抽薪法。仲景所謂急下以存津液者是也。以調胃承氣湯。(大黄元明粉生甘草)加養陰清火之品治之。如前症悉俱。而舌色紅絳。則熱已入營。營分受邪而迫入心包矣。急宜大劑養營清氣。以犀角地黄湯加鮮石斛元參石膏黑梔赤芍丹皮川連薄荷連翹竹葉蘆根金汁清心牛黄丸等。以生津解毒清心宣竅。其或過於表散。陰津內耗。火炎愈熾。引動肝風。風火相煽。發爲痙厥。手足瘈瘲。神昏齒焦。口渴舌乾。胃津枯竭。急宜犀羚並進。再入石膏貝母石决雙鈎鮮石斛。重用生地元參金汁。另進牛黄丸。至寶丹。並以銀花露代茶灌之。然症勢至此。已頻於危。服藥後。轉機者。尚可挽回。反之則不治矣。總之治瘄。先宜解表。解表而汗出者。易治。解表而汗不出者。難治。先哲有云。痧瘄有汗則生。無汗則死。金鍼度人。二語盡之矣。又有早用寒冷。邪遏在內。必至內陷。而爲神志糢糊泄瀉不止者亦爲難治。至於會厭腐去。聲啞氣急者多爲不治。

痧之原因及病理　痧之發。多由於温病失治。或由伏熱外泄。通常於小兒爲多。然大人亦往往有之。古人謂小兒出者爲痧大人出者爲疹。又云初次發者爲痧。重復發者爲疹。蓋以痧子爲先天之毒。疹子爲後天之毒。而其區別處則以點粒分佈之不同。痧子點密而較細。疹子點稀而較粗。痧子隱於肌表而與膚平。疹子高出於膚而成粒也。總之。先天之毒感時令疫氣而發。後天之毒亦須感時令不正之氣而發。當春夏之交。天氣動。地氣洩。時令之氣候失常。呼吸升降之失司。穢濁之邪由口鼻而入。風寒之邪從皮毛而襲。衛分受病。皮毛閉塞。體温機能不能如常放散。於是寒熱交作。斯時經適當之治療。伏邪輕者。卽漸告痊。伏邪甚者。治之無效。纏綿不撤。在外之邪依次而入。內伏之邪響應而起。肺爲外邪所侵占，不能清肅。發爲咳嗽痰粘噴嚏淚汪。脾爲伏熱所盤踞。失於運化。而爲胸悶納呆。泛泛作嘔。熱勢甚者。或爲神志不清。妄語妄言等。此爲欲發紅疹之先兆也。斯時病邪彌漫於肺脾之間。漸由氣入營。蓋肺爲主氣之官。脾爲統血之藏。温熱壅遏。氣機不利。與營血合併。借道於血絡而外出於肌表。肌肉爲脾藏之領域。而皮表又爲肺家之疆土。然則發疹之因。風熱而已。發疹之藏。肺脾盡之。肺脾二藏。同屬太陰。古人謂疹爲太陰風熱。良有以也。捧喝云。邪鬱不解。熱入血絡而成疹。疹以點粒朗潤色鮮紅者爲吉。紫爲熱甚者重。黑爲熱極者危也。至其所見部分。以鼻準透齊與否。爲標的。鼻準透齊者。爲邪已盡出。鼻準未見而雖偏身布滿者。爲邪尚未淨。蓋鼻爲肺竅。紅疹將透。爲鬱熱由脾達肺。故疹邪之淨與未淨。以鼻準透與未透爲辨耳。治疹者。當按其序而施治之。無不應手痊愈也。

痧之症狀及治療　痧屬太陰。治在肺脾。藥宜辛涼。輕宣解表。大忌辛温表散重劑。所以麻桂宜於直中傷寒。桑菊宜於感冒温熱。內經所謂寒淫於內。治以辛温。熱淫於內。治以辛涼者。是也。夫疹之症狀。其始並無顯著之現象。不過如尋常感冒而已。來勢輕者。祇見形寒發熱。頭痛咳嗽。泛泛不淸。脈浮舌膩。此表邪未入。伏邪未發。可用桑菊飲。（杏仁連翹薄荷桑葉菊花桔梗甘草葦根）去甘草。加豆卷牛蒡姜夏橘紅象貝竹茹等。輕淸宣發。順其勢而引發之。來勢順者。旬日後漸可見痊。若素禀陰虧。或少陰內虧之輩。服前法而汗不能出。纏綿不撤。經一星期後。外感之風邪。勢必侵入內伏之熱。乘勢宣發。風熱相併。變爲壯熱。咳嗽痰粘泛泛作噁。胸脘痞悶。口渴引飲。鼻酸嚏嚔。眼淚汪汪。舌苦中膩邊紅。脈數而弦。斯爲風熱鬱遏肺脾。漸由氣入營。將發紅疹之兆。仍當宣解。宜銀翹散。（銀花連翹桔梗薄荷竹葉生草芥穗豆豉大力）加象貝蔞皮蟬衣玉蘇子竹茹鮮蘆根滑石等辛涼透泄。肅解肺脾之熱。冀其汗出疹透。邪得外解矣。其或汗出不暢。紅疹隱約。而不易透達者。是肺氣不宣也。同時幷以生麻黃西河柳紫浮萍芫荽陳酒煎湯。乘熱薰面。以巾絞拭胸腹。以助引藥力。使熱邪宣泄。疹得朗佈。邪自外達矣。又有汗自出。而紅疹旋出旋沒。或遍體雖齊。而鼻準未透。兼見泄瀉肢冷等。此爲氣陽不足，不能托邪外達。勢必邪毒內陷。變症叢生。查古來方書。並無補陽一法。總以輕清宣解爲急務。良以誤宗治痘宜溫。治痧宜涼之成見。於是視溫藥如虎狼。甯肯坐視。不敢輕以嘗試。因此不救者。往往有之。良可慨也。余曾於前年。實習於徐小圃祝味菊等先生處。每見其治此等症候。均以溫熱助陽爲主。方用黃厚附片桂枝白芍杏仁姜夏膽星蓮白橘皮白芥子天將壳姜汁龍齒磁石之類。若口渴肌熱。則加入石膏川連。寒熱並用。屢見奇效。其附子分量極重。少者二三錢。多者五六錢。或再佐巴戟天胡蘆巴仙靈脾等。補陽助托。可謂別開生面。發前人所未發。誠不愧爲善治者矣。其有初起失治。誤投寒滯之品。以致邪鬱中宮。氣機不利。胸脘痞悶。咳嗽脇痛。外症悉俱者。可仍用銀翹散法。加杏仁橘紅玉金枳壳菖蒲蔻仁厚朴等。寬胸調氣。宣肺利膈。使氣化得利。汗液自然充沛。疹子遂可透達矣。倘若內挾食滯。噯腐吞酸。及妄進攻下。而邪陷胸痞。當參益保和丸。（山查神麯茯苓半夏陳皮麥芽萊菔子）小陷胸湯。（黃連半夏括蔞實）等法。以疏運中州。宣理肺脾。或熱鬱三焦。便難腹滿。舌苔黃燥。譫語神昏。審係陽明裏結。而不屬邪陷厥陰者。並可加入涼膈散。（連翹大黃芒硝甘草梔子黃芩薄荷竹葉生蜜）或小承氣湯。（大黃枳實厚朴）加首烏檳榔青皮元明粉等。以清胃救津。利便降濁。爲下取之法。其或素稟陰虧。木火內熾。偶感溫邪。瞬卽化熱。邪雖在外。不可重用透表。以刼其津。只宜輕宣解肌。以撤外邪。否則必致傷津耗液。津愈傷則熱愈熾。熱熾則神昏譫語。嘔噁不清。白晝稍清。夜間增劇。是爲溫邪逆傳心包。病機至此。已瀕於危。卽當湯丸並進。宜清宮湯加鮮菖蒲大力蟬衣杏仁丹皮豆卷前胡牛黃丸紫雪丹等。隨時選用。一面以清涼宣解。保津存液。一面以芳香宣竅。清心透邪。俾正氣得安。邪有出路。若更進一層。則爲熱極津涸。肝風內動。手足抽搐。神昏齒枯。牙關緊急。口渴舌乾。胃津告竭。急當於前方中。加入羚角石膏貝母石決雙鈎鮮斛。重用生地玄參。並犀羚石膏。另進牛黃清心丸。至寶丹等。以石菖蒲煎湯送服之。然病勢至此。已蹈於危。不過聊盡人時而已哉。

痦之原因及病理　白痦一症。由於濕溫之過程。濕之傷人。必先於脾。脾爲濕土。同氣相求之義也。濕旣入內。醞釀成溫。三焦之氣化失清。薰蒸肺胃。其邪由胃達肺。由肺出表。從汗而泄。粒似水晶。形色光亮。中含水液。仲景所謂肉上粟起者。殆卽此也。考近世諸家論載。以爲白痦之來。雖由於濕溫之過程。而其結果症狀。頗不一致。大祇由於各人體質之不同。與夫受邪之輕重。或由先期治療之不適。是以有後來種種之區判。當夏秋之際。傷於暑濕。始則發熱。繼則壯熱。遷延數候。漫熱不退。濕鬱熱蒸。發泄於外。色白形尖。粒如水晶。而瑩亮者。是爲濕溫自然白痦。施治得法。卽漸可瘥。其有內有伏濕。復感秋氣涼風。弊在於始。不去宣解在外之邪。驟遏在內之濕。使邪鬱不透。汗出不撤。似罨麯相似。任其醞釀。鬱蒸而成白痦。是爲人造白痦。恆多纏綿不愈。其有素稟陰虧。偶患濕溫。遷延日久。正氣攸虧。津液消耗，自汗不已。於是隨汗而布現於胸腹肩背。累累然。色白而枯空之漿液。形大色暗者。是爲津枯白痦。頗多危惡難治。證之前賢諸論。諒無舛誤。葉香巖溫熱論云。有一種白痦。小粒似水晶色者。此濕熱傷肺。邪雖出而氣液枯也。必得甘藥補之。或未至久延。傷及氣液。乃濕鬱衛分。汗出不撤之故。當理氣分之邪。或白如枯骨者多凶。爲氣液竭也。陳平伯溫病論云。風溫症。熱久不愈。咳嗽唇腫。口渴胸悶。不知飢。身發白痦。如寒粟狀。自汗脈數者。此風邪挾太陰脾濕。發爲風疹。其原註云。謂風溫本留肺胃。若太陰舊有伏濕者。風熱之邪。與濕熱相合。留連不解。日數雖多。仍留氣分。由肌肉而外達皮毛。發爲白疹。蓋風邪與陽明營熱相併則發斑。與太陰溫邪相合則發疹也。又有病久中虛。氣分大虧。而發白疹者。必脈微弱而氣倦怯。多成死候。不可不知。王士雄曰。白疹卽白痦也。雖挾濕邪。久不愈而從熱化。且汗渴脈數。似非荊防之可再表。宜易滑石葦莖通草斯合涼解之法矣。若有虛象。當與甘藥以滋氣液。縱觀數條。以證上述三種。益見明瞭。可知白痦之發。屬於自然發者輕。失治而發者重。直至津枯液竭而發者危也。

痦之症狀及治療　痦爲肺胃濕熱。治當辛涼淡滲。不可過於表散。先哲有云。治濕之道。貴徐不貴驟。徐則濕從汗去。驟則汗雖出而濕仍留也。當夏末秋初。暑溫交蒸之際。但覺身熱不已。面色晦滯。舌苔垢膩。此卽濕溫之狀。有諸內必形諸外也。夫濕乃重濁之邪。熱爲薰蒸之氣。氤氳於肺胃之間。上焦空曠之區。變爲雲霧之鄉。經所謂上焦如霧者是也。故濕溫之病。胸脘必悶。咳嗽泛噁。渴不引飲，大便溏泄。脈大必濡。皆濕邪瀰漫三焦。氣分不清之故。大約在一星期以上至二星期。乃將發白痦之先兆也。在於初期。宜用宣解洩化。如三仁湯。(杏仁白蔻仁生薏仁滑石通草厚朴半夏竹葉)加葛根前胡象貝赤苓連翹竹茹佩蘭等。以宣解淡滲。若服藥後。汗出不暢。身熱不退。入夜尤甚。咳嗽便溏。心胸煩悶。渴不多飲。舌苦粘膩。頭暈耳聾。脈形濡緩。仍當宣洩。於前方去蔻仁厚朴半夏加黃芩赤芍薄荷蘆根之類。隨宜選用。一面用辛涼芳香之品。以解表而化濁。一面用苦寒酸洩之品以清熱而化濕。餘皆、爲利水化痰之品。順其性而引發之。一二劑後。卽可透瘖。三四劑後。定可熱退濕除而漸愈矣。此卽前所謂自然白瘖。施治適當，卽漸痊可。若施治不當。汗出不撤。濕熱鬱遏。遷延日久。壯熱煩燥。懊憹不寧。頭重耳聾。舌苦粘膩。咳嗽痰粘。大便溏泄。小溲短赤。脈像濡細弦數。紅疹已透。白瘖未見。斯時白瘖在將透未透之際。蓋已鬱於肌腐。法當乘勢宣發。則瘖透邪達。而身熱自退。然非如時下所用之方。所能勝任。仲景文蛤湯最爲相宜。文蛤湯本治肉上粟起。與白瘖之狀。不謀而合。文蛤湯卽麻杏石甘湯加蛤殼也。然於滲利方面。如嫌太少。宜再加赤苓猪苓澤瀉通草米仁雞蘇等。以淡滲。仙夏以化濕。葛根以助麻黃之宣解。黃連以輔石膏之清熱。冀得表解而瘖透。濕去而裏清。決無屢次纏綿而不愈者。倘若瘖透之後。身熱不退。入夜煩躁。口中乾燥。渴不欲飲。便溏熱臭。頗如敗醬。苔白微黃。脈形細數。此爲濕熱下侵大腸而氣液未傷。宜用清洩。著重裏熱爲主。如葛根黃芩黃連石膏竹叶赤芍連翹益元散豬赤苓蛤殼蘆根等味。乃竹叶石膏合葛根芩連湯意。大約二三劑。亦可霍然。此等症狀。是爲人造白瘖之見症。治療稍爲複雜。但對症用藥。亦不難迎刃而解矣，至若素體虛弱而患濕熱或病久不愈。過服表劑。以致氣液受傷。玄府洞開。汗泄不已。隨汗而佈，色白而枯。內乏漿液。舌苦乾黃。胃納不欲。脈象濡微或細數。此肺津胃液盡耗。元氣大損。凶惡難治之候。急當用甘濡之品。以養氣液。但不宜寒滯之藥。恐遏熱生變。大抵如鮮斛鮮地花粉洋參鮮沙參鮮首烏鮮蘆根等。隨宜選用。再參以芩連石膏以清熱。連翹竹葉以清疏。或加貝母以清肺化痰。益元散以清心化濕。一派養陰熱清之品。而不加一味滲利。以熱熾則濕盡。雖有些濕。亦不可利利之。恐重傷津液而致不救也。若服藥後。勢不見瘥。而竟至熱陷心包。神昏譫語。齒唇焦黑。則當於前方中。加入元精石寒水石胆星菖蒲牛黃丸至寶丹等。若尤不轉機。以致肝風內動。四肢抽搐。尋衣摸床。則羚羊鈎籐。在所必用。按症擇宜。或可圖治於萬一也。此爲津枯白瘖之症狀。最爲難治。縱觀上述諸症。悉屬上焦。心肺爲白瘖在初中時期之常態。至於末傳變症。則以中下焦者爲多。夫濕溫之症。始多便溏。若身熱纏綿。內熱熾盛。煎熬成燥。而爲大便燥結。舌紅苦黃。渴喜熱飲。胸脘煩悶。痰稠不爽。昏沉欲睡。脈象浮數細軟。重按濇數。小溲短赤。此爲濕熱兩停。上焦則偏於濕。下焦則偏於熱。痰濁停於上。燥矢結於下。氣營胃腑均受其累。法當上清濕濁。下通腑氣。並以清營泄熱。方用小陷胸湯加赤芍鮮斛子芩丹皮茯苓知母枳殼益元散鮮竹葉鮮蘆根之屬清散潤腸以通腑氣。先哲有云濕溫忌下。蓋指三承氣等湯也。又有白𤺋既布。身熱經旬不解。裏熱仍熾。若下焦陰虛者熱陷膀胱。而爲小溲短赤。便下膿濁。淋漓刺痛。此爲濕熱從小便而出。宜仿吳氏三甲湯。加減治之。大抵如鱉甲龜版生地赤芍丹皮茯苓猪苓澤瀉青蒿石斛黃柏知母草梢梗通之類。二三劑後。自能就愈。又有熱陷大腸。驟見大便下血。西醫謂之腸穿孔。或名腸出血。最爲危險。西醫以收縮血管爲主。如注射麥角液等。吾道以涼營清血爲主。用犀角地黃湯治之。病情之偏於燥者。佐以洋參石斛銀花鮮藕汁鮮茅根之屬。此以下鮮血者爲宜。若下紫血。佐以白頭翁湯。(白頭翁黃連黃柏秦皮)加地榆炭槐花炭等。在此時期中。不特陰傷而陽亦衰。在大劑清養之中。少佐以炮姜黑附等。應付得宜。或可圖治。至於種種變幻。務在醫者之心力與腦海中求之也。

總論

本篇之宗旨。是要明白斑疹痧𤺋之症治與鑑別。我於前論中。雖已詳述。而對於四症中之同點與異點。尚不能澈底的明瞭。仍能使讀者有顧此失彼之慨。故將前論中所述四者之特徵相提並論。以爲鑑別之綱領。凡此四者之發。其病臟不外心肺脾胃之失調。其病邪不外火毒濕熱之鬱蒸。故身熱口渴爲四者不易之形症。而其所有特殊之狀態者。厥如斑疹痧口渴而喜引飲。𤺋者渴不欲飲。但欲漱口。而不欲嚥。或雖欲飲而喜熱飲也。蓋斑疹痧皆爲火熱。火熱消陰。故渴而引飲。以自救其陰也。𤺋係濕熱鬱蒸。水濕同源。故口雖渴而不欲引飲也。其喜熱飲者。以熱爲陽。陽能消陰翳也。至於斑與疹。同有咽喉疼痛。斑之喉痛。病經數日熱不解而後喉痛。疹者先覺喉痛。一發即成火熱者是也。痧與𤺋同有胸悶泛噁咳嗆痰粘。痧者。眼淚汪汪。鼻酸噴嚏。𤺋者。面色晦滯舌苔垢膩等是也。此爲四者症狀之異同。蓋同於彼則異於此。同於此則異於彼。明乎此。則治斯症者。思過半矣。以上見症。在將透未透之時。即可據爲症狀之區別。至於既透之後。又有視覺觸覺之判斷。夫斑疹痧𤺋皆露佈於肌表。斑與疹類。痧與𤺋類。斑與疹皆出於肌膜與膚表。平而成片。痧與𤺋皆現於膚表而成圓點。斑與疹視之有形。捫之則無。痧與𤺋視之有形。捫之則磊磊然似有粟粒狀之小物也。不特此也。即玩索其名。亦可知其形矣。譬如斑字。釋義爲斑點之斑。斑剝之斑。仲景所謂斑斑如錦紋者。是也。疹亦作丹。丹砂之丹。紅亦之義也。疹者。疹粒也。如粟粒狀。色紅者。爲紅疹。色白者。爲白疹。卽白瘖也。顧名思義。界限攸分。古人命名。良有意也。至論其治法。則當從病藏之適合。與夫賊邪之性質。而變化制裁之也。夫瘖之原。出於肺。因內有濕邪。而始發表熱。治瘖者當治肺。以宣解爲主。而佐以淡滲。疹之原出於胃。因表熱不解。已成裏熱。而蘊爲疹邪。治疹者。當治胃。以淸凉爲主。而佐以宣解。至若斑與痧。則皆爲裏熱之甚。惟大劑寒凉。乃克勝任。非第疹瘖之比矣。有是四者。脘必悶。四者之齊與不齊。以脘悶之解與未解爲辨。有是四者。熱必壯。四者之解與不解。以汗出之透與未透爲辨。故當治斑痧之時。以寒藥爲主。少佐以辛凉之品。務使熱淸火熄。而斑痧自透。治疹瘖者。必兼行宣淸兩法。表裏交治。務使疹瘖與汗並達。惟當發出之時。病人每悶極不可耐。稍一輾轉反側。其點卽隱。病邪反從內陷。此正不必有外來之風也。卽袖端被角間。略有疏忽。其汗使縮。一縮之後。旋卽遍身皆乾。此時厥有二弊。一則汗方出時。毛竅盡開。新風易入。一則汗已大出。不可再汗。非特立隱。且津液旣泄。必熱益熾。後之變端。皆從此起。病家只道未愈。醫家亦但說變病。孰知皆汗不如法之故耶。凡病之宜從汗解者。無不皆然。而於四症尤甚。故特表而出之。

外科證治概論

陳贊禮

引言

周官。有疾醫瘍醫。內外科之分。蓋自古已然。疾醫以中士。瘍醫以下士。重內輕外之習。由來已舊。後世瘍醫。多市井目不識丁之徒。爲士大夫所輕視。由此內外科之分野。益以遠矣。故外科恆爲人所不願爲。然割刳治病。始於俞跗。後世精者有華元化。其外科之精進。有非今之中西醫所能及者。若夫華元化自願自薦爲曹操洗腦以治頭痛。末遂而遇害。卽此一則。素負手術高明之西醫誰能及乎。今之中醫外科反有落後之趨勢者。何也。蓋中醫每以獨得之秘。獨守門庭。絕不開放。傳子傳孫。子孫相傳以作永世不朽之飯碗政策。此風一起。欲謀整個中醫之進步。其可得耶。逮子孫之愚笨者。不能詳悉其中奧妙秘訣。以致失傳。此實不進步之大錯也。今雖有公開經驗秘方之呼號。實欲公開他人之方。以爲吾用。己則絕不公開。人人如斯。於是眞而有價値之方末現。僞而無用。甚或有害之方。乃流行於世。用之者不加詳察。每受其愚而中毒者有之。若是相沿。欲談進步。猶援木而求魚也。處今之世。苟欲進步。止有不重虛文。公開實習研究。吾雖不才。於學習內科之餘。願習他人之所不願習。且恆被人所經視之外科。蓋鑒於現社會瘍醫不敷所求。患瘡瘍者。因不得治或失治。恆有延年纍月不得愈者。或廢其手足者。甚有喪其生命者。實於心有不忍焉。余之研習瘍科。雖不能遍渡疾苦。然亦可減少被患者之痛苦於萬一耳。今以平日之所見聞。確切實用者。載於下。以期普及。謂之著作。誠非敢也。尙待諸海內賢者。琢磨指教。爲幸。

總論

凡百病之起。莫不有內、外、不內外、三因。瘍症亦然。陳無擇云。「癰疽不問虛實寒熱。皆由氣鬱而成。」經書又云。「氣宿於經絡。與血俱濇而不行。壅而爲癰疽。」然氣虛或氣與血俱濇者。何由而得耶。不外七情六慾。不節所致。順之則爲常情。逆之過之則有傷臟腑。內經云「過喜傷心。則氣散。過怒傷肝。則神亂。過思傷脾。則肉痿。過悲傷肺。則皮毛槁燥。恐過傷腎。則神却。憂過則氣結。卒驚則氣宿。氣爲血帥。氣有鬱結。血亦隨之。瘀滯蘊結。肌肉鬱遏。經絡阻塞。瘡瘍以成。」是爲內因。陰陽徵象論云。「地之濕氣感則傷人皮肉筋脈」「生氣通天論云「諸癰腫筋攣骨痛。此寒氣之腫八風之變」靈樞又云。「血脈營衛周流不休。上應星宿。下應經數。寒邪客之。則血濇。血濇則不通。不通則衛氣歸之不得反復。寒氣化而爲熱。熱勝則肉腐。肉腐爲膿。膿不得瀉。則腐筋。筋爛則傷骨。骨損則髓消。漸至內臟而斃命。」此感受外界不適應之大氣而成者。是爲外因。若飲食起居。或有不愼。亦足患之。高粱炙煿太過則生火。茶水太過。則生痰濕。五辛太過。則損氣血。故內經有云「膏粱之變。足生大疔。受如持虛。」晝日勞作。夜不靜息。強力入房。勞傷精血。損人眞陽。腎水爲之虧。水虧則火熾。薰灼肌肉。其所止處。肌肉爲之腐爛。瘍症以成。此屬不內外因者也。按國醫之謂眞陽不足。氣虛血滯。暗合西理之所謂體力衰弱。心臟機能衰減。與血行減退。是也。體力既云衰弱。天賦抗毒質與力量定爲薄弱。苟人俱有抵抗力薄弱。心臟機能不足。血行減退三條件。則細菌與毒素。易於侵襲寄生。微血管易起栓塞作用。或因白血球之防禦作用。而障礙局部組織之繼生機能。結果均足引起腫脹壞死腐爛。蓋既起拴塞。或血球抗毒作用。則局部血行瘀滯不通。血液爲流質。肌肉組織是滲漏性者。於是血液逐漸滲漏。局部組織受血液滲漏浸潤。而澎漲呈腫脹狀。神經受澎漲力之壓迫。而覺疼痛。是時炎症已成。非得外界藥力之助。能自愈者絕少。此屬內傷。自身中毒者。其受傳染之途徑。大概由口鼻而入。若猝受外界物理或藥物之打擊或刺戟。如跌打刀錐蛇噬狗咬等。受刺戟之部分立卽腫脹疼痛。此時天賦防禦機能總貫一處。白血球或抗毒素猝然會集。由血管游離管外。抵禦自創傷處侵入之細菌或毒質。自從白血球滲出血管後。血漿亦隨之滲漏管外。於是局部週圍因血球血漿滲漏浸潤。立卽澎漲腫脹之高低大小。視其傷勢之輕重。組織之疏密而定。神經卒受壓迫。故疼痛特甚。腫脹愈凶。痛亦隨之。或久反不甚疼痛者。則神經已被痲痺矣。若抗禦力強。或傳染之細菌與毒質薄弱者。可自愈。反之則不足言自愈。創傷後之變症。須視傳染毒質之輕重類別以定。每有受創傷刺戟處。並無特異之變症。數日後於刺戟之他處。覺有腫脹疼痛。則其傳染之毒質或細菌。已由血管血液輸送他處作祟必也。此爲外傷。係受外界傳染而得者。然內傷亦爲防禦機能白血球漿液滲漏浸潤腫脹者。總不若外傷之速也。膏粱炙煿厚味。操勞太過。雖足以致病。祇能認爲誘因而已。

癰

陽性瘍症之大者爲癰。小者爲癤。其起甚速。紅腫高痛。易潰易斂。經云。「氣宿經絡。與血俱濇而不行。壅結而爲癰疽」或有解之曰。十二經環繞週身。氣血循之以行。晝夜不分一部。偶有異常。不能運行。於是羣火沸騰。銷灼眞陰。聚腫而赤。遂成爲癰。初起如粟米。漸如桃李。不數日。焮紅漫腫高痛。初宜仙方活命飲消解之。兼有表證者。荊防敗毒散萬靈丹汗之。兼有裏證者。(內熱者)服內疏黃連湯。若焮痛煩熱者。神授衛生湯清解之。或白芷升麻湯消之。將潰氣虛者宜服託裏透膿湯。氣實者透膿散。潰後服托裏排膿湯。外敷藥用金黃散。或黃連膏。痛甚勢欲潰膿者用金箍散。膿熟開之。擠膿務盡。膿稠厚者順。稀薄或如血水者屬虛。宜十全大補湯陽和湯補其虛。潰久不斂者。十全大補湯加乾薑附子以救之。若肉現紫暗。根脚散漫不收。面赤大渴。脈見浮數散大者。必不救。旣潰膿出如蜂窠。乃毒勢之甚者。瘡口散以九黃丹平安散之類。瘡口深者。或有數孔者。俱以紙丁撚藥插入。外貼太乙膏。腐肉已去未盡。用海浮散。膿毒已盡。用八寶生丹桃花散收口可也。

內癰

內癰發於臟腑。治之之道。不能按外癰之法矣。自上胸至少腹。共有十一幕穴。幕者爲各臟腑陰會之所。臟腑有病。必隱現於幕穴。本經幕穴浮腫隱痛。吾人可藉以探識內藏之病變。經云。「六腑不和。留積爲癰。壅遏不通則熱。熱勝則肉腐爲膿。」然亦各有其因。或酒濕壅熱。或嗜高粱炙煿。或七情鬱火。或飽食勞作。或房慾太過。熱鬱氣逆。壅塞而成癰也。

心癰——始發巨闕穴微腫隱痛。令人寒熱身痛。面赤口渴如消。由膏粱炙煿太過。灼動心火。心火熾盛而成。由飲熱者服涼血飲。酒毒者服升麻葛根湯。潰後天王補心丹收功。此症罕有。考諸先輩亦未之見載。以備考可也。巨闕穴又名心幕。在臍上六寸五分。

肝癰——始發。期門穴浮腫隱痛。兩胠脹滿。脇痛。側臥則驚。二便艱難。由鬱怒氣逆而成。初服逍遙散。或復元通氣散。次用柴胡清肝湯。痛脹不止。六味地黃湯爲宜。食少脾虛。則進以八珍湯。禁用溫補針灸。期門穴一名肝幕。在乳旁一寸半。再直上一寸半便是。

脾癰——由飲食生冷。或濕熱瘀血。鬱於脾經而成。初起章門穴隱疼微腫。腹脹咽乾。小溲短澀。初以大黃湯赤豆薏苡仁湯二方合用。以攻滯鬱。待二便通。腹脹全消。此時宜調理扶脾。進以六君子湯。章門穴又名脾幕。在臍旁開六寸。高上二寸。

肺癰——初起振寒。脈數狀類傷寒。咽燥不渴。欬而喘滿。唾稠粘黃痰不同者。胸前中府穴隱隱作痛。痰帶腥臭血膿也。症由肺有蓄熱。復傷風邪。鬱蒸而成。未潰時風邪在表者。法宜疏散射干麻黃湯汗之。如氣喘不得平臥者。急用葶藶大棗湯瀉之。

微熱欬嗽。胸中煩滿。膿欲成也。宜千金葦莖湯以唾之。若欬吐膿血。腥臭如米粥狀者。再以桔梗湯排餘膿。兼胸滿者。用外台桔梗白散。開其瘀塞。兼潮熱煩燥者。宜金鯉湯主之。兼飲葷便者。潰後胸脇隱痛。口燥咽乾。煩悶多渴。自汗盜汗。臥眠不安，欬吐粘痰腥臭者。爲癰膿未盡。而兼裏虛。宜服寧肺桔梗湯。設膿已潰。喘滿腥臭濁痰俱退。惟欬嗽不止。咽乾痰唾帶血。不能久臥者。屬潰處未斂。宜紫菀茸湯清補之。甚者去半夏加石羔。若潰後欬嗽不休。膿痰不盡。形氣俱虛者。宜清金寧肺丸主之。惟以身溫脈緩。膿血交粘。痰色鮮明。飲食甘美。膿血漸稀。便潤不潰者。爲吉。手掌皮粗。潰後脈形洪數。氣急顴紅。膿血不盡。食而無味。大便燥結。或溏泄者。爲凶。中府穴又名肺幕。在乳上第三脇骨間。

腎癰——身側腰中。監骨下肋間。京門穴隱痛微腫。寒熱往來。面色蒼白。不渴。少腹及脇下䐜脹塞滿。由腎虛不足。房勞太過。寒邪侵襲所致。初服五積散加細辛。寒盡痛止。用桂附地黃丸調理之。京門穴一名腎幕。

大小腸癰——初起關元天樞二穴隱痛微腫。按之腹中急痛。概由濕熱氣滯。或勞力瘀血。或產後敗血蓄積而成。大便脫肛。小溲澀滯。脈形遲緊。此時尚未成膿。宜大黃湯瀉之。小便祕結者。加木通琥珀通利之。日久不潰。身皮甲錯。內無積聚。腹痛。身無熱。脈形遲軟者。爲腸內陰寒。或過服寒涼之品。不能作膿消散。不得宜進以米仁附子散。若脈見洪數。臍突腹脹。痛滿不能食。動側有水聲。便則刺痛。膿已成也。宜赤豆米仁湯主之。腹濡而痛。少腹急脹。時時下膿者。毒未盡解也。宜丹皮湯主之。如膿從臍中出。腹脹不除。飲食少進。面白神疲。此屬氣血二虛。宜八珍湯加丹皮肉桂黃耆五味子斂而補之。患者動作宜遲緩勿驚。如躭延日久。因循失治。以致毒攻內臟。腹痛牽連生殖器。腸胃受傷。臍中續流污水。入則煩燥不止。身熱嗌乾。症情至此。無能爲力矣。關元穴又名小腸幕。在臍下三寸。天樞穴又名大腸幕。在臍旁開二寸。

胃癰——由飲食之毒。七情之火。鬱聚於胃。蘊結而成。中脘穴隱痛微腫。飲食停滯。不欬嗽。嘔吐膿血。脈來沉數者。宜清胃射干湯下之。脈來遲緊者。瘀血也。丹皮湯下之。脈來洪數者。膿已成也。赤豆米仁湯排之。或用探吐法吐之。待膿盡。服理中湯調理。少飲米湯以援中。中脘穴一名胃幕。在臍上四寸

幕穴共有十一。所發癰症止有八(大小腸癰割分爲二)者何也。蓋胆府形如膜皮。出入汁潔。氣清。故癰疽不生。若夫膀胱亦如膜皮。爲貯尿之囊，古今書籍。並無論及生有癰疽者。是以不

敢自作自載。以欺人也。雖中樞穴或有浮腫隱痛。所見證候。竟同腸癰。治法亦按腸癰。三焦為假定之名。並無是物。故癰疽無從生也。

疽

疽屬陰症。初起隱痛腫硬。漸大如桃李。或如盆盞。皮肉硬堅。痛如錐刺。或痲木不疼。皮色不紅。或微紅紫暗。腫而不高。根腳漫大。若紅腫高熱。則屬陽症而為癰矣。其起有為濕痰凝結者。有為寒濕鬱結者。有由營衞不調。氣血瘀滯者。初發寒熱者。乃營衞不調。經絡阻遏。瘡瘍欲發使然也。宜荊防敗毒散汗之。壯熱大渴。便閉。脈見洪數者。此屬氣實內有熱。服黃連消毒飲。若漫腫頂陷。紫暗堅硬微痛。根大。脈形細數。屬陽虛。宜回陽三建湯。陽和湯之類。外敷藥初用四虎散。或陽和膏蓋貼。不應用回陽玉龍膏。漫腫有增無減。用鐵桶膏可止。勢必潰膿者。服黃耆內托散。既潰服託裏排膿湯。潰後膿水稠厚為順。血水清稀或如豆汁者。根腳不收不散。屬氣血兩虛。宜人參養營湯。十全大補湯。旁腫不消。用金箍散。少和丁桂散敷之。鐵桶羔亦可。至腫散為度。其餘潰後治法。與癰症同。

疔瘡

疔為瘍科中最迅速而險惡之症。若失治。大有朝發暮死。暮發朝死之慨。遲則二三日亦死。故治之宜速。設一時失治。存亡立決。考疔瘡之由生。以受外界不正之氣。或誤犯蛇虫死畜之穢。或誤中食物之毒。毒氣入絡。環行週身。停留成疔。初起紅色小皰。痛痒痲木。甚則寒熱交作。煩燥舌強。言語不清。名曰火燄疔。為毒邪引動心經之火而發。有名紫燕疔者。為引動肝經毒火而成。即起紫皰。次日破流血水。三日筋腐骨爛。甚則目紅甲青。斜視。兼有神昏譫語等證。有名黃鼓疔。屬脾經毒火誘發者。起初黃皰光亮明潤。四畔紅色纏繞。初發即痲癢。重則惡心嘔吐。肢體木痛。寒熱煩渴等證。有名白刃疔者。屬肺經毒火誘發而成。起即白皰。頂硬根突。破流脂水。痛痒兼作。易腐易陷。兼有痰唾欬嗽氣急等證。又有黑靨疔者。多生耳竅牙縫。胸腹腰腎偏僻之處。初生即黑斑紫皰。毒串皮膚。此屬腎經毒火誘發者。以上五疔。醫書云本五臟而生者。乃本五臟相屬之色與部位而言。尚有暗疔。內疔。羊毛疔等。別考之千金外台。有十三種或七十二種之說。命名雖多。但於治療幾如一轍。凡疔瘡之初起。症輕者。進以五味消毒飲。或化疔內消散清解之。症勢稍重。寒熱者。服蟾酥丸汗之。寒熱仍作。服奪命湯再汗。若口渴便閉。脈來沉實者。正邪俱實。服黃連解毒湯加大黃等清下之。症將走黃者。急與疔毒復生湯。已走黃者。心煩昏憒。急用七星劍湯以救逆。若手足覺冷。脈來欲絕者。爲毒盛。先服蟾酥丸。隨服木香流氣飲。其脈或可復見。以芭蕉根搗汁得一公碗灌之。雖見神昏忘語。煩燥走黃未久者。亦能救之。此吾最信仰而有神效者。疔瘡爲純陽火熱之證。大忌艾灸。初起卽宜針破。令出惡血。能挑去疔頭（形雖漫腫。痛盛處挑之可得米形或稍大之堅硬肉塊。謂之疔頭。名疔瘡者亦以此也。）更佳。隨用立馬回疔丹置於挑處。外以太乙膏蓋之爲宜。旁腫以玉露散敷之。治之宜急。若玉露散不及備。井底泥可代。潰後疔頭未去者。用紙丁撚黑虎丹或蟾酥條插入。疔脚已除。用二寶丹之類。毒膿已盡。用九一丹桃花散收口可也。

紅絲疔——多生手足頭面。初起有一紅絲。向心窠竄進。生於手者。紅絲竄延至心口則不治。起於足者。紅絲延至臍則不治。生於頭面者。紅絲延至喉亦不治。治者速在紅絲兩頭處刺破。擠去惡血。外敷拔疔散。紅絲盡處。用上好烟膏塗之。常能消散。若不砭破紅絲。任其延竄。速則數小時可斃命。遲亦不過二三日必死。初起卽現紅絲。稍有麻癢而已。偶有寒熱噁心者甚少耳。不可因症勢之輕而忽之也。內服五味消毒飲。或奪命湯。熱盛服黃連消毒飲。

痘疔——俗名賊疔。此發於痘發後五六日。夜有數枚叢雜於諸痘之間。色紫暗。亦有黑硬者。因此痘不能灌漿。若竊痘之漿然者。故名賊疔。其因爲痘毒太盛。與火熱凝結而成。生於舌根底者。名捲簾疔。形如黑豆大者如葡萄。舌捲喉痛。急以針破之。去盡毒血。隨以苦茶漱口。搽拔疔散。再以月石青黛黃連薄荷荊芥炒天虫冰片共爲細末。吹之。有名火珠疔者。生鼻孔。塞噴面赤目紅。亦用針破之。用黃連膏加冰片滴入鼻孔。內服瀉金散。有名忘吸疔者。生於眼沿。膿如封蛤。煩熱面紫。挑破用臙脂嚼汗點之。兼用蒲公英菊花煎湯洗之。有名豢虎疔者。生耳內。膿成之時。挑破。搽拔疔散。有名燕窠疔者。生腋下。硬腫疼痛。面赤妄語。挑破拔疔散搽之。服消毒飲子。有名注命疔者。生兩足心。腫硬如豆。有紫筋直透足股。挑之去惡血。用田螺水點之。次用慎火草蒺豆浸胖。搗爛敷之。有名透腸疔者。生肛門旁。在六七朝腫硬如錐。挑破。銀花防風煎湯洗之。次用輕粉珍珠冰片白斂塗末之。內服黃連解毒湯。有名驪龍疔者。生尿道孔內。五六朝身熱譫語。眼翻肢厥。腹脹小溲閉澀。急用蟾酥牛黃冰片射香研末。次用黃連細茶濃煎。候冷取半匙。調末。以細軟稻柴心蘸之。送入孔內。內服消毒飲子甚效。

流注

流注多發皮肉深厚處。以及肋膜筋肌骨節等深部。且富漫延性。此猶未穿。彼又腫起。設有患之。單見一個者極少。普通二至五爲最多。甚有十數個者不定。有謂流注發必奇數。諒未必也。人之氣血。環行週身。自無停息。或濕痰。或瘀血。或風濕。或慾後受寒。或病後餘邪稽留肌肉之中。氣血不能暢行。留滯成瘡、故名流注。諸家書云。「流者流行，注者注也。」發無定處。隨在可生。初發漫腫無頭。皮色不變。厥痛或稍微疼。一二日或三四日。痛勢較盛。以手重按之。如內覺波動者。膿已成也。卽可開之。流注旣發於皮肉深厚處。辨膿匪易。若遷延日久。淺表痛劇處。現透紅或淡白色一點。此卽膿熟已久之特徵（於皮膚表層患瘡癤者見之。亦爲膿熟之象）肌肉已被腐傷。蓋由深處潰爛出表故也。此時不使切開。必致筋肌大傷。膿灶擴大。使難收斂亦有腐傷血管（經絡。）出血而死者。西醫於辨膿不明時。藉探膿針判別之。此法不仿借鏡。國醫雖有針刺與火針之法。似不若探膿針安全可靠。蓋針出肉閉。不易徵探。火針每有危險也。初起憎寒壯熱。或徵惡寒發熱。遍身骨節疼痛。此時宜荊防敗毒散汗之。若平素嗜茶水者。或宿有痰症者。概爲濕痰所中。用木香流氣飲導之。起于跌打損傷產後者。瘀血停滯也。宜葛根散瘀湯。患於慾後受寒者。初服五積散加細辛。次用附子八物湯温之。或在病中汗下後。病症悉除。忽患流注。腫脹疼痛者。餘邪未盡也。人參敗毒散散之。外通用丁桂散四虎散敷貼。有用雷火針者。輕者可消。重則勢必潰膿。未潰服託裏透膿湯。已潰服託裏排膿湯。膿出血水淸稀者。人參養營湯補之。潰久不斂。服調中大成湯。精神痿疲。欲成漏證者。宜服先天大造丸。潰後治法。與癰症同。

瘰癧

此症多生於頸項。大者爲瘰。小者爲癧。其起有風毒痰毒氣毒之異。又有瘰癧筋癧痰癧之殊。風毒者外受風寒。博結經絡。其患先寒後熱。結核浮腫。熱毒者天時亢熱。暑中三陽。或內食高粱厚味。釀結成患。色紅微熱。結核堅硬。氣毒者。四時殺厲之氣。感冒而成。其患耳項胸腋。驟成腫塊。令人寒熱頭眩。項強作痛。瘰癧者。纍纍如貫珠。連續三五枚。不作寒熱。其患得於誤食蟲蟻鼠殘不潔之物。或汗液宿茶陳水等。患則先小後大。初不覺疼。久方知痛。筋癧者。憂愁思慮。暴怒傷肝。以肝主筋。故令筋宿。結蓄成核。生於項側筋間。形如棋子。堅硬大小不一。或陷或突。久則虛羸多生寒熱。勞怒則甚。痰癧者。飲食冷熱不調。飢飽喜怒無常。以致脾氣不能傳達。遂成痰結核。初起如梅李。生及遍身。久則微紅。後必潰破。易於收斂。凡治此症。風毒者。散其風。除其濕。如防風解毒湯防風解活湯海藻丸之類。熱毒者。淸其熱。

連翹消毒飲升麻調經丸柴胡連翹湯之類。氣毒者。調其氣。和其血藿香正氣散李杲連翹散堅湯散腫潰堅湯之類。筋癧者。清其肝。解其鬱。首進柴胡清肝湯。次服香貝養營湯。痰癧者。豁其痰。行其氣苓連平胃散。又有寡婦尼僧鰥夫庶妾。志不得發。思不得遂積想在心過傷精力此勞中所得。最爲難治。先養心血次開鬱結。益腎安神。平肝快膈。如歸脾湯逍遙散益氣養營湯之類。俱加香附青皮木香等品。若男子見太陽毒筋。潮熱欬嗽。自汗盜汗女人眼中紅絲經閉骨蒸五心煩熱者。已入勞瘵之途。頗爲難治。初起未潰者外以陽和膏貼之或消核散敷之。不應用元寸硇砂丁桂散少許。散陽和膏貼之十有九效已潰用蟾酥條插入孔內外以陽和膏蓋之。膿毒已盡。用生肌收口之品斂之若體呈虛證者十全大補湯補中益氣湯附子理中湯人參養營湯等選用可也。

附瘰癧點法——以新出窰之石灰八錢。（未泡水者。臨風自化。取細末。）石鹼四錢。（潔白者佳）硃砂四厘。密貯。勿洩氣受濕用時取高粱酒化開。攪之極勻。澄清。以毛筆蘸酒。點於瘰癧之週圍。每距二三分一點。勿塗去勿令流下乾後再點。連續五六次。似覺蚊咬狀爲度。一日一次數日後。其核即漸消散縮小。點藥亦隨形縮小圍週。以期全消爲止。潰與未潰此法均可。已潰者以藥渣點潰處。其口即能自斂。醫書謂此法爲治瘰癧最有效之神方云

發背

發背方書載有二十發。名目殊多。總以形證而定。可勿取之。但治法必仿之矣。所謂近於古而不泥於古者是也。薛立齋有云。「背之症。皆陰虛陽盛。相火煎熬。腎水消涸。相火益熾而爲患也」蓋患背症者。年在四十以上爲多。少壯患者。絕無僅有。人之陰血旺三十餘年耳。年長之人。陰血已漸虛慾念不止。炙煿不忌宜其相火益熾而爲患也。故治之者。恆不忘滋養精血。但不盡屬之。亦有濕熱痰毒蘊結者。初發皆形如粟米。根脚脹硬焮痛麻痒。周身拘急。寒熱交加。因循數日。突然大腫氣實者多焮痛氣虛者多麻癢。初起紅活高腫焮熱疼痛宜神授衛生湯托裏消毒散之類。寒熱者荊防敗毒散皮色不變漫腫塌陷宜回陽三建湯陽和湯之類。由氣鬱痰熱凝結而成者。宜逍遙散仙方活命飲。氣血兩虛。宜內托黃耆散。房勞過度。致傷腎水者宜六味地黃丸。或發後數日頭面手足虛腫。泄瀉如痢總由過飲藥酒更兼厚味積毒所致。初服連翹消毒飲。加鷄巨子葛花。總之不可過用寒涼之藥以防內陷。慎之。潰後治法。參照癰症

濕瘡

濕瘡生於膚表。其發不單行。恆有數個。或數十個不等。互相牽綿。甚有遍身四佈者。大者爲濕瘡。小者爲濕㿔。初起如粒。騷癢微痛破後脂水浸淫。終日不止。源由濕熱鬱蒸。積滯不化。生蟲所致。故騷癢異常。外用洗滌方爊洗。拭乾以五美散皮脂散敷之。內服清熱滲濕之劑。

疳瘡

疳瘡生於前陰之瘡瘍也。經云「前陰者。宗筋之所主。督經脈絡循陰器合篡間。」又云。「腎開竅於二陰。」故瘡生於此者。總屬肝腎胃三經也。起因不外三種。一爲慾念萌動。淫火猖狂。未經發泄。以致敗精濁血。留滯中途。蘊結而腫脹。初起必淋瀝溲澀溺痛。次流黃濁敗精。陽物漸損。甚則腫痛腐爛。此發於尿道內者。昔名楊梅內疳。與今淋濁相類。治當清利肝腎邪火。以八正散清肝導滯湯主之。一由房術熱藥抹塗玉莖洗擦陰器。以圖淫樂。致火鬱結腫。初起陽物癢痛堅硬。漸生疙瘩。色紫腐爛如臼。血水淋漓。不時興起。名楊梅疳。治當泄火解毒。以黃連解毒湯蘆薈丸治之。此症與硬性下疳相類。一由娼家婦人陰道瘀精濁污未淨。輒與交媾。傳染而得。初起皮腫紅亮。甚如水晶者。名袖口疳。破流脂水。痲癢時發。腫痛日增。全部潰爛。則名蠟燭疳矣。治之總宜解毒。以龍胆瀉肝湯主之。次用二子消毒散。是症類似軟性下疳。外適用大豆甘草湯洗之。紅腫熱痛。以鯉魚胆汁敷之。破爛而症勢稍輕者。用鳳衣散旱螺散或珍珠散。較重者用銀粉散或回春脫疳散。可能全愈。

疥癬

內有濕熱。風邪外襲。鬱遏蘊蒸。不得宣泄。化生爲蟲。疥癬以成。或感染他人之遺毒而生者。發則搔癢無度。癬形似雲起斑。疥則呈粟粒狀。凡疥必從四肢先起。傳遍週身。纍粒連綿。破津黃水。或形似灌漿之痘。搔破膿流黏汁。亦有搔頗如砂屑。故有謂之曰。乾疥。濕疥。膿疥。砂疥者。治法總宜祛風滲濕清熱。如防風通聖散。形體稍虛者。荊防敗毒散。外以綉球丸擦之。或用臭靈丹布包擦。癬者發無定處。但起於陰面者爲多。有起白屑形似彫枯者。有搔後黏汁者。有搔不知痛痒頑痺者。有形若蒼松之皮。紅白斑點相連者。有如牛領之皮厚而堅者。因形證不同。名有乾癬。濕癬。牛皮癬。松皮癬之異。更因部位之差。有咬髮癬。面遊風。鵝掌風。陰癬。綉球風。脚癬(脚丫風)等別。但治法總以殺蟲滲濕清熱祛風爲法。如疏風消熱散堪用。偶有搔破而腫痛者。服散風苦參丸卽消。外用必效散擦之。例如綉球風生於睾丸。皮薄而嫩不宜擦者。乃用洗滌方爊洗之。又如面遊風生於頭面。則用消風玉容散代皂洗面。

凍瘡

觸犯嚴冬神寒之氣。皮肉受凍。氣血凝滯。肌肉腫殭硬木。熱則麻癢。初起墊衣揉搓。使氣血活動。次用涼水頻洗。覺熱。殭木處通活則已。若日久凍殭。疙瘩不散。用冰一塊。布包湯之。以殭疙瘩化盡爲度。按此爲從治之法。蓋局部受冷。人身立刻起抗禦作用。局部充血。熱度增高。凝滯之血。賴之以行也。若暴凍著熱。或進暖室。火烘湯洗。不加磨擦者。反無益有害。必致肉殭不化。久則腐爛。未潰時用凍瘡膏塗之。可能全愈。既潰按潰瘍之治法。凍瘡膏仍可用。

丹毒

丹毒一名遊火。一名火丹。發卽紅痛掀腫。皮膚灼熱。症起甚速。內有蘊熱。復感外界火熱不正之氣。燻灼而成。初發令人燥熱煩渴。毒熱盛者。大熱之症立見。內宜大連翹飲。發於頭面者。普濟消毒飲亦可服。煩燥唇焦面赤。服五福化毒丹，若毒氣入裏。腹部脹硬。聲音嘶啞。速服紫雪散。下後不應者。爲難治。小兒患之。名赤遊丹。初生細暈。由小漸大。遊走無定。其色如丹。治法同上。外則通宜砭出惡血。用如意金黃散。藍青靛汁調塗。或塊煤（須於糞清內浸過者在三年以上者更佳。）磨芭蕉根汁塗之。無不立愈。有不可思議之神效。尤以皮膚灼熱之症。爲最靈驗無比。

結論

治醫之道。診斷與治療。爲構成惟一二大部分。人體組織器官。雖稱複雜。局所既患疾病。無不有連帶關係。現中西醫之治療法。對於內科之幹見。尚能相仿。外科則相距遠矣。國醫多注重人身整體。西醫則注重人體局部。俱有確切明顯之事實。局部生有瘡瘍。或遇創傷。卽於局部使行消腫止痛防毒搔爬等手術。氣血之損傷。固不待言。對於患者。體力是否俱有抗禦防毒繼生之機能。則聽之自然。毫不注意。外界所使手術。雖極嚴密。但其受傳染處。至少存有餘毒。或毒素已由血液循環游行遍身。而人身不能抵禦傳染毒素。或毒產物之漫延。於是患處擴大。增加體力日益衰弱。由輕而重。由小而大。以至不可收拾。故各西醫醫院。由某某大醫師。使行開割。付以嚴密消毒等手術。外以尊貴防腐消毒之藥劑。結果有不免於衰弱而死者。且於手術前後。禁止食物。氣血絕源。虛證畢現。血行凝滯。則注射一時興奮之毛地黃等強心劑。如此手術。氣血兩傷。病變百出。能不畢命。誠幸矣哉。蓋生理並不如此簡單。局部潰瘍創傷。切開防腐等。固所必須。但整個身體。亦當兼顧。故國醫每多以內服藥爲助。直接亦可解毒殺菌，並能促進整體抵抗力。與各組織間之繼生代謝作用。使早日痊愈。是國醫內外雙管齊下。治療得當。愈後較速較良。若夫手術。西醫佔有相當優勢。是不可否認者。設國醫具有同等技術。治療術必能超過而有餘也。若內臟患有潰瘍。尤以外膜潰破。致膿流胸腹腔洞者。如膿從臍中出是也。行使開割之術。是國醫所望塵莫及者也。雖有消解毒素毒質之藥。增進抵禦力繼生代謝作用之劑。但能痊愈者。恆鮮。望諸有心人。急起直追。或研究。以恢復我固有割刎治病之術。其能如華元化。且欲過之。吾其共勉。

附方

仙方活命飲　治一切癰疽。不論陰陽瘡毒。未成者可消。已成者即潰。化膿生肌，散瘀消腫。　甲片　皂角刺　當歸尾　甘草　金銀花　赤芍藥　乳香　沒藥　天花粉　貝母　白芷　陳皮

神授衛生湯　治癰疽發背疔瘡及一切丹毒。服之宣熱散風。行瘀活血。消腫解毒。疏通臟府。　防風　皂角針　羌活　白芷　甲片　連翹　歸尾　乳香　沒藥　金銀花　石決明　天花粉　草節　紅花　生軍

荊防敗毒散　瘡瘍初起。憎寒壯熱。　荊芥　防風　羌活　獨活　前胡　柴胡　桔梗　川芎　枳殼　茯苓　人參　甘草　生薑

保安萬靈丹　治瘡瘍之爲風寒濕痰而起者。　茅朮　麻黃　羌活　防風　荊芥　細辛　川烏　烏藥　川芎　石斛　全蝎　當歸　甘草　天麻　何首烏　雄黃

內疏黃連湯　癰疽疔瘡。壯熱煩燥。口渴脈實者　黃連　木香　山梔　當歸　黃芩　白芍　薄荷　桔梗　大黃　甘草　檳榔

白芷升麻湯　鮮熱除煩。托毒消腫。　升麻　白芷　黃芩　連翹　黃耆　桔梗　紅花　甘草

託裏透膿湯　癰疽發背瘡癤未潰氣虛者宜之。　人參　白朮　甲片　白芷　升麻　草節　當歸　黃耆　青皮

透膿散　瘡瘍未潰氣實者用之。　黃耆　甲片　川芎　當歸　皂角針

託裏排膿湯　瘡瘍已潰者用之。　當歸　白芍　人參　白朮　茯苓　連翹　金銀花　貝母　黃耆　陳皮　肉桂　桔梗　牛膝（下部加之）　白芷（頂上加之）　甘草　生薑

十全大補湯　氣血兩衰。或潰後痛盛者。爲元氣虛者用之。　人參　白朮　茯苓　川芎　當歸　白芍　熟地　黃耆　肉桂　甘草

陽和湯　癰疽發背因元氣虛而欲陷者宜之。熟地　肉桂　麻黄　鹿角膠　白芥子　乾薑　生甘草

涼血飲　清心涼血。木通　瞿麥　荊芥　薄荷　白芷　花粉　甘草　赤芍　麥冬　生地　山梔　車前子　連翹　燈心草爲引

升麻葛根湯　清心涼血解酒毒。山梔　升麻　葛根　白芍　柴胡　黄芩　黄連　木通　甘草

柴胡清肝湯　疏肝解鬱。清火活血。柴胡　生地　當歸　赤芍　川芎　連翹　牛蒡子　黄芩　山梔　花粉　甘草節　防風

復元通氣散　治毒氣滯塞不通者。青皮四兩　陳皮四兩　括蔞仁二兩　穿山甲二兩　金銀花一兩　連翹一兩　甘草二兩生炙各半研末每服二錢黄酒送下

六味地黄湯丸　補陰血滋腎水　山萸肉　山藥　茯苓　丹皮　澤瀉　熟地

八珍湯　兼補氣血。人參　白朮　茯苓　甘草炙　當歸　熟地　白芍　川芎

大黄湯　瀉利膿血去瘀滯。大黄　丹皮　硝石　白芥子　桃仁泥

赤豆薏苡仁湯　利下排膿。赤小豆　薏苡仁　防己　甘草

六君子湯　建中土。扶脾胃。人參　白朮　茯苓　甘草　陳皮　半夏

射干麻黄湯　宣肺散風邪。射干　麻黄　細辛　紫菀　款冬花　大棗　五味子　半夏

葶藶大棗湯　瀉肺豁痰。苦葶藶　大棗

千金葦莖湯　欬唾肺中之痰濁。葦莖　米仁　瓜瓣　桃仁

桔梗湯　排肺中膿痰。苦桔梗　甘草

外臺桔梗白散　痰濁在膈上能吐。膈下可瀉　苦桔梗三分　貝母三分　巴豆一分去皮熬研如脂用每服半錢虛者少減。

金鯉湯　陰虛者宜之。金色活鯉魚連鱗　川貝母

甯肺桔梗湯　肺中癰膿未盡而陰血已傷者宜之　苦桔梗　貝母　當歸　括蔞仁　生黄耆　枳殼　草節　桑白皮　防己　百合　米仁　五味子　地骨皮　知母　杏仁　苦葶藶

紫菀茸湯　清補肺藏。肺藏有損傷者最宜。紫菀茸　犀角　甘草　人參　桑葉　款冬花　百合　杏仁　阿膠　貝母

半夏　蒲黃　生薑
清金寧肺丸　肺損氣血俱虛。不能斂口者治之。　陳皮　茯
苓　苦桔梗　貝母　人參　黃芩各五錢　地骨皮　銀柴
胡　川芎　白芍　胡黃連各六錢　五味子　天麥冬各
生熟地各　歸身　白朮各一兩　甘草三錢研末。煉蜜爲丸。
如梧子大。每食遠服七十丸。
天王補心丹　生地　人參　茯神　遠志　石菖蒲　玄參
柏子仁　桔梗　天冬　丹參　酸棗仁　甘艸　麥冬　百
部　五味子　杜仲　當歸　研末。蜜煉爲丸
五積散　腎受寒邪者宜之。　蒼朮　陳皮　桔梗　川芎
當歸　白芍　麻黃　枳殼　桂心　乾薑　厚朴　白芷
半夏　甘艸　茯苓
桂附地黃丸　補腎水以壯陽。　六味地黃丸加桂附卽是。
薏苡仁附子散　溫中排膿。　附子　敗醬　米仁　研末每
服方寸匕。
牡丹皮湯　專排腸胃之癰膿　牡丹皮　桃仁　栝蔞仁
朴硝　大黃
淸胃射干湯　胃癰積熱。以此淸下之。　射干　升麻　犀角
麥冬　玄參　大黃　黃芩　芒硝　梔子　竹葉

理中湯　主理中土。　人參　白朮　炮薑　甘艸　加附子
一枚。曰附子理中湯。　溫建中宮。
黃連消毒飲　消毒火。治諸般火熱之症。　蘇木　黃連　黃
芩　黃柏　陳皮　桔梗　人參　藁本　防已　防風　知
母　羌活　獨活　連翹　生地　黃耆　澤瀉　當歸尾
甘草
回陽三建湯　元氣已虛。陰症欲陷等宜之　附子　人參
黃耆　當歸　川芎　茯苓　枸杞　陳皮　山萸肉　木香
甘艸　紫草　厚朴　蒼朮　紅花　獨活
黃耆內托散　治癰疽瘡瘍將欲潰膿者。　黃耆　白朮　當
歸　川芎　金銀花　皂角刺　天花粉　澤瀉　甘草
人參養營湯　大補氣血。　人參　白朮　甘草　茯苓　熟
地　當歸　白芍　黃耆　肉桂　陳皮　遠志　五味子
五味消毒飲　疔瘡溫毒初起者咸宜。　金銀花　野菊花
蒲公英　紫花地丁　紫背天葵子
化疔內消散　治疔瘡初起者。　知母　貝母　甲片　蚤休
白芨　乳香　花粉　皂甲　銀花　當歸　赤芍　甘草
蟾酥丸　治諸惡瘡疔瘡。　蟾酥二錢酒炒　銅綠　輕粉
枯礬　寒水石　胆礬　乳香　沒藥　麝香各一錢　硃砂

三錢　蝸牛三十個　共爲細末。先以蝸牛搗爛。放入蟾酥。研勻。再入各藥。共搗極勻。丸如菉豆大。每服三粒。用葱頭煎湯送下。令工作勞動。至汗出爲度。

奪命湯　治疔瘡初起。可消則消。不可消卽潰。　金銀花　艸河車　黃連　赤芍　澤蘭　細辛　殭蠶　蟬脫　青皮　甘草　防風　羌活　獨活

黃連解毒湯　瘡熱掀痛。煩燥口喝者。宜之。　黃連　黃芩　黃柏　生山梔

疔毒復生湯　治疔將走黃。腫毒深者。　銀花　梔子　地骨皮　牛蒡子　連翹　木通　牡蠣　生軍　皂刺　花粉　乳香　沒藥

七星劍湯　治疔瘡已走黃者。　蒼耳頭　野菊花　豨薟艸　地丁艸　半枝連　蚤休　麻黃

木香流氣飲　治氣滯濕痰凝結者。　當歸　白芍　川芎　紫蘇　桔梗　枳實　烏藥　陳皮　半夏　茯苓　黃耆　防風　青皮　大腹皮　檳榔　枳殼　澤瀉　木香　艸節　生薑　大棗

瀉金散　治肺內積熱鬱火。　牛蒡子　苦桔梗　犀角　紅花　生地　赤芍　紫蘇　甘草

消毒飲子　善却疔毒火證。　白茯苓　生地　連翹　牛蒡子　紅花　甘草　犀角　木通　赤芍　燈芯

葛根散瘀湯　治瘀血停滯者。　葛根　川芎　半夏　桔梗　防風　羌活　升麻　細辛　甘草　香附　紅花　蘇葉　白芷　葱　生薑

附子八物湯　補腎水。溫腎陽。卽八珍湯內加　附子　肉桂　木香　生薑　紅棗

人參敗毒散　卽荊防敗毒散去荊芥防風。功用相仿。但體稍虛不宜過表者。用人參敗毒散。

調中大成湯　潰久肌肉不生。不能收口者。服之。　人參　白朮　茯苓　黃耆　山藥　丹皮　歸身　白芍　陳皮　肉桂　附子　遠志　藿香　縮砂仁　甘艸　煨薑　紅棗

先天大造丸　專治癰疽發背流注等。潰後虛而膿水清稀。難收斂者。　人參　白朮　當歸身　茯苓　菟絲子　枸杞　黃精　牛膝　以上各二兩　補骨脂　骨碎補　巴戟肉　遠志　以上各一兩　廣木香　青鹽　以上各五錢　丁香　三錢　以上研末　熟地　四兩　仙茅　何首烏　肉蓯蓉　以上各二兩　紫河車　一具　膠棗　二兩　以上搗膏　細末同膏。共搗極勻。再煉蜜爲丸。如桐子大。空心溫酒送下七十丸。

防風羌活湯　治風毒瘰癧初發寒熱者，防風　羌活　連翹　升麻　夏枯草　牛蒡子　川芎　黄芩　甘艸　昆布　海藻　殭蠶　薄荷

海藻丸　治風痰瘰癧，海藻菜　白殭蠶　等分爲末，白梅肉泡湯爲丸。如梧子大。飯後或臥時米湯送下七十丸。

升麻調經丸　治熱毒瘰癧。升麻　八錢　連翹　龍胆艸　桔梗　黄連　京三稜　葛根　甘艸　各五錢　知母　廣茂　各一兩　條黄芩　六錢　黄柏　七錢　半爲細末煉蜜爲丸。如梧子大。半爲粗末每用五錢煎湯服送丸藥百丸至一百五十丸。

柴胡連翹湯　治熱毒瘰癧。兼氣寒血滯經閉等證。柴胡　連翹　知母　黄芩　各五錢　黄柏　生地　甘艸　各五錢　瞿麥　六錢　牛蒡子　二錢　歸尾　一錢半　肉桂　三分　共爲細末。每服三五錢。

藿香正氣散　理氣和中避惡。藿香　大腹皮　紫蘇　茯苓　白芷　各三兩　陳皮　白朮　厚朴　半夏麯　桔梗　各二兩　甘草　一兩　研末每服五錢薑棗煎湯送下。

李杲連翹散堅湯　治氣毒瘰癧。當歸　連翹　莪朮　三稜　各五錢　土瓜根　龍胆草　各一兩　柴胡　一兩二錢　黄芩　兩二錢　黄連　蒼朮　各三錢　赤芍　一錢　服法同升麻調經丸。

散堅潰腫湯　治氣毒瘰癧。柴胡稍　四錢　龍胆艸　黄柏　知母　花粉　昆布　桔梗　各五錢　甘艸　京三稜　廣茂　連翹　當歸　各三錢　白芍　葛根　黄連　各五錢　升麻　六分　黄芩　八錢　海藻　五錢　服法同前。

香貝養營湯　補氣活血即八珍湯加　陳皮　貝母　香附　桔梗　生薑　大棗

連翹消毒飲　清熱解酒毒。連翹　山梔　桔梗　赤芍　當歸　元參　射干　黄芩　紅花　葛根　陳皮　甘草　大黄　花粉

芩連平胃散　清熱燥濕痰　黄芩　黄連　蒼朮　陳皮　厚朴　甘草

歸脾湯　益血復脈而安心神。人參　白朮　黄耆　當歸　甘草　茯神　遠志　棗仁　木香　龍眼肉　生薑　大棗

逍遙散　解鬱調經　當歸　白芍　柴胡　茯苓　白朮　甘草　薄荷　煨薑

補中益氣湯　治元氣不充四肢倦怠口乾時飲。飲食無味。脈大無力。心煩氣怯者。人參　黄耆　當歸　白朮　升麻

柴胡 陳皮 五味子 麥冬 甘草 煎加生薑大棗

託裏消毒散 氣血虛而潰遲者宜之。人參 白朮 茯苓 當歸 白芍 黃耆 川芎 白芷 桔梗 銀花 皂角刺 甘草

內託黃耆散 患瘍症而體元虛者服之。當歸 白芍 白朮 川芎 陳皮 穿山甲 皂刺 黃耆 檳榔 紫肉桂

八正散 清泄火熱濕濁 萹蓄草 生大黃 瞿麥 甘草 滑石 梔子 木通 車前子

清肝導滯湯 治症同前。萹蓄 滑石 甘草 大黃 瞿麥 燈芯

蘆薈丸 泄火解毒。蘆薈 青皮 白蕪荑 川黃連 胡黃連 鶴虱草 木香 麝香 各一錢 研末。蒸餅糊丸、如麻子大米湯送服一錢。

龍胆瀉肝湯 瀉厥陰之火。兼利濕濁。龍胆草 梔子 柴胡 黃芩 生地 車前子 澤瀉 木通 甘草 當歸

二子消毒散 解諸疔之毒 土茯苓 猪脂 杏仁 殭蠶 蟬脫 牛膝 荊防風各 皂角子 銀花 肥皂子 豬牙皂

大豆甘草湯 清熱解毒。黑豆 甘草 赤皮葱 槐條

防風通聖散 表散風熱而和血脈 防風 麻黃 薄荷 當歸 白芍 桔梗 連翹 川芎 石膏 黃芩 大黃 芒硝 荊芥 滑石 白朮 山梔 甘草

疏風消熱散。消散風熱。苦參 全蠍 皂角刺 猪牙皂角 防風 荊芥穗 金銀花 蟬脫 煎加葱白

散風苦參丸 苦參 大黃 獨活 防風 枳殼 元參 黃連 各二兩 黃芩 梔子 菊花 各一兩 共研細末煉蜜爲丸。如梧子大。日三服每服白湯送下二十丸。

大連翹飲 清解火熱之毒。連翹 當歸 赤芍 防風 木通 滑石 牛蒡子 蟬脫 瞿麥穗 石膏 荊芥 甘草 柴胡 黃芩 生梔子 車前子 燈芯

五福化毒丹 清熱解毒 人參 赤茯苓 各二兩 龍胆草 一兩 桔梗 二兩 牙硝 青黛 黃連 各一兩 甘草 五錢 京玄參 硃砂 各三錢 水片 五分 研細末。煉蜜爲丸。如芡實大。金箔爲衣。每服一丸。薄荷燈芯湯下之。

紫雪散 治上中二焦。蘊有積熱者。犀角鎊 羚羊角鎊 石膏 寒水石 升麻 元參 各二兩 甘草 八分 沉香 木香 各五錢 水五碗。煎藥剩一碗。去渣。於湯沸時。投淨朴硝三兩六錢。文火慢煎將凝之時傾入碗內下硃砂三錢。金箔壹百張之極細末。復將藥碗置冷水中。候冷凝雪爲度。大人服一

錢。小兒服二分十歲者可服五分。含口中徐徐嚥之。

防風解毒湯　治瘰癧結核　防風　薄荷　牛蒡子　荊芥　石膏　知母　桔梗　甘草　連翹　木通　枳殼　淡竹葉

益氣養營湯　懷抱抑鬱。氣血損傷四肢頸項發腫結核等證。或瘍症潰而不斂者。　人參　茯苓　陳皮　貝母　香附　當歸　川芎　黃耆　熟地黃　白芍各一錢　甘草　桔梗各五分　白朮二錢　柴胡六分　每服細末二三錢。加生薑。水煎服

九黃丹　提毒拔膿去瘀化腐。　乳沒各二錢　川貝　雄黃　月石各二錢　黃升丹三錢　石膏煅水飛六錢　梅片五分　研末貯用。

平安散　消腫軟堅化瘀。　月石　硃砂　雄黃各一兩　火硝三錢　犀黃　麝香各五分　梅片八分　研末密貯聽用。

黑虎丹　治癰疽疔瘡發背腐肉疔頭不去者。甚效　穿山甲炙七片　大蜘蛛炙脆　蟬衣微烘　全蠍各七隻　蜈蚣炙　白殭蠶微炙各七個　麝香一錢　冰片五分　公丁香　母丁香各一錢　磁石三錢　西黃三分　研極細末。密貯勿洩氣。

立馬回疔丹　治疔瘡初起。頂不高突根脚不收。　硃砂　雄黃各二錢　磠砂　白丁香　蟾酥　輕粉各一錢　麝香五分　蜈蚣一條炙　乳香六分　金頂砒五分　研末糊丸如小麥子大。

二寶丹　提膿生肌。兼能去腐。　黃升丹　煅石膏　等分研極細末用

八寶生肌丹　腐脫肌生。以此收斂。　熟石膏　輕粉　赤石脂各一兩煅　黃丹　龍骨　血竭　乳香　沒藥各三錢　研末用

桃花散　提膿生肌　熟石膏二兩　輕粉一兩　桃丹五錢　冰片五分　研極細末用

九仙丹　提膿收口。　黃升丹一錢　熟石膏九錢　研細末

海浮散　去腐生肌。定痛收口　乳香　沒藥　等分。

如意金黃散　治一切瘡瘍丹毒紅腫屬陽症皮膚灼熱紅腫者。　南星　陳皮　蒼朮各二斤　黃柏　姜黃　大黃各五斤　甘草　川朴各二斤　花粉十斤　白芷五斤　共研細末密貯聽用。麻油調敷

金箍散　腫脹散漫不收斂者　五倍子焙四兩　川草烏各二兩　南星　生半夏　黃柏　甘草　狼毒各二兩　白芷四兩　陳小粉炒黃一斤　各研和勻用麻油或醋調敷。

四虎散　治癰疽發背腫脹不高皮色不變屬陰證者。　草烏　生半夏　生南星各二兩　狼毒二錢　研末醋調敷。

丁桂散　治陰症痰毒流注，　丁香六錢　肉桂四錢　研極細末膏藥內貼。

玉露散　治一切熱毒之症。　芙蓉葉一味　研末。銀花露或菊花露調塗。

拔疔散　治疔瘡疔頭未出者。是其專候。　硇砂　白礬　食鹽　硃砂　等分銹鐵刀燒紅。礬鹽放刀上煅。餘則共研末用。

消核散　治頸項痰凝瘰癧。　海藻三兩　牡蠣　元參各四兩　糯米　甘草各一兩生用　紅娘子三十八個同糯米炒胡黃色去紅娘子用米　共研末酒調服一錢至錢半。

皮脂散　治濕瘡濕癬。脂水浸淫者。　青黛二錢　熟石膏二兩　烟膏二兩四錢　黃柏二錢　研末麻油調敷。

五美散　治濕癬濕瘡。疥瘡膿水浸淫者。　黃柏　枯礬　黃升各三錢　熟石膏一兩　研末麻油調敷

必效散　專治癬瘡。　川槿皮四兩　海桐皮　大黃各二兩　百藥煎一兩四錢　巴豆一錢五分　斑蝥全隻炙　雄黃　輕粉各四錢　研細末水調。將癬抓損薄敷。

消風玉容散　散風熱。　綠豆麵三兩　白菊花　白附子　白芷各一兩　熬白食鹽五錢　研末加冰片五分研貯。

綉球丸　專治疥瘡。尤以乾者爲宜。　川椒　輕粉　樟腦　雄黃　枯礬　水銀各二錢　大楓子肉百枚另研　共研細。同楓子肉合研。加柏油一兩化開。和勻作丸。圓眼大。用時取之以擦。

臭靈丹　專治疥瘡。膿濕者爲宜。　硫黃末　油核桃　生猪脂油各一兩　水銀一錢　搗膏擦患處

鐵桶膏　治癰疽發背。根脚散漫。不收束者。　胆礬三錢　銅綠五錢　麝香三分　白芨五錢　輕粉二錢　鬱金二錢　五倍子一兩微炒　明礬四錢　共研細末。用陳米醋一碗。杓內文火熬至一小杯。起金黃色時。入藥末一錢。炖化攪勻。用淨筆塗於瘡根周圍。以棉紙覆之。

凍瘡膏　專治凍瘡未潰者。最爲有效。　鋅養粉一兩　洋樟腦四錢　硼酸粉三錢　東丹六錢　凡士林油調塗。

回陽玉龍膏　凡治一切瘡瘍陰證。皮色不變。不熱不高。不作膿以及筋骨疼痛。濕腫無頭。鶴膝風等。　軍薑三兩炒　肉桂五錢　赤芍三兩炒　南星一兩　草烏三兩炒　白芷一兩　共爲細末。調酒溫敷。有謂須加硇砂者。

蟾酥條　蟾酥　寒水石　寒水麪各黃豆大一塊　白丁香

十五粒　巴豆十粒　共研細末。蜜煉搓成條子用。

鳳衣散　疳瘡而痛癢兼作者。　鳳凰衣一錢　輕粉四分　冰片二分　黃丹一錢　研極細末蛋清調敷。

旱螺散　治潰疳癢痛。兼生肌。　白田螺殼三錢煅　輕粉一錢　冰片　麝香各三分　研極細末香油調敷。

珍珠散　治疳瘡。除熱毒。去瘀化腐。　珍珠　黃連　黃柏　定粉　輕粉　象牙　五倍子　兒茶　沒藥　乳香　研極細末。

銀粉散　疳瘡潰爛。此能生肌。止痛收斂。　好錫六錢火化。入硃砂二錢。炒枯去砂。再化開。投水銀一兩和勻。後取定粉一兩。研末鋪綿紙上。捲起點火煨之。吹去紙灰。用粉同前錫汞再加輕粉一兩。研極細末用。

回春脫疳散　疳瘡腐爛不斂者用之。　黑鉛五錢火化開。投水銀二錢半。研不見星爲度。加寒水石三錢半。輕粉二錢半。硼砂一錢。研末用。

黃連膏　治紅腫熱痛。屬陽證者。　黃連三錢　歸尾五錢　生地一兩　黃柏　薑黃各三錢　香油十二兩　先將藥煠枯去滓。以黃蠟四兩溶化。用夏布濾淨。以柳枝不時攪之。候凝爲度。

陽和膏　治痰核瘰毒。鶴膝陰疽陰毒流注等瘡瘍之皮色不變者。　紫蘇　牛蒡　蓖麻　薄荷　蒼耳各八兩連根叶　白鳳仙四兩連根叶　青葱八兩連根　以上七味。俱用鮮者。用麻油十斤浸七日。煎枯去渣。待冷再入後藥。　荆芥　防風　水紅花子　川附子　廣木香　當歸　川烏　草烏　青皮　天麻　甲片　連翹　殭蠶　陳皮　芥子　蒲公英　天南星　官桂　桂枝　白芷　生半夏　青木香　大黃　白斂　赤芍　川芎　以上各一兩。入前油浸三日。煎枯去渣。每淨油一斤。入炒桃丹七兩。文火收膏。於微溫時。加　上肉桂二兩　沒乳各一兩　丁香油　蘇合油各四兩　檀香　琥珀各二兩　麝香三錢　之極細末緩緩攪入和勻。　隔水炖化攤貼。

太乙膏　治一切瘡瘍。不論已潰未潰。　麻油　桐油各一斤　血餘一兩　先將麻油煎數沸再入桐油血餘烊化。下淨飛黃丹十二兩。以柳木不住攪之。文火收膏。置冷水內。減其溫度。候凝即成。　用時以火燉烊攤用。

痲疹在臨床上之統計與分析

章叔賡

（一）緒論

痲疹爲小兒科「痲痘驚疳」四大要症之一，是世界上每一個小孩差不多都要感受到的疾患，具有天然免疫性的祗占百分之三。西醫對於本症沒有相當的療法，在中國是十九歸功於國醫界的；然而我國歷代醫家在小兒科的著作上，都詳述在痘症方面；而對於痲疹的記載，反寥若辰星，在徐東皋張路玉龔雲林金川洪金鼎周寇程章王王養吾謝賡平……，的著作中，雖然也有可取的地方；然而畢竟是從糟粕中提取出來有限的美洒，我們要在這許多書籍中去找智識和技術是很費力的，致其原因，是由於歷代的醫家大都認爲痘症是可以使小兒致命的，而痲疹却是一種不甚重要的輕症；所以他們都在痘症上研究發揮，而把痲疹忽略了。現在關于痘症已有隋那氏發明了牛痘，痲疹的死亡率却在我國一年年地增加；　並且我國的醫家之對於本症的治療大都是主張用涼藥而忌用溫藥的，自從現代兒科專家徐小圃先生……等常用溫藥也能治愈以後，此不啻在這歷史悠久的古城中擲一爆烈的炸彈，使國醫界對於痲疹的治療上引起了極大的懷疑和盲從；有的張主仍用涼藥，有的以爲非溫藥不能治愈；因此便於無形中築起了兩種對敵的炮臺，火藥氣所散佈到的，便是不幸了來求治的患兒。　由這兩點的理由。我便毅然地寫述本文。

又因中國歷代的醫籍記載各種的疾病往往將幾個症狀粘合成一個機械式的治法，對於患者之千變萬化的病勢上常常比書中增損出一二個以上的症候，以致醫生不能依照書本上的治法去應用，而存有「書是死的，看病是活的。」一種謬誤觀念；其實書的本身何嘗是死的，而其所以成爲死書者，是給著書的人將書做死了；痲疹也是這樣，所以本文取材注重於數年來在實習教授兩面和自身對於痲疹的臨床情形，加以統計和分析的方法，以作合乎現實的理論和報告，一方面可以使得對於整個的痲疹有清晰的認識，一方面又可將每一個症狀直接去從痲疹的病理上求診斷和治療；同時對於患者疾病的演變中無論他症狀變化得怎樣地複雜不同，都可以從根本上去求解決的方法；這樣大概可免去將一個湯名聯鎖成幾個不能分開之刻版式的症狀之流弊了吧！

(二)病　名

本症因為流行得很普遍，所以因了各地風俗和語言的不同而產生出許多的病名。據作者所統計的，共有十九個之多；然而在這很多的病名之性質而論，多數都是依據了痲疹的病情和疹子的形態而命名的；如江蘇人因為本症所發的疹子是瑣細如砂而叫牠「痧子，」浙江人因本症是忌吃酸斂性的醋而叫牠「瘄子，」湖人因本症的疹子如蚤子咬過似的而叫牠「瘙子，」江西人因疹子形狀一粒粒地像麻子而叫牠「麥麻子，」四川人因疹子在皮膚上落屑時如麩樣的就叫牠「麩子，」而河南叫「粰瘡，」山西陝西叫「糖瘡，」江西又叫「痲疹，」又叫「艄子，」廣東廣西福建山東雲南貴州又都叫「疹子；」其餘如「痲子，」「正疹子，」「膚疹，」「赤疹，」「火眼瘡，」「北糖瘡」等都是痲疹的別名；最近中國博醫學會將本症譯作「疹症，」和「疹熱症，」「痲熱疹；」至於西洋各國對於本症的病名。英國為 Measles，德國為 Maserr，法國為 Rougeole，

因為痲疹別名很多，往往使人不能記住，偶然有一個別名看到時，幾乎疑心牠不是痲疹，所以附在這裏以便查攷。

(三)類　別

痲疹除了有許多的病名之外，又因為患者在年齡上或在形態和與瘂症併發前後時期的不同，習慣上也將牠定出了相當的八個病名；牠們的病理和症狀雖然大致相同，然而因為這幾種的病名和痲疹似乎相距太遠了，在不知道的學者看去容易誤認是和痲疹不同，所以也附在這裏以便閱者的檢考。

A.關於患者年齡上的之痲疹

1.爛衣瘄(一名胎痲)——在尚未彌月的嬰孩所發

2.嫻疹子——在初生嬰孩彌月後所發的痲疹

3. 百日瘄——在嬰孩初生百日內所發的痲疹

B. 關于患者發在痘之先後或併合發生之先後的

1. 瘙　疹——發在未痘之先

2. 蓋痘疹——在痘症痊愈後而卽發痲疹的

3. 痘夾疹——在出痘時而併發痲疹的

4. 疹夾痘——在發痲疹時而併發痘症的

C. 關於痲疹疹子中含有水分的

1. 行漿疹子——舊說爲痲疹的疹子中也含有，痘瘏一樣的膿漿，實因患者起了血行障礙，以致血液中的水分滲出血管而入疹子中的緣故，所以疹子便變成了小水泡，和痘症的灌漿是似同而實異的。

西醫對於痲疹所發的疹子也有三種區別;

A. 丘疹性痲疹——疹子中央部位形成小結節的

B. 出血性痲疹——痲疹而見出血症狀的(鼻衄)

C. 融合性痲疹——疹子發現時稠密而有融合之傾向的

(四)原　因

中國古來的學說，對於痲疹之原因，都以爲胎兒在母體姙娠時因孕婦多吃辛辣的東西，或多動肝火，或在夏天懷孕而少吃清涼的東西，或在交媾時肆用熱藥以逞淫慾而受胎的……種種緣故，早已有毒素(卽胎毒)蘊伏於小兒的臟腑中了;到了生產之後新陳代謝作用比在胎兒時增加，所以一感時邪就發生痲疹又說本症的病理是「先發於陽而後歸於陰，故標屬陰而本屬陽。」在許多的中醫書籍中差不多都是這種說法;據作者所曉得以這「胎毒」兩字來做痲疹之病源的，尤以現代兒科專家吳克潛先生和已故醫學的思想家惲鐵樵先生說得最詳細。吳先生在吳氏兒科第一六三頁至一六四頁上說:「……疹子先天之毒爲多……蓋兒居母腹以母之氣血爲氣血夫人孰無飲食之所傷六淫之所使毒之伏於母體者胎兒莫不感之且當成胎之時精華者供營養糟粕者棄胞中則積漸所蘊皆足成毒胎兒日處其間又安能免於爲毒所染故胎兒各組織中悉含有毒素可以斷言比其生也其新陳代謝之作用培增於往時故其毒有宣泄之必要……」吳先生所述痲疹的成就是由於「胎毒」所致不過比普通書籍說得詳細而又似乎近理一些，於事實上仍然是不相符合，祇要看他下面又說:「……然毒之盛者聚者自隨初生去毒之法由人力以逗之出外然毒之輕者散者則一時不易發出伏蘊於內待時而動……」的幾句中，吳先生說「毒之盛者聚者，」一定是指痘症而言；「自隨初生去毒之法由人力以逗之出外，」一定是指用人工所種的牛痘而言；「然毒之輕者散者……待時而動，」又在指痲疹而言。便在這裏，就發生了三點錯誤的地方：第一：吳先生既認爲痘症和痲疹都是胎毒，但是在未出痲疹以先而種牛痘或發痘症的時候，全身的胎毒都當完全逗之出外，爲什麼還能遺留下一部分的胎毒來預備將來發痲疹？反過來說：在未種牛痘(或發痘症)以先而發過痲疹以後，爲甚還能留下一部分的胎毒來在種痘或出痘時應用呢？況且痲痘二症都是發遍全身的，毒之「盛毒聚者」固然是容易發出，就是「輕者散者」也何嘗不易發出呢?!又如在未出痘(或種痘)以先而出痲疹的時候，那「輕者散者一時不易發出」的胎毒尙且發出了，而「盛者聚者」的胎毒却反而又不易發出了嗎？第二：痲痘二症，也有偶然倂發的（如疹夾痘痘夾疹。）那麼同是在母體內所遺下的胎毒。爲什麼又能分開一部分來做痘一部分來做痲呢？第三：痘苗種在小兒的手臂上可以產生預防天花的抗毒素；而痲疹的苗還沒有人發明，並不是「胎毒之盛者聚者……由人力以逗之出外……輕者散者一時不易發出；」否則，我們對於「輕者散者」的胎毒祇要在小兒的全身各處都種以比較大量的牛痘苗，不就可以預防痲症了嗎？由此三點，就可證實痲疹爲由於胎毒而成的學說是不可靠的。

吳先生於下面又替「待時而動」下以說明：「……天氣動地氣泄時行之邪襲於外含蘊之毒遂動於中是以痲疹之發必有誘因；」惲鐵樵先生在保赤新書「痧痘之原理⑵中」也說：「……此傷風傷寒爲外因而外因却能爲內病發作之誘因故認痧子天花爲傳染病非充分切實之理論……蓋就表面觀之甲病乙不病然使甲乙兩孩同居一室甲孩病乙孩郎無有不病而且症狀相同謂爲傳染似無不合然自實際言之病毒皆潛伏於軀體之內發不發乃遲早問題耳天花痧子之主因是先天病毒傷風傷寒不過副因與人同室不過非時寒暖之外加有病菌空氣可謂雙料副因畢竟非時寒暖爲賓中之主其病菌空氣實賓中之賓故使離羣獨處之小孩若遇非時寒暖傷風傷寒亦可以出痧子天花若已經出過天花痧子短時期中郎與病孩同室亦不傳染豈非傳染云云非切合事實之理論乎……」這裏，對於吳先生的理論因爲太覺浮泛，所以不談；而在惲先生之有事實證明的理論中，却可以找出一大堆謬誤的地方：

第一：「……甲病乙不病然使甲乙二孩同居一室甲孩

病乙孩即無有不病而且症狀相同，……」這便是直接傳染的一大證據；然而惲先生偏強辭奪理地在上面硬裝上一句「就表面觀之，」下面又修飾上「謂爲傳染似無不合」二句；而再硬說他的理由是：「然自實際言之病毒皆本潛伏於軀體之內發不發乃遲早問題；」然而爲什麼痲疹的發生，不遲不早，恰巧多數在和病者同居一室的時候而發生呢？這或者就是因爲「非時寒煖之外加有病菌空氣可謂雙料副因」之「雙料副因」（其實是整個的主因）的容易「能爲內病發作之誘因」吧？然而痲疹的發生完全是由於這「雙料副因」中的病菌傳染所致，單是「非時寒煖」是不能引起痲疹的；否則，「非時寒煖」不能使多發痲疹（這是拿惲氏非時寒煖能爲痲疹之誘因來說的話，）而加上「病菌空氣」却能使多數的小孩發痲疹呢？（其實非時寒煖並不是痲疹的誘因，而因爲在空氣中含有痲疹的毒素之塵埃而間接傳染之故。而痲疹又以直接傳染者爲多數，間接傳染爲少數，所以又引起惲氏「非時寒煖」爲副因和加「病菌空氣」爲「雙料副因」」的誤解）

第二惲先生以：「故使離羣獨處之小孩若遇非時寒煖傷寒傷風亦可以出痧子天花」來證明痲疹不是由於病毒的傳染，單是非時寒煖也能爲痲疹潛伏於體內之先天胎毒發出的誘因；其實，正因爲在空氣中含有痲疹毒素的塵埃而間接傳染給健康小兒而發生的，我們在臨床上往往看到許多因受非時寒煖的流行性感冒，但是他們都沒有發痲疹；這或者是因爲痲疹在前驅期之症狀和感冒似乎相同而很難診斷，所以惲先生（和歷代一般的醫生）把牠誤解爲感冒是引胎毒而發痲疹之誘因了吧？

第三惲先生以：「已經出過天花痧子短時期中即與病孩同室亦不傳染」是「豈非傳染云云非切合事實之理論乎」的唯一理由；這是因爲沒有明白患過天花麻疹之後的人獲有永久之免疫性的緣故；擧個淺近的例子吧：種過牛痘或打過防疫針的人就可以免疫一時期；而出過天花的人就可以終身免疫，在這免疫期內，就是和患者同居一室，也不能夠傳染；而患過痲疹以後所獲得的免疫性，也是同一的理由。

第四惲先生在「痧痘之原理(1)」中先說：「……須俟體內各藏器發育至於雛形悉具然後此毒方外達故小兒出痧子出天花總在乳齒既生之後若乳齒未生以前罕有見出痧子天花者有之亦屬千分之一之例外蓋乳齒未生雛形未具藏腑肌肉血液腺體皆未有截然分工之界限故也，」這也是一種謬誤的學說，正因爲小兒在生乳齒以前母體所留傳給他的先天免疫性還沒有消失，所以患者頗少，而在乳齒既生之後，先天免疫性也因爲相隔時期過久而已經漸漸地消失了，所以患者也就多數了；對於「藏腑肌肉血液腺體」之有否「截然分工之界限」是毫無關係的。

由此可以總括起來下一個斷語：便是痲疹的原因，並不是由於胎毒，而是由於傳染所得；並且在事實上西洋醫家也早把含有痲疹病原體之患者的血液取來接種在健康人——動物的身上，沒有「天氣動地氣泄時行之邪（非時寒暖。）襲於外邪」同樣地能夠發生痲疹，由此更可確證實痲疹由是於病源體（毒素）的傳染而不是胎毒了。

（這裏所要附帶聲明的，便是作者以這一大堆的文字來批評吳惲二先生，並不是故意將篇幅拖長，也不是有意搗亂我國固有醫學，更不是和吳惲二先生鬧意氣；祇覺得國醫好的地方固應保存，而錯誤的地方也應當立即更正；好在我和惲先生並未謀過一面，而今先生已作故人，當然是沒有意氣可言；至於吳先生却又是我在兩年前的好教授，這也是可以證明的；因爲中國歷代對於痲疹的病源都錯解是由於胎毒，而現在全國的中醫還十九留存着這種謬誤的觀念，所以非以多方面的糾正，不足以推翻牠；再看各種兒科專書，又都是些不值一駁的空泛文字，而吳惲二先生的大作比較含有實質的多，所以我便擇定這二書下研究，請吳先生原諒，惲先生在極樂國中也原諒）

痲疹的病源是由於病源體的傳染（西醫列入小兒急性傳染病科）是可以判定的了；然而這種的病源體到底是屬於那一類的，至今還沒有確實的發明；台爾氏Daehle以一種原蟲爲痲疹之病源體，批里庫氏Pielike和加諾氏Canon則認爲是桿菌，但是至今還不能經過世界醫學家所公認，所以我們叫這一種的病源體，祇好稱牠爲「痲疹病源體」或者叫「痲疹的毒素。」

（五）傳　染

痲疹不知在多少年前從什麼地方傳入我國，現在因爲尋不到正確的考據，而此症之發源地必起始在熱帶地方，傳入我國已有了很久的時期，那是可以確定的。　本症在急性傳染病中的傳染力比較其他各症的傳染力還強，在患者的血液和分泌物內，都含有這種痲疹的病源體，直接或間接的能夠傳染給他人，所以痲疹之發生，往往爲一時性或一地方性之流行，而其傳染的路徑和方法，可以劃成下表：

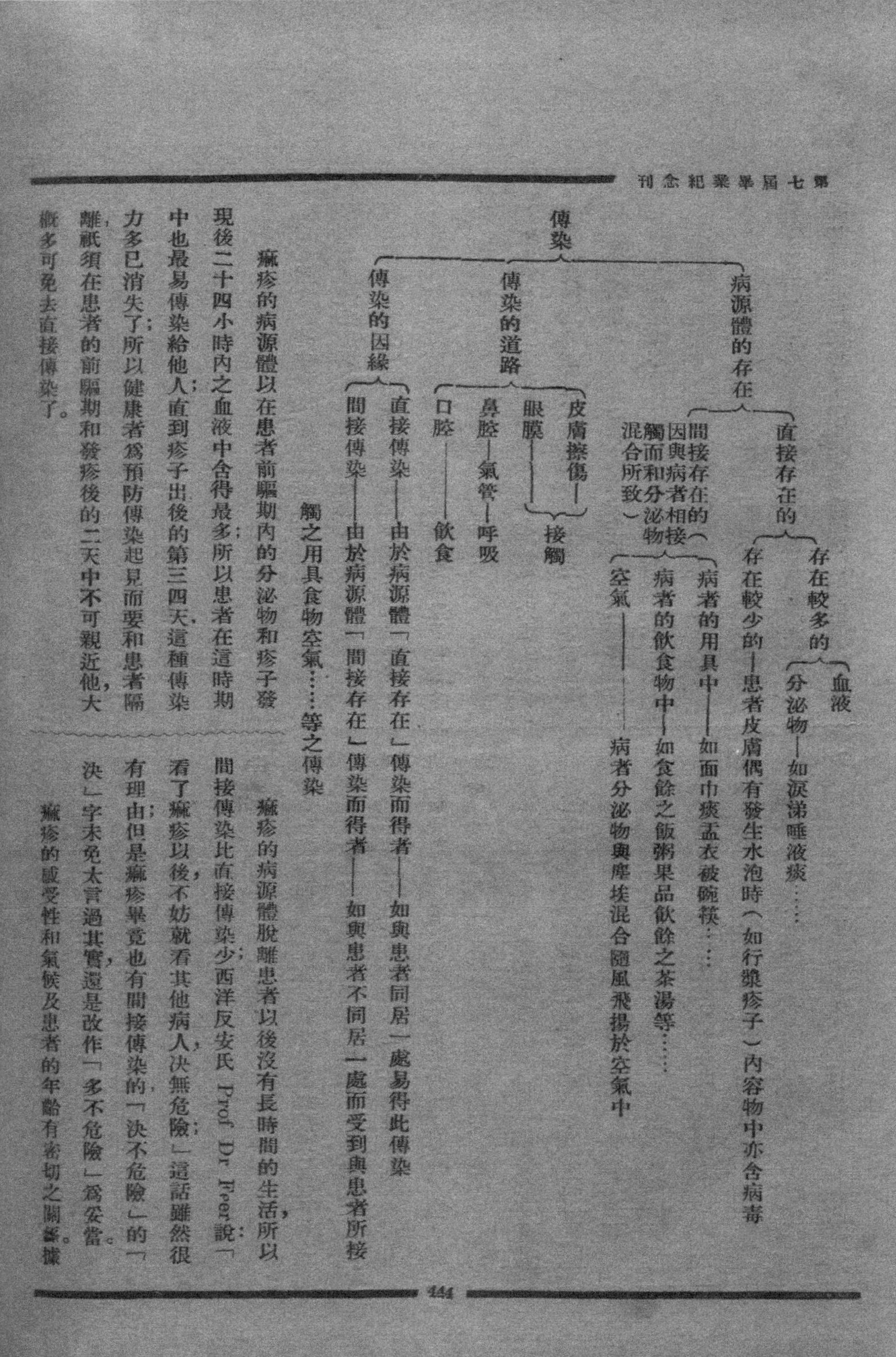

傳染
- 病源體的存在
  - 直接存在的
    - 存在較多的
      - 血液
      - 分泌物—如淚涕唾液痰……
    - 存在較少的—患者皮膚偶有發生水泡時（如行猴疹子）內容物中亦含病毒
  - 間接存在的（因與病者相接觸而和分泌物混合所致）
    - 病者的用具中—如面巾痰盂衣被碗筷……
    - 病者的飲食物中—如食餘之飯粥果品飲餘之茶湯等……
    - 空氣——病者分泌物與塵埃混合隨風飛揚於空氣中
- 傳染的道路
  - 皮膚擦傷 } 接觸
  - 眼膜 } 接觸
  - 鼻腔—氣管—呼吸
  - 口腔——飲食
- 傳染的因緣
  - 直接傳染—由於病源體「直接存在」傳染而得者——如與患者同居一處易得此傳染
  - 間接傳染—由於病源體「間接存在」傳染而得者——如與患者不同居一處而受到與患者所接觸之用具食物空氣……等之傳染

痲疹的病源體以在患者前驅期內的分泌物和疹子發現後二十四小時內之血液中含得最多；所以患者在這時期中也最易傳染給他人直到疹子出後的第三四天這種傳染力多已消失了；所以健康者為預防傳染起見而要和患者隔離，祗須在患者的前驅期和發疹後的二天中不可親近他，大概多可免去直接傳染了。

痲疹的病源體脫離患者以後沒有長時間的生活，所以間接傳染比直接傳染少；西洋反安氏 Prof Dr Feer說：「看了痲疹以後，不妨就看其他病人，決無危險；」這話雖然很有理由但是痲疹畢竟也有間接傳染的；「決不危險」的「決」字未免太言過其實，還是改作「多不危險」為妥當。

痲疹的感受性和氣候及患者的年齡有密切之關係。據普通書籍上的報告，有的說在春秋二季及小兒患之最多，有的說在冬春二季及小兒患之最多；然而到底患於那一季最多，而小兒年齡又以幾歲爲最多，都少有正確的統計；照作者數年來對於本症在臨床上以自己和在實習教授那邊所看到的許多患者（七三八）中，在年齡方面當以巴耳退兒思氏的統計表較爲相近，並且他所統計的患者又比作者多出八倍以上，所以編入於後；而對於氣候的統計，則作者另製一表：

巴氏統計表

年齡	人數	死亡率
一歲以下	三一	五·四
一歲至五歲	三七一	四七·八
五歲至十歲	二二六	三九·四
十歲至十五歲	三二	五·六
十五至二十歲	四	〇·八
二十至三十歲	三	〇·七
三十歲以上	三	〇·七

上表是巴氏以五百七十三個痲疹患者所作的統計，以一歲至五歲爲痲疹感受性最強的時期，五歲至十歲次之，一歲以下和十歲至十五歲又次之，十五歲至三十歲爲最少，而三十歲以上的在五百七十三人中祇有三人，可知三十歲以後患痲疹是極少數的了。致其理由，大概是因爲一歲以下的嬰孩在母胎內所遺留下之受動性免疫力還沒有消失；而十歲和十五歲以上的人，大概多已患過了痲疹而具有免疫力了，所以延遲到這時初發痲疹的很少；至於一歲至五歲的小孩，母體內所留下的先天免疫力剛初消失，所以最易感受。

氣候統計表

四季	月分	每月分 人數	每月分 百分率	四季 人數	四季 百分率
春	二月	一七	二三·二九	五七	七八·〇八
	三月	二七	三六·九九		
	四月	一三	一七·八一		
夏	五月	五	六·八五	七	九·五九
	六月	二	二·七四		
	七月	〇	〇		
秋	八月	〇	〇	〇	〇
	九月	〇	〇		
	十月	〇	〇		
冬	十一月	〇	〇	九	一二·三三
	十二月	二	二·七四		
	一月	七	九·五九		

病期	一時期中的遲早數			人數	百分率
	日期	人數	百分率		
潛伏期	在本期前一星期	—	—	六	八・二二
	在本期將沒三天	一	一・三七		
	在本期將沒二天	二	二・七四		
	在本期將沒一天	三	四・一一		
前驅期	第一天	一四	一九・一八	四二	五七・五三
	第二天	二三	三一・五一		
	第三天	三	四・一一		
	第四天	一	一・三七		
	第五天	一	一・三七		
發疹期	第一天	—	—	九	一二・三三
	第二天	一	一・三七		
	第三天	二	二・七四		
	第四天	三	四・一一		
	第五天	二	二・七四		
	第六天	一	一・三七		
退行期	第一天至二天	—	—	三	四・一一
	第三天	一	一・三七		
	第四天	二	二・七四		
落屑期	一共	三	四・一一	三	四・一一
落屑期後	一星期內	七	九・五九	一〇	一三・七
	半月左右	三	四・一一		

（此表以七十三人計算）

上表是作者以七十三個患者發病的時期而統計的，以春季爲最流行的時候，夏季和冬季所患的時期已在和春季相接近的月分（一月和五月）中了，這大概是在氣候由寒冷而開始轉溫的時候，容易使痲疹病源菌的育發繁殖而流行吧？而在夏季所患的，不過爲痲疹流行後的餘波罷了。

患過痲疹後可以獲得終身免疫；雖然我們在看病時也有幾次聽到患者的家長說：「這小兒已經患過二次或二次以上的痲疹了，」這大約誤將風疹或輕的猩紅熱，以及其他一切所出紅斑的疾病，錯認爲是痲疹了吧；兒科專家反安氏說他祇看過一回第二次的痲疹，由此更可證實患第二次痲疹的人是偶然的了。

（六）病人初來求治的時期

研究患者初來求治日期的遲早，歐洲的醫生是很注意的；因爲這一種的研究對於臨床上很有益處，在作者所見到潛伏期和前驅期中就開始診治的四十八個患者(見表)中，除了二人中途停止診治之外，在疾病的演變中大都很平順，而且沒有過於凶險的併合症發現，痊愈的日期也很快；在發疹期中來診治的九個患者，則大都症勢猛烈，而且有的竟併發肺炎或疹子不出或出而早隱……等的危症，痊愈的日期也比較緩慢；由此可知病人求治時期的遲早對於疾病之輕重，併合症之有無，診斷和治療之難易，預後的良與不良，都俱有相當的關係。

(七)潛伏期

本期診治患者共六人

患者在受痲疹病源菌之傳染後即爲潛伏期；在這期內，普通多沒有顯著的症狀發見，有的也不過是病兒的身體時常感到倦怠而不喜遊戲，食慾減退，一碰即哭，間作咳嗽……等而已；所以痲疹在潛伏期中求治的患者很覺少數，直到和前驅期相接近的一二天中也有發微熱的。

在本期來求治的六個患者中有五人食慾減退，四人覺到倦怠，三人有咳嗽，三人一碰即哭，二人發微熱，他們都是在和前驅期相接近的一至三天中來求治的；所以我們知道這些症狀發生時，便是將到前驅期的預兆。

在本期發現微熱時，有的醫生已把它歸入前驅期了，這是由於各人分析的眼光不同；因爲潛伏期到了發微熱的時候，已和前驅期相接近，很不容易將這二期的界限分清；然依作者的意思，在前驅期第一次的發熱往往在攝氏四十度左右，並且接着發生結膜炎症，而微熱卻沒有這種症狀，所以還是歸入潛伏期較爲妥當。

本期經過日期大約爲九至十一日（因爲不知他受傳染的日期到底在何日，祇好將多數人的統計來報告。）

(八)前驅期

本期求治患者共四十八人（潛伏期留下診治的六人本期加入診治的四十二人）中途停止診治的二人留入發疹期診治的四十六人

本期的患者初現胸悶食慾減退，面色蒼白，倦怠，時打呵欠，手尖清冷，煩躁易哭，膽怯，或發戰慄惡寒……繼則體溫昇騰而現發熱，第一天大概在攝氏三十九至四十度左右，第二天熱度轉低，內有九人（百分之一八·七五）有時竟至正常（小兒正常體溫爲三十七度四分左右）在發熱時痲疹毒素已侵入血液，隨血液之循環而周游於全身，於是全身各器官（如眼，鼻，氣管支，喉，口，腸胃）之粘膜開始發炎分泌增多（見下表）口腔粘膜於臼齒相對處（牙齦等處）發現扣普里克氏（Kaplik爲美國兒科專家，一八五八——一九二七）斑點（扣氏斑點形如細砂色淡白周圍有一圈紅暈，）到第三日或第四日熱度增加成本期之最高度（所以痲疹的熱型是始終成連續之「m」形的，）便引起血液循環的異常亢進，以致全身微血管充血或破裂，就轉入發疹期而成爲湧現於皮表上的痲疹了。

本期各器官粘膜所起加答兒炎症如下（四十八人）

	人數	百分率
A.眼部		
流淚而眼球呈水樣狀。眼瞼紅腫多眵羞明	四八	一〇〇·〇〇
B.鼻部		
流涕	四三	八九·五八
鼻塞	四三	八九·五八
噴嚏	四一	八五·四二
鼻塞而呼吸短促	二一	四三·七五
衂血	三	六·二五
C.肺氣管支部		
咳嗽多痰	四五	九三·七五
痰中夾血	一	二·〇八
氣喘	九	一八·七五
鼻煽	二	四·一七
D.喉部		
喉痛	二一	四三·七五
濁聲	二四	五〇·〇〇
音啞	一四	二九，一七
E.口腔部		
唾液增加	四二	八七·五〇
口渴	四七	九七·九二
齒齦作脹	八	一六·六七
F.胃腸部		
惡心	三六	七五·〇〇
泄瀉	七	一四·五八
食慾不振	四六	九五·八三

患者於前驅期所見名器官之粘膜發炎，分泌增多的症

狀，每人都在四五個至十幾個以上，而患鼻煽的二個患者是從別處轉到實習教授這面來醫治的；並且在前驅期已有五六天了，疹子還發不出來，發熱頗高，然而兩目精神還好，結果都在三星期以後痊愈的。

本期經過日期48—2＝46人（見前本期患者）

經過日期	人數	百分率
三天左右	二九	六三·〇四
四天左右	一一	二三·九一
四天以上	六	一三·〇四

本期經過的日期以三天爲最多，四天爲次之，和其他醫籍上所說大約在三四天相符合的。

（九）發疹期

本期求治患者共五十五人（前驅期留下診治的四十六人本期加入診治的九人）中途停止診治的八人死亡的二人（一人是倂發肺炎而死的一人因爲停診日期太久後來聽說死了然而不知怎樣死法）因病將愈而停止診治的二十一人留入退行期診治的二十四人

本期發熱最高，往往超出攝氏四十度以上，而各器官之炎症分泌物也隨之而增劇；並且同時發現各種不同的症狀，容易發見倂合症（如肺炎白喉等）（均見下表）；痲疹子也在這高熱中出現於皮膚；此等疹子，是局限性的充血現象，爲一種丹紅或暗赤色的小點粒，沒有根暈，形狀也很不規則，大概可分作類圓形，長形，半長圓形……這幾種，大小在二三耗之間；然而無論是那一種形狀，疹子和疹子的中間大都存有健康者的皮膚，這是痲疹所獨有的現象；再後又漸漸地變成橢圓形，然在邊緣多有鋸狀的屈曲，我們將手摸在這疹子上，可以覺到這疹子是稍許有點隆起在皮膚中的；手按得重一些，疹子的紅色可以暫時的退去，這是因爲疹子是起於微血管之充血性的緣故；至於疹子的區別，則有丘疹性痲疹和出血性痲疹，融合性痲疹三種（見類別）；又因這幾種疹子都是隨着發熱時體溫的增加釀成微血管充血（或出血）而一陣陣地局部地顯現於患者皮膚上的緣故，所以在習慣上稱這高熱的起伏叫「潮」；這「潮」的發生第一陣和第二陣相離開的時間是各人不同的，在正常的患者一日來三潮（早潮，午潮，晚潮；）但是也有一日來四五潮或祇一二潮的（古醫書又有減潮，掛潮，經潮，產潮，斑潮，目潮，腹潮，夜潮之分，）每逢「潮」來一次，則疹子的顯現也加多一次，由稀疎的點子而出成稠密的點子，所發的地位也漸漸地擴大潮來的陣數緊（即第一潮與第二潮相離的時間短）那麼疹子也出得快；反之，疹子也就出得慢了。等到疹子發遍全身，而發熱也在最高度；再漸漸地轉入退行期，假使疹子發不出的，早隱的，或發後熱不退的，都是不好的現象。

疹子最初出現的部位（五十五人）

部位	人數	百分率
耳後	二五	四五·四五
面部	一五	二七·二七
口腔周圍	九	一六·三六
胸部	五	九·〇九
腹部	一	一·八二

疹子第一天最初發現的部位，最多在耳後，次之是面部，口腔周圍，最少數的是胸腹部。從頭部（耳後，面，口腔周圍）發現的，再漸漸地蔓延到背部，手腕，前膊，軀幹，和兩脚；從胸腹部發現的而後倒延上來，直到發遍全身要經過幾小時的時間，這是因爲我們沒有到病院中去看病，不能和患者時在一處，單據患者家長的報告，因爲時間過久了，難免要相差幾小時；大概的時間經過二十四小時至四十八小時就可出齊；而其中早沒的和延遲到一百小時左右的，以及出不出的，也是常有的事。

疹子的區別（五十五人）

類別	人數	百分率
普通的	四六	八三·六四
出血性的	六	一〇·九一
融合性的	三	五·四五

本期中所見的症狀（五十五人）

症狀	人數	百分率
脈搏		
數，滑數	四一	七四·五五
弦大	一三	二三·六四
洪大	一八	三二·七三
虛數	一三	二三·六四
虛緩	五	九·〇九
沉遲	四	七·二七
虛細	五	九·〇九
舌		
紅	四四	八〇·〇〇

絳	二七	四九・〇九
淡紅	七	一二・七三
苔		
無苔	六	一〇・九一
黃膩	二七	四九・〇九
黃燥	一二	二一・八二
焦黑	四	七・二七
黑潤	一	一・八二
白	八	一四・五五
白膩	一二	二一・八二
唇		
紅	二七	四九・〇九
燥	一二	二一・八二
破裂	四	七・二七
淡紅	八	一四・五五
淡白	三	五・四五
咳嗽吐痰	五三	九六・三六
痰中帶血	二	三・六四
食慾不振	五一	九二・七三

皮膚乾燥	八	一四・五五
口渴引飲	五一	九二・七三
煩	四四	八〇・〇〇
鼻塞流涕	二四	四三・六四
鼻乾	九	一六・三六
衄血	六	一〇・九一
泄瀉	二六	四七・二七
便閉	七	一二・七三
便血	三	五・四五
眼臉紅腫	一八	三二・三七
喉痛	一四	二五・四五
音濁	八	一四・五五
音啞	八	一四・五五
齒齦脹痛	九	一六・三六
昏暈	一二	二一・八二
譫語	九	一六・三六
抽搐	七	一二・七三
氣促	二〇	三六・三六
氣喘	八	一四・五五

沉睡	九	一六·三六
人事不省	二	三·六四
四肢厥冷	四	七·二七
鼻煽	三	五·四五
頭痛	二二	四〇·〇〇

發疹期內所發現的上述各症中每一個患者大都兼有三四個至十個以上的症狀，又因爲有許多症狀所發的病理無甚差異，所以往往同在一時發現在臨床上所見到的約分三類：第一是普通見到最多的：脈數，滑，浮舌紅，苔黃，膩，咳嗽吐痰，頭痛，喉痛，濁音，口渴引飲，脣紅燥，鼻塞流涕，鼻乾塞，眼瞼紅腫，羞明，煩，食慾不振，泄瀉……等；第二：脈弦，大，洪，實，舌絳，苔黃燥，焦黑，鼻衄，痰中帶血，氣促，喘急，音啞，齒齦脹痛，頭暈，昏暈，煩躁不安，唇燥破裂，便血，眼瞼赤爛，譫語，抽搐，咬牙，鼻煽……；等第三：脈虛緩，細，遲，沉，舌淡紅，苔白，唇淡紅，淡白，沉睡，人事不省，四肢厥冷……等然在這許多症狀中，也有第一類中之某症和第二類中之某症併發的（餘者類推，）不可拘守爲一定的公律。

老醫書因爲這三種症狀往往同時併合發生的緣故，所以都把牠們強鎖起來定出一種死的治法；但這是失敗的因爲在每一類的症狀之中，在患者有並發數目的多少不同，輕重又不同，並且又加上這類的症狀和那類的症狀併發的情形又不同；所以預定了死湯頭要去應付變化多端的活病症，是絕對不可能的事。

本期經過日期55－2－8＝45人（見前本期患者）

經過日期	人數	百分率
三天左右	二四	五三·三三
四天左右	一五	三三·三三
五至六天左右	六	一三·三三

本期經過的日期大約在三四天左右

（十）退行期

本期診治患者共二十七人（發疹期留下診治的二十四人加入本期診治的三人）中途停止診治的四人患肺炎死亡的一人因病將愈而停止診治的十三人留入落屑期診治的九人

發疹期轉入退行期後，高熱便漸次分利下降而恢復正常之體溫，所發的疹子也隨着熱勢的下降而從初發的部位（見發疹期）漸漸地平復，隱去在發疹期所患各器官粘膜炎症分泌物以及各種的症狀，也漸次減輕——消滅，所以患者到了這時期，端覺神智清楚，食慾漸漸照常，二便調暢，但露出病後疲乏的神情而已；如果還有一個或一個以上的症狀沒有消除，或者感受到其他的新疾病，都歸入在疹後的疾病了

本期的經過日期27－4－1＝22人（見前本期患者）

經過日期	人數	百分率
四至五天	四	一八・一八
六至八天	一三	五九・〇九
八天以上	五	二二・七三

本期經過日期大約是一星期左右

（十一）落屑期

本期初來加入診治的患者三人，退行期留下診治的九人中途停止診治的二人，治愈的五人，留入落屑期以後診治的五人

在退行期疹子退去之後，皮膚表皮上現有紫黯色之斑點，同時也有感到發痒，而本期內由患者本身新陳代謝作用將這斑痕的表皮變成糠粃樣的腐屑，順序地由初發的部位至後發的部位（見發疹期）漸漸脫落，新生表皮。在平素體格好的患者，這時多已恢復健康狀態（故退行期和落屑期又合稱爲恢復期）；如果還有各種症狀發生，便歸入疹後的疾病。

本期經過日期3＋9－2＝10人（見前本期患者）

經過日期	人數	百分率
四至五天	二	二〇
六至八天	七	七〇
八天以上	一	一〇

本期經過日期大約在一星期左右

（十二）疹後的疾病

疹後診治患者共四十人（退行期二十七人，落屑期三人，落屑期後加入診治的十人）中途停止診治的十人（退行期四人，落屑期二人，落屑期以後四人）退行期患肺炎死亡的一人，痊愈的二十九人（退行期十三人，落屑期五人，落屑期以後十一人）

痳疹自受傳染後直到落屑期大約須經過四星期左右（潛伏期九至十一天，前驅期三四天，發疹期三四天，退行期一星期左右，落屑期一星期左右）就可痊愈；然而患者發過疹子之後，往往因爲餘毒未清和發生併合症的緣故，不常還有幾個症狀遺留着；或者因爲病後的虛弱和看護人的不小心（如感受風寒飲食等的失當）而發生出許多的新疾病，且

在這些疹後的疾病中，利害的也能使患者致命，或成爲終身的痼疾，所以痲疹在發疹期固然是變端百出之最易發生危險的時期，而在疹子發出之後也是一個能引起死恢復燃的嚴重時期；譬如在我所見到的七十三個患者之中，在發疹期死亡的二人，而在退行期還能死亡一人，便是一個例子。

疹後所見的症候（四十人）

症候	人數	百分率
發熱咳嗽	一六	四〇・〇
食慾不振	九	二二・五
百日咳	五	一二・五
肺炎	三	七・五
泄瀉	三	七・五
音啞	二	五・〇
疳	二	五・〇

上表所治的患者，除了十六人發熱（沒有像發疹期的高）咳嗽和二人音啞之外，三個泄瀉的患者有二人兼見發熱現象；九個食慾不振的患者五人是由於食積（二人兼腹痛一人兼便閉腹痛並發夜熱）四人是由於消化機能還未恢復健康狀態；除了食積之外，都是從發疹期遺下殘餘的疾患，所以很快地就能治愈；二個疳症的患者，初起都是晚上發熱，等到汗出熱退，好像已經恢復痊愈，但是經過了相當的時候，熱又復發，面紅神疲，嗜臥，再等汗出，熱又退去，這樣地天天如是，一個經過了七天才治愈，一個經過九天才治愈；三個肺炎的患者，在疹子退後，氣管支炎症增進，咳嗽增劇，繼則痰盛壅塞，呼吸緊急而現鼻煽，面色發青（一人不發青）目閉沉睡，四肢抽搐（一人尤甚）結果一個是在第二天死亡，二人於一星期左右先後痊愈；五個百日咳的患者，因爲症情複雜不同，所以作成下表：

症狀	人數	百分率
初起		
身體略覺不適而胸悶	五	一〇〇
身有微熱	三	六〇
食慾不振	四	八〇
間作嘔吐	二	四〇
一天所咳的次數		
五至十次	二	四〇
一二十次	二	四〇
三四十次	一	二〇

每次連咳的時間		
二分鐘以上	二	四〇
五分鐘以上	二	四〇
十分鐘以上	一	二〇
咳時日輕夜重	三	六〇
日夜一樣咳的	二	四〇
兼症		
咳時呼吸侷促。面紅，眼球突起，流淚，鼻涕與稠粘痰同下……	五	一〇〇
咳時汗出	三	六〇
咳痰帶血	二	四〇
鼻衂	二	四〇
通夜少寐	三	六〇
面目浮腫	三	六〇

百日咳又名頓咳，十歲以上之小孩不易傳染。

上述幾種疾病，不過是我所見到的而已；如果認爲是疹後祇能發生這幾種的疾病，那是不可能的，因爲疹後所發生的疾病正多（如落屑後的皮膚乾燥發痒，發疹期中的某幾種症狀沒有除去；以及其他眼，耳，喉，鼻等化膿性的炎症不過因爲患者覺得這是小病，沒有再醫治的必要了；或因變成化膿的，也轉入外科醫生去診治了，）現在據我所曉得的和在醫書中抄襲來的簡單地說，還有下列各種的疾患：

（A）水　腫

本症是由於痲疹在前驅期或發疹期所併發的腎臟炎而變成的，患者的尿量減少，赤濁而多沉澱，常兼見頭痛，發熱，惡心，嘔吐；先從眼臉發現浮腫，而後漸漸地腫及全身，利害的竟致身體不能擅動，或見虛喘。

（B）走馬牙疳

初起在口角附近的頰黏膜內面發生水泡，後起惡臭的潰爛，很快地向表面的深部增大，同時外面也成壞疽，結成乾燥的痂皮，牙齦焦黑潰爛，牙齒落下，下顎骨釀成壞死的狀態，面部發生浮光，兩腳浮腫，壯熱頭汗，而足手厥冷，甚致虛脫而死。

（C）瘄疳入眼

迎風流淚而羞明，或眼力薄弱，或起翳障，或紅絲佈眼球，或眼臉紅腫潰爛，或白睛，或努肉攀睛，或如蟹睛。

（D）鼻[illegible]——鼻淵

鼻塞而時有像黑煤一樣之鼻汚結於鼻腔中的叫「鼻䶎；」常流腥臭混濁之鼻涕的叫「鼻淵，」（俗稱腦漏是錯誤的。）

(E)疳　積

本症因於痧後腸胃消化機能薄弱，以致榮養不良，或腸內寄生原蟲而成，症狀是口唇下按，腹部隆起，靜脈顯露，形體瘦削，皮膚乾燥，精神萎靡，泄瀉，然而往往也有食慾增進而容易饑餓的。

(F)痧　癆

本症爲痲痧痊愈後容易感受肺結核菌之侵襲，以致潮熱，咳嗽，音啞，神疲，骨蒸盜汗。

(G)慢　風

本症是從疳症變來之更進一步的疾病。症狀是睡時露睛，口臭氣冷，略有瘛瘲的現象。

(H)馬脾風

口目歪牽，手足抽搐，痰壅氣喘，鼻扇如雷，症狀與五癇相似，忽作忽止，發過就醒，過幾天又發。

(I)發熱瘕瘕

本症於痧子退後時常發熱，口渴煩躁，食慾不振，等到熱退，又如痊愈了；然而相隔一二天或幾天又復發起來，久久不愈，就面黃肌瘦，在腹脅間結成瘧母樣的塊子。

(J)年規蛀夏

每到夏天便食慾不振，四股倦軟，嗜臥，一勞動就容易發潮熱。

在小兒痧後所患的以上各症，除了水腫，瘖疳入眼，鼻䶎鼻淵，疳積等尚易發現之外；至於走馬牙疳，年規蛀夏，痧勞等是很少見的；痲後生慢風，馬脾風，發熱癱入等，可以說是偶然的了。

痧後所患的疾病因爲都不相同，有的一星期可以痊愈，有的須經過二星期以上或幾個月或一年以上才能痊愈，有的竟不愈而成爲終身的疾患；所以沒有一定的經過日期；但是多數普通的症候，祇要醫治得法，都在二星期以前就可痊愈了。

(十三)診　斷

痲痧在潛伏期因爲沒有顯著的症狀發現，所以沒有診斷的方法，就是在前驅期中，雖有發熱，脈數，倦怠，食慾不振、和各器官粘膜發炎分泌增多的症狀；但是在利害的流行性感冒（俗稱傷風）也往往發生類似的症狀，多數醫生在這時期的診斷，大概都以耳後發現青筋和中指獨冷為痲疹的特徵；然而在半歲以內的小孩還能看得出，在三歲以上的即使有了青筋也不容易尋出了；並且神經質的小兒之靜脈管（即青筋）多數是綻露的；所以這診斷不很可靠。可靠的診斷法：第一當注意在患者發病是否在痲疹流行的時候；第二問患者在未病之先有否和痲疹的患者相接觸過，如果是在痲疹流行的時候而又和別的患者接觸過的，那麼便可斷定他十九是痲疹了；第三診察患者口內蓋口內的溫度比較皮膚的溫度高，在口腔粘膜發現扣普里克氏斑點（見前驅期）的就是痲疹。

在痲疹診斷確定了以後，第二部便是診斷症勢的演變關係於疾病的輕重和生死，這是在臨床上不可少而也最重要的。現在先將痲疹所見普通的各種症狀分析如下：

(A)不重要的狀症

食欲減少　羞明　眼球呈水樣狀　容易啼哭（受
悶所致）　脈數—滑（稍熱）　舌紅（稍熱）　苦黃
—膩（稍熱）　唇紅（稍熱）　鼻塞流涕　初起手足
清冷　咳嗽吐痰　口渴引飲（稍熱）

(B)好的現象

飲食如常　二便通利　精神安逸　常有喜笑
各器官所起的炎症分泌物適中　沒有大熱症——虛症
——危險症發現

(C)熱症

脈洪—大　舌絳　苦黃—膩　時時啼哭　嘔吐
皮膚乾燥（多因熱盛而不透表或將透而受風寒）
口渴引飲　唇深紅　懊憹　頭痛　鼻乾
便閉　眼臉紅腫　喉痛　音濁

(D)大熱症（包括火症）

脈實—弦大　苦黃燥—焦黑—黑潤　唇　舌紫—
焦黑—破裂　煩躁　疾中帶血　鼻衄　便血
眼瞼赤爛　音啞　牙齒枯槁　齒齦腫痛　五
官（眼，耳，鼻，喉……）腫爛化膿　煩而不眠　昏暈
譫語　食指靠大指一面發現紫色之筋而直上本指的

第三節

(E)虛症和寒症

脈虛數—虛緩—沉遲—沉細—虛細　舌淡紅　苦薄
白（也有熱的）　惡寒　虛煩　沉睡　精神萎
靡　腹脹—痛喜按　四肢厥冷　小便呈米湯樣的

白色（即腎藏炎輕的疹子回後痊愈重的變成慢性腎藏炎而難治） 水腫（多數由重的腎藏炎變來）

（F）危險症

抽搐 胸高 氣喘 鼻煽（肺炎往往見這幾種症狀痲疹的死亡大都由肺炎所釀成） 咬牙（胃熱） 面部—口唇—鼻準兩旁（即人王部屬胃）發青（由於表閉邪毒內陷）

上述的六類症狀，熱症和大熱症有密切的連帶關係，因爲都是由「熱」而發生，不過是「熱」的輕重罷了，所以在診斷的時候祇要熱症多於大熱症，便可斷這病是熱症或較重的熱症；反之便可斷牠是大熱症成火症或較輕的大熱症；並且熱症和大熱症以及危險症（尤其是大熱症和危險症）多數是因爲疹毒的不能透達，以致鬱遏於體內而發生的。

以上各類症狀的性質、在診斷上是固定而難得更變的；其他尚有幾種症狀是有虛實寒熱的不同，而這一種診斷的方法，是隨着疾病時期的變遷和兼症的不同而歸定的：

煩躁—煩躁對於痲疹的透發與否很有關係，在疹子未透時是將透的預兆，已透時是疹子還沒有出盡，在透疹時驟然現煩躁的是防牠發生內陷（並且多數內陷）在收疹子時現煩躁的是餘毒未盡；至於牠本身的症狀大概是屬於熱症（有其他熱症可見）的多數；然而也有因爲氣血虛弱而現虛煩（沒有像煩躁的顯露得利害且有其他虛症可見）的，在診斷上不可不仔細留意。

泄瀉——本症在前驅期和發疹期中是常見的，由於這兩個時期中腸胃粘膜的發炎而產生；所以這時如有輕微的泄瀉，就可斷定牠是輕症；並且有經驗的醫生還認牠是痲疹的好現象，這或者是因爲泄瀉可以使腸胃的蘊熱有了出路，炎症不會變重的緣故吧；然而瀉久了也能使消化機能薄弱而成虛症；到了疹子發後（退行期後）而現泄瀉的便是疾病了。泄瀉所下黃赤的粘液或者兼有其他熱症（大熱大渴小溲短赤……）的，這便可知腸胃炎症是患得很重的熱症；泄瀉時有腹痛，脹滿，噯氣等的兼症，這是由於食積；泄瀉所下的，是白沫清稀的液體，或兼有寒的症狀（如喜溫腹痛，）這便是寒瀉；如果瀉久了而成下痢，或者兼見腫滿，呼吸短促，口渴，嘔吐不食，目閉，四肢厥冷……等的症狀，這便是腸胃的機能衰弱，也就是陽虛症，在痲疹發現這種症狀是很危險的；若下痢而色紫黯如雞膿，或如屋漏水，或如雞肝色，或如黑豆水，利害的常兼見大熱，燥渴，氣喘，不食等症，那便多數可以斷爲死症了。

腹痛——本症如見大便閉結或一二種以上之熱症者爲熱症，如果在幾小時之先多吃了食物的就是食積，如見寒症（時痛時止……喜按喜溫）的便是寒症。

吐蛔下蟲——小兒往往因爲多吃食物，和遊戲時常與不潔的地土等相接觸後，便以手拿東西放入口中去吃的緣故，原蟲很容易侵入他的腸胃寄生發育；所以小孩患蛔腹痛的也比成人多；這蛔蟲到了痲疹熱甚的時候，因爲受不起高熱的薰蒸，時常失去牠寄生的能力而吐出來；然而到了腸胃機能薄弱的時候，蛔蟲也有吐出來的可能，在診斷上要知道這吐下的蛔蟲對於腸胃究竟是熱是虛，第一可將其他所見的各症（熱或虛寒）來參攷；第二吐下的蛔蟲是死的是熱症，活的是虛症。

氣喘——本症如兼見熱症的是大熱症（大便閉結最多，）見鼻煽的是肺炎，見虛症是虛喘；再仔細一點說本症有氣短，氣促，氣急，氣喘的分別；氣短是時時要透氣（和嘆氣相似，）屬虛症爲多數；氣促是呼吸偪促，屬於熱症爲多數，氣急是呼吸偪促而似乎在氣管中有東西壓迫着不能暢快地呼吸的樣子，也是熱症爲多；而氣喘却是呼吸粗大而一時不能在氣管中衝出來，所以當出來的時候比氣短，促，急等的聲音來得響，是屬於肺氣閉住的實證或大虛症（看兼症而定之）所有的。

上述各症之對於症勢的輕重，可以總合起來說；「好的現象」和「不重要的症狀」固然是對於痲疹沒有妨礙，就是熱症也不容易引起痲疹的惡化、大熱症對於痲疹就有惡變的可能，而發現虛症的還要利害，發現危險症的就有性命之憂了。

痲疹在前驅期所現多數是好的症候，熱度和各器官的炎症分泌物適中，那麼祇要看護得當，對於將來疹子的發現，也可預知他多數是平順的；反之，在將來有疹子發不出和邪毒內陷的可能；並且前驅期經過的日期是三四天，如果到了這時疹子還沒有發出，也有發不出的可能

在發疹子的時期中於診斷上是最繁複而且最重要的。

這種診斷的方法，可以分別於下：

痧子不透及透而不盡——痲疹的病毒除了極少數的一部分由分泌物中排泄之外，多數還是和全身所發的痧子從血液中一同透出來的；所以痧子出盡，在診斷上認爲病毒也出盡的好現象；如果一旦、患者的痧子過了前驅期透不出來、或者是出得太少，那便往往引起病毒內陷，熱症和倂合症叠起的凶勢；致其原因，可以分爲下列幾種：第一：先問患者的家長有否給他（患者）受過風寒，如有皮膚乾燥，毛竅竦慄，或者惡寒氣急的，便可斷定他是因爲受了風寒；第二：如兼見虛症的便是因於虛症而不能透表（重病後而感染痲疹的常有發生）的緣故；第三：如見大熱症的是由於熱甚而血管鬱血所致；第四：倂發肺炎的；第五：發汗太過而致津液耗損，血液中缺乏水分的；第六：如胸悶而兼見腹痛，納呆，嘍氣的是因於食積而不能運動氣血以送痧子外達；第七：大便不通或兼大熱症也常能引起痧子不發或發而不盡的原因；第八：患者皮膚堅厚也能使痧子不易透泄。

痧子初出的部位——少數的醫生常在患者的鼻尖上檢查有否痧子而定痲疹的吉凶，這大概把喉部徵象不顯著的猩紅熱誤斷爲痲疹了，是做國醫所不應有的笑話。在醫書上說「頭面密者吉胸腹密者凶，」「從手足起而漸發至肚腹背部逆，」又說，「陽部宜多，」「陽部透而陰部不透者無害陰部透而陽部不透者險，」這所說的陽部是頭面，四肢向陽面的部分，陰部是胸，腰，腹，部四肢向陰面的部分；以痧子所出陰陽部位的不同而定凶吉，雖然不敢加以非議；然而也有陰面多而陽面少的痧子結果並不發生危險的；所以我們要診斷痧子的凶吉總當以部位和形態，色澤，痧子之出齊與否，症狀，以及倂合症的有無和輕重，幾方面共同的總和起來去診斷的。

痧子的色澤——痧子多數以紅潤而多爲好現象，色淡紅或白的是氣虛（造溫機能或放溫機能減退）或血液不足而不能將毒素從血液中透泄出皮膚而致，假使痧子的顏色太鮮紅是熱症，紫色的更熱；紫色而帶乾燥的尤其熱；紫得變成黯黑色或像醬油色的更加熱，在這許多的「熱」色（由於鬱血而成）中，多數有很重的熱症狀同時發現，時時有惡變的可能。

疹子的狀態——疹子以略覺尖聳而整齊的爲好現象，等到星佈全身和離肉已經收根了，那便是疹子出盡了的象徵；反之初出時皮膚中發現紫色或青色或黑色的硬塊。將手摸上去覺到礙手的，（俗稱皮裏疔是由于鬱血所致）是大危症；疹子的形狀斑爛地像晚霞一般而聚合成一塊塊的，或者在塊上發痒，或者在塊子上又生許多平塌的小點子，或皮膚紅腫，這都是熱盛而發現的鬱血現象，就是疹子雖透，還須防他毒未出盡而生其他的變化；至於行漿疹子（見類別）也是由於血行障礙而起的。

特殊的併合症——痲疹或有偶然和痘症併發的，或適在婦女特殊的生理之轉變時而併發的，症勢上也有直接和間接的關係：

A. 疹夾痘和痘夾疹及疹後痘和痘後疹（見類別）——當疹子夾雜着痘子或痘子夾雜着疹子發生的時候，因爲一時不容易將痘子和疹子辨別的緣故，往往誤認爲疹子出得太密，或誤認爲行漿疹子，或誤認爲痘子不能灌漿的凶症；所以在診斷上遇到這種情形，須仔細地看個明白（普通的中醫看疹子的發現是很模糊的；）在醫書上診斷這兩種疾病併發先後的輕重說「痲出於痘之先痘隨形於痲之後此乃陽留乎陰謂之順順者生若痘出於痲之先痲出於痘之後此乃陰犯乎陽謂之逆逆者亡若痲痘並出難以併治必當先急於痲以救其標則痲與痘一齊冲出痲出而痘起痲回而痘長矣；」又說：「痘後腠理疎而毒易出無形之痲毒易泄故痘後痲吉……痲後陰血虧而漿難灌故痲後痘凶。」這兩種的學理，一眼看上去似乎是絕對的矛盾，其實在文意中細看，對於痲痘二症所發生的時期是不同的，前者是在指痲痘二症之併合發生的先後底診斷，而後者是指痲疹癒後再患痘症和痘症愈後再發痲症的診斷；至於這兩種診斷之是否確實，則因作者在臨床上沒有見過這種患者，前人也沒有正確的統計，所以陷在這裏，希望兒科專家在臨床的統計上去證實它是否可靠。而據作者換一個方法來診斷：如見這種疾病發生的時候，無論牠是痘夾疹或疹夾痘，痘後疹或疹後痘，可以將痘疹的形色和兼症的輕重而定吉凶和治療。

B.婦人出痲——婦人在妊娠時患痲疹熱勢重時有墮胎的危險，在診斷和治療上都須格外地小心如果出痲時偶然又逢到產後（俗稱產潮）或月經正來——來過後的二三天（俗稱經潮，）這時血室虛空，痲疹的熱勢往往容易和傷寒一樣地侵入血室（卽熱入血室）所以如見婦女患痲疹的時候，就當問她月經有否來過（或幾時來的？）以預知她有否熱入血室的危險；如見夜熱，譫語妄亂，腹痛等的症狀發現，那便已經熱入血室了，對於痲疹的症勢更加重了一層，並且還有疹毒內陷的危險。

疹子早沒——疹子自初出時起，普通大概經過三四天而發至最高度，再轉入退行期而漸漸地隱去，如果在二天以內便隱去的叫早沒，這也是危險的症候；但是早沒而沒有凶險的症狀發生，精神很好，熱也不重，各器官的炎症也逐漸減退的，這是因爲本來病毒輕淺的緣故，不能當他是有什麼變化；如果早沒後而熱症轉重和加多的，那便是毒邪沒有出盡而將成內陷的凶症，如果兼虛症是本身抵抗力衰弱，不能將病毒再繼續從疹子中帶出的虛症，而尤以泄瀉傷了以後和病後再患痲疹的爲最多；其他疹子早沒的診斷法，則與「疹子不透和出而未盡」（見前）一樣；如果疹子還有一部分沒有隱去的時候，還能以藥物的力量去透發（或補托）牠，如在完全早沒之後，就成爲很危險的病毒內陷症了。

疹子遲沒——痲疹在發疹至最高度時，卽轉入退行期而漸漸地隱去。如果過了幾天而仍沒有隱去的就是遲沒（又叫疹子不收斂）此時如兼見大熱症的，便可診斷他是熱勢仍舊熾盛，微血管仍在繼續發生充血的現象，也就是餘毒未盡；如兼見熱症減退或稍減而稽留着的，或見虛症而疹子不沒的，便可診斷他是由於患者新陳代謝機能不能將這疹痕除去而新生表皮的虛症；此外行漿疹子在出齊之後也往往因虛弱而不能結痂，不可錯斷爲邪毒未盡。如疹子紅久不退的尚無危險，不退而變爲青紫色的就是重症，並且預斷有潰爛的可能；如已變成黑色，漸漸發臃而起潰瀾出膿；或痛而帶痒，那就很討厭了。

痲疹的診斷法，在本文當然還有遺漏的地方，然而在這裏也可說是比較完整的了。至於在疹子發齊了以後，如果發熱在四天以上還沒有退去，除了因於病後的虛熱（熱低）之外；就有併合症的嫌疑，最多的是中耳炎或者是在發疹期中的某種症狀還沒有消失，或併發肺炎……等等，不過診斷法是和前驅期發疹期差不多的（在前二期中如有不甚重大之各器官粘膜發生加答兒炎症是不重要的在疹後則非治愈不可；）至於疹後其他症候（如疳積，慢脾風……）都因各有專書而不再詳述了；好在在「疹後的疾病」中也將症狀約略地寫明了；否則在這中篇文字中也是容納不下的；更何況本文是著重於痲疹之本症的呢。

一

（十四）鑑別診斷

痲疹因爲有和其他少數疾病之症狀相彷彿的緣故，常能引起一般醫生之診斷的錯誤；譬如我們知道患過痲疹以後是有永久的免疫性的，而歷代有許多醫書都說痲疹有連患幾次的可能；就是已故醫學的思想家惲鐵樵先生在保赤新書上也說：「……況且天花祇出一次痲疹可三五次沒有一定哪！」由此可以證實至少的限度，在這「三五次」中，除了祇有一次眞正的痲疹診斷確實之外；其餘的數次，大概都把喉部症狀不顯著的猩紅熱，以及風痧之類，誤斷爲痲疹了；作者爲避免這種診斷的錯誤起見，所以再將幾種和痲疹相類似的疾病，劃成下表，下以鑑別的診斷：

	前驅期	發熱	疹子發現的部位	獨有的症狀	落屑
痲疹	三四天	初起甚高第二日稍低（有歸於正常者）透點時熱又上升至發疹期熱度時高時低	初多見於耳翼之後部顏面口之周圍三日內再由胸背及於四肢	各器官粘膜發炎分泌增多及前驅期發現扣普里克氏班點	糠粃狀
風痧	無（有亦很短）	較痲疹短而低	時出時隱	淋巴腺腫大發生癢感	
猩紅熱	一二天	初起多惡寒繼則高熱第二日熱更稍上昇至發疹之全盛時期則稽留	初多見於鎖骨下與頸項部一日內蔓延至胸背腹臂部顏面少鼻唇頤等處絕無疹子發現	喉痛喉爛舌尖發生極度之安魏那覆盆子舌口圍之局限蒼白	手足落下者爲膜形或屑片狀且時存全手足之形態
痘	三四天	初起甚高至第二日並不降低疹後熱勢即下降	初起多見於下肢上腿之內面第四日發至額鼻翼部次及於面部胸腹上肢諸部	極度之腰痛	落屑較痲疹之落屑爲厚而成片
流行性感冒	由痲疹之強度的各器官粘膜炎分泌增多及扣普里克氏班點鑑別之				
藥用發疹	如以沃度骨湃技安比等之中毒止用該藥疹即消失				

（十五）治療

中國歷代對於痲疹的治療法向有「治痘宜溫治痲宜涼」的傳統觀念，並且對於補濇和辛熱的方劑，驟然用寒涼的藥物，都是在禁忌之例；有的醫書還將半夏，南星，陳皮，桂枝，人參，白芍，黃芪，砂仁，乾姜，附子，破故紙……等的藥物也爲痲疹所禁用；甚至於葛根，麻黃，升麻，……等藥的可用與否，也要去依着時令爲轉歸；自從現代上海兒科專家徐小圃先生等屢以麻黃，桂枝，附子，乾姜，破故紙等治愈痲疹的聲譽宣揚了以後（治痲疹用溫藥的醫家，古代也有；並不是徐先生等發明的；不過因爲少數之故，所以不能引起醫界的注意。）便引起了二十世紀中國醫界對於痲疹治療法之溫清問題的糾紛；雖然在一部分的醫生仍在遵守着古法，而一般新起的醫家（尤其是在徐先生等處的門人或實習的人）不但將歷代所禁用的藥物下了解放，就是對於「治痲宜涼」的總則也根本推翻；這樣，以同樣的國醫而治同樣的痲疹，却發生了兩種畸形的對壘；但，這是很容易解決的事，無論他是慣用熱藥或涼藥的醫生之所診治的患者，除了沒有効驗的便中途停止診治（即轉入別的醫生去看）之外，其餘天天來求治的患者多是痊愈（雖然也有偶然死亡的）的，而和用熱藥的醫生所接近的學者，便以爲是熱藥的功効顯著；和用涼藥的醫生所接近的學者，便以爲是涼藥的功効偉大；至於這醫生所不能治愈而中途停止診治患者的人數，他們却不曾注意到；換一句話說：他們祇知道涼藥或熱藥的能夠治愈痲疹，而不知道涼藥或熱藥也有不能治愈痲疹的地方；能夠治愈的，當然是對症用藥的得當；不能治愈的，當然是藥不對症；所以我們總須診斷痲疹的症勢寒熱虛實輕重表裏而定治療，決不能死版地單以涼藥或熱藥去硬套痲疹之一切的病勢；然而我們却可這樣地說：「因爲痲疹是熱性傳染病之一，所以在臨床上所見到的症狀也多數是熱症（如舌絳，苔黃，口渴，鼻衄……及各器官粘膜加答兒炎症等，）而現虛寒現象的很占少數；所以在治療上多數都用清涼（透表養血）的藥品，用溫藥的也就少數。」這並不是迷信古書而偏用涼藥，也不是喜學時新而試用溫藥；實在因爲在臨床上所遇到的症情確是如此的緣故。

痲疹在潛伏期少有症狀發生，就是偶然有倦怠，食慾減退，咳嗽等的症狀，也不過下以疎化健脾（前胡牛蒡桔梗象貝杏仁枳殼白朮神粬山查麥芽茯苓……）而已。

痲疹到了前驅最期，發熱和各器官加答兒炎症分泌增多次第發生，這是因爲痲疹的毒素已混入血液，將從血液中發出來的預兆；所以用藥也當順着病勢的傾向而治以疎表宣肺化痰。

前驅期的治療

1. 症狀適中的—(辛平)荊芥牛蒡防風葛根前胡杏仁生甘草連翹赤芍桔梗蟬退木通葱白
2. 症狀稍熱的—(辛涼)荊芥薄荷前胡牛蒡銀花連翹蟬衣象貝杏仁竹茹蘆根
3. 症狀熱的—(辛寒)西河柳牛蒡防風荊芥黃芩連翹山梔元參竹葉蘆根
4. 症狀寒的—(辛溫)麻黃桂枝羌活[illegible]風桔梗陳皮紫菀杏仁附子

發疹期的變化最多，治療也最複雜，然而本期是以疹子之發現多少和形態，色澤……等的吉凶古主要的，所以先述疹子的治療：

疹子不透或透(雖透不盡)的治療

1. 虛弱的—柴胡桂枝葱白當歸白朮枳殼附子
2. 受風寒的—麻黃防風川芎
3. 熱甚鬱血的—紫草桃仁丹皮川連犀角西河柳
4. 併發肺炎的—麻黃石菖蒲桔梗白芥子杏仁石膏
5. 發汗太過的—知母生地蘆根桑葉豆豉
6. 食積的—萊菔子山查川芎荊芥麻黃
7. 便閉的—蔞仁枳實川連桃仁荊芥西河柳
8. 皮膚堅厚—麻黃

疹子色澤的治療

1. 初透—荊芥防風柴胡前胡生地當歸(症情寒甚治法同前驅期)
2. 色白或淡—葱白當歸黃芪山萸藊豆附子肉桂巴戟天遠志
3. 色太鮮紅—生地玄參地骨皮連翹薄荷
4. 色紫—生地山梔黃連川芎
5. 色紫帶乾燥或晦黑—生地川連犀角石膏紅花紫草

疹子形狀的治療

1. 斑爛如霞—生地知母竹葉石膏地骨皮桔梗牛蒡
2. 扁闊成塊或塊上再生許多平塌的小粒或皮膚紅腫—石膏犀角大青川連紅花川芎薄荷芥荊赤苓
3. 皮裹疔(見診斷)—麻黃紅花紫草
4. 疹子潰爛流膿血腥臭—犀角大青川連銀花米仁木通菊花地丁草
5. 行漿疹子(見類別)—用藥同普通疹子惟再加防風貫仲荊芥穗

特殊的併合症之治

1. 疹夾痘(痘夾疹)
   - 痘重痲輕(先治痘)
   - 痲重痘輕(先治痲)
   - 痲痘症勢各半(先治痲而多數偏用溫藥)

   用藥隨症而定

   - 懷孕—生地子芩青苧根丹皮南瓜蒂(忌藥同孕婦忌藥)
   - 產後—川芎延胡地黃桂枝柴胡附子乾姜白朮肉桂枳殼佛手麥芽(忌

療

過寒之藥）

2. 婦人出痲
- 月經適來或初淨——柴胡當歸香附艾葉川芎煨姜（忌用過寒之藥）
- 熱入血室——柴胡當歸丹皮煨姜枳殼桃仁紅花

疹子早沒的治療

1. 虛症
   - 由於久瀉的——升麻葛根防風荊芥木香黨參附子伏龍肝炮姜肉果陳皮白朮神麯
   - 由於體虛
2. 受風寒的
3. 熱甚鬱血的
4. 併發肺炎的
5. 發汗太過的
6. 食積的

（由於體虛及2.—6.）用藥和疹子不透同

疹子遲沒的治療

1. 虛
   - 柴胡當歸生地川芎白芍地骨皮
   - 兼寒症的——桂枝柴胡龍骨附子白芍
2. 餘毒未盡——葛根薄荷生地赤芍桔梗川芎杏仁車前
3. 發癰而潰爛或流膿或發痒——銀花地丁木通川芎川連犀角
4. 行漿疹子（見類別）出齊不結痂——白朮茅朮黃芪山查肉桂當歸仙靈脾

在疹子沒後，發疹期中所有的症狀照理是應當在退行期和落屑期中次第的痊愈了，然而在事實上也有因為病後元氣未復，以及餘毒未盡，和新感的疾病發生，這等疾病之種類是很多的，（見疹後的疾病）這裏祗簡略地介紹幾種的治療：

疹子退後的

1. 在一般之疹子退後的調理——前胡桔梗生地當歸連翹杏仁橘紅藊豆神麯茯苓
2. 疹子退後倦怠虛熱咳嗽納少——柴胡桂枝龍骨（生地青蒿丹皮）白芍白朮當歸杏仁紫菀款冬神麯麥芽
3. 其他的症狀——同發疹期療法
4. 百日咳（頓咳）——鷺鷥涎丸蜜炙麻黃牛蒡桂枝桔梗細辛乾姜萊菔子白芥子旋覆花陳皮紫菀款冬遠志
5. 疳——柴胡薄荷鱉甲子芩生地當歸丹皮麥冬木通
6. 走馬牙疳——犀角大黃黃連石膏石斛生地薄荷牛蒡荊芥枳殼金汁
7. 瘖疳入眼——柴胡前胡荊芥防風歸當白芍銀花木通丹皮紅花連翹木賊菊花燈心——白蒺藜（起翳）蔓荊子（迎風流淚）蟬退（努肉攀睛）蜜蒙花（怕日羞明）犀角（兩眥出血）赤芍（赤絲

賁睛）大黃石膏（眼腫如桃瘀赤裹睛）

8. 疳積——白朮藊豆雞內金炙乾蟾枳殼陳皮使君子雷丸檳榔黃芪黨參

9. 鼻肥——荊芥湯（荊芥桔梗甘草）

10. 鼻淵——辛荑蒼耳子白芷薄荷桔梗

11. 痧癆——桂枝柴胡當歸白朮（鱉甲地骨皮青蒿）川貝杏仁遠志紫苑款冬

12. 慢風——柴胡白附子川烏白朮木香人參陳皮乾姜半夏南星甘草遠志

13. 馬脾風——四將軍飲礞石滾痰丸

14. 發熱癥瘕——桂枝柴胡川芎桃仁青陳皮橘核山查枳實半夏

15. 年規蛀夏——升麻柴胡葛根白芍茯苓黨參地黃白朮藊豆陳皮山查

上面所述各種的治療是單獨於痧子和痧子收後方面的；現在再將所見之各種症狀的療法分述於後：

（A）熱　症

脈數，滑，洪大—舌—脣紅，絳——生地知母黃芩　苦黃，黃膩——連翹黃芩茯苓　啼哭——枳殼黃芩連翹　大熱——薄荷地骨皮連翹生地　口渴——花粉蘆根麥冬　羞明眼球呈水樣狀——菊花蜜蒙花決明子　咳嗽吐痰——桔梗桑皮杏仁貝母橘紅冬瓜子栝蔞　喉痛，音濁——射干山豆根桔梗玄參　懊儂——芩黃川連枳殼　嘔吐——枳實左金丸　鼻乾塞——薄荷荊芥桔梗　頭痛——羌活川芎防風　皮膚乾燥——麻黃葛根生地連翹　眼瞼紅腫——柴胡菊花穀精草黃連竹葉木通　小溲短赤——枳殼赤苓車前　便閉——山查麻仁黃芩枳實

（B）大熱症

脈弦，實—舌黃，燥——川連生地黃　舌—脣紫焦，破爛—壯熱—神昏——川連石膏犀角　齒齦腫痛——生地黃芩　牙齒枯槁——石膏犀角　音啞——荊芥穗桔梗姜蠶蟬衣山豆根麥冬生地　鼻衄——茅花蘆根犀角　痰中帶血——炒荊芥茅蘆根川象貝　吐血——便血——川連丹皮犀角　眼瞼赤爛——柴胡菊花丹皮炒荊芥　耳爛流濃——龍胆草川連　煩躁不寐——枳殼川連　驚悸—啼叫—抽搦——鈎鈎茯神燈心龍齒磁石（有痰加石菖蒲天竺黃竹瀝半夏）　譫語——川連犀角

石膏　食指靠大指一面發現紫色之筋直上本手指的第三節——黃連川芎犀角

(C)危險症

氣喘—胸高—鼻煽（如併發卽是肺炎）——麻黃天將殼白附子白芥子杏仁石膏　面部—口唇—鼻準兩旁（人王）發青——麻黃葛根鬱金枳殼　咬牙——石膏

(D)虛症和寒症

脈虛數，虛緩，沉遲，虛細—舌淡紅—苔白—精神萎靡—沉睡—四肢厥冷——桂枝附子肉桂乾姜白朮黃芪地黃當歸　倦怠——黃芪黨參當歸（如爲熱邪鬱結者——豆豉荆芥葛根子芩）　惡寒——桂枝防風麻黃　腹脹——白朮砂仁麥芽茯苓　虛煩——地黃當歸玄參牛蒡連翹　小便呈米湯樣的白色（腎臟炎）——仙靈脾山萸米仁茯苓　水腫——桂枝防已米仁帶皮苓仙靈脾黃芪皮姜皮破故紙葫蘆巴白朮

(E)有分別的症狀

在前驅期和發疹期初起患輕微的泄瀉——葛根黃芩

泄瀉
- 久瀉——桂枝升麻葛根白朮肉果破故紙山藥
- 熱瀉——澤瀉赤苓滑石川連
- 食積瀉——白朮山查萊菔子枳實
- 寒瀉——白朮煨姜木香肉果蒼朮陳皮厚朴
- 下利——山查枳殼神粬川朴木香黃芩防風（兼紅者——白頭翁丹皮秦皮）

腹痛
- 熱症——黃連枳殼
- 食積——山查神粬萊菔子靑陳皮枳實熟大黃
- 寒症——吳萸乾姜陳皮

吐蛔下虫
- 熱症——石膏（烏梅性酸斂有礙疹毒透發）
- 腸胃虛——白朮川椒蒿豆麥芽

氣喘
- 熱喘（或係肺炎者）——麻黃杏仁蘇子桔梗石膏白芥子（兼痰盛的祛痰——竹瀝半夏天竺黃石菖蒲）
- 輕的熱喘（氣促急）——麻黃前胡桔梗枳殼（兼痰盛的祛痰——象貝杏仁蔞皮桑皮）
- 虛喘——半硫丸
- 輕的虛喘（氣短）——牛蒡麥冬桔梗兜鈴

(F)其他的症狀

食慾少進——白朮藊豆神麴麥芽　痰鳴——蜜炙痲黃萊菔子白芥子石菖蒲天竺黃竹瀝半夏葶藶子，　鼻塞流涕，噴嚏——荊芥桔梗

照上面這樣地將痲疹的治療分析開來，在臨床上應用的時候，大概覺得和將幾個症狀連鎖在一起而定一個死湯頭較爲便利而合用了吧？然而有三點是要注意的：第一：疹痲最重要的呼吸器呼吸暢快，血液的循環也流暢，痲毒也容易從血液中隨着疹子而泄出，則高熱和大熱症危險症等亦不易在體內發生；反之，呼吸不暢或竟閉塞。往往使透表的能力薄弱，血液循環起障礙—鬱血而引起疹毒的不能透發—透而不盡—早沒等的危症，大熱症和危險症也就因鬱熱而次第發生了；所以我們在治療痲疹時除了常用透表藥之外，處處要顧到肺部呼吸的暢快而加入化痰宣肺的藥品（桔梗牛蒡杏仁象貝前胡橘紅括蔞半夏冬瓜子枇杷葉萊菔子……）就是在大熱症和危險症發生的當兒，有時候用寒涼的藥品之還不及開肺透表藥的有効，這就是呼吸不暢而熱毒不透能引起大熱症和危險症發生之原因的證據；第二：疹毒是在血液中隨着疹子的透發而泄出的，所以痲疹患者的血液消耗頗多，在發疹期和退行期以後常宜加入涼血養血活血的藥品（生地當歸丹皮赤芍……）並且在熱勢過盛的時候常能引起血行障礙——鬱血而使疹毒的不易透泄；所以這時除用清涼（或通大便）透表宣肺的藥品之外，還常宜紅加入川芎花桃仁紫草等行血之品；第三：在本節中的每一個症狀下所附之藥品並不是完全都要用的，這不過是對於這個症狀可用的藥作一個介紹而已，在眞實的處方時可以依病情而酌用其中的一二味；或者是照這意思而另用更覺對症的藥品；並且在熱症多大熱少時的大熱症也不妨照熱症的治法；反之熱症也有要照大熱症治法的時候；至於虛症和寒症的治法也是同一的方式。文字雖然不能說是完全死的，但是總不及臨床醫病時所見到的活潑，用藥之多寡及寒熱輕重之得當與否，畢竟還在聰敏而有經驗的醫生去隨機應變。

(十六)看　護

無論那一種疾病之看護都是很重要的，看護得當，可使患者精神安適，疾病的抵抗力增加，併合症不易發生，疾病也容易痊愈。痲疹的患者多屬於不知病情而又不能自己當心的小兒，所以看護也比其他的疾病重要而艱難；作者因爲痲

疹的看護方法和其他的疾病略有不同與國醫少有醫院而求治者都是住在家裏的緣故，所以將痲疹的看護法附入在本文中，以便醫生在臨診時指導病孩的家長，而一方面也是做醫生應有的認識。

我國歷代對於痲疹的看護法第一是避風和防他受寒，可以免去疹子的不透和早隱及併發肺炎等，這是很有理由的；但是一般有錢的家長在熱天也往往生起了火爐，給病孩緊蓋着厚被，關閉着窗戶，使患兒悶得連氣都透不出來，非但沒有好處而反使病兒增加了不少的痛苦；所以避風寒雖然重要，而室內的溫度和流通空氣也應講究。在無風時可將病孩遠避些，不妨一天開二三次窗子（每次約十五分鐘，）如在室外有風的時候，可將病室的房門開開，再將隔壁房間的窗子打開而使室外的空氣由隔壁的房間流入而間接的再流入病室；至於病室內的溫度，以在攝氏十八度左右為最適當；如患者有熱症狀發現時，則室內的溫度宜減低（如在遠處開窗或開房門或除去被頭，）如在疹子不透或有虛寒症（惡寒無汗，皮膚乾燥，厥冷等）發現時應增高至十八度以上；如果溫度不足的時候可生火爐（熱水汀最好，）但是火爐的位置不可相距病孩太近，並在火爐旁要放一盆冷水以免空氣過於乾燥。

病室內必須保持清潔，掃地時先要在地上灑水，以免塵埃飛揚起來而使病孩吸入肺部（在掃時最好將病孩暫時抱入別的房間；）室內的用具也以愈簡單愈好，時常叫病孩頑弄美麗的鮮花和可愛的金魚，頑具或講故事，可以使病孩痛苦減少。

病室務須安靜；太陽光雖然不可缺少，但是痲疹的患者往往羞明，不可使他鬥光。晚上的燈光也以黯淡為妥，蠟燭火的跳動和紅色的燈光能引起患者的煩躁和昏暈，電燈比煤油燈好；然而在燈上還須套上綠紗障，才能現出悠靜的景象

替病孩選擇食物的可吃與否也要處處留意，在中國古語上說：「痲家肉子並魚雞，禁忌當過七七期；鹹酸辛甘俱是忌，須知爽口是危機，」便可感到忌口的重要了，此外生冷油膩，腥氣的食物都應禁忌的，牛乳，雞蛋，薄粥，肉鬆，等公易消化的食品對於病孩很是相宜；然而在患泄瀉時應將牛乳改吃豆乳。給病孩吃蝦湯和筍湯能夠助疹子的透發；常吃開水（茶葉含有單甯酸不宜吃）也很有益處（小兒體內水分雖比成人多，然而消失也比成人速，）如果小兒不願多飲，可和入沒有酸性和不過於甜的菓子露。

小兒是沒有知識的，在病情上發熱的起伏和高低出汗的部，和多少——有否粘性和氣味，皮膚的色澤，疹子發出的時間和部位，以及所發的一切症狀，都要完全靠着家長（着護人）時時留意而報告醫生的。如患兒有鼻塞或鼻乾而呼吸困難，可以用棉花蘸甘油去拭清鼻孔；小孩不會吐痰，多數吞入胃內從大便中排洩出去；所以時時將小孩抱着在室內走動也是袪痰的方法。

痲疹的藥品多數是發表劑，煎到一沸就可吃了；並且要使患者在藥熱的時候立刻就吃，否則都能使藥中的揮發性消散；然而病孩是都不願意服藥的，應當以種種方法去謳他，如對他說：「這藥吃下去病就好了，不會再難過了；等到病好起來，領您到某地方去頑；」或者當着病孩的面前在藥中放入少許的白糖，以謳他這藥是甜的；或者答應在吃藥後給他許多頑具和水菓（病孩水菓不宜多吃給他後應當慢慢地再謳回來；）這樣，多數的小孩就願意吃藥了；如果還不肯吃，那祇有將他四肢和頭部捉起來，尤其是捉住他的鼻子，將藥從口內近喉的地方灌進去；然而這種強硬的方法不但不能將藥完全吃下；並且往往因爲誤入氣管而生呼吸器病；或者吃得不舒適而將藥嘔出來；所以第二次吃藥時應將上次捉住吃藥的痛苦說給他聽，再以前述的方治去謳他自己吃，大概病孩就可願意吃了。

小孩的肺部在患痲疹後抵抗力非常薄弱，在六個月內極易感受肺結核菌的傳染，患者的家長須要預防他和肺病的患者接觸。

（十七）死亡率

在七十三個患者中除了二十八（占全數百分之二七·四）中途停止診治和五十八（占全數百分之六八·四九）痊愈之外；據作者所曉得的共死亡三人（發疹期二人退行期一人）占全數百分之四·一一；然而在二十個中綴停止診治的患者中難保沒有人死亡吧?；所以特地再將歐洲和日本之對於痲疹的死亡率也附在這裏作參致：

國別	百分率
歐洲	三——六
日本	五——一五

（十八）結論

再後將本文總括起來說：痲疹是小兒科中「痲痘驚疳」四大要症之一；因爲各地語言風俗的不同和醫書上對於痲疹的區别而產生出許多的病名，這些病名大概都是由於痲疹的病情形態，年齡，併合症而命名的。　痲疹的病源並不是由於胎毒所成，現代世界醫學家雖然沒有將痲疹的病源菌發明；然而無論在理論上和事實上都已有了傳染而得之確切的證據。　痲疹傳染的方法可分爲直接傳染與間接傳染二種；由於和患者的分泌物直接接觸而傳染的叫直接傳染，由於含有痲疹毒素的空氣與患者的食物和用具而傳染的叫間接傳染；而間接傳染又不如直接傳染之多數。

人類對於痲疹的傳染都有極大的感受性；一歲至五歲的小兒感受性最強。　在春季的流行最盛，這時如家長要避免子女的染傳，則一面停止他進學校讀書，一面則留意他不可和痲疹的患者相接觸。　如已感受了傳染之後，在潛伏期多數沒有顯著的症狀，所以患者請醫生求治的時候大概在前驅期和發疹期中；求治日期的遲早對於痲疹的吉凶和併合症的發生很有關係；所以以早治爲妥當。　診斷痲疹的病勢以疹子的形態，色澤，和透出的部位多少及收沒時的情形爲最主要，其他的各種症狀：兼見熱症還不要緊，見大熱症和虛寒症就要防他發生不良的變化，見危險症（如肺炎）的便往往引起死亡。　發疹期內的症狀在疹子收後多數痊愈而恢復健康狀態；但是也有某種症狀遺留着或反而增劇的也有因於病後抵抗力薄弱而再感受其他疾病的；並且利害的竟能釀成患者之終身的痼疾或死亡。　痲疹和猩紅熱—痘瘡—風疹等有症狀相同的地方，醫生在未行治療之先應在痲疹和這幾種疾病之症狀不同的地方去鑑別出來；如果診斷錯誤，在治療上要發生種種的危險。　在診斷病孩確實是患痲疹之後，治療的方法也就有了根據，除去對症療法之外；疎表，宣肺化痰，養血活血是治痲疹的主要法則；而所見的症候又以熱症占多數，所以治療上也以涼藥占多數；但是在見虛寒症的時候也當用溫補藥，不可固執着「治痲宜涼」的死法則；其餘如痲疹發生正在婦女特殊的生理轉變時，也須仔細地留意。　本症的看護也是很重要的，對於室內的佈置和溫度的高低，空氣的流通，避風和食物的選擇，病情的經過，煎藥和服藥的方法，都須處處注意而促成患者的早愈。　痲疹的經過日期大概是四星期；其死亡率則在百分之四·一一左右，而其死亡的原因多數是由於併發肺炎；由此可知痲疹本身的疾患而致死亡的極占少數。

——在將脫離黃金時代前二月的一九三六，四，七，
完稿於上海民生教育社編輯部。

濕症之研究

章國華

濕爲重濁有質之邪。其感人也。有表裏之分焉。在表由于山嵐瘴氣。天雨濕蒸。遠行涉水。久臥濕地。及著汗衣濕衫。致濕氣侵入肌膚者。此從外而受者也。在裏由于膏粱之人。嗜食炙煿。或多飲茶酒、或過食生冷甜膩之物。致脾陽不運而化濕者。此從內而生者也。若從生理言之、其濕之由外感者。因外界水蒸氣太過。阻礙人體中排泄水蒸氣之作用、便爲受濕。並非眞有外濕能入內也。不過因外界之濕氣太重。體中水蒸氣之放散機能被阻，則積蓄於皮肉筋脈之間。故經云。地之濕氣感。則害人皮肉筋脈也。其濕之從內生者。則以消化器爲主體。而尤以脾藏爲最重要。設脾不健運、不能消化。則水穀停留。不能吸收。精華糟粕不別。不能排泄、則糟粕堆積。不能分配。循至津液凝滯。而濕乃從內生。經所謂。諸濕腫滿。皆屬于脾也。然內濕之生。固以脾藏爲直接關係。而亦有由于間接者。則腎藏是也。以腎司二便、又爲胃關。關門不利。則聚水而從其類。又有腎陽不足。無以上溫脾藏、如釜底無火。不能腐熟水穀。則濕亦從內生也。此濕發生之原因也。至其證狀。濕蒸於上。則頭脹如蒙、以首爲諸陽之會。其位高。其氣清。其體虛。濕之濁氣上蒸。清道不通。故沉重不利。似乎有物蒙之。即經所謂。因於濕首如裹也。濕感於下。則蹯腫。經所謂。傷於濕下先受之是也。在經絡則痺痿重著。因濕鬱爲熱。熱留不去。則傷血而不能養筋。受濕傷筋則不能束骨。故現痺痿重著。即經所謂。濕熱不攘。大筋緛短。小筋弛長。緛短爲拘。弛長爲痿也。在臟腑則分傷肺傷脾傷胃入心入肝。爲瘧。爲痢。中痧。霍亂暴厥卒死等等。傷肺者。微寒鼻塞。咳嗽多痰。濕兼風也。傷脾者。則淸陽不升。腹滿下泄。濕兼寒也。傷胃者。則嘔惡不食。胸膈痞滿。濕兼積也。入心入肝。則心火熾甚。肝風弛張。濕已化火也。爲瘧爲痢。或壯寒發熱。或腹中絞痛。裏急後重。濕兼暑熱也。中痧。霍亂。暴厥。卒死。症起倉卒。存亡頃刻。濕兼穢毒也。在肌表則惡寒自汗。在內分則麻木浮腫。身重難於轉側。腰膝筋骨毒痛。小便祕。大便溏。其症有濕兼風者。有濕兼熱者。有濕寒兼濕者。有兼暑者。有中濕而口喎舌強。昏不知人。類中風者。皆濕之爲患。茲列症于下。

濕痺

風寒濕合則成痺。其症體痠骨痛。不利屈伸。或皮膚麻木。重著不移。多兼見頭痛寒熱。其脈沉細。

風濕

凡夏月人之腠理疎豁。元氣不閉。故易傷風傷濕。風濕相搏。則爲風濕。一身盡痛。頭重鼻塞。或見泄利。或下清血。轉側艱難。小便不利。其人自汗出。爲風木之邪。內感濕土。或陰雨之後卑濕。襲人或引飲過多。皆有此症。其脈象浮。

濕熱

素有熱而濕臨之。則爲濕熱。濕病本不自生。因熱而怫鬱。不能宣行水道。故滯布生濕也。况形盛氣弱之人。易爲感受。其脈象滑數。小便赤濇。引飲自汗。濕盛身痛。體重發渴。身黃如橘色。腹微滿而煩熱。若肩背沉重。胸膈不利。及肢節煩痛。或一身盡痛。脚膝腫痛。此屬外因之濕熱。若水腫小便不利。此爲內因之濕熱。若有氣如火從脚下起入腹。此爲濕鬱成熱。

寒濕

身疼無汗。關節不利。牽掣作痛。小便自利清白。大便瀉利。脈不滑數。此爲寒濕。或見四肢浮腫。不利屈伸。或腰痛身重。小便不利。

暑濕

暑溼由溽暑釀濕而成。其症嘔吐瀉利。或先傷於濕。因而中暑。兩脛逆冷。胸滿頭重。妄言多汗。脈陽弱陰急。是爲濕温。

中濕

濕流關節。一身盡痛。浮腫喘滿。腹脹。昏不知人。脈沉而細。是爲中濕。著腎則腰痛身重。小便不利。此醉臥濕地。或下體濕衣所傷。濕從外中也。著脾則四肢浮腫。不能屈伸。大便溏。此醇酒厚味。煎炒炙煿。水菓生冷。水濕所傷。濕從內中也。傷膀胱則煩渴引飲。小便不利而腰脹。若有破傷處。因澡浴而濕入瘡口。昏迷沉重。身強口噤。狀類中濕。名破傷濕。

治法

一曰。汗以祛之。——如荆芥。防風。秦艽。豆卷等。凡風濕在表。而見頭重。體重。骨節熊痛等症者。非汗則風無以透。而濕亦無以祛。但當取微微汗出爲佳。若大汗出。則風雖去而濕仍在也。此卽內經在表者汗而發之之義也。

二曰。宣以透之。——如藿梗。佩蘭。枳殼。玉金等。濕遏于中。或與痰滯搏結。鬱糾不化。而症見胸膈痞悶。時欲嘔吐。不思飲食。頭昏痰多等症者。汗下非其治。温燥徒傷陰。此時宜用清鬆宣透之品。使濕與痰滯相離。則濕自易于化也。

三曰。燥以化之。——如乾姜。厚朴。節朮。半夏等。脾陽式微。寒濕蘊中。症見胸膺痞悶。嘔吐清水。舌苔白膩等症者。非燥則濕無以化。亦猶地泥潮濕。用乾灰以吸收濕泥之氣也。

四曰。滲以泄之。——如雲苓。澤瀉。米仁。腹皮等。濕停下焦。症見口渴溲濇足腫等症者。由膀胱排泄失職。如水之儲蓄而不能出。故當利小便爲主。如水停溝渠。引之即去之義也。

五曰。溫以運之。——如人參。附子。肉桂。破故紙等。腎陽不足。水穀入胃。無眞陽之薰蒸。不能腐化。致停蓄生濕。症見下利清穀。或五更泄瀉。食入不化。怯寒少氣。肢冷自汗等症者。當用辛熱之品。振動腎陽以運化之。則又如釜底添薪。食物自腐之義。

六曰。瀉以逐之。——如甘遂。大戟。葶藶。商陸等。水濕停蓄。泛濫爲患。症見肢面浮腫。大腹脹滿。臥則喘促。小便不通等症。非利濕所能勝任者。當瀉水逐濕。則又如洪水泛濫。非浚不可也。

七曰。清以化之。——如杏仁。蔻仁。米仁。滑石等。濕與熱合。纏糾不楚。症見胸悶不紓。口渴而不欲多飲。不時泛噁。日晡發熱。舌色黃膩等症者。欲燥濕則易化熱。欲清熱則易生濕。故當用清熱化濕之藥治之。則濕熱自清矣。

上列諸法。用以治濕。可得其要矣。總之用風藥可以勝濕。用酸收可以歛濕。通大便可以逐濕。吐痰涎可以袪濕。如此方無餘蘊焉。大抵治濕者。在上宜微汗。在裏在下。宜滲泄。裏虛當實脾。挾風宜解肌。陽虛宜補火。陰虛宜壯水。濕而有熱者。宜苦寒之劑燥之。濕而有寒者。宜辛熱之劑除之。則濕無有不治矣。然脾爲濕土。堤堅則能防水。脾健則濕不停留。急則治標。固當治病爲先。緩則治本。即宜著脾爲急。凡治濕者。于脾之一字。尤宜三致意焉。但臨診時。尤當辨病之在表在裏。症之屬寒屬熱。體之爲強爲弱。然後隨法施治。方能絲絲入蔻。庶無格格不納之弊矣。

外感內傷類證鑑別

許兆璇

一　引言

經云。『食飲有節。起居有常。不妄作勞。恬淡虛無。眞氣從之。然後能形神與俱而盡終天年。』是訓人知養生安命之道也。復云。『以酒爲漿。以妄爲常。醉以入房。以欲竭其精。以耗散其眞。不知持滿。不時御神。務快其心。逆於生樂。』乃指疾病之所由生。上文語語深切簡明。若世人知之而有所警惕。則疾病無由生而醫藥可廢矣。雖然。人事之變遷莫定。與夫天時地域之環境不同。在在均能感染成疾。決不能如上言之簡易而竟成事實。是故醫藥之與人類。猶如飲食之與人生。絕不可分離者也。換言之。醫藥卽所以救濟疾苦而拯生命於安全之道。不可或廢者也。是故其職責之重大。與治國之良相同功。操斯道者。能不竭誠盡思而忠其所事耶。

嘗攷疾病之類雖繁。然除金刃跌仆蟲獸所傷外。總不越外感內傷二條。蓋病之因。非由外感六淫（風。寒。暑。濕。燥。火）卽因內傷飲食勞役及七情（喜。怒。憂。思。悲。恐。驚）所致。迴顧二者致病之源雖殊。惟因緣體機之衰弱而受病則一。故所見症候。不免有類同之處。理應溯源分流。以得正治。若乎外感兼內傷。或內傷兼外感之症。則病因與狀。互相交結。錯綜複雜。而法治因之迥異。更宜辨理清楚者也。蓋內傷者由於神志。外感者襲於經絡。輕重淺深。先後緩急。或分或合。一或有誤。爲害非輕。所謂差之毫釐。繆以千里。卽斯意也。是以不得不舉其見症之類同者。一一爲之分辨說明。以便診治而普利疾苦。

二　分辨

辨寒熱　寒熱之症。無論外感內傷。統皆有之。蓋外感者。因外侵之邪。與體內正氣相抗爭而起。內傷者。因正氣不足。體機調節失職所致。設不分辨鑑明。必有虛虛實實之誤。所謂寒熱者。卽惡寒發熱併作之症也。故於鑑別誰屬之前。必先檢明二症之如何發作。蓋外感惡寒者。肌膚爲暴寒侵襲而稽留不散。體表衞陽。因之不能循行通達於皮膚分肉之間。而陽虛。陽虛則不能禦寒而憎寒矣。卽經旨所謂陽虛生外寒之義。病屬邪實。故其作也。醫學大辭典云。『雖近烈火。終不能禦其寒。』且其勢有增無減。必待邪解或傳裏而罷。若屬內傷。則因內不足而體溫必低。低則不勝外寒而畏寒矣。故外得重裘或近暖火。使冷氣相隔不侵便解。又外感發熱者。因先時寒冷過甚。體內血行因皮膚血管收縮而起反射作用。血行高速則體溫因之上昇超過適當量而呈熱象。其熱之作。正如其先惡寒之勢而蒸蒸不休。除非汗出邪解方能歇止。至如內傷發熱。因體內各機構為七情或飲食勞役所傷而調節體溫之機能。亦因之弛緩而失常。於是放散少而發熱之症成。（所謂調節體溫之機能即人體玄府之開闔。腎臟之排泄。肺臟之呼吸。皆即調節體溫之要素。一有傷害。疾病因感。惡寒發熱即其前驅）是以其作也時起而時止。不能如外感之力足而繼續抵抗。又醫學大辭典云『發熱時手背熱者屬外感。手心熱者為內傷』亦此不外內外陰陽之理。蓋外感者。病於皮肉經絡。屬外。為陽。手背乃陽及外之屬。故外感發熱而手背熱也。內傷者。病於臟腑骨髓。屬內。為陰。手心乃裏及陰之所屬。故內傷發熱時手心因之而熱也。惡寒發熱既已分別檢明於上。則其併作之寒熱。亦可瞭然矣。蓋惟一分一合而已。是故其鑑別之法。祇須以連續與休止為標準。寒熱之發而有連續性者。症屬外感。時止時作而不齊者為內傷。又有惡風之症。亦如惡寒之例而內外二症均俱。然亦有別焉。即一切之風皆惡者。為外感。內傷則惟門隙之賊風惡之。餘者不惡。以此辨之。萬無一失。——

辨頭痛　頭者居於人體最高至上之處。而清陽之盤居。任何濁邪皆不能侵犯。犯則阻塞不通而作痛矣。即內虛而清氣不克上行。亦能使經脈鬱塞而作痛。醫學大辭典云『頭者天之象。陽之分也。六腑清陽之氣。五臟精華之血。咸會朝於高巔。天氣所發六淫之邪。人事所變五賊之逆。皆能犯上而為災害。或蔽覆其清竅。或阻遏其經隧。與正氣相薄。鬱而成熱。則脈滿而痛。若邪氣稽留亦脈滿而痛。……』是可知凡能妨害其清明者。皆能作痛。不分外感或內傷也。特其痛雖同而情況位置有所互異者。不可不為之鑑別。即外感頭痛。大半為邪實之症。且所侵之經。必為太陽經。故其痛多於腦後而延綿不止。必待清陽之劑為之導引外解而罷。若內傷頭痛。因本正氣不足。故其作痛。時痛而時止。若火炎則痛自兩角。血虛則痛連魚尾。氣虛則遇勞加甚。其痛處多於兩角或額前。以其自內達外。故必行經少陽或陽明之經隧也。

辨欬嗽　肺者。諸臟之華蓋。其體嬌柔而清虛。主氣清肅。或為風寒外感。或為痰濕內蘊。均能致清肅失降而氣逆欬嗽。是知欬嗽之總樞在於氣機之不利。而致氣機不利之因。復有因外感因內傷。因壓聲之不同。其病之症象。亦當隨之而互異。今姑以外感內傷辨之。張景岳曰。『欬症雖多。無非肺病。而肺之爲病。亦無非內外二因而已。但於二者之中。當辨陰陽。當辨虛實耳。蓋外感之欬。陽邪也。陽邪自外而入。內傷之欬。陰病也。陰虛受傷於內。』『外感之嗽。必因風寒。風寒在肺。則肺氣不清。所以動嗽。動嗽然後動痰。……』『又內傷之嗽。必因陰虛。陰虛則水涸金枯。所以動嗽。脾虛腎敗所以動痰。』上言闡明欬嗽之原因。並欬與嗽之不同點。以及外感者多實而內傷者皆虛之各異。頗中切要。擬再以其二病各症之要點摘錄附述於後。『外感之嗽。必因偶受風寒。故或爲寒熱。或爲氣急。或爲鼻塞。身重。頭痛。吐痰。邪輕者。脈亦和緩。邪甚者。脈或弦洪微數。但其素無積勞虛損等證。而徒病欬嗽者。卽外感也。若內傷之嗽。則其病來有漸。或因酒色。或因勞傷。必先有微嗽而日漸以甚。其症則或爲夜熱潮熱。或爲形容瘦減。或兩顴常赤。或氣短喉乾。其脈。輕者。亦必微數。重者。必細數弦緊。蓋外感之嗽。其來暴。內傷之嗽。其來徐。外感之嗽。因於風寒。內傷之嗽。因於陰虛。』觀之更覺明白淸楚。確可當後人臨診之楷模。惟其間症狀之內外錯雜者。要皆在臨時之詳細鑑別耳。

辨口鼻言語　　經云。『口者。坤土也。脾氣通於口。飲食失節。勞役所傷。口不知穀味。亦不知辨五味。鼻者。肺之候。肺氣通於天。外傷風寒。則鼻爲之不利。』因知內傷飲食勞役之症。必顯於口。蓋內傷飲食勞役。致體內消化機能弛緩而不和。口爲下咽之唯一門戶。故內有所傷而外亦不能如常之進穀辨味矣。穀食既不進。則精神不振而語言亦因之懶怠。故時不欲言。卽言亦聲音怯弱而不耐其煩。聲音怯弱。則更可推知其氣息亦必細微無力。若外感風寒。因傷於皮表而多應於鼻。蓋卽經所謂『鼻爲肺之候。皮表爲肺之主。』故若傷於寒。則鼻氣壅塞而乾。傷於風。則鼻膜發炎而流淸涕。凡此皆由邪氣壅盛。肺氣不暢之故。邪氣壅盛則必氣粗聲帶鬆弛而發聲因之重濁矣。故其言時壯厲有力。不若內傷發言之囁嚅不振。

辨惡食口渴　　飲食爲人生生化之本。豈可以一日或廢。然身患病而不食或惡食是其例外。醫學大辭典謂內傷之病必惡食。外感則仍能食。心竊非之。不若醫宗金鑑之內傷不能食。外感惡食之合理中肯。蓋內傷者先因飲食勞役過度。體內消化機能弛緩衰減而致穀食無味。無味則雖佳殽而不欲食。食既不進不化。則津液勢必缺乏。而各臟腑決不能因消化機不消化輸津而停頓工作。然欲工作。必需津液以滋潤榮養。於是均感缺乏而乾燥而口渴之症作矣，故其初起時。卽覺口渴。惟飲甚少。若內傷而中夾濕濁者。並不作渴。此爲特例。診斷時常有其他兼證。不難辨認也。致外感風寒。或暑濕暴侵。血液循環必感妨礙而呆滯。呆滯則影響消化機能而致惡食之象。蓋其初侵之時。胃內或腸間必有積食。血行既感呆滯。則消化機亦卽滯頓而食積矣。食積則見食必惡。又外感初起時因津液未傷故口不覺渴。若越二三日後。因發熱過甚。津液灼爍而亦致口渴。惟其飲甚多。必盡量而罷。此異於內傷者也。

辨四肢筋骨　內傷飲食勞役之病。既飲食不能進。則脾氣因之而鬱。鬱則生熱。熱則神疲筋緩。故精神則怠惰嗜臥。四肢則沉困而不收。若外傷風寒之症因疾風嚴寒外侵使皮表氣血感受寒涼而運轉不靈。甚至凝聚。凝聚則不通而痛矣。首當其衝者除頭面外。卽四肢筋骨。四肢筋骨。全賴氣血溫運。方能運動自如而不爲苦。若一有不利。卽現痠疼之症而不便舉動。故外感之症多筋骨痠楚疼痛四肢運動不便。如此鑑別。明如指掌。殊少差誤。

辨脈　經云『脈者血之府。』卽血管之另稱也。其所以能跳動者。全賴脈中血液波動而起之彈性作用耳。又致血液所以能形成不平衡之波動者。乃心房因肺之扇動呼吸而引起弛張機能所成。故經有『人一呼脈再動。一吸脈亦再動。呼吸定息脈五動閏以太息。』之謂。且命之曰平人。是可知脈動乃人生生理必顯之機能。且爲表徵體能強弱病死之要具。蓋脈搏之勁弱遲數。全恃體內生化之熱力爲之維持而能川流不息。故必體格壯健熱力強盛之人。其脈搏方能如上述平人之平靜均衡而無大小遲數之偏動現象。反是者。必羸弱或疾病及危殆之輩無疑。是凡診疾者。望問聞診後。必切脈以斷病情之虛實輕重爲常規。外感內傷之症。既有錯綜相雜之轉折。則切脈以辨正未始非一有力之旁證。試述於下。以資探究。

嘗攷醫學大辭典云『人迎脈大於氣口者。爲外感。氣口脈大於人迎者。爲內傷。』是言也。允或前人經驗之談。未可厚非。然思其源。究有未合者。蓋全身之血脈均源流於心臟之大動脈。則其所受佈之血波作用。當皆一律。決無或大或小或快或慢之理。雖在病時。亦必如此。惟分正常或反常而已。況人迎氣口二脈。均位於手腕高骨上。其相間之距離及位置皆同。惟分置左右手爲不同。其搏動乃何至變異如斯之速。誠有不足爲訓之誚矣。然則。何以別之。愚以爲卽從其脈搏之勢力或強或弱作標準。最覺妥善。蓋疾病之成。不外邪正之有餘不足所致。而脈搏之來續。乃全恃體力之強弱而強弱。則疾病之屬邪有餘者。因正未損而外顯之脈必勁強有力。甚且加速。卽所謂邪正對抗之必然作用也。若正氣先有所傷而各機能弛怠成病者。則其脈亦必軟弱無力。蓋正不足而無餘力以營運也。此乃確切不移之理。可爲治病辨症之定章。按外感內傷二症。當亦不外上言之例。一則因邪侵而成。一則因體能內傷所致。邪侵爲有餘。內傷屬不足。故脈動之力強大者爲外感。軟弱者爲內傷。以此分辨。最爲清楚。又外感之脈。多見浮脈。如內傷則以沉脈爲多。蓋亦不外有餘不足之理。因其有餘則力能外達而脈遂上浮。因其不足則力乏不升而致脈沉矣。然亦有外感而見沉脈。內傷而見浮脈者。則又須以其勢力之強弱爲綱領。方不致誤。

三　結論

綜觀上述。因知外感症。多屬邪之有餘。而內傷爲病。皆由體能不足所致。援卽以其辨別之總綱。叙而述之。所謂總綱者。卽二者症狀之隱顯緩急是也。蓋外感之病。其來暴。其發速。且初多病於皮肉軀表之間。故所現症象恆勢盛而明顯。內傷之病。多病於臟腑筋骨之間。其來也漸。其發也徐。故其症亦多勢緩而隱約不明。又鑑別病時之形神。亦可證明症之屬內屬外。卽外感之形神。雖不能如平時之煥發有勁。然至少亦有保持呆滯之餘力。不若內傷之無論何時。終覺沒精打彩。懶怠之狀。畢現於外也。更有症象內外兼俱而難辨其或先或後。或重或輕者。則應以顯症之多寡爲原則。卽內症多者。必內傷重而外感輕。治以內傷爲主。外症多者。則是外感重而內傷輕。當重治外之法。本篇之所以如斯斤斤於症狀之鑑別。不憚煩厭者。無非爲切合實用。熟練臨床時之施療準備而已。蓋醫者唯以愈病爲目的。而愈病之法。最要辨症治藥二者俱到。且其中更以辨症爲先決條件。設不辨明。何能得正治而愈病乎。

温病辨論

許紹周

温病之名。始於內經。內經云冬傷於寒。春必病温。冬不藏精。春必病温。先夏至日爲温病。後夏至日爲暑病。不過因時因氣而命名。後之醫者推而廣之。遂有温病風温。濕温。暑温。秋燥伏暑冬温等。各種名稱。又云温病由口鼻而入。自裏達表。傷寒由太陽受病。自表入裏。其實不然。口鼻而入者乃流行之氣。傳染一方。有一人受病傳至數口者。甚則傳至鄰里。此係流行性之温疫。非傷寒系之温病也。又如吳鞠通之温病條辨。廢傷寒六經。論上中下三焦。温病由上及下。傷寒由外入裏。無非根據葉天士温邪上受首先犯肺逆傳心包之語。總欲脫離傷寒六經之範圍。又欲脫離氣血營衛之窠臼。獨樹一幟。殊不知傷寒論亦分三焦。例如傷寒論云陽明病脅下硬滿。不大便而嘔。舌上白胎者。可與小柴胡湯。上焦得通。津液得下。胃氣因和。身濈然而汗而解也。又曰婦人傷寒發熱。經水適來。晝日明了。暮則譫語。如見鬼神。此爲熱入血室。勿犯胃氣及上二焦。必自愈。又曰傷寒服湯藥下利不止。心下痞硬。服瀉心湯已。復以他藥下之。利不止。醫以理中湯。此利在下焦。赤石脂禹餘糧湯主之。復利不止者。當利其小便。或云傷寒傳足不傳手。温病傳手不傳足。此等說法相沿已久。而附和者多矣。然手經足經之分。爲針灸家識穴而設。爲內科者。當以人身之臟器爲主。體氣之組織。有互相聯絡互助合作之能。其爲病也。斷不能劃分界限。故傷寒論太陽篇方治獨多者。即是意也。而原文中只曰太陽病。陽明病。少陽病。不曰足太陽病。足陽明病。足少陽病。三陰亦然。况人之構造。何能分兩節。上傷下不傷。營傷衛不傷乎。由各方面觀之。可知傳足傳手之說。是一種理想。與病理上不合。而傷寒本有五法。風寒。暑。濕温。如傷寒論中太陽病發熱而渴不惡寒者爲温病。若發汗已。身灼熱者。名曰風温。風温爲病。脈陰陽俱浮。自汗出。身重多眠睡。息必鼾。言語難出。若被下者。小便不利。直視失溲。若被火者。微發黃色。劇則如驚癇。時瘈瘲。若火熏之。一逆尚引日。再逆促命期。以上汗。下。火三法。因仲景未出方。後世創造種種温病醫書。云傷寒自傷寒。温病自温病。其不知傷寒論對於温病雖未立方。治法在傷寒方中求之可也。如葛根芩連湯。白虎湯。三承氣。湯陷胸湯。梔子豉湯。梔子蘗皮湯。茵陳大黃湯。瀉心湯。黃連阿膠湯。芍藥甘草湯等。俱是治温病之方。而後世諸家千變萬化。不外乎此。須知仲景著傷寒論命名之義。傷者受也。寒爲邪也。傷寒爲受病之謂也。如現代西國醫家所稱炎者。炎非熱也。係病字之代表也。殊不知得病總由太陽而來。有發於陰者。有發於陽者。有寒化熱化之分。從寒化者。太陽傳入少陰。少陰乃三陰之表。從熱化者。太陽過經。歸入陽明。其治法不過一則辛溫。一則辛涼而已。後世不明此意。無論何病。均避辛溫而用辛涼。畏苦寒而用甘寒。不亦惑乎。愚見以爲醫者施治。總須認明陰陽主從。以及症象舌脈可矣。所開列於左。以供諸同志政之。

氣色

太陽主一身之表。風寒之氣從外收斂。有病之人初無病氣。間有病氣者。必待傳入陽明經腑之時。其面色多繃結而光潔。若溫熱之氣主蒸散。肌膚最易疏泄。受病之人。病氣觸人。輕則盈於牀帳。重則蒸然一室。面色多鬆緩而垢。人受蒸氣則津液受傷。上溢於面頭目之間。多垢晦。或如油膩。或如烟熏。皆溫熱之色也。以人身氣血津液。因蒸而敗。排泄於外。故有此氣也。然對於治療須辨之明白。有表症者。先解其表。有裏症者。當清則清。當下則下。審察清楚。治之毋惑。即不致失當矣。

驗舌辨症

人身舌部關係非輕。專司吐納。傳達音聲。能知五味。分別五行。舌上生胎。能驗百病。胎爲脈輔。脈體胎用。外現五色。內通五臟。虛實寒熱。表裏陰陽。僅此區域。變化無常。左肝右肺。後腎前心。中州已土。內屬太陰。腹有積滯。厚在中心。外辨胎色。內悉病情。何臟何腑。何絡何經。輕病重病。憑胎推尋。太陽舌胎。白而且薄。白胎滿佈。純係侵寒。胎現水白。有濕有寒。胎白且厚。停滯感寒。白底中黃。當用溫燥。白退病全。寒滯漸宜。白底中灰。有濕有熱。此胎發現。瀉心最宜。白底中黑。眞寒假火。白膩而滑。陽明經症。或用導濁。或用姜連。自胎尖紅。火由寒轉。兼表涼解。無表宜中。根胎轉黃。冷前必鬆。紅色既退。得解完全。白胎生刺。未熱灼津。加意研究。現症非輕。白色漸轉。病體自平。沙白舌苔。極熱之象。當宣則宣。當清則清。黃苔滿現。宜用重宣。黃苔尖紅。胃液不充。熱重清熱。便祕宜通。胎黃且厚。陽明腑熱。或用推蕩。或用軟堅。胎黃且灰。糟粕已成。黃厚且黑。滯入廣腸。承氣酌用。導滯立方。導之不應。只實丸良。胎厚且絳。最忌無津。若逢乾燥。急下承陰。黃絳而薄。熱入營絡。始用清法。既則養營。紅胎有刺。熱熾灼津。清熱爲主。復脈塡陰。紅底黃胎。熱滯兼擾。當清則清。宜導則導。紅底灰胎。眞陰不足。虛症杜脫。大劑養陰。實症失下。消中寓補。紅底黑胎。乾燥欠津。虛症現此。血肉塡陰。實症現此。臟寒化堅。寒症發現。溫湯冷服。熱症發現。清營養液。胎滑如鏡。并損氣陰。傳爲風消。傳爲息賁。上損過胃。下損過脾。皮聚毛落。

已露脫機。無病胎滑。不足奚疑。脫現裂文。稟賦不足。壯水爲屯。冀其陰復。舌紅無津。形似肝色。虛羸之質。陰營鑠灼。女子經停。骨蒸血咯。陽明失和。衝任源涸。病於春夏。十九可危。延及秋冬。漸有轉機。亦須經至。着手春回。若現五損。岐黃無爲。人事當盡。填陰球之。更有胎色。或厚或薄。不白不灰。不黃不黑。此等現象。爲之胎濁。若遇此症。如何發落。初病見之。難期時日。久病見之。變幻叢出。誤用涼藥。涼卽內伏。誤用燥藥。化火在卽。誤用下藥。大便難實。仲聖之方。宗瀉心湯。轉黃轉黑。推蕩不妨。別有胎閉。膩白且厚。澡之不黃。宜之不透。胎原閉塞。脾胃氣傷。遇此病症。胎舍商量。亦有胎變。變幻無定。忽爾滿布。忽爾脫盡。忽黃轉白。忽白轉黃。隨機應變。斟酌立方。舌胎宜聚。散非所宜。高厚易退。平沒延期。更有一種。胎紅多塊。或如雲斑。脫落最快。現此胎象。損怯之勢。旣不能溫。涼亦非宜。舌根有胎。或白或黃。或厚或薄。略布無妨。是爲本胎。疑病則誤。病症發現。胎必滿佈。病退胎退。色復如故。初退至根。邪固云除。必敷新胎。元氣方舒。苔與舌部。關係相連。舌之現症。亦當詳言。舌喉白點。名曰口糜。實症攻實。虛症防虛。舌爛舌痛。熱毒太重。滿舌流血。舌觙之症。少陰積熱。淸空宜用。舌強不和。體肥痰重。外強中乾。須防類中。中類雖多。不外氣血。氣賴血養。血輔氣行。氣滯血滯。氣通血通。風中身溫。氣中身冷。丸用回天。活絡亦穩。更有五厥。口開目閉。遺尿不知。撒手鼾睡。五絕旣現。肢涼卽斃。現三四絕。敗亦無疑。一二絕現。猶有生機。舌短舌捲。少陰經絕。均屬沉痾。現症太逆。舌長出齒。有熱有風。風宜羚羊。熱用五心。小兒內風。不時弄舌。舌上青紫。肝失條達。七情要訣。自適其適。舌木不知。書名木舌。舌下生舌。是爲重舌。重舌則滋陰淸營。亦治少陰。有熱或時嚙舌。陽明嚙舌少陽。嚙頰舌生紅槽。淸熱養陰。平陽祕勿。藥自平。舌痟而痛。陰虛之徵。六味地黃。治法宜宗。不痛舌乾。當淸營熱。臨證視胎。訂證最準。恭合病情。立方最穩。胎之現色。或白或黃。或灰或黑。或薄或厚。亦宜知其底蘊。如初病灰黑。伏邪已久。因有觸而發。久病白厚。復感外邪。寒症胎灰。理宜溫化。暴熱新白。暴感新寒。虧症有立變之虞。實症胎薄。不可驟下。由白轉黃灰者吉。由黃灰轉白者凶。有津者吉。無津者凶。漸次退吉。忽爾脫者凶。輕病有胎者重。薄黃無病者凶。初病有胎。貴乎速退。久病有胎。延則終凶。茲論其略。仍恭以病狀治之。胎薄不黃不厚。不病不白。是爲無病。凡病或現白底灰胎。白底黑胎。皆由溫熱相縛。熱爲天之氣。溫爲地之氣。熱因溫而熱愈熾。濕因熱而濕愈橫。濕熱兩分。其病輕。濕熱交合。其病重。斯訣剖析極明。按之極驗。不可輕視之

神情

風寒之中人令人心知所苦而神自清。如頭痛寒熱之類皆自知之。至傳裏入胃。始有神迷。或作譫語。緣風寒之爲病。其氣淸。受溫熱者。病初起。便神情異常。而不知所苦。甚則煩燥者居多。因熱氣薰蒸。蒸則昏。故不知所苦。卽間有神淸而能自主者。亦多夢寐不安。閉目若有所見。始則間作讝語。繼而如見鬼神。此乃頭腦受熱所爍。心神無所主矣。

脈象

溫熱之脈。傳經後與風寒頗同。初起時與風寒逈別。風寒從皮毛而入。一二日脈多浮。或兼緊兼緩兼洪。無不浮者。傳裏始不見浮脈。然其至數亦淸楚。而不糢糊。溫熱脈象。一二日寸脈必須大於關尺。多係陽脈浮。陰脈沉。或兼弦兼大。旣至數象則糢糊而不淸楚。其初起脈或沉遲。不可認作陰症。沉者伏邪在裏。遲者伏邪在臟也。脈象同於陰寒。而氣色舌胎神情。依以上諸法辨之。自有不同者在。或見數而無力。亦勿誤作虛視。因其熱蒸氣散。自不能鼓指。但當解熱不可補氣。在此陽症似陰脈。實症似虛象。不可不察而愼之。

總之人之受病。或由二十四氣之失和。或由於飮食起居之不節。此乃人所共知也。其病之虛實寒熱。則在醫家辨之。今之醫家治病。往往不察胎色。不知辨胎在辨症之先。人身之出納在口。病症之隱現在舌。一則司內因七情之觸發。一則稟外因六氣之感受。視胎之有無。色之發現。卽知體之虛實。病之吉凶。所難辨者。寒中寓熱。熱中寓寒。虛中有實。實中有虛。其尤難辨者。至實有羸狀。至虛有盛候。陰症似乎陽。陽症似乎陰。幾微之間。出入甚大。卽經云防虛虛實實之患。經旨大綱。不越望聞問切。機巧工拙。則存乎其人。倘將胎色較準。詳辨受病之由。以及虛實寒熱。而後立方。庶不致歧念滋蔓。混凉相混。補失瀉宜矣。人生於天地之間。天不病人。人患自病。使能研究胎色。預爲防備。可免受病之苦。已病之人。能辨胎色。也可避重就輕。近世言衛生者。亦以防杜空氣散佈入病菌。爲第一要義。予則以研究胎色。愼起居節飮食。防患未然。爲保身要旨。保生非卽所以衛生耶。氣血充足。身體健康。邪氣且不得侵犯。病菌何能猖厥貽害於人耶。

疳症概要

黃寒柏

緒言

鳴呼。東亞病夫之綽號。何以加於我炎黃貴胄者哉。觀夫過去衞生之不講。莽莽神州。教育驟難普遍。而鞠養嬰孩之道。半係乳母缺乏常識。但師老牛舐犢之情。惟恐其哺吮之不足。不知撙節養身。肆其噉啖。自謂憐惜之深。已盡育兒之道。殊不知愛之適足以害之也。病根既種於童年。欲求民族之康健。其可得乎。細思疳字之構造。明明病從肥甘失節。階之爲禍。乃古聖製字之神且妙也。所以往昔疳積之繁且賾者。未始非由育嬰之不得其道乎。今者舟車所至。馬跡所通。黌宮到處林立。文化於是乎蒸蒸日上。加以頻舉嬰孩品評會，以鼓勵之。大可洗刷前恥。以揚我活潑潑民族之健康。一洗東亞病夫之誚焉。

病原及症狀

小兒所稟之氣血虛弱。臟腑嬌嫩。調護無節。或乳食過飽。或因肥甘婪慾。以致脾陽不運。胃陰漸損。積久化熱。腸胃漸傷。其傳化遲滯。蟲易內生。消耗氣血。煎灼津液。凡疳病初起。尿如米泔。午後潮熱。面黃肌瘦諸現象。次第發生。乘其羽翼未成。而治之十愈八九。倘因循失治。致令青筋暴露。肚大堅硬。皮毛憔悴。眼睛發瞇。頭皮光急。顋縮鼻乾。口饞唇白。揉鼻撏眉。鬭牙咬甲。脊聳體黃。腹脹腸鳴。酷嗜瓜果酸鹹泥土等物。此時按症施治。亦可十愈六七。夫在成年者名癆。小兒爲疳。名號雖殊。而精血敗竭則一也。論其造因。雖爲腸胃受傷。姑其禍之波及。千變萬化。莫可逆料。倘至脚指觸物不知痛。手足垂軃無力。身無煖氣。瀉青涎或沫不止。項筋無力。均屬難治。茲將其種類分述於下。

五疳者何。即心疳。 脾疳。 肺疳。 肝疳。 腎疳是。夫心屬火。色赤。主血脈。故心疳之現象。則見面紅目脈赤。壯熱有汗。時時煩渴。口舌生瘡。咬牙弄舌。胸膈飽悶。睡喜伏臥。懶食乾瘦。盜汗。或下痢膿血等。

脾屬土。色黃。主肌肉。故脾疳之症、多見面色萎黃。眼生白膜。頭大頸細。心下痞硬。乳食懶進。睡臥喜冷。肚腹堅硬疼痛。有時吐瀉。口乾煩渴。大便腥黏之症也。肝屬木。色青。主筋。是故肝疳則見面目爪甲皆青。眵多流淚。隱澀難睜。昏暗雀盲。搖頭揉目。合面而臥。耳瘡流膿。周身瘡癬。肚大青筋。膈上伏熱，痰涎壅塞。下痢頻仍。或下清血。或糞青如苔等狀。

肺屬金。色白。主皮毛。肺疳者多見氣逆欬嗽。毛髮焦枯。面色皖白。肌膚乾燥。口有腥氣。常流清涕。咽喉不利。壯熱憎寒。鼻頰生瘡是也，

腎屬水。色黑。又主骨。患此疳者。初必解顱鶴膝。齒遲行遲。腎氣不足等症。更以肥甘失節。積漸成腎疳。症見面色黧黑。肌骨瘦削。牙縫出血。遍身瘡疥。腦熱似火。脚冷如冰。肛門潰爛。腹痛泄瀉。口中臭氣。啼哭頻頻。爲走馬牙疳等症。玆將其治法述下。

夫疳症名目雖多。而治法總不離乎脾胃。初起宜健脾消積。清熱殺蟲爲主。迨其已成。當辨體質虛實。實者正本清源。先與攻下之劑。繼以培本養元之法。質弱者。宜先攻補兼施。愼用峻尅之藥。以及虛多實少。虛少實多之分。個中消息。則在寒熱之辨別焉。

心疳　初起熱盛者。酌用瀉心導赤之類。熱盛夾驚者。珍珠散主之。若病久心虛者。當以茯神湯調理以善其後。心疳延至驚啼口渴。嗜食辛味。耳邊有脈。舌下有黑骼者。均屬不治。

脾疳　宜先攻積消疳。脾經有熱者，先用清肝理脾湯。繼以肥兒丸。積退然後調理其脾。以參苓白朮散五味異功散之類以養脾。若脾經有濕者。可加半夏蒼朮苡米。甚者甘遂商陸之類。脾氣虛寒者。當加於朮補骨脂乾薑肉蔻肉桂之類。脾疳而至腹大如鼓。脣無血色。人中平滿。下痢無度者爲不治。

肝疳　肝經有熱者。先清其熱，首以柴胡清肝散，次與蘆薈肥兒丸。待病勢稍退。然後以逍遙散。抑肝扶脾湯。調理以善後。倘肝經有虛熱之見象。如川芎天麻熟地牡蠣龍骨萸肉五味之類。均可酌加之。若至目有青脈。左脅硬痛。多吐涎沫。眼角左右有黑氣者均爲不治。

肺疳　肺經有熱者。先以生地清肺飲或甘露飲清之。日久肺經虛損。當以補肺散補之。大凡肺經熱盛者。麻杏桑桔生地竹茹竹瀝等品量加之。肺氣虛寒者。宜加參耆麥冬山藥熟地之類。肺疳而至頻瀉白沫。身有黑斑。如粟米粒者不治

腎疳　先用金蟾丸治其疳。繼以九味地黃丸調補之。若稟賦不足者。以調元散。或生脈散。多加黃耆調補之。大凡腎經有濕熱者。酌加車前茯苓澤瀉通艸木通黃柏以分利腎氣。虛寒者宜加附塊熟地萸肉胡蘆巴巴戟天黃耆之類。腎疳若至嗜食酸鹹。飲水

無度。小便如乳牙齒青黑肩聳骨立者不治。此五疳治法之梗概也。

疳積及癖

積聚輕者爲積。重者癥結爲癖。錢仲陽謂小兒病癖。由乳食不消。停積腹中。日久成塊。乍寒乍熱。肌肉消瘦。面色萎黃。以其有癖。則令兒不食。頻渴引飲。卽蕩滌腸胃。亡失津液。蓋脾胃爲後天水穀之母。本敗則危立現。故治法不得猛攻。冀圖速效。當漸消磨。其故何在，因小兒易虛易實。輕治之。則積不行。重攻之則耗損胃中津液。每致　疳渴。　疳熱。　疳瀉。　疳痢。　疳脹等。病隨之而起。症象多見面色青黃。午后潮熱。腹大如瓠。脅下堅硬成塊。微痛時作。時寒虛中有實。實中有虛。分別攻補。倘鹵莽滅裂。舉手妄攻。非但無益。反滋其害。茲將治法述下。

疳積癖疾。成於運化不良。故治法宜消癖化積。不傷其正。雖以推陳致新爲的法。仍須佐以保護脾胃之藥。不可不知。若積滯既下。猶當健運脾陽。滋養胃陰爲急務。俾食不再停積結聚。否則徒事尅剝。旋行旋積。無濟於事。而調補之方。首推醒脾散。勻氣散。取下積滯。當以千金消癖丸。木香硇砂丸之類。外用紅花膏攤貼之。

疳熱者身多發熱。又須分別輕重虛實而施治之。初病形實者。以鼈甲青蒿飲清之。日久骨蒸夾虛者。宜鼈甲散補之。

疳渴者多因肥甘蘊熱。煎熬脾胃。以致津液耗竭。不時大渴引飲。心神煩熱。治與清熱甘露飲。以挽救欲竭之津液。

疳瀉者多緣脾胃熱灼。以致水穀不分。頻頻作瀉。法當清熱滲濕。投與清熱和中湯。若瀉久不愈。當以參苓白朮散調理之。

疳痢者。皆緣腸胃熱結所致。痢下或赤或白或赤白相兼。腹中竄痛。當以香連導滯湯導利之。

疳脹之症。多緣傳化失宜。似致脾肺兩傷。現症氣逆喘咳。胸膈痞悶。肚腹腫脹。面色浮光。投與御苑勻氣散。肺脾二經並理之。

諸疳及治法

大凡疳症之重要者。總不能脫出前述之範圍。然弱小之體質。經此沉疴。氣血耗損已極。百病乘機叢生。遂現種種之症狀。論其治法。固與前述相髣髴。更進一層言之。古人既爲之綱舉目張。則治法方面。亦不厭精益求精。而删却不紀。爰摘錄　腦疳。　眼疳。　鼻疳。　牙疳。　脊疳。　疳蛔　無辜疳。　丁奚疳。哺露疳等。逐條分述於下。俾治疳者。鄭重而考察焉。

腦疳　多因胎中稟受風熱。又兼哺乳失節而成。症現頭皮光急。腦熱如火。滿頭生瘡。毛髮焦枯成穗。鼻乾心煩。腮顴硬腫。困倦睛暗。徧身多汗。腦熱生瘡者。以龍膽丸清之。煩熱羸弱者。龍腦丸爲治。外用吹鼻龍腦散吹之。

眼疳者。因臟腑風熱壅滯。或乳食無節。痰結胸膈。邪熱上攻於眼。澀癢赤爛。眼胞腫疼。漸生翳膜。漸漸遮睛。流淚羞明是也。先用疎肝散疎解之。繼以清熱退翳湯。消其翳。遷延日久不愈。法當逍遙散。龍腦丸。羊肝散之類調補以善其後。

鼻疳者。多因乳食失調。壅滯生蟲。上攻肺經而成。蓋肺開竅於鼻、故症現鼻塞。赤癢疼痛。浸淫潰爛。壯熱多啼。咳嗽氣促。毛髮焦枯。下痢不止。熱盛者。以清金散或蔣氏化毒丹。清其熱。若蟲蝕者。以化蟲爲治。外用鼻疳散。或蟬殼散吹之。

牙疳者。多因脾胃傳化失常。熱毒蘊蓄上攻。齦肉赤爛疼痛。牙齒焦枯脫落。口多臭氣。窗腮蝕唇等狀。症勢棘手。速以消疳蕪荑湯。或清胃散。瀉其熱毒。繼以蘆薈肥兒丸清其餘燄。外用牙疳散敷之。

脊疳者。因蟲食脊膂。以手擊其背。必空若鼓鳴。脊骨瘦立。狀如鋸齒。十指皆瘡。頻齧爪甲。煩渴下痢。初夾外症。多見身體發熱羸黃。先以蘆薈丸殺其蟲，次以金蟾散消其疳。按症消息調理之。倘瀉血不止。急以定粉少許。大棗十枚。頭髮少許。共聚一處。火煅通赤。研末每服五分。

蛔疳者。多因過食生冷。油膩肥甘之物。停蓄腸胃。以致濕熱生蟲。有時煩躁多啼。有時肚腹攪痛。唇口或紅或白。口溢清涎。腹脹青筋。肛門濕癢。當與使君子散。或下蟲丸。餘如張渙三根散。均可酌用。蛔退然後調補肺胃。以肥兒丸收功。

無辜疳者。多因衣席不潔。飲食不節。寒煖不勻。或乳母有痰。傳染而成。症現腦後頸項生瘡。有核如彈丸。按之轉動而不堅。中有蟲如米粉。得熱氣卽漸長大。不速破之。蟲隨氣血流散。侵蝕臟腑。便利膿血、頭大髮豎。身體瘦弱。肌肉作癢。治宜先清其熱。首以柴胡飲。繼以蘆薈肥兒丸，消其疳。餘如聖惠鱉甲散。張渙蝎虎丹。均可酌用之。

丁奚疳者。多因脾運失職。血衰氣滯而成。症見肌肉乾澀。啼哭不已。手足枯細。面色黧黑。項細腸大，肚臍突出。尻臀瘦削。精神倦怠。骨蒸潮熱。煩渴時作。先以五疳消積丸化其滯。繼以人參啓脾丸理其脾。並以醒脾散進食。食後下烏犀丸三五粒以殺蟲。

哺露疳者。多因飲食內傷。臟氣虛冷。其症羸瘦如柴。食卽吐逆。吐蟲泄瀉無度。額骨開張。日晡蒸熱。先用集聖丸或養臟湯。消其積滯。再以肥兒丸清理其脾。倘遲延日久。肚大靑筋者。又應攻補兼施。以人參丸緩調之。

結論

總而論之。五疳形症雖似分途。而其致病之源。止有兩道。

一爲食物太雜。不能消化。積滯多而生內熱。則形日瘦而腹日脹。

一爲攻伐大過。脾陰日傷。津液耗而生內熱。則氣不運而腹自膨。雖一虛一實。其源不同。而在腹脹內脫之時。則實者亦虛。其症仍歸於一致。豈非皆由脾胃而來乎。是故張疎謂疳皆脾胃之病。由傷津液而來。最爲眞諦。仲陽亦謂小兒臟腑柔弱。易虛易實。不可痛擊。大下必亡津液而成疳。凡有可下。酌量大小虛實而下之。即無過也。而不及內傷一層。究竟傷食成疳。亦是陰竭陽亢。津液耗傷之候。蓋此論確已提綱挈領。探得其要矣。或謂誤下多利。脾腎虛寒。當爲慢驚之虛症。不當爲疳膨之實症。殊不知誤下之變。亦有兩端。

一過下而亡其脾腎之陽。則淫霾上淩。泊沒太空。是爲虛寒之慢驚。

一過下而涸其脾腎之陰。則孤陽獨亢。消爍津血。是爲虛熱之疳積。故治疳者。雖不可不化其積滯。然而養胃存津。鼓舞中州清陽之氣。不可升提。以搖動腎肝。爲不二法門也。大抵疳病形色雖衰。胃氣猶存。尚可醫治。胃氣衰敗。則病祟叢生。一波未平。餘浪復起終歸於敗。可不戒哉。

月經病之種種

湯君捷

弁言

或問秦師伯未先生以婦科名於海上。必有獨得之祕。可得聞歟。師曰。吾何有獨得之祕。惟能分別虛實寒熱。以應病之變耳。今世所謂婦科專家者。於月經之先期也。概指爲熱。詎知脾不能統。肝不能藏。奇經不能攝。皆足以致月事之先期。豈一熱字所可約盡前期之經病哉。其於月經之後期也。概指爲寒。詎知子宮有熱。灼爍營血。七情爲病。氣機鬱結。血失常度。經行自亂。豈一寒字所可盡括後期之經病哉。女子不月。羣議通法。倘症見心悸艱寐。納少形瘦。遝用前法。是無異竭澤而漁。婦人產後。羣主滋陰。倘症顯少腹迫急。惡露不行。而行上法。是無異飽食加餐。俱失事理之常者也。然將何以審知是寒是熱。是虛是實。當於脈症中求之。能識得虛實寒熱之病機。更旁通七情六慾之病情。此卽治婦人病之祕旨也。余嘗感夫秦師之言。現身說法。奈彼懵瞶者猶迷夢自若。旣不辨虛實寒熱。更不諳七情六慾。敷衍治病。爲患良深。長此以往。非時二萬萬女界同胞。將永永沉淪於萬刼不復之鄉。而人口壓迫問題。勢必相逼而來。捷雖不才。何敢漠視此恐怖現象。而不思有以補救之。爰本吾師平日講授之意旨。會合各家之論。參以己見。撰爲是篇。立論雖未敢謂至正無偏。然邪僻之說。一概不錄。當世不乏明達之士。自有定評。亦何勞乎多贅

一 月經先期論治

先期經至。衝任有熱。此歷來婦科書。含糊之說也。證之事實。未必盡然。倘光期經多。乃腎中火熾水旺。似屬有餘之病。但眞陰不可洩。強陽不可縱。故主以清經散。以靑蒿丹皮地骨皮。善淸衝任之熱。瀉內擾之邪火。白芍熟地。善養眞陰。以足水源。茯苓洩帶脈之濕熱。黃柏引入下焦。火而不熾。血自安其鄉。而入正規矣。倘先期經來一二點。人祇知血液之虧也。而不究其所以致虧之由。則所治輒左。見火則消。萬物皆然。若徒淸其熱。則眞水之虧。一時難復。必主以培陰。佐以淸洩。始爲合治。兩地湯可試用也。同是先期。一虛一實。不可混淆也如此。他若脾不能統。肝不能藏。往往致月事之先期。不可不察。總之治病。必先胸有成竹。寒熱虛實。辯之不稍差忒。斯驪珠在握。收事半功倍之效。豈特調經而已哉。

二　月經後期論治

後期經至。血室有寒。亦婦科書含糊之說法也。每遇是症。血室有熱者。亦復不少。須參以色量爲衡。倘經來落後。澀滯而少。色澤不鮮。或見沉黑。脈來虛數。人祇知虛寒之極。誰知陰火內爍。水虧血少。壯火燥濇。血熱而過期者乎。倘以上述症候。而脈來細微。或沉或遲。責之衝任虛寒。命門火微。前者用知柏八味。後者用桂附八味。一壯水之主。以制陽光。一益火之源。以消陰翳。截然不同。豈可彼此互誤。若經來後期。量却極多。則血寒而有餘。蓋經雖本於腎。其流於外也。五藏六腑中之血液。未嘗不集中於此。以血得寒而乖其常度。各方之血。充斥於其間。血管不破則已。破則勢難禁遏。其量必多。但血既出矣。順其勢推而盪之可也。傅氏溫經攝血湯。亦可採用。蓋以熟地白芍白朮。大補肝脾腎之精血。肉桂祛其沉寒。柴胡解其鬱毒。是深得寓補於散。而散不耗眞。寓散於補。而補不礙氣之奧旨也。他若氣機鬱結。恣啖生冷。亦足致月事之後期。此關於人事之造成。醫者最應細察者也。

二　月經先後無定論治

婦人有經來斷續。或前或後。難以捉摸者。既不可從先期治。亦不可從後期治。人祇知寒熱亂投。往往不見效者。蓋亦宜也。夫女子以肝爲先天。其氣善於鬱結。鬱則血行失其常度。其前後斷續之不循正規。正肝氣之或解或鬱耳。或謂經水出自衝任。肝雖鬱。與衝任固何與哉。誰知八脈麗於肝腎。奇經固不能獨立行事。向之所謂肝氣之或解或鬱。演出月事之或前或後。亦未嘗不是衝任脈之或開或闔也。內經云。百病生於氣也。怒則氣上。喜則氣緩。悲則氣消。恐則氣下。寒則氣收。熱則氣泄。驚則氣亂。勞則氣耗。思則氣結。氣之爲病。固不僅限於月經一端。而調經必以理氣爲先。調先後無定期之經病。必理肝氣爲主。從可知矣。方用調經湯。以熟地菟絲子當婦調中有濇而培肝腎。柴胡白芍之疏肝行氣。以開鬱結。茯苓山藥專理帶脈。荊芥穗辛溫。亦借以通血分之氣。鬱或補或散或斂或開。無非使發生之肝用。與委和之肝體。調其偏而臻於中和之性也。

四　經行腹痛論治

經行腹痛。當分前後論治。痛於經前者爲實。疼於經後者爲虛。此天經地義。莫可強辯者也。然而虛實之原因多端。疞痛之狀態亦殊。經前兩三日腹痛拒按。少腹堅硬如石。或牽及子宮而掀脹。此血實症也。宜四物加桃仁歸尾茺蔚子玄胡索等排蕩血瘀使盡從前陰溢出。所謂通則不痛也。若素挾肝氣而腹疼者。則覺脅部脹滿。胸中大塞。此氣先滯而血不行。宜逍遙散解其鬱。鬱解血流。不治痛而痛自止。或風冷客於胞宮。衝任有寒者。則用溫經湯。倘經行既淨而腹疼。按之則減。症見頭目眩暈。腹中空空然若不能自主者。營血大耗。當用歸身白芍首烏熟地等填其空隙。堅其眞陰。或謂痛無補法。不足信也。經後淋漓不斷。奄奄少氣。衝任無攝納之權。綿綿而痛。當用補中益氣。舉而升之可也。正在行經時痛者。視其血瘀。隨其勢而導之。察其氣滯因其宜而疏之。或傷生冷之物者。溫之消之。或經行交合。穢濁逗留而劇痛者。亦宜通利。病之消長。輒隨人事而變化。明達之士。俛窮其源而詳其因。斯不爲病所欺。而獲益多矣。

五、經閉論治

經云。女子七歲腎氣盛。齒髮更長。二七而天癸至。任脈通。太衝脈盛。月事以時下。此言經水應潮之時期也。七七任脈虛。太衝脈衰。天癸竭。地道不通。此言經水應斷之時期也。倘在行經期中。而月事遽爾歇止。統稱之爲經閉。毛詩云。缾之罄矣。惟罍之恥。推其氣血衰於內。斯月事不行於外。然而壺水滿溢。傾倒其口。而水反滴點不下。則氣血充溢之體。亦有經閉之症。考經閉之原因雖多。概言其要。不外虛實兩途。如頭暈目眩。心神慌惚。顏色皖白。脈細如絲。經行濇少。漸至經閉者。此心肝脾三臟營養素。頗感缺乏。貧血症狀。已見一斑。治宜歸身白芍首烏以滋肝。龍眼茯神棗仁以養心。白朮茯苓山藥以培後天之本。專從標治無益也。如精神疲憊。氣息短微。四末清冷。脈來微細。經行乍多。漸至經閉者。此陽氣衰微。不能鼓舞中氣。以注衝任之脈。治宜人參附子黃芪艾葉以建立中氣。而溫下元。蓋冰冷之淵。波瀾不興也。如下痢後。食慾不振。腑行鶩溏。面黃肌瘦。脈沉。經事愆期。漸至經閉者。此以下利亡津液。當以六君子湯健脾益胃。以經水者水穀精微所化也。如少腹硬痛。肌膚甲錯。脈來沉濇。經水不行者。此宿血不去。阻礙新血下行。當以大黃䗪蟲丸直刼其瘀。塞者通之是也。如兩脅滿悶。噯氣吞酸。脈鬱不揚。月經停閉者。此因氣機不利。血失統帥。治宜逍遙散疏肝行氣。以復其帥血之職。女子調經。必以理氣爲先也。如體盛氣衰。痰濕中阻。滿腹膨大。脈象沉滑。月事不行者。此因脂膜塞於子宮。經水欲行而不獲行。治宜二陳湯以化痰濕。開血行之路也。至於帶下中毒。生產不慎。亦易致月經停閉。當審察病之所因。而後藥之。則不行之經。自不致永久閉塞。倘虛實不分。攻補亂施。則通行之經。亦往往極易歇止。此治病所以必先詳虛實也。

六　經來異常病論治

女子方屆及笄之年。時時鼻衄。餘無所苦。此經將來潮之特徵也。惟其初次行經。衝任未能開張。氣火尤見偏旺。激盪攻衝。血從鼻孔而出。亟宜引血下行。疎通奇經。則經水行而鼻衄自愈。可用生地丹皮赤芍以清營分之熱。山梔屈曲下行。偕牛膝共建引導之功。稍佐山茶花以止上逆之血。萬舉萬全。百不一失。或以抑鬱傷肝。血從口出者。人祇知怯弱之症。誰知肝氣逆而血不藏乎。蓋血隨氣行。氣逆血逆。自然之理。治宜平肝順氣。切忌補澁。可用蒺藜鬱金橘葉以疎肝鬱。丹皮石決黛蛤散以泄肝熱。佐以牛膝引血下行。若與內傷吐血同論。失之遠矣。或於經前洩水三日。然後行經。此中土大虛之兆也。夫血之於人。生化於心。藏受於肝。統攝於脾。脾土既虛。濕濁用事。而脾臟所裹之血。欲流注於衝任。而濕氣乘之。此所以水洩於前。經行於後也。治當鞏固中宮。以益其氣。則濕濁化而經自復其常。方用四君子。參以益其氣。朮以固其本。苓以理其濕。艸以和其中。不偏不倚。此四君所由名也。或月經不從前陰出。而爲便血者。當分遠近治之。遠血則血在囊後。近血則血在囊前。遠者責之脾虛。近者責之腸熱。一主黃土湯。一主槐花散。補清之間。眉目朗然不紊也。若夫經來發狂。則由於心火熾盛。主以生鐵落飲。經行白蟲。則由於濕熱下注。主以黃柏苦參苦楝根之屬。經行如牛舌。則由於勞傷惱怒。子宮下脫。主以補中益氣。經行如禽獸形。或如蝦蟆子。皆由於體虛氣餒。可服十全大補。經行如魚腦。或經來起硬如石。前者由於下虛而濕濁爲病。後者由於瘀血積而不得流行。一當培養肝腎。兼理其濕。一當磨堅化瘀。以暢血行。總之因病制裁。是醫者之枕中祕訣。若必泥方書之所載。以抹殺一己之聰明。吾未見有十全者也。

白喉與痧喉概論

郭曉雲

導言

國以民立。民以國存。故兩者不可須臾離焉。苟欲其國之富強。不能不有健全之人民以維護之。國與民之關係顧不重哉。然吾人自脫胎母體後。其唯一要關厥爲空氣與飲食。而空氣與飲食。莫不由咽喉入於肺胃。然後以之營養全身。乃得生存於世。經云。肺爲臟腑之華蓋。而統諸氣。胃爲臟腑之化原。而生津液。又云。咽主地氣。地氣通於脾。喉在咽之後。所以噓氣。又云。喉主天氣。天氣通於肺。喉納氣天也。咽納食地也。又云。天食人以五氣。地食人以五味。蓋喉爲氣管。肺所司也。咽爲食管。胃所司也。夫肺之所以能得天之淸氣以通五臟者。全賴喉頭呼吸之力。胃之所以能納地之穀氣以通六腑者。全賴咽爲輸運之功。故咽喉之於人身。猶門戶之于房屋。國家之于海口也。其關係實至重且鉅。然苟有障礙。則病變隨之而起。方寸之地。受病最爲危險。當乎疫氣盛行之時。淸氣不得上升。濁氣不能下降。病菌乘機竊發。則咽喉不利。肺胃不宣。喉症由是而生矣。咽喉相傳有七十二症。今余所討論者。白喉與喉痧。是誠以此兩症爲人類之勁敵。足以殘害國家之元氣。就日本學者之報告。患斯症而死亡者。在百份二十之上。是以吾人苟不謀事前之預防。既病之善後。則其損害人類之性命實多。夫醫爲仁術。故作是篇。一以塞畢業論文之責。一以告世之患者。然以才力所限。尙祈有道者指政

白喉。（西譯僞膜性喉頭氣管炎。日譯窒扶的里。）

（原因）本病病原菌于西歷一八八三年。爲客里司（Kteps）氏發見於患者之喉頭僞膜中。後經勒夫勃（Loeffer）氏分離培養。將本菌施行動物試驗。能產生白喉菌於動物體內。自是本菌始確認爲白喉之病原。本菌通常在咽喉。扁桃腺。氣管。鼻腔。黏膜。大都發見於局部。全身見者甚少。其形態爲無芽胞鞭毛中等大無運動性之長桿菌。其形無一定長度。略彎曲。其短者則與結核菌同。兩端較中間略粗。狀如啞鈴。其菌體之各部着色不同。且其體極小。故名爲（Babes Egnst）小體。

[傳染]此病乃一種限於咽頭與扁桃腺部位發生僞膜性炎症之急性傳染病。在陰寒潮濕之處。能生活數月之久。故以冬春二

季爲多。蓋日光少而氣候冷。天時寒曠。不常白喉桿菌因之得以傳播。其傳染途徑。以空氣。粘膜。飲食玩具衣服書籍等而公共場所更爲傳播之處。至其傳入門戶則爲口。鼻。喉頭。他如陰戶。耳皮膚等部亦能傳染而發病。其所以有白喉之稱者因其易侵於咽喉也。但此種菌多發生於下等社會之人與氣體薄弱之小兒患者最多（二歲至八歲）間亦有過食高粱煿炙之人罹本病者然危險不若小兒爲甚耳

〔病理〕氣陰虧損。風熱鬱遏。扁桃腺分泌缺乏白血球抵抗力銳減。故病菌易於侵入發育增殖製出一種毒素引起咽喉之特異變化。苟毒素移入血液。循環全身。則體溫繼續上升因而使神經興奮軟口蓋麻痺。聲音嘶啞睡時發鼾聲。嚥下流動物時。不入咽喉。而入鼻孔仍從鼻孔流出手足亦常麻痺。夠不能取物與行動如至不能發聲或呼吸阻礙時。肝爲極危險之徵象

〔症候〕本病自白喉桿菌侵入咽腔後。經二日至七日始發現其症狀。初全身微發熱。神疲憊懶鼻塞流涕呼吸困難。頸項微腫脹以指按之覺痛口渴異常且覺頭痛二三歲小兒患者啼哭不已腹痛或見嘔吐。稍長之兒童則不願遊玩。如是經過二三日後。脈象浮緊。惡寒發熱腰痠骨楚食慾不振。嚥下困難。全身具見蒼白此時咽喉極痛或微痛。如檢查其喉頭口蓋扁桃腺時則可見紅腫而有灰白色之斑點此時咳嗽音嘶呼吸短促重者不但顎下腺腫痛。卽頸部皮下，觸之劇痛，或有白條白塊粘成一片。布滿喉間。其色粉白或灰白重者塊屑上呈有極顯之青白灰色。或粿粒形但必乾燥附着於肌肉之間苟括之出血則蔓延更速。數日間。腐爛及紅腫白點能達於扁桃腺全部口蓋口腔懸壅垂等處亦受波及如鼻孔流血兩目直視則咽喉窒息漸至神志沉迷肺氣上脫而死。按在本病過程中間亦有發現痲疹者且經過本病之後不發免疫性。仍有再染之可能

〔治療〕白喉一症世稱難治然其所稱難治者因吾國古無是病之名。（病或有之殆未發現耳）是以先賢對于斯症未有立方。而後學無所適從也至清鄭梅澗重樓玉鑰一書出始有白喉之名而立養陰清肺湯以治斯症。嗣後。治白喉有主用表者。有主忌表熱聚訟紛紜莫衷一是。然以余意。觀夫白喉之症候其病灶實爲在裏之熱病且屬氣體薄弱而陰液乾涸之小兒患之。則可知欲望本症之痊可對于辛燥之表藥絕對不能施用。雖白喉初起其脈象浮緊或數。惡寒發熱頭痛背脹骨節疼痛。類似傷寒。然以咽喉之病。多由火毒風熱鬱結而成。不過因寒氣外束故狀如傷寒也有初時顯壯熱後反不覺熱或有皮膚不熱。按至肌肉始稍

熱者。是眞熱假寒也。今欲治白喉。首當肅清其裏熱。欲清其裏熱。當先育陰。陰足寒熱自退矣。醫虛之治病。須明其標本。惟眞有表邪者。亦當用汗解耳。所謂有表邪者。指風熱白喉症而言也。蓋風熱白喉。非但不忌表。而且非表不足救其沉危。陰虛白喉。宜大劑育陰之品。若誤投表藥。非但不愈。而且促其性命。因其陰虛火亢。血虛陽愈熾。故不能生津液。胃陰枯竭。陽火愈衝上咽喉而腐成白點。若誤作風熱治。以表藥辛溫發散。耗其津液。虛上加虛。人身之津液。幾何實不能受。若是之刼奪也。故陰虛白喉。非用養陰之品以救其津液不可也。蓋津液生則陽不亢矣。風熱白喉。爲風熱鬱薰上灼肺胃。邪無出路。一身之邪熱。盡從清竅發出。咽通於胃。喉通於肺。咽喉適當其衝。所以薰迫而成白點。故此時須用涼解透達之品。以開其玄府。使一汗而熱退身涼。不可用滋陰之品。以遏閉其邪路。此吾人治療時須詳審者也。至所用之方劑。又當分期而施治焉。如症之初起。喉間未見白膜者。急宜除瘟化毒湯（粉葛根蘇銀花薄荷葉細生地冬桑葉枇杷葉淡竹葉細木通象貝母粉甘草）如見惡寒發熱。頭痛肢楚。喉頭乾紅腫痛。則用加味甘菊湯。（粉甘草薄荷葉江枳殼細木通嫩射干淨蟬蛻製殭蠶）如袪寒壯熱。咽喉紅腫堅硬。白條白點已現。心中煩躁。則當龍虎二仙湯。（大生地生石膏眞犀角生黃芩製殭蠶熟牛蒡輕馬勃板藍根肥知母細木通川雅連龍胆草大青葉京玄參生梔子粳米）如喉痛而白點全布。口出臭氣。則宜神仙活命飲。（龍胆草京玄參馬兜鈴川黃柏板藍根括蔞仁生石膏杭白菊山梔子生甘草大生地）待白點退盡。當用鎮潤之品。如養陰清肺湯。（大生地麥門冬杭白芍薄荷葉黑玄參粉丹皮川貝母生甘草）此于病邪已退。津液受損者最宜。至于西醫治療本症。在初起時施以注射膜毒症血清。（Antitoxin）又曰無毒液。輕症者注射血清後。無須再用他藥。其功效殊爲快捷。吾人於治療斯病時。亦可引爲一助。海上兒科秦斗徐小圃先生。治本病時先予潛陽。或散風清熱之藥。繼施注射白喉血清。頗多應驗。此其證也。

喉痧。又在爛喉痧。俗名疫喉。（西譯紅疹。日譯猩紅熱）

[原因]本病之病原體尚未發現。故至今尚未能確定其原因也。惟據德柯（Dick）等研究之結果。謂係一種溶血性連鎖狀菌。寄存於人體中。其原菌頗似阿米巴狀運動之寄生物。然其說尚不能得大多數之同情耳。

[傳染]本病之傳染力極強。不必藉衣服。玩具。撲被書籍等什物爲媒介。卽與病者同室少時。亦有染傳之可能。而以有熱及恢復

期更甚。其病毒多存於組織體液分泌物。及排泄物中。故血液。眼淚。鼻涕。痰唾等。及上皮落屑並尿糞各物。皆爲傳佈之工具。本病對於外來之抵抗力極大。所以苟不謹愼。抑或消毒不全。仍能傳染。罹此病者。以二歲至七歲之兒童爲最多。未滿一歲者甚少。四十歲以上者。因其感受性薄弱。故絕少患者、爲病菌傳入之途徑。大概由咽頭。扁桃腺。有時外傷。及產褥期之子宮亦可成爲侵入門戶。所謂創傷或產褥猩紅熱是也。然在交通便利之都市。人烟稠密之地方。工廠林立。煤烟薰蒸。空氣惡濁。更容易發生本症。

[病理]氣候寒暖失常。疫毒乘機竊發。病菌混於空氣與食物中。由口鼻而附着於咽喉。滋殖其毒素。蔓延於咽喉各部。致頸腺腫脹。引起循環障礙。使外寒刺激而起痙攣。痙攣不僅限於局部。有時亦發見於全身。重者發眩暈。以喉頭易化膿之緣故。可並發化膿性腦膜炎。如表邪外亢。則內部體溫聚集肌表之間。而成反射作用。發爲高熱。此時體溫升騰至四十度以上。脈搏因動脈流動加快之故。每分鐘由一百二十至五十跳以上。有時有虛脫之危險。此時毒素更盛。咽喉因而化膿。紅腫腐爛。如毒素移入血液。則動脈流動愈速。靜脈迴轉不及，乃鬱於末梢血管。發爲細小之紅疹。甚則熱毒亢盛。中樞神經受其灼傷。故有神昏譫語痙攣之危候。本症於病理解剖上。扁桃腺咽喉部有僞膜坏疽症。其形如樹皮之苔被。一直向週圍擴張。下顎角及頸部上淋巴腺有發炎性之腫脹。此時有口臭之感覺。蓋有其他病菌傳入故也。

[症候]本症潛伏期普通三日至六日。其時毫無徵狀。在前驅期之初。突發高熱。以及惡寒。嘔吐。下痢。兒童往往起全身痙攣。此時之病狀已較沉重。大抵病人已不能不就床。第待數小時後。更發生咽下困難。及咽痛。如檢視其咽頭時。則可見軟口蓋全部作緋紅色。扁桃腺亦發赤腫痛。在發病之當晚或次日。可發現皮疹。初時見於頸部。以次顏面。而蔓延及四肢。皮疹作鮮紅色。故斯時全身緋紅。惟口之週圍則常無疹。而有三角形之蒼白。苟有暗紅小點者。乃充血過甚。輕微之出血也。故體溫激增值四十一度以上。在此時舌之狀態。比平常特別差異。起初舌苔本爲灰白色或全白色。此時則漸漸剝落。現出深紅色。舌之乳頭似受針刺者。形狀宛如覆盆子。極像潮沙所產之楊梅。異常乾燥。此爲患本病一最特異之徵象。經過三四日後。皮膚上之疹子漸漸退色。至第六日。所殘留於皮膚之疹可完全消失。落屑亦由頸項上先落。狀似粃糠。故曰粃糠落屑。斯時身體上各部之腫脹亦漸漸消退。熱度亦減低。若無合併症者。於治療上較易見功。

〔治療〕欲治本症。當分「汗」「清」「下」三法亦須明初。中。末三期。及病在氣分抑在營分。如初起寒熱。嘔噁咽喉腫痛腐爛。舌苔或白或如積粉或薄膩而黃。脈象或浮數。或鬱數。甚則脈沉似伏。此爲屬於氣分。速當表散。輕則用解肌透痧湯。（荊芥穗粉葛根嫩前胡鮮竹茹淨蟬衣熟牛蒡輕馬勃淨連翹紫浮萍嫩射干製殭蠶苦桔梗淡豆豉生甘草）或加減升麻湯。（綠升麻粉葛根薄荷葉苦桔梗粉甘草京赤芍淨連翹蘇銀花淨蟬衣製殭蠶薄荷葉陳萊菔）重則用加減麻杏石甘湯。（淨麻黃生石膏象貝母鮮竹葉光杏仁嫩射干炙殭蠶萊菔汁生甘草連翹殼薄荷葉京玄參）如壯熱煩躁。咽喉疼痛。腐爛。舌邊尖紅絳中有黃苔。痧痧密佈。甚或神昏譫語。此病灶由氣分移入血分也。即當清營解毒。佐以疏透。仍冀病毒由皮膚排出于體外也。輕者可用加減黑膏湯。（淡豆豉鮮生地鮮石斛鮮竹葉薄荷葉生石膏生甘草茆蘆根連翹殼京赤芍象貝母炙殭蠶淨蟬衣紫浮萍）重則用涼營清氣湯（犀角尖鮮石斛鮮生地薄荷葉黑山梔川雅連粉丹皮京赤芍京玄參鮮竹葉生石膏活蘆根生甘草連翹殼陳金汁）外用錫類散吹之。必待舌色光紅。或焦糙。痧子佈齊。氣分之邪已透。再用加減滋陰清肺湯以調理之（鮮生地京玄參細木通鮮石斛活蘆根川雅連甘中黃薄荷葉多桑葉大貝母蘇銀花連軺殼鮮竹葉如便閉可酌加生大黃郁李仁）此時不可再行表散。蓋皮膚之疹既現。已入陰虛火旺之期。陰虛即血液減退。火旺則胃酵夾生。苟再透發。則傷其津液而火愈熾矣。若愈後餘毒未清。則可用加減竹葉石羔湯。（鮮竹葉桑白皮冬桑叶蘇銀花鮮葦根生石膏光杏仁連翹殼生甘草象貝母冬瓜子）或玉女煎亦可。（生石膏熟地黃麥門冬淮牛膝若本症早進寒涼滋補之品。則病邪不能外達有驟變神昏內陷或泄瀉等症。以致于不救也。然有用表散而太過者。則其津液破劫火焰愈熾引動肝風。變爲痙厥等危候。斯則亟宜大劑清營涼解之品或可挽救。先哲云痧瘄有汗則生。無汗則死治斯症者。當謹記也。然猶不能太過耳最要者當表則表之。當清則清之或用釜底抽薪法。亦急下存陰之意也如見脈伏而泄瀉不止者會厭腐去聲啞氣急以及始終無汗者。則皆難治之候。此臨床者不可不詳辨也。

〔結論〕基上所論吾人當可明瞭白喉與喉痧之概況矣至其預防與善後。不外調節飲食。謹愼起居清潔身體衣服。與居室。強壯自己之身體增進自然之抵抗力絕對講求衞生。於必要時施行血清注射。苟能如此則至少當可減低傳染之機會矣。然斯二症之症狀頗爲類似。非閱歷較深之醫士。恐難免有診斷之錯誤。如病之初期頭痛發熱。惡寒喉間有白膜而清痛。皆爲兩症具有之特徵。惟患白喉者嘔吐極少見。喉痧則于第一日夜即有嘔吐惡心。輕症者只見嘔吐一次。重症者日見數次。且患白喉者身不發紅疹。喉痧則週身發紅色細小點狀疹。此臨床者須當認明而後始給于方藥也。至以兩症一以鎮降爲主。一則主以表散、更須遵法以治。否則難免不僨事者。嘗聞有一西醫。因診斷一喉痧者爲白喉。施以白喉症血清注射。開給方藥之後。病家持方往藥房配藥。服後不見效驗。乃另就診于某中醫。某醫固滬上有名者也。問其病狀。則曰。昨嘗就診于某西醫。斷爲白喉。某醫固服西醫之富于診斷力者。信之。擬麻杏石甘湯與病者。服兩劑而病霍然。於是某醫乃大事宣傳其能以麻杏石甘湯治愈白喉症矣。及後果有患眞正之白喉症者就診于某醫。又與以麻杏石甘湯。服後不見效驗。症更加劇。終至不救。是吾人可明陰虛之白喉症。斷不適用辛溫表散之藥也。夫麻杏石甘湯爲治傷寒汗下後汗出而喘者。後人嘗以之治風溫表裏俱熱無汗。或自汗頗多見效。然未有開之能治眞正白喉症者。如其邪蘊畜於肺經。雖可用此方疏散之。此乃治上焦之良劑。但病不在肺而無熱症之見象者。斷不宜用。而施用則以脈浮爲標準。然惡寒不渴更不可用也。夫病之來源。其感受之深淺不同。形態亦因而各異。故吾人施治更當分別之。苟執一方以治各病。難免不僨事者。而於診斷手續上。更當週詳也。否則其不誤人性命者幾希。今有進者。據本院敎授王潤民先生研究之結果。以薄荷七八分代麻黃。而以牛蒡子二三錢代杏仁。或杏仁不易果爾。則以瓶杏石甘湯治風熱之白喉症。誠爲最確當者。蓋薄荷爲輕清之品。實爲治風熱解表之良藥。不比麻黃之溫散損人津液也。至世之所謂白喉忌表。乃指陰虛者而言。非風熱也。且發表之所忌者。係指辛溫發散而言。苟用涼解透達散風清熱之品。則爲所不禁矣。總之吾人可不問斯症之誘因爲何。但以育陰滋水。涼解透達之根本療法。決少錯誤者。至治喉痧之症。當辛涼疏解兼用。以發其鬱。陽明爲多血多氣之海。風溫疫癘之邪蘊襲其經。風屬陽。溫化熱。火勢炎炎。由氣入營。非臟既久。疏而外泄。發於肌表而爲痧疹。治宜清宣陽明之溫熱。使邪勢外泄。涼解營分之熱毒。殺其凶焰之火。邪解熱清。病自愈矣。經云。在表者引而越之。然治裏者決不可越也。醫者之治病能順其氣而疏解之。察其熱勢之輕重而酌與涼透涼達。無過用寒涼鬱遏之品。與夫病家調節之適宜。則病皆可向愈。不獨白喉喉痧爲然也。

水腫病論

陸劍塵

緒言　嘗閱先賢徐靈胎先生有言水腫病之論曰。「水腫之病。千頭萬緒。雖在形體。而實內連臟腑。不但難愈。即愈最易復病。復病即更難再愈。所以內經針水病之穴。多至百外。而調養亦須百日。反不若膨脹之症。一愈可以不發。治此症者。非醫者能審定病症。神而明之。病者能隨時省察。潛心調攝。鮮有獲痊。」云云。難矣哉。水腫病之難治也。於斯可見矣。夫水腫病之所以難治。誠如靈胎之言。一方由於醫之不工。不能審定病症。攻補妄投。致陷病於不治。他方由於病者之不能細心攝養。飲食起居不調。致病陷於不治。是固然矣。然余曾數見有患水腫病者。多半由悞治於醫。當是以言。病者之調攝。固當慎謹。而醫者之療治審症明理。尤屬重要。觀乎庸醫之治水腫也。投劑不失之輕淡。便失之峻猛。輕淡則不克所病。延悞病機。峻猛則損衰心力。(即眞陽之謂也)而致病於不治者。比比皆是。其故何歟。蓋因未能神明病理。審察症候。翔實診斷之過也。塵因有感於斯。而爲此文。且可聊塞論文之責。惟余深愧讀書寡尠。且又不擅文詞。語句理論。自知失當良多。幸賢達勿以井蛙相笑。而希有以正之。

原因　內經言。「邪氣內逆。則氣爲之閉塞而不行。不行則爲水脹。」蓋即言循環於血液組織間之一般致病原因之毒素。每能刺戟心臟腎臟之病理變化。而陷於循環排泄諸障礙。終於成爲水腫之病。斯言水腫原因。雖屬糢糊不詳。然頗得其病因之眞要。徵諸近代學理。亦無不相符合。以水腫之爲病。皆緣續發於他種疾患。以致心臟腎臟肝臟病變而來。然腎臟心臟肝臟之所以發生病理之變化者。厥惟炎症與鬱血二種之原因所釀成。今請進言其詳如次。

血液之能不斷在閉鎖血管中循環不息者。端賴於動脈與靜脈之壓差作用。而爲此壓差之運動者。固屬於心臟之擴張與收縮。而肺呼吸實爲之主宰。以呼吸作用。所以促進心臟之運動。與乎交換血中氣體之機能。故也。是以呼吸之機能。設有衰弱時。則心動亦因而減弱。是以每收縮時。不能輸送全量之血液於動脈。致血液因其心力之不及。而還流發生困難。遂成靜脈鬱血。更因鬱血而起血液之滲漏。遂集積於組織內，而成水腫之現象。是故景岳有「肺虛則氣不化精而化水」之說。斯蓋即似論此鬱血而起之水腫原因也。

若乎各種疾患之毒素。由淋巴及血行之轉移。致引起心臟腎臟肝臟炎症之病理變化。於是血行及排泄均蒙障礙。例如心臟慢性內膜炎至代償作用發生疲勞時。則障礙全身之血液循環。於是動脈則血量減少。血壓下降。靜脈則血液積滯。其液體成分滲透於組織間而起全身水腫。又如腎臟若有炎症病變時。或膀胱因異物之存留。足使尿道狹窄而發生炎症。則其排泄之機能遂起障礙。尿量遂持續減少。於是體內之水分。不能排泄於體外而停滯蓄積於血管內。更由血管而滲於組織間。因而發生全身水腫。更如肝臟因炎症之毒素或其他特異之急慢性中毒。如酒精等之刺戟。而使肝臟實質變化。影響血流循環而成水腫者是也。然以其原因於炎症病變而來。故名炎症水腫也。總之水腫一病。言其因。多緣他種疾患續發而來。論其原。則不外如上所述之炎症與鬱血二者而已。然因鬱血而起之水腫。必先機能衰減。始有物質之變調。因炎症之水腫。則必先有物質之變化。而始影響於機能之障礙。此雖原因之異。而實有關於診斷治療者。良深多矣。

病理　吾人體內之物質交換。與乎組織營養之生活作用。其官能之發揮。端賴於血液之循環。蓋以消化所得之營養料。與生於體內各組織殘餘之老廢物。運聚於大靜脈。歸於心。而入於肺。斯時老廢物之一部份即由肺之呼吸作用排除之。同時攝取於肺吸息所納空氣之養氣。是謂之交流作用。自此則靜脈血變爲動脈血。歸入心房之後。再由大動脈管至毛細管。將其吸收之營養成分。從毛細管壁滲潤於組織。復將老廢成份攝取由靜脈毛細管而至靜脈所經過之腎臟皮膚等而排泄於體外。故全體諸組織之得以生活與乎諸器官之能營其作用者。胥賴乎是。而主宰此血液循環之動力者。則惟心臟之張縮運動。與肺臟之呼吸作用。有以致之。雖然血液自動脈向靜脈循環不息。是由於動靜脈間之血壓有強弱之差。然其所以形成此現象原因。則在肺呼吸時胸廓運動之壓力。而促及於心臟之運動。蓋心房擴張。末稍靜脈血自由大靜脈流入心房。心室收縮則送血液入動脈。故靜脈之血壓弱。而動脈之血壓強。心臟之運動無時或息。故血壓之差亦無時或平。加以動脈管壁有收縮性。而驅逐血液。使向靜脈壓行。此所以血液能常自動脈向靜脈流通不息之原理。而心臟爲循環血液之主宰者明矣。以故心臟設被病毒之侵襲。或生理上之機能自然衰弱時。則全身之血液循環發生障礙。結果動脈則血量減少。血壓下降。靜脈則血液積滯。液體成分遂從毛細管增量滲入組織。而淋巴管之吸收還流作用之機能衰減。則滲透與吸收之生理作用。不足以相平均。故濾出液無由流去之間隙。遂蓄積於組織或體腔中而發現水腫之症候。此一端也。更有腎臟發生病變而致腎之機能障礙。或不全時。則體內水分。不能排泄於外。而停滯蓄積時。始由血管滲漏於組織體腔間而起水腫之現徵。此又一端也。猶有一端。即因肝臟之變硬而致水腫之病因以形成者。蓋肝臟乃爲血液流通之要道。設因飲酒過多。致酒精之侵襲作用。或其他之慢性病毒素轉屬。而使肝臟之組織硬化。則經過肝臟之血液。因受阻塞不得流通。停滯於血管內而滲透於組織肌肉間。遂成水腫。近代新學論水腫之病理。不外上述三端。而徵之我國醫藉由來論水腫之病理學說紛紜。歸而言之。得有如次之各說。

1. 脾肺說

內經至眞要大論曰。『諸濕腫滿。皆屬於脾。』

陰陽別論曰。『三陰結謂之水。』

經脈篇曰。『胃病則大腹水腫。』

素問氣厥論篇曰。『肺移寒於腎爲涌水。』

徐東臯曰。『大抵腫滿皆因脾濕有餘。無陽不能施化。如土之久於雨水。則爲泥矣。豈能生化萬物。必待暖風和日。濕去陽生自然生長也。』

丹溪心法曰。『水腫因脾虛不能制水。水漬妄行。』

2. 三焦說

內經臟腑病形篇曰。『三焦病者。腹氣滿。小腹尤堅。不得小便。窘急。溢則爲水。留則爲脹。』

五癃津液別篇曰。『陰陽氣道不通。四海閉塞。三焦不瀉。津液不化。留於下焦。不得滲膀胱。則下焦脹。水溢則爲水脹。』

宣明五氣篇曰。『下焦溢爲水。』

3. 腎氣說

華元化曰。『三焦壅塞。營衛閉格。血氣不從。虛實交變。水隨氣流。故爲水病。』

張景岳曰。『內經云。「腎爲胃關。關門不利。故聚水而從其類也。」然關門何以不利也。經曰。「膀胱者。洲部之官。津液藏焉。氣化則能出矣。」夫所謂氣化者。卽腎中之氣也。卽陰中之火也。陰中無陽。則氣不能化。所以水道不通。溢而爲腫。」

華元化曰。『水者。腎之制也。腎者。人之本也。腎氣壯。則水還於腎。腎氣虛。則水散於皮而爲腫。』

巢氏病源曰。『腎者主水。脾胃俱主土。土性剋水。脾與胃合。相爲表裏。胃爲水穀之海。今胃虛不能傳化水氣。使水氣滲溢經絡。浸漬腑臟。脾得水濕之氣。加之則病。脾病則不能制水。故氣獨歸於腎。三焦不瀉。經脈閉塞。故水氣溢於皮膚而令腫也。』

綜上而言。則我國之論水腫病理。得歸二端。卽分別言之。由乎肺脾腎三焦之各有所主。總合言之。則由陽氣衰微。不能化。致水道閉而不通。故溢爲水腫。雖斯學說未免偏於哲理。然其各主所論。實有其一部分之眞理在。求之近代之病理研究。亦相符合。不過執見一端。未能明其本末耳。

夫國醫之論肺者。主氣而行水道也。設肺病。則不化精而化水。泛溢皮膚。致成水腫。以吾人之生活得以維持。不得不有賴於物質之新陳代謝。而新陳代謝之搬運機關。卽爲血液循環。然使血液循環之能達其搬運目的者。實賴肺之呼吸作用爲之完成。蓋呼吸運動。所以交換血液與各組織間所營之物質及排除一部分之體內分解毒素之機能也。故肺之機能有障礙或病變時。則不能爲新陳代謝之生活現象。終於影響循環障礙而成水腫之症候。是國醫所似論肺主氣而行水。設肺氣不得通調。則寒水不行。泛溢皮膚而爲腫之原理也。然此不過言其末而未察其本。何則。蓋肺之呼吸作用雖可推促循環以達其營物質代謝之機能。而水腫之爲病。乃因循環異常而成。非因肺有疾患而來。且肺病未必定致水腫。水腫每多因心臟疾患或生理之機能不全而造成。於此可證國醫舊說所論之不廣。

復次國醫之論脾也。主運化水谷。灌養百官。病則不能運化精微。而泛濫皮膚之間。遂成水腫。又論三焦云。謂『上焦如霧。中焦如漚。下焦如瀆。三焦氣治。則水道疎通。若乎決瀆之權失司。則水道不通而致腫。』據此以觀。三焦之與脾也。頗與淋巴之滲透及吸收還流作用相符合。察其病變。則又與淋巴之滲透作用旺盛。及淋巴管之吸收還流作用障礙。致兩不相衡而成水腫之理相近似。此亦不過言其末而未道其本也。

腎臟原爲排泄體內水分及廢料一部分之臟器。若發生生理上之異常狀態時。則其排尿障礙以起。於是水分停滯組織。因成水腫。斯固必然之理。且據近代學理之研究。腎臟之機能障礙之結果。必致心臟起續發性變化。是故景岳等之有腎氣論也。考水腫爲病。厥大原理。固在肝臟腎臟心臟之病變及機能衰弱有以致之。前已屢論之矣。若上諸說。不過以觀察之不同。致有本末之執見。雖皆未能武斷爲非。是而要以腎氣說。始能道其病理本源之一部分耳。

症候　水腫之症。皮膚腫大。由於水氣所致。初起有面頭部腫起者。有由足脛腫起者。但其最先之徵兆。必目窠上微腫。狀似臥蠶。其後漸及於四肢面頭臍腹。終有達於全身悉腫者。斯若時失治或誤治。則腹腿部之青筋怒張。甚至唇黑臍突。面色紫黯。神昏鄭聲。口渴齒枯等諸危死之象。斯即所謂水腫病之重者。水臌病是也。至其致死之原因。無非由於高度水腫。尿毒無由排泄。彌漫血液而成自家中毒之不治病也。查我國醫籍。俱云水臌由於毒水結聚而成。浸潰腑臟。耗傷津液。致現皮膚粗糙之象者。危篤之兆也。故水腫若現此情狀時。即可斷爲死候焉。

我國醫學。謂腫由於上身始起者屬風。腫由下起始者爲濕。其理空泛。致西醫學分水腫症候。不外二種。大凡腫先發現於面部皮膚。漸波及軀幹四肢及陰部者。多屬腎臟性水腫。若腫先現於下腿。初起夜間平臥時。而浮腫漸退。後呈持續性而增延病之範圍。蔓延於外陰部腹部及顏面者。多屬心臟性水腫或肝臟性水腫。而觀國醫著作。向來以症候而區別異同。而因症異名者。夥矣。茲並錄之。

青水　『青水者。先從面目腫遍一身。其根在肝。』——見巢氏病源

赤水　『赤水者。先從心腫。其根在心。』——見巢氏病源

黃水　『黃水者。先從腹腫。其根在脾。』——見巢氏病源

白水　『白水者先從足腫。上氣而咳。其根在肺。』——見巢氏病源

黑水　『黑水者。先從足趺腫。其根在腎。』見巢氏病源

懸水　『懸水者先從面腫至足。其根在胆。』——見巢氏病源

風水　『風水者。先從四肢起腫。滿大。目盡腫。其根在胃』——見巢氏病源

『風水。其脈自浮。外症骨節疼痛。惡風』又『氣強則爲水。難以俛仰。風氣相繫。身體洪腫。汗出乃愈。惡風則虛。此爲風水』又『寸口脈沉滑者。中有水氣。面目腫大。有熱。名曰風水。視人之目窠上微腫。如蠶新臥起狀。其頸脈動。時時欬。按其手足上陷而不起者。風水』又『太陽病。脈浮而緊。法當骨節疼痛。反不疼。身體反重而痠。其人不渴。汗出卽愈。此爲風水』

——見金匱水氣病篇

石水　『石水者。先從四肢小腹腫。獨大。其根在膀胱』——見巢氏病源

『少腹腫硬如石。有聲如水』——見醫學辭典

『石水其脈自沉。外證腹滿不喘』——見金匱水氣病篇

暴水　『暴水者。先腹滿。其根在小腸』——見巢氏病源

氣水　『氣水者。乍盛乍虛。乍來乍去。其根在大腸』——見巢氏病源

疸水　『其症小便澀而身面盡黃。腹滿如水狀。因名疸水也』——見巢氏病源

毛水　其症『祇皮毛先腫。因名毛水』——見巢氏病源

燥水　『燥水者。謂水氣溢於皮膚。因令腫滿。以指劃肉上。則隱隱成文字。名曰燥水也』

濕水　『濕水者。謂水氣溢於皮膚。因令腫滿。以指劃肉上。隨劃隨散。不成文字者。濕水也』——以上俱見巢氏病源

水分　『先病水。後經水斷。名曰水分。此病易治。何以故。去水。其經自下』——見金匱水氣病篇

『四肢皮膚虛腫。聶聶而動者。名水分也』——見巢氏病源

血分　『師曰。寸口脈沉而遲。沉則爲水。遲則爲寒。寒水相搏。趺陽脈伏。水谷不化。脾氣衰則鶩溏。胃氣衰則身腫。少陽脈衰。少陰脈細。男子則小便不利。婦人則經水不通。經爲血。血不利則爲水。名曰血分』

『師曰。寸口脈沉而數。數則爲出。沉則爲入。出則爲陽實。入則爲陰結。趺陽脈微而弦。微則無胃氣。弦則不得息。少陰脈

沉而滑。沉則爲在裏。滑則爲實。沉滑相搏。血結胞門。其瘕不瀉。經絡不通。名曰血分。』『問曰。病有血分。水分何也。師曰。經水前斷。後病水。名曰血分。此病難治。』——以上俱見金匱水氣病篇

元水　『水腫之先發於面頰者。其病根在外腎。』——見中國醫學辭典

娠水　『卽胎水。由臟腑本虛。脾土不能制水。血散四肢。致腹膨脹。手足面目浮腫。甚則通身腫滿。心腹悉脹。』——見中國醫學辭典

高水　『水腫之起於少腹。而日漸升高者。其病根在小腸。』——見中國醫學辭典

裏水　『裏水者。一身面目黃腫。其脈沉。小便不利。』

正水　『正水其脈沉遲。外症自喘。』

心水　『心水者。其身重而少氣。不得臥。煩而躁。其人陰腫。』

肝水　『肝水者。其腹大。不能自轉側。脅下腹痛。時時津液微生。小便續通。』

脾水　『脾水者。其腹大。四肢苦重。津液不生。但苦少氣。小便難。』

肺水　『肺水者。其身腫。小便難。時時鴨溏。』

腎水　『腎水者。其腹大。臍腫。腰痛。不得溺。陰下濕如牛鼻上汗。其足逆冷。面黃瘦。大便反堅。』

皮水　『皮水其脈亦浮。外症胕腫。按之後指。其腹如鼓。不渴。』又『太陽病。脈浮而緊。法當骨節疼痛。反不痛。身體反重而痠。喝而不惡寒者。此爲皮水。』又『皮水爲病。四肢腫。水氣在皮膚中。四肢聶聶動者。是也。』——以上俱見金匱水氣病篇

水腫致病之理。既舉論於前。致國醫於水病之治療方法。要亦不外扶其眞陽。及發汗。利小便等數端而已。顧上列名症。若是之繁複。不特無益於研究。亦且徒亂於治療。余意因症立名。實屬不必。祇須詳審病理之源。然後憑證用藥。斯有切於實用。蓋所謂憑證用藥者。以病之變。有太過不及之化。而病情亦隨有虛實之差。是故審察病理之所源。觀其症情之所化。隨宜汗下溫補。斯則善矣。

診斷　內經云。『水始起也。目窠上微腫。如新臥起之狀。其頸脈動。時欬。陰股間寒。足脛腫。腹乃大。其水已成矣。以手按其腹。隨手

而起。如裹水之狀。此其候也。

金匱亦言。『夫水病人目下有臥蠶。面目鮮澤。』以故後之醫者。以腫部皮薄色澤手按之。腫隨起者。爲水腫。若腫部皮厚色蒼。以手按之。窅而不即起者。爲氣腫。至景岳。視此診斷。大不以爲然。彼言『腫症按之窅而不起。此水在肉中。如糟如泥之象。按而散之。猝不能聚。未必如水囊之比。按之隨起。惟虛無之氣。其速乃然。』然內經景岳之說。余意殊不盡是。惟有淸陳修園先生之論。最得其要理。彼云。『大抵腫微則按之隨起。腫甚。則按之不起。』斯言是矣。蓋腫輕則組織腠存留之液體。不致十分充滿。彈力組織之機能。尚可維持其作用。故按之隨起。若腫甚。則其作用消失。斯故按之不起。又肌肉不豐之處。如足面膝蓋等。以組織上之有異。故亦按之不起。修園之論。誠有見地。

病有陰陽之別。症有虛實之分。斯爲中國醫學固有之症候。診斷術語。實非有所虛玄。特局外人未審斯義耳。蓋所謂陰者。即代示病理上或生理上之屬於退行性變化。陽即代示疾病或生理之機能。屬於進行性變化是也。設若體內各部分重要器官之機能衰弱。不能有自然抗愈病毒之轉向。是即謂之虛。反是各部器官之機能太過。不能爲正常之生活現象。而陷器官之組織於病的轉變者。斯謂之實也。余意準此進言水腫之診斷。庶不復至糢糊空泛矣。

丹溪曰。『水腫脈多沉。病陽水兼陽症。脈必沉數。病陰水兼陰症。脈必沉遲。若遍身腫。煩渴。小便赤澀。大便祕結。此屬陽水。遍身腫。而不煩渴。小便少不赤澀。此屬陰水。』是水腫陰陽之辨。大略如斯。然水腫之病。據余觀察所知。大都初起多屬陰症。及至臨危之候。反現煩渴不寐諸陽症（不過亦有例外）何以故。蓋因水腫重症。往往二便祕澀。體內之毒素。無排泄充分之所。積滯血液。久則臟腑及神經受其刺戟。而頗欲起抗除之作用。結果。以毒素之瀰漫。力量不能與其抗衡。終於心腦肺被毒素麻痺而死也。至症之虛實。大凡病者素無脾虛泄瀉等症。而在短時間內成功通身浮腫。小便不利之象。是爲實症。若西醫所謂後天性腎水腫。於輸尿管腫瘍及泌尿生殖器結核或淋病時見之者。頗相近似。反之若老人多病及素稟虛弱。久病之人。由局部積漸成爲全身水腫者。是虛症之象也。

考心臟之機能強弱。關乎疾病之轉歸良劣甚大。推心臟機能強弱之診察法。國醫向以切脈爲主。西醫則以聽診器聽其心音。法雖各異。標的則同。夫脈搏者。心臟收縮擴張運動力量之表現也。故國醫論水腫之脈。大抵以沉實弦大爲良。浮細遲虛爲忌。因前者。心臟雖有病變而未至機能衰弱之程度。後者。則其機能已有顯著衰弱之徵象矣。如下錄水腫病在脈診上之認爲死候數則。不爲無理。

1.『脈得諸沉。當責有水。身體腫重。水病脈出者死。』

按此言脈出。卽表現心力衰憊。動脈管腔存留水分血液。過多。而致脈管腔擴大。及運動障礙所然也。故尤氏云。『若水病而脈出。則眞氣反出邪水之上。根本脫離。而病氣獨盛。故死。出與浮迥異。浮者。盛於上而弱於下。出則下有而絕無也。』斯言得之。

2.『水病一身悉腫。瀉利厥逆。脈虛大者。必死。加以喘。此爲命絕。』

按虛爲心力衰弱及動脈管之神經弛乏所致。大與虛合。乃高度水腫而致心臟衰憊。脈管軟弱。動脈之液體充盈之明證。加喘。則爲肺與小循環之機能障礙。或將停息之徵。故曰命絕。

3.『水腫腹大。脈浮虛者死。』

按此脈象。亦爲心力不足之象。理與前同。

4.『水腫腹大。脈沉細虛小者死。』

按此種脈象。完全係心之運動將息前之徵兆。故曰死。但須四脈同時並見始然也。

更進而言之。疾病之症狀。乃表現異常生活現象。異常程度之特徵。是故國醫以歷悠久之實驗時間。記載此水腫病認爲難治之危候症狀。舉錄其要。以爲臨床診斷是病之轉歸可也。

『水腫先起於四肢而後歸於腹者難治

男從身下腫上。女從身上腫下。皆爲難治之症。

肚上青筋見。瀉後腹腫者死

足跗腫膝如斗者死。

脈口絕張足腫者死。

缺盆足心平背脊平者死。

臍腫突出者死

大便滑瀉水腫不消者死。

掌腫無紋者死。』

以上所列諸危死之候。無非由於高度水腫尿毒彌漫全身。以成中毒之現象耳。

療法　水腫病之治療方法。內經則有開鬼門潔淨府之語。致腠理謂之鬼門。膀胱謂之淨府。開鬼門者。發腠理之汗也。潔淨府者。滲利小便之謂也。金匱亦言『諸有水者。腰以下腫。當利小便。腰似上腫。當發汗乃愈。』所以然者。以發汗利小便二者。皆能排泄組織間之水液。不過各因其勢而利導之也。蓋出汗排尿。能奪去血中水分。故可以促進吸收。而間接可能助水腫之消失。治療水腫非藉此作用。不足以驅組織存留之水液於體外。斯法誠屬至當不易。以余觀之。發汗利尿。固爲水腫治療之良規。然亦須辨明排泄機能究爲衰減抑爲障礙。設屬之障礙。則發汗利小便之法。足以施用。設若不然而爲排泄機能衰弱之原因者。則發汗利小便之法。不特不能施治而收痊愈之效。且也有害而無益也。何則。因利尿藥劑。刺戟腎臟太過。促使其機能衰弱之程度增進。而水腫反因之增劇也。若發汗劑。施用於心臟衰弱時。則心臟之機能衰弱程度益甚。水腫症狀。亦益加劇也。是故仲景有言水病渴而下利。小便數者。皆不可發汗。此之謂歟。然則發汗利小便之法。僅可用治排泄機能障礙者。明矣。至若機能衰弱。則又當用溫熱藥。(卽強壯藥)以爲提壯身體各部分重要器官。增強其生理機能。使排泄作用自然增加。而促水腫有自然治愈之傾向。亦卽內經所謂宣佈五陽之意也乎。倘有水腫重症。二便祕澀。體內諸種因生理產生有害的化學毒素。不能排泄。而釀成其中毒作用。如煩燥不寐。神昏。頭目暈眩。腹部腫大。而臍部突出諸等症狀。斯時卽應用汗劑以發汗。而汗必不出。應用利尿藥以利尿。而尿亦必不利。以該部神經之機能完全消失故也。斯時設用強壯劑之陽熱諸藥。不特不能收效。反足使增體內之毒餘彌漫。而促心臟之痲

中国近现代中医药期刊续编·第二辑

痺。不可不察而愼之。因強壯藥之所以爲強壯作用者。不外藥力之刺戟。而提壯興奮各臟腑之生理機能。今病既由毒素無由排去。而產生毒素之作用與量。仍在進行之原因而起。若更與強壯之藥。則臟腑機能必因之亢進。毒素之產量亦益增加而排泄無路。毒餘彌漫。心臟當然受毒素之痲痺而死。以故當用諸瀉下蕩滌之藥。以救急。使體內水毒俱從大小便而去。內經云。『去菀陳莝。』蓋此意也。至瀉下蕩滌之後。水毒既去。諸種因水毒而起之症狀自然消失。惟體內各臟器之官能。往往因衰弱或減退而不能自然恢復。於此時也。卽又當速用諸強壯劑。以幫助其自然恢復力量。卽所謂助脾益火之法也。總而言之。國醫治療水腫之大要方法。不外上述五端。以言施用。則宜攻宜補。又當詳審症候之屬虛屬實。爲陰爲陽之診斷。而方藥之所謂攻者。發汗利尿瀉下皆屬之。所謂補者。溫熱。益火。補脾。強腎。皆屬之。大凡陽症宜攻。陰症宜補。實症宜攻。虛症宜補。要言不繁。以此盡之可也。茲舉錄內治發汗。利尿。瀉下。水毒。溫補強壯。及外治諸方類例著左。

A 內治方例

1. 發汗劑

(一)麻黃湯(千金翼方)主風濕水疾。身體面目腫。不仁而重。

麻黃(四兩)　炙甘草(二兩)

(二)麻黃附子湯(金匱)主水之爲病。其脈沉小。屬少陰。浮者爲風。無水虛脹者。爲氣水。發其汗卽已。脈沉者宜麻黃附子湯。

麻黃　附子　甘草

(三)越婢湯(金匱)主治風水惡風。一身悉腫。脈浮不渴。續自汗出。無大熱。

麻黃　石羔　生姜　大棗　甘草

(四)消水聖愈湯(陳修園)主治水腫。兩手脈浮而遲。足趺陽脈浮而數。服後當汗出如虫行皮中卽愈。

麻黃　細辛　牡桂　天雄　甘草　生姜　大棗　知母

(五)小青龍湯(陳氏)主治水腫喘咳。面目浮腫。少腹脹滿。小便不利者。當發汗乃愈。

麻黃　桂枝　甘草　白朮　細辛　乾姜　赤苓　半夏　五味

2. 利尿劑

（一）加味腎氣丸（濟生方）主治脾腎虛損。腰以下腫。小便不利者。

附子　官桂　山藥　山茱萸　白苓　澤瀉　丹皮　車前子　川牛膝　熟地黃

（二）五苓散（丹溪）主治水腫。從腰以下俱腫。以此湯利小便。仲景曰。腰以下腫。宜利小便。腰以上腫。宜發汗也。

猪苓　木香　茵陳　澤瀉　茯苓　桂枝　白朮

（三）茯苓琥珀湯（寶鑑）主治臍腫。滿腳沉重。不得安臥。小便不利。

茯苓　滑石　桂枝　琥珀　白朮　澤瀉　猪苓　甘草

（四）澤瀉湯（千金）治水氣通身浮腫。四肢無力。或從消渴。或從黃疸。支飲。內虛。不足。榮衛不通。氣不消化。實皮膚中。喘息不安。腹中響。脹滿。眼目不得視。

澤瀉根　鯉魚　生姜　赤小豆　茯苓　人參　甘草　麥冬

（五）療患氣兼水身面腫垂死方。（外台）

桑白皮　郁李仁　海藻　茯苓　橘皮　赤小豆

3. 瀉下水毒劑

（一）己椒藶黃丸（金匱）主治腹滿。口舌乾燥。此腸間有水氣。己椒藶黃丸主之。

防己　椒目　葶藶　大黃

（二）桃仁承氣湯（證類治裁）主治血沫凝濇經隧。而致水腫者。

桃仁　大黃　芒硝　桂枝　炙草

（三）小胃丹（丹溪）

芫花　大戟　大黃　甘遂　黃柏　木香　檳榔　白朮膏爲丸

(四)舟車神祐丸(河間)主治水脹神氣俱實者。

黑牽牛　大黃　甘遂　橘紅　大戟　芫花　青皮　木香　檳榔　輕粉

(五)十棗丸(仲景方)治水氣浮腫上氣喘急大小便不通見丹溪心法。

甘遂　大戟　芫花　大棗膏爲丸

4. 溫補強壯劑

(一)壯元湯(赤水)主治下焦虛寒。中滿腫脹。陰囊兩腿皆腫。或面有浮氣。

人參　白朮　茯苓　桂枝　附子　乾姜　陳皮　砂仁　破故紙

(二)補中益氣湯(醫方正要)主治體虛發腫。亦爲腫滿調補方。

桂枝　防風　木通　木瓜　人參　黃芪　白朮　當歸　陳皮　升麻　柴胡　姜皮

(三)附子理中湯(仲景方)陳國彭云『水腫脾胃虛寒用此方溫補。』

附子　人參　白朮　乾姜　炙草

(四)複元丹(醫方正要)治脾腎兩虛發腫。並可腫後常服。

附子　白朮　肉桂　吳萸　川椒目　小茴　木香　肉豆蔻　木瓜　澤瀉　茯苓　姜皮

(五)六君加益智神曲方(類證治裁)主治水腫之脾陽虛損用此健運之。

人參　半夏　白朮　茯苓　炙草　陳皮　益智　神曲

B 外治方例

1. 用真輕粉二錢。巴豆去油四兩。生硫黃壹錢。同研成膏。作餅子。先以新綿一片。鋪臍上。次以藥餅當臍掩之。外用帛縛定。約人行五里自然瀉下惡水。待三五次除去藥。溫粥補之。久患者。隔日取水。法見丹溪心法。

2. 用大戟芫花甘遂海藻等分。醋糊和麵少許。攤絹上。貼腫處。口咬甘草。不過三五時。水即下矣。法見沈氏尊生書。

3. 治水腫。小便絕少。用地龍生研。猪苓甘遂。針砂各五錢。右爲末。擂葱涎調成膏。敷臍中。約一寸。以絹帕紮之。以小便多爲度。兩易之。(得效方)

4. 用商陸根打爛。入射香少許。貼臍中。以綿裹煖引水下行。(民間方)

5. 用金龍花全草六株搗爛。貼臍數日後。即起排尿作用。尿量增多。水腫漸退。但須忌食鹽醬。及鴨鷄魚荳類。爲要。此農鄉民間之生藥外治方也。

按上列外治諸方。究非正治之法。雖或有效於一時。而不能根治痊愈。列備於此。聊爲救急之助焉。

附錄民間效驗方一則

方用金櫻子根去粗皮兩半。香菌未開裂者七枚。吳風草三錢。水煎服。小便利。即愈。按是方係吾友吳君告余者。渠言曾目擊數人得愈於此方。致修園之時方妙用。亦有所載。且悉與此方相符。今既經吳君之證明效驗。故因錄之。

尾語　塵研究中國醫學。迄今四易寒暑。深信我國醫術。實有療病之效能。而乏科學之研究。頗覺有整理與改進之必要。若斯巨任。固有賴於近代之學者。塵雖非敏慧。關於中西醫之術理。敢言俱有得失之處。未能概以主觀而偏快其是非。即如水腫一病。以學理方面觀之。國醫所言。固嫌是非參半。虛乏無徵。而療術方面。則西醫之不及國醫者。遠矣。若重症之水腫。西醫除實行放水術外。則別無其他之良法。雖事實上可取效於一時。然必復腫。而病勢更爲增劇。於是再放再腫。結果數放而致病於不起。此余之所嘗目覩者也。以是較之國醫則不然矣。觀乎上述療水腫之法。國醫處處能以扶助生理上之自然愈病機能。以排除病理之障礙爲主。見長。國醫之療術。所以實遠勝西醫一籌者。蓋在乎是矣。塵故曰。中西醫之學術。俱有得失。未能偏決是非。勿自爲故步之封。質之賢達。以爲何如。

姙娠漫談

程連雲

一 小引

吾婦女與男子生理上之分別。雖有種種。顧其重且大者。則惟妊娠而已。國醫自漢魏晉唐以下。無專編記述。故於懷孕胎產之論。類皆龐雜散漫。而雜之婦科門中。尤可異者。或備種子法于懷孕之前。或詳調理方于胎產之後。而於姙娠之過程。獨略而不究。卽有一二專載。亦皆論病而不論其常。未嘗見有整個之記述者。豈妊娠之學識無裨實用。而不足重輕耶。余自習醫以來。每體斯旨。輒恍惚不得其解。而戚黨姊妹。又常以此相難。一若深有意義存其中者。因不揣譾陋。特將前人之鱗爪片碎。彙而輯之。以爲吾婦女界芹爆之獻。述而不作。不知諸君子亦將有採於斯歟

二 娠妊之生理

妊娠之生理。國醫論之玄虛。有類隔靴搔癢。殊少眞切可資徵信之言。因復旁覰歐西學說。以爲角犄之助。是非曲直。不敢自取。惟諸君子正焉。

(甲)月經與受孕之關係

受孕之日。國醫皆以經淨後之六日爲言。而西醫則以行經前之一週爲準。中西學說。未知究屬孰是。今姑並錄其言。以待高明者決

中說——月經淨六日間

1. 聖濟總錄—月經淨後。一三五成男。二四六成女。
2. 李東垣—七日後(指月經淨後言)子宮既閉。雖交而亦不孕。(按此殆發揮聖濟之意者)

西說——經行前一週

1. 排卵之日期—卵子自卵巢輸送至子宮膣。約須六日至七日。如不得妊娠。卽隨子宮內膜破壞後之血液而排出。乃謂之月經。
2. 月經之由來—月經乃子宮黏膜之週期性變化。當月

經之前。子宮內膜腫脹。血管增殖。以爲卵子。妊娠後之着床準備。如排出之卵。因未受精而死。則着床準備。已無必要。於是發生內膜破壞。而爲月經。

(乙)着床之經過

已經受胎之卵子。因輸卵管上皮氈毛運動。及其壁之蠕動。而漸次輸送於子宮腔。當到達子宮腔時。卵子已具有脈絡膜絨毛。與子宮內膜接觸。時子宮黏膜。又當月經前期組織已經因增殖結果而疏鬆肥厚。於是卵子卽藉其脈絡膜上皮細胞侵蝕溶解其他組織之力。而沉降於黏膜內。其侵入口則由纖維塊蓋覆。而完成其着床工作。

(丙)胎兒之發育

國醫對於孕兒發育之言。隨巢元方有十月養胎之言。其說似近荒誕。難以徵信。張子和與醫宗金鑑等。既先後斥其謬矣。然樂其言而宗其說者。倘不乏其人。因兼採入門之語。與西說並列觀之。

1. 第一月之胎兒

中說—名始胚。足厥陰脈養之。如蜣螂之滾糞。呑啖含受。成一團圓。璇璣九日。一息不停，外以纏絲瑪瓈面上自結一皮。中竅日生。從無入有。精血日化。從有入無。

西說—胎芽之全長在公分以下。全卵約鳩卵大。絨毛平等密生。胎芽具四腮弓及長尾。與其他動物胎芽。幾全相似。頭與軀幹區別不明。體甚灣曲。頭尾殆相接觸。頭部有小眼點及嗅窩。心臟大隆起之下部可見肝臟隆起。結節狀之四肢原基亦可隱約認明。

2. 第二月之始兒

中說—名胎膏。足少陽脈養之。此露珠變成赤色。如桃花瓣子。

西說—本月末。全卵約小鷄卵大。胎芽全長約三公分以下。腮弓消失。尾部短縮。在外觀上已可與其他動物之胎芽鑑別。(此後始名胎兒)頸部形成。而得區分頭與軀幹部。是時頭部特大。額高。兩眼距離亦大。鼻與眼瞼口唇已分離可認。惟兩耳猶低附于下顎。延長部腹部因肝臟隆起之增大異常膨隆。臍輪狭小。臍帶起始部。生腸管。四肢延長。分作三節。短指及趾亦可分辨。

3. 第三月之胎兒

中說—名始胞。手厥陰心胞絡脈養之。當此時。血不流行。形像始「變」化成男女形影。如清鼻涕中有白絨相似。以成人形。鼻與雌雄二器先就分明。其諸全體。隱然可悉。斯爲之胎。

西說—本月末。全卵約鵝卵大。胎兒身長約九公分。頭部特大。占全長之半。體重約二十克左右。外陰部已漸次形成。而得辨別男女。四肢之指趾分明。而開始生爪甲。骨端漸具化骨點。腸管內並有胆汁存在。皮膚光澤。無毛而透明。可以透視肝臟肋骨。及皮下血管等物。

4. 第四月之胎兒

中說—手少陽三焦脈養胎。是月男女已分。始受水精。以成血脈。形像具。六腑順成。

西說—本月末。身長約十六公分。皮膚赤色度增強。透明性減退。開始發生嫩毛。外陰部性別明瞭。胎盤完成。胎兒開始運動。

5. 第五月之胎兒

中說—足太陰脾脈養胎。始受火精。以成陰陽之氣。筋骨四肢已成。毛髮始生。

西說—本月末。身長約十八至二十七公分。體重約三百克。兒頭占全身三分之一。頭蓋部嫩髮密生。眉毛明瞭。眼臉亦生睫毛。運動活潑。已可使母體知覺。皮脂腺分泌開始。

6. 第六月之胎兒

中說—足陽明胃脈養胎。始受金精。以成筋。口目皆成。

西說—本月末。身長已在二十八至三十四公分之間。體重約六百五十五克。皮膚表面滿被胎脂。皮下脂肪。開始蓄積。惟膚皮尙有皺襞存在。

7. 第七月之胎兒

中說—手太陰肺脈養胎。始受木精以成骨。皮毛以成。遊其魂。動左手。

西說—本月末。身長在三十五至三十八公分之間。體重約一千克。腸內已有胎糞存在。

8. 第八月之胎兒

中說—手陽明大腸脈養胎。始受土精以成皮膚。形骸漸長。九竅皆成。遊其魂。能動右手。

西說—本月末。身長約四十至四十五公分。體重約達一千五百克。皮膚呈紅色。而密生毳毛。惟面部尚有皺裂。此期分娩。苟養育得當。已可生長。

9 第九月之胎兒

中說—足少陰腎脈養胎。始受石精以成皮毛。百節畢備。三轉其身。

西說—本月末。身長自四十六至四十八公分。體重約二千五百克。皮下脂肪組織增加。皮膚呈鮮紅而微帶褐色。

10 第十月之胎兒

中說—足太陽膀胱脈養胎。受氣足。五臟六腑齊通。納天地氣于丹田。使關節人神皆備。待時而生。

西說—本月初。鼻翼及耳輪軟骨尚柔軟。爪甲幾達指端。至月終。身長約自四十八至五十公分。體重達三千克。脂肪組織發育良好。全身豐滿。乳房隆突。乳絡色脂肪著明。附着於全身。尤以腋窩及鼠蹊部皺襞為甚。頭髮顏色轉黑。長約五四公分。指爪發育。超過指尖。鼻部皮脂腺因閉塞而成黃白色。娩出後。即能高聲啼哭。四肢亦可活潑運動。並能排泄帶褐綠色粘稠泥狀之胎糞及尿。

三 姙娠之診斷

姙娠在早期間之診斷。中外古今。迄無定法。率皆於疑似之間。揣測臆度而已。今姑錄中西臨床意見。分條述之。

(甲)不確徵—不確徵者。乃非妊婦所特有之徵候也。在其他病變亦得發生之。對於妊婦無絕對價值。徒為診斷上之參考而已。故曰「不確」。

1. 噁心嘔吐。
2. 時欲惡寒(背部居多)
3. 夜寐驚惕。
4. 嗜好變易。
5. 全身倦怠。
6. 精神憂鬱。
7. 頭痛眩暈。
8. 齒痛及薦骨痛。
9. 下肢部起靜脈瘤。
10. 皮膚着色。
11. 尿意頻數。

（9—11）此數症於妊娠後期見之

12. 尺脈滑疾。(內經素問。稱足少陰脈動甚為有子。難經則以三部脈浮沉正等。按之不絕為有子。其言雖異。其義則一。

(乙)疑徵—疑徵者。其徵雖亦非妊婦所特有。而其在診斷上之價值。則視前者為高越矣。

1.月經閉止。

2.子宮增大軟化。

3.陰道內外部弛緩。

4.子宮雜音。

5.乳房肥大。(醫宗金鑑云。五月之後。以乳婦乳房辨之。乳房升大有乳汁者是孕。若乳房不大。無乳汁者是病也。)

6.乳嘴肥大分泌初乳。

7.乳暈着色。

8.臍窩變形。

(丙)確徵—確徵者。其徵惟妊婦特具而非他人所能或有者也。然此種徵象。於妊娠四月以前。尚難發見。近西人桑達克Fondek矮與姆Ascheim二氏。於妊娠尿中。利用其宿有腦下垂體前葉之刺激素。用特種證明法以診斷是否妊娠。尚可為早期確徵。惟於四月以後。尚有確徵數則。今亦附錄於後。

1.胎兒心音。(十八至二十星期以後。)

2.胎兒運動。(初產女子。大都于五月末始見。經產者。則常早見一二星期。)

3.臍帶雜音。

4.他覺觸得胎兒部份。

5.用X光照知胎兒骨骼部份。(即Rontgen)發明之Rontgen-Strahlen

(丁)性別之訣定—預決男女法。古人論之特詳。然皆荒誕難信。今姑亦錄以備考。

I 依現證辨別法

1.脈—「脈經」—左疾為男。右疾為女。俱疾為生二子。尺脈左偏大為男。右偏大為女。左右俱大產二子。右手沉實為男。左手浮大為女。左右手俱沉實。猥生二男。左右手俱浮大。猥生二女。

脈訣—男女之別。以左右取。左疾為男。右疾為女。沉實在左。浮大在右。右女左男。可以預測。

2.腹—千金方—女腹如箕。以女胎背母。足膝抵腹。下大上小。故如箕。男腹如釜。以男胎向母。背脊抵腹。其形正圓。故如釜也。

詠經—婦人有孕。令人摸之如覆杯者則男也。如肘頸參差起者。則女也。

3. 乳房—醫鑑—婦人有妊。左乳房有核是男。右乳房有核是女。

4. 行動—千金方—令妊婦面南行。從其背後呼之。左迴首者是男。右迴首者是女。

詠經—看妊婦上圊時。夫從後急呼之。左迴首者是男。右迴首者是女。蓋男胎在左。則左重。故回首時。愼護重處而就左也。女胎在右。則右重。故回首時。愼護重處而就右也。

Ⅱ 按日期辨別法

1. 李東垣—婦人經水甫凈。三日前交者成男。以精勝於血也。三日後交者成女以血勝於精也。

2. 道藏—月水凈後。一三五成男。二四六成女。

Ⅲ 精血相勝說

1. 諸澄—血先至裹精則生男。精先至裹血則生女。

2. 程鳴謙—精之百脉齊到。勝乎血則生男。血之百脉齊到勝乎精則成女。

Ⅳ 染色體說

歐西醫學。於妊娠期間之性別決定。學說繁多。有謂男女性決定之因子。係於受胎前卽潛在卵子中者。有謂左卵巢生男右卵巢生女者。(卽受胎前決定說)有謂排卵後立卽受胎則爲女。時日稍久。而在月經將潮時受胎則爲男者。(卽受胎時決定說)有謂妊娠期中。母體營養佳良。則生女。反之則生男者。有謂妊娠中。體內燃燒作用旺盛。則生男。反之則生女者。(營養說)然皆類乎臆度。難以徵信。近之學者。均以染色體說。似爲近理。蓋人類精母細胞之染色體。數凡四十有七。而性染色體居其一。卵母細胞之染色體。則共四十有八。而性染色體居其二。當其交合分裂時。精母細胞。乃成具有二十三與二十四染色體。(中間含一性染色體)之二精絲。卵母細胞。則均含有二十四染色體。(各含一性染色體)之二卵子。受胎之時。苟由二十三染色體之精子。與卵子結合者。則成男。由具有二十四染色體之精子。與卵子結合者。則成女。

(戊)產期之估計

產期之估計國人向以經斷後十月爲言。然徵之事實。頗多先後。似難以一法例定。今姑襲西法之尤者。錄於後。以爲診斷產期之一助。

於最終月經第一日上加七日。而于月數上加九月。或減三月。卽可能得產期之預定日。如最終月經係十月六日。則其推算式爲 $\begin{array}{rr} 10月 & 6日 \\ -3 & +7 \\ \hline 7月 & 13日 \end{array}$ 而可知七月十三日。乃其預定生產日。如最終月係在一月十六日。則其推算式又當爲 $\begin{array}{rr} 1月 & 16日 \\ +9 & +7 \\ \hline 10月 & 23日 \end{array}$ 而可知其預定生產日。又當在十月廿三日矣。

（四）妊娠與其他疑似病之鑑別診斷

妊娠現象可與其他病變相類似。今亦分條辨之。

甲停經——停經之病往往有其原因可求。或因其他疾病。或因精神異常。而妊娠之經閉則無之。（以上論原因）停經後。小腹常有腹痛感覺。且大多無夜寐驚惕。惡寒泛噁。以及其他上述諸妊娠徵候兼見。而妊娠則反是。（以上論症狀）停經之前。必先有不調與過多過少之變。妊娠之前。往往經行如常。（以上論旣往症）此其辨也。

乙腹水及腹壁之脂肪蓄積——此二者。皆足致腹部膨大。而疑爲懷孕。且亦常有停經兼症。惟腹水小便多不利而少。且無其他妊娠症候。腹壁之脂肪蓄積。亦無嗜好變化。夜寐驚惕。以致惡心嘔吐諸症。故皆不難分辨。

丙子宮內積血——此病腹部之大小變化。與停經之時期不應。且每月常有發作性疼痛。可以鑑別。

丁石瘕——卽（巢卵囊腫）——短莖囊腫。密接子宮。外觀有似妊娠。惟囊腫雖大。月經雖停。其增大狀況。與停經月數不符。且內診子宮。形狀如常。不能聽取胎兒心音。並觸知胎兒部份。

戊腸覃——卽（子宮新生物）——子宮增大。有似懷孕。惟月經不停。可以互別。

己鬼胎——此由想像妊娠。或渴望生育而起。亦能引起停經。以及腹部增大等妊娠徵候。甚或亦有自覺胎動者。惟用內診子宮法。卽可明辨。

五　姙娠期間之疾病與治療

妊娠期間之疾病。與治療。前人述之備矣。作者不才。無以釐訂其是非。今將昔賢諸言之尤見切要者。錄其梗槪於後。

甲胎前治法之綱要

1. 淸熱養血——王海藏云。（朱丹溪亦宗是說。）「胎前氣血和平。則百病不生。氣旺而熱。熱則耗氣血而胎不安」

2. 溫培脾腎——趙養葵云。「胎莖之繫於脾。猶鐘之繫於樑也。若棟柱不固。棟樑亦撓。必使腎中和暖。然後胎有生氣日長而無隕墮之虞。

3.溫清隨宜—陳修園云「審婦人平日之體氣。偏陰偏陽。豐厚羸瘦。致病之因寒因熱。病形之多寒多熱。病情之喜寒喜熱又合之於脈而治之。不可執一也。」

愚按胎前治法。各家論述雖異要皆有其經驗與至理存也。惟海藏養葵等偏主清溫未免膠柱鼓瑟卽金匱妊娠篇既有「婦人妊娠。宜常服當歸散主之」之清。又有「妊娠養胎白朮散主之」之溫是胎前治法。卽仲景亦未嘗執一。故鄙意以爲治妊娠諸病當以陳氏爲法庶幾無削趾適履之害

乙胎前疾病種類

1.與胎氣無關者。

妊娠期間諸疾病。與胎氣無關者。自傷寒雜病。以至子瘧。子痢。子嗽。諸病皆可依普通療法施治。雖諸家立有胎前專方。以貽後學亦僅若大匠之示人以規矩而已。似非必須拘泥者。要於治病用藥時時顧及胎元而已。例如（王海鄉之六合湯。陳修園之四物湯等）今限於題旨故不贅述。

2.與胎氣有關者

—惡阻

原因—胎氣阻逆上犯胃脘。以致胃中停水。

症狀—噁心嘔吐惡食。惡寒而渴、

治療—宜用六君子湯（陳修園）半夏人參丸。（薛立齋）或保生湯等。氣弱量加人參。氣實量加枳殼（醫宗金鑑）

按沈堯封曰。「蓋妊婦惡阻。水藥俱吐。松蘿醫川柳青丸立效。黃連一味。爲末。粥和丸麻子大。每服二三十丸」云云。亦可參用。

2.胞阻

原因—或因食滯。或因胎氣不安。或因胞血受寒。

症狀—妊娠後腹部作痛。或在心腹間。或在腰腹間或在小腹部往往依其原因而別。

治療—因食滯而痛者在心胃間宜平胃散。加草果。枳殼神麴消之。若兼大便祕結日久者。宜更加硝黃下之。但須倍甘草以緩其性。俾免傷胎爲要。如腰腹疼痛，而胎動下血者。宜用四物湯而君以延胡爲治。或加味膠艾四物湯亦可。若僅小腹作痛者。宜加味芎歸飲治之

3.轉胞

原因—由於妊婦稟賦虛弱以致胎壓胞系。

症狀—飲食如常但因不能小便故小腹急痛而心煩不得臥。

治療—宜參朮飲空心煎湯服。隨以指探吐。候氣定。再探吐如前法。（見丹溪心法）或用四物加參朮陳。半升麻生薑空心服藥後探吐亦可。（見女科要旨）如不應則有飲故也宜用五苓散。加阿膠利之。（見醫宗金鑑）

4.胎漏

原因—多因血熱或外傷所致。

症狀—妊娠漏紅腹無痛感。

治療—宜阿膠湯治之。其漏下黃汁或如豆汁者。是胎枯欲墮也宜黃芪湯理之。

5.子癇

原因—由肝心兩經風熱所作。

症狀—項背強直。筋脉攣急口噤語澀。痰甚昏迷。不省人事。須臾自醒。少頃卽如常人。

治療—宜沈氏蠲飲六神湯或羚羊角散。（沈堯封以爲常以多地等養陰）

6.子煩

原因—由外感暑熱內燥相火而起。或胎中鬱熱上乘心胞所致。

症狀—身無寒熱時時無端心煩躁悶。

治療—宜竹葉湯。竹瀝湯知母飲等。

7.子腫

原因—因胎兒之迫壓。致水氣留滯不化所致。

症狀—頭面四肢浮腫。小便短少。氣喘不安。

治療—宜茯苓導水湯。加葶藶治之。或用全生白散亦可並宜常服鯉魚粥。

8.子淋

原因—胎氣壅滿熱積膀胱。

症狀—小便頻數淋瀝疼痛。

治療—宜用五苓散。加生地。澤瀉。車前。木通。滑石。等治之。或選用澤瀉湯。地膚子湯葵子茯苓散亦可。

9.子懸

原因—胎氣不和上逆心胸。

症狀—胸膈脹滿作痛。飲食減少。

治療—宜紫蘇飲。葱白湯之類。

01子啞(子瘖之甚者)

原因—由心火所擾肺金而起。

症狀—妊婦數月忽然音啞不能言。大便祕結。

治療—宜用四物湯加大黃芒硝各一錢煎去滓入蜜少許。時時呷服。(見入門)

11子啼

原因—因妊婦登高取物兒口所含疙瘩脫出所致。(按此說難信今因無相當理論可取故錄之聊備一格)

症狀—孕婦腹內有鐘聲如嬰兒在內啼哭然。(古書雖載其症然不經見。)

治療—令妊婦曲腰向地取物卽止(見正傳)或用黃連煎濃汁令妊婦呷服(見得效方)

21子死腹中

原因—或因跌仆損傷。或妊婦大病所傷。或因胎兒自身原因。

症狀—初起覺胎動消失。子宮並感如有異物感。隨母體之運動而轉移。繼則乳房弛緩惡寒腹冷舌青面赤。又久則口出穢氣矣。

治療—子死腹中通常經數日或一二週卽出其不出者。宜急用藥下之。量其人之寒熱虛實而用熱下寒下緩下峻下等法。(緩劑宜佛手散。峻劑宜平胃散加芒硝)或用猪脂白蜜各一升淳酒二升合煎。取二升分溫服。(見婦人良方)

[附一]胎前之忌藥

烏頭附子天雄牛黃巴豆桃仁芒硝大黃牡丹皮牛膝藜蘆茅根茜艸根槐角紅花皂角三稜莪朮薏仁乾漆瞿麥穗半夏南星通草乾薑大蒜馬刀豆延胡索常山麝香芫青斑貓水蛭䖟蟲野葛水銀蜈蚣代赭石芫花大戟蛇蛻牽牛蟹爪螻蛄金銀箔胡粉葵子

「案」胎前忌用諸藥。各家所示略異。以上諸藥。乃依正傳局方。與女科要旨等書所載而集成者。惟忌藥之意非絕對不可施用之謂也。乃示人於胎前疾病之應用此藥者宜稍加審愼而已。故安胎止嘔。有用半夏者。妊娠熱病有用大黃者。孕而中寒。有用乾薑桂附者。卽金匱妊娠篇中。亦有桂枝茯苓丸。葵子茯苓散。乾薑半夏人參丸。以及附子湯諸方之治。內經曰。「有故無殞。亦無殞也。大積大聚。其可犯也。衰其大半而止」諸家所列忌藥之旨。其意殆類此。

（附二）選用方藥

六君子湯—人參　茯苓　白朮　甘草　半夏　陳皮

半夏乾薑人參丸—半夏　乾薑　人參

保生湯—白朮　香附　烏藥　橘紅　人參　甘草　薑

平胃散—蒼朮　厚朴　陳皮　甘草

阿膠湯—阿膠　熟地　艾葉　芎藭　當歸　杜仲　白朮　另加大棗煎

黃芪湯—黃芪（一兩）糯米（一合）

四物湯—地黃　白芍　當歸　川芎

加味膠艾四物湯—當歸　熟地　阿膠　白芍　杜仲　川芎　蘄艾　另加葱白

加味芎歸飲—地黃　白芍　當歸　川芎　人參　白朮　半夏　陳皮　甘草

五苓散—白朮　茯苓　猪苓　澤瀉　桂枝

沈氏鐲飲六神湯—橘紅　石菖蒲　半夏麯（半夏亦可）胆星　茯苓　旋覆花

羚羊角散　羚羊角　獨活　酸棗仁　五茄皮　防風　苡仁　杏仁　當歸　川芎　茯神　甘草　木香　另加生薑煎

竹葉湯　白茯苓　麥冬　黃芩　防風　青竹葉

竹瀝湯　赤茯苓　竹瀝

知母飲—知母　麥冬　甘草　黃芪　子芩　赤苓

茯苓導水湯　茯苓　梹榔　猪苓　縮砂　木香　陳皮　澤瀉　白朮　木瓜　大腹皮　桑白皮　另加生薑煎

全生白散　白朮　生薑皮　大腹皮　陳皮　茯苓皮　桑白皮

五淋散　赤芍　梔　赤苓　當歸　子芩　甘草

澤瀉湯　澤瀉　桑白皮　赤茯苓　枳殼　梹榔　木通　生薑

地膚子湯　地膚子　車前子　知母　黃芩　枳殼　赤茯苓　白芍　升麻　通草　甘草

葵子茯苓散　冬葵子　赤茯苓

紫蘇飲　蘇葉　人參　大腹皮　川芎　陳皮　白芍　當歸　甘草　加生薑　葱白

佛手散　即芎歸湯　當歸　川芎　或加益母草

葱白湯　用葱白一味濃煎汁

六　妊娠期間之攝養

（甲）調飲食—妊娠期間之飲食。雖不必改作。惟富有刺激性及不易消化之品。則務宜絕之。（濃茶咖啡與酒類。均非所宜。）其於妊娠初期。當起惡阻之時。宜于床上進食。再靜臥一二時。乃起。並宜稍減食量。在妊娠後半期。尤應避免飽食。前人於飲食一道。曾開列宜忌各物。今亦列表附錄於後。以便參考。

種類	品名	由來	備註
宜	猪肚　肺　鷄　鴨　鯽魚　淡鯗　海參　白菜　菠菜　荀　麻油　腐衣　蓮子　熟藕	達生篇	猪肚與筍宜少食麻油與腐衣宜多食尤其在六七月時
忌	驢馬肉　犬兎肉　無鱗魚　肉蓤　蟹　羊肝　雀肉　酒　鱉　薏苡米　麥芽　莧菜　蒜　鯖魚　山羊　菌蕈	入門	原文于食各物後有發生各種疾病之言今略又有鷄鴨二項與上項抵觸故亦略

（乙）愼服飾—衣服宜柔軟寬敞。狹衣緊帶。均足妨礙呼吸與血行。並能抑制胎兒之發育。切當避免。下腹及下肢。當使溫暖。腹部並當用廣闊布幅寬纏。以防垂腹。

（丙）勤洗浴—妊娠期間。宜按照平素習慣。時加洗浴。以潔周身。於後期妊娠。因下部分泌增多。尤宜勤浴。惟浴水須令冷熱適中。不可過熱過冷。即足浴坐浴。亦當依此施行。以免影響自身而及胎兒。

（丁）習運動—妊娠期間。宜履行適當運動。平日業務之不過繁重者。仍可照常操作。並當常到戶外散步。以吸收新鮮空氣。如一意戒絕運動。終日閉居。不但易致消化不良及便密失眠等病。且於分娩之時。往往因缺乏強盛之排出力而成爲難產。但運動過劇。亦足以使下腹充血。胎兒體位變常。而引起流產。轉歸。故如長途旅行。高樓升降。重物提舉。高處攀援。以及馳馬舞蹈等事。皆當避之。

（戊）養精神—過度之憂樂。皆足以致害。凡情節激烈之小說。羣衆爭鬧之集會。以及一切擾亂精神之見聞。均宜設法避免。而關于難產致禍之聽聞。尤宜絕對摒絕。務使恬淡怡悅。精神常覺安適爲要。

小兒望診辨要

費龍玉

總論

小兒之病雖難治。却逃不去藏腑氣血。症情多怪。怪不過寒熱虛實。病縱難知。瞞不過顏色苗竅。病或難辨。總不脫五色之分。夫面上之顏色苗竅。卽臟腑氣血所表現。而顏色之所以分明。是寒熱虛實之所供狀也。蓋喻嘉言曾曰。人之五官百骸。骸而存者。神居之耳。色者神之旗也。神旺則色旺。神衰則色衰。神者氣之使也。其隱然含于皮膚之內者為氣。顯然彰於皮膚之表者為色。色之所以能煥發光輝者神也。故內經云。氣至色不至者生。色至氣不至者死。但小兒氣血未充。形質柔脆。臟腑柔弱。易虛易實。易寒易熱。調治少乖。則毫厘之失。遂致千里之謬。倏忽變幻。實難窮究。今略舉歷代兒科名家。以作證明。宋錢仲陽首重面上證候。其次目內證候。又次小兒脈法。此為色脈合參之診斷法也。明薛良武注重三部五診。三部者。面上形色。虎口指紋。及寸口一指之脈。五診按額前。下按太衝。并前三部。此較為詳備之診斷法也。清張筱衫注重觀神氣形色。察面部苗竅。驗舌苔。聽聲音。候脈。按胸腹手足。檢小便。辨指紋。此更為詳盡之診斷法也。若能以之推求。則治無不應手矣。爰將面部形色。面部苗竅形色。脈法與指紋形色。以及五臟虛實寒熱分辨如下。

面部形色辨

面部上有眉目口鼻。乃臟腑之精華。外榮之苗竅。故疾病生死係焉。夫五色欲有光而明亮。有體而潤澤。所謂光者。無形為陽。陽主氣。體者有象為陰。陰主血。內經曰。面有青黃赤白黑。以應五藏。若有病而見色演于面。則以明亮而滋潤者吉。晦滯而枯槁者凶。晦滯之色上行者病益甚。下行如雲散者病漸已。外感六淫所勝者。風勝面青。流涕。寒勝面白。善嚔。暑勝面垢。齒燥。溼勝面黃色黯。燥勝面塵。嗌乾。火勝面赤。熱盛。此屬外候也。應乎內臟。以青為五色之首。其變百端。今先辨之。次及其他也。

(一)面部青色辨

青色屬肝。主寒。主痛。主風。主驚。面脣皆青者。寒極也。青而白者。多虛風。青而脫白者。驚恐也。青而黑者。多寒痛。(以上皆是寒症)青而者者是肝火青赤而晦滯者是鬱火（以上皆是熱症）青乃厲色暴露者凶經曰肝熱病者左頰先赤但亦有肝病不現青色者不可同例也。

（二）面部白色辨

白色屬肺面白滋澤者肺胃充實也面白而消瘦五心煩熱者氣虛有火也白而虛淡爲疳瘵久泄者氣虛有寒也白如傅粉者陽氣虛也白而兼青者木反乘金爲蒸熱乾咳瞑目痙瘲此爲陽亢陰竭也白而兼赤者火來刑金爲氣急疾多身熱倦怠此氣虛而火爍陰也面現白痦氣分濕熱也面多白點大腸蟲積也總之白爲氣虛之色縱有客熱易闇虛象當以權衡而爲治也

（三）面部赤色辨

赤色屬心主熱面色緣緣正赤者陽氣怫鬱在表汗出不澈故也（此太陽症）面赤潮熱譫語者胃實也（此陽明症）面赤寒熱往來者少陽風熱也（此少陽症）其火炎之色最慮津枯血竭立見驚厥壞症不可不防也其在三陰亦有見赤色者當以虛實辨之若面色如微醉或兩顴淺紅游移不定乃陰證載陽是虛熱也證見表無大熱渴不欲飲下利不止小溲清白雖有煩躁兩足必冷脈沉細弱或浮數無力皆火不歸元陽欲外脫之象若面赤如醉晝夜不變乃陽亢熱盛是實熱也證見煩躁神昏口乾唇燥舌縮溲數痰壅喘急或熱深厥深瘀五心如烙脈沉細數或洪數皆火勢燎原陰將內竭之象再以部位分之內經謂肝熱病者左頰先赤心熱病者顏先赤脾熱病者鼻先赤肺熱病者右頰先赤頤熱病者腎先赤此言五臟熱邪未發而先見于面也錢氏直訣云左顋爲肝右顋爲肺額上爲心鼻爲脾頦爲腎赤者熱也隨證治之葉天士曰小兒熱病最多者以體屬純陽六氣着人卽易化熱飲食所傷亦從熱化且無論實熱虛熱皆可動風病多發搐誤稱驚風不求原委可勝嘆哉

（四）面部黃色辨

黃色屬脾主濕熱食積黃而暗如烟薰者濕多熱少也黃而明如橘子者濕少熱多也黃而枯癯者則爲鬱熱爲津液枯黃而暗淡者爲寒濕爲陽虛黃而淡白者多屬慢驚胃氣已虛脾陽不健也黃而淡青者多屬疳積黃而微黑夲病屬末候中無砥硅腎水上泛也凡初生小兒忽現黃色者風也久病面黃漸見光澤者將愈也他若面部多蟹爪紋或有白點者蟲積也總之黃爲中央之色

其寒熱虛實之辨。又當以飲食便溺消息之。

（五）面部黑色辨

黑色屬腎。主陽熱極。亦主陰寒痛。面黑光潤者、多屬焦下氣旺、雖犯客寒。亦多蘊爲邪熱。絕少虛寒之候。惟面色黯淡。無論病之新久。皆屬陽氣不振。若面黑色天、此謂腦髓死色。故內經謂黑色見於天庭、大如拇指。必不活而卒死。總之黑爲陰晦之色。爲藏色外現。凡病無論新久。皆主凶兆也。

以上略言通面之色。面爲陽明胃經所主、五臟之氣皆禀於胃。則五臟之色。亦必由胃氣所蒸上榮于面。若見某一部之色。即可按五臟部位而定、此內經所謂五色微診。可以目察。以闡兒科四時百病生死之理也。

面部苗竅形色辨

耳爲腎竅。而五臟所結聚於耳者居多。故曰耳輪屬脾、耳珠屬腎、耳上屬心。耳中屬肺。耳背屬肝、此部位之分也。但不可不分形色。凡屬外感者、則其形或紅或白、或冷或熱。病屬內傷、則其色或暗或滯、或燥或枯、枯晦者凶。紅潤者吉。目爲肚腑、內經謂五藏六府之精華、皆上注於目。其係則上入于腦、腦爲髓海、髓之精爲瞳子。爲腦中元神出入之門戶也。凡目昏不識人者爲難治、目明能識人者易治、或不哭而淚出、或哭而無淚、皆是肝經熱病、若身發熱而目羞明者、三陽熱邪也、目直目瞑斜視、上視者肝腎精竭也。至若外候、目白色黃、脾經濕熱也。目白紅赤、心肺火盛也。赤貫瞳子、火爍腎陰也。睡中睛露者、脾胃虛極也。蓋嬰兒顱顖未合、腦髓最靈、視覺最易感觸。故小論外感內傷。無不刺激神經也。所以多患痙與痰癇之症也。口爲脾竅。其華在唇。內經曰口唇者音聲之扇。難經曰口唇者肌肉之本也。凡唇紅多血熱。淡白屬氣虛。青者肝乘脾、脾陽將絕也。黑者陰陽竭、脾腎俱敗也。口鼻氣粗、疾出疾入。邪氣有餘也。口鼻氣微、徐入徐出。正氣不足也。口噤咬牙。痰厥急驚。口乾舌燥、心胃皆熱。口張流涎、脾虛極矣。口內有齒、齒者腎之餘。齦爲胃之絡、熱邪既燥胃津、必易爍腎液、胃津傷則齦乾、胃液枯則齒燥、或有齒齦添血、結如乾漆、皆主熱象。鼻爲肺竅、司呼吸。辨香臭。經謂肺和則鼻能知香臭矣。其爲病也、傷風則鼻塞噴嚏、流清涕。傷熱則鼻門乾燥、或鼻衄鼻鴨、鼻煽者痰火壅塞。若久病鼻煽喘汗者。則爲肺絕。爲難治。舌爲心苗。辨爲胃之氣色。舌趣之法。在紅淡潤枯之間。紅者屬陰虧、風熱盛、淡者屬陽氣虛、寒痰勝潤者可治。枯者難醫。辨苔色之法。白而薄者。風寒在表。白而厚者。中脘有寒。或乳食初停。黃胎薄而滑者。表邪未罷。熱未傷津。厚而濁者。邪已入裏。壅結胃腑。黑苔焦枯。爲火爍水竭。久病舌灰者。爲胃虛胃液涸。平日多黃苔。柔膩屬熱多。紅色者先天不足。小兒臟臟單薄。病雖易變。而舌苔不過如此。不能與成人相提並論也。至于舌本有苔。猶地之有草。若發病時。驗舌苔爲診斷上最注重者也。豈可忽視乎。

脈法與指紋形色辨

小兒之脈。以六七至爲平脈。浮爲風。浮大而數爲風熱。沉細爲寒。伏結爲痰聚。滑實爲傷食。虛細爲疳積。爲腹痛。浮而洪爲有熱。浮而遲爲有寒。弦急爲病進。促濇爲驚厥。脈亂不治。緩大易已。至於指紋一法。起於宋人水鏡訣。創立風氣命三關。關卽指節也。滑伯仁云。紋見下節風關爲輕。中節氣關爲重。上節命關爲危。以指紋之長短。審病勢之淺深。昔夏禹鑄以指紋之浮沉。辯病因之表裏。此言指紋之形也。關於紋色。青紫驚風。青氣風寒。紅紫熱盛。淡滯氣虛。後人分魚刺垂針。水字乙字。長弓去蛇。珠形亂紋。八種形象。以候生死。此實不易辨也。

五臟虛實寒熱辨

五臟者。心肝脾肺腎也。心主驚。虛則困臥而悸。必氣熱則合目睡。喜仰臥。實則叫哭發熱。飲水而搐。肝主風。虛則咬牙呵欠。實則面青目直。哭叫壯熱。煩悶項強。肝經熱。則循衣捻物。得心熱則抽搐。直視動。內風則角弓反張。強直。脾主困。虛則吐瀉生風。若面白腹痛。口中氣冷。不思飲食。或吐清水者。脾胃虛也。實則身熱引飲。若呵欠多睡者。脾氣虛而欲發驚也。肺主喘。虛則短氣。鼻息不利。實則喘滿。胸盈仰息。腎主噓。胎稟虛怯。神氣不足。目無精光。面白顱解。此皆難育。雖育不壽。惟痘瘡有實則黑內陷。此非正氣之實。乃邪火亢盛也。

濕溫症治概要

馮芝洲

小引

語云「物必先腐而後蟲生之」病之襲人。亦獨是也。濕溫之名。於難經中始見之。蓋濕溫爲廣義傷寒之一種。濕者爲大自然中之水蒸氣耳。久久醞釀。鬱而生熱。其中所洩之氣。薰發上騰。中於人體。卽感而爲濕溫症矣。斯症之流行期。則以夏秋爲盛。緣夏秋之際。空氣最濁。人在氣交之中。先受其邪。鬱於腸胃。障礙消化。設非其時。雖有所感。亦難蔓延。且更喜侵於脾胃。因脾胃皆爲濕臟。以其同氣相感故也。爰艸此篇。以就正於高明。

按素問陰陽應象大論曰。陰陽者天地之道也。萬物之綱紀。變化之父母。生殺之本始。神明之府也。人居天地之間。稟陰陽之氣以生。順自然之機以長。故曰息息攸關。使天有一息之停。則地頓陷下。若陰升於天而氣化失常。則陰霾四起。天之變也。若陽降於地而氣運不過。則赤滷不毛。地之變也。人之罹疾。猶天地陰陽之不得其宜。貫通天地與人之道。同一理也。蓋氣中有濕。物中有濕。水濕也。寒亦濕也。無濕則無形質。無形質則不生。維曰過之則變。鬱之則熱。變鬱而爲濕溫症矣。其症害人最廣而且凶。變症最繁而且速。棘手之症候也。而後輩有曰係伏氣爲病。有云係新感爲病。互執一見。議論紛紜。疑慮之間。足使後學者多歧亡羊。以致喪生害命。不知幾許人矣。悲夫。病各有因。症各有候。且有陰陽淺深之殊。體有強弱性質之異。輕重不同。安危不一。豈可拘拘於新感伏氣而擾論者哉。新感溫熱邪。從上受之。伏氣溫熱。邪自內發。內發者重。茲將伏氣爲病者。申而言之。欲治濕溫。必究伏氣之由。伏氣與新感固有別焉。新感濕溫。邪從上先受。由氣分而陷入血分。自外而內侵。伏氣爲病。邪從內發。先由血分而轉出氣分。是以新感輕而伏氣重也。薛瘦吟曰。凡病內無伏氣。縱感風寒暑濕之邪。病必不重。重病皆新邪引動伏邪者也。濕者天地間陰陽蒸潤之氣也。東南熱地。夏秋之交。低窪地土。或蘊有死水之潛伏。或積有腐爛之艸木。其濕毒尤甚。或因霧露之侵。或因陰雨所客。或因汗出沾衣。爲風所閼。或因涉足水泥。爲寒所鬱。或因引飲過多。久伏化熱而成濕溫。往往之知不覺中。危機牢種。可見濕溫濕熱。爲有形黏膩之邪。較之風溫春溫暑溫三者。尤爲難治耳。凡濕火之症。恆發於夏至以前者爲濕溫。夏至以後者爲濕熱。發於霜降立冬後者。爲伏暑狹濕。其邪伏於腹膜空隙之處。外通肌腐。內近胃腸。

上連胸膈。下包內腎膀胱。中有夾縫最易藏邪。是曰膜原。邪伏於此。平時不礙氣機之運行。藥力亦復不能直達其處。俟邪氣自行發動。或因新感而引發。與正氣相觸。病象乃現。疎泄維艱。瘀於胃腑。屢泄始盡。更有必俟腹瘀及胃。方能再下之議。此從裏泄也。葉天士溫熱有再從裏托於表之說。是從外泄也。當病之發也。瘧必胸腹熱甚。按之灼手。小便黃赤濁熱者。職是故也。故凡濕熱內伏之邪。必由膜原達外。觀其人中氣實而熱重於濕者。則發於陽明胃腸。中氣虛而濕重於熱者。則發於太陰脾肺。初時邪未入營。當分別其爲濕多熱多。濕多者濕重於熱也。太陰脾肺爲病。其苔必白膩。或厚或灰。或見黑點黑絞。甚則滿布。厚若積粉。板貼不鬆。脈多模糊不清。斷續不勻。神色沉困嗜睡。頭脹昏重。如裹如蒙。身痛難屈伸。重難轉側。肌肉疼而肢足酸。胸膈痞滿。渴不引飲。午後寒熱。小便短濇。大便溏泄。治法宜輕開肺氣。以撥動其機。機轉暢而濕自化。用藿香。眞川朴。姜半夏。赤苓。光杏仁。生苡米。白蔻末。猪苓。淡香豉。建澤瀉。以體輕味辛而開之。氣通則濕去。津布於外。自然汗解矣。病進而神煩昏迷者。系受濕熱之鬱蒸太過。清竅被蒙。祇以前法去蔻仁。厚樸。加細辛。白芥子。辛潤之品以開之。再入蘆根。滑石。輕淸甘淡。泄熱導濕。以開其蒙。其有濕熱遏伏。走竄肌肉。統身如薰黃色而昏暗無煩熱象。此陰黃症也。待漸次化熱。舌苔黃滑。口渴不多飲。在未化火。宜苦辛淡溫。茵陳胃苓湯。或茵陳五苓散。或除疸丸之類。如已化火者。宜苦辛淡清。清熱滲濕湯。或黃連溫膽湯。或藿香左金湯加重茵陳梔柏。或絳礬丸之類。設腹痛痞滿嘔吐不納。苔白或黃而粗糙。渴不喜飲。便溏泄。小便不利。或赤短。此濕熱內結於脾。脾失降和之職。清濁混淆。是曰濕霍亂。如苔白膩。宜辛溫以開之。化之。蠶矢湯或燃照湯之類。舌黃滑者。辛涼以開之。清之。藿香左金湯或連朴飲。夾食者加查麯。青皮。祇通其氣機。濕行則熱從汗從泄從利而解矣。熱重於濕者。陽明胃腸爲病。其苔必黃膩。舌邊尖紅紫少津。或底白罩黃。混濁不清。或純黃燥剌。或浮滑黏膩。苔由白漸黃而灰黑。伏邪之重者。苔厚且滿。板貼不鬆。脈多數滯不調。神煩口渴。渴而不引飲。或耳聾乾嘔。面紅黃黑混。口有穢濁之氣。胸腹間熱滿。按之灼手。甚則或痛。宜枳實梔豉合小陷胸加味。清芳苦辛。以兩徹表裏。俾邪從汗利而解。如欲化燥渴而脈大。氣粗而逆。宜白虎湯之輕清甘淡。或從白痦斑疹而解。其有邪走皮膚而發疹。宜辛涼開達。經清透絡。如杏仁。牛蒡。連翹。蔞皮。川貝。銀花。紫艸。丹皮。通艸。竹葉。木賊之類。最爲妥貼。熱重者用白虎湯。解毒宣化。酌量用之。濕熱瘀遏肌肉。發爲陽黃而鮮明。宜苦辛佐淡滲。茵陳五苓散加梔柏代木丸等以通泄之致於邪入心經神昏譫語當辨其舌苔如舌苔黄膩仍屬氣分濕熱不得任意用犀角等血分藥寔防引邪內竄引鬼入門之禍若舌苔黄燥黑燥此胃有實邪清氣壅閉可急下宜小承氣湯合小陷胸湯治之陰虛者加鮮生地元參斛以滋燥養陰足矣此其大較也總之濕溫之症非但其症繁複而變化之速誠有莫測者頃刻之間即有天壤之別勉擬數行以盡塞責之意要在臨症時之心領神會耳。

附主方

茵陳胃苓湯　西茵陳　杜蒼朮　真川樸　炒廣皮　浙茯苓　生晒朮　川桂枝　建澤瀉　猪苓　炙艸（先將茵陳煎湯代水）

茵陳五苓散　西茵陳　生晒朮　川桂枝　浙茯苓　建澤瀉　猪苓

除瘧丸　阿硫黄三兩　淨青礬一兩（以上水泛爲丸以姜半夏一兩　研粉爲衣每服一錢　每日二次）

清熱滲濕湯　焦川柏　製蒼朮　小川連　福澤瀉　生晒朮　淡竹葉　生甘艸　赤茯苓

黄連溫膽湯　小川連　小枳實　姜半夏　赤茯苓　新會皮　生甘艸（用淡竹茹五錢煎湯代水服）

藿香左金湯　廣藿香　吳茱萸　小川連　廣陳皮　姜半夏　炒枳殼　炒車前　赤茯苓　六一散　細木通　澤瀉　猪苓

絳礬丸　皂礬五錢麵裹燒紅杜蒼朮五錢真川樸八錢陳皮六錢炒焦甘艸三錢炙紅棗肉爲丸半夏粉一兩爲衣每服錢半日二次姜湯送下

蠶矢湯　晚蠶砂　生苡米　大豆卷　川通艸　陳木瓜　仙半夏　焦山梔　淡黄芩　吳茱萸　炒小川連

燃照湯　飛滑石　真川樸　焦山梔　淡黄芩　仙露夏　淡香豉　省頭艸　白蔻仁（如苔膩厚濁者去蔻仁加艸果仁）

連樸飲　川連　川朴　石菖蒲　炒香豉　仙露夏　焦山梔　水蘆根

枳實梔豉合小陷胸加味　炒枳實　焦山梔　淡豆豉　淨連翹　瓜蔞仁　仙露夏　小川連　淡條芩　西茵陳　川通艸　鮮蘆根（以燈蕊煎湯代水）

白虎湯（前） 生石羔 肥知母 生甘艸 粳米（加蘆根燈蕊）

白虎湯（後） 生石羔 白知母 生甘艸 粳米（加元參銀花蘆根紫花地丁）

梔柏代木丸 製蒼朮黄酒麵同炒皂礬梔子川柏酒糊爲丸

小承氣湯合小陷胸湯方 小枳實 眞川樸 生錦紋 小川連 瓜蔞仁 仙露夏（以活水蘆根鮮冬瓜子煎湯代水）

結論

治濕溫者大抵不外汗利兩端。爲不二法門也。初起濕熱鬱於膚表是當汗解之若困於內藏則當以泄利爲是。然往往臨診之際診察之時。多有表裏俱病者則以汗利二解至爲得當。亦有症起稍久胸膺間發爲紅疹白痦者則不妨盡力透達。惟是症之起以胸悶者爲多故於開暢肺氣亦爲不可或缺。總之治病之道。貴乎機變。且觀稟質有南北之異居處有勞逸之分貴賤異氣貧富異體。人非洞垣。孰能見癥。致疾之因不同症態之變白殊。是以吾儕當審之又審慎之又慎庶無差忒也。

論溫病

風温　溼温　伏温

楊治平

温者。熱之漸也。欲論一切之熱病乎。非也。今言温病。乃指四時之氣。六淫之邪。觸于人體。發而爲病。匪傷寒而病温之外感症也。吾道相傳頗爲凌亂。既無方症並濟之書。又乏整條例辨之著。醫者唯攻讀內難。設意施治。蒙目求物。撲朔迷離。漢季仲聖高人一等。于是有傷寒金匱之發明。後人奉爲圭臬。珍同拱璧。傷寒證治果有是而大彰。然温病仍付闕如。雖傷寒論中爲辨別寒温。間有提及。乃語焉不詳。法又匪明。神龍一角。可望難親。金元以後。聖道日晦。竟有以傷寒之法。用療温病。南轅北轍。背道而馳。自唐宋以還。千古一轍。誠不知死于匪命者幾何。可勝浩嘆。及之明季。後賢輩出。吳氏又可首創温疫論。剖述温病異於傷寒。謂傷寒自毛竅而入。中於脉絡。從表入裏。傳經有六。温疫自口鼻而入。伏於募原。居半表裏。傳變有九。著論制方。一一辨別。斯時寒温似已分道。雖曰言不周詳。於世亦非無功。終之治温繩墨。由是而始。奏清賢葉氏聰穎過人。不受傷寒之束。著有温病之論。遠別仲書。另避途經。詳分衛氣。細述榮血。不但學說圓潤。兼且立方正確。對於伏氣外感。言之更精。治温之法。遂得正宗。不遠吳瑭有温病條辨之繼纂。分三焦。死定方劑。謂病之始。必自口鼻而入。指病之傳。必自上焦遞下。拘泥之說。雖足爲法。較之葉氏之作。大相懸殊。頗有後人不及前人之概。又有海寧王儒孟英氏者。精習醫學。別俱會心。擅治温病。名於當世。亦有温熱經緯之輯。不但闡發經旨。而且遍集名著。逐條詳釋。精當可取。實爲後學南針。猶如黑海明燈。計論温病之書。雖屬汗牛充棟。不是矯枉過正。便在傷寒圈內。干將鉛刀。判然天淵也。學者以此爲棟。以他爲櫟可耳。以上之說。辨別光晦。孺子疏學。焉敢信口。乃考自古簡。聞自師長者也

温病侵體。分說二途。一則自衛氣而遞傳榮血。一則自口鼻而遞傳三焦。此二說焉爭論。最爲紛紜。經文既無明載。後賢又少斷語。徒使學者。閣置心頭。實則二說可通也。所謂自衛氣而入者。謂自皮毛入而侵衛犯氣。再傳榮血。所謂自口鼻而入者。約言之。即由口鼻入而首達於肺。次傳於胃心。再傳於肝腎也。要知肺主皮毛。衛病則肺亦同病。胃心主氣榮。病傳氣榮。胃心亦受傳。肝腎主血。病傳於血。肝腎同病。遞傳既屬並進。見症亦無差毛。吾人始不必拘泥口鼻與毛竅也。

論及病原則內經有『冬傷于寒春必病溫』之說仲聖謂『冬時嚴寒萬類深藏君子固密則不傷于寒』士雄解謂『傷而即病者為傷寒不即病者為溫熱』綜合前言其意為衛氣虛者寒氣易侵既侵之邪不即外發伏之于內逢春則病寒久熱化不病寒而病溫熱也後人以此種溫病之因在于早時之伏邪故溫病名上冠以伏氣二字統名之曰伏氣溫病藉與春時隨感隨發之風溫病用以識別又曰『夫精者身之本也故藏精者春不病溫』精者氣血之精也固身之本能藏精者氣血充實四時之氣何能侵入六淫不侵病安從來非邪之所湊必期氣虛乎此訓雖為溫病設教吾則以為外感症之統教也

溫病一名可分廣狹二義狹則單指風溫而言廣則溼溫伏溫均可歸納而吳瑭竟以冬溫伏暑秋燥寒溼不問端詳拉雜歸之加之另立暑溫名目最難折服後人謂其不知溫而不暑暑而不溫之義任意杜撰有亂定名況內經有言『凡病傷寒而成溫者先夏至日者為病溫後夏至日者為病暑』溫暑二途涇渭自分吳瑭不讀經書混合而稱眞不愼於始以博後人之粲哉然吾道定名素無系通各執一理各定一名例如中風一症名分數十爾曰類中我曰內中釀成後學紛繁無從認識以致病家朦朧不知何病是道之衰良非無因且新來洋醫吹毛求疵即此一端未嘗不貽口舌耶

溫病大要已述於前茲將風溫溼溫伏溫三種先後申論之夫風溫者即外感溫病之言也表陽素虛衛氣不固溫邪外襲首先犯肺邪害清竅頭痛鼻塞同類相惡微怕風寒肺欲抗邪而見咳嗽溫能爍津故有口渴熱必午後加甚蓋火旺之時能助熱也詠必二寸獨大乃嬌藏受熱火克金也熱未深入苔見薄白首當其衝邪居衛分治宜透風清熱條辨中之辛涼平劑輕劑頗為相宜平劑以銀翹芥豉散風清熱輕劑加入桑菊而去芥豉重清熱而減外表二方較之唯略輕重在醫者之視病選用耳不爾溫邪裏傳由肺入胃由衛至氣不惡風寒但欲引飲身熱驟增舌苔乾黃此則非輕平二劑所能勝任條勝中又立一法借仲聖白虎原方而曰辛涼重劑用清猛熱再加芦葦花粉以復其津雙管齊下似為的當氣分不能勢必傳榮熱入密分心液受劫神智不清夜寐不安苔糙質紅左寸細數口渴頓能小溲短赤火象既見水濟需急宜大劑生膏知母生地石斛山梔芦茅清熱救燥傾盆撲火稍加羚羊亦不過當榮分不已傳之血分火勢炎炎傷津竭液腎陰告匱舌卷囊縮肝熱生風四肢牽動血為心液心須血養血既將涸心無以寧時見驚悸之狀如魚失水之躍兼之譫語頻作唇焦齒垢當斯時也勢者燎原條辨以三甲復脈湯為治重用龜鱉牡蠣

似是而非，雖曰復陰鎮驚。胃強何能運輸。此法不善屢施。已久。經緯以玉女煎出入膏地。恐難爲力。亦非良策。局方有紫雪丹法較爲妥合。力以犀羚爲主。直折火勢。磁元爲輔。鎮肝養腎。諸石利水火而通下竅。諸香化穢濁而開上竅。再加丹砂。補心定神。並入升麻。欲降先升也。如水銀瀉地。無孔不入。確面面俱到。絲絲入扣。誠爲方症盡合之劑。且藥肆中配爲流質。購服甚易。急病急藥。最爲得當。終之病至此境。回生匪易。逆流挽舟。勵難爲力。投之效者。亦不過十之五六而已。風温草備繼述濕温濕温之名。係風温挾溼之稱也。地居卑溼。或脾虛多溼。溼濁內蘊。偶感風邪。風溼相搏。挾而爲病。溼得熱而粘膩愈甚。熱得溼則隱伏難除。於是溼包熱外。熱蘊溼中。非若傷寒可汗而去。温熱可清而解也。化溼乎則助熱。清熱乎則增溼。其所以最屬纏綿者。良有以也。其症與風温相似。但溼邪向內。阻渴不引飲。濁漫清曠。頭重胸悶。詠見濡。苔見薄膩。神疲力乏。面色晦黃。至於療治之法。素少盡善之策。挾雜之症。果爲棘手。汗之則神昏。攻之洞泄。左右爲難。上下牽強。唯從葉氏之『透風於熱外。滲溼於熱下』之訓。辛涼解表之中。加入甘淡利水之品。冀風外去。望溼下行。分其道而孤其勢。條辨中又有三仁一方。清化並濟。溼重于熱者。亦屬相宜。溼温之症。最爲雜複。古有定方。頗爲格格。讀汪廷珍『病多方少。未有甚于温病者』之說。極挽同情。定方究若死法。病變豈能如一。病多方少。固所必然。況古人立方之意。不過聊備一格。以供人後之摹仿。猶之尺牘範本。雖千函萬匣。恐欲覓一家書。亦難盡合耶。由是吾將治溼温之品略一整理。尋證配合。較爲妥貼也。荊芥豆豉薄荷桑葉爲去風之品。菊花連翹銀花竹葉爲清熱之品。杏仁牛蒡半夏荷梗爲利膈之品。通草滑石薏苡赤苓爲甘淡滲濕之品。玉金厚朴陳皮扣殼爲芳香化濁之品。諸品既備。凡遇溼温之病。隨症下藥。宜重去風者。則重去風之品。宜重滲溼者。則重滲溼之品。悉意加減。集合成方。倘見咳嗽。則加入杏貝。或有泛噁。則加入姜茹。活法在心。應運于手。不怕症雜。如何均迎刃而解矣。溼温初步治法。大致如是。進言之。久久不已。勢必加劇。遞傳之程。雖不如風温之常。亦若相異無多。唯變化百出。較爲叢雜耳。有濕熱之邪。徘徊衛氣之中。既不潛入榮血。又不迴之外解。于是蒸而爲瘖。邪得瘖解。或一瘖即解。或三瘖始解。倘若不解。則返增劇。蓋瘖之外出。仗正氣之內托。屢瘖不解。正氣大虛。邪氣獨留。留邪之勢。更易狂決矣。又有仗戰汗而解者。戰汗之狀。爲二脉頓伏。神智默然。既如殘喘將沒。又見手足逆冷。不知是者。往往號聲大作。爲其長逝。呼喚驚神。反擾寧神。實則大汗將作。邪隨汗解。作後安靜如故。二脉和平。是爲佳象。永可無慮。倘神煩智亂。二脉躁促。係病久傷正。正氣大虛。邪雖外解正亦隨亡。生命危于頃刻。挽救頗非易易。唯仗獨參之力。試觀游絲耳。談及邪留榮血之變。多發斑疹二症。斑爲塊狀。疹爲粒狀。較痦無大差別。不過疹紅痦白。疹尖痦圓而已。疹斑來自榮血。亦是邪向外解。究若血居氣內。又進一層。透解一語。談何容易。又當借仗藥力。投以丹皮赤芍葉露花露之類輕宣之品。善於外揚。幸者因此病減。否則正亦隨亡。但疹斑既見之後。醫者有圖可索。其色紅潤者。爲邪去正存之證。倘色晦暗者。爲邪去正傷之證。審愼用藥。傷者補之。不使陰竭陽亡。始爲上乘。此外如濕居中宮。熱伏溼內。久而久之。熱勢大增。心包處上受其熏灼。神經不清。譫語忽作。較之熱入血分之譫語。大相逕庭。一則類似陽明實症。治用清熱滲溼。自能得解。大便結者。加以消導。一則爲犀羚之證也。又如溼濁積於陽明。便祕不行。行唯流賫。仍爲不暢。名曰熱積旁流。治宜添水行舟。條辨有增液承氣之設。頗爲合度。倘溼熱久積。流入筋絡。氣血被阻。發爲拘萎。內經謂『溼熱不攘。爲拘爲萎』是也。凡遇此症。實爲可慮。不能湯劑速效。亦非針灸可愈。此時病家不可性急。醫者宜主穩健。去溼化濁。通筋活絡。細細診察。緩緩圖治。稍涉慌亂。即逆生命也。更有氣虛之體。溼熱久擊。以致津津汗出。微微惡寒。甚至目蒙音瘖。手足不溫。書謂『溼熱傷陽』。治宜桂芍並投。此等之處。最宜注意。倘死守溫者清之之旨。豈不虛虛實實乎。溼溫久之。亦能化熱。風溫症之熱入血分之證。均皆有之。緣熱盛之後。濕被灼爍。溼雖未去。亦不爲患。故所見之證。與風溫類似矣。治療之法。亦不遠距牛黃丸至寶丹。均爲歷驗効力。投之每多取功。中以犀羚折熱。香麝開竅。而西牛黃又爲涼伏通豁之妙品。伏既類似。方與紫雪丹亦無大差別也。溼溫粗俱。再言伏溫。伏溫大概已述于前。考之仲書亦綦詳。言唯曰『肝氣之病。以意候之。今月之內。欲有症氣。假令舊有伏氣。當須脉之。若脉微弱者。當喉中痛似傷。非喉痺也。病人云。實咽中痛。雖爾。今復下利』。章虛谷解謂。此條仲景教人辨冬伏寒邪。春發之溫病。當以心意測候之也。如今月之內。欲有發伏氣之病者。必無其氣而有病。病與時氣不合。即知其病因舊有伏氣而發。假令舊有伏氣者。須審其脉。知其邪從何處而出也。若脈微弱。知其邪雖化熱。未離少陰。循經脈而上灼。當喉中痛似伤者。卻非外邪入內。喉痺是內熱欲出之喉痛也。何也。若春時外感風邪。脈浮而弦數。先見發熱惡寒之外證。今脈微弱。則非外伏。而反喉痛。則確知爲內發之伏熱。是無其氣而有其病也。伏熱上行。不得外散。勢必又從下走。故曰實咽中痛。雖爾今復欲下利也。精確切當。毋庸異議。扼要而言之。其意爲感受外邪。伏于少陰。及時外出。脈見微弱。上焰咽痛。下行則利。理雖一條。意却周密。病來病去。訓之詳明。由此推之。可知伏溫之症早受寒邪。棲於少陰。入之熱化。雖未外發。陰液暗傷。在冬春之交。時覺咽喉乾燥。雖然天冰地裂。燥氣司天。兼之圍爐取暖。外灼津液。偶見乾燥。不足謂病。而伏溫之預症。亦未可料。上工能治未病。當于此時下藥。星星之火。所需勺水。病輕之時。輕劑能愈。慎之於先。免禍于後。不費吹灰之力。頓沒生命危機矣。及於舉發。必身熱驟增。陰液早傷。必舌質紅絳。治當有陰爲主。育透爲輔。希望邪伏外去。傷陰漸復。挾有濕濁者。當參入溼溫病治法爲妥。及其變也。與風溫溼溫相似。較爲迅速耳。至于治療。亦可採用前法。不過元參知母。養腎陰而清伏熱。爲對症的藥。始終必用之方也。溫病治證。略陳如前。他如溼熱化風。齘牙嚙齒。手足作痙。治宜生膏龍牡。邪熱沸血。妄行絡外。便吐鮮紅。治宜梔子生地。又如邪陷血室。譫語說鬼。治仿陶氏小柴胡湯。邪粘三焦。似瘧非瘧。治仿吳氏達原飲法。總之病變如雲。述之難盡。逐證求本。對症發藥。方爲善策耳。謭陋之語。雖愧疏學。遺誤之處。深望諸師長衆同學。有以教我焉。

傷寒論淺說

楊澤瑾

目錄

一 導言

蔣文芳先生曰。『「中醫不合科學」西醫創之。一般人信之。同道聞之而徬徨不知所措。曰中醫應「科學化」一若中醫其眞不合科學者。所以欲從而化之。不亦惑乎……』是以中醫之是否合乎科學。必須先了解科學定義。T A Thomson(湯姆生)之 Hn Yn'rodwction To Science 科學序論中。有一簡極括定義「科學是對于經驗上的事實用極簡括的方式作自圓的記述」準此以觀。科學者何。當可明了。

中國醫學之眞價値。在治療上之實驗。而不在理論上空談。科學須依據事實探演而產生。決無離乎事實而自謂爲科學之理。近世西醫。藉報章雜誌。假科學以自豪。美其名曰灌輸醫藥常識。其用意則無非鼓吹。宣傳。同時復以犀利之筆鋒煽動人心。痲醉當局。極盡攻擊中醫學術之能事。致險遭政府之廢止。若以治療成績相較。則彼不及我多矣。所謂「科學」醫者。實不過假借「科學」以自欺欺人而已。

日本醫學博士。菊池末吉氏。去夏由日來滬參觀本院。余招待之。菊氏謂「新醫詆漢醫不科學。而仲景之書。實爲漢醫科學之鐵證。無如中土人士對于行將廢滅僅保餘喘之漢醫不加注意。甚爲惋惜」云云。是則中醫之合乎科學。不但爲我中醫所自信。亦且爲外邦人士所共認也。

夫治醫者。傷寒爲必讀之書。然自仲景以還。垂今約二千載。歷代醫家。注傷寒者。汗牛充棟。車載斗量。而不可數計。然非穿鑿附會。即係辨症不明。致眞實科學未能廣揚。傷寒眞義至今未傳。良可慨也。凡我同志。又焉能無所感傷乎。爰特草就本篇。聊供賢者參考。惟既不敢言另闢新徑。亦不敢云歸納整理。只不過藉引同道注意。待有志之士。淵博之家。揭其長短。定其良莠。眞者保留之。僞者刪削之。發揚光大之。整理歸納之。則不獨璀個人之幸。抑整個國醫界之幸也。

二 緒論

我國醫藥。肇自有史之初。神農嘗百草。辨藥物之性味。黃帝岐伯。著靈素以論疾病之原理。至漢張仲景出。集陰陽大論胎臚藥錄等之大成。以著傷寒論。中醫學術。乃蔚爲大觀。理法之精嚴。方效之偉速。歷數千年而不替者。事非偶然。西醫阮其煜先生曰。『竊嘗讀仲景傷寒論。辨症特詳。知此書無論兒科內科。對於診斷。詳述其脈七表八裏。對於病狀。詳述其發熱頭痛。汗出惡寒。等等。對於判症結局。詳述其辨別生死吉凶諸法。對於治療。詳述其汗下清和。固其本原諸法。其不知者。以爲中醫仲景傷寒論一書。範圍甚小。僅論熱病而已。其實醫理顯明。本末兼賅。直可爲內科各症之基礎書。能熟讀此書。方得爲中醫內科之有根柢者。凡欲研究中醫內科。必須先讀仲景傷寒論一書。否則。中醫內科。不以此書入門者。僅得內科皮毛。而不能精通其醫理。故仲景傷寒論一書。實可改其名爲「中醫內科全書。」故曰治病不難。辨症爲難。若不知其本。而徒事其末。無論內科兒科。無有不僨事者。此中西醫之所以有實學。方有實效。烏可以不揣其本。而齊其末哉。醫者其注意之。』又張鳳博士曰。「漢時傷寒論出。於是始有統系可言。漸入科學之途徑。而醫學爲之一變。」又章太炎先生曰。「仲景傷寒論爲治時感之要錄。其於病機。乃積千百年之經驗而來。」註「三氏之論。俱見葉氏勁秋之(傷寒論啓祕)」中。觀夫阮張章三氏之言。則仲景之傷寒論。爲習中醫者必讀之書。無所疑義。孜傷寒論中。方法詳備。誠足傳後濟世。然後之學者。或拘而誤會。或摭擢殘剩。致方藥雜亂。辨症不明。眞義反爲所亂。而傷寒之論亡矣。晉王叔和搜採仲景舊論之散落者以成書。使仲景舊論。得以復傳。此王氏之功也。然彼以自己之說。參雜其間。莫之辨白。致使玉石不分。主客相亂。此亦王氏之過也。今之傷寒讀者。較昔益難。蓋傷寒論一書。閱二千年遞傳抄襲以來。其間脫落謬誤。竄衍節錄者。當指不勝屈。而原文之散失。篇次之淩亂。更在所不免。雖然。古之醫者。固不乏賢明之士。而人云亦云。人非亦非之「應蟲聲」更復不少。傷寒論一書。全係事實經驗之記述。毫無空洞浮泛之言論。注釋諸家。非望文生訓。卽係假五行生尅。以自圓其說。後人不察。以僞脫原文。奉爲金科玉律。且不歸咎於已見之未至。而歸咎於立法之大賢。可爲溺井怨伯益。失火怨燧人矣。善夫吾師文芳先生之言曰。「……因證處方。朗若列眉。效如桴鼓。其爲科學。斷難否認。迨至後漢。天降聖聰。張仲景氏。集其大成。此種自然科學。因以精進。迨及晉代。崇尚清談。士大夫窮研哲理。以趨時髦。唐宋金元。醫儒著作。竟以兩儀八卦之玄理。篡入自然科學之典籍。佛頭着糞。陰霾蔽天。今之小儒。欺世盜名。倘以爲道在矢橛。引八卦兩儀之說。災及梨棗。傳授生徒。西子家不潔。人皆掩鼻而過之。強將自然科學之中國醫學。蒙哲學色彩。夫豈中國醫學本身之罪哉。……」一取精華。舍糟粕。此學者應有之態度也。治醫學者。又焉能背此公理。乃一般醫者。精華糟粕。莫之能辨。僅知守古而不事研求。雖具有數千年悠久歷史之中國醫藥。欲其昌明於今日。其可得乎。嘗聞外邦人士。彼等之「求智慾」永無止境。有竭其平生智力於研究室中者。甚或父亡子承。子死孫繼者。此種大無畏研究精神。實堪爲吾等效法。今者。中醫條例。雖經國府明令頒佈。而其基礎。實仍未固。嗚呼。泰西醫學。風馳電掣。一日千里。苟我中醫。仍宗保守。不加革新。其終遭天然淘汰也必矣。余自習醫以來。苦無心得。惟於古今傷寒著作。嘗稍窺一二。或借自朋輩。或借自本院圖書館。或自購之。今搜集成篇。以冀得一系統。自愧學識兩疎。未取言是。倘蒙明達諸公。進而教之。則幸甚矣。

三 仲景事蹟

A 籍貫問題

仲景爲醫中亞聖。是則其終身事蹟。焉能不加考據。然所傳仲景事蹟。類多怪誕。且名時不符。有類齊諧。無足辨也。（見南陽人物志）（註）爰將醫史上之有關仲景籍貫問題者。分列於后。

1. 甘伯宗名醫錄。「張仲景。名機。南陽人。」
2. 襄陽府志。「張機。字仲景。棘陽人。」
3. 河南通志。「張機。涅陽人。」

秦幷天下。置三十六郡。以統其縣。漢以下因之。南陽。棘陽。涅陽者。皆南陽郡所屬之縣也。故仲景爲南陽郡人。殆無所疑。後人謂其南陽人。其或南陽郡人之省文歟。然仲景究係南陽郡之何縣人。書傳所載。各異其詞。致此問題。無法申述。

B 生卒時代考證

世醫僅知仲景爲漢末人。而均不知其究生卒於何時。蓋醫史未載。漢書無傳也。晚近醫家對此問題更罕加研究。近人郭象升君之「張仲景姓名事蹟考」及洪貫之君之「張仲景郡望生卒之推測」文中。對此問題。雖嘗討論。而於生卒時代。亦未見有定論。誠憾事也。案

南陽人物志云（註。）「元嘉冬。桓帝感寒疾。召璣（璣與機通。即仲景）調治。病經十七日。璣診視曰。正傷寒也。擬投一劑。品味輒以兩計。密覆得汗如雨。及旦身涼。留璣爲侍中。璣見朝政日非。嘆曰。君疾可愈。國病難醫。遂挂冠遁去。隱少室山。及卒。葬宛城東二里許。後人尊爲醫聖」考元嘉時。桓帝患疾。尙召仲景醫治。是則仲景在元嘉時已爲名醫矣。其年齡最低當在二三旬間。（或不止此數。亦未可知）由此可知仲景之生時。約介乎漢安帝延光順帝永建之間也。

（註）河南通志現手中無此書。本篇所引原文。均引黃謙氏「醫聖張仲景傳」注釋中。

又按范書劉表傳「建安三年以來長沙太守張羨。率零陵桂陽二郡叛表。」

又陳志劉表傳。「表攻之。連年不下。羨病死。長沙復立其子懌。表遂攻幷懌。」

仲景一名羨。郭象升氏之「張仲景姓名事蹟考」文中。論之頗詳。可資借鏡。依范。陳。劉表傳。知仲景卒於劉表之先。而劉表卒於建安十三年。故仲景卒於建安十三年以前明矣。傷寒論自序云。「……建安紀元以來。猶未十稔……」故仲景死亡時期。實在建安十年乃至十二年也。根據上列諸點。知仲景約生於西歷一六二年（假設）——永建初年——而卒於西歷二〇七年（假設）——建安十一年——享年八十以上。然其確定時代。余雖窮醫史諸書。凡數十種。亦無所得。今姑存疑以待他日。

C生平事略

甘伯宗名醫錄。「張仲景。字機。南陽人。舉孝廉。官至長沙太守。始受術於同郡張伯祖。時人言識用精微過其師。」

太平御覽何顒別傳。「同郡張仲景總角造顒。謂曰。君用思精而韻不高。後將爲良醫。卒如其言。顒先識獨覺。言無虛發。王仲宣年十七。嘗遇仲景。仲景曰。君有病。宜服五石湯。不治且成。後年三十。當眉落。仲宣以其貰長也。遠不治也。後至三十。病果成。竟眉落。其精如此。仲景之方術今傳於世。」

醫林列傳。「張機。字仲景。南陽人也。受業於同郡張伯祖。善於治療。尤精經方。官至長沙太守。後在京師爲名醫。於當時爲上

手。以宗族二百餘口。建安紀元以來。未及十稔。死者三之二。而傷寒居其七。乃著論二十二篇。證外合三百九十七法。一百一十二方。其文辭簡古奧雅。古今治傷寒者。未有能出其外也。其書爲諸方之祖。時人以爲扁鵲倉公無以加之。故後世稱爲醫聖。」

皇甫謐甲乙經序。「張仲景見侍中王仲宣時年二十餘。謂曰。君有病。四十當眉落。眉落半年而死。令服五石湯可免。仲宣嫌其言忤。受湯勿服。居三日。見仲宣。謂曰。服湯否。仲宣曰。已服。仲景曰。色候固非服湯之診。君何輕命也。仲宣尤不言。後二十年。果眉落。後一百八十七日而死。終如其言。」

葛洪抱朴子。「仲景開胸納赤餅。」

陸九芝張仲景傳。「張機字仲景。南陽郡涅陽人也。靈帝時舉孝廉。在家仁孝。以廉能稱。建安中。官至長沙太守。在郡亦有治迹。博通羣書。潛樂道術。學醫於同郡張伯祖。盡得其傳。」

按仲景精內科。世人皆知。未聞有言其精外科者。故抱朴子所云「仲景開胸納赤餅。」其或華陀之誤。仲景事略。大抵如此。他若古琴記之「仲景入桐柏山覓藥診老猿。」徐忠可金匱要略論註「張仲景靈異記」等事。未免過於神祕。故不列入焉。

四　陰陽概說

傷寒論中。除三陽三陰六經專門名詞以外。涉及陰陽者頗衆。茲將陰陽眞意。概說如下。

論曰。「發熱惡寒者。發於陽也。無熱惡寒者。發於陰也。」陰者。陰症之謂也。身體機能之病衰弱也。或寒性之意。病勢沉伏。難以顯發。其脈多沉遲。沉弱。沉細。沉微。而無力。其證多下利。踡臥厥逆等。陽者。陽症之謂也。新陳代謝之病亢進也。或熱性之意。症勢發揚。無不開顯。其脈多浮數。浮緊。洪緩。滑大。洪大而有力。其證多發熱。神昏譫語等。是以陰陽二症正成反比。判若霄壤。故不得不嚴密而分之焉。且陽症者。概爲實症而易治。陰症者。多屬虛病而難療。陰病偶見陽症。陽症或間陰病。此亦不可不詳審者也。

五　六經眞義

傷寒論中。其最重要者。厥爲六經。而六經眞義。亦最爲難解。叔和以來。能得眞義者。直可謂鳳毛麟角。即如惲鐵樵氏之「傷寒論六經」中。亦含糊其詞。仲景傷寒論內。本無六經字面。其所言之經。不過指病變進行階段。與夫人體對於疾患所起之反應現象盛衰之程度而言。與靈樞經脈篇所云之經自異。細玩論文。當可知之。乃一般學者。謂仲景書。必欲糅合內經。強謂傷寒六經。卽係內經之六經。且或謂六氣。六臟六腑以分配六經。此與仲景立經本旨失之遠矣。

案日人中西惟忠云「六經之名出自素問。本是經絡之義、而仲景假以分表裏之部位。配其脈證。以爲之統名也。」

又山田正珍云「傷寒論六經之目。雖取諸素問。非以經絡言也。假以表裏脈證而已。故觀全論。無一及經絡者。」

又藤本廉云。「三陰三陽之目。何爲而設焉。凡疾病有六等之差。而地位脈證不相同也。」——引自秦伯未先生「張仲景之偉大貢獻」一文中——

吾師沈嘯谷曰。「六經者。非臟腑經絡之經。亦非標病病期所設。乃假其標體中着病之症狀。以分其界限之符號也。」

觀上四子之言。傷寒六經。非內經六經。殆無可疑。

又南京陳遜齋曰。「仲景傷寒論。或以爲原書六經。按六氣分配。太陽主寒氣。陽明主燥氣。少陰主火氣。太陰主溼氣。少陰主熱氣。厥陰主風氣。其說根據內經。然傷寒論全書自始至終。未嘗有一句提及六氣。況中風一症。既列於太陽篇。以桂枝爲治風主方。則厥陰一篇。自不得又有風氣。此傷寒六篇。並非按六氣分配。應無疑義者也。或以傷寒六氣。按六臟六腑分配。太陽屬小腸膀胱。陽明屬大腸胃。少陽屬三焦胆。太陰屬脾肺。少陰屬心腎。厥陰屬胞絡肝。其說亦出自內經。然仲景原書除陽明篇有胃家實一語外。其餘各篇。皆未指定某臟某腑。卽以太陽一篇論。五苓散。桃仁承氣湯。雖是治膀胱之藥。而麻杏石甘湯。則治肺也。炙甘草湯。則治心也。旋覆代赭石湯。則治肝也。大小柴胡湯。則治三焦胆也。調胃承氣湯。越婢湯。則治脾與胃也。太陽一篇。已兼有十二臟腑之證。今謂太陽專屬小腸膀胱。毋乃不通。此傷寒六篇。並非按六臟六腑分配。應無疑義者也。」

觀此傷寒六經。亦非按六氣六臟六腑分配又明矣。然其既非內經六經。又非按六氣六臟六腑分配。則六經究作何解。曰。六經者。爲示病狀段落症狀深淺之代表名詞耳。蓋傷寒症。身體機能亢盛與衰弱。其間經過而所引起之病症變態多端。概略言之。可分爲六類。其逐漸變化之病狀。屬於進行性者。共凡三級。借用內經太陽少陽陽明等名詞名之。屬於退行性者。亦凡三級。更借用內經太陰少陰厥陰等名詞名之。藉此以劃分界限。而爲用藥之準繩。六經眞義。如是而已。又豈有他哉。

六 傳經辨正

夫傷寒之始。太陽病也。設若此時施治得法。不難迎刃而解。若病而不治。或治不得法。則病毒蔓延。進而現更深之症（如少陽症陽明症等）此種病狀變化。本不足異。乃一二昏庸者。大倡其傳經之論。後人不察。從而和之。且更有以日期以爲傳經之標準者。議論紛紜。莫衷一是。時賢章太炎先生。於「傷寒論演講詞」中。斥傳經之非理頗充足。可謂暗室明燈。茲節錄於后。

「……按日傳一經。義出內經。而仲景並無是言。且陽明篇有云。陽明居中土也。無所復傳。可見陽明無再傳三陰之理。更觀太陽篇中有云二三日者。有云八九日者。甚至有云過經十餘日不解者。何嘗日傳一經耶。蓋傷寒全是活法。無死法。陽明無再傳三陰之理。而三陰反借陽明爲出路。乃卽內經所謂中陰溜府之義也。且傷寒本非極少之病。亦非極重之病。仲景云。發於陽者七日愈。發於陰者六日愈。足見病之輕者。不藥已可自愈。更可見傷寒爲常見之病。若執定日傳一經爲傷寒。否則非是。不獨與本論有悖。且與內經所謂熱病者傷寒之類也一句。亦有抵觸矣。故六經遞傳之說。予以爲不能成立……」

歷代倡傳經之最力者。莫若清之黃坤載氏。彼持流利文字。五行生尅之理。自作聰敏。以著黃氏醫書八種。而其中傷寒懸解一書。堪稱傷寒傳經論之代表作。實則此書藤蔓瓜葛。理障太多。根本無一讀之價值。而彼一若已升堂覩奧。大言其六經傳變之理。近世言傳經之理者。亦未能出其右也。有先其生者如叔和節菴郊倩者流。於六經傳變之說。偶有非議。則彼輒言「不通之至。」「夢魔中人。」其實黃氏於仲景眞義。絲毫未解。其所言之論。直等神昏譫語。讀其書者。切不可因其文字流利而受其惑也。綜合關於傳經之邪途異說。達數十種。若一一加以糾正。則不獨徒耗篇幅。抑且爲時間所不許。無已。姑引黃氏謬論二則。以正之。舉一反三。餘可概見。

黃氏曰「傷寒傳經。一日太陽。二日陽明。三日少陽。四日太陰。五日少陰。六日厥陰，日傳一經。」

攷一日太陽。二日陽明。三日少陽。乃至六曰厥陰。悉內經原文。仲景並無是言。太陽篇中雖有「傷寒二三日陽明少陽證不見者。爲不傳也。」一條。亦未嘗提及日傳一經。後人觀此條。以爲二日必陽明。三日必少陽。故謂其日傳一經。殊不知傷寒論中。「日」字凡百十條。各異其意。本級(二五級)課餘研究會嘗研究之。研究之結果。有作字面解者。有爲作期數者。有以示用藥之準繩者。有以示症狀之淺深者。等等。本條之解釋爲。「傷寒病至二三期。當見陽明少陽症狀。若至二三期時。而陽明少陽症不現者。病未增也。」觀此「日」字非作「天」解。則傳經之說。自當不能成立。

且太陽者。表也。陽明者。裏也。少陽者。半表半裏也。表病（太陽病）不愈。當入半表半裏（少陽）必矣。然後人之言傳經。則云一日太陽二日陽明三日始傳至少陽果係傳經。則必依序而傳。由表而半表裏而至於裏安有由表不經半表裏而直接入裏之理乎。

設有甲乙二軍互相作戰則甲軍之作戰法。或從左襲。或從右侵。或伏而不進。或四面包圍。必擇乙軍最弱處以攻之。捉摸而不可定也。若作戰法有一定規律。或必先左攻。或必先右攻。如是乙軍只須加強被攻處兵力則甲軍欲越入乙軍界內難矣。試問作戰法有如此簡單之理耶。推之於疾病變化亦決無如此呆笨之理也。蓋人體必先有虛弱（局部或全體）而後疾病乃得乘之。若傷寒變化有一定法規。一日太陽二日陽明……六日厥陰。則罹本病者。醫家只須投以強健陽明之劑以增加其抵抗力。一面再以解表之劑以排除病毒。雖本病不能立可解決。但最低限度可使病邪永在太陽而不致內陷。然則仲景其他五經症治之設。豈非多此一舉乎。

況日傳一經。每至一經。必現一經症狀。如傳太陽則現發熱。頭痛惡寒等症。傳至陽明。則現大渴引飲譫語等症……傳至厥陰。則現消渴氣上冲等症。六日不已而復現發熱。頭痛惡寒等症。而陽明而少陽乃至厥陰。復現消渴氣上冲。試問傷寒有如是遞相傳變之現象乎。六日現六症。非惟學識淺薄之余目所未覩耳所未聞。卽古今傷寒名家醫案亦無隻字提及。不知黃氏所謂「日傳一經」有何明證。

黃氏曰「傷寒傳經。不傳臟腑則有之。無不傳經之理」

此條創自黃氏。爲彼最得意之論也。蓋傷寒設若傳經每傳至一經。必有一經之顯明症狀。若六日六傳。卽六日六症。黃氏自知決無是理。於是乃創此抽象無稽之說以煽惑後人。舉凡傷寒論中。無法申明其傳經者。則彼卽引用此條以自圓其說。如「傷寒一日太陽受之脈若靜者爲不傳頗欲吐若煩躁脈急數者爲傳也」本條之「傳」明作「增」解而黃氏依照字面曰「脈若靜者爲不傳謂不傳於臟腑非不傳於六經也」更觀黃氏傷寒懸解首卷仲景微旨中之寒溫異氣篇曰「……病因外感而根原內傷感在經絡而傷在臟腑故病傳三陽卽內連三陽之腑病傳三陰卽內連三陰之臟……」本節明爲病傳三陽三陰。卽係邪入臟腑之意。既言病傳三陰三陽。卽內傳臟腑於前。復云傳經不傳臟腑於後。觀此黃氏語語悖謬矛盾若是。傳經與否。吾不辯亦可知矣。

仲景傷寒。昭如日星。叔和而後注傷寒者數百十家。能闡發仲景奧者竟幾許。嗟夫傳經一論之謬。遺禍千古。此雖僞傳經者之謬。而後人盲從附和。亦有以致之也。余深信誑亂妄言。出於庸人之口。猶可。若出於醫者之口。則豈不等於視人命如兒戲耶。

七　原文訂誤

傷寒一書。爲中醫之根本書。然今之傷寒論。是否爲仲景原文、無所徵驗。且數千年以來。其中之錯簡遺誤。不知凡幾、若以僞誤原文。奉爲圭臬。則差之毫釐。失之千里矣。金鑑「正誤篇」所訂正者。達五十餘條之多。然其是否已復仲景舊論。亦無佐證也。傷寒謬誤之處。頗夥。若一一徵引。非此短文所可。今擇其要者數則。正之。以見一斑。

A.僞造句　一般不學無能之輩。以一已之見。假仲景之名。擅自增入。後人不明眞相。以爲出自仲景之手。不敢稍易隻字。以訛傳訛。一誤再誤。設長此以往。中醫地位。將根本發生動搖矣。安可不爲之抉擇是非。嚴格去取哉。茲將應删者列后。

「太陽病欲解時從巳至未上」

「陽明病欲解時從申至戌上」

「少陽病欲解時從寅至辰上」

「太陰病欲解時從亥至丑上」

「少陰病欲解時從子至寅上」

「厥陰病欲解時從丑至卯上」

以上六說。涉及兩儀八卦。決非仲景手筆。且此六說。揣之於理想。證之於事實。均無成立可能。當删之。

「問曰。證象陽旦云云故知病可愈」

「脈按之來緩而時一止復來者名曰結云云得此者難治」

以上兩條。含糊不明。當係後人竄入無疑。

「陽明病但頭眩不惡寒故能食而欬其人咽必痛若不欬者咽不痛」

「惡寒脈微而復利利止亡血也四逆加人參湯主之」

以上二條。文義不符。錯誤百出。諒非仲景手筆。

B.遺誤句　或因抄寫者之僞誤。或因印刷者之遺脫。傷寒論中。如此者。已數見不鮮。聊試言之

「太陽病下之其脈促不結胸者此爲欲解也脈浮者必結胸脈緊者必咽痛脈弦者必兩脅拘急脈細數者頭痛未止脈沉緊者必欲嘔脈沉滑者協熱利脈浮者者必下血」

按。金鑑曰。脈促當是脈浮。始與不結胸爲欲解之文義相屬。脈浮當是脈促。始與論中結胸胸滿同義。脈緊當是脈細數。脈細數當是脈緊。始同論中二經本脈。脈浮滑當是脈數滑。浮滑是

論中白虎湯證之脈數滑是論中下膿血之脈均當改之

「心下痞按之濡其脈關上浮者大黃黃連瀉心湯主之」

心下痞而按之濡者虛也。既係虛痞。安有用大黃瀉心之理乎。此條之有遺漏無疑矣。

「服桂枝湯大汗出脈洪大者與桂枝湯如前法」

桂枝有解肌之能。而無發汗之功。豈有服桂枝湯而大汗出之理。既大汗出脈洪大。則當用白虎加參。又豈有再與桂枝湯如前法之理。此條必有遺漏。

「傷寒脈浮緩身不疼但重乍有輕時無少陰症者大青龍發之」

麻黃證而兼煩躁者方爲大青龍證。今身既不疼。亦無煩躁。僅脈浮緩。桂枝湯可矣。無用大青龍發之之必要。且「無少陰症者」五字。與本條無關。必有錯簡。

「汗家重發汗必恍惚心亂小便已陰痛與禹餘糧丸」

禹餘糧丸爲濇利之藥。非本症所宜。當係傳寫之誤。

「傷寒汗出而渴者五苓散主之」

汗出而渴。乃汗傷津液故也。五苓散者。利尿之劑也。無小便不利之候。而利其小便。則益傷其津液。故必有遺誤。

「寒實結胸無熱症者與三物小陷胸湯白散亦可服」

白散者貝母巴豆桔梗三藥也。又名三物白散。此條「白散」二字定在「物」字之下。否則上下文均無著落。

「傷寒脈浮滑此表有熱裏有寒白虎湯主之」

表熱裏寒。有用白虎之理乎。必係裏有熱表有寒之誤。

「傷寒醫下之續得下利清穀不止身體疼痛者急當救裏後身體疼痛淸便自調者急當救表救裏宜四逆湯救表宜桂枝湯」

體疼爲傷寒的證。舉凡傷寒金匱中之有體痛者。悉用麻黃以治之。而無身體疼痛用桂枝之例。故救表宜桂枝湯。爲麻黃湯之誤。殆無所疑。

「病人無表裏症發熱七八日雖脈浮數者可下之假令已下脈數不解合熱則消穀善饑至六七日不大便者有瘀血宜抵當湯若脈數不解而下不止必協熱便膿血也」

無表病亦無裏病。僅發熱六七日。雖脈浮數。亦決無可下之理。(脈浮數爲表熱)其謬誤也必矣。

「服桂枝湯或下之仍頭項強痛翕翕發熱無汗心下滿微痛小便不利者桂枝去桂加茯苓朮湯主之」

雖已服桂枝湯或下之。仍頭項強痛發熱等。是桂枝湯症依然存在也。安可去主藥之桂枝乎。去桂當是去芍之誤。

八　症治述要

太陽篇

人之肌膚含有血脈。若爲邪所侵。則血脈必受障礙。凡因此障礙而發生之疾患。曰表症。或太陽症。此爲傷寒之第一步。其主要症狀爲頭項強痛。脈浮。惡寒等。蓋脈浮者。血壓下降。心臟猶有力時所現之脈也「與所謂平波脈 Pulsus undalosus 相似(見閻潤德脈辨)」頭項強痛者。頭部項部較於其他體部血液充盈之度強也。惡寒者。將欲發熱而不能發熱之徵也。是以太陽症者。爲病毒集於上半身之體表。則治之者。當以發汗解熱藥。以自汗驟排除毒素爲原則。而人之體質。千差萬別。各不相同。故醫者之處方。亦隨之而各異。然詳究之。不外下列二則。故治之之法。可別爲二。

1. 皮膚粗疏宜桂枝湯者　皮膚粗疏之人。若罹太陽病時。則現脈浮弱自汗等之症狀。以桂枝湯療之可也。他若脈浮弱自汗出而兼其他症狀宜桂枝湯者。或無脈浮弱自汗出而亦宜桂枝湯者。如

「太陽病頭痛發熱汗出惡風者桂枝湯主之」

「太陽中風脈陽浮而陰弱陽浮者熱自發陰弱者汗自出嗇嗇惡寒淅淅惡風翕翕發熱鼻鳴乾嘔者桂枝湯主之」

「太陽病下之後其氣上衝者可與桂枝湯……」

「太陽病初服桂枝湯反煩不解者先刺風池風府却與桂枝湯則愈」

「太陽病外證未解脈虛浮者當以汗解宜桂枝湯」

「太陽病外證未解不可下也下之爲逆欲解外者宜桂枝湯」

「太陽病先發汗不解而復下之脈浮者不愈浮爲在外而反下之故令不愈今脈浮故知在外當須解表則愈宜桂枝湯」

「病人臟無他病時發熱汗自出不愈者先其時發汗則愈宜桂枝湯」

「傷寒不大便六七日頭痛有熱與承氣湯其小便清者知不在裏仍在外也當須發汗若頭痛者必衄血宜桂枝湯」

「傷寒大下後復發汗心下痞惡寒者表未解也不可攻痞當先解表表解乃可攻痞解表宜桂枝湯……」

「陽明病脈遲汗出多微惡寒者表未解也可發汗宜桂枝湯」

「病人煩熱汗出則解又如瘧狀日晡所發熱者屬陽明

也脈實者宜下之脈浮虛者宜發汗下之與大承氣湯發汗宜桂枝湯」

「太陰病脈浮者可發汗宜桂枝湯」

「……………………」

附桂枝湯變化表

藥名 / 藥別 / 方名	桂枝	芍藥	甘草	生薑	大棗	大黃	葛根	厚朴	杏仁	附子	蜀漆	龍骨	牡蠣	飴糖	茯苓
桂枝湯	★	★	★	★	★										
桂枝加桂湯	★	★	★	★	★										
苓桂甘棗湯	★		★		★										★
桂枝甘草湯	★		★												
桂枝加芍藥湯	★	★	★	★	★										
桂枝去芍湯	★		★	★	★										
桂枝加大黃湯	★	★	★	★	★	★									
桂枝加葛根湯	★	★	★	★	★		★								
桂枝加厚朴杏子湯	★	★	★	★	★			★	★						
桂枝加附子湯	★	★	★	★	★					★					
桂枝去芍加附子湯	★		★	★	★					★					
桂枝附子湯	★		★	★	★					★					
桂枝去芍加蜀漆龍骨牡蠣湯	★		★	★	★						★	★	★		
桂枝甘草龍骨牡蠣湯	★		★									★	★		
小建中湯	★	★	★	★	★									★	
茯苓甘草湯	★		★	★											

註凡有★符號者爲有該藥之標記

桂枝湯變化症治表

- 桂枝加桂湯—鍼處被寒核起而赤發奔豚氣從少腹上衝心者或下後其氣上衝者
- 苓桂甘棗湯—發汗後臍下悸欲作奔豚者
- 桂枝甘草湯—發汗過多叉手自冒心心下悸欲得按者
- 桂枝加芍湯—太陽誤下因而腹滿時痛者
- 桂枝去芍湯—太陽病下後脈促胸滿者
- 桂枝加大黃湯—太陽誤下因而腹滿大實痛者
- 桂枝加葛根湯—太陽病項背強几几反汗出惡風者
- 桂枝加厚朴杏子湯—太陽病下之微喘者或喘家作桂枝湯者
- 桂枝加附子湯—太陽病發汗遂漏不止惡風小便難四肢微急難以屈伸者
- 桂枝去芍加附子湯—太陽病下後微惡寒者
- 桂枝附子湯—傷寒八九日風濕相搏身體疼痛不能轉側不嘔不渴脈浮虛而濇者
- 桂枝去芍藥加蜀漆龍骨牡蠣湯—傷寒脈浮火迫亡陽驚狂起臥不安者
- 桂枝甘草龍骨牡蠣湯—火逆下之因燒鍼煩躁者
- 小建中湯—傷寒陽脈濇陰脈弦腹中疼痛者或傷寒二三日心下悸煩者
- 茯苓甘草湯—傷寒厥而心下悸者

2.皮膚緊張宜麻黃湯者　有此體質之人。如患太陽病時。則現脈浮緊無汗等症以麻黃湯療之可也。亦有無上列諸症而宜麻黃湯者。如

「太陽病頭痛發熱身疼腰痛骨節疼痛惡風無汗而喘者麻黃湯主之」

「太陽與陽明合病喘而胸滿者不可下之宜麻黃湯」

「太陽病十日已去脈浮細而嗜臥者外已解也設胸滿脅痛與小柴胡湯脈但與浮者與麻黃湯」

「太陽病脈浮緊無汗發熱身疼痛八九日不解表證仍在此當發其汗服藥已須臾其人發煩目瞑劇者必衄衄則解所以然者陽氣重故也麻黃湯主之」

「脈浮者病在表可發汗宜麻黃湯」

「脈浮而數者可發汗宜麻黃湯」

「傷寒脈浮緊不發汗因致衄者麻黃湯主之」

「陽明病脈浮無汗而喘者發汗則愈麻黃湯主之」

「…………」

附麻黃湯變化表。

方名＼藥別＼藥名	麻黃	桂枝	杏仁	甘草	附子	細辛	石膏	芍藥	生薑（或乾薑）	大棗	半夏	五味子	葛根
麻黃湯	★	★	★	★									
麻黃附子細辛湯	★				★	★							
麻杏石甘湯	★		★	★			★						
桂枝二麻黃一湯	★	★	★	★				★	★	★			
桂枝麻黃各半湯	★	★	★	★				★	★	★			
小青龍湯	★	★		★		★		★	★		★	★	
大青龍湯	★	★	★	★			★		★	★			
越婢加半夏湯	★			★			★		★	★	★		
桂枝二越婢一湯	★	★		★			★	★	★	★			
葛根湯	★	★		★				★	★	★			★
葛根加半夏湯	★	★		★				★	★	★	★		★
麻黃附子甘草湯	★			★	★								

註凡有★符號者爲有該藥之標記

麻黃湯變化症治表

麻黃附子細辛湯—少陰病始得之反發熱脈沉者
麻杏石甘湯—發汗後汗出而喘無大熱者
桂枝二麻黃一湯—服桂枝湯形如瘧日再發者
桂枝麻黃各半湯—太陽病八九日如瘧狀脈微而惡寒面色反有熱色身癢者
小青龍湯—傷寒表不解心下有水氣乾嘔發熱而欬或渴或利或噎小便不利少腹滿或喘者或欬而微
嘔發熱渴不服湯已渴者
大青龍湯—太陽中風脈浮緊發熱惡寒身疼痛不汗出而煩躁者
越婢加半夏湯—欬而上氣喘目如脫狀脈大者
桂枝二越婢一湯—太陽病發熱惡寒熱多寒少脈微弱者
葛根湯—太陽病項背強几几無汗惡風者或太陽與陽明合病而自利者
葛根加半夏湯—太陽與陽明合病不下利但嘔者
麻黃附子甘草湯—少陰病二三日無裏症者

雖然。有發汗之適應症固當發汗。亦有有發汗之適應症另兼他症而不可發汗者。此不可不注意者也傷寒論曰

「咽喉乾燥者不可發汗」

「淋家不可發汗發汗必便血」

「瘡家雖身疼痛不可發汗汗出則痙」

「衄家不可發汗汗出必額上陷脈緊急直視不能眴不得眠」

「亡血家不可發汗發汗則寒慄而振」

「汗家不可發汗發汗必恍惚心亂小便已陰痛」

麻黃桂枝二方其應用概如上述。而太陽篇中復有五苓散之治水逆汗傷津液小便不利微熱消渴心下痞渴而口燥等症。桃核承氣湯抵當湯丸之治畜血症。瓜蒂散之取吐。旋覆代赭湯之治心下痞硬。噫氣不除症。附子瀉心湯之治心下痞而惡寒症。生姜瀉心湯之治心中痞硬。乾噫食臭症。甘草瀉心湯之

治心中痞硬而滿。乾嘔心煩症。桂枝人參湯之治表裏不解心下痞硬症。十棗湯之治心下痞硬滿引脅下痛症。少腹硬滿痛不可近之宜大陷胸湯。心下按之則痛之宜小陷胸湯。厚朴薑夏參甘湯梔子乾薑湯梔子香豉湯梔子豉湯等之治下後心煩腹滿。身熱不去。胸中窒。起臥不安等症。若下利脈促。喘而汗出者則又當以葛根黃芩湯治之矣。

少陽篇

少陽病者。傷寒第二期之謂也。其疾苦集於胸腹二腔（包括氣管支。肺。心。脾。胃。膵等）乃由胸腹腔內發生炎症故也。或由病毒侵襲胸腹腔間之臟器所致。其主症為脈弦。口苦。咽乾。目眩等。脈弦者。因非表病。故脈不浮。非裏症。故脈不沉。準之於浮沉之間。故現弦象之脈。闊潤德脈辨云。脈弦者。不重於血壓之高低。乃重於壓力下降之狀況。或急或緩之謂。即今之鈍脈Pulsus Fartis 也。口苦咽乾目眩者。因胸腹二腔內臟器所發生炎症之餘波。上達於口腔咽喉眼球故也。若波及於某部。則某部亦連帶發生病理的變化。其所以苦乾眩為提綱者。因此三症在少陽期中較為常見故也。然苦乾眩三症。俱係病者之自覺症狀。醫者須問而後知之。惟咽乾目眩二症。非少陽病亦或有之。難為確據。而口苦一症。無所疑似。可為的徵。故可以之為主目標。他二症為副目標。本症主治方劑。厥為柴胡湯。取其病毒用和劑緩解之意也。

少陽又曰半表裏。惲鐵樵氏以為不可解。曰「……太陽有惡寒之病。亦有發熱之病。何以少陽之出表者。純粹惡寒。且皮毛為表。腸胃為裏。此半表裏之少陽。其在皮毛腸胃之間乎。……」余以為半表裏乃抽象名詞也。非惲氏所謂皮毛腸胃之實體也。蓋少陽病較之發於裏之陽明病為輕。較之發於表之太陽病為重。因其介乎輕（表）重（裏）之間。名之為半表裏。亦無所不可也。

少陽病固主以柴胡湯。而柴胡湯有大小之別。治各不同。傷寒論小柴胡湯主治條曰

「太陽病十日以去脈浮細而嗜臥者外已解也設胸滿脅痛者與小柴胡湯……」

「傷寒五六日中風往來寒熱脇胸苦滿默默不欲飲食心煩喜嘔或胸中煩而不嘔或渴或腹中痛或脅下痞鞕或心下悸小便不利或渴身有微熱或欬者小柴胡湯主之」

「傷寒四五日身熱惡風頸項強脅下滿手足溫而渴者小柴胡湯主之」

「傷寒陽脈濇陰脈弦法當腹中急痛先與小建中湯不

差者與小柴胡湯」

「太陽病過經十餘日反二三下之後四五日柴胡證仍在者先與小柴胡湯……」

「傷寒十三日不解脅胸滿而嘔發潮熱已而微利此本柴胡證下之而不得利今反利者知醫丸藥下之非其治也潮熱者實也先宜小柴胡以解外後以柴胡加芒硝湯主之」

「婦人中風七八日續得寒熱發作有時經水適斷者此爲熱入血室其血必結故使如瘧狀發作有時小柴胡湯主之」

「陽明病發潮熱大便溏小便自可胸脅滿不去者小柴胡湯主之」

「陽明病脅下鞕滿不大便而嘔舌上白苔者可與小柴胡湯……」

「陽明中風脈弦浮大而短氣腹部滿脅下及心痛久按之氣不通鼻乾不得汗嗜臥一身及面目悉黃小便難有潮熱時時噦耳前後腫刺之小差外不解病過十日脈續浮者與小柴胡湯……」

「本太陽病不解轉入少陽者脅下鞕滿乾嘔不能食往來寒熱尚未吐下脈沉緊者與小柴胡湯……」

「嘔而發熱者小柴胡湯主之」

「傷寒差已後更發熱者小柴胡湯主之……」

又同書大柴胡湯主治條曰。

「太陽病過經十餘日反二三下之後四五日柴胡證仍在者先與小柴胡湯嘔不止心下急鬱鬱微煩者爲未解也與大柴胡湯下之則愈」

「傷寒十餘日熱結在裏復往來寒熱者與大柴胡湯……」

「傷寒發熱汗出不解心下痞鞕嘔吐而下利者大柴胡湯主之」

「傷寒脈沉者實也宜大柴胡湯」

附大小柴胡湯症狀區別表

方名	胸脅苦滿	側胸痛	腹痛	心下	發熱	嘔吐	大便	渴	舌苔	脈
大柴胡湯	有	有	有	鞕	有（少數）	不定	閉	有	黃	沉
小柴胡湯	有（較輕）	有	有	痞滿	有	有	不定	不定	白	浮

柴胡湯變化表。

方名＼藥名	柴胡	黃芩	人參	甘草	大棗	生薑	半夏	大黃	桂枝	芍藥	芒硝	牡蠣	龍骨	括樓根	茯苓	鉛丹	枳實	乾姜
小柴胡湯	★	★	★	★	★	★	★											
大柴胡湯	★	★			★	★	★	★		★							★	
柴胡加芒硝湯	★	★	★	★	★	★	★				★							
柴胡桂枝湯	★	★	★	★	★	★	★		★	★								
柴胡桂枝乾姜湯	★	★		★					★			★		★				★
柴胡加龍骨牡蠣湯	★		★		★	★	★	★	★			★	★		★	★		

註。凡有★符號者為有該藥之標記

柴胡湯變化症治表

- 柴胡加芒硝湯—傷寒十三日不解胸脅滿而嘔日晡潮熱已而微利先以小柴胡解外後以本湯主之
- 柴胡桂枝湯—傷寒六七日發熱微惡寒支節煩疼微嘔心下支結外證未去者或汗多亡陽譫語者
- 柴胡桂枝乾姜湯—傷寒五六日已發汗而復下之胸脅滿微結小便不利渴而不嘔但頭汗出往來寒熱心煩者
- 柴胡加龍骨牡蠣湯—傷寒八九日下之胸滿煩驚小便不利譫語一身盡重不可轉側者

除上列所述者外。尚有黃芩與黃芩加半夏生姜二湯亦為少陽病常用之方。一為治太陽與少陽合病自下利者。一為治太陽與少陽病自利而嘔者。陽明篇陽明病者。新陳代謝機能亢進最重之病也。亦傷寒陽症之末期病也。本症病灶在於消化管（包括食道胃大腸小腸等）。本病或由少陽轉入。或由太陽轉入。而亦有一病即現本症者。若病毒集於消化管時。即呈實症。如脈洪。內證如腹滿拒按。神昏譫語等。外證如身熱汗自出。不惡寒反惡熱等。脈洪者。血氣燔灼。大熱之候也。與 Pulsus magnus 相類。病毒集於腹內。致腹內胃之消化機能失其作用。故其病時已經消化而未排泄之廢物。或食後未經消化之物品。集於腹部（即胃大小腸等）則腹滿而拒按。陽明病之病毒較少陽病之病毒爲強烈。故不若少陽病毒素刺激腦神經僅爲輕症之頭痛也。此則一旦刺激腦神經。神昏譫語之象立現矣。身熱者。其熱在肌肉之間。非如發熱翕翕然僅在皮膚以外也。自汗者。因消化管中停積之廢物。蘊而化熱。蒸迫津液外出故也。不惡寒者。無表邪也。反惡熱者。內熱重也。後人多將陽明病分爲「經」「府」二症。主以白虎承氣二方。此大謬也。蓋仲景未嘗有隻字提及經府也。白虎係治陽明病輕者。而承氣乃治陽明病之重者。傷寒論中界限顯然。如白虎湯主治條曰。

「傷寒脈浮滑。此裏有熱。表有寒。白虎湯主之」（註本條原文錯誤爲表有熱裏有寒特更正之）

「傷寒脈滑而厥者。裏有熱也。白虎湯主之」

「三陽合病。腹滿身重。難以轉側。口不仁而面垢。譫語遺尿。發汗則譫語。下之則額上生汗。手足逆冷。若自汗出者。白虎湯主之」

又承氣湯主治條曰。

1. 大承氣湯

「傷寒不大便六七日。頭痛有熱。小便反赤者。與承氣湯……」

「陽明病脈遲。雖汗出不惡寒者。其身必重。短氣腹滿而喘。有潮熱者。此外欲解。可攻裏也。手足濈然而汗出者。此大便已鞭也。大承氣湯主之……」

「傷寒若吐若下後不解。不大便五六日。上至十餘日。日晡所發潮熱。不惡寒。獨語如見鬼狀。若劇者。發則不識人。循衣摸牀。惕而不安。微喘直視。脈弦者生。濇者死。微者但發熱譫語者。大承氣湯主之」

「陽明病譫語有潮熱。反不能食者。胃中必有燥屎五六枚。若能食者但鞭耳。宜大承氣湯下之」

「汗出譫語者。以有燥屎在胃中。此爲風（實）也。須下之過經乃可下之。下之若早。語言必亂。以表虛裏實故也。下之則

中国近现代中医药期刊续编·第二辑

愈宜大承氣湯」

「陽明病下之心中懊憹而煩胃中有燥屎者可攻腹微滿初頭硬後必溏不可攻之若有燥屎者宜大承氣湯」

「病人煩熱汗出則解又如瘧狀日晡所發熱者屬陽明也脈實者宜下之脈浮虛者宜發汗下之與大承氣湯……」

「大下後六七日不大便煩不解腹滿痛者此有燥屎也所以然者本有宿食故也宜大承氣湯」

「病人小便不利大便乍難乍易時有微熱喘冒不能臥者有燥屎也宜大承氣湯」

「傷寒六七日目中不了了睛不和無表裏症大便難身微熱者此爲實也急下之宜大承氣湯」

「陽明病發熱汗多者急下之宜大承氣湯」

「發汗不解腹滿痛者急下之宜大承氣湯」

「腹滿減不足言當下之宜大承氣湯」

「陽明少陽合病必下利其脈不負者順也負者失也互相尅賊名爲負也脈滑而數者有宿食也當下之宜大承氣湯」

「二陽併病太陽證罷但發潮熱手足漐漐汗出大便難而讝語者下之則愈宜大承氣湯」

「少陰病得之二三日口燥咽乾者急下之宜大承氣湯」

「少陰病自利清水色純青心下必痛口乾燥者急下之宜大承氣湯」

「少陰病六七日腹脹不大便者急下之宜大承氣湯」

「病腹中滿痛者此爲實也當下之宜大承氣湯」

「…………」

2. 小承氣湯

「陽明病脈遲雖汗出不惡寒者其身必重短氣腹滿而喘有潮熱者此外欲解可攻裏也手足濈然汗出者此大便已鞕也大承氣湯主之若汗出多微發熱惡寒者外未解也其熱不潮未可與承氣湯若腹大滿不痛者可與小承氣湯微和胃氣勿令大泄下」

「陽明病潮熱大便微鞕者可與大承氣湯不鞕者不可與之若不大便六七日恐有燥屎欲知之法少與小承氣湯湯入腹中轉失氣者此有燥屎乃可攻之若不轉失氣者此但初頭鞕後必溏不可攻之攻之必脹滿不能食也欲飲水者與水則噦其後發熱者必大便復硬而少也以小承氣湯和之不轉失氣者愼不可攻也」

「陽明病其人多汗以津液外出胃中燥大便必鞕鞕則譫語小承氣湯主之……」

「太陽病若吐若下若發汗後微煩小便數大便因鞕者與小承氣湯和之愈」

「得病二三日脈弱無太陽柴胡證煩躁心下鞕至四五日雖能食以承氣湯少少與微和之……」

「下利譫語者有燥屎也宜小承氣湯」

3.調胃承氣湯

「傷寒脈浮自汗出小便數心煩微惡寒脚攣急反與桂枝湯以攻其表此誤也得之便厥咽中乾煩燥吐逆湯作甘草乾姜與之以復其陽若厥愈足溫者更作芍藥甘草湯與之其脚卽伸若胃氣不和譫語者少與調胃承氣湯」

「發汗後惡寒者虛故也但熱者實也當和胃氣與調胃承氣湯」

「太陽病未解脈陰陽俱停(微)必先振慄汗出而解但陽脈微者先汗出而解但陰脈微者下之而解若欲下之宜調胃承氣湯」

「傷寒十三日不解過經譫語者以有熱也當以湯下之若小便利者大便當鞕而反下利脈調和者知醫以丸藥下之非其治也若自下利者脈當微厥今反和者此爲內實也調胃承氣湯主之」

「太陽病過經十餘日心下溫溫欲吐而胸中痛大便反溏鬱鬱微煩自極吐下者可與調胃承氣湯……」

「陽明病不吐不下心煩者可與調胃承氣湯」

「太陽病三日發熱自汗蒸蒸發熱者屬胃也調胃承氣湯主之」

「傷寒吐後腹脹滿者與調胃承氣湯」

「大便不通胃氣不和者宜調胃承氣湯」

附三承氣症狀比較表。

方名	症狀
大承氣湯	胃機能障礙食物停滯腸有燥糞腹滿痛拒按神昏譫語齒燥舌乾潮熱微喘手足濈然汗出等症
小承氣湯	諸症與大承氣相彷惟腸中宿便不若大承氣堅硬之甚外證腹滿鞕痛亦無大承氣之甚更有協熱下利善忘等症
調胃承氣湯	胃中知覺過敏腸有宿便溫溫欲吐咽乾心煩有熱等症

三承氣藥物比較表。

方名 / 藥別	大承氣湯	小承氣湯	調胃承氣湯
大黃	★	★	★
芒硝	★		★
厚朴	★	★	
枳實	★	★	
甘草			★

註。凡有★符號者爲有該藥之標記。

白虎加人參湯主治表

1. 服桂枝湯大汗出後大煩渴不解脈洪大者
2. 傷寒吐下後七八日不解熱結在裏表裏俱熱時時悪風大渴舌上乾燥而煩欲飲水數升者
3. 傷寒無大熱口燥渴心煩背微惡寒者
4. 傷寒渴欲飲水無表症者
5. 陽明病脈浮而緊咽燥口苦腹滿而喘發熱汗出不惡寒反惡熱身重渴欲飲水口燥舌乾者

病灶在於腸胃而有宿便燥屎之侯者。則當下之。若當下失下。則險象百呈。禍不旋踵矣。所謂腸出血腸穿孔者。其原因多由於當下失下也。醫者其注意及之。設有身體虛弱之人。如患承氣症時。下之恐其虛脫。不下又恐病毒增加。此時傷寒論中之蜜汁導法。猪胆汁導法。不妨引用。餘如抵當湯之治畜血。梔子豉湯之治心煩懊憹。飢不能食。猪苓湯之治汗多胃燥。茵陳蒿湯之治身黃。葛根湯之治太陽陽明合病而下利者。葛根加半夏湯之治太陽陽明合病不下利但嘔者。均陽明病期中所常見者也。

太陰篇

凡傷寒之屬於寒性（退行性）而輕微者。爲太陰病。蓋人之體質不同。稟賦各異。有虛有實。或寒或熱。不一而足。本病患者之體質。多屬虛寒。虛寒之人。陽（體温）多不足。體温不足者。新陳代謝機能衰弱之病也。易言之。太陰病者。機能衰弱病之第一期也。病灶在於腹內之消化器。及胸腹腔間內之各臟器。其主要症狀。如腹滿而吐。食不下。自利。時覺腹痛等。此之腹滿。必空虛無物。且無抵抗。而不熱也。腸胃機能衰弱。胃衰弱則吐食不下。腸衰弱則自下利也。仲景雖未言苦脈。然以理想憶測。其苦必白。其脈必沉微也。沉微之脈者。心臟衰弱之表示也。心臟雖衰。猶未達於四肢逆冷之程度。主以理中丸者。因理中丸含有人參能振興胃衰弱故也胃機能振興則因胃衰弱而起之食不下。吐。自利等症亦隨之而愈矣太陰病固主以理中丸而太陰病另兼他症。應用其他方劑者。亦復不少。茲列表如下。

太陰病症治表

- 理中丸—詳上述
- 四逆湯—下利腹脹滿身體疼痛者或病發熱頭痛脈反沉不差身疼痛者
- 桂枝湯—太陰病脈浮者
- 桂枝加芍湯—太陽誤下因而腹滿時痛者
- 茵陳蒿湯—傷寒七八日身如橘子色小便不利腹微滿者

少陰篇

傷寒而至於少陰病。隨時均有死亡之可能。蓋本症之病灶在於心臟。病至少陰程度。心臟衰弱已極。心臟既衰弱則心力不足。故時欲寐也。心臟衰弱則心房之鼓動力。亦因之而減退。故現微細之脈也。醫者凡遇脈微細之少陰病時。必須詳審心臟衰弱之程度。輕者主以能振起復興極度沉衰新陳代謝機能。含有 Japaconitin $C_{66}H_{88}N_2O_{21}$ 成分附子爲主之附子湯眞武湯等。重者則主以附子乾姜（與附子有相同之功用）合劑之四逆白通等湯。有心臟衰弱之少陰病時。而不投與奮心臟之劑。鮮有不僨事者。一至心臟極度沉衰時。則雖有 Camphora Depurata 等之急救。亦恐鞭長莫及矣。然少陰病亦有不用強心劑者。如少陰病便膿血之用桃花湯。咽痛之用甘草。桔梗。半夏等湯。咽痛生瘡不能語言之用苦酒湯。咽痛心煩胸滿下利之用猪膚湯。心煩不能臥之用黃連阿膠湯。下利欬而嘔渴心煩不能眠之用猪苓湯等是也。

少陰主方症狀區別表。

方名＼症狀	嘔	腹痛	下利	四肢	身體痛	厥逆	脈
附子湯	無	無	無	疼痛	有	無	沉
眞武湯	有	有	有	沉重而疼痛	無	無	不詳
四逆湯	有	無	有	疼痛	有	有	沉而弱
通脈四逆湯	有	有	有	厥逆	無	不定	微欲絕
白通湯	無	無	有		無		微
白通加猪膽汁湯	有	無	有		無		無脈

少陰主方藥物區別表。

方名＼藥別＼藥名	附子	乾姜	人參	芍藥	甘草	茯苓	白朮	葱白	生姜	猪膽汁
附子湯	★		★	★		★	★			
眞武湯	★			★		★	★		★	
四逆湯	★	★			★					
通脈四逆湯	★	★			★					
白通湯	★	★						★		
白通加猪膽汁湯	★	★						★		★

註。凡有★符號者爲有該藥之標記

厥陰篇

厥陰病者。傷寒之末期病也。亦即機能衰弱病之最重篤者也。本病病灶。在於腹內各臟器。範圍廣大。故傷寒陰性病之患者。其生死二途。皆取決於本期。故本期治療。應更當注意。本期主症。仲景「厥陰」二字。不啻已完全示明。質言之。寒(陰)厥爲本期之主症。因其寒厥爲主。故益知厥陰心臟衰弱程度。較少陰爲甚。其不但此也且胃臟亦衰弱。故有飢不欲食。不之利不止之候。惟食則吐蚘者較爲少見。因其心臟極度沉衰。體溫亦因之不足。故而四肢厥寒。上而血鬱舌黑。下而筋攣囊縮焉。本期療法須用大劑人參附子合劑——烏梅丸四逆加人參湯——較爲的當。因其能振興心胃衰弱故也。吳茱萸當歸四逆等湯。亦爲厥陰之方。其適應症詳見傷寒。不復多贅。厥陰治法。大抵如此。惜不得不附帶有言者。乃後之註釋諸家見傷寒發……不分其寒厥熱厥。不問其爲機能亢進或機能衰弱。均列入厥陰篇中。不亦謬乎。以余之推想，厥陰篇中凡四十九條。其屬於厥陰者僅烏梅丸當歸四逆吳茱萸湯所治之十九條而已。其餘三十條之熱厥與便膿血。均屬進行性之重篤者也。自應另成一篇。否則寒熱混淆。治療漫無標準矣。

九　結論

總上所述。關於傷寒論之種種。當可得其概矣。所述症治。不過舉其扼要者也。傷寒變化迭出不窮。然大匠僅能示人以規矩。書中所載乃一定之方式。醫者若能平時揣摩。則臨症時自有左右逢源之樂矣。

十　參攷書

1. 中國醫學院月刊第三期特刊　2. 中國醫學院院刊國醫文獻張仲景特輯　3. 南陽人物志　4. 名醫別錄　5. 襄陽府志　6. 河南通志　7. 三國志　8. 傷寒論　9. 太平御覽　10. 醫林列傳　11. 皇甫謐甲乙經　12. 抱朴子　13. 古琴記　14. 傷寒縣解　15. 醫宗金鑑　16. 閻潤德脈辨　17. 皇漢醫學

澤璉民國二十五年四月三十日脫稿於閘北分診所

中風論

楊禮通

中風又名卒中。素問謂之大厥。景岳謂之非風。西醫謂之腦出血。有遺傳性。凡人肥胖壯矮。頭大頸短者。(中風素質)易罹本病。致本病爲腦動脈之慢性動脈內膜炎。而成紡綞狀或囊狀之粟粒動脈瘤。此動脈瘤因誘因之關係。每致破裂出血。此近時治西醫學者。一致言作本病之主因也。更謂心臟肥大。血壓亢進。充血。萎縮腎。動脈硬化。靜脈鬱血等等。皆爲本病之誘因。然深究其理殊屬誤謬。蓋血管破裂出血。乃本病之現狀。不能作病因。僅可認爲病理而已。其所謂誘因者。實爲本病之末因是也。夫國醫謂本病之原因繁多。今略舉古人之說于下。

王節齋曰「古人論中風。偏枯麻木。酸痛不舉諸證。以血虛亡血痰飲爲言。是論其致病之根源。至於得病。則必有所感觸。或因六淫七情。遂成此病。此血與痰爲本。而外邪爲標」云云。

劉河間曰「中風癱瘓者。良由平日飲食起居動靜失宜。心火暴甚。腎水虛衰。不能制之。則陰虛陽實。而熱氣怫鬱。心神昏冒。筋骨不用。而卒倒無知也。亦有因五志有所過極。而卒中者。夫五志過極。皆爲熱甚」云云

李東垣曰。「有中風者。卒然昏憒。不省人事。痰涎壅盛。語言蹇澀。六脈沉伏。此非外來風邪。乃本氣自病也。凡人年踰四旬。氣衰之際。或憂喜忿怒。傷其氣者。多有此證。壯歲之時無有也。若肥盛者。亦間有之。形盛氣衰故也」云云

朱丹溪曰。「人有氣虛者。血虛者。有濕痰者。……東南濕土生痰。痰生風。風生熱。」云云。

喻嘉言曰。「河間指火爲訓。是火召風入。火爲本。風爲標矣。東垣指氣爲訓。是氣召風入。氣爲本。風爲標矣。丹溪指痰爲訓。是痰召風入。痰爲本。風爲標矣。」(按所謂「風爲標」者。言本病之誘因耳。其所謂「火氣痰」三者。皆指患者之盾而言。攷今之所稱中風素質者。每多痰涎。其血壓每高于平人。正河間之所謂火。東垣之謂氣是也。)

薛立齋曰。「邪任氣。氣爲是動。邪在血。陽爲所生病。經云。血之氣。以天地之疾風名之。此非外來風邪。乃本氣自病也」

張介賓曰。「五風由內而病。則絕無外證。而忽病如風。其由內傷可知也。然既非外感。而經曰。諸暴強直。皆屬於風。諸風掉眩。皆屬

於肝何也。蓋肝主風而藏血。血病則無以養筋。筋病掉眩強直。諸變百出。此皆肝木之化。故云皆屬於風。後世不明此義。不惟類風認爲眞中。而直以內奪暴厥等證。俱認爲風。誤亦甚矣。夫外感者。邪襲肌表。故多陽實。內傷者。由於七情。故多陰虛。」

觀上七家之言。其所謂中「風」者。非外感之風邪。乃內風之風也。內風者何。薛立齋所謂風病多因熱甚。惟其血熱。故病由血而生。誠哉。經云「熱極生風。」金匱云「極熱傷絡。」即今所謂腦動脈內膜炎。血壓亢進是也。總之國醫論本病多因安富尊榮酒色傷其先後（天先天指腎後天指脾胃。）爲內因。以中風爲外因。以腦血管破裂爲病理。以臟腑經絡爲病灶。數千年之經驗所得。一脈相傳。而實勝于今之舶來學說。近人包識生氏云。「按中風證。西醫解剖之。爲腦血管破裂。名雖不同。而理實同也。說中風。說其病因。說腦血管破裂。說其病果也。」名言至理。誠足可取。本病之症狀繁多。頭痛一症。每見于前驅期中。蓋病未發之先。其血壓亢進。腦部先見充血之象。故呈頭痛眩暈眼花閃發耳鳴不睡等狀。迨腦髓內之小血管破裂出血。則半身之知覺運動障礙及偏側如蟻走之感。或麻木不仁。言語澀滯。至於卒中發作。忽然卒倒。不省人事。僅有深長之呼吸與亢進之心慟。面部潮紅或青紫。瞳孔散大。體溫先降後昇。痰涎壅盛。口眼喎斜，半身不遂。四肢不收。角弓反張。舌強不語。瘈瘲遺尿。則全身知覺神經與運動神經各失所能。雖各家未言患者有頭痛。其實卒中之時。頭痛更厲。蓋頭痛爲自覺之症。因患者腦神經失其知覺之作用。故不能作頭痛之表示也。張石頑曰。「凡治風須分陰陽。陰中者。面色青或白或黑。痰喘昏亂。眩暈多汗。甚者手足厥冷。陽中者。面色赤。唇焦牙關緊。急上視強直。掉眩煩渴。」其所分陰陽者。卽指動靜二脈是也。蓋靜脈性充血。每見面色青黑等象。動脈性充血。每見面色紅赤諸狀。故陰中者。卽今之靜脈性充血。陽中者。卽今之動脈性充血。均言本病之前驅症也。攷國醫謂本病有眞中與類中之分者。卽外風內風之畛域也。蓋中風之居導源素問。見于甲乙難經及仲景傷寒金匱諸書。隋唐以降。如巢氏病源。孫氏千金。王氏外台。分析證治頗詳。而治法皆以外風爲宗。其後河間東垣丹溪輩出。倡火氣痰之說。以西北多眞中。東南多類中之說。詼世。於是眞類之說大盛。而中風之證治益混。河間主痰。以清理疏泄鎮攝培補四法爲主。而方藥仍用烏附等之熱品。東垣又分中血脈者。外有六經形證。則以小續命湯加減治之。中府者。內有便溺阻隔。則以三化湯等通利之。外無六經形證。內無便溺阻隔。宜大秦艽湯。羌活愈風湯主之。薛立齋倡眞水竭眞火虛之說。趙養葵用六味八味之陋。景岳雖以內傷類敗四字持論。而用藥多膩補。言論糾紜。

莫衷一是。晚近醫家、每以金匱之侯氏黑散為治中風之良劑。包氏識生云、「觀于黑散之功用、雖不云血管破裂。而實止血之法也。重用菊花平其肝而清頭目。使腦府清靜。有礬薑之止血。黃芩之涼血。歸芎之行血。補血。蓯朮苓之補脾。可統血又有桂枝之引藥上巔。牡蠣之斂陽達足。防桔細辛去邪通氣。使厥氣消除。且冷食助藥力。卽使身體不發生熱度。免致血氣上壅之義也」通按。古人創是方。確有見地。惟溫燥之品太多。雖有菊花牡蠣之佐伍。以潛息內風。而桂辛歸芎終非本病之適當藥也。攷溫燥辛香之品。每含揮發油。有興奮神經充進血行之作用。當中風之時。血壓亢進。腦部出血。若再多用溫燥劑。助桀為虐。以速其斃。故古來之治中風成方。以治今之腦出血。大都不效。此非中風證與腦出血異。其實古人以中風作外風治故也。昔讀張伯龍之雪雅堂醫案。其論內風昏仆「謂是陰虛陽擾。水不涵肝。木旺生風。而氣升火升痰升。冲激腦經所致。以鎮肝息風養木之藥治之。若未誤藥於前。卽如東垣所謂中血脈中府中藏諸症。皆可十愈七八。卽已誤藥在先。而後用此法。亦可漸輕」其藥每甲板類。蓋甲類多石灰質。有鎮靜神經之作用。當中風之時。神經各起異常狀態。有呈痙手瘈瘲之象。以甲類諸劑以鎮納之。往往神經有見復原。雖然伯龍氏倡陰虛陽擾。水不涵肝。木旺生風之說。以今科學言之。其所用術語。雖嫌腐化。未免欠缺。而其識見之準確。治法之精。當覺先于自爺為科學者遠矣。余近得讀張氏山雷雜病講義一冊。山雷先生以學識經驗之所得。力闢古法之治療無能。每宗張伯龍之法而得效。故伯龍治中風之法。實可珍之。總之「中風」原係通俗病名。乃古之學者。拘執字面。割裂風字。強與六淫之風同調。鑄成大錯。是以本病之治法。不能死專古來成方。若能別緩急之病。標本之治。則愈該病亦非難事。閉則開之。脫則固之。若見痰涎壅盛、牙關緊急、氣閉不語者、當先開其閉。以通關散搐鼻。或以本事之稀涎散。聖濟之白礬散。閉塞既開。則繼以潛陽降逆理氣化痰之劑。主之金匱附方之風引湯。局方之烏藥順氣散。皆可加減應用。此外西醫對于該病治療無特效藥品。每見中風症以刺絡法。瀉血五百立方仙迷。因此腦血管破裂之血未止。而於他處更瀉其血。則人身血液有限。經此施治。往往以致虛脫不救。近時西醫亦有見中風症。頭部置之冰囊。因此腦部熱度雖一時可降。抵血管破裂之創痕。雖可凝結而已。流出于血管之外之血液。乃因冷而凝結瘀血于腦。則病亦往往無生路。故本病之治法。國醫確有特長之所在也。

五色帶下病原因及證治詳述 並附白濁白淫

趙文貞

夫婦人之帶病。類多導源於濕。而以帶爲名者。因其傷犯帶脈也。帶脈者。橫於腰間。如束帶之狀矣。蓋濕者。不過六淫之一。因濕成帶。絕非通常外感之濕之可比。必與脾虛所生之濕。內外呼應。由脾之脂膜走竄任督二脈。下貫帶脈。而注於胞宮。於是乎淋漓外泄。並有稠粘腥臭之氣也。但此病雖無疼痛之苦。却有暗耗之害。因其病初起無大痛苦。不過穢惡自嫌而已。然胞宮上繫於心。下繫於腎。爲二火一水會盟行成之地。濕濁之邪。久久蟠踞阻礙。三經既濟之功化。而使氣不能化經水。釀成帶病矣。且督脈爲天。任脈爲地。天地泰交。故生百物。而帶脈所以週繞約束也。今濕邪往來於帶脈。阻礙交泰之化功。既攸傷天地之和。而督脈主生精。任脈主生血。二脈受傷。則精血之源不裕。而帶脈不能約束。以致帶下綿綿矣。惟尼寡及出嫁之婦患之最多。因此等婦人。多喜怒憂思。或產育房勞。致營衛之氣易於鬱滯而成。帶下也。但帶下有白黃青赤黑五色之分。以臟腑言之。風邪入內傳於臟腑。傷肺大腸。形如白涕。傷脾胃。黃如爛瓜。傷肝胆。色如青泥。傷心小腸。色如赤津。傷腎膀胱。黑如衃血是也。但其原因及證治亦各有不同。分列如下。

白帶下一

婦人五色帶下中患之最多者。厥唯白帶。其症是終年累月下流白液。如涕如唾。而不能自禁。甚則有臭穢之氣。此爲白帶之證狀也。其原因由濕盛而火衰。肝鬱而氣弱。若肝傷則脾土受剋。脾土受傷。則濕土之氣下陷。而脾精不守。是以不能化營血而爲經水。反變成粘白之液。直下而不能自止也。其治法宜大補脾胃之氣。佐以舒肝之品。而使風木不閉塞於地中。則地氣自升騰於天上。脾氣健而濕氣化。則白帶自止矣。方用完帶湯。或久漏而諸藥不效者。服補經固眞湯。

完帶湯　專治白帶下

白朮土炒一兩　山藥炒一兩　人參三錢　白芍酒炒五錢　蒼朮製三錢
車前子酒炒三錢　荊芥穗炒黑五分　甘草一錢　陳皮五分　柴胡六分

水煎服二劑輕。四劑止。重六劑則白帶全愈。

按此方是傅青主女科方。爲肝脾胃三經同治之法。寓補於散。寄消於升。開提肝木之氣。則肝血不燥。不至下剋脾土。補益脾土之元。則脾氣不濕。何難濕分消水氣。至於補脾而兼補胃者。由裏以及表也。且非胃氣之強。則脾氣不旺。是補胃正所以補

脾也

補經固眞湯　治白帶崩中漏下。諸藥不效。

人參二錢　橘皮錢半不去白　乾姜末二錢　白葵花十六朵去蔕碎　柴胡一錢　甘草一錢炙　郁李仁去皮尖研一錢　生黃芩另剉一錢　右除黃芩外以水三大盞煎至一盞七分再入黃芩同煎至一盞去滓空心熱服候少時以早膳壓之。

按此方是證治準繩方若起先病血崩不已久下則血少復亡其陽。故白滑之物下流不止。是本經血海將枯津液復亡枯乾不能滋養筋骨也。此方以大辛甘油膩之藥潤其枯燥而滋益津液。以大辛熱之氣味補其陽道。生其血脈以苦寒之藥泄其肺而救其上熱傷氣以人參補之。以微苦温之藥爲佐而益元氣也。

單方

沙參研末每服二錢米飲湯送下（見證治要訣）選靑色無沙眼之牡蠣火煅紅冷定又煅七次研細腐漿調下二錢

陳冬瓜仁炒後研末每服五錢空心米飲湯送下（見席延賞方）

白雞冠花曬乾爲末每早晨空心每服三錢用酒送下（見孫氏集效方）

蓮蓬殼炙灰研細末用熟雞子去黃取白裹末而服用酒及艾叶煮雞蛋日日食之（見袖珍方）

土參切片三兩陳酒飯上蒸熟分作三服愈

以上諸單方治白帶却有效驗所以特地附之於後

黃帶下二

帶下色黃。儼似黃茶濃汁而有腥臭之氣者。此爲黃帶也。原因乃由任脈之濕熱而致或謂任脈本不能容水之濕氣其安得入而化爲黃帶耶。殊不知帶脈橫生而通於任脈。任脈直上走於唇齒。唇齒之間原有不斷之泉。下貫於任脈使任脈無熱氣之繞則口中津液盡化爲精。以入於腎。但現有熱邪存於腎藏之間則津液不能化精。而反化爲濕也。夫濕者土之氣實水之同類熱者火之氣實木之所生。今濕與熱合之則煎熬成汁而變爲黃色。此乃不從水火化而從濕化也。推治法若認爲脾困濕邪。而單治其脾則不能愈。宜補任脈之虛而清腎藏之火。庶可痊也。方用易黃湯

易黃湯　治黃帶下

山藥一兩炒　芡實一兩炒　黃柏二錢鹽水炒　車前一錢酒炒　白菓十枚

右水煎連服四劑。無不全愈。

按此爲傅靑主女科方。不特治黃帶病。凡有帶病均可治之。但

治黃帶病。功效更奇。蓋以山藥芡實專補任脈之虛。又能利水。加白果引入任脈。更爲便捷。所以奏功之速也。至於用黃柏車前清腎中之火也。腎與任脈相通相濟。解腎中之火。卽解任脈之熱矣。

青帶下三

帶下色青。甚則綠如菉豆汁。稠粘不斷。其氣腥臭者。此爲青帶也。其病因由肝家濕熱下注而成。其色之所以青綠者。因肝屬木。木色屬青。帶下如菉豆汁。知爲肝木之病明矣。蓋肝性喜柔而惡濕。因濕爲土之氣故也，投其所惡。必有逆矣，逆則鬱。鬱則氣必逆。今氣欲上升而不得。濕欲下降而不能。兩相牽掣而停貯於中焦脂膜之間。然無形之氣不能勝有質之濕。是以鬱之既久。卒竄走帶脈。而下注於胞宮也。鬱淺熱少則色青。鬱久熱盛。則色綠。而其治法青易而綠難也。治當以解肝之火。而利膀胱之水。則青綠之帶去矣。方用加減逍遙散。

加減逍遙散　治青帶下

茯苓五錢　白芍酒炒五錢　甘草生用五錢　柴胡一錢　陳皮一錢
茵陳三錢　梔子炒三錢　水煎服二劑而色淡四劑而青綠之帶絕不必過服也

按逍遙散之立法。乃解肝鬱之藥。何以治青帶也。蓋濕熱留於肝經。則肝氣必鬱。鬱則必逆。逍遙散最能解肝之鬱逆。鬱逆之氣既解。則濕熱難留。而又以茵陳之利濕。梔子之清熱。肝氣得清。而青綠之帶自去。此方之所以奇而效捷也

赤帶下四

證見帶下色紅。似血非血。淋漓不斷。此爲赤帶也。但此帶原因。亦是由熱而兼濕。血虛而多火。因火之色赤。故成赤帶矣。蓋帶脈繫於腰臍之間。近陰之地。不宜有火。而今見火症。但其路通於腎。而腎通於肝。婦人憂思傷脾。又加鬱怒傷肝。於是肝經之鬱火內熾。下剋脾土。脾土不能運化。致濕熱之氣蘊於帶脈之間。而肝不藏血。赤滲於帶脈之內。皆由脾氣受傷。運化無力。濕熱之氣。隨氣下陷。同血俱下。所以成似血非血之赤帶也。治法宜清肝火而扶脾氣。方用清肝止淋湯。

清肝止淋湯　治赤帶下

白芍醋炒一錢　阿膠白麵炒三錢　當歸酒炒一兩　小黑豆一兩　生地酒炒五錢　牛夕二錢　香附酒炒一錢　粉丹皮三錢　紅棗十個
水煎服四劑全愈。十劑不再發

按此方但主補肝之血。全不利脾之濕。以赤帶之爲病者。火重而濕輕也。蓋火之旺者。由血虛而生火。所以補血卽足以制火。且水與血合而成赤帶之症。竟不能辨其是溼非溼。罩從溼治

則溼雖盡化而血執不除矣。所以治血則溼亦除。又何必利溼之多事哉。此方之妙妙在純於治血。少加清火之味，故奏功獨奇倘一利其溼反引火下行。轉難遽效矣。

黑帶下五

其症腹中疼痛小便時如刀刺痛。陰門發腫面色發紅。日久變爲黃瘦。飲食漸少。口中熱渴。喜飲涼水而帶下色黑。甚則如黑豆汁。其氣亦有腥臭。此爲黑帶也。此乃胃火太旺與命門膀胱三焦之火合而熬煎所以熬乾而變爲黑色。斷是火熱之極之變。而非少有寒氣也。但此等之症何不至發狂。此全賴腎水與肺金無病，其生生不息之氣。潤心濟胃以救之也。始法惟以洩火爲主。火熱退而溼自除矣。方用利火湯。

利火湯　治黑帶下

大黃三錢，白朮五錢土炒　茯苓三錢　車前子三錢酒炒　王不留行三錢　黃連三錢　梔子三錢炒　知母二錢　石羔五錢煆　劉寄奴三錢　水煎服一劑小便疼止而通利。二劑黑帶變爲白。三劑白亦少減。再三劑全愈。

按此方似過於峻剋，殊不知火盛之時。若用依違兩可之法。譬如救火之焚。而遷緩不進。則火勢延燃。不盡不止。今用黃連石膏梔子知母一派寒涼之品。入於大黃之中。則迅速掃除。而又得王不留行及劉寄奴之利溼。其勢甚急。則溼與熱俱無停住之機。佐白朮以輔土。茯苓以滲溼。車前以利水。則火退水進。便成既濟之象矣。

夫西醫學說。帶下病多因淋毒。或經中產後不攝生而成。此外如身罹感冒。房事過度。濫行手淫。亦皆足以致之。或另有一種。爲腺病性膣炎。如彼瘰癧性體質之少女多有之。初起之時。身體先發熱。寒戰繼之。後由陰內流出粘液。子宮疼痛。尿意頻數。病勢加重。粘液愈多。粘液似水似膿。又似鼻涕。其色或黃或白或青或綠或赤或黑。其質或稀或稠。其量或多或少。時時自陰內洩出。浸潤外陰部。故外陰部每發惡臭。內則自覺糜爛。甚且延及兩股。致生溼疹而發癢。粘液著於褌間。則永留帶黃白色之班點。若病勢不退。則變爲久病。粘液愈多。身體漸衰弱。皮膚黃白。全身倦怠。食慾不振。便祕頗甚。因之孕育無望也。治療之法有全身局部二種。全身治法。愼擇易消化之食物。服健胃強壯藥。使身體日漸強壯。局部治法。用防腐藥殺菌藥收斂藥等。視病情之如何而斟酌加減。

附白濁白淫

夫婦人之患白濁白淫者。皆由心腎不交養。水火不升降。或因勞傷於腎。腎氣虛冷故也。但腎主水而開竅在陰。陰爲溲便之道。胞冷腎損。而有白濁白淫矣。蓋白濁者。渾濁如膿。此膀胱經熱失治。或陰內生有外濕。宜用清心蓮子飲加利水藥。白淫者。蓋緣思想無窮。所願不得。意淫於外。入房太甚。發爲筋痿。久爲白淫。謂白物淫如白精之狀。不可誤作白帶矣。若過服熱藥。又有日夜流津。如清米泔。或如黏膠者。謂之白崩。與白淫不同也。治法宜局方金鎖正元丹。若因心虛而得者。宜服平補鎮心丹。或因思慮過份。當用加味四七湯。

清心蓮子飲　治上盛下虛。心火炎上。口苦咽乾。心煩發渴。及膀胱氣虛溼熱。陰莖腫痛。或莖竅澀滯。小便赤。或白濁。婦人積熱血崩。白濁帶下。產後口渴。

石蓮肉（摘去心）　白茯苓　黃耆（蜜炙）　人參各七分五厘　麥門冬（去心）　地骨皮　車前子（炒）　甘草（炙）各一錢　（一方加遠志肉石菖蒲各一錢）用法剉碎每服二錢或五錢作一兩另加麥門冬二十粒清水二盞煎至六分水中沈冷空腹食前溫服

按此方用生脈散合黃芩清肺而兼導赤之製。其旨在於心包火炎上灼於肺。熱傷氣化不能生水。故用生脈救肺之燥。以滋肺之上源也。

金鎖正元丹　治腎氣不足。氣短。肢怠目暗。耳鳴腳膝痠輭遺精盜汗。泄瀉便數。一切虛損之證。

五倍子八兩　補骨脂酒侵炒十兩　肉蓯蓉（洗焙）　紫巴戟去心　葫蘆巴炒各一斤　茯苓去皮六兩　龍骨煅二兩　硃砂另研三兩

右爲末入藥研令勻酒和丸如桐子大每服二十丸空心溫酒鹽湯送下

平補鎮心丹　治心虛血少。驚悸顫振。夜臥不寧。

茯苓　茯神去木　五味子　車前子　肉桂　麥門冬各一兩六錢半

遠志　山藥　天門冬　熟地各一兩半　酸棗仁錢半　龍齒二兩半　人參　硃砂各五錢

右爲末蜜丸梧子大每三十丸米飲下

加味四七湯　治婦女小便不順。甚者陰戶疼痛。

半夏湯洗七次一兩　厚朴薑汁製　赤茯苓　香附子炒各五錢　紫蘇　甘草各二錢

右㕮咀分四帖每服水二鍾薑五片煎八分去滓加琥珀末一錢調服

單方

風化石灰一兩白茯苓三兩爲末糊丸梧子大每服二三十丸空心米飲下（見楊氏家方）

麥鹿角屑爲末酒炒二錢

氣血與虛損略論

鄭宣于

吾人之肉體其所能生存者。無非氣血之護養耳。而氣者乃無形之物也。其功能導引血液旋轉週身脈管中循環而無端。發源於丹田氣海之中。氣出則肺呼。入則肺吸。是肺主氣也。所謂生於臍下。乃因腎與膀胱水之歸宿處賴鼻間吸入天陽之氣。從肺管導引心火下行。至臍下丹田氣海之中。出發則隨太陽經布護于外以防賊邪。是以又曰衛氣上交於肺則爲呼吸。與五臟六腑息息相依。而能以吾人所食之物。化爲糟粕。排洩于肛門之外。舉凡體工之運行。均賴氣之推動。有似火車中之蒸氣循環不絕。即有千萬斤之重物。亦可運行他處。若車中炉火烈盛。則汽鍋中之蒸汽更較雄厚。撥動力尤可增劇。行動亦可加速。若火車無此蒸汽則不能行動。一若吾人若無氣運。則五臟六腑失其調節。安可相生相養。蓋凡吾人之氣盛則盈。順則平。衰則虛。逆則病。是故軒岐論諸痛生於氣。諸病亦生於氣。又於素問舉病云。怒則氣逆。虛則氣緩。悲則氣消。恐則氣下。寒則氣收。炅則氣泄。驚氣則亂。勞氣則耗。思則氣結。凡此種種俱爲氣所致病。如他生痰動火。稽留血液。升降失常。或爲頭痛胸膈痞。或喘或逆。久而凝結不散。爲積爲脹。爲痛爲癥瘕等現象。雖屎於血瘀之症。亦因氣滯所致也。良以氣是血之帥。氣行則血行。氣洩則血滑。氣虛則血凝。氣有一息之不行血即一息之不運。病出于血。調氣就可告痊。若病出于氣。調血其何足濟。此中醫之論氣頗有澈底之了解。實爲獨得之秘也。而血乃有形之物也。是以吾人賴血以成形。而又賴血以養形。設無氣之運行。血又不能自動奉養五臟六附五谷之類。安可自化爲血其糟安能自出肛門。是故氣力充足者。則其消化力強健。神旺體壯矣。經云食入於胃。濁氣歸心。經淫於脈。脈氣流經。可見吾人每日所食之物。入胃則變化爲有形之液汁。由脾之健運。肝胆之疏利。腸胕之排除糟粕。則成濃厚之陰汁。又賴氣之運行力入心變化爲血。故曰濁氣歸心。又云心主血。血成則散行於經絡。故曰淫精於脈。脈又賴肺之一呼一吸。始行三寸。源源而致調和五臟六胕十二經脈。皆此脈氣流經之意也。可見吾人所食有形之物。經過臟胕消磨。入心始成有形之血。而氣乃由于肺之一開一合。從鼻間吸入天陽無形之氣。排出炭素等氣。推動臟胕。使血液循環全體。故西醫剖解只見其血。不見其氣也。設若吾人氣旺則消化力強。血液賴以增加。週轉全身。充營衛。和筋骨。丰肌肉。目得之能視。耳得之能聽。手得之能攝。掌得之能握。足得之能步。無非氣之作用也。嘗產婦食入於胃。化爲液汁。騰升於上。得肺氣之化。則成白色。是爲乳汁。此乳汁盡供兒食。不能入心化血。則血無餘。故月信停而不行。若乳斷後。則陰汁入心而化爲血。血既有餘。故轉順行。而經因之以行。至若子男無經可驗。是因子男主氣也。氣屬陽。上行循衝任脈。統頤唇生鬍鬚。是鬍鬚亦血之餘也。蓋女子既下有月信。上遂無鬍鬚。男子既上有鬍鬚、下遂無月信。此乃天地自然之理也。月有盈有汚。海有潮有汐。人身應之。滿必溢。盈必汚。雖然男子主氣。女子主血。升降不同。而氣血變化之理則一也、故男子血從氣化爲精。女子氣從化血爲經。而男子之精。未嘗不賴血化而成。屬氣屬水。其中未嘗無火也。女子之經、未嘗不賴氣之運行。雖屬血屬火。其中未嘗無氣無水。是男子精薄爲血虛。女子經病爲氣滯。是以婦人之月信。進退閉阻。漏下崩帶等變症雖多。治法總不外乎調氣之劑。然而吾人之初生。雖屬父之精氣。而賴母之血液。妊娠月信停止。是以合父之精氣、成立有形之胎兒也。吾人之精血潛傷曰虛。虛而又虛。則臟腑受傷曰損。夫人本爲血立其形、而賴氣之運行周轉。是以五臟六腑。相生相養、是以氣血爲人生寶。安可不加保存。苟有汚傷。則虛象立見。尤而不知保重攝養。則人損矣。究其原因。有先天薄弱、或妊娠中父母失其調養。故生子多虛天之象。或有幼兒得驚風。痰多氣滯。體質虛弱。以是記憶力缺乏。頭昏目不能了了。握筆手顫、或腰痠足軟。各種現象。皆先天不足所致也。宜慎防未病之前。保重身體。調養有序。安有不獲壽哉。若因其無寒無熱。能飲能食。亦可應世接物。自爲元體甚健。不知珍攝。日耗精神。乃多倦態氣短之象。苟遇重病。生命危矣。又有後天欠缺修養。而多情慾邪思。火動、水火不濟。是以眞元下洩。或早年血氣未定。斲傷過甚。精元先耗、而虛象漸積。眞元日微。則損莫可救矣。例如思慮傷心。則火易上熾而無制。是以精洩、憂愁傷脾。消化遲鈍。氣血失養。忿怒傷肝。肝火內蘊。傷血耗氣、悲哀傷肺。則陰分消爍。而奪精。懼恐傷腎。則水涸日漸乾枯。皆可傷臟腑之精華。以是而致損症、亦有因于勞者。飲食不節。負担重物。鬥風冒雨。以是致損症矣、雖因賣力爲生者。而飢飽無常。勞役傷形。安閒柔脆之輩。或苦心竭慮。爭奪名利。或養尊處優。花天酒地。傷精勞神。冥冥弗覺之中。眞元剝削。致成損症。總由不知珍重。勉強爲之。胡作妄爲。傷精傷神。則氣虛脾失健運。四肢柔軟。無力言喘自汗等症作矣。內經云「久視傷血。久臥傷氣、久坐傷肉。久立傷骨。久行傷風。可見吾人決不可過勞。過勞則臟腑精華受傷。是以夭折隨之。又有環境困迫之人。貧苦難堪。有志不遂、或青年憂思過度。飲食減少。夜中失眠。或富貴之士。因其天災人禍。流落他處。暴苦暴樂。飢飽無常。雖不中邪。乃精氣傷矣。又有病後六淫之邪雖除。而氣血未復。縱情竭慾。飲食失節。勞動傷氣。不攝養。以致脾胃虛弱。神淡精丐面白如紙。四肢無力。各種陰陽俱傷之現象。皆失攝養也。若病後斷慾。省煩腦。以養神。節嗜慾。以養精。攝養有序。庶可恢復原來之健全體格。否則雖飲食如常。亦可應酬。其實精神暗傷。不知不覺。往往見病後之人。言談對客之際。忽然暈絕者。此皆不知保重元體之故也。

以上所述之氣血。爲吾人立病之根也。二者不可缺一。否則神去形敗矣。其所以有神有形。氣血主之也。故氣血旺盛。則神足膚潤。體壯力大。若先天薄弱。後天失調。妄作胡爲。致有限之精血。日漸虛少。則發現頭昏耳鳴。神倦咽乾。腰痠足軟等象。致成虛症矣。甚則胃中水穀一日所化之精氣。亦不足以供各機能一日之需用。咽乾。寒熱。汗出見血等症。相繼而起。則失其救治矣。故本文以氣血虛損之爲患。提醒社會之一般人士而已。恨才淺學疏。未盡所言。深望諸同學不吝賜教。則幸甚矣。

六淫概論

劉棣

劉君棣。江蘇沭陽籍。天賦聰慧。性秉和靄。幼好學。弱冠貫經典。工詩能文。家傳五世針術。見垣一方。聲振遐邇。君承祖訓。對於鍼術洞見一班。更復胸懷大志。由此復篤習仲景之學。朝夕不輟。手未釋卷者凡五年。上自內難之奧。下及金元明清諸子之集。靡不涉獵。而君仍虛心若竹。惕於閉戶造車。難免一失之念。遂毅然來滬。插秋三於本院。與余謙愛若手足。承教之處。更復甚夥。自君入本院。博聞繩記。觸類旁通。更非昔日所可比。蓋有浩浩乎其沛然者在也。且更能善探古方之義。而不爲古所囿。若劉君者。可謂無愧河澗者矣。

滾駒容易。度二十年如一中。轉瞬君屆畢業之期。指日出而問世。而先我着鞭。或懸壺於通都。或嘉惠於桑梓。勞燕分飛。行將在即。君與吾爭好者也。不禁悵然。聊爲數語。以誌鴻爪。

學弟　孟祥瑞拜撰

六淫者。風寒暑濕燥火之謂也。即天時之由春而夏而秋而冬之應行之氣也。斯氣之來。體壯者仍然自若。體虛者感而即病。內經云。春傷於風。夏生餐泄。夏傷於暑。秋必痎瘧。秋傷於燥。冬生咳嗽。冬傷於寒。春必病溫。又云。冬不藏精。春必病溫。此蓋言正氣既傷。體虛受病也。今將六淫分而言之如下。

一　風

春日厥陰行令。風木司權之候。其病也。爲風。夫風邪之爲病。有輕重之分焉。輕則曰冒。重則曰傷。再則曰中。如寒熱有汗。是風傷衛分。名曰傷風。鼻塞咳嗽。惡寒頭痛。是風冒於表。名曰感冒。突然昏倒。不省人事。是風中於裏。名曰中風。當分乎輕重。分乎寒熱以治之。且風爲百病之長。其中人也最速。其兼症也亦多。如兼寒者。曰風寒。暑兼者。曰暑風。兼濕者。曰風濕。兼燥者。曰風燥。兼火者。曰風火。由此觀之。病之因乎風而起者。自多也。如頭痛發熱。汗出惡風。脈象浮緩者。此風而兼寒。名曰傷風。治宜解肌散表。惡風微熱。鼻塞聲重。頭痛咳嗽。脈來濡滑而不浮緩。此爲春時感冒風邪之症。宜乎微辛輕解。倘或口渴喜飲。是有伏氣內潛。脈數有汗者。當從風溫治。忽然昏倒。不省人事。或喎斜舌強。痰聲在喉。此爲中風。急與通關。後議他藥。有左右不遂。筋骨不用。邪在經也。當用順氣搜風法治之。有口眼喎邪。斜肌肉不仁。祛在絡也。當用活血風邪法。有昏不識人。便溺爲阻。邪在腑也。當用宣竅導痰法。唇緩涎流。邪在臟也。亦宜開竅化痰。佐以清心。如口開則心絕。目合則肝絕。手撒則脾絕。鼾睡則肺絕。遺溺則腎絕。搖頭上竄。汗出如油。脈大無倫。或小如纖。皆不可治。觀夫此可知風之兼病既多。而風之爲害亦烈也。他若寒熱頭痛。汗出不多。或咳嗽。或體痠。脈來浮大或弦緊。此風而兼寒。宜辛溫解表法。寒微熱甚。頭痛而昏。或汗多。或咳嗽。或目赤。或涕黃。舌起黃苔。脈來浮數。此風溫也。以辛涼解表爲先。倘惡寒頭痛得瘥。轉爲口渴喜飲。苔色黃焦。此風熱之邪已化爲火。宜改清熱保津法治之。倘或舌燥昏狂。或發癍發疹。當從熱病論治。頭痛發熱。微汗惡風。骨節煩疼。體重微腫。小便欠利。脈來浮緩。此風濕也。宜五苓散加羌防治之。凡此之類。皆兼風爲患也。素問至眞要大論曰。風氣大來。木之勝也。土濕受邪。脾病生焉。謂所感邪而生病也。氣交變大論曰。歲木太過。風氣流行。民病飧泄。食減。體重煩冤。腸鳴腹中支滿。又曰。歲土不及。風乃大行。民病飧泄。霍亂。體重。腹痛。筋骨繇復。肌肉瞤酸。善怒。靈樞五色篇曰。風者百病之始也。壽夭剛柔篇曰。病在陽者命曰風。素問六元正紀大論曰。風病行於上。此蓋然風性上浮而善升也。風論曰。風氣藏於皮膚之間。內不得通。外不得洩。風者善行而數變。腠理開則洒然寒。閉則熱而悶。其寒也則衰食飲。其熱也則消肌肉。故使人怢慄而不能食。名曰寒熱。靈樞論疾診尺篇曰。尺膚滑。其淖澤者風也。尺膚滑而澤脂者風也。傷寒論曰。言遲者風也。總之。此症由乎冬不藏精。暑汗不出。疏泄之道俱失。諸凡百病。皆得從風而入矣。

二　寒

傷寒之法。仲景立法於前。諸賢註釋於後。雖少有異仝。恐亦不能出仲景範圍。其最著者。自成無巳註解後。如嘉言三書。景岳書。傷寒三註四註等篇。柯韻柏來蘇集。傷寒論翼方翼。王晉三古方選註。皆屬細心明眼。理論翔實。實可奉爲圭臬。然對於一百一十三方中六經之相傳。併病合病。兩感直中。頗屬高妙。雷少逸曰。立冬之後。寒氣傷人。其能固祕者。何傷之有。不謹則寒遂傷於寒水之經。即病寒熱無汗。脈來浮緊。名曰傷寒。斯眞要言不煩也。費伯雄曰。寒者陰氣也。即肅殺之氣也。寒氣中人。爲禍最烈。仲景欲利濟萬世。著傷寒中寒爲二論。傷寒論十卷。炳如日星。後世奉爲科律。素問氣交變大論曰。歲水太過。寒氣流行。邪害心火。民病身熱煩心燥悸。陰厥。上下中寒。譫妄心痛。寒氣早至。又曰。歲火不及。寒乃大行。復則病鶩溏。腹滿。食飲不下。腹中腸鳴。泄注腹痛。暴攣痿痺。

足不任身。六元正紀大論曰。水鬱之發。陽氣乃辟。寒病暴舉。大寒乃至。民病寒客心痛。腰脽痛。大關節不利。屈伸不便。善厥逆。痞堅腹滿。至真要大論曰。寒氣大來。水之勝也。火熱受邪。心病生焉。靈樞刺節眞邪篇曰。虛邪與衛相搏。陰勝者爲寒。凡此種種。皆寒之爲患也。

三 暑

天之熱氣一動。地之濕濁自騰。人在蒸淫熱迫之中。身體正氣。若虛。則邪從口鼻而入。氣分先阻。上焦清肅之令不行。輸化之機失於常度。其因動者。爲陽暑。必燥熱口渴。其因靜者。爲陰暑。必多脈遲中滿。其有感而卽病者。爲傷暑。卒然昏倒者。爲中暑。入心也則神昏譫語。入肝也則寒熱脅痛。化爲瘧則寒熱往來。或口渴或不渴。或但熱無寒。或但寒無熱。或熱多寒少。寒多熱少。化爲痢。則裏急後重。或重紅。或重白。或紅白相兼。或則痢下五色。或則便稀。或則腹脹。其發霍亂也。爲嘔吐。爲便泄。爲腹痛轉筋。種種變亂之原。要不外乎暑爲患。當夫夏季。發於驟者。在當時爲患。緩者於秋後爲伏氣之疾。其候也。脈色必滯。口舌必膩。或有微寒。或單發熱。熱時則脘痞氣滯。悶渴煩寃。每至午後則甚。入暮更劇。熱至天明。得汗則諸恙稍緩。日日如是。必要兩三候外。日減一日。方得全解。倘如元氣不支。或調理非法。不治者甚多。然是病。比之傷寒。其勢覺緩。比之瘧疾。寒熱又不分明。其變幻與傷寒無二。其愈期反覺纏綿。若表之汗。不易徹。攻之便易溏泄。過清則肢冷嘔噁。過燥則唇齒燥裂。每遇秋來。最多是症。求之古訓。不載者多。獨巳任篇名之曰秋時晚發。要之伏氣爲病。四時皆有。不比傷寒之病。一汗而解。溫熱之氣。投涼卽安。暑與濕爲蘊蒸粘膩之邪也。最難驟愈。治不中竅。暑熱從陽上熏。而傷陰化燥。濕邪從陰下沉。而傷陽變濁。以致神昏耳聾。舌乾齦血。脘痞嘔噁。洞泄肢冷。棘手之候叢生。竟至潰敗莫救者多矣。斯症之治法。在上者。以辛涼微苦。如竹葉連翹杏仁薄荷之類。在中者。以苦辛宣通。如半夏瀉心之類。在下者。以溫行寒性。質重開下。如桂苓甘露飲之類。費晉卿曰。暑熱之氣。自上而下。濕氣自下而上。人在其中。無時無處不受其熏蒸燔灼。致病已非一端。又況起居不愼。飲食不節。其受病倘可問乎。雷少逸曰。天之暑熱下逼。地之濕氣上騰。人在氣交之中。其氣從口鼻而入。直擾中州。脾胃失消運之權。清濁不分。精華之氣。反而深沉下降。不爲便泄。卽爲痢脹。或則小便熱赤。脈來濡數。其或沉滑面垢。有汗。口渴喜飲。通體皆熱。熱似火炎。凡此之類。皆暑之爲患。素問六元正紀大論曰。少陽所至。爲炎暑。爲熱府。爲行出。又曰在天爲日。在地爲火。其性爲暑。素問氣交變大論曰。歲火太過。炎暑流行。金肺受邪。民病瘧。少氣。咳喘。血溢。血泄。注下。嗌燥。耳聾。中熱。肩背熱。又曰。歲金不及。炎火乃行。民病肩背瞀重。鼽嚏。便血注下。生氣通天論曰。因於暑。汗。煩則喘渴。靜則多言。熱論曰。暑當與汗出。勿止。金匱痙濕暍病脈症篇曰。太陽中暍者。熱是也。汗出惡寒。身熱而渴。白虎加人參湯主之。又曰。太陽中暍。發熱惡寒。身重而疼痛。其脈弦細芤遲。小便已。洒洒然毛聳。小有勞。則身卽熱。口開前板齒燥。若發其汗。則惡寒甚。加溫針。則發熱甚。若數下之。則淋甚。可與東垣清暑益氣湯。又曰。太陽中暍。身熱疼重。而脈微弱。此以夏月傷冷水。水行皮中所致也。一物瓜蒂湯主之。脈經云。內經以脈虛身熱爲傷暑。金匱以弦細芤遲爲傷暑。蓋以暑傷氣而不傷形。故氣消而脈虛弱也。大抵脈來虛大無力。或小弱者。皆中氣本虛。而傷暑之象。總之夏月相火行令。人感其氣。自口鼻而入於肺胃。多見身熱汗出而喘。煩渴多言。倦息少氣。或少血。發黃生斑。如侵入心包。散於血脈。而入腦。則四肢搐搦。不省人事。法宜去濕熱。清心臟。利小便。爲主。傷氣者。宜補正氣。若見惡寒。或四肢逆冷。甚至迷悶。不省。霍亂吐利。痰滯嘔逆。腹滿瀉利者。此皆受暑所致之病也。

四　濕

濕爲六氣之一。五常正大論曰。濕氣大來。土之勝也。寒水受邪。腎病生焉。所謂感邪而生病也。素問陰陽應向大論曰。太陰所至爲濕生。氣交變大論曰。歲土太過。雨濕流行。腎水受邪。民病腹痛。淸厥。意不樂。體重煩冤。又曰。歲水不及。濕乃大行。民病腹滿。身重濡泄。傷寒流水。股痛發。膕腨股膝不便。煩冤。足痿。淸厥。足下痛。甚則足跗浮腫。六元正紀大論曰。土鬱之發。故民病心腹脹。腸鳴而數後。甚則心痛。脅䐜。嘔吐。霍亂。飲發注下。胕腫身重。生氣通天論曰。秋傷於濕。上逆而欬。發爲痿厥。又曰。秋傷於濕。冬主欬嗽。太陰陽明篇曰。陽受風氣。陰受濕氣。傷於濕者。下先受之。痿論曰。有漸於濕。以水爲事。若有所留。居處相濕。肌肉濡漬。痹而不仁。發爲肉痿。靈樞百病始生篇曰。清濕襲虛。則病起於下。素問六元正紀大論曰。諸濕腫滿。當屬於脾。生氣通天論曰。因於濕。首如裹。濕熱不攘。大筋緛短。小筋弛長。緛短爲拘。弛長爲痿。陰陽應象大論曰。濕勝則濡瀉。脈要精微論曰。中盛藏滿。氣勝傷恐者。聲如從室中出。是中氣之濕也。脈論曰。其多汗而濡者。此其逢濕勝也。陽氣少。陰氣盛。兩氣相感。故汗出而濡也。至眞要大論曰。濕淫於內。治以苦熱。佐以酸淡。以苦燥之。以淡泄之。濕淫所勝。平以苦熱。佐以酸辛。以苦燥之。以淡泄之。濕上勝而熱。治以苦溫。佐以甘辛。以汗爲故而止。

濕化於天。熱反勝之。治以苦寒。佐以苦酸。金匱痓濕暍病脈症篇曰。濕家之爲病。一身盡疼。發熱身色如燻黃。濕家身疼煩。可與麻黃加朮湯發其汗爲宜。愼不可以火攻之。濕家其人但頭汗出。背張欲得覆被向火。若下之早則噦。或胸滿小便不利。舌上如胎者。以丹田有熱。胸中有寒。渴欲得水而不能飲。則口燥煩也。濕家下之。汗出微喘。小便不利者。死。下利不止者。亦死也。華岫雲曰。濕爲重濁有質之邪。從外而受者。皆由地中之氣升騰。從內而生者。皆由脾陽之不運。雖云霧露雨濕上先受之。地中潮濕下先受之。然霧露雨濕。亦必由地氣上升而致。若地氣不升。則天氣不降。皆成燥症矣。何濕之有。其傷人也。或從上。或從下。或遍體皆受。此乃外感之濕邪。著於肌軀者也。此雖未必即出於臟腑。治法原宜於表散。但不可大汗耳。更當察其兼症。若兼風者。微微散之。兼寒者佐以溫藥。兼熱者佐以清藥。此言外受之濕也。然水流濕。火就燥。有仝氣相感之理。如其人飲食不節。脾家有濕。脾主肌肉四肢。則肌軀外感之濕。亦漸次入於臟腑、而合併爲病矣。亦有外不受濕。而但從內生者。必其人膏粱酒醴過度。或嗜飲茶湯太過。或食生冷瓜果及甜膩之物。治法總宜辨其體質之陰陽。斯可以知寒熱虛實之治。若其色紫赤而瘦。肌肉堅結者。其體屬陽。外感之濕。易於化熱。若內生之濕邪。多因膏粱酒醴。必患濕熱濕火之症。若白而肥。肌肉柔軟者。其體屬陰。外感之濕。不易化熱。內生之濕。多因茶湯生冷太過。必患寒濕之症。

五 燥

前人有云。六氣之中。惟燥不爲病。此言似不盡然。蓋以內經。少秋感於燥一條。故有此議耳。如陽明司天之年。豈無燥金之病乎。大抵春秋二令。氣候較夏冬之偏寒偏熱爲和平。其由於夏之伏氣爲病者多。其由於本氣自病者少。其由於伏氣而病者重。本氣自病者輕耳。其由於本氣自病之燥病。初起必在肺衛。喻嘉言以燥令行於秋風之後。故謂秋不遽燥。確與氣運相合也。沈目南云。性理大全云。謂燥屬次寒。奈後賢悉謂屬熱。大相逕庭。如盛夏暑熱炎蒸。汗出濈濈。肌肉潮潤而不燥也。深秋燥令氣行。人體肺金應之。肝肉干槁而燥。乃火令無權。故燥屬涼。謂屬熱者非矣。雷少逸云。凡治初患之燥氣。當宗屬涼擬法。夫秋燥之氣。始客於表。頭微痛。惡寒。咳嗽。無汗。鼻塞。舌苔薄者。宜用苦溫平燥法治之。若熱渴有汗。咽喉作痛。是燥之涼氣。已化爲火。宜甘苦平燥治之。如咳逆胸疼。痰中兼血。是肺絡被燥火所刼。宜用金水相生法。如西洋參。旱蓮草之類是。如諸症全無。惟腹作脹。大便不行。此燥結盤聚於裏。宜用松柏通幽法治之。總之燥氣侵表。病在肺燥氣入裏病在胃若夫肝燥腎燥則在乎內傷不在此例。費伯雄曰燥爲六淫之一。內經於此條。並未大暢其說至西昌喻氏著秋燥論一篇謂世俗相沿誤以濕病爲燥病解者亦競以燥病爲濕病而於內經所謂秋傷於濕上逆而咳發爲痿厥數語全然誤會可謂物俱着眼大聲喝破矣惟篇中謂。秋不遽燥大熱之後續以涼生涼生而熱解。漸至大涼而燥令及行焉此則燥字之義乃作大涼解而燥中全無熱氣矣獨不思秋陽以暴之一語朱子註中謂秋日燥烈言暴之干也。可見秋陽甚於夏日。燥非全主乎涼乃篇中又申其說以爲天道春不分不溫。夏不至不熱。則秋不分不燥之意隱然言下矣。信斯言也則必秋分以後方得謂之秋燥是燥病亦只得半季。而秋分以前之四十五日。全不關秋燥矣由斯以推則冬至以後方是傷寒春分以後方是春溫夏至以後方是三氣而於冬至以前。春分以前。夏至以前。秋分以前四十五日內所感何氣所得者謂之何病乎。愚謂燥者乾也對濕言之也立秋已後濕氣去而燥氣成初秋尚熱。則燥而熱深秋既涼。則燥而涼以燥爲全體而以熱與涼爲之分項兼此二義方見涼字圓活若專主一邊遺漏一邊恐非確論。之數子者辯論紛紜莫衷一是以余而論無論燥之屬寒屬熱化氣伏氣總以吾人當時之環境。以及起居飲食感受盈虧體溫升降脈搏之高底。屬於原發性之兼症者屬於繼發性之兼症者或身體素康而後感受此症者或有沉寒在裏外受此疾者或肝陽屢升。引起斯疾據症以判。涼熱如此辯明。屬熱者治熱屬寒者治寒。在表者解表在裏者。攻裏。有裏而兼表者宜表裏雙解有表急裏緩者。先攻其表後治其裏有裏急者。先治裏。後治表勿拘乎運氣。秋不遽燥。大熱之後。繼以涼生等語總之。在臨時議症。不得先主成見也

六火

火者光熱燃燒之象素問應象大論曰南方生熱熱生火至眞要大論曰少陽司大其化以火。按火爲五行六氣之一在人體中則有君火相火有道術者則有三昧火其於六氣也。更有甚焉素問氣交變大論曰歲火太過炎暑流行。金肺受邪民病瘧少氣咳喘。血溢。血泄注下嗌燥耳聾中熱肩背熱又曰歲金不及炎火乃行。民病肩背瞀重鼽嚏血便注下六元正紀大論曰火鬱之發炎火行。大暑至民病少氣瘡瘍癰腫脅後胸背四肢面目䐜憒臚脹瘍疿嘔逆瘈瘲骨痛節乃有動注下溫瘧腹中暴痛血溢流注精液乃少目赤心熱甚則瞀悶懊憹善暴死。至眞要大論曰熱氣大來火之勝也金燥受邪。肺病生焉陰陽應象大論曰。壯火之氣衰少

火之壯氣。壯火食氣。氣食少火。壯火散氣。少火生氣。至眞要大論曰。諸喝瘛瞀。皆屬於火。諸腹脹大。皆屬於熱。諸躁狂越。皆屬於火。至眞要大論曰。火淫於內。治以鹹冷。佐以苦甘。以酸收之。火淫所勝。平以酸冷。佐以甘苦。以酸收之。以苦發之。以酸復之。熱淫仝火化於天。寒反勝之。治以甘熱。佐以苦辛。古訓如此。火淫爲禍之烈也明矣。余嘗謂外來之火。得於感邪而化者。其火多壯。病勢少緩。陰液乾枯。舌赤口乾者多爲少火。少火之力雖緩。而少火之病難醫。何者。體虛故也。他如形羸瘦而尖長。面目乾黑者。其體屬陽多得陰虛。其病爲少陰。治以補陰爲主。甘寒佐之。倘或寒涼太過。則便泄肢冷。不治者甚多。此皆火之爲患也

中國醫學之檢討

劉行方

綱目

第一章　導言

我中國醫學。溯自神農黃帝發其軔。互數千年之歷史。其過程中。經種種試驗。排種種困難。雖其間未能得若何充分之成績。然亦可藉此而延續我中華民族之生命。其關係之重大。迥非其他學科所可比擬。當玆科學昌明時代。一切事物均含科學思想。醫學豈能外此。於是有生理學。病理學。細菌學。解剖學。衞生學等諸學術。應運與起。生理學闡明人體各臟器各器官各組織之機能。解剖學包含組織學（細胞學在內）神經系解剖學。胚胎學。人類形體學。比較解剖學。人體解剖學。闡明人體各部之構造及形態。病理學。闡明各種疾病之發生原因。細菌學。闡明一切細菌之生活狀態。性質。以杜絕傳染病之發生。衞生學闡明疾病發生之預防及疾病既發後之處置。上列各科。為醫學之經緯。並須相輔而行。庶幾能收相得益彰之效。而後醫學日趨進化。達到完善無疵之境界。維持我中華民族康強。實有厚望焉。

余嘗謂黃帝內經。為『中國百科全書』。洵不誣也。蓋其包含一切學術。譽為我中國之權威作亦無不可也。玆舉一例為證。巴黎通訊載科學的中國。題為『中國最古發明之針灸學』（上略）「蓋身體內部之各器官與皮膚息息相通。審知病之所在而於其通於外部皮膚上之某部分上略施刺激而內部之病便告霍然。西方人士蘇列摩朗氏前曾為駐華領事。留心中國醫術不久。曾譯黃帝之內經。此書在耶穌紀元前二千六百年。即已存在。此外蘇氏復得費列拉爾醫生之援助。著一小冊。名中國之針灸。此書對全部問題加以說明。並列種種試驗。

自來西方人士之視中國醫術者。莫不認爲怪異。以爲非人力所能爲。延至今日。則事實具在。中國醫學之價値。殊非西方人士所能否認矣。不第此也。中國醫學之古。與其國家歷史等。西方醫界在科學上雖極完備。然對此數千年之中國舊學。固不能不以誠惶誠恐之態度從事研究之也。」由上項事實。即可證明西方人士之研究學術。富有責任心信仰心矢志不渝。甚有將其一生精力。孜孜於一種學科者。若大發明家愛迪生。路易巴士德。其適例也。

第二章　中國醫學鳥瞰

醫學爲自然科學之一種。我國研究自然之學。發達甚早。其撰述亦頗可觀。更且深含哲理。是以包容廣泛。論者病其偏於哲理而缺乏科學性質。適自見其陋耳。

(一)中國醫學歷史系統表

(甲) 謝利恆先生排列法

1. 萌芽時期——西周以前。
2. 成熟時期——春秋戰國。
3. 專門傳受時期——兩漢之世。
4. 蒐葺殘缺時期——魏晉至唐。
5. 新說代興時期——兩宋至明。
6. 主張復古時期——起自明末盛於有清。

(乙) 宋愛人先生排列法

1. 啓元時期——神農著本草經。黃帝岐伯合著內經。
2. 大成時期——周秦長桑君授扁鵲禁方。陽慶倉公後漢張仲景著傷寒論金匱要略。
3. 守成時期——隋唐王冰滑伯仁註釋內經。王叔和成無己闡解傷寒。
4. 學派時期——宋金元劉河間。李東垣。朱丹溪。張子和興四家之說。
5. 新學時期——明清方中行(有執)著傷寒前條辨。喻嘉言著傷寒尙論程郊倩著傷寒後條辨章虛谷著醫門棒喝至葉天士著溫熱論陳平伯著風溫證治薛生白著濕溫證治吳鞠通著溫病條辨。王孟英著溫熱經緯雷少逸著時病論柳穀孫著溫熱逢源王勳臣著醫林改錯唐容川著中西醫纂。

6.混亂時期——自淸政日夷洋奴派欲推翻中國一切文化而以歐化代之

(二)醫學源流述略

[上古]神農氏當時民有疾病未知藥石神農始味草木之滋察其寒熱溫平之性辨其君臣佐使之義嘗一日而遇七十毒神而化之遂作方書以療民疾而醫道自此始立雖經中所載郡縣多在漢時唐于志寧疑爲張仲景華陀等所記然必神農先有所著錄後人始克依據而紬釋之非必盡爲僞託也

黃帝民國前四六〇八年(根據本國史中華書局版)咨於岐伯著內經十八卷(靈樞九卷素問九卷)外經三十七卷黃帝岐伯按摩術十卷黃帝雜子芝菌十八卷又據漢書藝文志載醫經七家二百十六卷其書多告失傳經方十一家二百七十四卷其書亦均告失傳矣

[春秋]醫和秦之良醫晉平公求醫於秦秦伯使醫和視之知疾不可爲

醫緩亦良醫也晉景公病求醫於秦秦使醫緩視之曰:『疾不可爲也在肓之上膏之下攻之不可達之不及藥不至焉不可爲也』

[戰國]秦越人號扁鵲受禁方於長桑君著有難經二卷列八十一章發明內經之旨詞義古奧名曰難經者謂經文有疑各設問難以明之也

[漢]倉公姓淳于名意爲太倉長故曰倉公得其師陽慶授以禁方及脈書遂精醫

[後漢]張機字仲景學醫於張伯祖盡得其傳靈帝時舉孝廉官至長沙太守著有傷寒論十卷金匱玉函要略三卷醫家奉爲圭臬與素問難經並重尊爲醫中亞聖

[東漢]華陀字元化精方藥處劑不過數種針灸不過數處針藥所不及者破腹背理腸胃除其疾而縫之敷以神膏卽愈著有青囊經爲曹操所殺臨死贈與獄吏吏畏不敢受陀取火焚之

[晉]葛洪字稚川著肘後備急方但有方而無論簡要易明凡八卷

皇甫謐字士安著甲乙經凡八卷一百十八篇論針灸之備最詳

[梁]陶宏景修神農本草經三卷廣肘後方爲一百卷

[唐]隱士孫思邈著千金要方三十卷千金翼方三十卷思邈云『人命至重貴於千金一方濟之德踰於此』有將千

金方千金翼方。混合爲一。廣至九十三卷。是否爲其原書。已不可致。要之。思邈之方。仍散在此編中也。

王燾撰外臺秘要。凡四十卷。分一一〇四門。先論後方、古來專門授受之秘法。多在其中

〔宋〕劉温舒。撰運氣論奧三卷、爲論三十圖廿七、

許叔微。字知可。紹興二年進士。醫家謂之許學士。著有傷寒發微論。傷寒九十論。傷寒百證歌五卷。治法八十一篇。仲景脈法三十六圖。翼傷寒論二卷。辨類五卷。類證普濟本事方十卷。是書載經驗諸方及醫案。以本事爲名者。取唐孟棨撰本事詩之例也。

寇宗奭撰本草衍義二十卷。詳涉運氣。

〔金〕張元素。字潔古。易州人。試進士。犯廟諱下第。乃去學醫。治病不用古方。用藥依準四時陰陽而增損之。李時珍稱其靈素而後一人。

劉完素。字守眞。河間人。嘗遇賢人陳先生。飲酒大醉。及寤。洞達醫術。若有授之者。自號通玄處士。著有素問玄機原病式。宣明論方。傷寒直格方等書。闡明六氣從火化之理。

李杲。字明之。自號東垣老人。其學長於傷寒癰疽眼目病。元時卒。著有內外傷辨惑論。發明內傷之證有類外感。辨別寒熱有餘不足。大旨以培補脾胃爲主。凡三卷。脾胃論二卷。蘭室秘藏六卷。分二十一門。着重脾胃。其脾虛損論。極言寒涼峻利之害。蓋隱挽劉張二家之弊也。

張子和。號戴人。著儒門事親十五卷。其書以爲惟儒者能明理。而事親當知醫。故以名書。大旨矯庸醫特補之失。而主張用攻法。

〔元〕朱震亨。字彥修。學者尊之曰丹溪翁。其學說爲陽易動。陰易虧。獨重滋陰降火。創爲陽常有餘陰常不足之論。著有格致餘論。局方發揮。金匱鉤元等書。

滑壽。字伯仁。又號攖寧生。襄城人。著有十四經發揮三卷。難經本義等書。

危亦林。字達齋。刻苦醫學。凡十稔。編成世醫得效方十九卷

戴啓宗。字同父。著脈訣刊誤等書

〔明〕王肯堂。字宇泰。金壇人。萬歷進士。著有六科準繩一書。計一百二十卷。分(一)傷寒準繩。(二)證治準繩。(三)類方準繩。(四)女科準繩。(五)幼科準繩。(六)外科準繩。搜羅廣博。條理分明。又著鬱岡齋筆塵一書。論方藥者十之三四

張介賓。字會卿。號景岳。山陰人。著有景岳全書六十四卷。所論醫學以溫補爲宗而主持太過。頗爲後人所垢病。其類經三十二卷。以素問靈樞分析爲三九〇條。分爲十二類。釐訂爲十七卷。又益以圖翼十一卷。附翼四卷。門目分明。易於尋檢。

王履字安道。崑山人。著醫韶統傷寒立法考等書。

薛已。字立齋。吳縣人。初爲瘍醫。後以內科名。著有薛氏醫案。計七十八卷。蓋裒其生平述作。共爲一編。所自著者九種。訂正舊本而附以已說者十四種。其大旨以命門爲眞陰眞陽。而氣血爲陰陽所化。常用者不過十餘方。而隨機加減。變化不窮。

吳有性著溫疫論二卷。其說以傷寒因表入裏。溫疫之氣自口鼻入。在不表不裏之間。治法迥異。乃著此書以辨別之。持論甚精。爲後世治溫所祖。

江瓘著名醫類案十二卷。分二〇五門。所採上自秦越人。淳于意。下至元明名醫治驗方論。多所辨證。不但以摭拾爲富也。

李時珍。字東壁。著本草綱目。集本草之大成。計五十二卷。都千八百八十二種。奇經八脈考一卷。瀕湖脈學一卷。其法分脈爲二十七種。辨別毫釐。以正世俗流行脈訣之失。診脈之法。世多宗之。

方有執。字中行。歙縣人。著傷寒論條辨五卷。本草鈔一卷。或問一卷。痙書一卷。

喻昌字嘉言。江西南昌人。著尚論篇。大旨因明方有執之傷寒論條辨。參以已意成之。原名『尚論張仲景傷寒論重編三百九十七法』其名過繁。難舉。世稱尚論篇者。省文也。凡八卷。又著醫門法律。大旨爲鍼砭庸醫而作。取風寒暑濕燥火六氣及諸雜證。分門類別以成是編。每門先冠以論。次爲法。次爲律。法爲療病之例。律以糾誤療之失也。凡十二卷。又著寓意草一卷。則其醫案也。

李中梓。字士材。江蘇松江人。著有傷寒括要。內經知要。本草通玄。頤生微論。醫宗必讀等書。

趙獻可。字養葵。鄞縣人。著醫貫一書。幾欲以八味六味二丸統治天下之病。與張石頑張景岳之法相同。着重命門。

〔清〕黃坤載。名元御。號研農。因庸醫用藥誤損其目。遂發憤學醫。於素問。靈樞。難經。傷寒論。金匱玉函經。皆有注釋。凡數十萬言。大抵自命甚高。欲駕出魏晉以來醫書之上。自黃帝岐伯秦越人張機外。罕能免其詆訶者。

徐靈胎名大椿號洄溪著有神農本草經百種錄凡所箋釋多有精意又著有蘭臺軌範八卷持論以張機諸方爲主唐人所傳已有合有不合宋以後彌失古法故所採以古方爲多而宋以後方則採其義有可推試多獲效者其去取最爲謹嚴每方之下多有附註論配合之旨與施用之宜於疑似出入之間辨別尤悉又著傷寒類方醫學源流論難經經釋等書

王孟英名士雄海甯人著有潛齋醫學叢書溫熱經緯王氏醫案霍亂論等書

薛生白名雪號一瓢精醫與葉桂齊名醫學上無著述於濕溫症負盛名

葉天士名桂吳縣人以醫術名生平無所著述世有臨證指南醫案乃門人取其方藥治驗集爲一書未必盡桂本意也

柯琴字韻伯慈谿人精傷寒之學著有傷寒來蘇集傷寒論注論翼內經合璧等書研究古書足稱精到

張路玉號石頑吳江人著有張氏醫通傷寒纘論傷寒緒論本經逢原診宗三昧千金方衍義等書立論多本景岳以溫補爲主

張隱菴字志聰錢塘人著有素問集註靈樞經集註傷寒論註本草崇原侶山堂類辨等書

高士栻字士宗錢塘人著有素問集解醫學眞傳

魏玉橫字之琇錢塘人著續名醫類案六十卷補江瓘著名醫類案之未備又著柳洲醫話

徐彬字忠可著有原方發明

尤怡字在涇長沙人著有金匱心典金匱翼醫學讀書記尤氏醫案評選靜香樓醫案

吳謙輯醫宗金鑑清乾隆四年奉敕撰計九十卷凡訂正傷寒論注十七卷訂正金匱要略注八卷刪補名醫方論八卷四診要訣一卷運氣要訣一卷諸科心法要訣五十一卷正骨心法要旨四卷並有圖有說有方有論併各編有歌訣以便誦習醫藥之官書也

陳修園名念祖閩長樂縣人乾隆舉人著有神農本草經讀靈素集註節要傷寒論淺註長沙方歌括金匱要略淺註金匱方歌括傷寒醫訣串解傷寒方歌括眞景岳新方解傷寒眞方歌括景岳新方砭時方歌括時方妙用醫學從衆錄醫學實在易醫學三字經女科要旨

吳鞠通名瑭清河縣人著有溫病條辨醫醫病書吳氏醫

案。

程應旄字郊倩新安縣人著傷寒論後條辨。

秦皇士名之楨松江人著傷寒大白。

周禹載名楊俊著傷寒論二注金匱玉函經二注。

章虛谷名楠會稽縣人著醫門棒喝。

余師愚名霖常州人著疫症一得。

沈芊綠名金鰲無錫人著有沈氏尊生書七種。

景嵩崖名日昣嵩高人著有嵩崖尊生書十五卷。

程鍾齡名國彭大都人著醫學心悟。

羅澹生名美新安人著名醫方論名醫彙粹。

右論都二千餘字將以明我國醫學之源流與羣書之類別夫學者博覽之審問之愼思之明辨之而終乃左右逢源反是罔濟此章太炎先生所以稱『學無繩尺鮮不迷亂也』

黃帝、岐伯、秦越人、張機、稱爲醫家之四聖。

劉河間（完素）、張子和、李杲（東垣）、朱震亨（丹溪）、稱爲金元四大家。

喻嘉言（昌）、吳謙、張路玉、稱爲明淸三大家。

除醫宗金鑑爲官書外尙有二大叢書刊有醫籍：

（一）永樂大典。明成祖永樂元年敕解縉姚廣孝等編。凡二萬二千八百七十七卷醫占其一部焉。

（二）古今圖書集成。淸聖祖敕陳夢雷撰至雍正初始付校印。總一萬卷網羅浩博醫亦占其一部焉。

（三）分科

醫分十三科。（一）大方脈科。（雜醫科）（二）小方脈科。（小兒科）（三）風科（四）產科（五）婦人雜病科（六）口科（七）齒科。（八）咽喉科（九）正骨科（十）金鏃科（十一）瘡腫科（十二）鍼灸科（十三）祝由科見輟耕錄

鍼灸科古代治病之法按病者經脈腧穴或用鍼刺或用艾灸。靈樞經曰：『鍼所不爲灸之所宜』關於鍼灸之著作黃帝有鍼灸經扁鵲有鍼灸玉龍賦唐有明堂鍼灸圖宋有王惟德撰銅人鍼灸經並圖今精其法者罕見矣

祝由科以符咒治病者素問曰：『往古恬澹邪不能深入故可移精祝由而已今之世祝由不能已也』王冰注曰：『祝說病由』不勞鍼石故曰祝由今所傳祝由科書序稱：「宋淳熙中節度使雒奇修黃河掘出一石碑上泐符章莫能辨道人張一槎獨識之曰：『此軒轅氏之著作也』雒得其傳以療人疾頗驗明景泰中徐景辭復傳其術云云」今傳其術者多湖南舊辰州府人故亦稱：『辰州符』按後漢書方術傳云『趙炳

善越方。』注云。『善禁咒也。』是此術久行於南越也

近代復有推拿科者。卽古之按摩術一類其大要在使血液循環活潑而不凝滯世所傳者爲溧陽駱如龍氏。著有推拿祕書五卷商務印書館出版

(四)術語淺說

【經方】漢書藝文志有經方十一家凡言藥劑療治之法皆屬之今所載各書類多不傳凡近世醫者處方依據傷寒金匱者謂之『經方』以傷寒金匱二書俱宗黃帝內經而著作也

【局方】宋太醫局所定之藥方徽宗時詔天下高醫奏進。其後多因之凡通用之丸散方劑皆稱『局方。』以此

【時方】醫者處方依據宋元以來所製定之方謂之時方以示與經方有別也

【腠理】素問曰:『寒則腠理閉』腠理。當指皮膚間之汗腺孔言。

【玄府】素問曰:『所謂玄府者汗空也』當指汗腺言。

【營衛】內經曰:『營衛不行五臟不通…營衛衰則眞氣去…』言氣血之作用也。以體言曰氣血。以用言曰營衛內經又曰:『營行脈中。衛行脈外』由此觀之。則營當指血液言衛指調節體溫作用言也。

【傳經】見素問及傷寒論外感病變化之程序也一日。太陽二日。陽明三日。少陽四日。太陰五日。少陰六日。厥陰。各經按次遞傳故氣同而病異謂之『傳經』至經不傳則愈。

【天癸】內經曰:『男子二八而天癸至…女子二七而天癸至……』當指近今發見之『內分泌學說』之內分泌器產出物『刺激素』言

【內陷】內陷者。謂病象之外見者忽而內斂內症如壯熱譫語。忽而甯靜外症如焮腫紅赤高突忽而低平暗淡。皆爲疾病將至險惡期之徵象也。

【太素脈】以診脈決人吉凶壽命之術也有太素脈法一卷。序言本唐隱者董威輩。以授張太素太素始行其術故名見鷄肋編按是蓋江湖術士歛錢之法安得有決生死吉凶之能哉

【寸關尺】經脈之部位王叔和脈經曰:『從魚際至高骨。卻行一寸。其中名曰寸口。其骨自高從寸至尺名曰尺澤。名曰尺。寸後尺前。名曰關。陽出陰入以關爲界。』

〔陰陽五行〕惲鐵樵氏曰：『凡醫經「陰」「陽」二字含有虛實內外意義。熱爲陽寒爲陰此一種也實爲陽虛爲陰二種也外爲陽內爲陰三種也』五行者。金木水火土也初見於尚書洪範篇不過說明金木水火土之性情形質對於人生之效用類似一種科學之粗淺分類法醫學上據爲術語不過求運用之便利而已。

〔三陰三陽〕時逸人氏曰：『三陰三陽者六經總名也』陽以功用言陰以實質言體溫功用之變化古稱『三陽經證』謂之傳經臟腑功用自起之變化古稱「三陰臟證」謂之入裏（一）太陽經。爲體溫失常之代名詞（二）少陽病爲體溫鬱滯。淋巴停積之謂（三）陽明病。爲體溫亢進。內熱充斥之謂（四）太陰病爲吐瀉腹痛之腸胃虛寒證（五）少陰病爲脈細神疲之心臟衰弱證。（六）厥陰病爲清瀉吐蛔氣上衝心疼熱之寒熱互結證』

〔傳屍鬼疰〕謂肺癆病之傳染也實爲近代傳染病學之嚆矢。

〔盜汗自汗〕盜汗者。於無意識狀態中之出汗也有傷寒盜汗雜病盜汗二種身體虛弱者及肺癆患者易罹此疾成無已明理論曰：『盜汗者不睡不能汗出覺則止。自汗者或睡與不睡自然而出者』按此二者皆因脊髓之發汗中樞抑制機能減退所致也

〔司天在泉〕古代以歲運干支分配人體之六經如：子午年。少陰司天陽明在泉卯酉年陽明司天少陰在泉司天猶言主任用事在泉猶言隱退潛伏也其脈有應有不應以審斷疾病之吉凶此非類乎子平家之推命歟？宜其不能應驗也。

第三章　中國醫學之哲學觀與科學觀

科學者何科學者以一定之對象爲研究之範圍而於其間求統一確實之知識者謂之科學從廣義言凡知識之有統系而能歸納之於原理皆可謂之科學故哲學史學皆科學也從狹義言則科學與哲學史學對舉矣蓋科學究其所當然而哲學明其所以然故也凡研究之材料或散漫或變動非能具一定體系者。皆不得稱爲科學。

哲學者何。哲學者。研究宇宙萬物之原理原則之學也哲學之

名。實自拉丁文之 Philosophia 轉譯而來本意爲愛智之義故蘇革拉底曰：『我非智者而愛智者』智與哲義本相通。尙書：『知人則哲』史記作：『知人則智』爾雅釋『言智哲也』方言：『哲智也』孔子爲中國哲學之宗嘗自居好學又曰：『好學近乎智』是卽以愛智者自居矣智者致知之事或生而知之或學而知之或困而知之及其知之一也自吾一身以至於宇宙萬事萬物之理莫非學者當知之事知有大有小有偏有全見其全者爲哲學見其偏者爲科學故哲學備矣善夫英國哲學家斯賓塞Herbert Spencer之言曰：『世所謂下學不備之學也科學偏備之學也哲學全備之學也』凡科學之原理無不出於哲學及其日趨精密則離哲學而獨立別樹一科以去今日高深之科學至不能解決時常以哲學方式解決之然則科學實自哲學而分哲學實爲科學之原矣

神農氏致意於人生哲學故由形而上之物理觀以立醫藥及耕稼之大法所謂形而上者言非物質或超物質也如精神神靈魂及實在等均爲形而上的純正哲學其例也與形而下之物質的科學相對今所傳本草經託始神農其書卽爲後人依託而淵源所自不可誣也本草經曰：『神農稽首再拜問於太一小子曰：「鑿井出泉五味煎煑口別生熟後乃食咀男女異利子識其父曾聞太古之時人壽過百無殂落之咎獨何氣使然耶」太一小子曰：「天有九門中道最良日月行之名曰國皇字曰老人出見南方長生不死衆耀同光」神農乃從其嘗藥以救人命上藥一百二十種爲君主養命中藥一百二十種爲臣主養性下藥一百二十五種爲佐使主治病合三百六十五種法三百六十五度應一日以成一歲然則神農制本草不惟偏究物理且亦準諸天道以哲學之原理而施之於實用故足尙也

綱鑑云：『帝以人之生也負陰而抱陽食味而被色寒暑盪之於外喜怒攻之於內天昏凶札君民代有乃上窮下際察五氣（溫涼寒燥濕）立五運洞性命紀陰陽咨於岐伯而作內經復命俞跗岐伯雷公察明堂究脈息巫彭桐君處方餌而人得以盡年』黃帝所傳內經或云後人依託然亦本「形而上」之原理以言醫術者雖流行寖遠不無更竄然亦如古物出土卽有殘缺終可寶貴焉

黃帝內經自來均認爲醫書殊不知其中有天學詳六合以外有人學詳合六以內有道家有陰陽五行家凡言黃帝學派者每以疾病爲標目如月令繁露皆有民病之說不必皆爲醫書也漢書藝文志九家中有陰陽五行家爲帝學道家之輔古書

則內經爲一大部。如素問王氏次注所補之陰陽大論七篇爲全元起本所無者。尚書陰陽五行師說本爲上醫醫國治天下之專書。其中惟論疾病諸篇乃爲醫學專書。上古天眞論眞人至人。(卽聖人)爲楚詞之師說。專爲道家神仙去世離俗之所本。內經於科學有生理。有衞生。有論疾。有針灸。其專言治病者不過十之二三而已。凡論病當以臟病經絡爲主。不當言運氣五行。俗醫不求實際。專說干支五行泛語。當其治病。幾如子平家之推命。(節自廖平孔經哲學發微)

神農氏考察庶物。分上中下三品。而植物動物礦物。賅俱備。詳其性味及治療功用。其造詣遂深。非復蠻族之迷信祈禱。及以一二草木質。通治百病者可比矣。茲錄數則。以示一斑。

1. 朮味苦溫。主風寒濕痺。死肌痙疸。止汗除熱消食。
2. 石硫磺。味酸溫。主婦人陰蝕。疽痔惡血。除頭禿。
3. 水銀。味辛寒。主疥瘻。痂瘍白禿。殺皮膚中虱。墮胎。
4. 麝香。味辛溫。主辟惡氣。殺蟲。
5. 水蛭。鹹味平。主逐惡血瘀血月閉。破血瘕積聚。

當時以無定量定性分析法。祇可因症狀而投藥石。

黃帝內經中。亦頗多可述者。茲亦列如下。

四氣調神大論曰：『夫四時陰陽者。萬物之根本也。所以聖人春夏養陽。秋冬養陰。以從其根。故與萬物浮沉於生長之門……天有四時五行。以生長收藏。以生寒、暑、濕、燥、風。人有五臟化五氣。以生喜、怒、悲、憂、恐……』移精變氣論曰：『古之治病。惟其移精變氣。可祝由而已……古人居禽獸之間。動作以避寒。陰居以避暑。內無眷慕之累。外無伸官之形。邪不能深入。故可移情祝由…… 當今之世不然。憂患緣其內。苦形傷其外。又失四時之從。逆寒暑之宜。賊風數至。虛邪朝夕。內至五臟骨髓。外傷空竅肌膚。所以小病必甚。大病必死。祝由不能已也』……

按上述祝由當作醫治解釋。五臟別論曰：『腦髓骨脈膽女子胞(子宮)此六者地氣之所生也。皆藏於陰而象地。故藏而不瀉。名曰奇恆之府。胃大腸小腸三焦膀胱。此五者天氣之所生也。其氣象天。故瀉而不藏。此受五臟濁氣。名曰傳化之府……魄門(卽肛門)亦爲五臟使。水穀不得久藏。所謂五臟者。藏精氣而不瀉也。故滿而不能實。六腑者。傳化物而不藏。故實而不能滿也。……胃者水穀之海。六腑之大源也。五味入口。藏於胃。以養五臟氣。是以五臟六腑之氣味。皆出於胃……』上古天眞論曰：『女子七歲。腎氣盛。齒更髮長。二七而天癸至。任脈通。太衝脈盛。月事以時下。故有子。三七腎氣平均。故眞牙(恆齒)生而長極。四七筋骨堅。髮長極。身體盛壯。五七陽明脈衰。面始

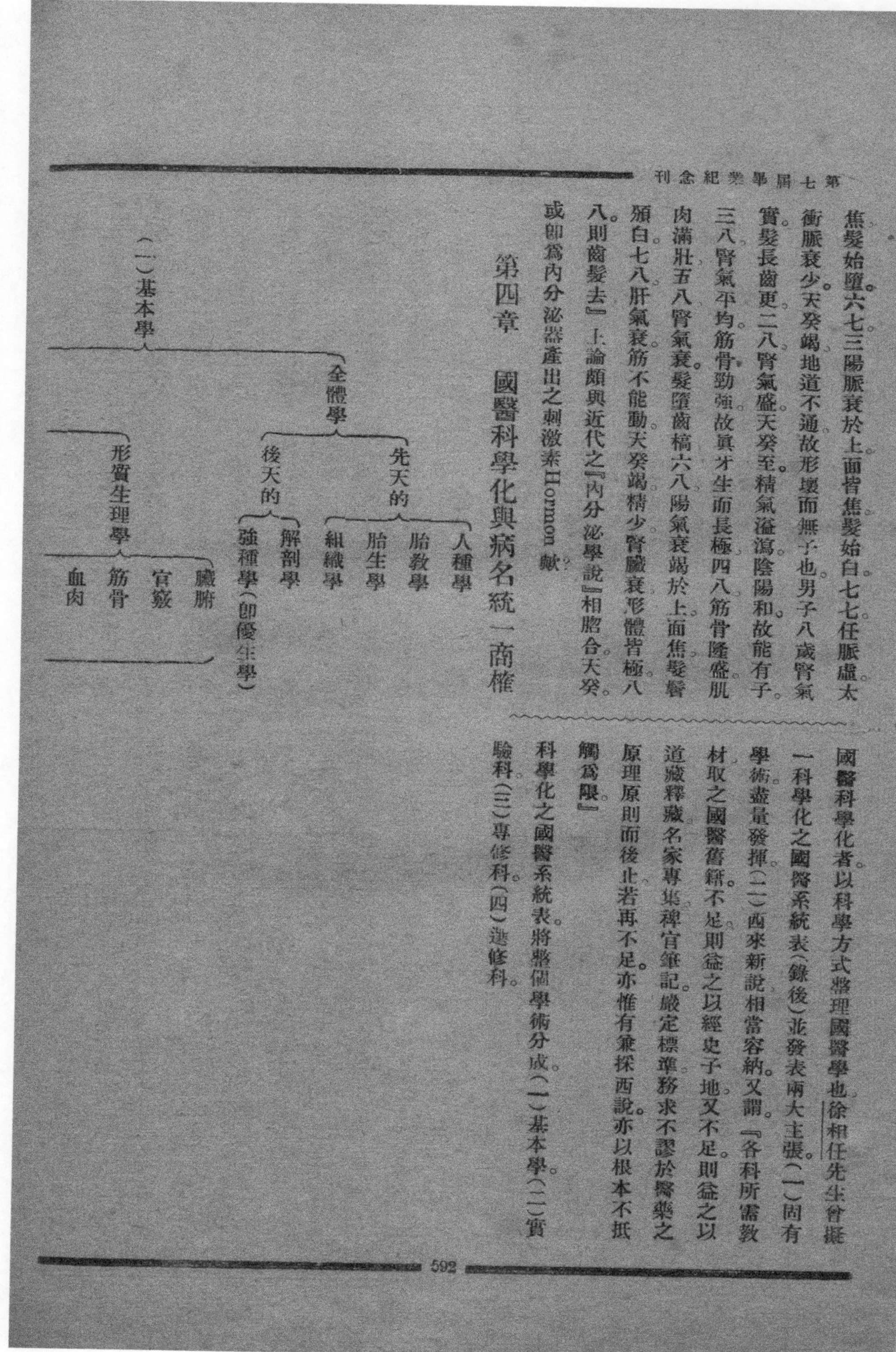

焦。髮始墮。六七三陽脈衰於上面皆焦髮始白。七七任脈虛太衝脈衰少天癸竭地道不通故形壞而無子也男子八歲腎氣實髮長齒更二八腎氣盛天癸至精氣溢瀉陰陽和故能有子三八腎氣平均筋骨勁強故眞牙生而長極四八筋骨隆盛肌肉滿壯五八腎氣衰髮墮齒槁六八陽氣衰竭於上面焦髮鬢頒白七八肝氣衰筋不能動天癸竭精少腎臟衰形體皆極八八則齒髮去』上論頗與近代之『內分泌學說』相脗合天癸或即爲內分泌器產出之刺激素Hormon歟?

第四章　國醫科學化與病名統一商榷

國醫科學化者以科學方式整理國醫學也徐相任先生曾擬一科學化之國醫系統表(錄後)並發表兩大主張(一)固有學術盡量發揮(二)西來新說相當容納。又謂『各科所需教材取之國醫舊籍不足則益之以經史子地又不足則益之以道藏釋藏名家專集稗官筆記嚴定標準務求不謬於醫藥之原理原則而後止若再不足亦惟有兼採西說亦以根本不抵觸爲限』

科學化之國醫系統表將整個學術分成(一)基本學(二)實驗科(三)專修科(四)進修科。

- (一)基本學
  - 全體學
    - 先天的
      - 人種學
      - 胎教學
      - 胎生學
      - 組織學
    - 後天的
      - 解剖學
      - 強種學(即優生學)
  - 形質生理學
    - 臟腑
    - 官竅
    - 筋骨
    - 血肉

中国近现代中医药期刊续编·第二辑

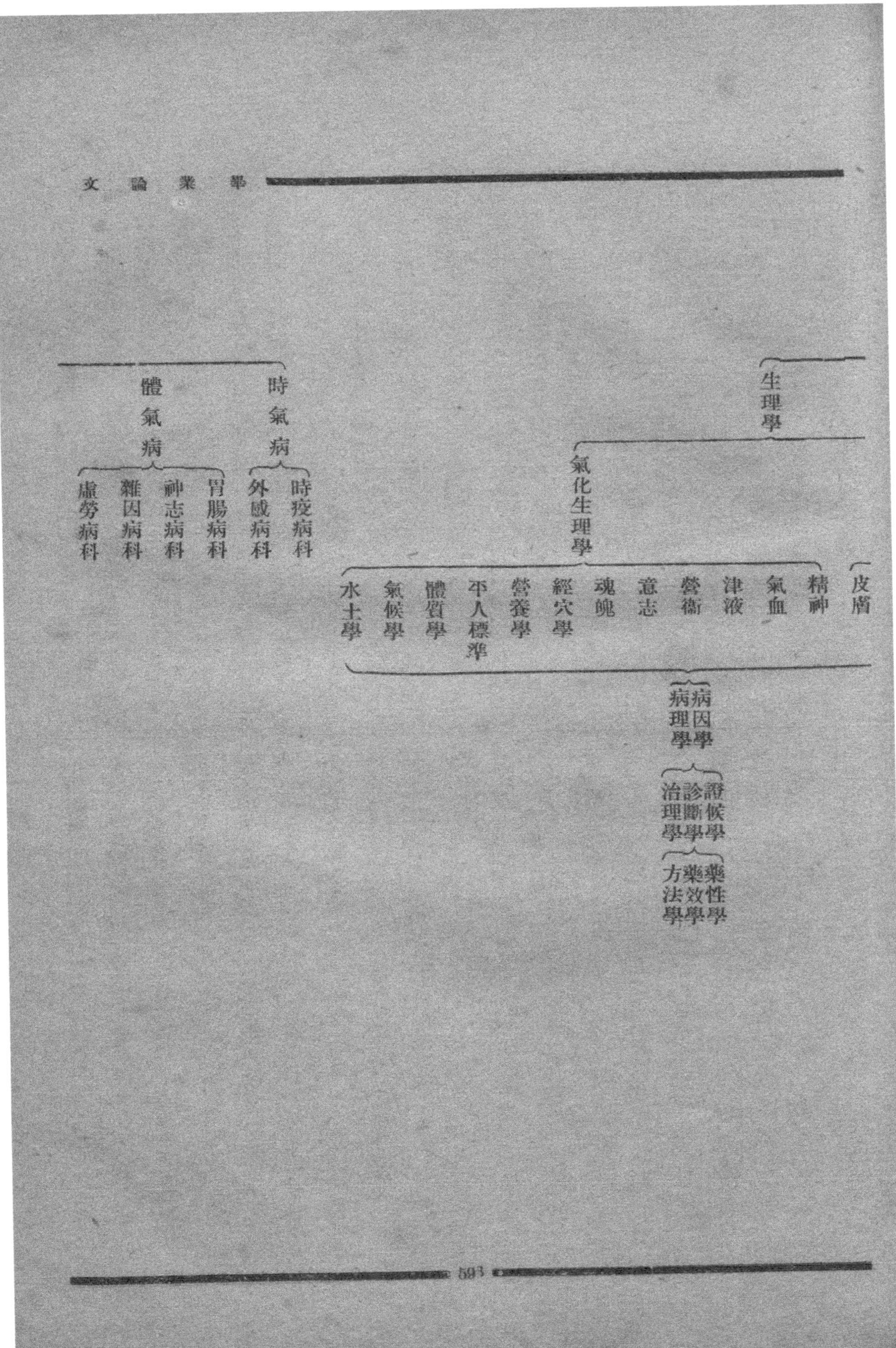
文論業畢
生理學
氣化生理學
皮膚
精神
氣血
津液
營衛
意志
魂魄
經穴學
營養學
平人標準
體質學
氣候學
水土學
病因學
病理學
證候學
診斷學
治理學
藥性學
藥效學
方法學
時氣病
時疫病科
外感病科
體氣病
胃腸病科
神志病科
雜因病科
虛勞病科
593

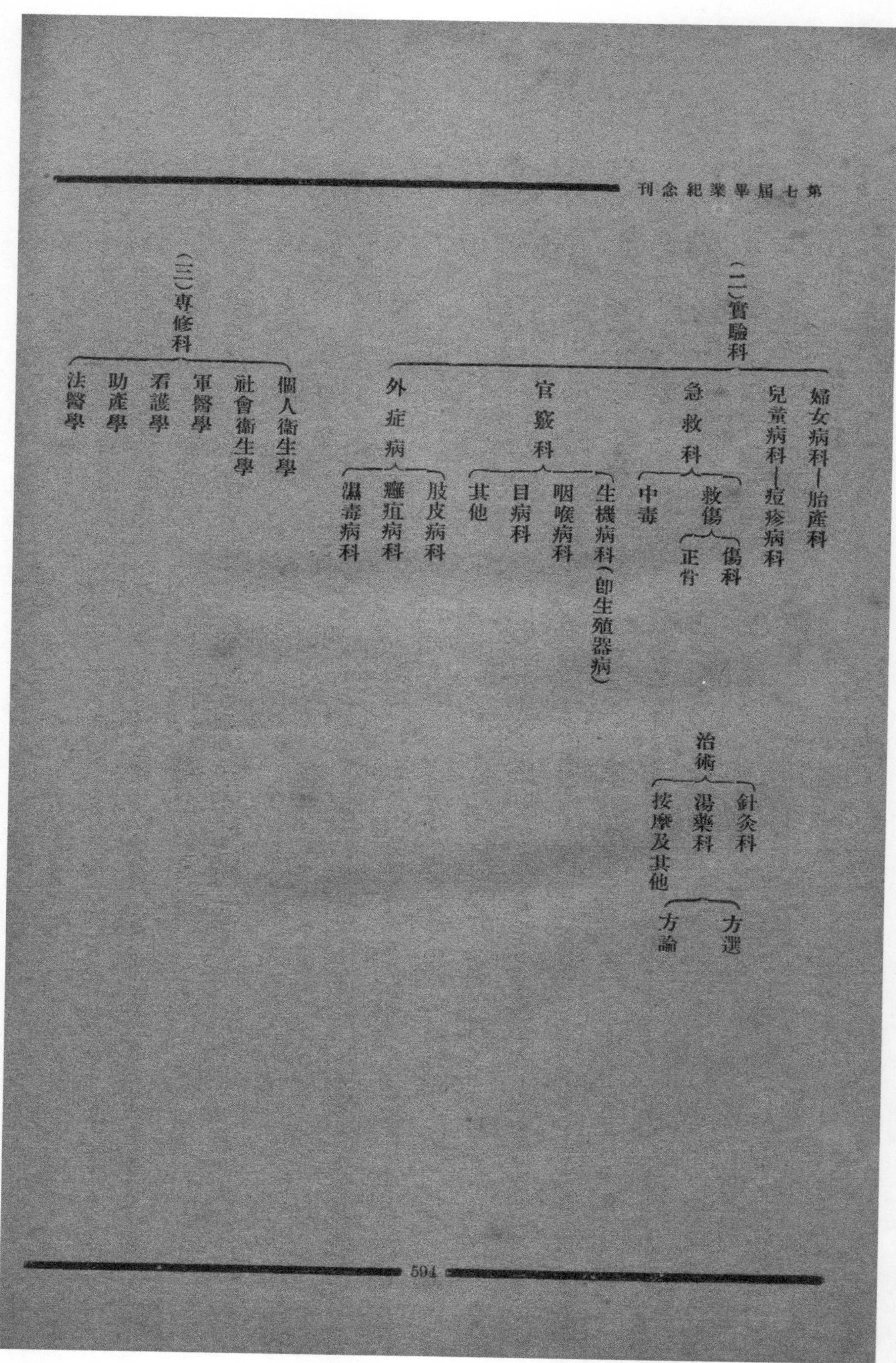

（二）實驗科
- 婦女病科—胎產科
- 兒童病科—痘疹病科
- 急救科
  - 救傷
    - 傷科
    - 正骨
  - 中毒
- 官竅科
  - 生機病科（卽生殖器病）
  - 咽喉病科
  - 目病科
  - 其他
- 外症病
  - 肢皮病科
  - 癰疽病科
  - 濕毒病科

治術
- 針灸科
- 湯藥科
  - 方選
  - 方論
- 按摩及其他

（三）專修科
- 個人衛生學
- 社會衛生學
- 軍醫學
- 看護學
- 助產學
- 法醫學

特殊生理
術語解釋
藥物鑒別
古今治驗

(四)選修科
- 醫學史
  - 醫學源流
  - 諸家異同
- 中國新學說
- 外國新學說
- 奇效之單方
- 通行之新藥
- 醫藥圖書提要
- 中西異同得失

右列第二表實驗科內關於各種疾病。大致包括殆盡。惟倘遺漏數科。(一)傳染病科。分急性慢性二種。急性傳染病。爲霍亂。痢疾。白喉。鼠疫等。慢性傳染病。爲肺癆。癩症。花柳病。沙眼。及近今江淮一帶所發見之黑熱病（痞塊病）。(二)遺傳病科。如梅毒症等。(三)活力素缺乏之病科。如腳氣病等。(四)新陳代謝病科。如糖尿病等。(五)腫瘤病科。如皮癌。唇癌。舌癌。食管癌。肝癌。胃癌。腸癌。子宮癌。乳癌等。

年來整理中國醫學之聲浪。甚囂塵上。舉其犖犖大者。則病名統一。尤爲目前最迫切需要之任務。蓋同是一發熱之病。甲醫謂傷寒。乙醫謂温病。精細之病家。聆此二種病名。不亦手足無措耶。醫家之不能受病家之信任原因。端在於此。古有云『名不正則言不順』信然。故宜組織病名審查委員會。其宗旨以釐定正確之病名。使不相互混淆。病名既告統一。治法方面當然了解。病家疑團。亦告消散矣。至若斤斤以外來語爲點綴品。如傷寒稱腸窒扶斯。霍亂稱虎列拉。紅痧稱猩紅熱。瘧疾稱麻拉利亞。痛風稱僂麻質斯。是不啻數典忘祖也。

第五章　藥名統一與整理之必要

我中國之藥物學。肇始於神農氏。多憑試驗而知。或用以治病有效。屢試不爽。乃筆之於書。實爲經驗之結晶體也。洎乎明代。李時珍氏搜羅廣博。集各家本草。彙爲一帙。名之曰本草綱目。條分縷晰。綱舉目張。足增見聞。有一缺點。卽各家學說分歧。未能有一核實之記載是也。於是祇可於疑似之間立一共通點。爲之融會貫通。藉資研究而已。近世植物學者。動物學者。研究植物學。動物學。恆以本草綱目爲其藍本焉。英國。德國。日本學者。更有譯述之者。於此可見其眞價值矣。

我國藥物、以植物質爲多數、礦物質次之、動物質又次之。礦物質藥物中、多含有化學元素、若蜜佗僧爲氧化鉛。皁礬爲硫酸第一鐵、雄黃爲三硫化砷、白砒爲三氧化砷、芒硝爲硫酸鈉。硇砂爲氯化錏。硃砂爲硫化汞。石膏爲硫酸鈣。

藥物以形態名者、若旋覆花、貝母、豬苓、側柏、金釵石斛、鐵皮石斛、佛手。百合、滑石。狗脊、赭石、石蟹等、以性狀爲名者、若半夏。遠志、茯神、琥珀、沙參、荷葉、甘草、益母草、參三七、骨碎補、益智仁、何首烏、大腹皮、五味子等。以色澤爲名者、若黃、白菊花、紅、藍花、綠萼梅、赤、白芍藥、青、橘葉、赤、白茯苓。白扁豆、黃柏、黃連、青木香、黃芩、紫蘇、青黛、黑丑、白丑等、以動物爲名者、若燕窩。狗寶、馬寶、牛黃、熊膽、水獺肝、膃肭臍、鹿茸、殭蠶、雞肫皮、驢皮膠(阿膠)鹿角膠、虎骨膠、龜版膠等、以香氣爲名者、若麝香、龍腦香、丁香、沉香。檀香、木香、迦南香、乳香。茴香等、有以地名爲名者、若川象貝母。霍山石斛、川厚樸、川桂枝、川續斷、川杜仲、川牛膝、川雅連、川廣鬱金、於潛野朮、茅山蒼朮、東陽白芍、化州橘紅、吉林人參、西藏紅花、綿上黃芪、懷慶地黃、山藥等、有從外國輸入者、若檳榔、於六朝時輸入、爲馬來語之 Pinang 亦作仁頻、則爲爪哇語之 Jenpin 烟草十六世紀輸入、馬來語爲淡巴菰 Tambacao 胡桃、張騫自西域攜來、蘿蔔、爲拉丁文 Rapa 之譯音、葡萄、張騫攜自西域、爲希臘文 Batrus 之譯者、蘆薈、爲希臘文 Aloe 之譯音、蜜佗僧爲波斯語 Murdaseng 之譯音、八担巴旦、爲波斯語 Badan 硇砂爲波斯語 Nushadir 沒藥、爲阿剌伯語之 Myrrh 訶黎勒爲阿剌伯語之 Halileh 等、

入藥部分、或取其花、金銀花、款冬花、旋覆花是也、或取其根、麻黃根、苧麻根、茜草根是也、或取其葉、薄荷葉、紫蘇葉、石南葉是也、或取其皮、大腹皮、地骨皮、牡丹皮、薑皮是也、或取其汁、竹瀝。薑汁。是也、或取其子、大腹子、大風子、五味子。是也、或取其實、枳實是也、或取其油、蓖麻油、巴豆油、丁香油是也

我國藥物名稱。至不一律、有五物同名、有四物同名、有三物同名、有二物同名。有比類隱名。茲舉數例如下;(一)半夏、別名「地文」。(二)旋覆花。別名「盜庚」(三)淫羊藿、別名「仙靈脾」、「四」萎蕤別名「玉竹」、(五)金銀花。別名「忍多」(六)丁香別名「鷄舌香」(七)補骨脂、別名「破故紙」、(八)益母草、別名「茺蔚」(九)車前子、別名「牛遺」(十)肉豆蔻。別名「肉果」、此爲最簡單最普通者、

整理方法、可分二項述之:

(一)仿天文學名詞例、編纂中國藥物學名詞、確定其名稱、採用王雲五氏四角號碼檢字法、以便檢查、分發各地藥物機關、

如藥商藥舖等以資統一。

(二)藥物性味與效能。須嚴加甄定。不得含混其辭。說得天花亂墜。令人無所適從。

第六章　結論

綜上數章所述。我中國醫學之新途徑在於：(一)以科學方式整理國醫學術。切勿囿於五千年之歷史之牢固頭腦。效夜郎之自大。故步自封。抱殘守缺。致令眞確之學理。無從啓發。(二)以不折不撓之精神。埋頭苦幹。根據古代所傳之實驗結晶。使其與新說融會貫通而發揚之。與其削足就履。不如寗闕無濫。苟能循此正當合理之軌道前進。則我中國醫學之前途。其庶有豸乎！

重要參考書

黃帝——內經

謝利恆——中國醫學源流論

謝无量——中國哲學史

廖平——孔經哲學發微

天民——中國最古發明之針灸學——科學的中國第二卷第一期

銖菴——談中西醫——人間世第二十期

■醫事格言

▲病有六不治：驕恣不論於理。一不治。輕身重財。二不治。衣食不適。三不治。陰陽臟氣不定。四不治。形羸不能服藥。五不治。信巫不信醫。六不治。六者有一。則難治也。（淳于意）

▲病有五失：失於不審。失於不信。失於過時。失於不擇醫。失於不識病。五失有一。卽爲難治。又有八要：一曰虛。二曰實。三曰冷。四曰熱。五曰邪。六曰正。七曰內。八曰外也。素問言：凡治病。察其形氣色澤。觀人勇怯。骨肉皮膚。能知其情。以爲診法。若患人脈病不相應。旣不得見其形。醫祇據脈供藥。其可得乎。今豪富之家。婦人居帷幔之內。復以帛幪手臂。旣無望色之神。聽聲之聖。又不能盡切脈之巧。未免詳問。病家厭繁。以爲術疏。往往得藥不服。是四診之術。不得其一矣。可謂難也。嗚呼！（寇宗奭）

▲行方按：近代病家。亦復如是。往往以橈骨動脈令醫按切。問是何病。毫不自訴其症狀。以試醫者之能。是不啻自誤誤人。書曰：『自作孽。不可逭。』堪爲此等病人之寫照。

▲世間多有病人親友故舊交遊來問疾。其人曾不經事。未讀方書。自稱了了。詐作明能。談說異端。或言是虛。或道是實。或云是風。或云是氣。紛紛謬說。種種不同。破壞病人心意。不知孰是。遷延未就。時不待人。欻然禍至。此段情態。今時尤甚。（孫思邈）

診斷學概要

劉國輔

目次

第一章　緒言

凡研求各種診察方法。以斷定其爲某種疾病之學科。稱爲診斷學。此種學科於醫學中位置頗屬重要。視病者不明診斷。則無法識之。病既不識。豈可貿然投藥物以治療哉。是故凡習醫者。於診斷一道。須熟諳而研求之。以其實爲臨牀上。最適用而最重要之一科也。

我國醫籍之記載診斷方法者。首見於內難二經。自後王叔和巢元方孫思邈輩出。辨症候。訊嗜好。考致病之由來。察先天之稟賦。査風土之情形。審時令之變遷。兼施腹診等法。至此中醫之診斷。粗具端倪焉。端倪雖具。然爲後人穿鑿附會。標繆之處既多。錯謬之點尤夥。例如以金、木、水、火、土。配青、黃、赤、白、黑。以合心、肝、脾、肺、腎。劃左右手脈位。爲寸關尺三部。分候五臟六腑之病變等。諸如此類。不異於癡人說夢。噫！數千年以來之國粹。既不能整理改善。反加以穿鑿附會。以致玉石互存。瑕瑜並見。不禁爲我國醫學前途悲也。

自近世紀以來。世界各國。物質進步。科學發達。凡百事業。無不一日千里。專以醫學言之。已脫離所謂神秘時代。而向科學實驗邁進。例如：診斷方面有顯微鏡之檢查。X光線之照射。醫化學之試驗等發明。以輔助以往之不足。昔日之不能見者。今能見之。昔日之不能知者。今能知之。造福人羣。正非鮮尠。反觀我國。故步自封。不但毫無進步。反有古法失傳者。能不感慨系之。往者不必諫。來者猶可追。深望我國之習醫者。秉科學方法。不涉玄談之宗旨。除整理發揚固有者外。作更進一步之研究。以冀有所發見。而使我國醫學光輝於全世界也。

我國診斷書籍流傳迄今雖已不少。然多淩亂無章。有言脈而忽略症者。有察色而忽略問者。令人讀之。茫無頭緒。予不辭簡鄙。將中西醫之診斷方法。取長棄短。分門別類。擇其要者而述之。輯成診斷學概要一篇。就正於海內外方家大雅焉。

第二章　望診

歷來醫家。列望診爲首要。但僅分觀神色。審苗竅。察舌苔三者而已。未免失之過簡。茲補充分述於後。並參以新說。

第一節　體格

病者身體之強弱。驟視之似與診斷無關。然實甚緊要。蓋由此可推測疾病之經過。及預後之如何也。

(一)強——胸闊骨大。肌肉發達。組織充實。脂肪豐滿。

(二)弱——胸廓狹窄。骨骼弱小。肌肉脂肪發育不良。

第二節　體質

病人每具有易犯某種疾病之素因。此種稱爲特異質。即古籍之所謂稟賦之類是也。

(一)中風質——身體肥胖。面赤而圓。頸短且肥。輕微勞動則氣促心悸。此種體質。易致腦溢血。

(二)神經質——顏面豐腴。狀貌伶俐。視物敏捷。思想易變遷。感情易衝動。多疑多忌。忽憂忽喜。此種體質。易患精神病。

(三)腺病質——皮膚蒼白。肌肉枯瘦。面現浮腫。唇鼻肥厚。或顏面狹小。身體軟細。靜脈外露。夜寐不安。動輒啼哭。且易受驚。此等小孩。其頸部、項部、下顎隅角等處。必現淋巴腺腫。且皮膚每生濕疹。黏膜多呈慢性加答兒症狀。是種稱爲腺病質。

(四)肺癆質——體瘦。頸長。面削。眼大。膚白無華。兩顴潮紅。胸狹長或扁平。上下鎖骨窩深凹。此種體質易罹結核病。

(五)下垂質——胸廓狹長扁圓。第十肋骨。因肋軟骨之缺損而短縮。有時有移動性。胃腸及其餘臟器皆下垂。此種體質。易感消化障礙。及神經衰弱。

(六)其他——滲出性素質等。

第三節　姿態

病人之動作及睡臥情形等。於診斷上。皆有莫大關係。因凡一病。必具有該病之特殊姿勢與形態故也。

(一)體位——乃身體某部之位置。發生變化。用表明爲某病。以爲診斷之一助也。

1. 頸項強直（即頭向後曲。因項筋收縮故。）——多見於患腦膜炎等病人。

2. 角弓反張（背部向前挺出。懸空牀上。僅恃枕骨及足踵支持身體。此因背筋之強直性痙攣故。）——見於破傷風症。

3. 強迫回頭（病人之頭部以強迫之勢轉向一側）——多見於大腦中有限局性疾病時。

4. 強迫體位（病人全身轉向一側雖扶令仰臥每復其原位。）——小腦之中腳有病。

5. 歇斯特里弓（腰膝等部挺高狀似角弓反張）——婦人臟躁症於顛狂發作之際每見之。

6. 蠟樣撓屈症（病者四肢彎曲固守其位置不動其狀宛如蠟型故名因隨意筋作強直性攣縮故）——見於強硬症

（二）臥位——病人睡眠之位置與疾病有密切之關係於診斷上有甚大之助益茲分述於後

1. 仰臥——自動之仰臥常見於輕病病人不足爲奇若重病則每因病勢之故失却自由名曰他動之仰臥多見於意思喪失及高度虛脫之重篤病人。

2. 側臥——常人之自動側臥本無注意之價値若胸中內臟發生病變則有注意之必要例如急性胸膜炎初期以痛故常以健側臥於下至末期因疼痛已失則又多以患側下臥肺炎病人亦多以患側下臥氣胸患者則喜臥於健側再如肺膿瘍肺壞疽氣管枝擴廣症則多臥向患側。因俯臥向健側則空洞內之液體流入氣道易引起咳嗽痰多等症但結核性空洞以分泌物既少且稠則又多臥向於健側矣。

3. 俯臥——見諸脘腹疼痛之病人

4. 坐臥——多見於呼吸障礙之病人例如胸膜炎滲出物過多蔓延性肺炎心外膜炎心瓣膜異常全身水腫強度鼓脹等

（三）行態——卽步行之狀態也。

1. 痙攣性步行（此係下肢筋肉強度收縮不能提舉足部故）——見諸頸部及腰部脊髓炎痙攣性脊髓痲痺多發性腦脊硬化症等。

2. 痲痺性步行（肢節弛緩失其生理運動之力）——腳氣病腰部脊髓炎多發性神經炎脊髓性小兒痲痺等多見之

3. 蹣跚性步行（姿勢不能直立步行踉蹌）——見於筋肉萎縮等疾患。

4. 失調性步行（行時高舉膝部其足勉強向前投出足蹠全面着地有步行不實之感）——於脊髓癆病人見之。

5. 蹱跛性步行（一足短小）——常於一側關節或骨質

疾病時見之。

第四節 容貌

精神狀態多表現於容貌故古籍載有審辨苗竅部位有變化否。神情色澤倘佳良否實有至理蓋疼痛憂慮恐怖不安等表情。皆現於面也。再有數種病並具特種之容態於醫者之診斷有莫大之助焉。

(一)特種顏貌——有數種病其顏面有特種之表情經驗稍富之醫生一望即能斷為何病

1.瀕死顏(為疾病瀕危臨死時之狀態)——口唇顏面。蒼白無華。帶紫藍色。氣淺鼻煽。鼻梁高聳。眼凹顴凸瞳孔散大。前額出冷汗或黏汗或發痙笑等

2.霍亂顏(霍亂病人所現容貌)——顏面憔悴。變為灰色。兩眼深陷。頰部瘦削眼瞼半開。眼窩周圍路呈赤色或青紫色。皮膚厥冷且失彈力或出冷汗黏汗。

3.獅子顏(麻瘋患者所現容貌)——前額及眼周圍。有結節狀腫脹眉及睫毛脫落。狀類獅子故有此名

4.水頭顏(小孩患腦膜炎時見之)——面色突然變化。或紅或白。眼多凝視。瞳孔縮小。齒牙振顫致起皺襞。

5.破傷風顏(破傷風症。固有之顏貌)——額上皺成深溝。臉裂狹小。鼻溝深陷。外眥有皺紋。口向左右牽引。齒牙顯露於唇間似笑非笑

(二)各部病態——指顏面各部之疾病狀態而言也。

1.顏面部a.痙笑——面筋歪扭如笑。開大其口口角上昂。視線鈍濁眼無澤色凡病瀕危時每見之

b.面色潤紅眼珠突出——為發熱之現象。

c.顴骨隆起鼻翼下墜前額皺襞——多見於卵巢疾患

d.沉默寡言失其常態——此為癲之狀態每見於末期之憂鬱病。乃神經鬱滯之故。

e.妄言譫冒昏不識人——此係狂之狀態。乃神經錯亂所致。每現於發高熱時。

f.顏面蒼白——為貧血之徵多見於失血症(例如:吐血。便血外傷出血等)之後。

2.頭額部a.前額髮際發疹——為花柳冠乃梅毒症之預徵。

b.頭髮脫落——除老人外多為頭皮疾患。各種重病初愈時。亦往往見之。

c.頭頂過大——稱為大頭。每見於腦水腫。

d.枕部扁平——稱爲方頭。在患佝僂病之小兒恆見之

e.頭骨軟薄易於壓陷——此名頭頂癆見於身體薄弱之幼孩。

f.頭頂左右不同——見於先天性精神病。

3.口唇部 a.唇蒼白色——見於貧血症因毛細管血少故也。

b.唇紫藍色——每見於循環器病及呼吸器病。

c.口眼鍋斜——多見於末梢神經病。

d.張口呼吸——每見於鼻腔狹窄鼻內腫瘍等症。病人因鼻內窒塞或狹窄。呼吸感覺困難。故張口以呼吸也此種稱爲口呼吸尤多見於晚間睡眠時。

e.口唇乾燥或皸裂——在重症熱性病後見之

f.小兒口角之皸裂——爲遺傳梅毒之特徵。且每於皸裂周圍皮上有一種稍深之放線狀溝尤多見者爲口角附近。

4.視覺器 a.斜視——多因筋肉麻痺而生。或由肌之痙攣而來。故有麻痺性及痙攣性之分再兩眼視軸互相開放者曰開散斜視。視軸之集合者。曰輻輳斜視

b.露睛——睡眠時。目睛顯露由於腦力衰微。神不內斂故。例如：老人，小兒慢驚及病後體虛等常見之

c.上視歧視——上視係眼球上載歧視乃視線分歧前者多見於痙厥。後者多見於虛損蓋一則目系緊張一則神經衰憊故也

d.目瞪直視——見諸動眼神經痲痹等症多屬危候。

e.瞳孔強直——其中雖射入光線。亦不縮小。此種名爲反射性瞳孔光線強直多於脊髓癆及痲痹性癡病見之

f.瞳孔散大——由瞳孔散大肌（交感神經主宰）營之多見於小兒痙病精神感動意識昏迷呼吸困難劇痛虛脫視神經萎縮動眼神經麻痺強度近視。及黑內障等症

g.瞳孔縮小——由瞳孔括約肌（動眼神經主宰）司之。見諸小兒癇病。各種痺病嗎啡中毒。脊髓癆等病

h.眼球陷沒——因眼窩脂肪消耗。故於高度羸弱及霍亂泄瀉等症每見之

i.眼球突出——常見於巴色道氏病（Basedow）或爲眼靜脈血液歸流受有妨礙而起。

j.目睛色黃——見於黃疸病爲膽汁溢入血中故。

k.目中不了了睛不和——病人之睛光或昏暗或散亂。是爲不和此係腦病之外候爲險症。

5.嗅覺器 a.鼻煽——鼻孔扇動爲呼吸急促之徵凡病之末期見此狀態皆屬危候小孩出痲疹時爲尤甚。

b.鼻煤——鼻孔色黑如着烟煤者見之者多屬不治之症。

c.鼻尖冷汗——疾病末期每見患者鼻尖泌出點點冷汗此非佳象。

d.鼻梁塌陷——鼻梁上部因鼻骨壞疽而陷沒。又名鞍鼻於第三期梅毒見之但亦見於癩病(痲瘋)

e.鼻色緋紅——又稱爲䶑鼻多見於酒客或發於凍冷後。或因鼻腔疾病者亦有之此因皮膚毛細血管擴張故若鼻腔外口紅腫。尤爲鼻黏膜發生炎症之徵候。

f.鼻流清白色涕——患感冒者多見之。

g.鼻流黃綠色涕——見於化膿性鼻炎。

6.聽覺器 a.耳前後腫——腫在耳前耳下餘勢及於耳後耳輪爲之撐起內經所稱發頤是也西醫稱爲腮腺炎。俗名痄腮。

d.耳紅面赤耳尖青冷——將發痘疹時每見之。

c.耳痿失色耳枯色垢——每現於久病將亡之際。

第五節 皮膚

人身營養之狀況皆表現於皮膚。是故觀察皮膚之色澤如何。卽可測知體內營養之是否優良也。

(一)營養狀況——乃言人身營養情形之優劣也。

1.營養不良——皮膚失去尋常之光澤及彈力而生皺襞。以兩指夾起之。則徐徐回復原態且手足等部落屑如糠秕(又稱爲癆瘵性糠粃疹)以上現象。往往見於老人若少壯見之則多因患重症或久病後。

2.類症鑑別——皮膚營養不良之落屑。與癜風頗相類似。但前者多見於四肢後者多見於胸腹前者係白色或淡黃色。後者係黃色或褐色紫紋

(二)爪髮異常——乃言爪甲鬚髮之變常也。

1.爪甲 a.指甲每有橫溝。溝之後始爲正當之爪板。橫溝漸向前進可見其逐往爪端。——在傷寒痲疹等急性傳染病之恢復期中常見之

b.甲面具有細徵縱紋。且有極深之縱溝。爪質涸濁易

於破折。——見於貧血症。或誘起循環障礙之一切病。

d. 爪甲發育暫時中止。呈特異之爪甲變常。——於梅毒等病見之。

2. 毛髮 a. 脫髮——頭髮脫落稀疎也。除老人外。如傷寒、猩紅熱、產褥熱之後。及梅毒、丹毒、皆見此症。尤為梅毒診斷之要徵。

b. 髮色——頭髮顏色。於診斷上亦頗重要。例如：瘰癧之髮為暗黑色。肺癆則早白。劇烈精神感動（宣告死刑）一夜之間變為白髮者有之。青年之黑髮間。或有一帶白髮。則以皮膚一部之色素缺亡（白癜風）故也。

c. 俄毛——在惡液質之病人見之。例如；肺結核患者。每於上膊伸側肩胛等部。發生細毛。略如嬰兒之毳（又稱為惡液毛）此毛繁殖則病機日進。反之則遞減。

(三) 皮膚顏色——乃言皮膚顏色變化之主病也。

1. 蒼白色——皮膚白色本屬生理。無注意之必要。若專白而無華。卽為蒼白色。則為貧血之象。若高度之貧血。則現黃蠟色。或略帶綠色。於惡性貧血。或癆病。大失血之際見之。若貧血顯明。營養佳良者。每見於萎黃病。及惡液貧血。若貧血羸瘦而帶污穢土色。所謂惡液質。多見諸結核、癌腫、白血病、重症瘧疾、慢性鉛中毒、及水銀中毒等症。再應檢查者。除皮膚外。口唇、結膜、耳翼等處。亦須注意及之。蓋旣富於小血管。表皮又菲薄。故更較顯明而確鑿也。玆將本色所主之病分述於後。

a. 一般貧血症——有由於血少。或由於赤血球減少。或由於血色素減亡等數種原因。血液因之脫色。此外見於創傷、內臟出血、外科手術、慢性腎臟病、慢性消化器病、十二指腸蟲病、萎黃病、惡性貧血病、假性貧血病等。又飢餓時亦能使皮膚呈蒼白色

b. 毛細管血少——一因於血管運動神經之刺激。小血管暫發痙攣。故見於惡寒及精神感動（驚愕恐怖）之際。一由於心臟機能猝然衰減之時。例如失神時每見之。

2. 鮮紅色——皮膚紅色。由於體健血多者。殊不多覯。又輕度貧血病。若兼有心臟興奮性者。或局部之血管神經。有障礙時。面部每現潮紅。頗難辨別。玆將紅色所主各病分

列於後：

a.汎發性——每見於熱病溫浴後。及魚蟹中毒。乃毛細血管充血之徵。

b.限局性——多見於面部。例如：偏頭痛之半面潮紅。（血管收縮神經麻痺故）結核病之兩顴潮紅。（血管擴張神經刺激故）工人之兩頰潮紅（頭面常露於熱氣中皮膚血管持續擴張故）常人之面色鮮紅。（習見於精神感動例如：愧怒後。此乃神經作用故。）

c.消耗性——結核患者。於日晡飯後。兩顴頰部。每呈鮮紅色。此種稱爲消耗性潮紅。

3.紫藍色——紫藍色之皮膚現象。不論全身或局部。皆由於鬱血之故。其原因不離乎呼吸器及循環器。茲將所主各病列後；

a.呼吸器生疾病——見於氣道狹小。一切疾病及呼吸面狹窄。或肺組織缺損。或肺臟受壓迫。肺胞彈力減少。不甚擴張。亦有因橫隔膜向上壓迫。妨礙心臟擴張。及呼吸筋之障礙。而現此色。

b.循環器生疾病——見於代償機能缺陷之心瓣膜病、心筋疾病、及大動脈瘤等。此因靜脈血還流於右心室時。受有妨礙靜脈系統鬱血之故

c.局部血行障礙——每因血塞而起。例如：大靜脈或四肢靜脈幹。爲腫瘍等壓迫。而發生衰耗性血塞而起。

4.黃黑色——皮膚黃色。最常見者爲黃疸病。次之爲萎黃病、橙皮症、黃熱病。因各有特徵。故鑑別不難。此外服匹格林酸。及珊篤甯等藥劑時。皮膚黏膜亦現黃色。但檢尿卽可區別。茲縷舉於後：

a.黃疸病——皮膚之黃色。依疾病之程度而定。例如：橙黃綠黃或帶黑色等。診斷時可參察粘膜（亦現黃色）及糞便（粘士色。且有惡臭。）等。卽可確切。

b.橙皮症——食橘過多。皮膚亦往往變爲黃色。但顏色不若黃疸之濃。且不見於黏膜。故頗易鑑別

c.萎黃病——除無黃疸病之特徵（糞便粘士色有奇臭）外。若再檢驗血液。卽可確切判斷。

5.青銅色——皮膚現青銅色。僅見於久服砒石。及阿狄森病。（副腎病）其色以顏面手背等處先見。初爲黃褐穢色。或煙狀灰白色。繼則呈爲青黑色。此時與紫藍色酷似。但

以指壓之。不如紫藍色之消褪。可據此以鑑別。

a.阿狄森病——皮膚顏色呈黃、褐、灰、白、青、黑、不等。最早出現爲顏面手背等露於外面之處。但鞏膜指甲。獨不變色。再口腔黏膜及口唇有灰白色或暗黑之素色小斑紋。

b.久服砒石——雖量極少而皮膚黏膜。亦行變色。宛如阿狄森病。且不易褪色。

6.銀白色——久服硝酸銀。其皮膚每現透明之灰白色。顏面手背等處尤爲顯著。初觀之。與先天性心臟病之高度紫藍色相似。但指壓不褪色。此爲不同之點。故於臨牀上不難分別

(四)皮膚濕潤——皮膚濕潤爲出汗之表徵。例如：劇烈運動。(賽跑搶球舉重等)精神感動(恐怖發怒等)及飲料藥物(沸水咖啡麻黃等)而汗出。此種屬於生理。若內科諸病。發汗機能障礙。汗腺分泌增加或減少。此種屬於病理。茲分述之

1.多汗——有全身及局部之分。全身多汗。每見於急性熱性諸病。例如：肺炎。瘧疾。破傷風。風濕痛。膿毒症。滲出性胸膜炎。及一切心臟疾患等。局部多汗。多見於神經官能疾病。例如：偏頭痛、臟躁症(Hysterie)及精神病等。

2.盜汗——寐後頭額等部出汗。體羸肺癆等病每見之。

3.冷汗——凡病人虛脫將死亡時。全身各部。遂出冷汗及粘汗。

4.無汗——高度之稽留熱。每見之。傷寒卽是一例。此外。霍亂病。消渴病等。因水分損失過多而無汗。再全身水腫。亦往往無汗。

5.尿汗——霍亂及腎病患者。若其腎之分泌機能減少時。汗中可見其排出尿汗。蒸發後。鼻額及面部等處。出現白屑。故易於識別

6.臭汗——腋窩及足蹠所出之汗。因含脂酸。故每有惡臭。故有此名。

7.色汗——汗出有異色者。例如：黃疸。因含膽色素。故所出之汗。每呈黃色

(五)皮膚病變——皮膚疾病種類頗多。非本篇之範圍。今僅舉其要者。分述於後：

1.發疹 a.痲疹——初起如痲粒。漸增大如扁豆。顏色呈淡紅或暗赤。疹緣凸凹不平。發熱數小時後。卽發出。首見於耳後顳顬等部。一二日後。蔓延於全身各部。

b.風疹——爲不明瞭之、疹狀斑若扁豆大。亦呈暗赤色。且不融合常少數存在先發於顏面頸部尤多見於鼻翼及上唇漸及於全身者有之。約三四日卽退却並不見落屑現象。

c.汗疹——可分爲白色及紅色兩種。爲粟粒大之小水泡多發於頸項胸腹部。又有稱爲白瘖者。常於濕溫病（亦稱腸窒扶斯）中見之。

d.天痘——發病後第三日於顏面及頸項初現類圓形之小紅斑。二十四小時。蔓延他部。第五日斑點增大。成尖銳蕾疹。第六日該疹變爲水疱。益形增大緊張。充滿表面。呈眞珠樣光澤入後水疱之中央。形成痘臍至第九日發育完全而成膿疱大如豌豆。周圍有紅暈且伴發高熱又稱爲痘瘡。

e.水痘——爲豌豆乃至蕓豆大之小水疱。其形透明。重者常伴發高熱。繼則疹之中心溷濁再則形成瘢痕而告愈。

f.丹毒——皮膚創傷部之周圍。發生平等之赤色斑。往往成立水疱一日蔓延至二十糎外。

g.薔薇疹——小者如粟粒。大者如豌豆。疹點不多。色如薔薇。指壓卽消。發於頸項胸腹四肢。每見於傷寒梅毒等症。

h.匐行疹——有熱性匐行疹。及帶狀匐行疹兩種。熱性匐行疹。爲粟粒狀水泡疹。炎性紅色簇生。匐行於皮膚之上。尤多發於口唇及顏面。初含清液。漸次溷濁。繼則乾燥。終乃結褐色痂皮而脫落。且不留瘢痕。見諸熱病初期。或其經過中。但獨不見於傷寒。帶狀匐行疹沿一定神經分佈徑路而生。且兼有神經痛。故鑑別不難。每見於脊髓神經節及末梢神經諸疾患。

i.猩紅熱疹——其疹呈強度之瀰漫性發赤。不呈斑點狀。初發於頸項胸背鎖骨等部。漸次蔓延於四肢。如帽針大或亞麻仁大之密集融合性。鮮紅色（初各相分。其後始密集）而尤以頸背腹爲最多。獨口唇周圍則缺如。且呈蒼白色。是爲本病之特徵。頭面有時無疹。惟少形脹起。皮膚初觸之甚平滑。後稍覺粗糙。如以爪尖爬皮膚。則呈一種白條。稱爲猩紅線條。約一週後。始行消失。

j.蕁麻疹——皮面起赤色或白色、平坦豆大之硬隆起疹。瘙癢灼熱。有時浮腫。消失極速。此疹因血管運動神經障礙而起之皮膚症。於黃疸、瘧疾、糖尿、魚蟹中毒、及消化器病、子宮病等。常見之。

k. 發疹傷寒——發熱三五日後。即出疹。疹數甚密。傷寒則須七八日後始出疹。此其異同點。

2. 瘢痕。——凡患皮疹（例如天痘）、潰瘍（例如梅毒）、或受外傷（例如開割）或施藥物（例如貼芥泥）後。皮膚每現瘢痕。此等瘢痕。於診察既往症時。不無小助。例如；病人幼時疾病。業經忘却者。或曾患梅毒、祕而不宣者、即可得此以證實之。此外頭部脊髓及末梢之外傷瘢痕。及妊娠線等。亦須注意及之。

3. 溢血、——皮下出血、每見於含有出血素質之病人。其出血之形狀。或大或小。多呈不整形。顏色初呈紅色或紫色。繼則作種種變色。終致於消散。此種症狀。每見於壞血病、心臟病、急性燐中毒、及急性傳染重症。（猩紅熱。膿毒症。痘瘡）等。

4. 水腫。——一稱浮腫。乃因液體集於蜂窩織內而起。患部腫脹緊張。肢體凹處消滅。膚面每呈蒼白。或帶青灰色。現青紅色者有之。在豐滿緊張處。若捺以指。則現壓痕。旋漸復舊。茲將其種類約述於下；

a. 心臟性——多先起自足踝。次及下肢全部。再進蔓及全身。終則延至上肢顏面。

b. 腎臟性——概先發於顏面。漸及於軀幹下肢各部。且本病小溲減少。並含多量蛋白質。

c. 炎症性——此種僅見於局部。每現於發炎部之附近。若化膿發於內部。不能自外窺見時。即可藉此診斷。例如膿胸之胸部腫起。即是一例。此外血管神經障礙痲痺。亦能引發浮腫。例如半身不遂。脊髓病等是。

d. 惡液性——此乃血液富於水分。變其性質。營養爲之障礙。而血管亦變常。滲漏機能增進而生。例如貧血諸病。營養不良。慢性下利。結核病。十二指腸蟲病等。每見之。

e. 特發性——偶發水腫。而病因無從證明者。大抵在小孩及過勞後見之。

5. 氣腫。——此乃氣體集於蜂窩織內而起。患部不但豐滿緊張。竟有隆出形狀。膚面多呈蒼白。若壓之雖亦有痕跡。但立即消失。且壓迫之際。指頭感一種捻髮音。施打診時。

該部發高調之鼓音。此與水腫之區別點。茲將其分類簡述於左：

a.吸引性——此乃由創口（外傷如頸、胸、顏面下部等。）內傷如氣道、喉頭、胃腸等）吸引空氣。或瓦斯竄積皮下蜂窩織內而成。

b.續發性——乃因皮下溢血。及膿瘍分解發生腐敗瓦斯故。但此種極少見。

6.腺腫。——皮下蜂窩織之淋巴腺腫於望診時亦須注意及之。尤以顎下腺、頸腺、喉窩腺、鎖骨上窩腺及下窩腺、腋窩腺、鼠蹊腺、膝窩腺等處。每發生急性或慢性腫脹。

a.急性——見於急性傳染病。例如：鼠疫（每侵及股腺。鼠蹊腺。顎下腺及舌下腺）白喉。猩紅熱（多侵及顎下腺、喉窩腺及頸腺）丹毒等。爲最著者。

b.慢性——見諸腺病。結核病。（每見顎下腺頸腺、鎖骨上下窩腺腫）乳癌（多見腋窩腺腫）胃癌。肝癌。（每見左側及右側鎖骨上窩腺腫）及梅毒初期。（多見鼠蹊腺、頸腺、肘腺等腫大）。此外淋巴性、脾臟性、白血病。及假性白血病。皆可致淋巴腺腫脹。此不可不知者。

第六節　口腔

口腔之查閱。於診斷上頗多裨益。而素稱啞科之小兒病。尤佔重要之位置。切不可忽視者也

（一）口糜——口腔粘膜及舌苔上。滿佈白色之細粒狀。似糜粥狀之溷濁物。此種卽稱口糜。爲患病已久之表現

（二）白斑——小兒頰粘膜上與臼齒一致之部位。若生一種一耗至三耗大之小斑。通常且有發赤之狹窄暈輪圍繞之。西醫稱爲可普勒克氏（Koplik）斑。爲發痲疹之前兆。但此疹不可與鵝口瘡誤認。鑑別方法。可氏斑多於三歲左右之小兒。且發見之翌日。卽現皮疹。鵝口瘡多發於哺乳之嬰兒。乃小圓形之白色與帶黃色斑。繼則其數漸增。互相集合而形成膜狀斑。不發皮疹

（三）潰瘍——小兒患頓咳（又名百日咳）者。其舌下繫帶處。每生有小潰瘍。（因咳嗽時舌之下面常與齒部衝突故。）名曰舌下潰瘍。可據爲百日咳之確切診斷。

（四）流涎——唾液過多。於口內潰瘍。齒齦膿瘍。齒齦腫脹。水銀中毒。及諸神經疾患（神經衰弱。臟躁症。三叉神經病。）等每見之。

（五）牙疳——牙齦腫脹。呈暗赤色。每易出血。且生潰瘍。小兒

久病後每見之。

(六)咽腫——咽喉兩側之扁桃腺。以其飲食時。既受食物之刺激。呼吸時又受空氣之衝過。且扁桃腺之組織。適合於細菌之繁殖也。察看咽喉扁桃腺時。須注意其是否腫脹。及其外形如。以斷定其因何病而起。最易侵犯咽喉者厥爲白喉、痧瘄、感冒、梅毒、及結核等病。上列諸症。除參照其他證候。及施行精細檢查(顯微鏡等檢查)外。頗不易鑑別。

(七)舌苔——舌之一物。爲滿佈血管與神經之筋肉條組織而成。知覺最靈敏。運動最活潑。是故一有病變。其上卽現一種異常之表徵。(卽舌苔)於診察病情。有莫大之助焉。但舌苔每有因食物(糖菓等)所染而成。例如食鹹橄欖後。其舌苔每呈灰黑色。食山查片後。其舌苔每現紅絳色等。此於臨牀上最須注意。苟有疑惑。立時詢問病家。否則每易僨事。茲將舌苔之主病。分辨於後:

1. 白苔

a. 舌潤微白——主表寒

b. 白潤中黑——主裏寒。

c. 苔白潤滑——主痰飲。

d. 苔白厚膩——爲中濕。

e. 苔白乾燥——氣津傷。

f. 白如積粉——爲疫癘。

g. 舌木淡白——貧血之徵。

h. 舌木萎白——失血之後。

2. 黃苔

a. 苔潤微黃——表證失汗。熱爵於裏。

b. 苔黃厚膩——濕已熱化。

c. 舌燥黃黑——熱甚傷津。

d 舌苔黃燥——每於傷寒或溫病見之。

e. 舌絳苔黃——內熱已熾。

3. 舌絳

a. 舌絳起刺——爲熱甚亡陰。痧瘄病每見之。

b. 舌絳涸萎——主熱熾津液大傷也。

c. 舌絳苔潤——爲虛熱

d. 舌絳燥裂——每伴發口渴欲飲等症。多見於熱病。乃水分蒸發過多之故

4. 舌青

a. 舌青苔潤——主循環障礙諸病

b. 舌青面皖——爲體內有瘀血。

c. 舌青面赤——孕婦見之爲子死腹中之狀。

d. 面舌俱青——孕婦見之。母子俱死也。

5. 灰苔

a. 舌苔灰潤舌本淡紅——主寒症。

d.苔灰乾燥舌本鮮絳——主熱症。

6.黑苔a.舌苔黑潤邊底淡白舌本不紅。——爲陽徵寒甚。

b.舌黑無苔乾焦罅裂刮之不淨。——爲熱極陰傷。

總之舌苔之主病以色淺潤澤爲佳若色深枯萎者。多屬危亡之候。以上所舉數項僅簡括言之。於臨牀上藉作參考而已。

第三章　聞診

聞者。聽患者之呼吸、咳嗽、語言等聲音以爲診斷之一助也。現今醫學進步更有聽診器之發明較我國固有僅用耳官聽診。效用更形廣大且較精細。例如分心音、呼吸音、水泡音等。茲不具論。僅將耳官所能聽者。分述於後:

第一節　呼吸系統

(一)咳嗽——咳嗽爲呼吸之變態。凡咽腔、喉腔、氣管、支氣管等部之黏膜。以及胸膜受刺激時皆可發生咳嗽。多見於感冒(伴有發熱、流涕等症。) 肺癰。(一名肺炎。嗽時有痛感。爲乾性。兼有鐵色痰伴有氣急無涕淚等症。) 肺癆。(一名肺結核。多係乾咳且咳嗽時口中有惡臭日晡發潮熱等症。) 白喉。(咳嗽時每兼有聲音嘶嗄因咽喉一帶發生炎症故。) 頓咳。(一名百日咳。發作時。連續不斷。且甚於夜間。) 胸膜炎(伴有發熱胸痛等症。) 慢性支氣管炎。(多不厲害且無寒熱) 等病。

(二)欠伸——欠伸乃血液中之炭酸氣稍稍增加。刺激欠伸中樞而張口伸腰作欠伸運動。於埋頭工作或疲勞時每見之

(三)嚏噴——嚏噴多屬鼻粘膜之神經受刺激而來。於感冒鼻塞或嗅有奇異氣味或鼻屎充滿或鼻內乾燥時每見之

(四)喘息——小支氣管周圍之不隨意肌發生動作。全肺之小支氣管縮小。且呼吸道亦受影響而變狹窄。肺胞內之空氣。五六個併爲一個空洞。其結果成爲肺氣腫而形成呼吸困難。卽稱爲喘息。多見於肺炎。(喘息聲爲袞沸聲) 白喉。(喘息聲呈犬吠聲。) 及心臟諸病。

(五)呃逆——亦爲一種呼吸之異態。乃橫隔膜痙攣之故。若受寒冷刺激。腹肌餓時。腹膜發炎。及有某種腦病時。每引起此症

(六)瘖啞——語言失聲也。如久病正虛。津血枯槁。或感寒而後食冷物及油膩厚味。或係白喉喉痺喉頭結核等。

(七)哮喘——亦爲呼吸迫切之徵。喉中如水雞聲。每見於痰飲等病。

(八)短氣——僅有呼出之氣。而吸入之氣甚微。此種形狀。於將死時每見之。

第二節　消化系統

(一)言遲——主舌蹇中風症見之。

(二)齘齒——齒牙相摩作聲也。除瘈厥外。多見於睡眠中。小兒胃有積滯時。每呈此種狀態。成人則罕見之。

(三)嘔噦——胃黏膜被不宜於胃之食物。(毒菌及不消化之食物等。)及因受風寒。刺激嘔吐中樞而發生嘔吐。此外腦充血、腦貧血、腦膜炎、幽門發生腫瘍、腸管忽然閉塞、(卽吐糞症。)胆石症、腹膜炎等。亦往往見之。

(四)腸鳴——腸中有液體及瓦斯蓄積時。往往由其蠕動而起雷鳴。亦稱腹鳴。

第三節　神經系統

(一)鄭聲——卽鄭重言之。語多重複。其聲低微。多屬虛症。

(二)譫語——卽亂言無次。如見鬼狀。其聲洪厲。多屬實症。

(三)呻吟——多見於有疼痛感覺之疾患。因大腦之痛覺中樞受刺激而發生特別之不快感覺。例如：頭痛、腹痛、胸痛等症每見之。若病久臥牀。或脘腹脹悶。全身不舒時。亦往往發生呻吟。

(四)啼哭——小兒某部發生疼痛或不舒適時。每見啼哭。(因其不會語言故。)須細察其疼痛或不舒適究在何處。

第四章　問診

問診云者。乃向病者。或其親人探問而得之報告也。此種陳述。於尋求病原。診察病情。甚多裨益。例如一病。可知其因遺傳而來。或因職業而成。及是否爲習慣性等。茲將應探問各點。統括爲既往症及現在症兩項。分列於後。

第一節　既往症

既往症之探詢。又可分爲現病前既往症。及現病之既往症兩點：

(一)現病前既往症。乃詢問病人之姓名、年齡、職業、住址、生活情形、平素習慣、有無遺傳、及發生現病以前曾患何病等。問時須扼要。記時須簡明。

1.年歲——年歲與疾病。每有關係。(卽所謂時間性。)例如。幼年多發麻疹、白喉病。成年則多生肺癆、萎黃病。老年則又易引起中風、癌腫病。

2.籍貫——病人之籍貫。亦有詢問之價值。蓋有地方病故也。例如浙江蕭山之薑片蟲病。卽是一例。誕生於該處之小兒。皆患是種疾病。

3.職業——職業一項往往為疾病之主因或誘因。例如以鉛為業者。（活字廠工。排字工。洋畫家等）每致慢性中毒。又如磨石工人終日吸入微細石屑。故易生氣管枝炎。或肺病。又如業畜牧或理料獸皮獸毛者易患脾脫疽等

4.住址——問病人之今昔住址。用以診斷鼠疫腳氣霍亂等傳染病。及地方病。頗為重要。

5.生活——病人之生活情形。往往為致疾之主因。例如；精神身體過勞。及急劇之精神感動。每易引起神經衰弱。臟躁症等。

6.習慣——疾病每有因吸煙、喝酒、手淫、房勞、等惡習慣而來者。

7.遺傳——病人之祖父母、父母。兄弟、姊妹等。身體之強弱。曾患何病。應加詳詢。蓋有關係也。例如梅毒、結核、血友、及神經系諸病。均由父母傳及子孫者。此外痛風病。心臟病等。有由血統遺傳者。亦有由乳母傳之者。再有隔二世或數世（祖父傳孫而不傳子）突然發生者。此種稱為隔世遺傳。

8.昔病——謂昔時曾患何病也。此項於診斷上。亦屬重要。例如；痘瘡、痲痧、傷寒等病。患後每得免疫。又如丹毒、腳氣、肺炎、感冒、腸窒等病。每易復發。再如患白喉，痲痧之後。多發腎炎。白喉之後或留麻痺疾患。疫咳者。易生肺氣腫。患梅毒者。經治療後。雖似痊愈。而後忽發脊髓癆等病者有之（此種稱為貽後病）由此可知問既往症之重要矣。

9.其他——婦女更須詢其月經狀態。曾否妊娠。有無流產等事。例如不孕症多屬生殖器之障礙。若屢次流產。則有梅毒之嫌疑。若已經生產者。其生產時情形亦須詳詢。每為致病之因故也。

（二）現症之既往症。乃向病人垂詢此次發病之前因後果。及經過治療之情形也。

1.誘因——誘起疾病之原因也。此種皆為病者理想之自白。不可深信。此外則須問其有無感冒過勞暴飲、暴食攝取毒物等。

2.經過——問其初起時之症狀。及痛苦之所在。與治療經過之情形。並其效驗如何等。

第二節　現在症

現症之檢查。除他覺症狀以視診聽診等檢得外。病者之自覺症狀。則須詳細詢問。始可得之。茲略述於後：

（一）疼痛——病人如自訴有疼痛感覺時。須細詢其疼痛地

位而細辨之。或在胸部。或在脘部。或在脊部。或在腹部。更須辨其疼痛情形係一時性或是持續性等。

(二)脹悶——詢問方法。同疼痛條。

(三)渴飲——如病人自訴口渴時。須詢其是否欲飲。並飲多飲少。以診斷其是否津液缺乏。或係分泌機能障礙等。

(四)胃納——病人胃納之多少。可以診察食慾之優劣。或有胃病否。

(五)寒熱——惡寒發熱爲自覺症。須詢問病人。始可得悉。並須問知其時間。在上午或下午。是否有一定時間。以便診斷爲某病。

(六)汗狀——如病人出汗時。須詢其係在寐時。或在醒時。並須問其量之多少。及或冷或粘。有無顏色。以便診斷。倘有發熱時。更須問汗出後。熱已解否。

(七)其他——此外如頭昏目眩耳鳴便祕或泄瀉等。亦須擇其要者而問之。

第五章　切診

夫切脈爲四診之一。古今醫家論之甚繁。謂診脈能知貴賤。辨貧富。分五臟之病。別六腑之疾。定寸關尺爲三部。劃浮中沉爲九候。更有七表八裏九道等說。殊不知言愈繁而理愈晦也。噫!區區留寸之中。不過一橈骨動脈而已。豈能辨知貴賤貧富臟腑耶。考其始因乃由古人不精生理解剖。專以臆測。而後人穿鑿附會。有以致之也。今去其玄紗。參以新義。分節縷述於左。

第一節　脈搏來源

按脈之波動。實基於心臟。心臟有弛張開闔之機能。動脈有彈力膨脹之作用。故當左心室收縮時突將血液壓入動脈。斯時大動脈之血壓增高。血流增速。遂造成一次之波動。待心室放弛時。則心室中無血入動脈。遂造成間續現象。若連續之心室收縮。造成血流之間續。卽爲脈搏之現象也。

第二節　正常次數

正常脈博之次數。初生兒通常每分鐘爲百四十至。睡眠時則爲九十至百至。十歲之孩童每分鐘九十至左右。成年人平均爲七十至七十六至。六十歲之老人脈搏稍增至八十至。然健康之老者亦恆在六十至以下。若以上各出其正常之次數。或多或少。均屬病態也。

第三節　脈搏變化

脈搏有因環境、溫度、營養等而變更其次數之多寡者。此種不屬於病態之範圍。茲舉於下:

(一)因於時期——晨起脈搏最少。至日中則遞增。止於下午五六時。達於最高度數。過則又減。迄夜分面極。

(二)因於男女——女子之脈搏。恆多於男子。

(三)因於長短——軀體短小者。脈搏較長大者爲速。

(四)因於動靜——疾行則脈搏最速。直立次之。坐再次之。臥更次之。

(五)因於營養——飮食時或飮食後一二小時內。脈搏增加絕食時則減少。

(六)因於精神——精神甯靜時。與精神感動時。則脈搏互殊。

第四節　脈搏種類

(一)浮

1. 形狀——脈來下指卽得按之稍減而不空。舉之泛泛而流利。不似虛脈按之而不振。芤脈尋之而中空。濡脈之綿軟無力也。

2. 病理——蓋因受病後。蒸發機能受阻礙。淺層動脈血之液充盈故也。

3. 主病——感冒、傷寒、虛脫症(久病見之)傷寒論太陽病、風溫、風水、皮水等

(二)洪

1. 形狀——脈來大而有力。且有數象也。

2. 病理——係放溫機能阻礙。心臟官能亢盛。生溫昇騰。血壓增高。血流加速。淺層動脈擴張而充血也。

3. 主病——熱性病。(其症如口渴唇舌乾燥等卽所謂溫病之類)反胃症。傷寒論陽明病等。

(三)芤

1. 形狀——浮大而無力。按之似葱管之中空也。

2. 病理——此脈見於失血之後。組織營養不足。乃擴張血管以求血。冀得充實之血。以營養各組織。然血管雖盡量擴張。因血已亡失之故不能充滿血管。故現血少脈空之芤脈也。

3. 主病——一切失血亡津症。如吐血、便血、尿血、衄血、血崩、遺精、自汗及外傷大出血等。

(四)大

1. 形狀——脈來應指滿溢。倍於尋常。但不似洪脈之旣大且數也

2. 病理——蓋因神經弛緩。淺層動脈之擴張致之也。

3. 主病——癆瘵、亡血暑熱症傷寒論陽明病等。

(五)弦

1. 形狀——細而有力。微有緊象但不似緊脈之狀如轉索。革脈之勁如弓弦也

2. 病理——因末梢神經收縮後。血液充實。血壓亢進。血流頗速。故按之雖細然頗有力。且微有緊象也。

3. 主病——水飮、疝瘕、寒積、拘急症、宿食不化、心腹冷痛、傷寒論少陽病等。

(六)虛1.形狀——重按則爲遲大輭弱。久按仍不乏根也。

2.病理——神經之官能衰弱。心臟之弛張力減少而形成此脈象也。

3.主病——虛勞、氣虛、腎怯、驚悸、腸澼等。

(七)濡1.形狀——脈形虛細而軟柔無力。如絮浮水面。輕起乍來。重起乍去。不似虛脈之虛大無力。弱脈之沉細輭弱也。

2.病理——此因消化不良。以致營養障礙。神經衰憊。而成此象也。

3.主病——內傷、虛勞、脾濕、泄瀉、自汗、盜汗、亡血、喘乏、痿弱、骨蒸等。

(八)長1.形狀——脈來指下迢迢。而過本位。不似大脈之舉之甚大按之少力也。

2.病理——此屬神經條達。血液充足。血流和暢使然。在常人則無病。在病理則爲官能亢進。示有向愈之機也。

3.主病——無正式之主病。如久病將愈。正氣漸復。常見此脈。

(九)散1.形狀——脈來渙而不聚也。舉之浮散。按之則無。至數不齊。來去不明。漫無根蒂。不似虛脈之重按雖虛。而不致散漫也。

2.病理——本脈見於失血亡津之後。乃血流將竭。血壓低微故也。

3.主病——危殆之脈。無病可主也。

(十)沉1.形狀——輕按不應。重按始得。舉之減少。更按益力。但不若實脈之舉指逼逼也。

2.病理——此因淺層動脈之血液減少。血壓降低。爲抵抗力衰弱之象。但皮下脂肪厚者。或生來即見沉小脈者。此不可當作病象也。

3.主病——霍亂、寒疝、癥瘕、停食、寒邪直中少陰等。

(十一)短1.形狀——脈來不及本位。寸關尺三部不能連續。但不若小脈之三部皆小弱不振。不似伏脈之一部獨伏匿而不前也。

2.病理——心臟機能銳減。血壓漸形下降。血流減退不調暢也。

3.主病——脚氣(衝心性)、陽虛、失血、肺病、宿食不消等症。

(十二)細1.形狀——亦稱小脈。脈來細小而軟。但指下顯然如絲線之應指也。

2.病理——脈管萎縮。血液減少。血壓低降。神經衰憊使然也。

3.主病——陽氣衰弱、吐血、衄血、卒中暴寒、泄瀉、虛勞、傷寒論少陰病等

(十三)實1.形狀——脈來大而長。按之有力。但不若緊脈之迸急不和。亦不似滑脈之往來流利也

2.病理——此屬動脈血液充盈。血壓亢進。並分配於各微細血管。營養各組織。充實力量與病菌互抗。所謂「邪正相爭」「正邪相當」而現此實象也。

3.主病——食積、痢疾、喘咳、肺癰、腹脅滿痛、傷寒論陽明府實症等

(十四)伏1.形狀——輕按不得。須以指尖稍推開肌肉。因得橈骨之襯貼。始得顯然知其來去。濇難微細到極點也。

2.病理——此神經衰弱不堪。血壓低降已極。淺層動脈之血液將竭也。

3.主病——霍亂、疝瘕、留飲、食滯、積聚、泄瀉等。

(十五)牢1.形狀——脈來沉而堅實。弦而長大。但不似伏脈之匿伏濇難。革脈之重按中空也。

2.病理——牢脈之成。爲全身脈管血液充實。血壓高張之現象。或由於血液鬱滯。神經脈管痙攣所致也

3.主病——鉛中毒。胃氣絕。萎縮腎等。

(十六)革1.形狀——脈來弦大而數。浮取強直。重按中空。如鼓皮之狀也。但不若緊脈按之實而不堅。弦脈按之不移。牢脈按之亦堅也。

2.病理——體內營養失其常態。各組織因營養不足。亦引起變化。如血液變爲稀薄。神經虛性興奮。脈管亦漸硬化等。而形成革脈

3.主病——亡血、失精、半產、漏下等。

(十七)代1.形狀——脈來五動一止。不能自還。須臾復來。依前五動至數有常。並無增減。亦有七動一至。良久復來。而仍如前數也。

2.病理——凡歇止之脈。其原因可分爲三種：一爲神經衰憊。機能減退。血液稀少。發生間歇性之心臟收縮。故有休止之現象也。一爲大動脈瓣膜閉鎖不全。血液能退入左心室。故成歇止也。一爲血管內發生栓塞。亦能成歇止之脈。蓋因凝結之血小餅。流至小

動脈而阻塞之成爲栓塞故也。

3.主病——霍亂、懷孕、跌仆重傷、氣血驟損、及心臟病等，

（十八）遲 1.形狀——一息三至不及四至。一分鐘六十至以下。而舉按皆遲也。

2.病理——體內各部機能低減。心臟衰弱。血液減少。血壓下降。造溫機能。亦無能亢進也。

8.主病——陽虛、泄瀉、腹痛、腎虛、氣血虛寒、脾胃衰弱等。

（十九）微 1.形狀——脈來微細不顯。似有若無。欲絕非絕。而按之稍有模糊之狀。但不若弱脈之小而分明。細脈之纖細而有力虛脈之分外少力也。

2.病理——爲神經衰疲已甚。血流血壓低減已極之象。

3.主病——尫羸、虛勞、失精、泄瀉、類中、崩漏不止、飲食不化等症。

（二十）弱 1.形狀——脈來沉細而濡。按之欲絕未絕。舉之若無。但不若濡脈之按之若無也。

2.病理——全身血液甚少。血壓低降。營養不足。各部官能減退也。

3.主病——虛癆、自汗、脾胃虛弱、骨肉痠痛、筋痿痼冷等症。

（廿一）緩 1.形狀——脈來不沉不浮不疾不徐。從容和勻。一息四五至。一分鐘六七十至。不似濡脈之指下綿輭。虛脈之虛大。微脈之微細而濡。弱脈之細輭無力也。

2.病理——此脈本屬於生理。然病後及體弱者常見之。蓋因神經弛緩。血管擴張。血壓低減。而波動自有迴旋之餘地矣。

3.主病——此脈本屬正常。若有兼病。始爲病態。

（廿二）結 1.形狀——脈來遲緩。時忽一止。或二動而止。或三動而止。無常數也。總之。脈來忽止。止而復起。統謂之結。

2.病理——脈來遲緩爲血液甚少。血壓低減。生溫減退之象。一止復至。心臟失其常態也。

3.主病——血虛、久病、虛癆、癲癇、癥結、寒飲、積聚、血結、外瘍等。

（廿三）數 1.形狀——脈來不似滑脈之往來流利。動脈之厥厥動搖。更不若疾脈之過於急疾也。一息六七至。一

分鐘八九十至也。

2.病理——蓋因官能亢進。生溫昇騰。致使交感神經興奮。而高溫度之血液。直接作用於心臟。則張縮加疾而脈數也。

3.主病——熱病、癰疽、疼痛性疾病、迷走神經麻痺症、大動脈口狹窄、心臟麻痹症、及驚愕恐怖等。

(廿四)緊1.形狀——脈來有力而任按。其波動却不高。如轉索無常。左右彈人手指。按之雖實而不堅。皆形容波動不得迴旋之狀也。

2.病理——人體之皮膚汗腺血管神經等。因受寒冷之刺激而收縮。放溫機能發生障礙。體溫蘊蓄。心臟亢進。血壓增高血液充盈。遂呈緊張之象。

3.主病——傷寒、疝瘕、癰疽、痃癖、及疼痛性疾患。

(廿五)促1.形狀——脈來數急。時忽一止也。不似動脈之數而時靜時動。忽輕忽重。不若結脈之遲緩而歇止也。

2.病理——此脈之成。除因體溫昇騰。心臟亢進之結果外。且大動脈口之瓣膜閉鎖不全。心室弛張時。血液退入左心室故也。

3.主病——心臟瓣膜病、瘀血、發狂、溫熱發斑等。

(廿六)疾1.形狀——脈來一息七八至以上。一分鐘百十至或百二十以上也。雖急疾而不實大。不似洪脈之既大且數。却無躁急之形狀也。

2.病理——疾脈之原理。爲神經緊張。心動亢進。脈管血流過速也。再大脈動瓣閉鎖不全。血壓消失甚速。亦見此脈

3.主病——脚氣、陽毒、陰毒、虛癆等。

(廿七)滑1.形狀——脈象往來流利應指。但不似數脈之過於急疾。緊脈之往來勁疾。實脈之逼逼應指也。

2.病理——氣血兼盛。心臟強盛。神經興奮也

3.主病——痰飲、宿食、蓄血、屬於腦充血之中風等。

(廿八)濇1.形狀——按之沾滯。脈來甚艱。參伍不調。但不似遲脈之指下遲緩。濡脈之來去綿軟也。

2.病理——全身血液枯減。神經組織失其營養。血壓減少。血液濡滯之象也。

3.主病——虛勞、精涸、盜汗、疝痛、血痺、津液不足等

第六章　結論

此篇診斷綱要。仍以望聞問切四章合成。此外如細菌檢查、化

學檢查、打診、聽診、(器械聽診)等項。暫付闕如。因篇幅限制。及時間倉卒故也容後日續成之。

腫瘍之內服藥療法

歐克仁

西醫余巖先生之言曰。「凡病皆具有形之變化。內外科未始有異。昔之內科病惟用方藥治療者。今多可用外科手術治之」（註一）此言是也。又曰。「知眞正外科決非不學無術者所能濫竽。決不可僅以外科之範圍囿之。」此言亦是也。今請申吾說。夫「凡病皆具有形之變化」誠然。「如肺癰腸癰之膿。與外科瘡毒之膿。皆化膿菌所釀。肺癆之肺。有結核菌之巢窟。中風之腦。有出血之空洞。傷寒赤痢之腸有紅腫糜爛之潰瘍。消渴病之尿有糖。白血病之血中白血球有變化之類」是也。是故「內外科未始有異。」「昔之內科病惟用方藥治療者。」果然西醫「今多可用外科手術治之。」如白喉症之氣管切開。腹水之穿刺是也「近來腦手術肺手術之法漸臻妥善。而肺腦之病亦可以手術治之矣。」然吾人應知今之外科藥西醫多用手術治療者。國醫亦多可以內科療法治之者也。此所謂內科療法者。蓋卽謂純粹施用漢藥之內服療法也。

吾人「知眞正外科決非不學無術者所能濫竽。」而眞正外科。確亦「決不可僅以外科之範圍囿之。」理應於外科範圍之外稍涉內科學之門徑。理解內科學之療法。而加以臨床應用者也。否則此外科醫士不足有爲。且不能得美滿之治療成績。斯在國醫界之立場。可斷言者也。（又聞「西醫學者之言曰。無內科學識者不足爲外科醫士。」（註二）然則在西醫界亦如是。是中西醫未始有異也）反之精通內科學而後從事外科。則事半而功倍。其治療成績遠非徒知外科學者所能企及。若華岡青州吉益東洞。吉益南涯。丁澤周。金子久。馬培之諸先進是也。且因漢藥之神效。先輩對於外科病症。竟有純用內服藥療法治癒者。皮膚病姑不論矣。其値得表述者、莫如各種腫瘍之治績也。（他若今日西醫施行外科手術之蚓突炎。扁桃體炎。內痔等。更爲國醫施用內服藥療法之有效者）斯言國人或以爲荒誕不經。有類齊東野語。則固有書可攷。文獻可證。無驚奇懷疑之理。且無誇張胡說成分。其實國醫內科醫士不少有治癒內臟腫瘍者。顧不自知耳。以爲係癥瘕、係痃塊、係膨脹、係鬼胎。苟當初施以病理解剖。則當啞然。不難大白也。然診斷病原雖有錯誤。對於治療反有驚人之成績者。以國醫係對全部證候下藥，枝節問題。無關弘旨。故纔水到渠成之妙也。

今且言腫瘍病理總論曰。「病理上所謂腫瘍者。與普通之腫脹物不同。屬於特別病變。能自發生。而自長育。雖亦由組織增殖而成。但無一定之目的及終局。且無官能裨益於全身。實一種組織之新生物。構成腫瘍之細胞。雖與生理組織無別。而其配置不整。所謂違型的構造是也。腫瘍由組織細胞增殖及血管新生而成、」以其構造之性質而言。可別爲三大類（一）結締織性腫瘍。（或名間質性腫瘍。）（二）上皮性腫瘍。（三）畸形性腫瘍。而結締織性腫瘍中。又可分爲纖維腫。黏液腫。脂腫。軟骨腫。骨腫。血管腫。淋巴管腫。黑色素腫。肌腫。神經膠腫。神經腫。肉腫。內皮細胞腫等一十三種。上皮性腫瘍中。亦可分爲乳嘴腫。眞珠腫。彖腫。囊腫。癌腫。脈絡膜上皮腫等六種。畸形性腫瘍。則凡不能明其組織化生之現象者。悉歸之。腫瘍又分善惡兩種。此指對於患者傷害程度之輕重而言，凡良性腫瘍發育遲緩。呈膨脹性發育。與健康部界限分明。無轉移性。無疼痛。局部皮膚不起病的變化。無全身榮養障礙。無生命之憂。治癒後無再發性。（如有人項間或頭皮所生之瘤是也。）其惡性者反是。發育迅速、呈浸潤性發育。與健康部界限模糊。有轉移性。有疼痛。局部皮膚起病的變化。而與腫瘍融合。末期起全身榮養障礙。發惡液質。致危及生命。即使暫時治癒。亦多再發。至腫瘍發生之確實原因。則直至今日。世界各國醫學家。猶各執一辭。不相統一。有主刺激說者。有主胚芽說者。有主寄生說者。有主遺傳說者。不下十家。尙未能具體確實說明之也。

今姑舍發生原因而言治療。則在西醫多主外科手術、在國醫則多主內服藥療法。慣用驅瘀劑、祛痰燥濕劑、（因吾國舊說以爲腫瘍由瘀血濁氣痰滯而成也。此當然未能說明腫瘍發生之確實原因——且稍嫌抽象玄虛——特其病變經過如是耳、）攻下劑及與奮強壯劑等。（對於彖腫則賞用柴胡劑。助以祛痰燥濕劑。柴胡殆能疏導淋巴管。爲瘰腫之特效藥也。）治之亦多能奏效。其理頗不易說明。意者驅瘀劑（憶明日醫藥雜誌創刊號上。譚次仲先生曾撰文闢瘀血。否認病理學上有瘀血之一名詞。其實血塞血栓以及循境障礙之現象。亦可認作瘀血。——此譚氏似亦曾認許——特稍有語病耳。茲爲便利起見。仍襲用瘀血之名。）有破壞病理組織。剝離新生血管。排除病理組織中之血液。（此殆即認爲瘀血者）並促進循環系之吸收機能。而使腫瘍萎縮壞死消散之效。或對於腫瘍細胞。更有某種之傷害作用。結果爲循環系所吸收而排除。於是腫瘍乃逐漸毀滅。蓋如上所述。腫瘍固按通循環系。有新生血管。並受供養者也。祛痰燥濕劑（按此處用痰濕兩字。亦有語病。然爲便於行文計。姑仍用之。）又收斂腐蝕劑茲亦包括在內)。殆有剝蝕腫瘍細胞之原形質。並斷絕其榮養分。(主要者爲水)亢進生理組織之吸收機能。使之萎縮消滅之效。(日人謂薏苡仁治疣。當卽此理。)攻下劑藉其下達之力。有傷害腫瘍細胞之生活力。破損其組織。排除被剝離之細胞及瘀血之效。(此特適用於腹部之腫瘍。陸淵雷先生於金匱婦人產後病篇大承氣湯條下云。「大承氣湯雖專治裏實。其惡露不盡之少腹堅病、亦得同時兼治。所以然者。惡露非乾血之比。無須桃仁䗪蟲。但得大承氣引起骨盤腔中之充血。又藉其下達之力。則惡露亦隨下也、」(註三)此說明攻下劑所以亦能驅瘀之原理。然則使與驅瘀劑相合如大黃牡丹湯者其效能豈不大哉)與奮強壯劑(少用)則作爲輔助藥。恐體力或有不支且所以增加他藥之攻擊力也。又陸淵雷先生於金匱桂枝茯苓丸證以爲乃婦人子宮肌腫之病。更論桂枝茯苓丸曰。「桂枝茯苓丸爲逐瘀血之方。今以治子宮肌腫者。腫瘍必因血瘀而起。且子宮肌腫於解剖上有所謂血管擴張性或腔洞性肌腫者。狀如海綿。有許多腔洞。大者如豌豆。皆滿貯血液血塊。其爲瘀血甚明。故治之以逐瘀力」(註四)此卽說明驅瘀劑與腫瘍之關係也。

至關於腫瘍之臨床記載治驗實例。余愧未能多多檢錄。殊爲遺憾。一則因余閱書不多。文獻欠缺。二則或因記載模糊。文詞簡陋。或首尾不全。三則因節省本文篇幅之故。然卽此數例。已可略窺漢藥對於腫瘍療績之一斑矣。且有例以證前說則可矣。余固無編腫瘍驗案之意也。本文所引諸實例大多出自東人手。於中土醫籍祗舉二例。似屬偏畸。實則余亦曾搜索。但未能多獲。且因余所藏古醫籍不多。而手頭却有皇漢醫學金匱今釋等書。於是乃卽以之爲參攷焉。今將檢出之腫瘍內服藥治驗實例錄之如左。並累加按語。

尾臺榕堂氏曰「余嘗治一婦人。自言牝戶左邊突起凝靭者十餘年。年年發痛。衆治無效。診之。形如鶩卵。卽癲疝也。發則大倍於常。堅鞕疼痛。寒熱交作。痛自少腹達臍傍。甚則及於心胸。苦楚不可忍。年必二三發。每發用桃核承氣湯。大黃附子湯芍藥甘草湯合方。則痛退腫消。又一婦人年十七。牝戶右邊隆起。形如睾丸。亦陰癲也。與大黃牡丹皮湯而愈。」陸淵雷先生曰「二案皆爲大陰唇之纖維腫。西醫療此惟有切除。今以內服藥取效。可見古方之妙。」(註五)按桃核承氣湯大黃牡丹皮湯爲攻下驅瘀袪痰劑。大黃附子湯爲攻下兼與奮痲醉劑。芍藥甘草湯則緩解止痛劑也。此數方皆取自古傷寒論及金匱要略者。所謂經方也。

橘窗書影云「八百屋萬吉之息年八歲。昨年以來右脚攣結。不能行步。漸至右臂（疑係腿字之訛）骨突出。經筋痛不可按。其他如故。醫概以爲肝證。與抑肝散之類。余以爲胎毒所流注也。用烏頭湯如法服之。兼用化毒丸。（薰陸。大黃。雄黃。亂髮霜。水銀。砒石。硝石。礬石。綠礬。雲母。食鹽。青鹽）數十日而攣結漸緩。得以起步。」按此當係骨腫之證。故漸至右腿骨突出。壓迫知覺神經。致經筋攣結。痛不可按也。烏頭湯爲麻醉緩解鎮痛發汗（發汗藥之麻黃。能擴張末梢血管。消散鬱血）強壯等藥之合方。化毒丸爲攻下。解凝。驅黴。殺蟲。收斂。燥濕。逐瘀等藥之合方。對於骨腫之治效。或係化毒丸之功也。

建殊錄云「京師丸田街刀屋平北者。壬午秋。左足發疔。瘍醫治之。後更生肉莖。其狀如蛭。用刀截去。不知所痛。隨截隨長。明年別復發疔。始則如初。爾後歲以爲常。生肉莖者凡五條。上下參差。並垂於脛上焉。衆醫莫知其故。進藥亦皆無效。先生曰。我亦不知其所因矣。然至其治之。豈不能乎。因診之。心胸微煩。有時欲飲水。脚殊濡弱。爲越婢加朮附湯及伯州散（反鼻霜。津蟹霜。角石霜）飲之。時以梅肉散（輕粉。巴豆。乾梅肉。山梔子）攻之。數日莖皆脫下而愈。」按此肉莖殆係脛部之乳嘴腫也。越婢加朮附湯爲發汗。退熱。強壯。燥濕藥之合方。伯州散爲治外科瘍毒惡瘡之方。有亢奮性。梅肉散爲攻下。殺蟲。驅黴。收斂。腐蝕劑。其大部治績。當在梅肉散也。

痲疹一哈曰「一婢年可二十許。疹後十四五日。鼻內生息肉。如赤小豆粒大。不愈五六十日。所醫疑爲黴毒。用藥而不知。更請醫治於余。按腹狀。臍腹有塊如盤。按之堅鞕。腰脚攣痛。小便淋瀝。大便難。經水不利。因作大黃牡丹湯飲之。無慮百日所。大便下利二三行。經利綦多。息肉徐銷。鼻內復故。諸證自當。」按此息肉亦係纖維腫也。大黃牡丹湯之功效。已見上述。不贅。

續建殊錄云「浪華島內賈人伊丹屋某者。嘗患腹痛。腹中有一小塊。按之則痛劇。身體尫羸。面色青。大便難通。飲食如故。乃與大柴胡湯飲之。歲餘少差。於是病者徐怠慢。不服藥。既經七八月。前症復發。塊倍前日。頗如冬瓜。煩躁喜怒。劇則如狂。衆醫交療而不差。復請治。先生再與以前方。兼用當歸芍藥散。服之月餘。一日大下異物。其形狀如海月。色灰白。如囊。內空虛。可盛水漿。其餘或圓或長。或大或小。或似紐。或黃色如魚餒。或如肉敗。千形萬狀。不可枚舉。如此者九日。而後舊痾頓除。」按此證祇言腹中有一小塊。頗如冬瓜。未曾確指何部。以意度之。當係腸管之腫瘍無疑。（然未能明其屬於某種腫瘍）故用攻下驅瘀劑及祛痰燥濕劑奏效也。

建殊錄云。「京南東福寺塔頭松月軒某長老病後肘骨突出。不能屈伸。先生診之。腹皮攣急。四肢沉惰。有時上逆。爲桂桂加附子湯及芎黃散飲之。時以梅肉散攻之。數十日肘骨復故。屈伸如意。」按此肘骨突出。亦係骨腫。故不能屈伸。殆因炎症刺激而起也。桂枝加附子湯爲興奮。活血。緩解。伸筋劑。芎黃散爲活血攻下劑。梅肉散有收斂腐蝕作用。已如上述。本病之治愈。梅肉散之功爲多。

勿誤藥室方函口訣於麻黃杏仁薏苡甘草湯條下曰。「又一男子周身生疣子數百。走痛者。與此方卽治。」按此例敍述亦嫌簡陋。所謂疣子者。或係淋巴管之腺腫也。麻黃杏仁薏苡甘草湯爲發汗祛痰燥溼劑。其主效似在薏苡仁。

成績錄曰。「一婦人年甫十九。八月以來。經水不來。大便不通。小便自調。飲食知故。腹有時痛。至十一月。大便始一通。他無所苦。醫時與以下劑。則大便少通。翌年由春至夏。大便僅一次。經水亦少來。迄七月下旬。求治於先生。先生診之。腹軟弱。惟少腹突兀如有物。按之則痛。乃與以大黃牡丹湯。服一月許。諸證悉治。」湯本氏曰。「腹軟弱而少腹突兀如有物。按之則痛者。卽少腹腫瘤之變態。是亦本方之主治。余嘗遇斯症。卽投此方。腹劇痛。後有塊物落下。而病卽愈。」（註六）按此證少腹突兀如有物。經水不來。大便不通。腹有時痛。殆係卵巢之囊腫。前醫與下劑不效者。未合驅瘀劑故也。

方伎雜誌曰。「溝口鮎右衞門妻經水不來者三四個月。一醫以爲妊娠。至五閱月。產婆亦以爲娠。施以鎮帶。病者產已數次。自以經驗度之。亦疑爲妊。然至十一月。毫無欲產意。於是乞余診之。余爲熟診。腹狀雖類妊娠。然實則否。因告以經閉。夫婦聞之大驚。頻乞藥不已。乃與大黃牡丹皮湯。令日服四服。服四五日。紫血衃血交相下。甚夥。凡二十日許。血始止。服狀如常。翌月月信亦來。卽於是月有孕。至翌年夏舉一子。此瘀血除盡之故也。」按此例亦爲卵巢之囊腫。故經閉而腹狀類妊娠也。

張子和醫案（註七）云。「薬園劉子平妻腹中有塊如瓢。十八年矣。經水斷絕。諸法不治。戴人令一月內涌四次。下六次。所去痰約一二桶。其中有不化之物。如葉者。如爛魚腸者。覺病積如括。漸漸而平。及積既盡。塊痕反窪如臼。略無少損。至是面有童色。經水復行。修弓杜匠。其子婦年三十。有孕已歲半矣。每發痛則召收生嫗。以爲將產也。一二日復故。凡數次。乃問戴人。戴人診其脈濇而小。

斷之曰塊病也。非孕也。脈訣所謂脈濇如刀括竹形。主丈夫傷精。女人敗血。治法下有病。當瀉之。用舟車丸百餘粒。後以調胃承氣湯加當歸桃仁。三兩日。又以舟車丸桃仁承氣湯。瀉青黃膿血。雜然而下。每更衣。以手向下推之揉之則出。後二三日。又用舟車丸猪腎散通經散等。連下數日。俟晴明。當未食時。以針瀉三陰交。不再旬。病已失矣」按此二例俱未言大便。得勿正常乎。此二病則的係內臟之腫瘍。特未能指出在卵巢抑在腸管。以大便瀉下異物觀之。似在腸管。然未言大便閉或難通。反謂經水斷絕似孕。則又若在卵巢矣（或可武斷曰。第一例爲腸管之腫瘍。第二例爲卵巢之腫瘍。然細審之。仍未免強解也）總之。紀述容有錯誤不忠實處也。又按第一例用湧法及下法。下法當然有攻下驅瘀之效。其理已如上述。而湧法亦因嘔吐時腹壓增加之故。與下劑之作用有相似之處。第二例舟車丸與調胃承氣湯爲攻下劑。加當歸桃仁。則兼驅瘀。桃仁承氣湯與通經散。皆攻下驅瘀劑。猪腎散不明。或係補腎劑也。

以上綜計十二例。多用攻下驅瘀之劑。皆更用袪溼。收斂。腐蝕。麻醉。緩解等劑。悉屬不施外科手術。而腫瘍得以治癒者。於此可知漢藥之神效也。又此多數方劑。大都爲仲景方。從而可知傷寒論金匱要略之價值也。雖然。此十二例。祇舉纖維腫。骨腫。乳嘴腫。腺腫。囊腫者數者。他若肉腫。脂腫。神經腫。癌腫。黏液腫。內皮細胞腫等。因時間。文獻。學力。諸關係。不克一一舉例。實爲遺憾。且不知能否亦以漢藥內服奏效耳。至若巨大之腫瘍。內服藥殆不能邀功。而外科手術。亦不能必治。如日醫馬淵純文治一遼甯省農婦之巨大子宮頸部筋腫。（倂有甲狀腺腫。兩者有連帶關係）施行外科手術。待腫瘍摘出。而此可憐之同胞已不支死亡矣（註八）總之巨大之腫瘍。在今日醫藥程度之下。其結果多可悲。毋寗早行就醫之爲得也。

又須聲明者。余作此文。初非在鼓吹漢藥。提倡不動手惡習。或進一步非難外科手術。鄙意無非在說明腫瘍亦有內服藥療法之一法。且能取效而已。若謂自尊國醫爲治腫瘍上手。則豈敢哉。亦豈能哉。

本文簡陋。詒笑大方之處。自知不免。幸乞諒焉。

（註一）見葛成勛編外科總論余序。以下有引號者仝。

（註二）見汪于岡譯實用外科手術自序。

（註三）見陸氏金匱今釋卷七。

（註四）仝上。

（註五）仝上。

（註六）見劉泗橋譯皇漢醫學下卷。

（註七）據姚若琴徐衡之合編宋元明清名醫類案正編。字句與儒門字親稍有出入。

（註八）見馬淵純文著併有甲狀腺腫之巨大子宮頸部筋腫。載東方醫學雜誌十三卷十期。

五不女之今昔觀

薛定華

種族之盛衰。視人民生殖量而轉移。生殖之多寡。視妊娠爲依歸。故妊與不妊。其關於一國國民之繁殖。世界民族之盛衰。有莫大之影響也。吾國醫藥。自岐黃以來。關于生殖系諸病。代有發明。婦科諸書。專家立論。莫不盡善。而不孕之病。仍然屢見。徵彼醫學發達之德國調查統計。完全不妊者。約佔百分之十五。一子不妊者。約佔百分之十八。又據孟甯亭氏之調查。男女之不孕。爲男一對女三十之比例。雖其咎不能獨歸於婦女。而婦女之不妊。確較多見。故婦女對于孕與不孕。在醫學上確有極大研究之價值。攷吾國古籍論不孕病者繁多。沈堯封曰「婦女本體不虛。而不受孕者。必有他病。」繆仲淳主「風冷乘襲子宮」朱丹溪主「衝任爲熱。」又謂「肥人婦女主脂膜塞胞。」張子和主「胸中實痰。」陳良甫於「二三十年全不產育者。主胞中必有積血。」陳士鐸又分女不能生子有十病。「胞胎冷。脾胃寒。帶脈急。肝氣鬱。痰氣盛。相火旺。腎水虧。任脈病。膀胱氣化不行。氣血虛不能攝精是也。」萬密齋謂「婦女骨肉瑩光。精神純實。有花堪用。五種不宜。即「五不女」是也。一四騾陰。二曰絞陰。三曰鼓花。四曰角花。五曰脈。此五種無花之器。不能配合。焉能結成胎孕也哉」觀上諸家學說。大都以一症立論。雖各有至理。獨萬全所言。與諸家學說不同。蓋彼全以生殖器爲主體。總括生理與病理之不孕。證之今日西洋生殖專書。大都相合。惜中國古代醫學。因限于時代思想之關係。僅從字體上解釋病狀。未詳其理。甚可惜也。今將古人「五不女」之學說。以歸納方法整理之。參以生理解剖。及臨床實驗所得。分述于下。茲因時間與篇幅所限。不能盡量述之。自知學識苦淺。譾陋必多。深望同道諸君。萬勿囿於成見。以爲卑無足論。須知君子之道。肇端乎夫婦。化育之機。功參乎天地。還希進而教之。則幸甚矣。

一　騾症

古人本寫螺字。王孟英謂螺乃騾之譌。騾形交骨如環。不能開坼云云。其實二字(螺騾)均屬形容詞。意義有相同之處。

女子之骨盤。因天然有生殖之關係。故異於男子。在解剖學上言之。分大骨盤與小骨盤二部分。其與男子骨盤相較。則上部（入口處）廣闊爲橢圓形。其下部亦廣闊。其前壁恥骨弓成直角或鈍角。後壁之薦骨廣闊而短。其下部及尾骶骨向後方牽引其左右髖臼之距離較男子爲遠。周壁低而廣大。此女子正常骨盤也。蓋大骨盤上方廣大。下方漸次狹小。形如漏斗。與小骨盤相連。故知大骨盤之大小。可直接推測小骨盤之廣狹。骨盤之廣狹。對于姙娠與分娩。有直接之關係也。世之所謂騾陰者。卽指骨盤畸形也。王孟英云。「騾形交骨如環。不能開折。如騾之不能孕也」故女子骨盤狹窄畸形。均屬騾症。其重者不能人道。輕者不能受孕。且每有痛經之患。攷騾症何以而成。證之今日之生理解剖。當別之先天性與後天性二類。屬于先天性者。因先天精力之不足。不能長大其骨骼。則器小失常。屬于後天性者。因骨盤週圍發生疾患。（骨盤結締織炎骨盤腹膜炎等是）前者在於今之醫學上。無相當補救方法。不過先治其痛經。一方服補養健身之品。並促其行適當運動。使骨盤得天然之廣大而已。後者初起之時。小腹攻痛。身熱帶下。月經閉止。或淋漓黃水。嘔吐便閉。脈象弦數。其骨盤周圍必有滲出水液。在其周圍之各組織浸潰。或壓迫子宮周壁之神經節。使子宮起異常狀態。引成子宮之過強前屈。其滲出物或化膿。經久而漸次吸收者。留有種種之硬結。甚足障礙患者之生活。而使骨盤畸形。子宮卵巢輸卵管等。起牽引轉位屈折之變異。而奪其生殖力也。患本病急者。化膿潰爛。以致身死。緩者纏綿床褥。遷延時日。故本病既因骨盤周圍炎所致。其治療之法。亦以原因爲主。中醫謂本病大都多因濕熱內蘊。在臨床上有西醫所謂骨盤結締織炎。骨盤腹膜炎等症。與以清熱利濕之品。如柴胡。白芍。白朮。茯苓。萆薢。貫仲。黃連。黃柏。丹皮。澤瀉。龜版。鱉甲之類。其豫後大都健康。蓋中醫之用清熱利濕劑者。因其清熱之品。有消炎之功。滲濕之藥。有吸收作用。使局部之分泌物易于吸收。炎症易于消除。雖全係隨症施治之法。但亦卽原因療法也。世之女子患騾症因骨盤周圍疾患而致後天性不孕者。亦可不必施其剖腹術等之理學療法矣。

二　紋症

紋陰者。古人卽指陰竅屈曲。戶小如筋頭之謂也。證之婦科專書。卽所謂陰道彎曲狹窄。痙攣等是。患該等病者。亦有先天與後天之分。大概屬于後天性者較多。蓋陰道因過於狹窄彎曲而生阻礙。甚或因局部刺激過厲。以致神經知覺過敏。發生刺痛與痙攣之象。書名小戶嫁痛。亦卽西醫所謂陰道痙是也。此等女子。既不適於性的生活。故紋陰亦爲五不女之一也。致其狹窄彎曲及痙攣之原因頗多。今略舉最易見者述之于下。

1.因子宮轉位使陰道彎曲者

子宮在生理上。本有浮游性前傾前屈。若子宮韌帶失其伸展性而硬固時。則子宮受其勢力之作用而形成異位。蓋子宮異位狀態有種種。如子宮前後左右上下之變位傾斜屈析等。因子宮下連陰道。苟或變位。則陰道亦隨之而彎曲。陰道既成彎曲。往往有月經不調。腹痛等症發現。且亦不便於所事。強而行之。亦難得成孕之機會。故陰道彎曲直接影響姙娠。信不誣也。子宮變位之整復方法。在西洋醫學上。僅有機械手術。無相當藥物治療。中醫在臨床上。每遇西醫所謂子宮變位疾患者。往往以升提湯（地黃山茱萸巴戟肉枸杞白朮人參黃耆柴胡）之類加升麻龜版而得效者。雖在藥理上無明斷之說明。但根據事實上確有矯正子宮異位之功能。此亦中醫治療學上之優點也。

2.因陰道炎而生陰道狹窄者

女子患陰道炎症頗多。其原因亦繁。大概多由子宮內膜炎而起。如微生物之侵害。分泌物之刺激。使陰道壁紅腫異常灼熱異感。其最著明之症狀。即是白帶下。且白帶每附着于陰道全壁。而生義膜。難于剝離。剝之則出血。日久而使陰道狹窄。故白帶除本身有殺害精虫外。且亦使陰道狹窄而致不孕。中醫古籍。雖未明細菌。而亦早有淋帶一門矣。況近世女子患淋帶而不孕者頗多。西醫診斷。大都因于淋菌所致。而中醫對于治淋帶方法。不勝枚舉。今錄家傳治淋帶方與洗滌方于後。公之世人。以作治淋帶病之一助。

淋帶丸（薛氏家傳方）——專治女子淋帶。效驗頗著。但最適于慢性病。服後僅起嘔惡之反應。孕婦忌服。藥用　粉萆薢　瞿麥穗　土茯苓　土銀花　白木槿皮　兒茶　女貞　半夏　枯礬　川斷　杜仲　杜牛膝　肾艸　六一散　生白芍　野芡實　漢防己　生蓮鬚　鹽水炒黃柏上藥共十九味。研細末。白蜜和丸。每日吞三次。每次三錢。鹽湯送下。三日見効。九日斷根

淋帶洗滌方（薛氏家傳方）——藥用：苦參　槐花　蛇床子　硼酸　灰錳養　白礬煎湯洗。凡女子有白帶屬于淋疾者。每日臨牀前。用子宮洗滌器自行洗滌。三日後帶下較少。疹痒亦差。一星期即可全愈。用此法洗後。陰道無異感之苦。較之用陰道球等。其豫後見著。但專以洗滌。雖白帶暫時可止。而仍能復發。必須與內服藥同時進行。

上列二方。既治淋帶有效。則西醫所謂子宮內膜炎。屬于淋菌者。即可解決。世之患陰道炎而使陰道狹窄不孕者。亦可減少一部分之痛苦矣。

3. 小戶嫁痛

本病多見于青年新婦故得其名。患該病者局部知覺過敏。因發疼痛攣掣。若對方欲遂其事則痛苦更甚。因此不得兩性上結合。豈可得姙娠之希望乎。目一般婦女因限于時代思想之關係。對于生殖器。具有神祕之觀念。患本病者。往往自憂。其缺陷延久則情緒鬱抑。是以本病。多見臟躁病 Hystrie 歇司的里。故治療之法。當先圖精神之鎮靜。避免刺激。外用甘麥大棗湯煎濃液洗滌。此亦所謂緩和急迫之故也。

總上觀之。古籍所云紋陰者。有包括陰道狹窄。陰道彎曲。及陰道痙等。吾國醫學。均有相當治療。則解剖切除等之痛苦手術。亦可得此而免之。

三 鼓症

古人謂實女之繃急似若無竅者。曰鼓花。王孟英曰。「陰戶有皮鞔如鼓云云。」蓋鼓者。亦即形容陰戶閉鎖如鼓皮之繃急也。因其閉鎖之位置不同。則其程度亦異。攷近世婦人科諸書。分處女膜閉鎖。陰道閉鎖。子宮閉鎖。輸卵管閉鎖四種。推其原因。有先天性與後天性之分。大都屬于先天性。陰鎖者最著名之分別。即女子及期。不見來潮。後天性陰鎖症。往往因疾患後而使閉鎖。月經停止。以致難能成孕。因閉鎖而生阻礙也。此中西論鼓症不孕之原因也。蓋鼓病除不孕之外。其最主要之症狀。即發生血腫。當女子成年時。月經按月而行。如因處女膜閉鎖之故。月經則不能排泄于體外。而停蓄其上。但生理上每月有排經作用。按月增加。漸次伸展于陰道子宮輸卵管等處。初則仍屬液體。按之則聚散無常。且有動性。故或上或下或左或右。及後血液因停蓄過久。而自行凝結成塊。附着周圍。按之應手。不能移動。古籍別之名爲血癥血瘕。凡女子患斯疾者。多見俯仰困難。少腹疼痛。背攣腰楚。噁心嘔吐。以致飲食減少。形瘦骨立。在診斷該病。每根據形狀上之大小。部位上之高低。及按之動與不動。可以決斷疾病之輕重久暫。此何故。蓋因其閉鎖愈高者。則癥瘕發作愈早。其閉鎖愈久者。則癥瘕蓄積愈大。月經蓄積愈久。則按之愈堅。此種診斷方法。亦可作治癥瘕者之一助也。總上觀之。鼓症之所以不孕。在于繃急閉鎖。其陰鎖結果。成爲血癥血瘕。故鼓症與癥瘕。在治療上。有連帶之關係也。今舉最合理之中醫療法於下。

行氣破瘀法——古人論癥瘕之病。聯於氣血。有所凍滯。氣血行則病愈。故每用行氣破瘀之品。方如抵當湯（大黃䗪虫水蛀桃仁）桃仁煎（桃仁大黃䗪虫朴硝）療血瘕方（大黃當歸皂莢山萸細辛戎鹽）增味四物湯（當歸川芎芍藥熟地三稜黃耆肉桂乾漆）濕胞湯（朴硝丹皮當歸大黃桃仁細辛厚朴桔梗赤勺人參茯苓桂心甘草牛膝陳皮附子䗪虫水蛭）之類。上列諸方。大都以行氣破瘀之品。皆具有衝動內蓄瘀血之功能。增加下壓勢力之作用。使其閉鎖之膜。藉壓力藥力之作用。得自動擴張菲薄。以致破裂。因此內蓄之月經得破裂之去路而排泄體外。閉鎖之膜得月經流動而裂痕愈大。迨蓄血排泄乾淨後。亦有即可受孕者。此行氣破瘀之法。雖爲直接治療癥瘕。其實間接之作用。正是破裂閉鎖而治療鼓症之合理法也。

手術破裂閉鎖法——本法最適用於體虧之人。因身體瘦弱者。服破氣去瘀之品。往往有子宮出血及虛脫腹膜炎等疾患。故直接破裂其膜。血液無藥力衝動之作用。可專藉其蓄血之壓力。緩和排泄體外。法用鉛作鋌。近數寸。患者逐日納入自行紝之。久久自開。全無痛苦。此亦因鉛體重實。質濡滑之故也。惟斯法初獨載於本草綱目中。世人少用之。此實較之于西洋用切開閉鎖手術。其所得危險與痛苦亦遠矣。總上二法觀之。一爲鼓症之直接療法。（手術療法）一爲鼓症之間接療法。（藥物療法）以愚所知者。藥物療法較有危險性。服後往往腹痛甚劇。若藥量過重。恐有崩漏之患。若藥量太輕。則難及病灶。不能速效。手術療法最適宜于處女膜閉鎖。可由患者自己實行。無切開術等之痛苦。其豫後較良。不過患者注意清潔及器具之消毒而已。我願世上患鼓症之婦女。不妨以中醫之手術破裂閉鎖法試之。

此外本病之先天性閉鎖症。不可獨以無月經爲決斷，當以癥瘕之有無爲根據。故世上有暗經者。（終身無月經而能姙娠者）與先天性鼓症無月經者。不可混合論之。此注意一也。其二今古之論癥瘕者。有先經閉而後癥瘕現者。有先病癥瘕而後經閉者。此二種均屬於後天性閉鎖症。例如內經石瘕生于胞中。寒氣客于子門。子門閉塞。氣不得通。惡血當寫不寫。衃以流止。日以益大。狀如懷子。月事不以時下之謂也。其治療之法。不外破其瘀血以除閉鎖而已。其三。世之醫者。往往以仲景桂枝茯苓丸爲治癥病之主方。謂婦女有癥病。亦能姙娠云云。而不知婦人宿有癥病。與閉鎖所成之血癥血瘕有異。蓋仲景所謂癥病。淵雷先生謂此條大旨論子宮肌腫之姙娠。肌腫與血腫根本不同。雖仲景所謂癥病與本病之名相類。其實病理與症狀均異。故婦女子宮患肌腫者。通常仍能姙娠也。

四 角症

角症乃「五不女」之一。謂陰中有物。頭尖削如角之謂。在今之婦科學上。根據角狀之子宮病約分二種學說。一屬先天性一屬後天性。先天性角症。大概指半陽陽。或假性半陰陽而言。該症陰核肥大。左右大陰唇一部分癒合。尿生殖竇開口於陰蒂下面。宛如男子尿道下裂。慾動則大陰唇更見膨隆。陰核亦能挺舉。狀如陰中有角形像男子。而不能通入道也。在我國古籍之記載。所謂女化男是也。洪範五行傳云「魏襄王十三年有女子化爲丈夫」晉書云「惠帝元康中安豐女子周世寗以漸化爲男子。至十七八而性氣盛」又「孝武皇帝甯康初。南郡女子唐氏漸化爲丈夫」南史云「劉宋文帝元嘉二年燕有女子化爲男」唐書云「僖宗光啓二年春。鳳翔郿縣女子朱齔化爲丈夫。旬日而死」此種事實記載可足證明今古確有其事。此全因生殖腺發育異常以致太過之故耳。在醫學上無治療方法。後天性角症者。大都指陰挺陰脫陰癩肝痿之類。(肝痿傅氏謂肝之脂膜隨血墮。非子宮下垂之說云云。其實因限于時代思想關係。不深明解剖之故所致。但立收膜湯一方。仍是治子宮脫之法。在斯卽證可其理論之謬誤。未知賢達者以爲然否。) 蓋子宮在正常狀態中。有靱帶以固定之。若靱帶弛緩時。一受腹壓之作用。則必有下墜之感。初時子宮後傾。僅起立勞動時脫出陰道。其後則子宮常露出於外部。日久則成習慣性。凡提舉過量之重荷。或勞動便祕等不攝生之時。子宮卽脫垂于外。而成角狀。其脫部又因外界刺激而生潰爛等危險。王愼軒云「子宮脫垂若久不收上。或流血不斷。或變成死組織。輕者終身絕孕。重者生命堪虞」故古籍論該病學說繁多。今略舉數例于下。

大全云「婦人陰挺下脫。或因胞絡損傷。或因子臟虛冷。或因分娩用力所致。」

薛立齋謂「前證當以升補元氣爲主。若肝脾鬱結氣虛下陷用補中益氣湯。若肝火濕熱。小便濇滯。用龍胆瀉肝湯。」

沈尊生云「婦女陰挺。則陰中突出一物。如菌如鷄冠。四圍腫痛。由肝鬱脾虛下陷所致。用補中益氣加山梔青皮茯苓車前。婦女陰癩硬腫如卵狀。極痛難忍。皆由濕凝血結之故。宜用攻散之劑。婦人產後陰脫。由努力太過。如脫肛狀。逼迫腫痛。淸水續續。小便淋露。急用補托。」

傅靑主云。「婦人產後。陰戶中垂下一物。其形如帕。或有角或二岐。人以爲產頹也。誰知是肝痿之故乎。治當以大補氣血加升提之品。收膜湯主之。」

王南山云。「陰挺一症。當分虛實。虛者由神經衰弱。膣壁之張力虛憊。膣壁之末垂于膣管之中。而向陰門下脫。其症不痛不癢。治宜補中益氣湯爲主。實者由于濕熱下注膣腔。挺孔陰核炎腫。腫突于外。必痛必痒。治宜龍膽瀉肝湯爲主」

歸納上列學說。則後天性角症可分「陰道子宮脫」與「膣腔陰核發炎」二類。如陰道子宮脫垂。因于氣血虛所致。氣血虛則神經衰弱。膣壁之韌帶弛緩。張力微弱。使陰道子宮脫垂如角。如方書用補中益氣升提之品。膣腔陰核因濕熱下注而發炎。痛痒腫突如角。如陰癩之用攻散之劑。方書用龍胆瀉肝湯之法等是。故本病之治療。以恢復子宮之正常位置。及消除子宮之炎症爲原則。蓋恢復子宮之正常位置法。方如補中益氣湯。(黃耆人參甘艸當歸橘皮升麻柴胡白朮)收膜湯。(黃耆人參白朮白芍當歸升麻)升提湯(見紋症內)之類。以補氣血升提爲主。(本法與治子宮轉位症相同。但子宮轉位較輕耳)消除子宮炎症法。方如龍胆瀉肝湯。(龍胆艸柴胡澤瀉車前木通生地歸尾梔子黃芩甘艸)柴胡淸肝散。(柴胡黃芩人參甘艸山梔川芎連翹桔梗)當歸龍薈丸(當歸龍胆艸梔子黃芩黃連黃柏大黃靑黛蘆薈木香麝香)之類。淸利濕熱消炎爲主。本病除上列二類內服藥以外。對于外治之法。有下列二種。

薰洗法(薛氏家傳方)藥用蛇床子。五倍子。灰猛礬。白礬煎湯。自行薰洗數日。其角可收。

外托法(薛氏家傳方)藥用白礬。五倍子。黃耆。蛇床子。硼酸同煎汁。取消毒棉紗滲透藥汁。令婦人于臨睡時。自行托入。如入拴塞陰道。平臥勿動。翌日取出棉紗。再行。則陰道自斂不脫。

上列二法。不過輔佐內服藥之不足。當行該法時。宜注意消毒。以免豫後之不良。在子宮全脫時。外托法尤爲適用。

五 脈症

脈者經脈也。古人論女子不孕。大都責于月經之爲病。謂女子終身不行經，或經脈不調。不能孕育者。曰脈症。萬全曰。「女子經脈未及十四而先來。或十五六而始至。或不調。或全無者。爲五不女之一。難成胎孕。」褚澄曰。「女子天癸既至。踰十年無男子合則不調。未踰十年思男子合。亦不調。不調則舊血不出。新血誤行。或潰而入骨。或變而爲腫。或雖合而難子。」嚴鴻志曰。「胃少受納。脾失統攝。心氣不足。陰液漸耗。肝木偏旺。相火妄動。無怪經候愆期。帶下倍多。不知帶愈多而經愈不調。經不調而帶則更甚。輕成淋濁之患。重有崩中之憂。八脈無氣。即基虛損。安望其能育麟哉。」證之古籍之記載。凡婦女月經之有病爲否。則與生育大有關係。今歸納女子脈症。約分無月經。月經不調。崩漏三大類。略分述于下。以資參攷。

1. 無月經　月經者。即女子成熟時周期之子宮出血是也。素問天眞論曰。「女子二七而天癸至。任脈通。太衝脈盛。月事以時下。故有子。」經脈別論云。「飲食入胃。其清純津液之氣歸于心。入於脈。變赤爲血。血有餘則注於衝任。而爲經水。」上列二說。則月經由於「天癸至」與「血注于衝任」而成。信不誣也。故「天癸至」與「血注于衝任」之生理作用。甚合近世所謂卵巢內分泌之刺激。子宮周壁之充血等作用。蓋月經之來潮。賴于卵巢之排卵作用。當卵巢在將排卵之四五日。黃體即分泌刺戟素。刺激其周圍之神經。使子宮周壁黏膜肥厚粗鬆。血管極度怒張充血。以致破裂而成月經血。其所謂「卵巢內分泌之刺激作用」正合古籍所謂「天癸至」。其「子宮血管充血作用」。正合古籍所謂「血注于衝任」。其立言雖異。而原理同歸一轍。明於斯則無月經之原因。可得有「天癸不至」與「衝任血枯」二大原則。此兩者均使婦人不得妊娠。方書立論。亦屬癆瘵一門。凡女子卵巢萎縮。分泌功能失職時。中醫即可名之曰「天癸不至。」子宮因無卵巢之產生。經水之來源亦因此斷絕。昔賢稱爲腎虛經閉。當宜滋補之品。以恢復卵巢之排卵機能。在古籍早有紫河車等之臟器療法在也。關于「衝任血枯」在古籍之記載。亦已極全備。今舉數例于下。

張介賓曰。「枯竭者。衝任虧敗。源斷其流也。凡婦女病損至旬月半載之間。未有不經閉者。正因陰竭。所以血枯。枯之爲義。無血而然。故或羸弱。或困倦。或咳嗽。或血熱。或飲食減少。或亡血失血。及一切無脹無痛無阻無隔。而經有久不至者。皆血枯經閉之候。欲其不枯。無如養榮。欲以通之。無如充之。但使血行。則經自至。」

陳自明曰「或醉飽入房。或勞役過度。或吐血失血。傷損肝脾。但滋其化源。其經自通。」

李杲曰「婦人脾胃久虛。形瘦氣血衰。致經不行。病中消胃氣。善食漸瘦液枯。夫經者。血脈津液所化。爲熱所爍。肌肉消瘦。時燥渴。血海枯竭。病名血枯經絕。宜瀉胃之燥熱。補益氣血。經自行矣。」

總觀古人學說。則「衝任血枯」之原因。可得由榮養不良。萎黃病。貧血症……等衰弱而起。故治療之法。宜滋補健壯劑。方如人參養血丸。（人參熟地當歸烏梅川芎赤芍炒蒲黃）當歸地黃丸。（當歸川芎白芍熟地丹皮玄胡人參黃耆）烏骨鷄丸。（用烏骨鷄一隻。先以粳米喂養七日。勿令食蟲蟻。弔死去毛及雜。將生地熟地天冬麥冬放入鷄肚中。陳酒十碗。砂罐煮爛。取出再用桑柴火上焙去藥。更將餘淹盡。焙至焦枯。研末再加杜仲。人參。炙艸。蓯蓉。故紙。小茴。歸身。川芎。白朮。丹參。茯苓。香附。砂仁。共研末。和上藥末。酒調麵糊爲丸。每服五十丸。空心米飲下。）上列諸方。須令長服。爲要日久。確有効驗。

2. 月經不調　月經不調之原因繁多。症狀各異。有經候無定。或趲前落後。有月經困難。經來腹痛。有血不下注而上逆。成爲倒經者。此皆難能妊娠。正林羲桐所謂「經不準。必不受孕」之義也。故亦列于脈症之一。方氏曰「婦人經病。有月候不調者。有月候不通者。然不調不通中。有兼疼痛者。有兼發熱者。此分而爲四也。細按之不調中。有趲前者。有退後者。趲前爲熱。退後爲虛。不通中有血枯者。有血滯者。血滯宜破。血枯宜補也。疼痛中有常時作痛者。有經前經後作痛者。常時與經前爲積血。經後爲血虛也。發熱中有常時發熱者。有經後發熱者。常時爲血虛有積。經行爲血虛有熱也。是四者又分爲八矣。」觀方氏之說。則經之不調。又當分寒熱虛實疼痛諸症論之。蕭慎齋曰「婦人有先病而後致經不調者。有因經不調而後生諸病者。如先因病而後經不調者。當先治病。病去則經自調。若因經不調而後生病。當先調經。經調則病自除矣。」蕭氏至理明言。亦即中西治經病之大法也。今分述月經不調之各症于後。

（甲）經期無定（趲前落後）——凡月經除季經對年暗經之外。皆須一月一行。若未及期而先至者。謂之趲前。若逾期而來者。謂之落後。朱丹溪曰「經水先期而至者。血熱也。後期而至者。血虛也。」趙養葵曰「經水而不及期而來者。有火也。過期而來者。火衰也。」故證治準繩有先期湯（生地芍藥知母黃連阿膠香附當歸黃柏黃芩川芎艾葉甘艸）過期飲（熟地當歸川芎桃仁木通肉桂白芍香附紅花莪朮甘草木香）之設。一以涼血清火爲主。一以溫經行滯爲宗。兩者爲後人治月經趲前落後之準繩也。然則依愚之臨症所得。亦有先期未必屬熱。後期未必屬寒者。此何故。正古人所謂氣虛不能攝血而經先期。（卵巢機能之虛性興奮）與水虧血少而經落後（卵巢之機能減退）之類也。故方書中有經早以小營煎（歸身熟地白芍杞子山藥炙草茯神棗仁）七福飲（人參熟地當歸棗仁白朮炙草遠志）經遲有加味四物湯（四物湯加丹皮山梔柴胡）地黃丸（乾地黃大黃茯苓杏仁柴胡當歸）之法。由此以觀。則經水來潮時間之前後。不能爲屬寒屬熱之絕對準標。可以明矣。余故曰。若診斷經水先期後期。屬熱屬寒。當以經色之鮮暗。經量之多寡。經質之濃淡。而參以脈苔及全身之症象爲準。不可專執于「趲前爲熱」「落後爲寒」以爲斷也。世之治婦科學者。未知以爲然否。

（乙）痛經（月經困難）——月經困難云者。月經時局部及一般症狀超越生理範圍。妨礙操作。因而就褥之謂也。其最易見之症。即發作疼痛。中醫名之痛經。非但有礙生育。更有因此而喪其生命者。故本病在于婦科學上。亦佔有重要之地位。攷其原因綦多。今略舉于下。

王海藏曰「經事欲行。臍腹絞痛者。血滯也。」

按—此條正合西說所謂充血性之痛經。子宮內膜充血而腫厚。壓迫子宮神經而致作痛。

朱丹溪曰「經後作痛者。氣血俱虛也。」

按—此條正合西說所謂脫膜性神經痛。此因受卵巢分泌液之異常刺激所起之反應。其痛之現象。在經淨後一二日內。爲厲。中西醫學皆以虛弱立說。其旨相同。

陳良甫曰「經來腹痛。由風冷客于胞絡衝任。」

按—此條正指生殖器變異所起之月經困難。因古時盛倡風冷學說。不知解剖。雖謂子宮受風冷之感覺。即起極烈之反應而發生痙攣性疼痛。其實在今之醫學上言之。如子宮頸狹窄及子宮疾患而致月經困難者。亦可包括此條下。

總之。女子之所以痛經者。皆因秉賦之不齊。寒溫之失常。情志之抑鬱。氣血之凝滯。內生殖器之變異所致也。其發現之症狀。或經前腹痛。或經來腹痛。或經後腹痛。甚或頭疼腰酸。身熱惡寒。嘔噁厥冷。納呆失神。治療法之。不外于調氣。破滯。滋補。溫潤四法。頗證治裁曰「有經前身痛拘急者。散其風。越痛散（虎骨當歸白朮白芍茯苓甘草防風白芷續斷藁本附子）加秦艽。有經前腹痛畏寒者。溫其寒。調經散（當歸牛膝香附茯苓青皮山查）加乾姜肉桂茴香。氣滯者。行其滯。加味烏藥湯。（烏藥砂仁木香延胡香附炙草）血瘀者。逐其瘀。通瘀煎。（歸尾山查香附紅花烏藥青皮木香澤瀉）氣血瘀結者。理其絡。失笑散（五靈脂蒲黃）癥瘕痞脹者。調其氣血。交加地黃丸（生地生薑香附人參桃仁延胡當歸川芎白芍沒藥木香）虛寒急痛者。溫其裏。五物煎。（熟地當歸白芍川芎肉桂）痛在經後者。補其虛。八診湯（當歸川芎白芍熟地黃苓白朮茯苓甘草）加香附砂仁。一切心腹攻築脅肋刺痛。月水失調者。和其肝。延胡索散（胡延索當歸川芎乳香沒藥蒲黃桂心）加枳殼。經滯臍腹痛不可忍者。導其瘀。琥珀散（三稜莪朮赤芍劉寄奴丹皮熟地當歸官桂延胡烏藥）其立法之繁博。亦可為後人治痛經之圭臬矣。

（丙）倒經（代償性月經）——倒經之患。大部見于青年婦女。因每屆經期。子宮不作生理之變化。而由口鼻等出血。故得其名。患該病者亦往往難能妊娠。此亦子宮無周期性出血之關係也。究其原因。中醫大都謂肝氣不順。血熱上逆所致。雖論該病之原因含有不可思議之色彩。但根據治療事實。確有立竿見影之效。去歲余在本院施診所治倒經患者四人。一女子吐血。三人均鼻衄。每以家傳方加減治之。二人服藥後血止經來。餘二人血止後未來續診。不知結果如何。今舉一案于下。以作討論之資料。願吾同志。指正為幸。

楊右　住北浙江路　廿四年六月廿五日　初診

年屆二十。經水未來。月有鼻衄。小腹左部結塊酸疼。且瘕頭昏。咽乾口苦。便艱。氣滯瘀凝于下。血逆妄行於上。書名倒經。當以降逆清熱活血去瘀為治

鮮生地四錢　京赤芍二錢　生赭石六錢（打先煎）　桑白皮二錢　茜根炭三錢（陳久）　粉丹皮二錢　澤蘭葉錢半　潼木通一錢　川牛膝三錢　淡子芩錢半　生內金三錢　潔童便一杯（分二次冲）

二診　六月二十七日

鼻衄稍減左小腹癥塊酸疼背痛腰楚月經未行脈來沉弦舌苔薄黃仍屬肝氣鬱結血熱妄行再宗前法出入

生地炭四錢(陳久)　旋覆花三錢(包)　紫丹參二錢　京赤芍二錢　代赭石六錢(生打先煎)　澤蘭葉三錢　粉丹皮二錢　川牛膝四錢　炒梹榔一錢　生內金三錢　煨本香八分　童便一杯(冲)

三診　六月廿九日

年屆青春月事未舉藥後鼻衄未作左小腹痞塊酸痛背痛腰楚未已血因熱妄行不能下注胞宮氣因鬱阻滯不能舒暢情志故嫁後三載未曾育麟法當理氣活血再佐清熱降逆

當歸尾二錢半　代赭石八錢(生打先煎)　生地炭四錢(陳久)　紫丹參三錢　單桃仁二錢半　生瓦楞一兩(打先煎)

京赤芍三錢　越鞠丸二錢(吞)　台烏藥一錢半　川楝子三錢　川牛膝三錢　潔童便一杯(冲)

四診　六月卅日

藥後鼻衄已止經來紫塊腹痛腰痠均差此倒經癥瘕已除再予調理

小生地二錢　製香附八分　廣鬱金八分　全當歸一錢　延胡索一錢　川牛膝錢半　大白芍二錢　生內金錢半　川續斷二錢

四診後。因時屆暑假即囑連服數劑。余亦返里故不知其結果如何。閱五月。該婦患氣喘病來診。腹已便便懷麟矣。詢其前疾。曰連服先生第四方後。翌月經來無痛苦。但僅行二日即淨：鼻衄亦未作。今來請先生治我胎前疾矣。該案余一方清熱降逆治其倒經。一方活血去瘀。治其癥塊處方先注重治療倒經。後注重治療癥瑰。若本病先重用去瘀活血之品。鼻衄反有增極之象。此不可不注意也。凡婦女患倒經病者大都腹部兼有癥塊。爲多此何故。正所謂因輸卵管閉鎖。阻礙排經作用而成爲癥塊也。故治療之法。除清熱降逆外。必兼用通經藥。生地牛膝童便赭石四味。爲治倒經之主藥。丹參澤蘭赤芍內金等。爲治倒經之副藥。以此法治之。輕者二劑即愈。重者五六劑亦可見效。此余親身經過而得也。

本病在醫學上。頗有研究之價値。中醫方面。對于本病之治療。效驗確著。而關于病原方面。處今之科學世界。有急待於改革之勢。

西醫方面在婦科學上本病無相當之說明。在病理學書籍上僅謂本病係神經性出血Nervose Blutung 而已。亦無詳細研究。當余入本院時。卽將此疑問質之中西各教授。僉曰本題在今之醫學上。欲明瞭其病原。確爲困難之事。迄今四載。疑題未決。私心念之。曾有一派學者反對倒經之說。但根據事實證之中西書籍。亦有令人莫決。定華習醫以來。平時喜讀婦科書。對于疑問難題。尤覺有討論之必要。以余之理想。古人所謂肝氣不順者。大概有指神經異常與子宮疾患之意思。血熱上逆。猶爲本病之誘因。現因限于學識與時間關係。不能將此病之病理解剖澈底解決。此種意測。似乎失實。誠爲恨事。深望同道諸君共同研究。將來有成。非但定華之幸。亦卽醫學之幸也。

3. 崩漏　崩漏者。卽子宮不正常出血也。患該病者。重則虛脫衰弱而身死。輕則經候不調而絕孕。經云「陰在內陽之守也。氣得之以和。神得之以安。毛髮得之以潤。經脈得之以行。身形之中。不可斯須離也。出血過多。則諸症叢生矣」故崩漏爲婦女最可怕之病。亦爲最易見之疾也。蓋子宮出血之原因甚多。或由炎症。或由瘤腫。或由精神刺激。用方者視其外症。不索其原因可也。秦天一曰「崩如山冢卒崩。言其血之橫決莫制也。漏如漏卮難塞。言其血之漫無關防也。」嚴用和曰「漏下者淋漓不斷。病之輕者也。崩中者忽然暴下。乃漏症之甚者也。」由此以觀。則崩與漏。一爲子宮急性出血大出血。一爲子宮慢性出血小出血而已。致中醫謂其致病之原因。李杲曰「婦人血崩。是腎水陰虛。不能鎭守包絡相火。故血走而崩也。」萬全曰「崩中多因中氣虛。不能收斂其血。加以積熱在裏。迫血妄行。故令暴崩。崩久不止。遂成下漏。」秦天一曰「原其病致之因。有因衝任不能攝血者。有因肝火不能藏血者。有因脾不能統血者。有因熱在下焦。迫血妄行者。有因氣大虛。不能收斂其血者。又有瘀血內阻。新血不能歸經而下者。」李東垣又謂「崩由妄治」。陳自明謂「崩由傷損衝任。」薛立齋謂「血崩因虛熱而來」朱丹溪謂「涎鬱胸中。淸氣不升所致」。此學說之紛紜。雖皆爲古人臨症所得之結果。但根據成說。證之實驗。大概因于血熱氣虛者爲多。若治不得法。必入虛怯一途。在初起之時。宜止血淸熱爲主。所謂急則治其標也。血止熱淸。可以滋補藥調理之。

崩漏初期（薛氏家傳方）——方用　生黃耆　淡黃芩　血餘炭　地楡炭　生牡蠣　化龍骨　覆盆子　生龜版　金櫻子

如熱重者。加川連黃柏。濕重者。用煆牡蠣與地楡炭龍骨三味加重分量。血不止者。用龜版膠加五味子蓮房炭。囑連服二劑。并令婦人臥牀勿動。崩漏卽可止矣。

崩漏後期—方用歸脾湯去茯苓加二至丸川斷蓯蓉以調理之。

此外崩漏有見口唇眼臉蒼黃。舌白口淡。脈濡遲。頭暈嘔吐。經來色紫等症。而不精細診斷。最易誤認爲濕阻。而投以利濕藥。往往憤事者甚多。此何故。蓋因崩漏暴作。大量之血液流出于體外。身體內在之血球。則見減少。故全身呈蒼白色。且因子宮出血過度則腦部起貧血狀態。以致發生嘔噁暈眩口淡等症狀。(此現象與產後血暈之理相同)又因子宮出血來自靜脈。故其色暗紫。若不知此等原理。則血少與濕阻。卽不易別之淸晰矣。故當注意之。再者婦女素患癥瘕而崩漏者。其所來血液多混濁成塊。少腹必極痛。應用當歸香附之類。其崩漏自止。不必驟用止血藥。蓋因子宮血瘤癌腫等破裂出血之故也。當血瘤癌腫驟然破裂出血之時。往往引成腦貧血。此亦不可不注意也。有因一度崩漏之後。而身體反强壯得姙娠者。此癥瘕已去之故也。醫者當分別論之。

凡婦女月經爲胚胎之基礎。人類之本源。若保持月經準期循行。則身體卽健康。有健康之身體。卽有健全之卵子。卵子健全。則胚胎亦因此而健全。故月經關係於人類之生殖綦重。若是研究婦科學者。其責任可稱大矣。

史記載扁鵲過邯鄲。聞貴婦人。卽爲帶下醫。說者謂婦女病症以月經爲主體。帶下指裙帶以下之病。非今之所謂帶下也。此卽中醫研究婦女病症之嚆矢。漢仲景之金匱要略中。條述婦女病之外。繼者如孫氏撰千金方。其論婦女病。以月經爲首。再如李師聖之產論。郭稽中之產育寶慶集。陳自明之婦科大全良方。以及王肯堂之準繩。武叔卿之綱目。均根據陳氏之說。以月經爲立論之主體。近世通行者。如傅靑主之女科。張景岳之婦人規。沈堯封之輯要。陳修園之要旨。竹林寺之女科。嚴鴻志之精華約旨釋論。應之祕旨。馮楚瞻之精要。王隱君之指南。葉天士之指掌。凌嘉六之折衷。張山雷之箋疏。以及通俗婦科學。婦科大全。婦人科全書。婦女病等等。依余所知者不下數十種。但所論月經病。及不孕症。與西洋所論之生殖系疾患。大有相背。蓋中醫以症治爲主。西醫以生理解剖爲重。故月經病之藥物治療。中醫獨詳。子宮疾患之手術切除。西醫專長。中西學說。互有得失。當今之世。不可有中西門戶之見。宜互相匯通。方稱美事。吾儕負整理舊學。輸進新知之責。爰舉管見所及。不敢藏拙。再將全文內容立表分析于後。以資研究云爾。

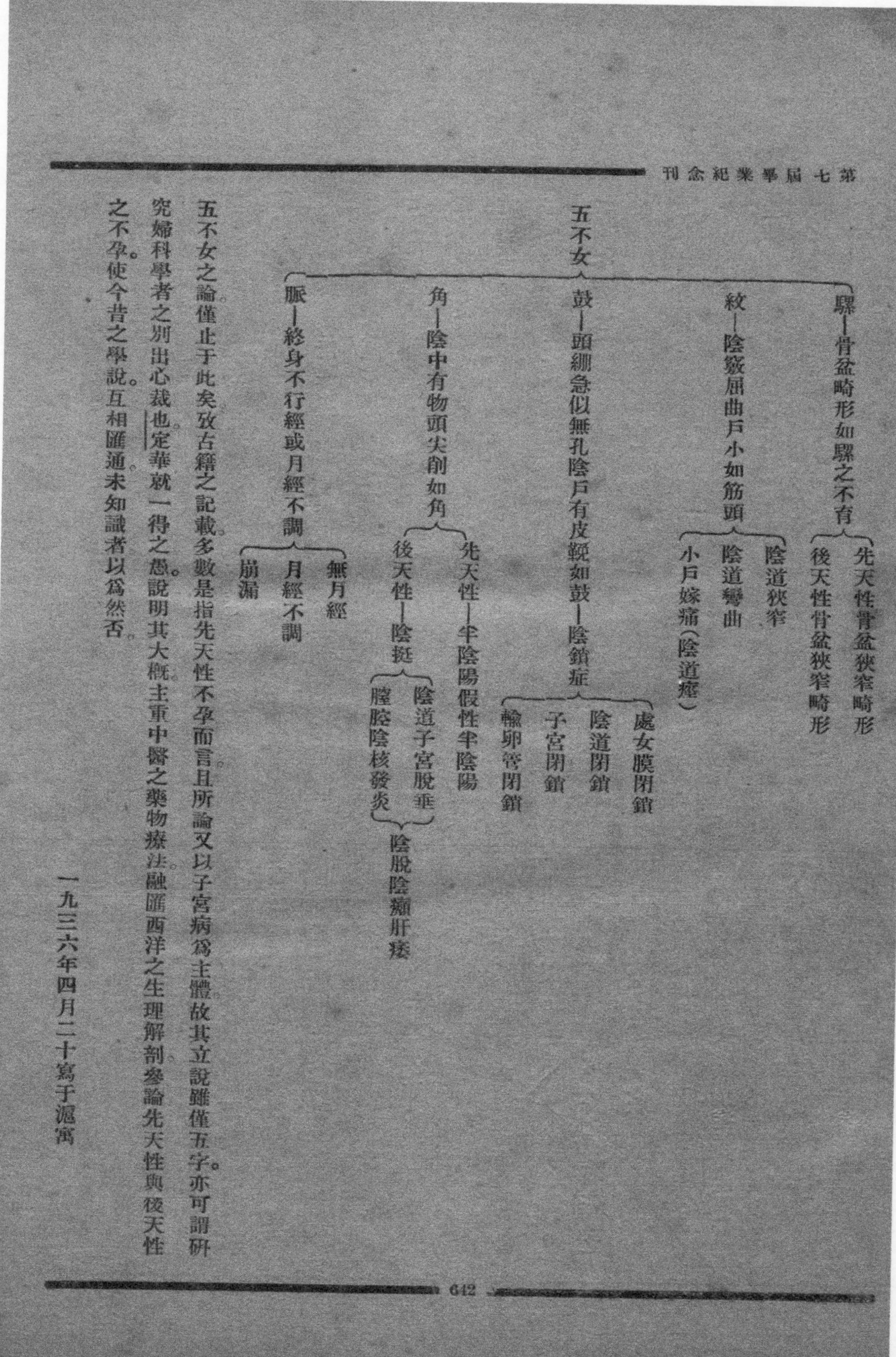

五不女

- 騾—骨盆畸形如騾之不育
  - 先天性骨盆狹窄畸形
  - 後天性骨盆狹窄畸形
- 紋—陰竅屈曲戶小如筋頭
  - 陰道狹窄
  - 陰道彎曲
  - 小戶嫁痛（陰道痙）
- 鼓—頭綳急似無孔陰戶有皮鞔如鼓—陰鎖症
  - 處女膜閉鎖
  - 陰道閉鎖
  - 子宮閉鎖
  - 輸卵管閉鎖
- 角—陰中有物頭尖削如角
  - 先天性—半陰陽假性半陰陽
  - 後天性—陰挺
    - 陰道子宮脫垂
    - 膣腔陰核發炎
    - （以上）陰脫陰癩肝痿
- 脈—終身不行經或月經不調
  - 無月經
  - 月經不調
  - 崩漏

五不女之論僅止于此矣。攷古籍之記載。多數是指先天性不孕而言。且所論又以子宮病爲主體。故其立說雖僅五字。亦可謂研究婦科學者之別出心裁也。定華就一得之愚。說明其大概。主重中醫之藥物療法。融匯西洋之生理解剖。參論先天性與後天性之不孕。使今昔之學說。互相匯通。未知識者以爲然否。

一九三六年四月二十寫于滬寓

本學院院董一覽表

姓名	職務	籍貫	履歷
夏應堂	董事長	江蘇	中央國醫館理事上海市國醫分館館長上海市國醫公會監察委員會主席中華國醫學會常委
丁仲英	常務董事兼經濟董事	江蘇	曾任上海市政府醫官上海市衛生局考試委員歷任中央國醫館理事上海市國醫分館副館長上海市國醫公會常務委員
沈琢如	常務董事兼經濟董事	江蘇	上海市神州國醫學會常委歷任上海市衛生局考試委員
徐小圃	常務董事兼名譽院長	江蘇	上海市國醫公會監察委員
薛文元	常務董事兼院長	江蘇	上海市國醫公會常務委員歷任上海市衛生局中醫試驗委員
朱子雲	常務董事兼副院長	江蘇	歷任上海市國醫公會監察委員
郭柏良	常務董事兼副院長	江蘇	歷任上海市國醫公會常務委員
蔡香孫	常務董事	江蘇	曾任世界紅十字會上海寶山分會醫務主任
馬伯孫	常務董事	江蘇	
謝利恆	董事	江蘇	歷任中央國醫館理事上海市國醫公會監察委員
祝味菊	董事	四川	上海市神州國醫學會執行委員
陸士諤	董事	江蘇	歷任上海市國醫公會監察委員
沈仲芳	董事	江蘇	中央國醫館上海市分館董事長神州國醫學會監察委員
陳存仁	董事兼總務主任	江蘇	歷任上海市國醫公會執行委員兼康健週刊主編
秦伯未	董事	江蘇	中央國醫館名譽理事上海國醫公會執行委員上海市衛生局考試委員

嚴蒼山	董事	浙江	上海市國醫公會執行委員
張贊臣	董事	江蘇	上海市國醫公會執行委員兼審查科主任
夏理彬	董事	江蘇	上海市國醫公會常委上海中華醫學會執行委員
殷震一	董事	江蘇	中華國醫學會執行委員
包識生	董事	福建	上海市國醫公會執行委員上海市衛生局考試委員
顧渭川	董事	江蘇	上海市國醫公會執行委員神州醫學會常委
傅雍言	董事	江蘇	歷任上海市國醫公會監察委員會主席
方公溥	董事	廣東	歷任上海市國醫公會監察委員
許半龍	董事	江蘇	上海市國醫公會執行委員歷任中醫大學中醫專校上海國醫學院教授

本學院現任職員一覽表

姓名	職務	江蘇	履歷
徐小圃	名譽院長	江蘇	歷任上海市國醫公會監察委員
薛文元	院長	江蘇	上海市國醫公會常委歷任上海市中醫試驗委員前全國醫藥總會常委
郭柏良	副院長	江蘇	歷任上海市國醫公會常務委員
朱子雲	副院長	江蘇	歷任上海市國醫公會監察委員
陳存仁	總務主任	江蘇	歷任上海市國醫公會執委前康健報暨中國藥學大辭典主編
蔣文芳	教務長	江蘇	中央國醫館理事上海市國醫公會執委歷任上海市中醫試驗委員全國醫藥總會常委兼秘書主任全國中醫學校教材編輯委員會主事

本學院現任教授一覽表

姓名	職務	籍貫	履歷
喻仲標	訓育主任	江西	上海市審查訓育主任公民教員資格委員會委員
蔣有成	事務主任	浙江	曾任全國醫藥總會事務員現任上海市國醫公會事務員
丁濟華	圖書館主任	江蘇	上海中醫專門學校畢業
沈衡甫	施診所主任	江蘇	中國公學大學部法學士曾任安徽泗縣中學校長上海市特別黨部第八區黨部執委上海市審查訓育主任公民教員資格委員秘書
王國屏	訓育員	安徽	
劉焯	教務員	江蘇	江蘇省立第二工業學校畢業
倪鼎謀	事務員	浙江	曾任全國醫藥總會文書
張廉卿	施診所指導師	浙江	上海中醫專門校學畢業歷任上海中醫學院教授上海市國醫學會執委本院第三屆畢業前康元製罐廠廠醫前福建財政廳閩侯田賦清理委員
馮伯賢	分施診所指導師	浙江	
周秋如	女舍監	江蘇	蘇州惠靈中學畢業曾任安徽公學教員
葉棨鏞	總務處文書	安徽	安徽蕪湖公立職業學校畢業
李生春	圖書管理員	江蘇	
陳鍾靈	書記	江蘇	南通代用師範畢業
徐永新	書記	江蘇	江陰縣立民教館書記江蘇省保安步兵第一團第二營書記
沈志南	書記	江蘇	
徐惟卿	會計	江蘇	
朱昂霄	會計	江蘇	立信會計學校畢業

姓名	職務	籍貫	履歷
丁福保	講師	江蘇	前北洋大學教授
謝利恆	講師	江蘇	前中醫大學校長中央國醫館常務理事
祝味菊	講師兼實習教授	四川	前景和醫科大學教授歷任上海國醫學院教授
方公溥	講師兼實習教授	廣東	中央國醫館理事暨上海市國醫分館董事歷任本院教授
秦伯未	講師兼金匱醫經教授	江蘇	中央國醫館名譽理事上海市國醫公會常務委員歷任本學院教務長 上海市衛生局中醫試驗委員
薛文元	實習教授	江蘇	本學院院長
陳存仁	實習教授	江蘇	上海市國醫公會執委本院總務主任
魏承經	實習教授	浙江	
丁伯安	實習教授	江蘇	廣益善堂醫務主任
吳伯溪	實習教授	江蘇	
趙實夫	實習教授	江蘇	聯義善會醫務主任
唐亮臣	實習教授	江蘇	上海市國醫公會執行委員
俞岐山	實習教授	浙江	歷任本學院眼科教授
李遇春	實習教授	廣東	上海中醫專門學校畢業
沈重廉	實習教授	江蘇	上海中醫學院教授
徐小圃	實習教授	江蘇	本學院常務董事兼名譽院長
丁仲英	實習教授	江蘇	本學院常務董事兼經濟董事
郭柏良	實習教授	江蘇	本學院常務董事兼副院長

本院現況

沈夢廬	實習教授	江蘇	
馬濟仁	實習教授	江蘇	仁濟善堂醫務主任
蔣文芳	實習教授	江蘇	本院教務長
丁朝宗	實習教授	江蘇	
馬潤生	實習教授	江蘇	
毛志方	實習教授	江蘇	
陳佐賡	實習教授	江蘇	
陸慕君	實習教授	江蘇	
嚴蒼山	實習教授	浙江	歷任上海市國醫公會執委上海市國醫學會執委
徐麗洲	實習教授	江蘇	
黃鴻舫	實習教授	江蘇	前神州國醫學會執委
許半龍	外科雜病醫案喉科教授兼實習教授	江蘇	歷任中醫大學中醫專校上海國醫學院教授
費通甫	傷寒教授	江蘇	曾任上海中醫學院教授
盛心如	時方婦科教授	江蘇	上海市國醫公會執行委員歷任本學院教授
王潤民	病理常識方劑論文教授	江蘇	歷任本學院教授暨上海國醫學院教授
朱壽朋	傳染病傷科診斷醫史教授	浙江	前仙居縣衛生委員會主席仙居縣立時疫診療所所長上海醫界春秋社編輯
吳克潛	兒科暨生理教授	浙江	歷任上海市中醫試驗委員醫藥新聞報主筆
景芸芳	藥物教授	江蘇	本學院畢業歷任本院教授上海國醫分館董事
喻仲標	黨義教授	江西	上海市審查訓育主任公民教育資格委員會委員中國公學教授廣東公學訓育主任公民教員

姓名	科目	籍貫	履歷
沈石頑	病由暨治療教授	浙江	上海中醫專門學校畢業昌明醫藥學社主任
童紹甫	眼科教授	江蘇	鎮江潤州中學畢業溧陽眼科世醫
沈石頑	治療教授	浙江	上海中醫專門學校畢業
沈伯參	西醫救護班教授	江蘇	國立中山大學醫科畢業
章鶴年	醫學通論醫學常識教授	江蘇	上海市佛學分會醫務主任上海市新中醫研究社理事
蔡陸仙	方劑醫案醫經教授	江蘇	前中醫大學教授
馮明權	國文教授	江蘇	歷任滬北中學校長
姚惠安	國文醫論教授	江蘇	前中醫大學教授
沈玉光	日文教授	江蘇	
任農軒	通論教授	江蘇	

歷屆畢業生姓氏錄

（以姓氏筆劃多少爲次序）

第一屆畢業生民國十八年七月

姓名	性別	籍貫	通訊處
汪汝椿	男	江蘇青浦	上海小西門學潔里十三號
余鳳智	男	廣東台山	廣州市麻行街新中醫學會
吳國鈞	男	江蘇無錫	上海法界愷自爾路裕福里三號
郜家驪	男	江蘇溧水	揚州沙鍋井
姚錫韓	男	浙江永康	永康城內賽韓醫院
馬師贊	男	廣東順德	廣州南關大巷口九號

姓名	性別	籍貫	通訊處
徐人龍	男	江蘇嘉定	嘉定西門
陳中權	男	江蘇崐山	崐山南城河岸三號
張友琴	男	江蘇川沙	浦東川沙小灣鎮
張漢傑	男	江蘇南匯	浦東祝家橋張氏瘋科醫室
許莘耕	男	江蘇宜興	宜興徐舍慶豐號
景芸芳	女	江蘇太倉	上海小西門黃家闕路久安里三號
錢公白	男	江蘇奉賢	奉賢南高橋
韓國鏞	男	江蘇海門	海門麒麟鎮哈昌興
顧應龍	男	江蘇川沙	浦東川沙小營房張長順號轉
顧兆奎	男	江蘇崐山	上海八仙橋霞飛路福昌里
黃彝鼎	男	江蘇江陰	常陰沙毛竹鎮黃信泰號
謝斐予	女	江蘇武進	上海山東路一九八號

第二屆畢業生 民國二十六年六月

姓名	性別	籍貫	通訊處
王孟圜	男	江蘇松江	松江東門外明星橋西首四八號
方逢道	男	福建建甌	福建建甌縣府前二一號
方毓麒	男	浙江蘭谿	龍游城內大南門轉
史學海	男	江蘇溧陽	溧陽東門黃裕大轉埭
沈逢介	男	江蘇上海	上海浦東三林塘三山堂藥號

辛元凱　男　吉林永吉　吉林西關前新街吉仁堂國藥號

岑冠華　男　浙江餘姚　上海赫德路葆生堂藥號

季薦朋　男　江蘇阜寧　阜甯西新溝鎮季合興交

姚汝元　男　江蘇無錫　無錫東墅

胡樹百　女　江蘇嘉定　上海南市豆市街厚德里四號

徐梓材　男　江蘇上海　上海戈登路七一三號

唐景熙　男　江蘇上海　上海老北門唐志鈞室醫

高喬　男　吉林永吉　哈爾濱正陽十四道街成德藥店

商復漢　男　浙江淳安　浙江淳安縣縣前街七號

程金麟　男　江蘇溧陽　溧陽東門經史館巷三號

傅永昌　男　江蘇上海　上海光啓路後傅家街四四十號

楊濬然　男　江蘇南匯　上海小北門外崇德坊一號

楊忠信　男　福建台灣　台灣台中州大甲郡梧棲街楊宅

葉炳成　男　江蘇江陰　無錫華市

葉瑞鼎　男　福建南安　廈門泉州山頭城社境鄉

董學富　男　江蘇江陰　上海新閘路大通斯文里一二三九號

劉壽康　男　江蘇無錫　上海高昌廟半淞園路劉養和藥號

賴達五　男　浙江寗海　寗海北鄉橋頭胡鎮濟生堂藥號

鄭俊　男　江蘇常熟　常熟大河鎮

第三屆畢業生民國二十一年七月

姓名	性別	籍貫	通訊處
王世開	男	江蘇興化	江蘇興化富安
王菊芬	女	江蘇上海	上海南市花衣街王利川老宅九八號
史鴻濤	男	吉林德惠	林吉德惠張家灣站永和泰
朱天祚	男	江蘇松江	松江東門外三九號
何通森	男	福建台灣	台灣台山中州大屯郡西屯莊上石碑
林鼎宏	吳	廣東潮陽	香港九龍城隔坑村道林室
兪維藻	男	江蘇吳江	震澤轉嚴墓
唐成中	男	江蘇丹徒	上海南車站轉運公會後二九號
殷家振	男	江蘇吳縣	蘇州大柳貞巷殷氏傷科醫室
章鶴年	男	江蘇如皋	江蘇如皋丁堰
陳穎貞	女	廣東順德	上海虹口北江西路桃源坊新門牌一一八號
溫碧泉	男	山西介休	山西介休城內宋家牌樓底東口路北第二家
馮伯賢	男	浙江慈谿	上海新開河南首潤大海味行
楊興祖	男	江蘇松江	松江黑魚衖楊醫寓
劉遠志	男	廣東台山	廣州台山城通濟路
顧允士	男	江蘇吳縣	峴山甪直下塘朱醫室

第四屆畢業生民國二十二年六月

姓名	性別	籍貫	通訊
王宏綬	男	江蘇鎮江	鎮江諫壁龍嘴村
王靜芳	女	江蘇鎮江	鎮江諫壁鎮前王九皋轉
王川岳	男	廣東揭陽	廣東汕頭揭陽南門外吳豐源杉行轉
朱正湘	男	四川威遠	四川自流井龍合鎮郵局轉
沈濟民	男	江蘇上海	上海浦東洋涇鎮沈壽康藥號
沈煥章	男	浙江餘姚	浙江餘姚梁弄瑞隆號
周健齡	男	廣東潮陽	上海民國路方浜橋永利押
林百樂	男	廣東潮陽	香港九龍城隔坑村道林醫室
倪宣化	男	四川威遠	四川自流井龍会鎮郵轉
徐亦仁	男	浙江寧海	寧波寧海大街五中和藥號
徐文灼	男	江蘇沭陽	清江浦高家溝廣茂堂藥號
徐竹岑	男	浙江常山	上海西門蓬萊路安樂坊二〇號
徐維炳	男	江西瑞昌	江西瑞昌荊林街徐玉成號
徐志勉	男	江蘇宜興	宜興屺亭橋諸仁康
陳洪範	男	廣東廣州	上海漢口路二三二號姚佐頓大藥房
陳承讀	男	福建南安	廈門泉州詩山杏塘
陳汝奎	男	福建龍巖	廈門龍巖白土衞生堂
陳伯華	男	廣東揭陽	汕頭同平路松發號

姓名	性別	籍貫	通訊處
張富仁	男	江蘇青浦	青浦南門文昌宮後
張宗璿	男	浙江杭縣	上海法租界黃河路六合里九號
黃席豐	男	廣東揭陽	汕頭揭陽河婆仁濟堂國藥號
黃鼎謨	男	浙江江山	浙江江山秀峯
陶乃文	男	江蘇江寧	上海法租界南陽橋新樂里
葉學爵	男	江蘇松江	楓涇楊家橋
楊則徐	男	江蘇常熟	常陰沙南興鎮楊德興旅棧
鄭開明	男	廣東潮安	廣東汕頭潮安西平路關帝宮巷吟牋別墅
劉鴻堪	男	廣東中山	上海北四川路東海甯路恆善里元化藥房
劉子開	男	江西吉安	湖南坡子街文玉金號
蔣稚階	男	四川銅梁	四川重慶三教堂巷三號
錢公玄	男	江蘇上海	上海淡水路一號
盧鴻志	男	江蘇泰縣	泰縣北門外一泰烟莊轉西石羊
麋鶴鳴	男	江蘇丹徒	鎮江諫壁西街
蕭熙	男	江西南城	上海施高塔路四達里一三二號

第五屆畢業生民國二十三年六月

姓名	性別	籍貫	通訊處
王以文	男	浙江麗水	浙江麗水廈河仁和堂
王輝中	男	江蘇上海	浦東洋涇鎮二五八號

姓名	性別	籍貫	通訊處
方道淵	男	浙江黃巖	浙江黃巖北門頭張復興橘行轉
朱華谷	男	江蘇青[illegible]	江蘇青浦觀音堂毓鳳醫室
朱雲達	男	江蘇江陰	江陰北門外同興里十四號
汪少成	男	浙江鄞縣	上海東熙華德路一〇〇弄廿五號
李冰妍	女	廣東中山	上海北四川路橫浜路四十號
李雨亭	男	廣東台山	廣東台山石麗頭萬和堂
沈宗吳	男	江蘇吳江	平望西塘街
沈鳳翔	男	浙江嘉善	上海牛莊路益豐里
林廷光	男	廣東揭陽	汕頭杉街新編十三號
林學光	男	廣東潮陽	暹羅曼谷越廸前一九〇〇號林兩成號
周桂庭	男	湖南長沙	湖南長沙大東茅巷七十七號
金樹樂	男	浙江杭縣	杭州烏龍巷二四號
姜冠南	男	山東蓬萊	上海法租界永安街利太昌行
韋　冠	男	廣西邕甯	廣西永淳南洋墟益生號
袁鎮洪	男	江蘇沭陽	江蘇沭陽高溝太和春號轉
袁鵬汀	男	江蘇海山	江蘇海門悅來鎮
陳份平	男	福建福清	福建福清東張鎮倘里小學轉
陳周鑑	男	福建福清	福建福清東張上里
陳燿華	男	福建惠安	廈門南猪行一二號

姓名	性別	籍貫	通訊處
許鏡澄	男	廣東普寧	暹羅曼谷安南巷一四六九號許科元醫室
黄毓芳	男	廣東台山	廣東台山大亨市源昌
張仲侯	男	廣東潮陽	汕頭潮陽港頭鄉明新學校
張秉煌	男	江蘇如皋	如皋油坊頭送太陽廟立發一校
項廷陞	男	浙江湯溪	浙江湯溪洋埠協成號轉上陽
楊國禎	男	江蘇啓東	江蘇啓東永興鎮
楊滌園	男	江蘇江陰	江蘇常州北門外篁村鎮周新號轉
劉民鑄	男	江蘇靖江	江蘇靖江東門外城河沿
劉受和	男	廣東中山	上海北四川路新祥里二十四號
黎年祉	男	浙江湯溪	浙江湯溪羅埠郵政代辦處轉伍家圩振豐南貨號
潘公侯	男	福建浦城	浙江衢州轉浦城大北門十二號
魏平孫	男	江蘇興化	江蘇興化英武橋

第六屆畢業生廿年四六月

姓名	性別	籍貫	通訊處
王公遠	男	江蘇丹徒	鎮江諫壁前圩
王君毅	男	浙江杭縣	杭州運司河一六〇號
王概	男	江蘇灌雲	江蘇灌雲雙港張永生
王樂成	男	浙江象山	寧波象山塗茨
王德香	男	江蘇上海	上海南天潼路成大弄怡如里新四六號

姓名	性別	籍貫	通訊處
王嘯山	男	江蘇常熟	常熟西門內讀書里
孔保寅	男	浙江杭縣	杭州上后市街振聲里一〇號
石壬水	男	浙江諸暨	浙江諸暨姚公埠信大號轉長瀾
江海峯	男	江蘇武進	上海新閘青鬧三五號
任天石	男	江蘇常熟	常熟梅李北漆沈街榮銀樓
汪繡雲	女	浙江江山	浙江江山大陳
沈俊	男	江蘇如皋	江蘇如皋李堡
沈邦榮	男	江蘇海門	江蘇海門湯家鎮
沈琴初	男	江蘇上海	上海南市大碼頭一三處愼勤號
沈耀先	男	浙江杭縣	江蘇松江縣政府
杜榮生	男	浙江紹興	紹興陶里鎮
周行	女	江蘇無錫	上海界路均益里二二號
周文稑	男	浙江義烏	上海狄思威路天同路天同中學
周良雲	男	江蘇無錫	上海靜安寺路愚園路愚谷邨一一一號
姚天農	男	浙江紹興	紹興府前直街四三號
胡克仁	男	江蘇無錫	無錫堰橋
胡靜安	男	江蘇崐山	崐山南街一一號
俞南山	男	浙江蕭山	杭州鐵路尖山站轉還遊廣太號轉
馬石銘	男	江蘇無錫	杭州太平坊二七號

陳奎	男	浙江溫州	溫州小南門外東城下陳明遠眼科醫院
陳芝英	女	江蘇南通	江灣新市路一一五三號
陳華年	女	廣東南海	上海南天潼路四七號西保光醫院
陳夢白	男	江蘇丹徒	蘇州西中市順康錢莊盧寶之君轉交
翁澄宇	男	廣東潮陽	汕頭潮陽縣義興鄉
曹鳴	女	江蘇江陰	無錫轉月城留春堂藥材
許雲鵬	男	江蘇沭陽	江蘇沭陽大伊山陽家溝壽山永藥號
張逸桐	男	浙江定海	寧波江北岸桃渡路三二號
張劍虹	男	湖南湘潭	湖南湘潭石潭道生藥局轉
張嘉卉	女	江蘇太倉	太倉沙頭張傑律師事務所
章翼方	男	浙江杭縣	杭州石牌小火把弄四號
彭覺民	男	廣東大埔	汕頭大浦中山路彭原廬
傅家樂	男	浙江鄞縣	上海舟山路三五弄一三一號
傅濟羣	男	浙江鎮海	上海北河南路一四七號鵬泰號
董曼仙	男	浙江杭縣	杭州六部橋六四號
虞尙仁	男	浙江杭縣	浙江西湖葛嶺智里寺左祥林傷科醫院
鄧衍封	男	安徽蕪湖	上海愛多亞路恆康里八一號
鄭鐵民	男	廣東潮陽	上海城內九畝地露香圓路智安里一六號
魯六華	女	浙江紹興	紹興東雙橋當弄

錢椿壽	男	江蘇江陰	無錫華墅北街
蔣景鴻	男	江蘇江陰	江蘇江陰北門外同興里西前
謝瑜	女	江蘇南匯	上海浦東陸行鎮南
應祖彭	男	浙江會稽	上海北河南路底甘濟平民診所
顧伯明	男	江蘇南匯	上海浦東周浦張萬利
顧琇	女	江蘇上海	上海慕爾鳴路九三號安祥廬

第七屆畢業生 民國二十五年六月

姓名	性別	籍貫	通訊處
王吟竹	男	江蘇泰縣	泰縣白馬廟
王克平	男	湖南衡陽	衡陽南山外大馬頭橫街二十一號
王東山	男	浙江紹興	海寧路南林里五十三號陸炳釗轉
王名藩	男	廣東潮陽	汕頭招商橫洛後五十號王名爍律師事務所
王雩峯	男	江蘇鎮江	鎮江諫壁鎮越湖圩王頌芬先生轉
王盤纓	男	台灣	台灣嘉義榮町三丁目四七王金木
吉星耀	男	江蘇丹陽	丹陽陵口同泰糧行
沈珩	男	江蘇上海	極司非而路六十七號
沈璉	男	江蘇上海	仝上
沈松林	男	浙江慈谿	吳淞源通莊
沈寶善	男	浙江慈谿	慈谿北沈師橋

姓名	性別	籍貫	通訊處
邵亮東	男	江蘇武進	常州寨橋老廣生藥號
阮秦明	男	廣東南海	上海楊樹浦華盛路三七五號
沙杜援	男	江蘇海門	海門長春鎮轉
宋國楨	男	浙江紹興	紹興上灶朱家站
吳有方	女	江蘇鹽城	上海昌平路八十五弄三十九號
吳枕流	男	江蘇奉賢	浦東青村港德生堂藥號
汪家煊	男	安徽歙縣	安徽歙縣堨田
金鍵	男	浙江杭縣	杭州下倉橋屏風街六十八號
邱元珍	男	福建晉江	
周兆岐	女	江蘇上海	歐嘉路周家庫一〇九號
周效寅	男	江蘇吳縣	蘇州黃埭東生春醫室
竺獨還	男	安徽懷寧	上海福熙路淡水路口九十六號
卓騰國	男	廣東中山	北四川路一三二九號餘泰茶號
胡倩霞	女	江蘇無錫	法租界黃河路望志路口餘慶坊十號
胡惠康	男	廣東順德	江西路一七〇號漢密爾登大廈二〇六號房間胡惠珍轉
郁昌祖	男	江蘇啓東	啓東郁家村
施慶麟	男	福建仙游	福建仙遊南門街
馬士彥	女	江蘇寶山	海寧路九〇二號
馬雲翔	男	江蘇吳江	蘇州同里溙宇圩太平橋十三號

馮芝馨	男	江蘇丹陽	丹陽東河路三號
夏子均	男	江蘇無錫	無錫周山浜錦豐路慎昌機器廠
桂士琳	女	浙江杭縣	杭州學士路九十五號
桂良溥	男	浙江杭縣	仝上
孫鳳臬	男	江蘇江陰	無錫西洋橋
唐本善	男	浙江富陽	富陽西門外胡長泰米行轉交唐家塢
張克勁	男	浙江溫嶺	上海南市關橋滬興商輪公司
張秀杭	女	浙江溫嶺	上海南市關橋滬興商輪公司
張育麟	男	廣東普寧	汕頭普大埧和生藥房
陳其珊	男	江蘇嘉定	上海新疆路南林里一四四號
陳鳳翔	男	江蘇海門	南通北新橋
陳贊禮	男	江蘇常熟	無錫楊舍合興鎮
章叔賡	男	浙江紹興	虬江路森巽里一號
章國華	男	浙江桐鄉	浙江硤石轉屠鎮大昌米行交踏斷浜
許兆璇	男	江蘇上海	曹家渡浜北協順米號
許紹周	男	江蘇江寧	南京廣州路六二號
黄寒柏	男	福建永定	廈門中山路四九號
湯君捷	男	廣東新會	廣東新會古井泗冲均和隆號
郭曉雲	男	廣東揭陽	汕頭揭陽馬山橋畔郭合興轉

姓名	性別	籍貫	通訊處
陸劍塵	男	江西贛縣	江西贛縣釣魚臺二〇號
程連雲	女	江蘇奉賢	浦東青村港協泰號
費龍玉	女	浙江慈谿	法租界白爾路一〇九號餘昌像皮五金號
馮芝洲	男	浙江慈谿	杭州下城水星閣三號
楊治平	女	江蘇松江	滬杭線辛莊東市楊恆昌轉
楊澤瑾	男	江蘇江浦	江浦橋林
楊禮通	男	福建閩侯	上海密勒路三〇三弄三二號
趙文貞	女	浙江紹興	法租界愷自邇路八三號老萬順染坊
鄭宣予	男	湖北孝感	武昌四衙巷操家塘一三號
劉棣	男	江蘇沭陽	沭陽馬廠乾玉糟坊邱如鵬轉
劉行方	男	浙江定海	上海吳淞路北段廿二弄四十號
劉國輔	男	湖南芷江	湖南芷江東寺巷治齊里劉國一轉
歐克仁	男	浙江嘉興	湖州右文館前誠德路
薛定華	男	浙江永嘉	永嘉道前街十七號

本學期各級學生名錄

秋三級

顧小達 韓克文 汪良如 劉竟堯 酈志清 何肇興 陳誦芬 莊緒凡 葉培根 瞿德民 施望 吳本倫

陳拾璜 王瑞虹 程振榮 劉品私 關鼎漢 吳竺天 周錬伯 劉野佛 吳承蘭 楊濟華 宋菊仁 劉一平

杭海仙 林績吾 歐陽雄揮 劉江水 狄福珍 卞月英 俞建正 陳紹裕 李馨芳 王道 李懷芝 馮瑜

何威白 商煒 張自如 林建德 許濟忠 何藹謙 何志雄 張炳文 馬欽伯 葉暄 董斐園 朱欢豐

陳去弱 林仲璋 吳松溪 黃仲彬 曹國鈞 徐公愚 卓振強

春三年級

俞鏡流 徐德俊 朱森 許國華 喬壽添 董漱六 湯宗堯 朱作三 華志偉 陳達人 黃俊賢 胡家揚
陳長珍 董鳳瑞 蔣滋衍 施洪鈞 葉毓山 丁蔚能 陸芷青 范蔭祖 黎玉麟 汪存仝 魏嘉德 董熙農
龍亦凡 王一濟 唐瑞南 段希唐

秋二年級

王叔徵 徐邦娙 王綱常 沈五達 陶祖耀 陳濟民 蔣炳湘 黃問歧 沈駕男 朱龍珍 潘粹琦 王昌年
嚴春林 周全榮 林永湘 單本農 潘淑貞 徐竹如 陸士雄 饒國良 黃預楠 劉鼎 蘇樹榮 周瑾梅
虞佩珍 奚瑞彬 陶東望 李漢琴 金聲夫 劉榮根 蔣功淦 孟祥瑞 張海清 鄔志道 蕭天鐸 蔣御天
劉篤鑫 潘盛世 許寶泰 陸浚源 杜卓如 朱永康 武德祥 何嘉軒 方小溥 吳承芳 陳世焯 鄧宗本
陳偉農 劉漢強 童九如 宋寶賢 樊承楷 張友于 林梟 王煥章 何同分 陳文銓 邱思聰

春季二年級

丁汾原 石昭慶 孫務本 周湘 季漢源 張震華 黃和康 徐德強 朱利元 楊靜孫 方培倫 陳爲競
鄭剛 程金城 楊達卿 王爾康 唐政 曹微慶 凌文雄 夏儀先 倪武陵 林杏圃 黃若愚

秋一年級

罷犖英 錢自珍 郭濤 陳金鶴 谷振聲 方彬 黃桂安 臧驊 徐乾一 徐照明 張申隆 楊宗照
郜定英 張紹雲 顏德馨 王鼎山 徐繼鳳 陸伯宸 何謹 季昌期 曹若士 曹伯時 郭志文 吳希道
繆淵博 繆涵粹 陸希仁 孟繁濤 潘鶴年 朱秋雁 張玉端 耿鈞 錢驊 劉士璜 李景春 梅醒
李光宗 冒景明 朱珩 張先翥

春一年級

孫淑卿 沈秉惠 王士基 周學祖 蔡文甫 喬林生 王廣仁 徐傑彪 沈耀華 陳秀珍 張懋忠 黃玉池
陳長庚 黃志超 許士廉 薛德業 李佩玉 周月梅 黃福霖 劉世豪 俞壽琪 莫惠成 鄭定豪 黃偉邦
李銘 王自淨 王振明 周紹原 朱鈺森 郭傳基 顧錫江 夏月娟

中国近现代中医药期刊续编·第二辑

中医药导报

内容提要

【报纸名称】中医药导报。

【创　　刊】1947年9月。

【刊　　期】半月刊（每期8版）。

【现有期刊】第1～10期。

【发 行 人】周召南。

【发 行 地】上海黄陂南路50号。

该报纸实时反映了上海地区中医发展情况，间或刊载一些学术讨论、医案等内容。该报纸也反映了当时中医界人士积极争取中医社会地位的情况，并向中医界提出倡议要求及今后要努力的方向。著名中医丁济万先生在其《敬再告吾全国同道》中向当时政府提出了四项要求：第一，要求有关医药行政机构配有中医人才；第二，要求教育部设立中医专校；第三，要求卫生部设立中医医院；第四，要求考试院简化检考手续。可以看出，这些都是中医人最基本的诉求。除以上内容外，该报纸每期也登载一些关于中医如何发展的讨论，如在“论坛”这一栏目下，有《当前医学问题平议》《中医前途展望》《现代医学之趋势与中医之前途》等一些引人深思的文章，也提出了一些中医改进的方法，如《改进中医中药的计划和步骤》《整理中医药的先决条件》等，并且登载了一些学术讨论方面的文章，如《伤寒杂谈》《伤寒漫谈》《金匮湿病篇》《从"张景岳治伤寒用大剂参附"说到各种强心剂》等。该报纸对于中药、方剂，如麝香、大黄、预防中风的民间药、六神丸、黑锡丹等也有介绍。在疾病治疗方面，该报纸登载了《疔疮证治》《谈斑疹》《论温病与瘟疫之不同》《谈痢疾》《咳嗽概论》等文章；在医案讲解方面，该报纸连载了《古今医案选解》。客观地讲，该报纸除了抓住当时中医药重点议题外，还努力就倡导中医学术交流进行舆论宣传，为振兴中医尽了自己的一份力量。

王咪咪

中国中医科学院中国医史文献研究所

第一期 · 半月刊 · 中華國三十六年九月一日

本報已依法申請登記 · 中醫藥導報社出版 · 定價：每份國幣貳千元

競選聲中……

專訪

訪國大代表丁仲英先生

▲表示放棄競選 · 推薦丁濟萬氏▼

記者

> 丁仲英先生武進世家醫林名士現任國民大會中醫師職業代表考試院中醫典試委員上海市中醫師公會理事長等職對於醫藥建設以及社會慈善事業熱心倡導不遺餘力謹誌數語藉伸敬仰
>
> ·編者·

自從政府公佈國大代表選舉程序以來，全國各界有候選資格的人士，正忙於準備參加競選，中醫界最使人矚目的，首推丁仲英先生，他是現任「國大代表」，德高望重，筆者欲求明瞭他的近況，特往訪問，因爲深知我們執行醫務的人，雖名自由職業，實則診務羈絆，最不自由，尤以幾位名醫，自朝至暮，片刻無暇，祇有晚上的時間略爲空閒；所以擇定了一天比較風涼的晚上，驅車赴金城別墅四號，專誠晉謁，剛巧他老人家晚餐甫畢，正在休息，辱承不棄，賜予接見，一手抑着摺扇，吸着雪茄，蹤到會客室裏，笑容可掬，詢問筆者來意，承他答應了我的要求，作一次長時間的談話。聽到他豪爽的語氣，看到他和藹的態度，不愧是一位中醫界領導人物，這次訪問得到很多的資料，承他在問答中發表了下面許多珍貴的意見：

「中醫界」國大代表」，選出名額，已由社會部公佈，全國共爲八名（內婦女二人）此項分配辦法，先生有何高見。又立法委員，定爲中醫師二名，其他二名，關係中西醫混合選舉，未知確否」？

「國大代表」八名，若以團體爲單位，尙屬相近。社會部當有其統計方式，至「立委」四人，確爲混合選舉」。

「先生德高望重，海內矚目，此次「國大代表」，預備競選連任否」？

「鄙人前承同道，選舉担任「國大代表」，祗以勢力單薄，精神不濟；所以本屆放棄候選」。

「先生爲醫界領袖對於本屆「國大代表」屬意何人，可否見告？」

「本屆「國民大會代表人數，幾近三千人。而中醫界被選人之資格，大應具有公益思想，不爲一已聲名之私，對於提倡中醫中藥，確有信心者，並須社交廣闊，而有應對自如之才幹庶使中醫界一現曙光則當能得到多數人之信仰。本人秉性爽直，公而忘私；所以認爲丁濟萬最爲適合」。

「丁濟萬先生對於醫界建樹頗多，向孚衆望。先生既已推荐，未知濟萬先生願意競選否」？

「本人曾經徵詢同意，且同道之推薦濟萬爲候選人者，數逾千人；是見並非本人一已之私。近已具函分發全國各省市，予以誠懇之介紹」

談話至此，適有客至，筆者告辭。承將介紹原函，囑刊本報，製版如上

上銅圖（右）丁仲英氏
（左）丁濟萬氏

論著

當·前·醫·學·問·題·平·議

張天僑

醫校與醫院

嚴以平

衛生部中醫委員丁濟萬提議
聲請教部廣設公立中醫專校

·晨鷄·

衛生部中醫委員會於三十六年七月十七日，召集首次會議，地點在首都黃埔路衛生部。筆者特於上午九時前往，拜訪現任委員十五人，爲陳郁，張簡齋，丁濟萬，林業農，郭受天，高德明，卓海宗，唐吉父諸委員，全體出席。會場肅靜莊嚴，提案累累，咸屬有關中醫機構中藥改良等主要提議，當各提案開始討論時，極爲緊張，其中要以丁委員濟萬提案最堪注意；蓋以所提二案，均爲中醫公益福利事業之重要問題，其提議列於會議紀錄第二案原文謂：「請由本會聲請教部，廣設公立中醫專校，並放寬私立中醫專校管理尺度案。」第三案原文謂：「請在國產西藥未能自給自足之前，應請通令公立醫院暨各縣衛生院，增設中醫部，以維民族經濟案」。深獲各委員之贊同，決議成立，請由會方進行聲請，務期達到實現之目的，關係中醫界之前途至深且鉅，絕非空洞之言論所可比擬。其時已在午後一點鐘，暫告散會，筆者乘此機會向丁委員徵求意見，渠表示全國中醫師亟應認清目標；爲中醫界服務者：對於中醫學術是否具有真實信心，不然反足造成捨本求末之錯覺，並應抱定一貫之精神，爲中醫界謀福利，建立公益事業，於是每個人之地位，不患其不立，則中醫歷史之綿延千萬年，而不見其泯滅，庶幾國防經濟之鞏固，又何患我國家民族之不強哉？此時各委員已準備至勵志社午宴，丁委員含笑與筆者握手道別，當時一席之談話，足證丁委員之思想聖潔，精神偉大，專重公益，絕無私念，彌足欽仰。用特追記盛況，以饗讀者。

通令全國各公立醫院增設中醫師

中醫委員會成立於民國二十五年隸屬衛生署前任委員爲焦易堂陳郁劉瑞恆張簡齋丁濟萬隨翰英黃竹齋張錫君等對於保障中醫地位提倡中醫中藥頗著功績以抗戰事興以致中止復員時衛生署由署改部中醫委員會乃改屬於衛生部之下

本市醫藥近訊

衛生局開始核發中醫師年資證明書

醫師法第三條中醫師行醫五年以上者，須經當地縣市政府出具證明書，方可聲請檢覈。本市市政府以無案可稽，概未發給。本市同道前在二十六年前領有執照者，固無問題，但在二十六年之後開業，將無檢覈資格，或向原籍縣府請給，亦多困難。會經中醫委員丁濟萬赴京向有關方面陳述，本市淪陷之後至二十九年之前，在滬開業已滿五年以上者，人數至多，請爲設法與內地同等待遇。茲由衛生局令飭本市中醫師公會查明中醫師年資，以便給證，及中醫師呈請衛生局發給年資證明書。經由該局批示，應先呈繳公會證明書，以憑核發者，先後有二起到會，經由該會決定。爲慎重起見，派員調查之後，再行具覆。凡師於勝利之前在滬開業五年以上，不論提出任何足以證明之證據，經由該會審議屬實者，即予證明云。

中醫師公會造報選民冊

本市中醫師公會自遷入北京西路一五二號溫州路口，與藥華公會同址辦公後，會員人數驟增。並因一般領到臨時執照之會員，大都未到該會報告，業經該會登報通告，限於八月二十日前報告到會。茲以社會局督選舉事務所，催報會員名冊及選民冊。經由該會趕造分送，計有新舊會員合計一千八百八十餘人，業於二十五日依限送出云。

丁濟萬國大候選 推荐者異常踴躍

自從丁仲英先生聲明放棄本屆國大代表候選，並推荐丁濟萬自代之後。各同道以丁氏叔姪，對於醫界公益，素多貢獻，大阮小阮，均負盛名。而濟萬先生年强有爲，尤稱恰當，紛紛簽名推荐者，早已超過法定數額，外埠各同道聞有此消息者，紛來索取推荐書表格，整批簽就，寄至人和里三十二號丁宅者，日必數起，衆望所歸，聞丁濟萬氏現已服從公意，準備候選，不再謙遜云。

虹口區中醫師舉行聯歡大會

八月十八日虹口區中醫師聯誼會，召開第二次聯歡會，特請衛生部中醫委員丁濟萬先生出席，演講，極一時之盛云。

有三數效方者，反見門庭若市，古診「心肝脾肺腎問都無人問」是爲爬入故紙堆中，鑽入牛角尖裏之明證。蓋醫學爲自然科學之一種，不經事實，公開研究，不加實驗，徒逞辯才，詎能有濟，而公開研究，臨床實驗，非設立醫校，開辦醫院，勢必無從集其大成。雖然，醫校醫院之創立，政府既示予扶掖，一切章則，亦無一定之準繩，其開辦固難，維持亦至不易；非弊屬名利，絕對犧牲，貢誠爲公者，不特不能創業，亦且不克守成。中醫學校之開設，以上海中醫專門學校爲最早，經過最爲穩定，維持最爲久遠，丁氏之埋頭苦幹，不尙虛僞宣傳；其毅力至堪欽佩，自專門學校改爲中醫學院，先後垂二十年，人材輩出，如黃文東，王一仁，戴達夫，王鳳軒，陳存仁，潘澄盦，程門雪，顧伯華諸君子，或蜚聲著作，或春滿杏林，而中醫學說，趨向革新之途，亦以該校爲起點，其收穫頌足驚人，良以學校之施教，異於師徒之傳授，集名師於一堂，相互講學，優秀者，類能博取衆長，綜合所得也。由是以觀，學校之設立，不特可以綜合既往學術之精華，而不致偏辭，學者即以實習所得，付諸實驗，而不致空洞，且能接受外來學說之補充，而漸入革新之途，有裨於中國醫學前途，齊有涯屬，此丁濟萬氏之可以不提銀鉅，不惜犧牲，續任復興中醫專科學校常務校審，俾得完成素志也歟。

治療於中醫之門者，大都着重於素所信仰之一人，故中醫院之開辦，頗爲不易，非有名醫負責，設備雖極精良，醫務仍難發達。是以鉅額資金，不如名醫一人。某某等數醫院開幕之初，均爲中西並立，因缺乏有名望之中醫到院負實際之責任，中醫部份，日漸式微，或則範圍日削，或則形同虛設，或則竟予裁撤，造成社會之錯覺，以爲中醫不如西醫之明證。所著於開與中醫院或担任中醫院醫務之名醫，不辭勞苦，視注診治，爭取病人，爲中醫爭取地位，進而徵集特效方藥，臨床實驗，一方開拓自己術科領域，一方表揚中國醫藥特效，事在人爲，觀乎與海秋氏主持四明醫院後，中醫部聲譽日隆，可爲我言之左證。

華爲中醫院大廈巍峨，**設備完善**，院長丁濟萬，日必躬臨，造成縫東之院譽，不被之基礎。對於社會，貢獻殊多，業室其能更進一層，爲中醫學術作更有利之資綴，將來復興中醫專科學校成立之後，醫校醫院打成一片，爲中國醫藥革新，樹立良好之規模，醫校可資醫院而實習，醫院可因醫校而精進，好在丁院長非爲後院常務校蕭，諮以秦告爲醫藥界服務精神，必能符會一般入之期望也。

特稿

從上海中醫專校談到「復興中醫專校之創立」

沈仲理

上海中醫專門學校成立於民國七年，歷史攸久，創辦人是名醫丁甘仁和邑紳李平書兩先生，由甘仁先生担任校長。嗣又會同士紳王一亭，籌設廣益中醫院，在南市西門石皮弄，自建房屋，奠定基礎，俾學校與醫院，連盤在一起，便利學生的臨床實習，造就學驗俱豐的優秀人才，執教的老師，都是海上名醫，醫院的設備，也能符合現代的衛生條件，當時可以稱為最完善的中醫學府。所以全國各省，莘莘學子，都負笈來從，第一屆畢業生，出了校門，各歸鄉里，懸壺問世，治績斐然。於是名震海內，聲譽鵲起，雖然校規很嚴，但是投考學生，反而日益增加，可以想見當年之生氣勃勃。民國十六年，丁公甘仁遽歸道山，乃由濟萬先生繼其祖業，繼續辦理，精心擘劃，日臻光大，改善教材，編輯講義，更因適合教部所訂專科以上學校之名稱起見，改名為**上海中醫學院**，增設生理解剖等西醫課程。以應時代之需要。雖見仁見智，新舊的理解迥異。後來教育部頒佈了中醫課程標準，却能不謀而合，歷屆畢業學生，人才濟濟，遍佈全國，散處海外，那時候校務的發達，可說是全盛時代。同時發生了其他的幾個醫學校，主持的人，大都是該校畢業同學。迨至民國十八年，發生中央衛生委員會廢止中醫的議案，遂由丁仲英、丁濟萬、蔣文芳、張梅庵諸先生，發起全國醫藥團體總聯合會，很順利的在上海成立這一個偉大的機構，大聲疾呼，激動了全國中醫藥界的公憤，聯合晉京請願的結果，總算達到目的，暫告平靜。但是天有不測風雲，中醫界人士，向來缺乏政治地位，於是重複造成了三十五年教育部撤消中醫學校的謬舉，先從取締上海各醫校着手，表面上看起來，取締幾個私立學校，似乎無足輕重。然而整個中醫學術的橫遭毀滅，豈容緘默，亡羊補牢，猶未為晚，不過個人的精神財力，究屬有限，所以丁濟萬氏不辭艱辛，聯合了醫藥兩界同志，[illegible]公會理事長岑志良氏，發起三一七國醫節紀念大會，假寧波同鄉會大禮堂舉行，出席人數，綜共有兩千數百人之多，盛況空前，羣情譁然。當由丁氏提議維護中醫中藥的重要提案，經過全體決議，推派代表丁濟萬等晉京，向　主席致敬，並赴各部院請願，是時適值三全大會，深蒙　主席重視，咨令教部免予取締，教部方面，允許了最低限度讓步，准許設立中醫專科學校，時在今年四月間，滬地中醫藥界，就着手籌備建校的工作，認捐基金，積極進行，定名**復興中醫專科學校**。七月十四日下午七時，假八仙橋青年會九樓大廳，舉行校董成立大會，出席校董潘公展，吳開先、蔣竹莊、陳楚湘、岑志良、丁仲英、葉熙春、丁濟萬、陳大年、陳道隆、朱秉祿、倪錫章、雷顯之、張梅庵等十五人。推定潘公展氏為董事長、丁仲英、岑志良、丁濟萬三氏為常務董事，陳楚湘氏為經濟主任，在董事會之下，組織建設委員會和經濟委員會，建設委員三十七人，為岑志良、蔣文芳、張梅庵、丁濟民、朱錫皋、高志文，吳福秋、周德馨、沈仲理、徐之雲、周召南、黃文東、張曉白、趙體潤、劉桂林、沈祥裕、秦伯未、王鼎楚、柳增青、李漢文、李康年、程國樹、章巨膺、錢今陽、方炳章，陳存仁、任俠、葉本耕、余曉卿、吳克潛、張贊臣、郭慶穆、應心耕、鮑永良、童祥浩、張春章、黃金甫、亭濟委員三十五人、為陳楚湘、朱小南、王芝方、周海如、王寶忠、胡惠恩、徐小圃、郭柏良、朱畢江、馬伯孫、章仁益、溪伯初、孫鏡陽、魏指、新陸南山、朱紹雲、徐洲嚴、姚雲江、陶慕章、顧筱岩、石筱山、王一濟、錢筱山、朱復白、鄭仲明、汪誠齋、梁定義、岑鼓生、宋輔臣、李鍾祥、朱斐君、董廷瑞、桂九思、劉伯宋、周元康，公推岑志良、朱鶴皋為建設委員召集人，陳楚湘、朱小南、為經濟委員召集人，訂定校董會規程草案，建設經濟兩委員會則，現在正計劃添購置基地，自建校舍，不久的將來，就可實現一個理想中的最高醫學府，與我們行見面禮了。

復興中醫專科學校校董合影

前排自右至左：陳道隆　丁仲英　陳楚湘　潘公展　蔣竹莊　吳開先　葉熙春

後排自右至左：岑志良　陳大年　朱秉祿　丁濟萬　雷顯之　陳家珍　張梅庵　倪錫章

選賢與能

·雲齋·

「選賢與能」，古之明訓，我們中醫界選舉國大代表，以何種才具，方够賢與能的條件呢？鄙意有二。

第一須培植後一代的繼起人才，使中醫學術，不致及身而斬，用犧牲的精神，以辦理中醫教育，不惜財，不誇張，埋頭苦幹，結果如何，可以不計，總是幹的有益於醫界之事，這眞是韓愈進學解中所講：「尋墜緒之茫茫，獨旁搜而遠紹，障百川而東之，挽狂瀾於既倒」，要是有這樣有功於醫界的人物，我願意選他。

第二次須辦中醫院，以中醫藥付之實驗，使一般懷疑中醫藥的人，得到眞確的認識，哪末中醫藥可以永久的存在下去，但這又是耗財費力而不討好的事，如聰明人所不幹的，然而唯此才是有益於醫界的人物，我也願意選他。

我以為中醫界同志要選賢能的國大代表，當以此二種為標準，或者有競選國大代表者，也必須具備這二種條件，否則，可說是不自量力，識者想不可河漢我言。

隨筆所之

國大代表及法委員職業團體名額分配法

（中央社南京二十六日電）醫藥團體十六名
㈠中醫師公會八名，內婦女二名，均全國合選。
㈡醫師公會包括牙醫師，助產士，護士，藥劑師，（生）藥公會共八名，內婦女三名，均全國合選。立法委員，醫藥團體共四名，定為中醫師二名，其他二名。

——中醫院之先聲——

記上海華隆中醫院

·管理平·

我們中醫界的習慣，向來注重私人診所，很少公共的醫院。窮鄉僻壤，固是寥若晨星，就像上海這樣的通商大埠，雖然也有幾所中醫院；但大都還是偏重於慈善的機構，很難找到理想中的中醫醫院。

現任華隆中醫院總分院院長丁濟萬先生，鑒於過去的情形，認爲彌補這重大的缺憾，是當前的急務，所以費了很多的精神和財力，籌設一所規模宏大，純粹中醫化的醫院。有志者事竟成，他的計劃，終於實現了。在黃陂南路金陵中路口，巍然聳立着一幢高大的洋房，就是該院院址，也就是現在的華隆總院。成立日期，早在民國十九年四月。內部組織，分爲病房門診兩部，醫務方面，各科都有專門的主任醫師。病房寬敞清潔，空氣充足，看護週到，設備完善，可說是創中醫院之先聲。門診送診給藥，完全慈善性質；並且自辦藥部，實行「道地藥材」，發揮中國藥物固有的效用。初創的時候，因爲歷史關係，社會人士，還沒有充份認識，很平淡的。經過了一年的光景，漸漸得到各界的信仰，因爲事實勝於雄辯。況且中醫中藥，適合國人體質，自有其特長和優點，病愈出院的人，天天增加，醫院的業務，也跟着發達起來，非但克服了困難，而且住院病人，常常有人滿之患。

華隆中醫總院外景

到了二十六年八一三抗戰伊始，丁院長担任了難民救濟協會中醫組主任，服務華隆的醫師全體出動，赴各處難民收容所，担任治療工作，盡其應盡的義務。同時四郊八口，集中在中區蕞爾之地；於是屋少人多，隨時有發生疾病的危險，每天施診給藥的號數，驟然增加到三百號以上，給藥的經費，相當龐大。好在丁院長抱着救濟貧病，替社會服務的宗旨，竭力支持，獨任巨艱。還想到滬西一帶，工廠林立，人口密集，勞工階級，一旦病魔纏擾，苦無適當治療之所。因之在二十九年，又勘定了康定路近江甯路的一所新建大廈，誕生了現在的華隆分院。一切組織，和總院相同。有着十年辦理醫院的經驗，內部設備，自然益臻完善，所以拿歷史來講，雖有總院的悠久，但是業務的發展，繼續的優越，同樣蒸蒸日上，有口皆碑。

綜之總分兩院，都有了很大的成就，很多的貢獻，是丁院長的功績，也是中醫界的光榮。兩院的住院病人，大都是因重病時行病，一部份是療養病人，關於住院的好處，最緊要的，就是病情變化，一位醫師診療一個病人，在須臾之間，雖然可以得到癥結所在，但是病變無窮，臨時的變化，不能够隨時診察，如果住院療治，隨時紀錄病情，那末病無遁形，就可解決這種困難；還有兩種病人，必須住院的，（一）旅滬人士，沒有家庭親族。看護不週，每致由輕轉重，由重轉危。（二）房屋狹小，空氣穢濁，每致影響病情，忽然變化。有了上面兩種惡劣的環境，如果住院求醫，可以減少許多危險。

華隆中醫院分院近影

特稿

末了，再來談談施診給藥，到目前爲止，施診的號金，每號僅收貳仟元，免費給藥，所以全年支出，施藥經費，佔了總數百分之八十以上，這筆龐大的經費，向來是由丁院長獨自負担，從來沒有向外界公開募捐，雖然也有熱心人士，自動樂助，但杯水車薪，而且也是鳳毛麟角。余因感覺到社會上需要我們中醫醫院的普遍設立，特地寫了這篇小記，希望中醫界同志，共同努力，期待着政府當局加以提倡的一點誠意。

轉載

中醫師：

所得稅適用條文

經過一般研究捐稅的專家所公認的良稅，所得稅，早經開始推行了。根據民國三十五年三月廿三日立法院修正，四月十六日國府公佈的所得稅法，開宗明義第一章第一條：凡在中華民國領域內發生之所得，及中華民國人民在國內有住所而在國外有所得者，均依本法征所得稅。

我們住在中華民國境內的中醫師，應當負有納稅義務，眞是義不容辭的義務。三十五年度的所得稅，在三十六年的止二月內，已經依法向中醫師公會催報，公會裏也已有人向稅局磋商接洽了，直至最近，方才決定全國中醫師所得稅稅額，把六萬萬元當做目標，不日就要開始報告各人應納的三十五年度所得稅了。而且還是全國性的國家稅，各地也必或先或後對我同道開始徵收這公認的良稅，所以摘錄一些關於我們同道應該明瞭的所得稅條文，當做參考方面的一助。

中醫師所得稅的類項

我們中醫師的所得稅，應該歸入第二條第二類薪給報酬所得，甲項，業務或技藝報酬之所得，這在施行細則上明白規定的：第三十三條，本法第二類甲項所得之稱業務，或技藝報酬者，謂律師，會計師，工程師，醫藥師業，戲劇藝員，演員，自由職業者之自執業務者，務所執行業務之收入，或獨立營生者，其技藝之報酬。

中醫師所得額的計算

我們中醫師所得額計算在所得稅法第十四條上是這樣規定的：第十四條，第二類甲項所得之計算，以其每年執行業務或演奏技藝期間收入總額，減除業務所房租，業務使用人薪給報酬，業務上必需之用車旅費，及其他直接必要之費用後之餘額爲所得額。

那就是說：把我們全年門診出診業務上的收入，除去業務上的支出，即成爲所得額，根據這所得額，依照稅率完納稅款，所謂業務上的支出，在施行細則三十六七各條上列舉的是：

其業務上必需之用車之旅費，以所有報酬爲限，但不得超過其各個報酬額百分之三十。

第三十七條，第二類甲項所得之稱其他直接必要之費用者，包括公會會費，在業務所用住宿或供膳之業務使用人膳宿開支，業務進行上，公課，費委託費，業務用具之修理費，廣告費，郵電文具消耗及其他雜費。

醫藥常識

經過中醫師奧妙的理論，神奇的診斷，確認爲「眞寒假熱」的病症之下，體溫表有時被認爲沒甚用處。在一部份中醫師眼光之下，普通的感冒，在初起一二天中，有經驗的中醫師，憑着三指靈覺，有時確實也能够報出現有的體溫度數，不勞體溫表的測量。可是遇着較長時期的熱病，或者慢性的虛熱，譬如濕溫肺癆等等，熱度的昇降，距離類近，非用體溫表無從肯定他熱勢的進退，而且熱型的確認，對於診斷，頗關重要，非用體溫表按時測量紀錄，僅靠在這「相對須要」中，極難尋獲牠的線索，而且智識家庭，已把體溫表，當做衛生用品必不可少的恩物。那末我們同道似乎不必深閉固拒，一定要在浮沉遲數中間，冥索逞能，放棄那現實的工具。

體溫表的使用

蔣文芳

體溫表和普通用的寒暑表一樣，牠的計數，分爲華氏攝氏兩種，寒暑表華氏，把三十二度叫做冰點，二百十二度叫做沸點，攝氏把零度做冰點，一百度做沸點，但是測量活人體溫的體溫表，絕對不會發生冰點沸點的奇蹟，所以華氏表從九十五度起刻到一百十度爲止。攝氏表從三十五度起刻到四十二度爲止。華氏的縮寫記號F，正常的體溫是九十八度六分，表上的一小格，就是代表二分。攝氏的縮寫記號C，正常的體溫是三十七度正，表上的一小格，就是代表一分，十分就合成一度，要是超過了正常體溫F九十八度六分，或者C三十七度，那就是表示病人已經發熱。不論他爲虛熱實熱，總是已經發熱了，不滿此數的，就是體溫不够，在我們術話中叫陽虛，甚或亡陽，有着心臟衰弱的傾向。

一位普通的病人，他可能忍受的熱度，是F一百○四度，等於C四十度，超過了這限度，依着我們「熱深厥深」古訓的定義，他就不免要昏厥了。在小兒不免熱壞神經，就要驚厥了。要是一位病人的體溫不到C三十六度，等於F九十六度八分，那便隨時可能得到虛脫的危險，倘若不滿C三十五度或者F九十五度，那就去死不遠，除非他像方卿跌雪般凍僵的人，但是脈搏總是停止了。

體溫表的形式，大概又分二種，一種內容水銀的一頭很細的，是用牠含在嘴裏壓在舌下測量的，一種的一頭較粗，特地編着恐怕小兒咬斷，是插入孩子肛門裏測量的，倘然你沒有肛門用表，而又恐怕被他咬斷，把水銀和玻璃屑，吃入肚裏的危險，你就可以把含在嘴裏用的表，挾在孩子的腋下；不過在溫和的天氣，腋下量得的熱度，倘用C表測量，必須加入五分，方才是他體溫應有的度數，倘量F表，就須加上九分。

體溫表的製造商，爲着誇張他出品的靈敏起見，大都寫着一分鐘甚或二分之一分鐘，我們爲着準確起見，應該測量二分鐘，然後取出。要是放在腋下，測量時間應當加倍，在冬天更須放長一些，取出觀看，應把內中白磁的條子，放在對面，把三稜玻管另一面的稜角，對準視線，倘再找不到水銀柱光痕，可以微微轉動，找到水銀柱所指的刻度，那就是量得的體溫紀錄了。用後應該浸在酒精裏，再把脫脂棉花醮些酒精揩拭一下，臨用的時候，雖然已經消毒了，最好再在病人面前，再做一回，免得他疑心。

體溫表的測量時間，通常四小時一次，輕微的慢性熱型，六小時一次，在急劇時，當然要多量幾次。在日出日午日落，平人的體溫，也有稍許變化，所以量體溫的時間，最好設法在這三個時候上，同時送一張紀錄表給病家，勸導他們依時紀錄，倘然他們已有紀錄，和你所用的表不同時，可以照下列的公式推算：

$$(F-32)\times\frac{5}{9}=G$$

或

$$G\times\frac{9}{5}+32=F$$

再具體一些，從華氏求攝氏，可查下表：

F	G
95	35
96	35.5
97	36.1
98	36.6
99	37.2
100	37.7
101	38.3
102	38.8
103	39.4
104	40
105	40.5
106	40.1
107	41.6
108	42.2

從攝氏求華氏可查下表：

G	F
35	95
36	96.8
37	98.6
38	100.4
39	102.2
40	104
41	105.8
42	107.6

（附註）在我們革新派的同道目光之下，我這篇東西，不免要被認爲太低級化而近乎小竊了同志們！其實稻粱麥粟，越是平常的，倒是養生之品；奇珍異味，雖然新奇，不免成爲腐腸之物。最近某法院開會，在我手裏，付議一件啼笑皆非的案件。某一位同道診治一個衰弱到將要虛脫的病人，不屑援用强心健胃促進機能的獨參湯，或者以爲太迂舊了，竟然應着病家的情商，打了一西西的維他命B，結果病人終是死了，他倒鼈地受了停業三個月的處分。因爲中醫西醫化是一部份人提倡的理論，中醫不得施用西法西藥是已定的法令，我們雖然不斷地抗議，可是還沒有解禁，在這場合，他雖然能够眞知灼見，打一針可拉命或者衷復那新，死總是免不掉要死的，即使不死，還是犯禁，在沒有爭到之前。會記得民國十八年衞生部公佈中醫不得使用西械西藥的禁令，我曾經反詰部裏的醫藥管理的負責人；「難道體溫表聽診倘，一經中醫使用，就會致人死地麼」？他們後來會呈國府，臚列着許多事例，竟把 主席撤消禁錮中國醫藥的手諭轉變，對於體溫表聽診筒，特爲提出，在嚴審消毒之下，不妨使用，卑之無甚高論，所以敢提出來綮鬆。

我們家屬的生活費，顧不到許多了，當然不在業務上支出之例，但是中醫師自己本人的衣食，從事實上着想，似乎是最直接最必要的支出嗎，可是沒有列舉進去，不知道是漏列的呢？還是不應支出的呢？還是不大明白的一個疑問。

中醫師的免稅所得額

免稅所得額就是說他的所得，僅能維持他最低限度的生活，沒甚納稅的能力，所以在這限額之內，不要他來盡這無力負担的義務，超過這限度，就要把超過的部份，依法課稅的意思，這限度規定在本法第四條第二項第一目裏：

二，第二類所得：

子，第二類甲項每年所得未超過十五萬元者。

每年所得不滿十五萬就是每月所得不滿一萬二千五百元，也就每天所得不滿四百十七元的意思，這是去年規定的數目，而且我們也在繳納去年稅額，不必繁數吧！要是把今天的眼光去估計，那麼車綳在橋上行過推一把，即有五元所得的幾動勞工，都要變做納稅人了，假使我們每天所得不滿此數，不但應該免稅，而且可以得到免除一切衣食住行，敎育醫藥娛樂等等費用約資格，不負一切責任的自由人，逍遙在天國或者極樂世界裏了。去年此數的眞價値，各地並不一律的，怨我沒有評定能力。

中醫師的稅率

所得稅的稅率是累進的，所得三百萬元的稅額，很遠距離的超過所得三十萬元的十倍，良兌良，大概就是在這一點上，現在把本法第七條對於我們的算率，抄錄在后面，大家可以先行自己約略地計算一下：

第七條，第二類甲項所得應課之稅率如左。

一、所得額超過十五萬元以上至二十萬元者，就其超過額課稅百分之三。

二、所得額超過二十萬元至三十萬元者，超過額課稅百分之四。

三、所得額超過三十萬元至四十萬元者，超過額課稅百分之五。

四、所得額超過四十萬元至六十萬元者，超過額課稅百分之六。

五、所得額超過六十萬元至八十萬元者，超過額課稅百分之八。

六、所得額超過八十萬元至一百二十萬元者，就其超過額課稅百分之十。

七、所得額超過一百二十萬元至一百六十萬元者，就其超過額課稅百分之十二。

八、所得額超過一百六十萬元至二百四十萬元者，就其超過額課稅百分之十四。

九、所得額超過二百四十萬元至三百二十萬元者，就其超過額課稅百分之十七。

十、所得額超過三百二十萬元以上者，一律就其超過額課稅百分之二十。

普·選·日·曆

中華民國三十六年

七×月

廿二（以前）

各主管選舉機關辦理選舉人之調查登記，並定期通告各職業團體造報簿冊。

（1）

中華民國三十六年

七月×八月

廿三至廿六

各主管選舉機關辦具選舉人名冊。

（2）

中華民國三十六年

八×月

廿七至卅一

各主管選舉機關辦理選舉人名冊之公佈，更正及呈報事項。

（3）

中華民國三十六年

九月

一日至卅日

各主管選舉機關辦理候選人之登記及造具選舉權證，各上級選舉機關頒發選舉票及選舉。

（4）

中華民國三十六年

九月

廿一

各主管選舉機關發給選舉權證。（注意）選舉權證，如其不到，公會須催請。

（5）

中華民國三十六年

十月

一日至五日

辦理候選人審查

（6）

中華民國三十六年

十月

六日

各主管選舉機關辦理候選人之公告，及發佈選舉公告事項。

（7）

中華民國三十六年

十月

七日至二十

各選舉機關呈轉候選人名冊。

（8）

中華民國三十六年

十月

廿一至廿三

為各種選舉投票日期。（注意）此日投票，共有三天可投。

（9）

中華民國三十六年

十一月

二日

各種選舉機關公告當選人及候補人名單

（10）

中華民國三十六年

十一月

三日至廿二

各主管選舉機關呈報當選代表名冊及履歷。各上級選舉機關發給當選證書。

（11）

中華民國三十六年

十二月

廿四（以前）

各代表來京報到

（12）

普選消息

普選不致延期

（南京電）關於本年普選，主張展緩者甚衆。據某官方權威人士聲稱：政府對本年如期舉行普選，曾一再表明決心，以此乃國大制憲時所賦予政府之責任，故目前雖有阻礙，絕未致慮延期，即使實施技術上，或有若干困難，以致影響時日，亦不過短期之延長，決不超出三個月以上之時間云。

滬選舉事務所成立

（本市訊）本市選舉事務所於八月十八日成立，二十五日在市府大廈二三五室，正式辦公。

滬社會局召集職業團體

（本市訊）本市社會局召集各職業團體，商討準備選舉事宜，限八月二十六日，各職業團體將會員名冊造具正副本，於二十七日公佈一份呈報，並各職業團體入員會數以在八月二十六日前，有統計者為有效。

渝各團體活躍普選

（重慶電）國大代表及立委選舉期近，渝市區域職業及婦女三方面擬參加競選者已積極活動。競選之聲到處可聞，已成普遍話題，名片商及茶樓酒館生意頓形興旺。市選舉事務所工作亦趨緊張。

穗市長兼任選舉事務所主委

（廣州電）穗市國大立委選舉事務所，定二十日正式成立，歐陽駒市長兼主委。經費由市府暫墊。

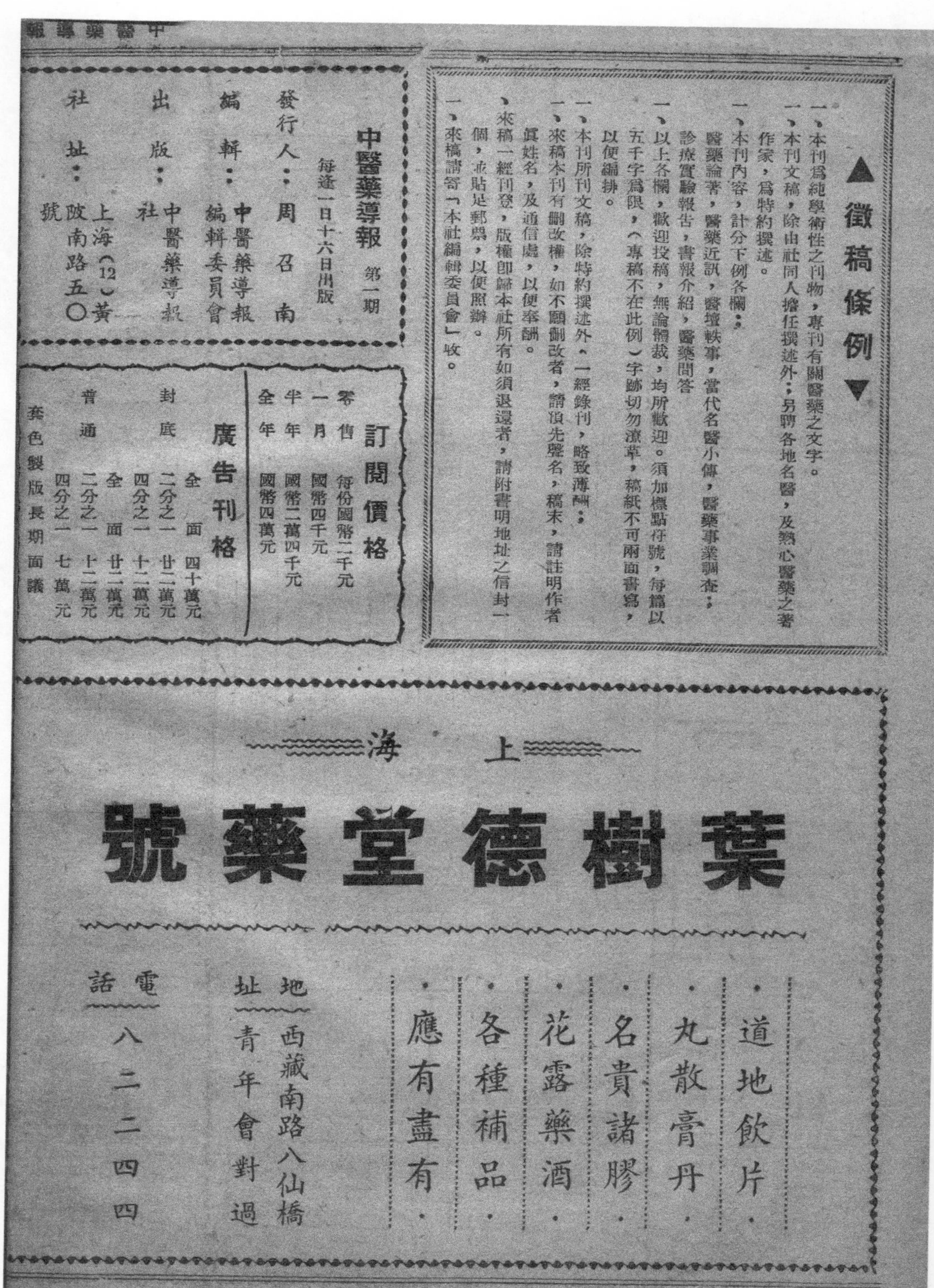

▲徵稿條例▼

一、本刊爲純學術性之刊物，專刊有關醫藥之文字。

一、本刊文稿，除由社同人擔任撰述外；另聘各地名醫，及熱心醫藥之著作家，爲特約撰述。

一、本刊內容，計分下例各欄：醫藥論著，醫藥近訊，醫壇軼事，當代名醫小傳，醫藥事業調查；診療實驗報告，書報介紹，醫藥問答

一、以上各欄，歡迎投稿，無論體裁，均所歡迎。須加標點符號，每篇以五千字爲限，（專稿不在此例）字跡切勿潦草，稿紙不可兩面書寫，以便編排。

一、本刊所刊文稿，除特約撰述外，一經錄刊，略致薄酬；

一、來稿本刊有刪改權，如不願刪改者，請須先聲名，稿末，請註明作者眞姓名，及通信處，以便奉酬。

、來稿一經刊登，版權即歸本社所有如須退還者，請附書明地址之信封一個，並貼足郵票，以便照辦。

一、來稿請寄「本社編輯委員會」收。

中醫藥導報 第一期

每逢一日十六日出版

發行人：周召南

編輯：中醫藥導報編輯委員會

出版：中醫藥導報社

社址：上海（12）黄陂南路五〇號

訂閱價格

零售	每份國幣二千元
一月	國幣四千元
半年	國幣二萬四千元
全年	國幣四萬元

廣告刊格

封底	全面	四十萬元
	二分之一	廿二萬元
	四分之一	十二萬元
普通	全面	廿二萬元
	二分之一	十二萬元
	四分之一	七萬元

套色製版長期面議

上海

葉樹德堂藥號

·道地飲片·

·丸散膏丹·

·名貴諸膠·

·花露藥酒·

·各種補品·

·應有盡有·

地址 西藏南路八仙橋青年會對過

電話 八二二四四

第二期 ・半月刊・ 中華民國三十六年九月十六日

本報已依法申請登記 ・中醫藥導報社出版・ 定價：每份國幣貳千元

特訊

焦館長談話：推進中醫建設工作

願望團結一致・必須共同努力
抱定一貫主張・為中醫界盡力

（本報南京訊）中醫委員會委員丁濟萬氏，於上月間蒞京，晉謁中央國醫館館長焦易堂先生，在楊將軍巷花園弘邸，商討關於中醫建設工作應有之步驟。焦館長在歡洽情緒中，很興奮的說：「我為中醫藥界奮鬥迄今，近二十年，總算開闢了一條光明的途徑。所有過去革新的計劃，已經逐步實現；但是遠大的前程，須有鞏固的基礎。希望全國中醫師眞誠合作，方纔可以建築一條平坦大道，沒有顛覆的危險。所以今日中醫界唯一應該注意的，需要團結一致，化除成見，共同努力，從事中醫建設的實施工作，不久的將來，當能完全實現我們中醫的偉大計劃。本人即將赴陝一行，仍抱一貫主張，為中醫界盡力」云。

丁濟萬晉謁焦館長留影

陳郁高德明二醫委 贊揚中醫公醫制度

（本報南京訊）丁醫委濟萬，因公蒞京，特往謁中醫委員會主任委員陳郁暨高委員德明，交換意見。由丁氏談及中醫應有公醫制度之規定，庶幾培植人才，俾得普遍發展，曾在前次會議席上，鄭重提議，當由陳主委表示，所有建設公立中醫學校及公立醫院附設中醫部各案，皆已切實向各部院提呈。本人與高君，均極贊同，務期達到實現之目的。並於暢談之後，午宴聯歡，即席合攝一影，以留紀念云。（附圖）

焦易堂與中醫界

錢九如

我們中醫界自從民國十八年遭受[illegible]意外的打擊，當時整個生命，寄託在風雨飄搖之中。幸賴中央國醫館館長焦易堂氏，熱心維護，領導全國中醫界同志，共同奮鬥，方始奠定了動盪不安的局面。不幸受了戰事的影響，各項改進中醫的文化事業，以及其他有關革新中醫藥的組織，無形中陷於停頓狀態，迄至勝利以後，方纔滋長起新的萌芽，雜然進展得很慢；但是各省市縣中醫師公會之普遍成立，中醫學校復興計劃之漸露端倪，中醫藥刊物多至數十種，有如雨後春筍，象徵着中醫前途的光明燦爛，這偉大的收穫，雖是中醫界自身的努力奮勉，飲水思源，要皆焦館長倡導之功。而中醫委員會諸醫委，歷年以來，對於中醫界頗多建樹，也是我們所應該崇仰的。

（自右至左丁濟萬 陳郁 高德明 沈仲理合影）

論壇

道直不避嫌。舉賢不避親。

推選國大代表之我見

丁氏濟萬·壯年有爲　公正不阿·堪膺重任

葉熙春

學以致本，本立而道生；衛以致用，用宏而應世。崇尚道德，篤守四維，參舉國政，而能利賴國計民生，扶助社會，倡導生產，而完成建設。對於本職團體，熱心任務而謀福利，發展事業，興教育，立基礎，具此以上資格者，受選者當前無所愧，推選者亦大公而無私。熙春在醫言醫，前國大代表丁仲英先生和藹誠篤，有守有爲，能爲團體盡力，今不應競選，君子風度，謙讓爲懷，道直不避嫌，舉賢不避親，推舉丁濟萬先生應選，實獲我心。濟萬先生江蘇武進人，年四十五，行道數十年，現任衛生部中醫委員會委員，上海市衛生局中醫咨詢委員會委員，中醫師公會常務理事，國醫學會理事長，華益中醫院院長，曾任中上海中醫專門學校校長，仁濟善堂董事，難民救濟協會醫務主任，上海市衛生局第一屆考試委員會委員，衛生署中醫委員會委員，國民政府軍事委員會統計局特約醫官等職。譽滿春申，名遍海內，壯年有爲，若能當選「國大」中醫中藥，發揚光大，民生國計，得以利賴，亦吾道之光，凡我同道，定然公正推選，委此重大責任於丁君也。

葉熙春氏近影

（編者按）餘杭葉熙春先生，前輩名醫，齒德俱尊，久爲同道所崇仰。今鑒於中醫師職業團體國大代表人選之重要，閱撰宏論，貢獻高見，其公正豪爽之個性，溢於言表，並蒙賜下說稿一稿（見後），立論精確，若非研究有素，學驗並豐，曷克臻此，誠可貴之佳作也。

復興中醫專校　積極勘購基地

復興中醫專科學校，自校董會成立後，以勘購校基爲着手，決定自建校舍，以樹久遠。仍推醫界蔣文芳，丁濟民，藥界岑志良，張海施，負責徵購，先後出發實地勘察，計有十次之多。並於上月二十日召開常務校董會，常務校董丁仲英，丁濟萬，岑志良，全體出席，當經決定校基地價以四億爲標準，面積六畝至十畝爲度，現已勘得適當地段計有兩邊，一在中興路大統路西計六畝餘，一在交通路大洋橋境計十一畝，現正在進行購買手續云。

霍亂尚在初期　各界仍須注意

本市於八月二日發現霍亂患者第一例後，八月十日及十六日，又各發現一例，均屬蘇北來滬旅客，至八月卅一日，發現本市居民感染之第一例，嗣後九月二日即發現第二例，及九月三日又發現，四例，內有蘇北來滬之難民一人，總計共爲九例。防疫委員會前特招待新聞界，報告現時霍亂尚屬初期，以後將更嚴厲，大約十月二十四日霜降日後，可望絕跡，故深盼加以注意。

三十六年度：中醫師考試照常舉行

報載三十六年度考試院特種考試門類之中，多種報紙，漏列中醫師一項。經由公會呈請之後，現據考選委員會函覆「三十六年度中醫師考試，照常舉行」等語，惟考試地點是否在申，並無規定。應考者須往京杭兩地參加，本市有志報名者，須知先由業師出具「助理診務五年以上成績優良」之證明書，然後辦理報名手續，且其業師須領有考試院及格證書者爲限云。

一考一試一消一息一

記中醫師檢覈

鳴劍齋主

中醫在中央政府全國性行政機構上之有普遍性檢覈，戰時始創於陪都重慶，主持者爲考試院考選委員會，區域只有大後方。因係通信爲之，淪陷區無與特。造乎日寇投降，僞組織瓦解，始暢及全國，登以新近來歸之台灣省，依據統計，全國有中醫約二十萬人，同受政府依法檢覈，誠超歷史性之盛舉也。現任考選委員會委員長，係浙江海甯陳大齊氏，爲目今有數之學者，嘗掌教於北大，設辦公還於首都雞鳴寺。檢覈手續，如有相當充分之證件，除時日稍久外，亦頒簡便，非如所傳有十種手續之過甚，現在擁有近三十年歷史之上海市國醫學會，應多數會員之委託，代辦是項手續，讀者欲知詳細，可於每日下午親臨南市西門內石皮弄，華益中醫院，該會辦事處，自有職員掬誠奉告，至於函詢，何不詳答云。

上海中醫院·爲療養勝地

上海中醫院，係名醫程國樹所主辦。院址在北京西路五九四號，已有多年之歷史，各科俱全，成績斐然，病房清潔，設備完善，住院療養，最爲適宜。聞該院歡迎同道介紹病人住院，仍可由各醫師主持診務云。

中醫前途的展望

・黃文東・

名垂數十年。畢業同學，遍于國，人才輩出。名震遐邇，求學者日益衆，校務亦蒸蒸日上，迄乎抗戰軍興，校址因在南市，原有設備，蕩然無存，暫遷安全地區，繼續上課，八年之中，艱苦支持，自無發展可言。勝利以後，收拾殘餘，積極復校，仍返原址，當初步整理工作，尚未完成，欲求恢復舊觀，作事建設，正在逐步計劃之時。不料教部派員視察，苛責綦嚴，竟未能予以相當時期之設施，爲立案之階梯，乃指令下頒，遽加取締，謂非蔑視中醫，其誰能信？

茲當憲政伊始，國家民主時代，一以民意爲歸，此種措施，豈合民意，中醫界受此打擊，痛定思痛，必須一致團結，發揮正義，以博得國人之同情，爭取前途之光明，此余所願望者一！

本屆競選國大代表中，醫界欲圖生存，續謀發展，非有傑出之才，得共選，不足以屏障百川，挽救狂瀾，更無從實現復興，創造新猷，凡我同志，應尊崇現任國大代表丁仲英氏，放棄本屆競選，推薦丁濟萬先生之主張，選賢與能，俾能組成更有力之勁旅；爲中醫界揚眉吐氣，排除萬難，爭得相當地位，此余所願望者二！

不佞任職母校，將近廿載，魯鈍之質，無所建樹，抱疚良深！環顧全國中醫學府，罕有存在，國粹淪亡，豈忍坐視！是以薦賢之舉，不敢後人，深願人同此心，共襄其成，爲前途之幸也。

地医药通讯

行政院開會審查改進中醫中藥案

中醫藥界代表請願團，與全國醫聯會代表共十人。前曾赴國府各作絕食請願，滬上各醫團，羣起響應。行政院乃於八月九日上午九時，邀集考選委員會，衛生部教育部等有關機關，在行政院第一審查室，召開改進中醫中藥案審查會，茲探誌審查意見於后：

「政府對於中醫藥事業，素不漠視，在前衛生署時代，本訂有改進中醫計劃，其內容大致爲（一）設立中醫治療實驗機構，採用日本研究漢醫方式，以西

慶陪都中醫院，即爲謀實現此目的而成立。（二）設立中醫訓練班，使中醫人員，均能明瞭現代醫學常識，及公共衛生事業等，以溝通中西醫學之所長。總以限於經費及人才，迄未能達預期之效果，關於中醫藥之理論與應用，凡有研究價值者，無分畛域，胥作研討。惟中醫藥學，卷帙浩繁，宜先由中醫藥專家作精湛系統之研究，獲得結果，始可編製教材，採作課本。職是之故，發展中醫藥事業，應由衛生部擬具分期實施計劃，包括中醫師訓練，藥物研究等，會商教育部專案呈請行政院核辦。

至中醫藥界請願團陳請願案（一）請增設中醫藥管理機構一節「一但徒增中西醫學界之摩擦，且欲謀改進中醫藥事業，應在中央主管衛生機關主持之下，較有實效，故無增設必要。（二）請攷試院委託各省市政府辦理中醫師檢覈一節。已由攷選委員會通令各省攷銓處辦理。又該會正會同衛生部擬訂「對於專長一科之中醫師攷試檢覈辦法」一種以獎進中醫專才。（三）明定中藥製藥人員爲藥劑師一節，正由衛生部依據藥劑師法第三十六條，之規定斟訂辦法實施。（四）將「收復區」醫事人員管理辦法」，延展兩年一節。查該辦法已明令延展一年，至三十七年六月底始截止，（五）衛生行政權，由中西醫分任一節，查現行衛生法令中，絕無限制中醫師主持衛生行政之規定，原請願案所以有此請求，全出誤會，應毋庸議。」云。

中醫師請領年資證明書手續

・胡光軒・

依據醫師法第三條第三項資格，行醫五年以上，著有聲望者，原可向考試院申請檢覈；但依檢覈須知，是項五年以上之年資，須有所在地縣市政府之證明，方可檢覈。戰前本市辦理醫師登記有年，舊有醫師，考試院認爲無須再發證明書，僅可呈送衛生局所發開業執照。依第一項資格申請檢覈；但本市二十六年市政府接受中央委託，令衛生局照「中醫條例」辦理，發給中醫證書，未及竣事。戰事爆發，故自二十六年起至二十九年於前，陸續在滬開業者，雖滿五年以上，將無資格申請檢覈，殊失法律平等之原意。現考試院暨本市衛生局局長張維有鑒於此，業已接受同道申請，凡在勝利之前，在滬開業五年以上，即民國二十九年九月之前，已經在滬行醫者，可憑證件，呈請衛生局發給年資證明書，經衛生局審查之後，倘有疑義者，發交公會據實具覆，以憑核發。現有申君等多人，已照此辦理，總之是項年資證明書，既由衛生局發給，自當先向該局呈請爲第一步，是否需要公會證明具覆。其權操諸衛生局，該局接到申請書之後，或以其證據充足，逕即發給；或則指令公會查覆，或則批示申請人補繳證件爲公會證明書之類，要必先行呈請，然後再行補繳，殊不能先向公會領取證明書，即憑此紙而呈請衛生局發給年資證明書也。在第一步向衛生局申請時，須附繳本人二寸半身照片及履歷片，最好由區公所至少保辦事處，先行出具證明書，一併送局，俾可有所依據也。

西湖六通中醫院開幕

「杭州訊」六通中醫療養院，由六通寺退居僧智行發起，邀集院董王子沛，王惜寸，王曉籟，王邈達，毛鳳翔，弘傘，史沛棠，余越園，余鐵山，陳竺鳴濤，卻非，周岐隱，袁百川，陳子明，陳志廣，高介人，黃元秀，湯士彥，張碩甫，欽亮，董志仁，鮑祥麟等進行籌備，迄今未及半載，業於八月十六日宣告開幕，各界前往參加開幕禮典者，達二百餘人之多。該院院址，位於西湖赤山埠六通寺，環境清幽，適宜療養，院長王邈達，副院長史沛棠，醫務主任董志仁，毛鳳翔，醫師張碩甫，范濟民，顧問湯士彥等，均爲杭地名醫，定能造就優良之成績，爲我中醫界放一異彩也。

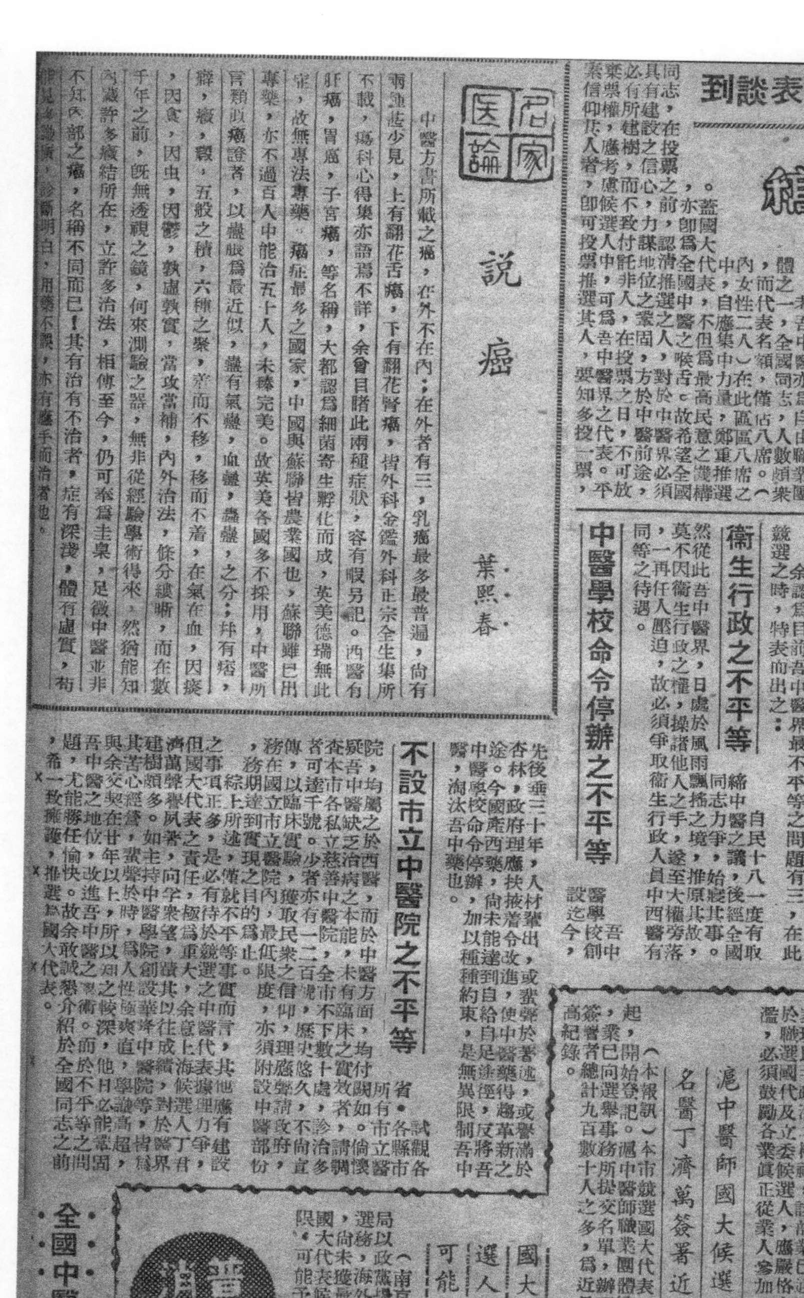

特稿

從競選國大代表談到
吾中醫界今後應有之建設

沈香圃

際此政府進入民主階層，距離實行憲法之期漸近；於是國大代表又入熱烈競選之途。吾中醫界素以服務人羣，保障健康為職志，此次國大選舉，關於中醫興衰問題，至深且鉅，自未可閉關自守，漠然視之。攷吾中醫亦為自由職業團體之一，全國同志，人數頗衆，而代表名額，僅佔八席。（內女性二人）在此區區八席之中，自應集中力量，鄭重推選。蓋國大代表，不但為最高民意之機構，亦即為全國中醫之喉舌。故希望全國同志，在投票之前，認清推選之人，對於中醫界必須具有建設之信心，力謀地位之鞏固，方於中醫前途，必有所建樹，而不致付託非人，在投票之日，不可放棄票權，應考慮候選人中，可為吾中醫界之代表。平素信仰其人者，即可投票推選其人，要知多投一票，即為吾中醫界增多一分力量，俾得衆志成城，不致功虧一簣也。余認為目前吾中醫界最不平等之問題有三，在此競選之時，特表而出之：

衛生行政之不平等

自民十八一度有取締中醫之議，後經全國同志力爭，始寢其事。然從此吾中醫界，日處於風雨飄搖之境，推原其故，莫不因衛生行政之權，操諸他人之手，遂至大權旁落，一再任人壓迫，故必須爭取衛生行政人員中西醫有同等之待遇。

中醫學校命令停辦之不平等

吾中醫學校，創設迄今，先後垂三十年，人材輩出，或蜚聲於著述，或譽滿於杏林，政府理應扶掖，着令改進，使中醫藥得趨革新之途。今國產西藥，尚未能達到自給自足途徑，反將吾中醫學校命令停辦，加以種種約束，是無異限制吾中醫，淘汰吾中藥也。

不設市立中醫院之不平等

試觀各省・各縣市所有市立醫院，均屬之於西醫，而於中醫方面，均付闕如。倘懷疑吾中醫缺之治病之本能，未有臨床之實效者，請調查本市各私立慈善中醫院，全市不下數十處，診治多者可達千號。少者亦有一二百號，歷史悠久，不尚宣傳，以臨床實驗，獲取民衆之信仰，理應[illegible]請政府，務在國立市立醫院內，最低限度，亦須附設中醫部份，務期達到實現之目的為止。

綜上所述，僅就不平等事實而言，其他應有建設之事項正多，是必有待於競選之中醫代表據理力爭，但國大代表之責任，極為重大，余意上海候選人丁君濟萬聲譽夙著，向孚衆望，讀其以往成績，對於醫界建樹頗多。如主持中醫學院，創設華隸中醫院等，皆為其苦心經營，蜚聲於時，為人性極爽直，學論高超，與余交契在廿年以上，所以知之較深，他日必能鞏固吾中醫之地位，促進吾中醫之[illegible]衛。而於不平等之問題，尤能勝任愉快。故余敢誠懇介紹於全國同志之前，希一致擁護，推選為國大代表。

名家醫論

說癌

葉熙春

中醫方書所載之癌，在外不在內；在外者有三，乳癌最多最普遍，尚有[illegible]蝕甚少見，上有翻花舌癌，下有翻花腎癌，皆外科金鑑外科正宗全生集所不載，瘍科心得集亦語焉不詳，余曾目睹此兩種症狀，容有暇另記。西醫有肝癌，胃癌，子宮癌，等名稱，大都認為細菌寄生孵化而成，英美德瑞無此症，故無專法專藥。癌症最多之國家，中國與蘇聯皆農業國也，蘇聯雖已出專藥，亦不過百人中能治五十人，未臻完美。故英美各國多不採用，中醫所言類似癌證者，以蠱脹為最近似，蠱有氣蠱，血蠱，蟲蠱，之分；并有痞，癖，癥，瘕，五般之積，六種之聚，聚而不移，移而不着，在氣在血，因痰，因食，因虫，因鬱，孰虛孰實，當攻當補，內外治法，條分縷晰，而在數千年之前，既無透視之鏡，何來測驗之器，無非從經驗學術得來，然猶能知內藏許多癥結所在，立許多治法，相傳至今，仍可奉為圭臬，足徵中醫並非不知內部之癌，名稱不同而已！其有治有不治者，症有深淺，體有虛實，苟能見多識廣，診斷明白，用藥不誤，亦有應手而治者也。

嚴格審核職團候選人
社會部電令力杜冒濫

（南京電）此次大選，職業團體應選名額，業經公佈，關於國大代表及立法委員之職業人選，據社會部發言人鄭重聲稱：該部希望此次選出之國大代表及立法委員，均為各業真正從業人員，使各該業之意見，能反映於今後國家之政策，以充分表現民主政治之精神，該部業已通電各省市，對於職選國代及立委候選人，應嚴格審核，力杜冒濫，必須鼓勵各業真正從業人參加競選云。

滬中醫師國大候選登記
名醫丁濟萬簽署近千人

（本報訊）本市競選國大代表，自九月一日起，開始登記。滬中醫師職業團體候選人丁濟萬，業已向選舉事務所提交名單，辦理登記手續，簽署者總計九百數十人之多，為近日登記中之最高紀錄。

全國中醫藥界

普選消息

國大代表候選人提名期可能展緩

（南京電）傳聞當局以政黨名額及綏靖區選務，海外選舉諸問題，尚未獲最後決定，對國大代表候選人提名期限，可能予以延展云。

法律問題

醫師業務上：應該知道的幾點法律常識

蔣文芳

業務上知悉或持有的祕密

醫師診療病人，除詳詢他的病情和病歷病原之外，並可詢及他直系血統的健康狀態，和曾否患有足以遺傳的病症，希望診斷的格外準確，治療的容易成功。病人爲着自己生命的延續，和痛苦的減少，很信任地把經過情形，和盤托出，其中不少是他人不易知悉的祕密。除了傷害的病症，如刀傷鎗傷之類。醫師問悉他受傷的原因，有報告警務當局的義務外，其他關於病人私人的祕密，他們或她們不願意給外人知道的，醫師就有絕對保守祕密的責任。譬如已經治愈的花柳病，或者某一個新嫁娘在少女時代，曾經求治過產後疾病，這樣在一般社會認爲不名譽的事情，也是他或她所需求祕密的事情，要是你不做醫師，當然不來告訴你，因爲你是醫師，方纔知悉這些祕密，這就是所謂業務上知悉的祕密了。倘然你無故洩漏出來，已經構成妨害他人祕密的罪行，若或當着衆人宣佈出來，更加犯了誹謗罪了，這倒是不可不留意的一件事呀！

刑法第三百十六條是這樣明白規定的：

醫師，藥師，藥商，助產士，宗教師，律師，辯護人，公證人，會計師，或其業務上之佐理人，或曾任此等職務之人，無故洩漏因業務知悉或持有之他人祕密者：處一年以下有期徒刑拘役，或五百元以下罰金。

刑法第三百十條妨害名譽罪是這樣規定的：

意圖散佈於衆，而指摘或傳述足以毀損他人名譽之事者：爲誹謗罪。處一年以下有期徒刑拘役，或五百元以下罰金。

前面所引的兩條，雖是告訴乃論罪，但是在道德上，我們也應該保守祕密，雖然被害人沒有對我們提起自訴。（待續）

告三校畢業同學書

（姓氏以筆劃多少爲序）

朱小南　朱鶴皋　吳克潛　程門雪　黃文東　黃寶忠　蔣文芳

諸位同學：

別後星移物換，寒暑迭更。諒必業務日隆，令聞廣播，不勝欣慰，近況奚如？尤所縈念。茲者國民大會普選在卽，全國中醫師代表僅佔八人，「內女性二人」。滬上同道僉謂中醫師之嗣續，繫於醫校，充任國大中醫師代表，必須急公好義，熱心辦學之士，庶可會議席上，大聲疾呼，力爭中醫地位，維護中醫學校，理想人選，咸屬意於丁濟萬先生，現已簽名推薦，呈送選舉事務所，爲國大代表候選人在案。各醫校同學，亦以丁濟萬先生辦學最久，此次籌設復興中醫專科學校，担任常務校董，出力最多，一致表示擁護外，並請母校歷屆負責教務人員，通知諸位同學各在當地一致投票，以示學校畢業生之團結精神，俾我中醫學校，日趨復興一途。尚希聯絡當地同道，賜予合作，以增票數。　貴處中醫師公會計有會員若干？負責者何人？倘蒙將理監事名單及

台端素所接近之同道姓名住址，一併寄下，以便寄送刊物，尤所企盼，除已分別通函外，誠恐郵遞有誤，特再刊登中醫藥導報，至希

公鑒。

最後消息

職團及女團之選舉 票式紙張重新訂定

「南京電」職團及女團選出名額詳細分配辦法，經社會部頒行後，因所列團體名稱，較國大代表立委選舉罷免法所附選舉票式說明所載名稱不無出入，且職團及女團之選舉，多借用區域票色投票，易致混淆，全國性職婦團體選舉事務所，特重新訂定職團及女團選舉票式紙色，分當各省市，並報總所備案。紙色如下：（一）農會及漁會用淺綠色紙、黑字，票面上端分別註明「農」「漁」字樣，（二）工會及特種工會用淺黃色紙黑字，票面上端分別註明「工」「鐵路」「海員」「鹽業」「公路」「礦業」「電信」等字樣。（三）商業團體及工[illegible]團體用淺灰色紙、黑字，票面上端分別註明「商」「工雜」字樣（四）教育團體及教育團體用茄色紙、黑字，票字，票面上端別註明「教育」「教員」字樣。（五）自由職業團體用淺藍色紙、黑字；票面上端分別註明「律師」「會計師」「中醫」「醫師」「技師」「新聞記者」等字樣，（六）婦女團體用淺紅色紙、黑字，附註：（一）以上票式均照選舉罷免法規定辦理，（二）國大代表與立委選票紙色通用。

隨筆所之

孟河名醫

孟河本名孟瀆，在江蘇武進之西，奔牛鎮之東南。初時河道淺隘，後來有位姓孟的刺史，疏濬開導，接運運河，向北流入長江，孟河之名，由是而起。

據古老傳說：孟河的地形，很是奇特，兩山蜿蜒，一流蕩漾，好像二龍搶珠，善風鑑的說，孟河地方不出良相便出良醫。果然晚清百餘年來，名醫輩出，而且都是醫術精湛，名聞全國，其中最著者，當推費馬丁三家。三家之中，尤以丁氏之豐功偉績，遺德遺愛，眞是稱頌之聲，至今不息，賢賢相傳，至今不替。

余生也晚，對於費馬二位老先生的事績，謹就耳聞所及，略誌於后：

費氏是孟河世醫，傳至伯雄先生時，聲譽雀噪，達官貴人，踵門求治。先生字晉卿，處方以清潤平穩爲主，其實方雖平穩，而治効特著。著有醫醇賸義，醫方論，怪疾奇方等書，堪足傳世。

馬文植字培之，不但外科享名，亦精內科，遜清光緒年間，孝欽太后病，曾召入寢宮診治，藥到病除，賞賚有加，於是御醫馬培之傳遍全國。著有馬評外科全生集，及醫略存眞，研究外科者不可不讀。

二氏之後，丁公甘仁，崛然而起，大有後來居上之勢。先生字澤周，爲孟河世醫，他的學術，可說是溶二家之長於一爐，擅長內外二科懸壺海上，活人無算。首創中醫專門學校，後更名中醫學院，甘仁公故後，由丁仲英先生丁濟萬先生繼續主持，門人遍及全國此次國大候選人，陳存仁宋大仁二君，均是丁門桃李，歷年主持全滬各慈善機關，恩澤所及，何止數百萬人。生前因診務過繁，加以公益之事，集於一身，無暇著述，所遺醫案，由後人編纂行世，案語精闢，用藥熨貼，深切實用，學者皆宗仰之。

古語云：「積德有後」，自丁甘仁公謝世之後，仲英先生箕裘克紹，更見輝煌，上次當選國大代表，多所建樹。而濟萬先生克繩祖武，學問道德，有口皆碑，而且熱心公益，培植後進，主持上海醫會醫校醫院有年，執上海醫壇牛耳。此番我中醫界國大代表：丁濟萬先生參加競選實爲最合想之人。

·半盧·

醫藥常識

如·何·診·治·小·兒·病

——吳智安

診小兒病，古人稱爲啞科；蓋小兒口不能言，患不知處，雖父母亦不知其病之所在，見其發熱吐瀉，昏迷不語，或啼哭叫號，煩躁不安，甚則兩目上視，四肢搐搦等象，莫測其病之所由來，而醫者於此，不能不爲之尋究病源。在余歷來診察所得，一言以蔽之，不外乎，保養之不當，調護之失常；因小兒無七情之內擾，惟維護失慎，斯有哺乳服食之內傷，或風寒六淫之外侵，以及驚恐爲激刺，爲其起病之原因。凡小兒偶有寒熱煩躁不乳等現象，一經發現，速請醫師診治，頗爲簡易，倘遷延日數，病勢逐步內侵，而變成危象，斯時挽救，殊非易事。余每治小兒病，在初診時，祇用手術推拿，一次或二次，即霍然而愈，毋須服藥，因爲小兒最難服藥，且不喜服藥，故施治宜以手術推拿爲主要，若其病稍重，則除施行手術外，並內服湯藥，雙方並治，其愈亦速，小兒病在診察方面，究亦不離乎望聞問切，四診之中問法尤爲主要關鍵。蓋父母不知兒病之所在，然於平時之情狀，自必知之較詳，如所喜食物，對於甜，鹹，酸，辛，之所偏，或所穿衣服厚薄多寡之失當，或風寒驚駭之侵襲，以及飲食生冷，過饑過飽等，均可細細査問，而得其病因。至於小兒脈象，雖無定息；但醫者，在詳細盤問診察之下，十分病症，已可知其七八，四診合參，而爲之對證施治，雖遇險症，亦自能轉危爲安，是乃本人經驗之所得，述此以告病家，希共同注意焉！

集藥名擬俚詞六首敬賀中醫藥導報

·諸斗星·

醫學淵深（胖）大海同，創刊導報洵奇功（石），豈徒月印千張紙；定卜風行路路通。

秋菊春蘭悉品評，岐黃精粹顯神靈，南針示衆方方解（石）；彷彿天樞耀七星（草），

闡明透骨（草）體裁新，到處扶芳（藤）似煦春，百部叢書怎速貴，既能益智（仁）復强身。

可恨東洋（參）外海興，省頭（草）莫忘舊時曾，精誠團結斯無患（子）；同道宜爲（使）君子朋。

衆萎獨活豈堪誇，厚朴無欺品自嘉，防己防人原不必；光明（子）態度大方家。

爲醫笑我亦淸風（藤），不較金錢（草）一視同，敬頌貴刊松柏茂；吉祥（草）言論悉從公。

論著

當前醫學問題平議（續）

張天僑

四、

然而一種獨立的學術，有缺點不能沒有優點，假使沒有優點，幾千年來也就早已消滅了。醫學既是實用的科學，所以學問與經驗，在天秤上是一樣重量的，中醫學的優點，是有其幾千年來積累的經驗。例如當鹽水針，强心針，青黴素，磺硫胺製劑，未曾輸入的時候，那些六神丸，至寶丹，神犀丹，醒消丸，等等，不是强心，消炎，退熱，唯一的特效劑嗎。就在今日也還是不失其實用上之價値的藥品。

如在治療方法上講，對于傳染疾病，西醫以黴菌爲對象，自然以直接撲滅黴菌爲主治。中醫却另有一種理論，他必須顧到病者之感受原因，卽探究此病人何以缺乏抗病能力，而使其適合于疾病之發作，求得其原因，如疲勞，飲食，濕地等等，治療上卽先解除此種障礙，使病人之抵抗力恢復，再佐以撲滅細菌之藥，則病毒可以肅清。這恢復抵抗能力一點，是很値得注意的，因爲細菌隨時有侵襲和潛在者的暴發可能，假使不求抗病力之恢復，極易引起二次三次的復病。舉一個顯明的例子：現代磺硫胺製劑，風行一時，婦孺皆知，人們往往剛有一點腫瘍時，便應用磺硫胺製劑來治療，炎症果然迅速消散，而常會遺留一個僵塊，始終不消。我舉此例并非說磺硫胺製劑不良，此點適足以證明，在醫術上對于炎症，除了殺菌之外，還需要其他的輔助方法。

又如在內科方面，中醫的治療，根據其思想方法上之習慣，是先給他一個整體估計，所以這「見肝之病，當先實脾，」一類的學說，就因爲看準了人體是雖分工而合作的機構，西洋醫術對于內科在檢查和診斷方面，確屬超過中國醫術之上，可是他往往有如「庖丁解牛，不見全牛」一樣，忽略了人體之整個性。

五、

在此不過就思想所及，隨便舉例而言，這工作要我們醫界人士羣策羣力，詳細檢討，先要弄明白，什麼是應該改進的，什麼是應該掃除的，然後才談得到有所成就。

凡事祇要將大綱決定了，其他的枝節問題，就可迎刃而解，所以今日從事醫學的人，無論中西，都要爲中華民族本身努力，我們憑藉前人運用藥物的經驗，和方劑的成績，融會新知，來充實固有的醫學經驗和認識國產藥材的眞效力，要使其追蹤于原子治療，造成我們自己的醫藥學。最後我還要重申兩點，就是幾千年誤了中國科學界的那：一個思想，一個觀念。從此以後，清不要把哲學上的陰陽理論，搬到醫學的範圍裏來。更不要像陶淵明讀書，不求甚解，我們要打破沙鍋璺到底。

六、

不過一切社會文化之建設，胥賴國家政治之穩定，民族經濟之富厚，方纔能夠蒸蒸日上，否則任你喊幾十百年，祇是唱唱高調而已，當今日國大代表與立法委員重行選舉期間，我寫這篇文字，固然希望今後醫藥學術工作者，能本此目標，努力進行。尤其希望我們國內的政治，能從此次選舉後，步入康莊大道，予我們四萬七千萬同胞，以休養生息之機，則再若干年後，中國醫學，當有其向世界驕傲之光輝。（完）

醫藥書報介紹

杭州健康醫報編輯十大專號

杭州名醫董志仁主編之健康醫報旬刊，自發行以來，以其編排美觀，取材新穎，報導翔實，故行銷遍及國內外，茲聞第一年度已刊出三十六期，第三十七期業於九月七日出版，今後該報將陸續編輯肺病，骨科，兒科，婦科，針灸，外科經驗方，特效藥物，怪病奇治，全國名醫經驗方，中西病名對照等十大專號。社址設杭州孩兒巷一六九號云。

杭州中國醫藥研究月報

杭州名醫湯士彥所主編中國醫藥研究月報，歷史攸久，內容充實，復刊以來，已出九期，介紹訂閱並有優待辦法云。

編輯室

代郵

杭州浩君：尊著業已照登，惟因限於篇幅，不得不割愛，略予刪短，至祈諒詧，此後仍希時賜佳作爲荷。

本報發刊後，承蒙各地同道，紛賜函稿，深爲感謝。草創伊始，不敢自滿；目創刊號因時間關係，魚魯亥家，在所難免，今後當力求完善，以副厚望。本報以發揚國粹，報導消息爲宗旨。歡迎惠寄各地醫藥新開，以及有關醫藥之文稿，藉以互道聲氣，共謀進步。本期來稿擁擠，限於篇幅，未能一一刊戦。其已登之稿，間因字多字少，發生編排上之困難，於是或增或刪，或將長篇改爲亞稿。請賜稿諸君，鑒諒是幸。創刊號，刊登農鷄君大作，現任中鑑委員人數，原稿中有錢今陽，沈仲芳，二人，編排遺漏，特此更正。

▲徵稿簡例▼

一、本刊爲純粹中醫藥之刊物，專刊有關醫藥之文字。

一、本刊文稿，除由本社同人擔任撰述外；另聘各地名醫，及熱心醫藥之著作家，爲特約撰述。

一、本刊內容，計分下例各欄：醫藥論著，醫壇軼事，各地醫藥消息，當代名醫小史，醫藥事業調查，診療實驗報告，書報介紹，醫藥問答，醫藥服務。

一、以上各欄，歡迎投稿，無論何種體裁，均所歡迎。須加標點符號，每篇以一千字爲限，（專稿不在此例）字跡切勿潦草，稿紙不可兩面書寫，以便編排。

一、本刊所刊文稿，除特約撰述外，一經錄刊，略致薄酬。

一、來稿本刊有刪改權，如不願刪改者，請預先聲明，稿末，請註明作者眞姓名，及通信處，以便奉酬。

一、來稿一經刊登，版權即歸本社所有，如須退還者，請附書明地址之信封一個，並貼足郵票，以便照辦。

一、來稿請寄「本社編輯委員會」收。

中醫藥導報 第二期

每逢一日十六日出版

發行人：周召南

編輯：中醫藥導報編輯委員會

出版：中醫藥導報社

社址：上海（12）黄陂南路五〇號

訂閱價格

零售	每份國幣二千元
一月	國幣四千元
半年	國幣二萬四千元
全年	國幣四萬元

廣告刊例

封底	全面	四十萬元
	二分之一	廿二萬元
	四分之一	十二萬元
普通	全面	廿二萬元
	二分之一	十二萬元
	四分之一	七萬元

套色製版長期面議

董志仁主編 **健康醫報**（旬刊）

·已出三十六期

內容 改進中醫學術 報導最新發明 溝通醫界消息 解答各種疑問

一至十八期合訂本一萬五千元

（掛號加二總不航寄）

十九至卅六期一萬二千元

（寄費同上存報不多）

卅六期後先付二萬元

（按照每期定價八折結算）

——航寄另加一萬元掛號另加一萬五千元——

匯款請填明「杭州龍翔橋郵局兌付」

社址——杭州孩兒巷一六九號 健康醫報社

湯士彥主編 **中國醫藥研究月報** 訂閱簡則

一、本報歷史攸久，內容充實。恢復出版以來，每月一冊，已出九期。訂閱均自新一期起寄。

二、預定全年連郵二萬五千元（半年不定，另本不售）

三、每一讀者，均發給研究員證書，以資研究聯絡。

四、特別歡迎各地同仁組設分社，祇須一次介紹十份，即奉聘爲分社長，另贈本報一份。彙寄報款，可扣除郵匯費。成績優良者，另贈其他紀念物品。

五、匯款時請向郵局聲明，寄杭州官巷口郵局支取（如用郵票代款，九折計算）

六、來函請寄：杭州惠興路仁和里六號本社。

上海 **華隆藥店**

·飲片道地·

·古法泡製·

·接方送藥·

·代客煎藥·

地址 康定路三〇七號 電話 六二三五七

中醫藥導報

第三期 · 半月刊 · 中華民國三十六年十月一日

本報已依法申請登記 · 中醫藥導報社出版 · 定價：每份國幣貳千元

憲政伊始

敬告海內同道

·丁濟萬·

濟萬生長在被稱爲醫家的家庭裏，其實也稱不上醫家；不過故鄉孟河，早就很多研究醫學的人士。自從先祖甘仁公遷居到通都大邑的上海來行醫之後，熟識的同道，比較多些，賜教的病家，隨着繁盛一些罷了！從小耳濡目染，雖然不敢說有甚麼深切的研究，但是對於中國的醫藥，因爲感到興趣，而得到很深切的認識。覺得中國醫藥，確有偉大的價值，準確的功效，值得提倡發揚。雖有外來勢力的威脅，還是應該努力奮鬥，更知道提倡奮鬥，決不是單靠宣傳呼喊所能成功；雖則宣傳呼喊，有時也發生效用，但是根本辦法，需要實事求是的做去，庶幾研究有所憑藉，而不落空談。研究的結果，做出一分事實，勝過十分雄辯。抱着這種愚見，所以接受先人的遺志，辦一個中醫學校，適應環境的需要，並且爲着實驗起見，創辦了兩個醫院，除了供給學者實習之外；任何同道，可以應着病家的邀請，到院診治。自信對於中國醫藥，雖沒有重大的貢獻，從來沒有一絲一毫沽名釣譽的私心，因爲這種私心，是濟萬所不願有的，而且是不須有的，也是不應有的。在戰前敝校中醫學院，和「國醫公會」設立的中國醫學院，都有一些歷史和成績；可是不幸得很，這兩個學院，地處南市閘北，所以遭受了炮火的洗禮，不得不搬到很偪促的舊特區裏來繼續上課。鵠候勝利，期待復興，因爲，醫校是中醫學術的命脈，不能任其摧殘，更因財力微薄，不能立時恢復舊觀。所以聯合了醫藥兩界的力量，籌資興學，初步計劃，已經購就十四畝面積的校基，將來建築校舍，聘請校長，希望造成一個完善的中醫學府，這是全國同道，常常來問起的一件事，特地在這裏公開報告！還有一件使我感愧交併的事！發生在最近的一二月裏，事情是這樣的：自從國大代表改選消息傳達到本埠之後，諸位道長，認爲國民代表大會裏的中醫師職業代表，應該舉一位對於中醫界有作爲的人去充任，而且要一位努力從公，公而忘私的人[illegible]這代表，方[illegible]中醫界[illegible]取公衆利益。更因爲原代表仲英家叔此次不願候選的緣故，竟然謬舉到鄙人，眞是十分慚愧！更不料在一星期以內，推荐鄙人的簽署書，竟達九百餘位。外埠同道，復紛紛不斷的把簽署書陸續寄來，受寵若驚地非常感奮，同時仲英家叔督導鄙人之外，並且還在具函介紹，京中的友好，得此消息，接着慫恿我趕辦候選手續。再四思維，年齡未滿五十，頑軀比前碩壯，很難不近人情地拂逆盛意，把精力不够等類說辭，逃避應有的責任。不得不服從衆議，將諸位道長的簽署書，送呈選舉事務所，取得國大代表候選人的資格，海內同道先進，如果需要我而投票選舉我的話，謙當不惜精力，竭盡駑鈍，把握各種機會，實現下列幾點願望，報答諸位的熱忱：

一、要求有關醫藥的行政機構，應由中醫專門人才，管理中醫中藥，參加行政，賦予實權；庶幾人盡其才，學盡其用，爭取衛生行政上的平等地位！

一、要求教育部設立中醫專校，並獎勵私立醫校，俾得提高中醫學術，造就中醫人材！

一、要求衛生部設立中醫醫院，至少須在原有公立醫院中，設置中醫部，爭取服務社會的固有地位，也就是推銷國藥，杜塞漏巵！

一、要求考試院寬放檢考中醫師的尺度，以防逐漸消滅，同時應以簡化手續，授權各省考銓處，分別辦理中醫師檢覈，使全國數十萬同道，迅速取得合法資格！

·丁濟萬氏近影·

參加「國大」競選……

中醫師丁濟萬略歷

·周召南·

丁君濟萬，江蘇武進人，四十五歲，爲孟河名醫甘仁公之文孫。早受祖業，家學淵源。現任衛生部中醫委員會委員，上海市衛生局中醫咨詢委員會委員，上海市中醫師公會常務理事，上海市國醫學會理事長，華隆中醫院院長，復興中醫專科學校常務董事，歷任上海中醫專門學校校長，仁濟善堂董事，普濟協會常務理事，全國醫藥團體總聯合會執行委員，上海市衛生局第一屆考試委員，衛生署中醫委員會委員，中央國醫館理事，上海中醫學院院長，上海市難民救濟協會醫務主任，國民政府軍事委員會調查統計局特約醫官等職。行醫滬濱，垂二十餘年，杏林望重，遐邇蜚聲，軍政賢達，無不爭相延譽。興學校，辦醫院，門牆桃李，遍及全國，致力於中醫建設工作，歷數十年如一日，而於公益慈善事業，尤極熱心倡導。此次參加國大競選，衆望所歸，當能展其宏才，勝任愉快，爲中醫界謀保障，爭光榮，貢獻於社會國家，以副吾人之期望也！

·『國大』候選人　丁濟萬中醫師近影·

普選消息

國務會議決議通過大選投票展期一月修正選舉進行程序職業國大分區計票

（南京電）選總委會廿七日舉行第十一次會議，張厲生主席，首先報告此次國大代表投票日期展延一月之經過，並提請追認。略稱：「國大代表選舉之重要進程，依擬各方報告，各省市選所均在認眞趕辦，求其如期實現，然事實顯示有不能如期循程分途並進之勢。爲迅籌補救之計，法律與事實終無兩全之道，惟有將原定國大代表投票日期酌予展延至十一月廿一日至廿三日，實際上恰爲展期一月，雖與憲政實施準備程序之規定無不出入，而於國大選舉之表示鄭重，則裨益良多。上述意見爲求適合事機並提於本週國務會議之前，呈請國府提請核議示遵起見，業已備文請國府提國務會議決議通過在案，並請追認。」當即通過，准予追認。會中並通過冀・鄂・粵・黔・甯・遼・皖・閩・桂等地區之區・縣・市選所委員人選。

爲「國代」選舉謹告全國中醫師仝仁書

杭州名醫湯士彥。

竭誠介紹丁濟萬。

·湯士彥先生近影·

本年國民大會代表，業已定期十月廿一、廿二、廿三、連續三日，全國同時舉行投票普選，（編者按：普選投票已展期一月）此爲實施憲政，推行民主之發端；凡所以謀國是之興革，人民之福利者，胥于是賴。我中醫師公會，係屬自由職業團體之一；推此次選舉，允宜當仁不讓，積極參加。現全國中醫師團體，計分配國大代表八名（內女性二名），聞登記競選者，不下數十人；此種情形，深爲可喜！士彥不敏，亦濫竽候選人之列；際此普選開始在卽，理應追隨諸君子，而以中醫師一份子立場，謹貢一言：鄙意以爲國代人選，必須具有政治見解，社會經驗，目光遠大，頭腦清醒，才富學優，慮事周詳，人格高超，意志堅定，有作有爲，能說能行，熱心公益，卓著聲譽諸條件；庶幾不辱使命，達成任務。滬上丁濟萬先生，名滿全國，望重醫林，實爲吾界國代最理想之人物，用敢鄭重提出介紹。（轉第七版）

仁心仁術

·嚴以平·

醫乃仁術，負保障民族健康之重任。語云：「不為良相，當為相醫」，良相之德政，良醫之仁術，同為國家民族之干城也。丁濟萬先生，廿仁公之文孫，孟河故多名醫，至先生而益顯，門牆桃李，遍及全國，嘗曰：「學無止境，尤以醫業為然，諸家學識，各有心得，允宜博採衆長，不可偏執成見。治病應負責任，診斷尤貴精細。輕病小疾，本可不藥而自愈，重症危候，方賴醫藥之挽救，若藥不瞑眩，厥疾不瘳，平和輕淡，焉能出險入夷，設一遇重病，即推諉御責，既失職守，復背醫德，竊為智者所不取也。」蓋先生仁術濟世，痌瘝在抱。承廿仁公之遺志，（當年上海各善堂，幾全為廿仁公所手創。）行其博愛之仁，惻隱之心，創辦華隆中醫院，施診給藥，以利貧病。當抗戰之初，海上難民麕聚，時先生担任難民救濟協會中醫組主任，推行醫藥救濟工作，不遺餘力。而療治傷病員兵，尤著功績。勝利之後，何應欽將軍特書贈「愛國肝腸醫國手，活人才略濟人心。」一聯，並題「濟萬先生以醫道蜚聲歇浦，抗日之役，組立醫院，多所療治受傷員兵，毅力熱忱，不可多得，書此以誌景仰」跋語（見前圖影）以謝之。夫名者實之賓，學識高超，經驗豐富，皆先生所以成名之實也。故求治者踵趾相接，莫不着手成春，軍政賢達，爭相延譽。今夏湯恩伯將軍因胃病復發，來滬就醫，先後經西醫一月以上之診治，病未稍減，後經毛森先生之介紹，請先生處方診治，不旬日而病已霍然，湯將軍於欣喜之餘，書贈「仁術」二字，以表謝忱，並示不忘。（附圖）

仁術

湯恩伯

普選消息

（南京電）國大代表選舉投票日期經昨國務會議正式決定延期一個月後，選舉總事務所今開第十一次選舉委會，對辦理國大代表選舉進行程序，亦加修正。茲誌修正後之國大代表選舉程序如次：（一）八月卅日以前所辦之選舉人名冊公告及更正已結束。（二）九月一日至十月卅日辦理候選人之登記及造具選舉權證，各上級選舉機關製發選舉票及票匭。（三）十月廿二日發給選舉權證。（四）十一月一日至五日辦理候選人審查。（五）十一月六日辦理候選人公告及發布選舉公告。（六）十一月七日至廿日層轉候選人名冊。（七）十一月廿一日至廿三日為各種選舉投票日期。（八）十二月三日公告當選人及候補人名單。（九）十二月四日至廿二日層報當選人名冊及履歷，各上級選舉機關發給當選證書。（十）十二月廿四日以前，各代表來京報到。

（南京電）全國性職業團體之國大代表選舉辦法，頃經廿二日選舉總事務所及全國性職業團體選所聯合舉行，之業務會報中，予以修正。其新辦法為職業團體國大代表候選人，應分區分業簽署，選舉時應分區投票，分區計票，除以各區得票最多者當選為各該區基本數之一名，而婦女代表單獨以全國票數合計外，其餘名額則將全國各區得票次多者，以票數多寡排列名單，加以綜合比排，而決定其當選。

值得紀念的。一頁光榮史

中醫學術機構之隸屬中央管轄者，雖自中央國醫館，而行政機構，則以前衛生署中醫委員會，開其端，時在民國二十五年。中央國醫館館長焦易堂先生，暨現任衛生部中醫委員會委員陳郁，張簡齋，丁濟萬諸公，皆首屆醫委，歷年以來，維護中醫中藥，頗著功績。值此大選將臨，凡吾中醫界同志，人人得有參政之機！追念曩往，策勵來茲。特將當時全體醫委所攝紀念照，製版於后。

銅圖說明

自右至左 （一）丁濟萬 （四）隨翰英 （五）陳郁 （六）焦易堂 （七）劉瑞恆 （八）張簡齋 （十）張錫君

國大代表候選人

丁濟萬氏印象記

·石公·

競選國大代表，在國家的立場上，是推進民主，實行憲政的發軔；在個人的立場上，是以身作則，是一種義務，是一種犧牲；因此競選國大代表的候選人，必須具有優越的素養，遠大的眼光；並且，要有深湛的學識，豐富的經驗，尤其是必須具備高尙而偉大的人格！

新聞記者，律師，會計師和中醫師，同爲我國的自由職業者，特別是中醫師，已經具有幾千年的悠久歷史，掌握數萬萬同胞的健康和生命；唯其如此，所以便受政府和社會的重視，因此，國大代表，這次在國醫界也得有八個名額。

上海名醫丁濟萬氏，已經被提名爲國醫界國大代表的候選人，參加簽署者共有九百餘名。

我認識丁濟萬氏，遠在十幾年之前。那時，我正主編華文大美晚報。爲了宣揚中國醫藥的價值，大美晚報每週增刊「中國醫藥」週刊，請上海特別市市長吳鐵城先生題眉，即商由丁濟萬氏和沈香圃醫師合作主持，所刊文稿，均是醫林名作，風行一時，頗著聲譽。後來，我脫離大美晚報，創辦華美晚報，「中國醫藥」週刊，亦隨而轉移至華美晚報，直至抗戰之後，敵佔租界，才因環境的關係而停刊。

爲了職務上的需要，我經常保持與丁氏的接觸；雖然在短短數年中，我對丁氏已有深切的認識。我敬仰他優越的素養，欽佩他遠大的眼光，我爲他的深湛學識而崇拜，爲他的豐富經驗而心折，同時，更爲他高尙而偉大的人格而感動！

丁氏爲孟河故名醫丁甘仁先生的文孫，家學淵源，故能有深湛的學識；丁老先生逝世後，丁氏繼緬祖武，主持中醫學院，且從而發揚光大之，可說是桃李門牆滿天下，無形中奠定丁門在國醫界卓越的地位；然而他並不因此而滿足，更創辦華隆中醫院，以期一般學子把得之於學校書本上的理論，在醫院臨床上獲得實識，從而樹立起革新國醫的礎石，以達成救人務，胆大心細，縝密週到，拿瘝在抱的精神，鍛練成優越的素養。

他更以遠大的眼光，爲爭取國醫界的合法地位而奔走呼籲，犧牲精力財力，奮鬥不懈，卒奠定了今日國醫界在社會上崇高的地位。所以他一直領導主持着上海國醫界兩大團體——職業團體：上海市中醫師公會和學術團體：上海市國醫學會——因爲——他具有高尙而偉大的人格，所以能始終獲得國醫界廣大的擁護！

在我的腦海中，直到現今，還留下了深刻而崇高的印象。

最后，我敢預祝丁氏競選成功，並熱切盼望全國中醫師一致投票擁護他。

對於國大代表候選人丁君濟萬之熱望

·王一仁·

學術素重淵源，人類尤重地域與歷史。余與丁君濟萬，有同門之誼，由初創中醫學會以迄於今，始終以讀書應診爲天職，本不願加入政治漩渦。迺我中醫學術，屢受摧殘，感同道之推荐，憂國粹之不彰，丁君始允參加國大競選，余甚喜其思想之新舊交融，尤愛其任事之勇敢，其有造於整個醫藥界豈淺鮮哉！（上銅圖：王一仁氏）

義

以利爲義，勇於私鬥者，非眞義勇也；見義勇爲，公而忘私，置一已之安危於不顧，惟羣衆之福利是圖，不惜犧牲，任重致遠，不尙浮誇，崇實邁進，斯眞義勇矣！

民國二十七年滬市淪陷，特區倖獲保全，但已形成孤島，嗣後敵僞壓迫前工部局當局，禁止區內居民與陪都發生關係，並停止一切稍涉政治之活動、前工部局方面，另行登記境內社團，以維中立。其時僞特工活躍區內，暗殺愛國份子，益趨表面化，而日警名額，日益增加，所謂中立，徒具空名，按其實際，舊特區已陷於恐怖之下矣！二十八年，衞生署施行淪陷區醫事人員給證辦法，由陪都直寄本市國醫公會常委丁濟萬先生宅中，令祕密執行，當即召開執監聯會於浦東大樓國醫公會會所中，時光軒担任該會庶務主任，準時出席，但到[illegible]二十六年未及給證之同道，居住舊第二特區者，前法公董局非憑中央或當地衞生局執照，不得開業，違者除罰鍰外，並飭令其停業，除去其招牌。當此變亂之際，滿擬藉一技以資餬口者，大感恐慌！丁濟萬先生認爲同道有相助之義，中央既經顧及淪陷區醫事人員，特定變通辦法，以示德意。當地公會，義難坐視，毅然祕密召開會議於本人私宅中，但出席者仍不足法定人數。昔日爭持會務最烈之諸君子，反都缺席，臨難苟安，人之常情，固無足怪！會議主席丁濟萬先生以爲時值非常，不必斤斤於平時之法定人數，妨礙中央法令之推行，有違中央眷念淪陷區人民之德意，出席者咸表同情。當即推定丁濟萬，蔣文芳先生等五人，主持其事。蔣先生即席宣稱，吾等既承在座諸君推派，諸君當有保守祕密之義務，本人設有意外，竊恐有累諸君也。[illegible]

法律問題

醫師業務上。應該知道的幾點法律常識

論墮胎

·蔣文芳·

墮胎

提起墮胎，人人曉得是犯罪的行爲，我們見到了這兩個字，大家先要覺得頭痛。可是在這民生不安定的今日，請求墮胎的婦女，出奇地衆多；不但無夫之婦來要求着，就是有夫之婦，爲了孩子太多，無力撫育而求墮胎的，也相當的多，眞是使人不容易打發，要是你說爲着國家民族，婦女負有繁殖後代神聖的天職，她就說：「國家還沒有養活我的小孩，我們已經有了一羣孩子，實在對得起國家和民族了，這神聖的天職，我們倆實在無力再來增加一份負担了！」要是你警告她，墮胎很是危險，往往傷害康健，甚或損失生命的。她就緊接着回說：「我雖死無怨，請你想法罷！請你要救救我們全家活着的孩子！因爲我要靠做工生活的！」你就應當告訴她墮胎是犯罪的行爲，爲生活而犯罪，是不光明的，把刑法第二百八十八條讀給她聽：

「懷胎婦女，服藥或以他法墮胎者，處六月以下有期徒刑拘役，或一百元以下罰金。」

她若冥不畏法地說：「我情願吃官司，決不怨你醫生！」你可以告訴她：「你不怕吃官司，我倒不願奉陪呢！」

刑法第二百八十九條規定：

一、受懷胎婦女之囑託，或得其承諾，而使之墮胎者，處二年以下有期徒刑。

二、因而致婦女於死者，處六月以上五年以下有期徒刑，致重傷者，處三年以下有期徒刑。

我們當醫師的人，收了診費替人墮胎，還要加重刑期哩！下條：

意圖營利而犯前條第一項之罪者，處六月以上，五年以下有期徒刑；得併科五百元以下罰金。

因而致婦女於死者，處三年以上；十年以下有期徒刑；得併科五百元以下罰金。致重傷者爲一年以上，七年以下有期徒刑；得併科五百元以下罰金。

這裏所說的重傷很有可能的，因爲刑法總則第一章法例第十條第四項規定重傷的法意。在第五款裏載明：「毀敗生殖之機能。」亦是重傷的一種，經過墮胎之後不能生殖，或者容易流產，是常有的例子。所以她要求墮胎的本人，不過吃六個月不滿的官司；我們倒要陪她十年之久，那太不值得了！我們決不會做這樣的笨事；但在要求者纏擾不走的時候，很容易犯着一種錯誤；往往指點她向某某產婆處想法，以爲這樣地說，她可以走了，我也可以不負責任了，其實要是出了毛病之後，你所指點她去投奔的一位產婆，固然犯法；但是你也脫不了干係，請看刑法第二百九十二條：

以文字圖畫或他法，公然介紹墮胎之方法或物品，或公然介紹自己或他人爲墮胎之行爲者，處一年以下有期徒刑拘役，或科或併科一千元以下罰金。

如果她賴着不肯走，而你須要叫她退出你診所的話，最好還是和她這樣說：「我醫生只有安胎方，很慚愧的沒有一張可靠的墮胎方；但是爲着可憐你的環境，開一張給你試試，可是這藥味很兇猛的，只可吃一服，不能吃兩服，吃了兩服，你或者就要放血不止的，就信筆疾書着歸身，白芍，冬朮，茯苓，……這樣寫下去；絕對不要開入一味半味所謂破血墮胎的藥在裏面；因爲他吃了無效，一定還要找尋別法；如果出了毛病，有時還會划到你頭上來的，這時她千恩萬謝的離開你了。這樣的詐欺，合着正當防禦的意義，因爲她要逼着一同去犯法的緣故呀！可以在道德和法律上，都不負什麼責任的。（待續）

勇

·胡光軒·

此心，心同此理，原不必特爲提出也。當時情形，光軒叨陪末座，歷歷如在目前，其勇往果敢之精神，深印腦海，永難磨滅。

迨乎敵陷特區，丁先生等數人秘密主持之公會，不能繼續在會所辦公。且敵偽必將查閱前工部局團體登記表冊，按圖索驥，前來接收；於是辭退租屋，消滅無形，使後之來者，無所憑藉。嗣後敵偽「社運會」指派陳某等爲偽公會整委會常委（此陳某非在本市開業者，更非原公會久不與聞會務之陳委員，爲隱其名，恐多揣測，特附聲明。）而丁先生之名，亦被列入名單中，正驚訝間！並聞已允會所設於宅中，尤爲詫異，光軒爲愛先生，不禁私下提出責問，先生但言：「余現時正需要如此，其他非爾所應知也！」

一餘年，又將偽公會迫令遷出。某晚夜深人靜，怪而問之，承示謂中央某機要機關，某組在滬地下工作人員，假本宅設置機關，日間出入，病人衆多，不受注目，夜晚正苦無法避免騰犬之注視，故特計就計，得一偽公會之掩護，豈非佳乎？會由組中人員，請示上峯，指示照辦者也，現在留滬某組，業已內撤，何用此偽公會爲，時敵焰方張，爪牙密佈，動輒逮捕無辜，封鎖馬路；光軒聞告之下，不覺毛骨悚然，至今思之，猶有餘悸！而先生當時怡然自得，並不置意，其見義勇爲之精神，甘蹈身家性命之危險，尤足令人欽佩無已！

勝利來臨，戴局長蒞滬，躬自到宅道謝之外，並留一書面謝函，以示敬意，蓋丁先生並非公務人員，且爲一具有身家不能逃避之醫師，公而忘私，宜乎戴局長當面致謝之外，益以書面道謝也。

中医药导报

略述選舉常識　答覆讀者諸君

政府賦予人民之一票選舉權，雖似乎淡，實頗重要；小則喪失個人權利，大則關係國家行政。每多不明選舉手續，無所適從。茲將應有之常識，略述於後：

「簽署書」（一）凡推舉候選人之簽署書，依例每一會員，祇可簽署一次。但亦有因人情關係，來者不拒，簽署至二三次以上者。此種重複簽署，在選舉事務所係以最先申請登記候選之人爲有效。如審核時發現有重複簽署者，則將第一登記人之簽署書，作廢不計。其後依次類推。而各該簽署人，並不負任何責任。

（二）凡爲某候選人作推舉簽署者，將來投票選舉時，並不受候選時簽署之拘束。譬如某候選人不足法定簽署人數，不能取得候選人資格時，當然另選其他候選人。或在簽署後，發覺該候選人并不合乎個人之理想，將來正式投票時，亦得另選其他候選人。

「選舉權證」選舉事務所，根據公會呈報之選舉人名冊，在大選之前，先將選舉權證由公會轉發各會員，然後再憑選舉權證，領取選舉票，（憑選舉權證領取選舉票時，或蓋章，或捺手印，或用本人照片，由各該地選舉事務所規定之。）切勿放棄權利。

「選舉票」領到選舉票後，必須愼重考慮，擇其足孚衆望，堪膺重任之人選，投票選舉之。

「廢票」（一）非選舉事務所發給之選舉票。（二）選舉票上所寫，並非票場公佈之候選人。（一）選舉兩名以上。（四）與公佈之候選人姓名不符，或字跡潦草，或顯然錯誤者（譬如選舉丁濟萬，而書票時，將丁濟萬寫作丁齊萬，或丁濟禺，或濟萬二字，字跡潦草，均作廢票，故必須在選舉票上，寫正楷「丁濟萬」三字，方爲有效。（五）記入其他文字者。（六）書寫有塗改者。

近來接到讀者諸君詢問關於簽署及選舉問題之函件甚多，因不及一一裁覆，爰就所詢各點，作一總答，至希原諒！　編者

隨筆所之

管理平

繫醫十餘年，診餘閒暇，偶有所憶，輒摭拾一二，筆之於書，分段記錄，並無體裁，非敢云有所一得，亦敝帚自珍之意耳！命望海內賢達，有以教之。

傷寒一病有廣義狹義之分。內經謂傷寒有五，中風、傷寒、濕溫、熱病、溫病者。是指廣義而言，近人每見寒熱，混以傷寒名之，雖謂沿俗，病其不類。

傷寒以六經爲歸納，由表及裏，濕溫以三焦爲傳變，由上及下，所感者既殊，所病者自異，故其治法亦不同。仲景傷寒論，中間有治溫治濕之文，雖未大備已窺端倪，淸季葉天士出，條分縷晰。眉目朗然，鉅細靡遺矣。近人治溫，皆不出其規範。

寒熱淹纏不解，有逾四五旬者，其間或退而復作，或早輕暮重，或時輕時劇無定晷者，吾人責之在伏邪未盡，致伏邪之說，近人疑其欠通，以爲六淫之邪，由外感襲，豈能久伏而不發，然驗之事實，確有可徵者；蓋普通之邪，一汗可愈，或一下可已，決無似伏邪之證，疹痦迭出，昏蒙互見，或腸破出血，或氣逆發紅，而熱勢之起伏，更離提擯，此豈新感之邪，所能得有，非伏邪而何，推伏邪之發，必有新邪以引動之，至於所伏之處。叉當研究，頻年臨證經驗所得，約分爲二循，一在血絡，一在三焦腸胃，蘊伏血絡者，化火內陷極易，往往數日之內，即已舌縫神糊，動風厥逆，此即葉氏所謂逆傳心包之候也。阻過三焦腸胃者，每多夾濕，濕熱挾滯膠結，亦多化燥昏痙之變，

向中醫職團競選國大代表諸君進一言

永嘉　潘澄濂

中華民國，犧牲了無量數的血與汗，從封建制度下爭扎出來，屈指三十六個年頭，內戰外侮，幾無寧日，尤其是八年的抗戰，同胞們所受的生活，眞夠艱苦。現在抗戰雖則結束，但是要健全國家的機構起見，不得不實行立憲的政體，所以處這惡劣的環境下，舉行普選，就是這個緣故。在普通的一般老百姓，雖對大選，感不到怎樣的興趣，但是受過水深火熱的小民們，誰不希望國家機構的健全？復興社會的經濟，改善人民的生活，這是各個國大代表應負的使命。至於職業代表，除負上項所希望的幾點外，其本身的職業上，要領導同業，怎樣發展，怎樣改進，也是一件應負的使命。

我們中醫在此二十世紀，似乎有些落後樣子，但是實際上有很好的治績，是不能抹煞與否認的。中國醫藥與民族健康及國計民生的關係，甚爲密切，不易芟除。　頒佈醫師法，中西醫並重，足見中醫在立法上所得的地位。但是現行的教育制度，及衛生行政設施，中西醫不免有了歧視，這是中醫界裏普通所受到的感覺，所以歷次中醫界會發動向政府當局請願。綜觀其請願目的，不外乎中醫的教育問題，中醫參加衛生行政的問題，及中醫推行公醫制度的問題。以鄙俚之見，這些問題，需要政府及國人的協助，固然是急切期望，但是我們自身上缺點，仍舊還要自己來努力，「自我檢討」，可以說是我們中醫學術求改進的唯一守則。

行憲伊始，我們中醫界要爭政治地位，選賢與能，固爲當前要務，所以希望各位競選諸君，不要一旦當選，便忘記了自身職業的改進，並且還要更努力的倡導，不使我們失望。這是最要緊的。

丁濟萬先生海內名醫，主持上海中醫學院及華隆中醫院，成績彰著，且平素樂善不倦，此次參加國代競選，擁戴必衆，當選之後，我知其不僅于中醫界事業定有建樹，且于國家社會，尤多改善，這是我們的預料，同時還希望參加競選各位諸君于本位努力之餘，須具有正確的科學眼光，來領導中醫學術的改進，使中醫的教育趕上正軌，則衛生行政設施，以及推進公醫制度等等的問題，不致于碰壁了。

告中醫同仁書

（承二版）鄙人賦德薄能鮮，資望未孚；當此陣容，獲選成份白屬稀少；且不爾多方活動，故必然落選，早在意中。然爲提高中醫師政治地位，爭取中醫師本身利益起見，決本私衷，極不自緩；成敗奚計，得失何關？並附丁君驥尾，共同參加境選，還祈全國中醫師同仁，有以敎之，實爲感幸！（卅六、九、卅•）

（編者按）湯士彥先生，杭垣名醫，深爲全浙同道所推崇。今親撰鴻文，介紹丁濟萬先生競選國大代表，當能言重九鼎，並蒙湯君附來玉照，以光篇幅，不勝榮幸，惟因原照光線關係，致製版略爲模糊，特此道歉。

浙贛路通車三日到杭寄五兄去病七弟濟時並懷靜江先生

•王一仁•

娟娟涼月未爲霜，電掣風馳憶雁行；
小阮低昂邁祖業，大橋英武壯錢塘。
適聞選浪爭南北，閒約親朋話短長；
酒盞藥瓢存古趣，不妨身事寄滄浪。

診餘劄記

•繆東垣•

杭州殷子白先生素嗜金谷，中虛多濕之體也。今夏在某處酬酢，飲冰啤酒數瓶，午夜歸家，因天氣燠熱，解衣當風而臥，因是得病。初延同道某君診治，就方用三仁加厚朴豆卷藿佩等味，服後病未見減。越數日，病勢加重，乃邀不佞往診，斯時病者汗出如瀋，四肢逆冷，胸痞欲嘔，二便皆閉，舌苔白膩滿佈，脈象濡滯不振，是太陰無形之濕，合陽明有形之滯，爲陰冷所凝沍於中，因思濕乃陰霾之邪，最能傷陽，況汗多更能亡陽，爲擬五苓散加川朴之芳香僻濁，佐二陳之和中，二命之以濁攻濁，服後汗收而肢冷轉煖，小溲較利，惟大便仍祕，胸宇依然未寬，夜臥欠甯，復方用達原飲加減合溫膽湯之和胃，服二劑病勢大減，便落胸次已舒，神安得寐，知飢索食，此症倘表散太過，則恐汗多成痙，攻瀉太烈，又慮邪陷入裏，桂枝辛溫通陽，而達四肢，陽氣舒展，陰邪退避三舍矣，

孟河

丁甘仁先生醫案

是案爲近代醫家臨症參考必閱之書內容分傷寒雜病外科等案四十三篇並附喉痧症治概要一卷抗戰後絕版已久求者踵接應付爲難玆特改用白報紙排印一厚冊五版發行書印無多購請從速

特售：四萬元　外埠郵寄等費加一郵票通用

總發行處：上海福州路中和里七號丁仲英醫寓

中醫藥導報第三期

每逢一日十六日出版

發行人：周召南

編輯：中醫藥導報編輯委員會

出版：中醫藥導報社

社址：上海（12）黃陂南路五〇號

訂閱價格

零售	每份國幣二千元
一月	國幣四千元
半年	國幣二萬四千元
全年	國幣四萬元

廣告刊例

封底	全面	四十萬元
	二分之一	廿二萬元
	四分之一	十二萬元
普通	全面	廿二萬元
	二分之一	十二萬元
	四分之一	七萬元

★套色製版長期面議★

·丁濟萬先生手創·

華隆中醫院

◇華隆中醫院總院外景◇

·名醫診療· ·病房淸潔· ·設備完善· ·服務週到· ·取費低廉· ·地點適中·

◇華隆中醫院分院外景◇

·簡史·

華隆中醫院是名醫丁濟萬先生所創。他常感覺到上海這樣通商大埠，中醫醫院寥若晨星；爲適應環境需要服務社會起見，在民國十九年，費了很多的精神和財力，成立一所規模宏大純粹中醫院，就是現在華隆總院。內部組織：分病房，門診兩部；醫務方面，各科俱有專門的主任醫師。病房寬敞淸潔，空氣充足，看護週到，設備完善；可說創中醫院的先聲！門診送診給藥，完全[illegible]普性質；並且自辦藥部，實行「道地藥材」，發揮中國藥物固有的效用。病愈出院的人同聲贊美，於是華隆的聲譽隨之蔚然而起，深得社會人士的信仰。到了八一三抗戰伊始，四郊人口，集中在中區蕞爾之地；於是屋少人多，隨時有發生疾病的危險，因此「華隆」每日施診給藥的號數驟增，給藥的耗費，也相當龐大，好在丁院長抱着救濟貧民，服務社會爲宗旨，竭力支持，獨任巨艱，遂想到滬西一帶工廠林立，勞工階級，一旦病魔纏繞，苦無適當治療之所；因之在二十九年，又創辦了華隆分院於康定路。一切組織，和總院相同，不過丁院長有着十年以上辦醫院的經驗，內部設備，自然益臻完善；雖以歷史來講，沒有總院的悠久；但是業務的發展，治績的優越，同樣蒸蒸日上，有口皆碑。總之總分兩院，都有很大的成就，很多的貢獻，是丁院長的功績，也是中醫界的光榮

總院：上海黃陂南路（貝勒路）五〇號　電話：八四七二九

分院：上海康定路（康腦脫路）三〇七號　電話：六二三五七

中醫藥導報

第四期　半月刊　中華民國三十六年十月十六日

中醫藥導報社出版
地址上海黃陂南路五〇號　電話八四七二九

本期售國幣二千元

本報已奉上海社會局准許登記轉呈內政部
本報經上海郵政登記認爲第一類新聞紙類
上海郵政管理局執照第二七一四號

論壇

整理中醫藥之先決問題！

吳克潛

整理中醫藥，必須有完善之學校，以確立中醫教育而培植未來人材，固矣！然以中醫藥界素少進取，缺乏聯繫，久處不利形勢下，其整理之艱難，正非僅局部進行所能奏效，其必爲全盤之統計，而每一局部之推動，尤貴與全盤相呼應，方能收指臂相使舉一反三之利。茲以復興中醫專科學校之計劃，已具體化，醫藥兩界攜手邁進之精神，在方興未艾中，爰將先決問題提出，以供商討。

一．確守宗旨　整理中醫，重心在發掘我國固有之文化，所有西醫器械之必須採用，爲助發掘之需，西醫醫理之必須兼明，爲助印證之需。是以中醫學校之艱鉅工作，當不以備有西醫器械設有西醫課程即爲已足，其終極乃在將千載絕學，汰蕪存菁，創成顛撲不破之學理，爲中醫治績開新紀，方屬正確；否則徒事研究西醫學說，而於本身不求新發見，是形成改造中醫爲西醫，於正題不亦相背乎？再放眼世界，我國針灸治療，外人驚爲奇績，不斷研究，則月亮外國好之謬見，當加糾正！

二．選擇師資　確守整理宗旨，中醫師資仍當以求之本身爲主體。（或中醫夙昔研究西醫學理具有成績及聲譽者，）須知中醫雖確有高深之學問，及獨到之經驗，然素無碩士博士等頭銜，決不能因崇拜大帽子，而遂武斷爲不適於師資，至於借助他山，則西醫之確有明瞭中醫輪廓，或西醫之久已研究中醫中藥有相當信仰及發見者，均爲中醫之良友，允宜廣加延攬，庶互相考證，兩有裨益。

三．編輯教材　中醫教材之編輯，必須將舊時學說，一一融化於現代爐中，而擷取其精華，此舉非少數人之力，亦非短期間所能辦。故人材第一，如上項所擇師資，固可充任一部分之編輯，然猶慮其不足，必集中通材碩學，一面整編，一面試驗，不嫌數易其稿，務以不斷改進之毅力，製成準確之教材。至於蒐集材料，以助編纂，亦當不惜代價，儘量供應。

四．改進藥物　顧名思義，整醫整藥爲一貫，學說須藥効爲證明，信仰基藥効而產生，故論現實，整理中藥刻不容緩。今姑將湯藥之煎服不便，與丸散之吞服困難另置。舉其他重要者言之，則泡製失性，來路失眞，保藏欠善，其結果均可減削効力數倍乃至數十倍，豈不可慨！又中藥成本，本非全皆昂貴，而今以飲片修治，過重外貌，以致去頭去尾，將有用之物，擲諸虛牝，造成高價，影響銷路。凡茲均須爲有計劃之改進，庶使社會樂用，足抵舶來，以挽利源。

結論　中醫爲確可以科學整理者，科學尚未至頂點，致有多種中藥難以化驗，（譬如化學原質之續有發現）多種醫理，解答不易，顧事實勝於雄辯。憶昔抗戰時期，海運斷絕，後方西藥奇缺，此期軍隊中特中醫藥爲過渡者，歷時頗久。晤後方歸來之王藥雨先生曾曰，在西藥奇缺時，軍隊中有八種西藥，（包括碘酒紅藥水有時竟連紗布棉花亦計在內）已爲難能可貴！試思仰給外人，其危孰甚？今當原子時代，國防嚴重聲中，吾人懲前毖後，宜如何爲自給自足之謀，以備萬一之需！於此深望政府能着其目光於遠大處，確認整理之重要，而吾儕亦當及時奮勉，以圖報效國家，固不僅爲本身存廢已也！

集中力量

嚴以平

獨力易摧，衆志成城，尤以當今之世，無論大小事業，苟無集團力量，不足以抵禦外侮。我中醫界雖已成立不少學術或職業團體，似乎尚少團結精神，因之不能發揮充份力量，易受外界之攻擊。最近首都某西醫因過失殺人而判處徒刑。彼等藉文字以聲援，固無足怪。迺字裏行間，涉及譏毀中醫之詞。髣髴不屬中醫，不能泄其胸中之鬱憤。本屬風馬牛不相及之事，竟遭受無辜之牽連，豈不痛哉！是故欲求人不犯我，亟應集中力量。即以發揚中醫藥而論，亦惟自力是賴。所謂一分力量，一分効力。事實勝於雄辯，欲謀力量，首重建設，建設之最急切者，莫如設立醫校，創辦醫院，編輯教材，研究藥物等等。然非龐大之人力財力不爲功。須聯合醫藥兩界，乃能勝此重任。今大選將臨，中醫界職業團體，國大代表，立法委員，共祇十席，深望中醫界同志，精誠團結，集中力量，在選賢與能原則下，一致目標，推選代表，庶可爲爭取中醫藥生存而奮鬥，爲推進中醫藥建設而努力。

珍惜國大代表名額

鄭重推荐丁濟萬氏

特稿

沈香圃

中醫中藥，在保障中華民族健康上，已具有數千年悠久歷史和光榮功績，一般民衆，至今猶普遍信仰，是無可否認的事實，自民國十八年遭受意外之打擊後，遂至一蹶不振。

推其原因，厥有兩端：其一，屬於本身問題，其二，屬於政治問題，屬於本身方面的，則由於我中醫界本身的閉關自守，各行其是，意見紛歧，互相攻訐，不知適應時代，不謀自力團結，遂造成有史以來之空前打擊，幾使數千年來民命所繫的學術，有一旦毀滅之虞，撫今思昔，殊有些不寒而慄。屬於政治方面的，過去國府要人曾主張提倡中醫中藥，一本 總理『對中國固有學術，要整理闡揚』的遺訓。但實際上，政府沒有實在負起提倡中醫藥的責任。政府既不予以改進的機會，吾中醫藥自無發揚的希望，例如本市三處中醫學院已有悠久歷史，迫令停辦。中醫禁用西藥及注射器械等，受到停業處分者，月必數起，準此以觀，政府對於吾中醫之改進，已無維護之誠意，不難揣測而知。故吾人認爲在競選國大之前力，需要吾中醫界整個發動，抱定羣策羣團結一致之精神，爭取政治上之力量，改進吾本身之學術，方能打開一條光明大道。

丁濟萬氏近影

在今日吾中醫界已經爭得了合法地位，當此政府實行民主，推進憲政伊始，吾中醫界也和其他自由職業團體一樣的，獲得被選爲國大代表的權利。吾人回溯「三一七」紀念的奮鬥史，就應該特別珍惜這次國大代表名額，在投票選舉之前，尤其要考慮到被選的對象！

這裏我敢鄭重推荐爲我中醫界立了不少功績的丁濟萬氏於吾全國千萬同道之前，不論在人格，道德，學識，經驗，修養各方面，尤其是他的熱心從公爲吾中醫界謀福利的精神。想來久已爲吾同道所認識，欽仰，我想：如果丁氏獲選之後，必能繼承「三一七」以來奮鬥精神，爭取政治上的力量，來改進吾固有的學術，爲未來之中醫界放一異彩；所以希望大家團結一致，爲擁護丁氏競選而投票。我想：這是我千萬同道的責任，而丁氏於膺選之後，爲我中醫界繼續奮鬥，也是他唯一的義務！

與縣中醫師公會理事長季愛人氏近影

放棄國代候選 推荐丁濟萬君

丁君濟萬之言行道德，有口皆碑，無需贅述，今爲爭中醫生存而候選，非奪地位而競也。吾儕謀中醫生存者，當選丁君爲國大代表。愛人放棄國代而候立委者，亦荐賢讓能之意耳。

讀醫隨劄

何時希

金匱中風篇，有四中之說，爲復古學者奉爲天經地義者也，雖有張伯龍氏（名山雷，無錫人）之大聲疾呼，極口指駁，不能使此說絕跡於今世，平心論之，中絡成痺，中經成偏枯，臨證之際，固常遇之，雖爲氣血內虛，邪風入中而成，須以祛風之法治之，與金匱所論者絕相合也，至中臟中腑之症，則誠少見，百中難遇一二也，其少見之故，蓋由於江南風氣柔和，無此剛厲之氣耳，若必如張伯龍氏之說，凡見肌膚不仁，體重不勝，昏不識人，舌瘖吐涎諸症，皆由於腦受血沖，而影響於內外大小神經之故，絕無所謂外風者，則是不知時勢，強異爲同矣，要知漢時人烟，無今時之稠密，此谿鬱蒐勃，剛厲猛冽之風氣，猶隨地有之，醫者亦隨時遇之，故仲景得以治驗而著錄爲文也，若因近世不見眞中之症，遂謂古時亦絕無此病，而漫肆駁斥，是豈爲學忠恕之道哉。

張氏又謂金匱中風篇，決非仲景原文，以仲景傷寒論中，宗難經傷寒有五之旨，以中風屬太陽外感病，治之以桂枝湯，而金匱之中風症，則爲昏不識人之大症，二書同出一人所著，何致同名中風，而病象之輕重懸殊如此，且內經風論中所列數十病，亦皆爲六淫風邪之外感，並無昏不識人之象，可知金匱中風篇，爲後人所撰、而僞託於仲景云，余謂張氏此說，近乎穿鑿，風邪中人，有經絡臟腑之不同，桂枝湯治風在經絡者也，若昏不識人，則爲臟腑之症象，邪有淺深，故見象有輕重，仲景何嘗矛盾耶，特六淫之風，襲人也淺，剛厲非常之風，乃能斬關直入於臟腑，故仲景分論之也。

張氏生當有清之季，西醫腦沖血之說，已流入中國，張氏得此啓示，又從內經「氣之與血，幷走於上，則爲薄厥」一語，發明內風學說，使明清醫家混內外爲一症，稜模兩可之論，一掃而空，實是一代之宗，可爲學者之表率，惜乎徵引內經，猶未允合，夫氣血幷上之因甚多，如暴怒疾走，暑熱煎逼，皆令氣血幷上而厥，不能謂內經原意，即指風氣內動也，余嘗考素問六元正紀大論，有云「木鬱之發，耳鳴眩轉，目不識人，善暴僵仆」，則原因見象，與內風症悉相符合，可爲內風學說最古之根據，惜張氏未曾引用耳。

實驗良藥

預防中風的民間藥

·葉橘泉·

（甲）珊瑚菜，有減低血壓，調整大便，防止血管硬化等功效，本品爲生於低窪水濕砂地之多年生草本，屬繖形科植物，莖高至尺許，叶互生，二回三出，複叶自多數小叶而成，叶柄基部帶紅色，夏日莖端開小白花，此植物有特殊之香氣，與辛味，其嫩叶與莖，供食用，栽培園圃者，四時萌生，日本人稱爲濱防風，蘇俗呼爲「藥芹菜」。

服法及用量，靑作菜蔬食，或生菜打榨汁飲，每回一酒杯，一日二三回分量不拘，常服有整調便通，降低血壓，確有不可思議之功効。

（乙）棕櫚叶，或棕毛，有降血壓，及防止腦溢血之功，本品爲棕櫚科常綠喬木，多生於暖地，莖爲圓柱形，無枝高丈餘，叶甚大，掌形分裂，叶柄長，叢生於莖端，莖之圓圍，留有舊叶柄之基部，其間，有由棕毛斜形縱橫組織之「棕被」包於莖圍，稱爲棕毛，毛頗強韌，能耐水濕，適於製造繩帚等用，叶可製扇，葉及棕毛均可入藥用，用法及用量，每日用葉或毛兩許，煎湯服，按陳棕爲著名之止血藥，中藥店有售，但陳者不潔，不若新者之効確，其葉尤佳，適宜於輕度之腦溢血，（中風）有收斂止血，及促進腦溢血之吸收等作用。

（丙）嫩松針代茶，爲預防中風之良藥，松針，即松樹之葉，每日取一兩，泡湯代茶常服，非常有益，蓋古代道家，記載，有採摘松實的服法，被稱爲長生不老藥，它含有豐富的滋養分，松實與松針其成分約相同，均含有「的列並的油」及「蘇酸」等，而有苦澀之味，其預防中風之作用，殆爲防止腦溢血，由於緩和硬化的動脈管，以調節血循環，而減低血壓之亢進的功能耳。

（丁）柿或柿餅，及柿漆，均宜於中風病，柿爲落葉喬木，高達數丈，葉楕圓形，果實大，爲漿果，黃赤色，形狀有種種，有扁圓，或楕圓，大小不一，供食用，味甘帶澀，有器儲自紅者謂「烘柿」，火乾者謂「柿餅」生柿搗汁爲「柿漆」供製雨傘之用，烘柿柿餅均有止血及清涼潤腸之功，患痔疾出血者最宜，對於高血壓有卓著之功，但柿漆之効力更大，第味澀而難以服食，及略有妨礙大便之排除，爲美中不足，柿之服食，每日二三枚，略多亦不妨，若血壓亢進，形勢緊張時，或一度中風後，以柿漆之効力爲著，每回一二瓢匙，混於米湯內，或牛奶等飲料中，一日二三回，食前服，連服七日，停七日，再服，若大便秘結，即以緩下劑，間日通其大便，本品有顯著之功効。

（戊）望江南種子，或馬蹄決明子，日常代茶，有調整大便，防止血壓亢進，改良血液，清腦安眠等作用，本品爲豆科植物，葉爲倒卵形，對生，夏季開黃色美麗之花，後結莢果，長至數寸，種子如麥粒大，色褐，有光，此植物到處有野生，極易繁殖，種子含有「愛摩琴」化合體，及富含「胡蘿蔔素」（卡羅丁carotin），維他命甲之前級物質，用於慢性胃腸病，常習性便秘，頭昏腦脹，高血壓等，功效非常佳良，本品並有利尿作用，整調胃腸，清淨血液之功，每日五六錢，煎湯常服，或代茶，確有卓著的効果。

（已）晚蠶砂四五錢，甘草一二錢，煎服，亦爲中風預防藥，晚蠶砂即原蠶排出之糞粒，蠶以桑葉爲食料，蠶砂似有桑葉之固有成分外，兼有蠶體之內分泌成分，其對於預防腦溢血的作用，蓋具有緩和動脈管，減低血壓之功也，且甘草之輔佐，甘草之作用，素以緩和急迫緊張著稱也。

（庚）芥子泥，與林檎泥，及足部灸，爲突然腦充血，神昏卒仆，顏面潮紅，竟至腦血管爆破而成腦溢血，昏迷不語，半身不遂者，於醫師未到之際，應先急救，此時須扶患者，之頭部高位倚臥，以冷濕巾覆頭部，同時以林檎（花紅或蘋果）搗如泥，罨包腦後頸上部之低窪處乾即易之。並以芥子泥罨包足底，爲刺激以誘導血液下行，同時可並用足部之灸法，兩足姆趾之爪際一分處灸三火，又兩足之裏側近足底之側緣中央灸三火，按此科療法與現代醫療之降血法相吻合，不失爲合理的民間療法也。

理想中之國大代表

·嘉定桑天留·

抗戰勝利，結束訓政，頒行憲法，還政於民，欲求發揮，民治精神，端賴此次普選得人。

我中醫界屬全國性職業選舉，從業同仁，皆有識之士，對於國大代表之重要，當有共同之認識，是則一票權利，不可輕易放棄。代表人選，推賢能是尙，所謂賢與能者，不以所親，不阿所好，學問道德，堪爲吾人表率，其於社會國家，具有偉大貢獻者，乃從而推選之，庶幾可以謀建樹，爲我醫界之喉舌。

上海爲全國文化中心，亦世界文化交流之地。曩者丁甘仁先生，獨具卓識，設立醫校，培植人才，其有裨於吾國醫學，至深且距。丁君濟萬，克繩祖武，懋續箕著，道德文章，足孚衆望。今由同道之推荐，爲國大代表候選人，徵之已往事績，實爲最合理想之人才。深望全國中醫界同志，一致擁護，推寄以重任，吾知其必能勝任愉快，發其賢者之素養，出其能者之言行，推進中醫藥之建設工作，貢獻於社會國家，以副我人之期望也！

國代投票展期
選舉進程變更

（南京電）因國代選舉投票展期一月，選舉進程決變更如下：㈠以八月廿三日爲團體參加選舉截止日期（即選舉前九十日），團體依法成立呈請立案日期，在上開截止日期以前者，亦得參加。㈡以十月廿六日爲主管選舉機關造具選舉人名冊截止日期。㈢十月廿七日至十月卅一日爲選舉人名冊公告更正及呈報日期，同時發給選舉權證。此項決定業經職團及婦女選所在第五次會中通過。

法律問題

醫師業務上·應該知道的幾點法律常識

論墮胎

·蔣文芳·

過失墮胎

患着熱病的孕婦，因爲她心房搏動的緊張，脈搏急速，血液循環的進行，隨着猛烈，往往容易流產。患着瀉痢的孕婦，用力努掙，腹壁收縮，時時壓迫胎盤，也很容易流產。在我們替她治療期中，不幸流產了。病家受人的挑撥，竟然會說你過失墮胎，惟一的理由和事實擺在面前，是服了你的藥，然後墮胎，在提起訴訟的時候，希望加重醫生的處刑，還加入業務兩字，變成業務過失墮胎罪了；其實刑法總則第十二條第二項明白規定：

過失行爲之處罰，以有特別規定者爲限

遍查分則第二十四章墮胎罪條文，並無過失墮胎罪之特別規定，而且民國二十九年最高法院上字第三一二〇號，判例寫着：

「刑法第二百九十一條第一項之使婦女墮胎罪，以有直接或間接之墮胎故意爲必要，倘無使之墮胎之故意，而由另一原因發生墮胎之結果者：則祇成立他罪，而不能論以本罪，即因墮胎致死，亦不能以同條第二項前段之罪論擬。」

看了法例，過失墮胎罪，當然不能成立，從此可以天下太平了麽？但是會打官司的律師，可以援用另一判例：

「過失墮胎，法無明文，雖不爲罪；但胎兒爲母體之一部，應依過失傷害罪擬處」。

這是從前大理院的釋例，案由：是某甲與孕婦毆門，腹部踢了一脚，他無可傷，不過當夜就流產了。（這本釋例，堆置在高閣上。懶着去翻閱字號，憑我記憶，大致不錯的。）所以說，雖然並沒有打傷她，又不是故意使她墮胎的，但是她的胎兒，被他踢下來了，應依過失傷害罪擬處，和一個患着很容易流產的病婦，在醫師善意地替她治病的時候，發現流產的結果，相提並論。眞是不可思議的道理，但是判例釋例，和法律有同等效力的。把過失墮胎變成過失傷害，提起訴訟，法官是沒法駁斥的。問題就在所用藥方，有沒有墮胎的力量，那就不得不發交專家鑑定了，那時就要看這專家的學識和氣度，倘若這位專家毫無學識，並且懷着一種偏狹的氣度，甚或執着一些閉關時代遺留下來的同行嫉妬，那就要倒盡天下之大楣啦！他就馬上拾着雞毛當令箭，翻些古人不負責任，全憑理想，毫無實驗的所謂學識，倒果爲因，吹毛求疵地指摘藥方裏的一二味藥，神氣活現的指出這是礙胎的，這是孕婦忌服的。審判的法官，雖然明知這些藥物，決無墮胎的力量，但也只能依據法例，憑這鑑定書，判他一點少量的罰金，原告隨着附帶私訴，賠償損失，做醫師的人，已經焦頭爛額，損失不貲了。那麽這些著書立說的死人，爲甚要這樣瞎說呢？這其間不外有兩種原因存在着；第一，是學識的貧乏，他見到他的夫人，解溲和生產，都是從前陰出來的，於是乎把利尿的通草，澤瀉，列爲墮胎之品。一些只爲看書，不會看病的醫家，看到這兩味藥上，有一個通字瀉字，顧名思義，或者望文生義，認爲用此兩藥，一通一瀉，好像胎兒生在膀胱裏似的，就能從尿道裏墮下來了。此種一孔之見，或者因爲他患着深度近視眼的緣故？姑且不要說他，還有一些竟把促進消化機能的少量枳殼，大黃，也列爲墮胎聖品，那眞是前後不分了！「大黃將軍之性，走而不守，有斬關奪鎖之功，推牆倒壁之力。」你看古人形容牠的力量，多麽有勁呀！請你再看看新的藥物學，竟把大黃列入健胃藥內，多麽倒盡古人的銳氣呀！其實大黃用得過量，足以致人腹痛，大泄大瀉，因而身體虛弱，在妊娠的後期，容易召致早產的弊病，或許是可能的。若說在十多味的藥方裏，加入了一錢左右的大黃，（這是江浙兩省的用法。）竟能致人墮胎，恐怕沒有這樣容易，除非胎兒能從肛門裏墮下來。眞正有墮胎力量的，倒是一些過量的强心藥，牠能增加心臟的動力，促進血行的速率，很有墮胎的危險！（恕不舉名，避免違犯刑法第二九二條的嫌疑）但在臨床上往往碰到要求墮胎的婦女，首先說着：我已經吃了多少××，多少××，而且連吃好幾次，一點都不見動靜。我聽到這些話，只有半眞半假的勸戒她說：「可見得兒子的多少，注定在命裏的，他一定要跑出來叫你媽媽，推都推不開的，而且這種藥品，含有毒質，多吃了小兒沒有打掉，也許先把自已的性命弄掉呢！以後不要再吃吧！」這是實例，我雖不敢保證過量强心藥不能墮胎，可是我敢保證富含蛋白質和維他命乙的米仁，（即薏苡仁）在藥方裏用上三錢五錢。決無墮胎的危險。雖然有許多已死的未死的作家，一口咬定牠能墮胎，無保留地列入孕婦忌服之類。因爲我在夏天到茶室和點心店裏，常常看見大腹便便的孕婦，一碗再添一碗吃着陰涼薄荷綠豆湯，這湯裏頭，不但有多量墮胎的米仁，給她們連湯帶楂的吃下去，而且還有尅伐的綠豆，（尅伐些甚麽？我記不淸，弄不明白。）耗散眞氣的薄荷一併在內，這些茶室和點心店裏，既然沒有掛起孕婦忌吃的禁條，而且這批女太太呼朋引類，挺起了肚子，常常進來服用。那位米仁先生，一點沒有瞄頭，從未墮出一個半個胎兒，弄點顏色給他看看。第二種原因；是從前（不是現在）一般安胎聖手，在爭取顧客的方法裏產生出來的：甲聖手用了許多次苧麻根鮮荷蒂，可惜那時還沒有鉛絲和螺螄釘，（醫者意也，所以安不了顧客的胎。而轉治到乙聖手的案下，乙便照例索取甲方，邊搖頭邊觀看，下意識地嘴巴裏說着：該死！該死！等到數鈔票般把甲方翻完之後，脫口而出：破，破，破，三聲。那時年輕孕婦出門，總有丈夫，母姑，或者有年紀的傭婦陪往，這些人對於古時的醫學，都有一知半解，正好像現在一般人對於西藥的認識不相上下。「難道甲方裏有破血藥麼」？這是應有的追問。到那時乙就不得不裝出一副尷尬的面孔，把甲方從新翻上幾翻，搖頭擺尾的說：「氣為血之帥。破血藥雖然沒有，那五分製川朴，豈不是破氣藥麼？而且還有一錢鬱金破氣中之血滯呢。滑，滑，滑！是不是滑胎藥呢？牽一髮而動全身，滑胎藥雖然沒有，哪，哪，哪！這蔞仁豈不是滑下之品麼？還有呢？消，消，消！那山楂麥芽豈不是消導之品麼？興之所至，高聲朗誦，消而滅之，導而下之，欲胎之安，是緣木而求魚也！與安胎之法，背道而馳矣。」能够這樣哼着幾句，當然是被尊為大亨之流，受着大衆的崇拜。具有移風易俗的本領，那些只會治病不會哼出這些酸腔的人，還有甚話說呢！惟有附和着，嚷着，礙胎忌服，跟着天圓地方的學說，變成天經地義了！於是筆之於書，災及梨棗，傳之於世，禍延後人。他們在隨便說說，爭取顧客的時候，那裏會知道到了中華民國的一代，把病家告醫生當做家常便飯呢！你看那些古人傳流下來的胎前病效方，大黃，枳殼，澤瀉之類，所謂礙胎藥者，都配合在裏面，一點沒有甚麼禁忌。可見古人所定一部份非必要的孕婦忌服藥，無非是在神農本草經之外，招徠生意經上發明出來的。後人偶然在那必要的場合，用了幾味前人所謂礙胎藥在胎前的方劑裏，病去身安，絕無甚麼墮胎的結果。其實原來是胎前古方中所不忌的藥物呀！照例他應該依據古方參照臨床實驗，毅然宣佈這些藥味，並不礙胎的事實，解放胎前病用藥上的桎梏，減少孕婦的疾苦，但是他懷着惟我可用，別人絕不可用的私心，表示他用藥的勇敢高超，搬出內經上「有故無殞」的一句話來，暗示他能够真知灼見其「有故」，所以用之「無殞。」內經上有些話比了推背圖，燒餅歌，雖然更着邊際一些，但是比了城隍廟裏的籤書，還要抽象靈活。儘你從各種角度看去，都可各孚所望的。萬一倒楣的同道，跟着他用了一二味，不幸得很，這位孕婦，因病流產的話，他照樣可以把「有故無殞」的一句話，從反面着眼，解釋出來，狠狠的踢你一脚，唱道，你「無故」用之，當然「有殞」了。弄得現在遇着一位患痢的孕婦，要是裏急後重，真要無藥可用了！於是乎匡乃定之類的西藥，不由自主地在我們中醫師嘴裏介紹給病家服用了。這樣豈不是鼻了中國醫藥生活的人，親手去扼殺中國醫藥的生命麼？豈不是等於自掘坟墓麼？我在這裏為着同道的安全，孕婦的疾苦，中國醫藥的前途，不嫌辭廢，說了許多言詞，最後不得不還要大聲疾呼的籲請：

一、著作者不要述而不作，專做瞽文公，傳收舊貨般的把古書上所注墮胎，礙胎，孕婦忌服等字樣，不加考慮，不加保留，搜集無遺，原封不動的繫在各味藥物之下。至少限度，把你在胎前病中用過的所謂礙胎藥，並無墮胎的結果者，將那些胎胎，礙胎，孕婦忌服等字樣割愛一些，免得落在對方手裏，變做殺害無辜同道的新武器。

二、奉派担任鑑定者，不論是自然人或法人，一定要明瞭被鑑定方劑的配合和用量，是否有足以使人墮胎的力量，勿必施展出爭取病家所練就的混身解數，來爭取鑑定，假使在同一時間空間裏有着好幾個有資格担任鑑定的自然人或法人的話，（這並不是空發感慨！都是在事實上體驗出來的。）除了確有收縮子宮，或者促使子宮出血的藥物，其用量足以致人墮胎者外，切勿再翻着不負責任的古書，隨着死人所說的死話，把潤腸，鎮痛，健胃，利尿等等一切特效國藥，一箍腦兒認為墮胎藥品。要知道鑑定人濫用權威，受害的不祇被鑑定的一個醫師，而且千千萬萬個需要這種藥物的患病孕婦，也將受害無窮呢！

三、雖然在我手裏鑑定過的許多案件，我從來沒有發現過應負刑事責任的藥方。但是以統治階級自居，要想憑藉這鑑定權，奠定王基霸業者，尚未絕跡的今天，我絕對不敢勸誘同道，盡是開用古人所說的一樣一樣禁忌的藥物，不論他有理無理，因為結果總不免增加同道的麻煩，可是敢以一百分的熱望，籲請同道見到別人偶然引用一二味枳殼，澤瀉，米仁等類不須禁忌的禁忌藥時，口下留情，不要對着病家瞎說一陣，弄得病家感情衝動，提出交涉，助長訴訟的風氣。

中醫與民族康健

常熟 陸維民

「上醫醫國，中醫醫疾」，這幾句話，給它指出了整個中國國醫的重大使命。試觀中國的過病，有政治經濟文化民族幾種。這些病，都不是普通的六淫外感，純係年深月久的七情病，政治病，經濟病，文化病，須要政治家，經濟家和教育家調治，而民族病的救護，其責任在我們中醫了。為什麼中醫能治民族病呢？那就要着重到「上醫醫國，中醫醫疾的使命」。回想到我國被辱為病夫之恥，而目前國民還不知自愛，鍛鍊我强健的體魄，陶冶我豐滿的精神。衛生一道，有知識階級，也少數去注意，蠢愚之人固然不要談了。甚至被譽為壽人濟世的中醫，也不去講究什麼衛生，什麼養生，所以我說要加强民族健康，除非請中醫來調治，而且須要中醫自身做起，才能以身作則，收利已利人的成効。民族性的衰落，由於國民的不健康相當有關係的。張仲景為什麼要著傷寒論來救世呢？悲傷他宗族的都死在時病，而舉世患時病而亡的人日有，迺苦心研究，著對症發醫的傷寒論來救世。還一點，可以證明中醫絕對能够負責醫國醫人的要旨；因之我武斷地說「中醫能使民族健康。而且中醫學也是我國四千年來的國粹，其十三科的手續學理治法，確有至理，是與科學相權衡的，不過沒有人去深深研究吧了！所以我要請中醫担負救護民族病的担子，來振起我中華民族健康，老聃說「清淨無為」，中醫界能够擴心到這個地步，再去研究高深的醫理，來處處解除民族病者的痛苦，以發揚醫學方便病者為本，這樣做去，我相信中醫學復興光榮的一天，民族病也可漸漸地減少了；因此中醫要加强民族健康，是我們當前重大的使命啊！

台盦隨筆

傷寒雜談（續）

管理平

倦時間約在二三候左右，故其初期治法，邪伏血絡者，一起即須涼營清熱，由營轉氣之品，如黑膏湯，生地白虎，犀角地黃湯，清宮湯等，此葉氏所謂逆傳心包之候也，邪伏三焦腸胃者，祇須芳香化濁，苦寒泄熱，甘淡滲濕，佐以通利腸胃足矣。

傷寒苔滑者不可攻，此仲景示人以陽明府證，尚未至燥結成堅之時，非至苔黃糙成乾黑，不可用攻。惟溫病則不然，溫乃熱邪，最易化火，苟見乾糙之苔，則不特陰液大傷，抑且有腸破出血之變矣。前人謂下不嫌早，急下所以存陰。吳又可呂搽村輩，且倡溫病一證，非特可下，且須急下，深有見地，每見近人治溫，動言忌下，以為一下之後，即有變禍，實則以予所見，殊不盡然，苟有可下之證，放胆下之，決無流弊，即有下利之象，亦能下之，如無可下之證，雖便閉經月，而終不能下，其間辨別，不在可與不可之分，而在證之有無為判也，至於可下之證，其款頗多，茲縷述於下，腹滿脹硬，疼痛拒按，（如劇痛不止即有腸出血及腹膜炎之可能）頻頻矢氣，渴飲煩躁入夜昏譫厥逆，脣焦咬牙，齒垢如醬，兩顴緋紅，舌苔厚黃而膩，或黃中帶灰，（夾濕者亦能見此苔）或乾黃起殼，或下利次數二三次，所利溏粘且黑，熱臭難近，利後腹角疼痛，（如有便溏，盡是稀水，日夜十餘次者，此協熱下利即不可下亦有出血昏陷之險，宜用葛根苓連湯，以滑腸升泄，重則可加白頭翁湯）至於熱勢起伏，以日晡較高，熱時或兩足欠溫，腹部熾甚，或表熱如無，裏熱極甚，或利後反見形寒，熱甚，亦有上午熱高，過午漸減，凡此種種，如有一二證象相兼者，即可用下，會有一下數下之後，而始汗出溱溱，熱勢逐退，此所謂府通而表裏和之意也。

更論已利而復下之說，即前言利數不多，所利溏粘且黑之證，宿垢內結，尚有未盡，故仍可用下，仲景傷寒論中，頗多此類文字，特錄原文數條以資攷證，「陽明少陽合病，必下利，脈滑而數者，有宿食也，急下之，宜大承氣湯」，「下利譫語者，有燥屎也，小承氣湯主之」，「陽明證，腹痛口燥下利者，大承氣湯主之」，足見熱結陽明，惟有下之一法，倘欲懷疑硝黃之峻攻，憂懼懦弱之不勝，以致坐失時機，良可慨夫。

大黃一藥，蕩滌宿積，古人謂有斬關奪將之力，西說則列入健胃劑中，兩說涇渭互異，此由於製法不同之故。實則大黃於通下之外，兼可分導膀胱，清解血毒，祛凝治血。製炭之後，功効較遜，往往欲通而不得，或已利而反止者，比比是也。

凡一切時證，熱高而脈搏遲緩，沉細若伏，或見歇止。（稟賦特殊者例外，亦有濕溫濕重氣閉，阻遏脈道，而見細伏歇止者，祇須芳香宣泄，流氣化濕，脈象自轉，）亦有熱度低縮，而脈來數疾，或帶促意者。（仲景謂熱退而脈促者死蓋心臟衰弱之徵）此二種脈象，均極凶懸，慎勿向病家輕許不妨，即使其餘款，一無變態，而不測之來，每多令人措手于不及也。

伏溫一證，由裏而發，往往不數日間，即已舌絳煩渴，目赤（此證是溫毒內盛之據，可以早用涼營）不瘀，此際當以鮮生地鮮石斛石羔銀花連翹等治之。服後疹瘖密佈，自屬佳象，氣營之邪，得有外洩之機矣。然又不可一概而論，如疹點粗大，或連片成瘢，或大塊如風疹，白痦起漿，宛如膿泡，或根腳發紅，漫佈於頭面手足者，此種疹痦，切宜小心，萬勿以為神識如常，不為之防，頗多變起倉卒，一轉瞬間，即已昏憒肢厥矣。此蓋象徵溫毒之盛，蘊伏之深，一時不易遏制故耳。故遇此種病，須不待其昏陷，而早進神犀，紫雪，至寶，牛黃清宮之類涼營清溫，芳香開竅，先安其未受邪之地，乃為急務，如必待其陷後用之，勢已燎原，誠恐綆短汲深，無濟於事耳，體質強者，或能挽回，然亦不可必也。今年來炎熇久逼，尤熱特甚，屢遇此種證象，頗多早用上藥而挽回者，故余意神犀紫雪等，儘可用於溫甚熱熾之時，而不待用於入營昏痙之際，世俗以犀羚寒涼太過，不宜早用，何其見之不廣耶，諒讀者定不河漢斯言。

名家醫論

腸癰

章仁益

腸癰，內癰之一也，有大腸癰，小腸癰兩種。金鑑外科，併大小腸癰為一門，原因證治，並無分別，所可辨者，大腸癰大便失常，小腸癰小溲澀滯，為不同耳。惟病有輕重，勢有緩急，急則痛劇而易膿，緩則痛輕而遲潰。論其病原，不外乎濕熱氣滯，敗瘀蓄積，與夫陰冷寒濕，凝結成癰。大抵濕熱者多急性而腹皮烙熱，寒濕者多慢性而皮色不變。西法治腸癰，注重開割，不割則束手待斃。實則中醫本有消散之法內服湯劑，外用膏藥，毋須割除，而病已霍然。迺自歐風東漸，崇尚時髦，一般病家，多存「腸癰不割則死」之觀念，於是雖有良法，湮沒不彰，可勝浩歎。雖然，腸癰固險惡之候也。是故一見腹部劇痛，痛在少腹右角，即有患腸癰之虞。再參之於熱度，（如患腸癰，必有熱度）驗之於二便，證之於右腿不能直伸，更屬腸癰無疑。從速醫治，尚有消散之望。就余歷來實驗所知，在初起未成之時，大黃湯（大黃，硝石，丹皮，挑仁，白芥子，）重其藥量，可竟全功。良以濕熱凝滯，得大黃硝石之蕩滌積滯，丹皮挑仁之消炎祛瘀，阻塞既除，自不致癰腫釀膿。即已成未潰，薏苡湯（薏苡仁，括姜皮，丹皮，挑仁，）丹皮湯（丹皮，挑仁，括姜仁，朴硝，）亦可獲效。迨至臍突腹脹，轉側有聲，乃膿成將潰之象，雖可施用手術，使之排膿泄毒，究屬凶可吉少，（西法成膿後開割者，亦多危險，）其有日久不潰，腹急腹痛，身無熱而脈數者，係腸內陰冷不能成膿所致，薏苡附子散（附子，敗醬，薏苡仁）每奏奇功。總之，腸癰並非絕症，貴乎早治而已。

醫藥常識

砂眼

姜鑑清

砂眼一經沾染，頗不易愈，卒致失明者，不可勝計，貧民因此而絕其生，明可不痛哉。茲將其病原，症狀，及治療法，略述於后。

（一）病原：砂眼傳染甚易，除根頗難，其間必有病菌，毫無疑義，有直接與間接兩種。

（甲）直接傳染：接受患者之分泌物，一經接觸，立即被其傳染，。

（乙）間接傳染：病者所用之物，如毛巾面盆，手帕……等。健眼一經使用，亦即被其傳染。

（二）病象及經過：初起不自知覺，略有眼脂及模糊而已，後則胞瞼裏面，密生細顆，上瞼特別叢生，其砂粒大小圓長不一，因此白睛多紅筋，沙澀而畏光，多脂而昏花，輕則一年一二發，重則數星期不等，每發必起星，遷延不易愈，愈則留翳，因而目光漸減，紅筋漸侵入黑睛。再後砂粒破潰，結成疤痕，結果疤痕蜷縮，遂致外皮寬而內瞼緊，因之眼皮捲而向內，睫毛遂與角膜接觸，故感疼痛，眼弦亦因沙澀多泪而糜爛，翳障亦垂掩瞳神，因而視力消失。

（三）治療法：（甲）外治法；刮法，割法，點藥，洗藥，總之，務使滅其砂粒細菌，退其炎，消其翳，病根盡淨而後已。

（乙）內服藥：歸芍紅花湯，驅風散熱飲，涼膈清脾飲，消毒飲，除風清脾飲，（見瑤函）清脾涼血湯，外洗清涼圓，（見金鑑）除風湯，退熱飲，（見龍木論）瀉黃散，散結湯，（見目經）使其內臟清淨，不生內毒，以助長病機，其效易見，各隨病之輕重，體之強弱而投治之，總之，未病時，當預防，既病後，當請專門醫師治之，愈早愈妙。

丁氏醫案 特價發售

孟河丁甘仁先生醫案，為近代醫家臨證參放必備之書。內容分傷寒雜病外科等案四十三種，並附喉痧症治概要一卷。抗戰後絕版已久，求者踵接。茲已改用白報紙排印一厚册，特售四萬元，外埠郵寄遞費加一，總發行處上海福州路中和里七號丁仲英醫寓。書印無多，欲購從速云。

王一仁氏 二大新著

王一仁主編「分類方劑綜論」「說文部首音義」兩書，各有特點，可謂最佳之作。現已付印，徵迎預約。分類方劑綜論預約八萬元，說文部首音義預約十二萬元，索預約紙，附郵五百元，總發行處上海西門內石皮弄滬南廣益中醫院陳天鈍代收云。

中醫修習題解出版

中醫學修習題解，係章巨膺所編著。分內科，外科，婦科，兒科，生理，病理，診斷，藥物，方劑，治療共十匯，將浩繁之中醫學，刪繁就簡，去燕存菁，為準備中醫考試，及研究中醫學術必備參致之書，發行處上海牯嶺路人安里十四號云。

惲氏遺著再版預約

武進惲鐵樵遺著藥盦醫學叢書，絕版已久。茲將全部醫稿二十餘種，分編八輯，以第一二兩輯，先行出版。發售預約，發行處上海牯嶺路人安里十四號章巨膺醫室，特印樣本，詳載內容提要及預約評章，函索附郵二千元。

肺癆吐血良藥 益肺草

益肺草為中醫師劉祝如氏所發明，係配合川貝白芨等國藥精製而成，功能增強天然抵抗，潤肺化痰，安神除欬，退熱停喘，止血豁痰，去瘀生新，故對於一切欬嗽吐血，初期肺癆，服後均有良效。經理處：上海馬當路九號葉寶和堂藥號

編輯室

邇來紙價飛漲，排印工亦隨之增加，故自本期起，不得已將廣告刊例，根據其他醫藥刊物，略予提高。訂閱價格，本應同時調整，惟為優待讀者起見，暫不加價。並另訂優待辦法，徵求基本定戶一萬份，（十一月十五日截止）尚希愛護本報諸君，從速訂定為荷。

承蒙各地同道，踴躍賜稿，自當儘量採用，以寄愛護之熱忱。倘有關於選舉之文稿及照片甚多，本期不及刊載，且俟下期照登，至希原諒！

廣告刊例

封底	全面	六十萬元
	二分之一	卅五萬元
	四分之一	二十萬元
普通	全面	四十萬元
	二分之一	廿五萬元
	四分之一	十五萬元

★套色製版長期面議★

訂閱價格

零售	每份國幣二千元
一月	國幣四千元
半年	國幣二萬四千元
全年	國幣四萬元

中醫藥導報 第四期

每逢一日十六日出版

發行人：周召南
編輯：中醫藥導報編輯委員會
出版：中醫藥導報社
社址：上海（12）黃陂南路五〇號

優待本報讀者……

徵求基本定戶一萬份！

本社發行之中醫藥導報半月刊內容豐富取材新穎專載中醫學術臨床經驗以及中醫師領證攷試手續及其他有關醫消息等等記載翔實報導正確兹為優待本報讀者起見徵求基本定戶一萬份特訂優待辦法列后至希鑒察

優待辦法

一，本報月出二冊全年廿四冊定閱半年二萬四千元全年四萬元（郵費在內）如須掛號或航空另加郵費二成（十一月十五日截正）。

一，凡一次定閱五份以上者九折計算十份以上者八折計算

一，機關團體學校定閱概以七折計算也須備正式函件

一，來信定閱請寄匯票或郵票（九五折計算）均可

準備中醫考試必備參攷用書！

江陰章巨膺編著

中醫學修習題解

最新出版

·中央國醫館頒給獎狀·

本書輯分內科外科婦科兒科生理病理診斷藥物方劑治療共十集將浩繁之中醫學刪繁就簡去蕪存菁學理融合中西詮解明顯切要提示題目千數百節都卅萬言爲準備中醫考試及研治中醫學術必備參考之書（十六開本皮面燙銀一厚冊實售十萬元掛號郵寄費加一成航寄加二成國外加四成特印樣本每冊二千元）

發行處：上海（九）牯嶺路人安里十四號章巨膺醫室

國醫革命先導

武進惲鐵樵遺著

藥盦醫學叢書

……發售預約……

十一月底截止預約·十二月底準期出書

武進惲鐵樵氏爲國醫革命之先導晚近國醫界咸知發皇古義融會新知者惲氏實爲肯倡其著作不落前人窠臼不襲西書成說風行海內外膾炙人口惜絕版已久無法購備兹重理氏生前全部醫稿廿餘種分編八輯以第一二兩輯先行出版發售預約特印樣本詳載內容提要及預約詳章函索附郵二千元

發行處：上海（九）牯嶺路人安里十四路章巨膺醫室

陳郁題

中醫藥導報

・丁濟萬競選國大代表特輯・

第五・六合期刊

中華民國三十六年十一月十六日

本報已奉上海社會局准許登記呈內政部
本報經中華郵政登記認爲第一類新聞紙類
上海郵政管理局執照第二七一四號
・中醫藥導報出版社・
地址上海黃陂南路五〇號 電話八四七二九
本期特售國幣四千元

敬再告吾全國同道

丁濟萬

・服從衆意・負起責任・爭取利益・目標四點・

濟萬不敏，忝承祖業，卅載於茲，以接觸病家之頻繁，而得到深切之認識。覺我中醫藥，確具無上之功能，偉大之效力，應加提倡。縱使目前受到環境之威脅，竊意自應盡量發揮，迎頭幹去，以謀發揚光大；所以繼志先人，辦理中醫學校一所，以適應環境需要；復爲教學實驗，病家便利起見，創辦醫院二所。雖屬無多貢獻；但私心竊冀爲江河之導源而已！近以各方意見之所鍾，爲擴展醫學之大計，乃聯合中醫藥兩界，籌辦規模宏大之中醫學校。已購就校基十四畝，正在計劃建築及開辦事宜，希望造成一完善之中醫學府，俾得增廣教學，培植多量人才，此則濟萬所尤願致力者！至對於各善團及各機關組織之所有委聘各職，濟萬以公衆事業之所繫，視其力之所能，見之所及，以盡其職責。凡此舉措，成績無多，正深愧恧。乃自國大代表改選消息傳佈後，竟承諸道長下眷菲才，僉以中醫代表，督責濟萬。而原任代表仲英家叔，又以此次不願候選之故；亦循舉不避親之例，責成濟萬，受寵之餘，慚怍彌增。嗣後經各方推荐並爲簽署者，達九百餘人，外埠同道，亦復紛紛以簽署書先後寄至。濟萬有感於此，再三考慮，不禁油然而生奮勉之心。夫爲公衆服務，以爭取團體利益，本爲吾人天職。況自抗戰勝利，民族復興，國家前途，諸賴建設。醫之一道，所以救濟民生，於民族國家，關係至鉅。一般建設，實應視爲要圖。然而我中醫於今日，精神不振，氣象衰頹，既未能取得行政上平等地位，復不獲佔據團體內有利條件。基層不固，立足堪虞！我人目擊時艱，自應抱堅毅之決心，盡最大之努力，負責一切，發揚蹈厲，繼往開來，庶幾奠中醫之基石，謀我業之復興！濟萬既承推荐，自當服從衆意，負起應有責任，以爭取利益，抱定目標四點，竭全力以赴。茲除已遵章登記，取得國大代表候選人資格外；並已明令公佈。濟萬此次賴本市暨各地同道先進，寄予同情，投票選舉。倘不虛所期，應一本初衷，以圖報稱。所有願望四點，謹述于后：

一、要求有關醫藥之行政機構，應由中醫專門人才，參加行政，賦予實權，管理中醫中藥，庶幾人盡其才，學盡其用，爭取衛生行政上平等地位！

一、要求教育部設立中醫專校，並獎勵私立醫校，俾得提高中醫學術，造就中醫人材！

一、要求衛生部設立中醫醫院，至少須在原有公立醫院中，設置中醫部，爭取服務社會之應有地位，亦即所以推銷國藥，杜塞漏卮！

一、要求將考試院簡化檢考手續，並授權各省考銓處，分別辦理中醫師檢覈，使全國數十萬同道，迅速取得合法資格！

・丁濟萬氏近影・

介紹國大代表候選人

丁濟萬氏

衛生部中醫委員會
主任委員陳郁

「選賢與能」古之明訓。此次普選國大代表，中醫界之國代人選，須備何種才具，方够賢與能的標準呢？鄙意有二：

陳郁

第一，創辦醫校。使中醫學術，不致及身而斬。能以犧牲的精神，辦理中醫教育，不惜貲財，不驚虛聲，埋頭苦幹，結果如何，可以不計，其有益於醫界則無疑。要是這樣樂育英才，遞嬗道統的人物，應該竭誠擁護。

第二，創辦平民化醫院，不獨嘉惠一般病家，而增加中醫界之國代人選，且使中醫中藥得到社會大衆更深確的認識，而增加其信仰心。要是這樣發揮醫藥效能，增强本身地位的人物，也應該一致推選。

濟萬同志　中醫藥導報

杏林衡鑑

陳郁敬題

現在國大代表的候選人中，如上海丁濟萬君，具淵源之家學，秉衛道之熱忱，辦學校，設醫院，歷久不懈，眞能合乎賢能二字的標準，爲中醫界國大代表之理想人選。爰誌數語，以介紹於全國中醫界同志。幸不河漢斯言！

猗歟盛哉！

如雪片般的推荐書　一致選舉丁濟萬君

自從本社全人鑒於此次國大代表的重要，擁護丁濟萬君參加競選之後，本市同道，曾有近千人的簽署，送呈選舉事務所登記，現已正式公佈爲中醫師職團候選人。同時幷蒙各地同道陸續送來的簽署書又近千數，除了這些簽署書之外，在這兩個月以內，又復接到了各省市縣中醫師公會和本外埠中醫界先進，推荐丁濟萬君，擔任國大代表的意見書，計有壹千四百五十餘件之多，交由本刊發表，籲請全國同道，一致投票選舉丁君。可是爲篇幅關係，不能够一一登載刊佈，有負盛情，眞是抱歉得很。祇有在這裏綜合的歸納一下，各地中醫師公會暨同道來函計有，江蘇省南匯，川沙，奉賢，寶山，青浦，嘉定，太倉，崐山，常熟，吳縣，吳江，無錫，宜興，常州，鎮江，丹陽，松

（崇德・楊小帆君）

（常熟）鄒良材君

（吳興）張禹九君

為丁濟萬材堪膺選國大代表向全國同道竭誠推薦書

竊以仲英前蒙全國同道不棄謬選充任國民大會中醫師職業代表數年以來竭盡駑鈍凡屬有關同道福利者無不據理力爭祇以力薄勢單未獲充份建樹茲值行憲伊始國大代表改選在即各地同道紛囑仲英繼續競選感愧萬分惟以年暮力衰憚於旅途不克如命舍姪濟萬年富力強繼承先嚴遺志接辦中醫學院垂二十年門生幾遍全國創辦華隆中醫院總院分院足為醫界爭光舉凡地方公益事業同道公衆職務無不悉力以赴而急公好義不惜犧牲要非阿私之談其交遊之廣闊口碑之道載足堪左證者也仲英除聲明放棄本屆國大競選外爰敢援引古人內舉不避親之義竭誠推薦濟萬材堪膺選國大代表之職敬乞海內同道共推雅愛一致投票選舉濟萬為國大代表必於中醫前途有所裨益蓋不僅仲英個人之幸而已坦率陳詞諸希亮鑒

丁仲英啓

江，靖江，泰縣，東台，寶應，淮陰，興化，淮安，崇明，如臯，六合，泗

（德清·祝雁秋君）

陽，金山等，浙江省杭州市，杭縣，嘉興，吳興，平湖，德清，海甯，長興，崇德，桐廬，紹興，永嘉，甯波，慈谿，定海，金華，蕭山，瑞安，孝豐，嵊縣，淳安，松陽，龍泉，遂安，湯溪，東陽，江山等，安徽省蕪湖，當塗，旌德，蚌埠，祁門，

（大同·薛仲猷君）

寫給各地同道的一封信

最近一個月裏，接到了二十多封信，是將近二十年沒有碰頭過的老友，和十多年沒有見面過的醫學院同學的來信，問及我的近況；並且話題涉到國大代表選舉上面，疏懶成性的我，加着一些賤忙，因循地遲遲未覆，眞是抱歉，現在在這裏總覆一下，也可以說一句稍贖前愆吧！

爲着減少麻煩，把診所和住所分在兩處，這樣遊息時間，才能盡量地偷閒一下，診所設在北京西路徐重道總號的一間很安靜別室裏，住所就在對面三星里九號，不過混混糊口而已！這些生活式，還可以適合我的「苟全性命不求聞達」處世理想。至於問及頭軀，今年特別痴肥，長到一百三十五斤，具體的說，還是請看我的照片吧！

·蔣文芳君·

國大選舉怎樣選法，因爲向來不大注意國家大事的緣故，所以恕我不甚明白，祇記得初夏的時候，在招待某先生的席上，會經說起這類的話。那時我毫不介意地說：「就請仲英先生再來一次吧！」可是他老人家竭力推讓說：「我決定推荐丁濟萬先生自代」我雖然也曉得大院小院同樣齊名，甚而丁濟萬先生的醫藥和慈善事業，比了仲英先生辦得還更多些。爲了避免紛更，當時還想把駕輕就熟等等一類形容詞，去勸過他，遭到的都是拒絕，後來他老人家發表了一篇推荐書，嚴正表明放棄候選，推出丁濟萬先生候選國大代表。我聽到過辦理選政有經驗人一句話「散票等於廢票」，希望我的選權，不致於白跑，白寫，白投，弄成一張散票起見，馬首是瞻，惟有追隨在丁仲英先生後面簽署丁濟萬先生爲國大候選人了！這是我個人的行動，決無一絲一毫，強制大衆的意味，同時，我也明瞭各位都能珍重自己的選舉權，同樣不願意把自己的選票變成等於廢票的散票，浪投到肅牝裏去的。

編者先生承索照片及特種稿件，茲卽奉上小題目，儘請擬加文字，內容萬勿節改，爲幸！

蔣文芳謹啓

（崇德·鄧芳濂君）

和縣，南陵，太和，潛山等，湖北省漢口，武昌，松滋等，湖南省衡陽，芷江，滿潭，茶陵，阮陵，保靖，慈水等，江西省九江，萬安，贛縣，上饒，龍南，南豐，泰和，萍鄉等，河北省天津，北平等，山西省太原，大同，合休等，陝西西安，廣東省連縣，汕頭，潮安，封川，惠陽，番禺，萬甯，南雄，揭陽，新興，文昌等，廣西中渡，四川省重慶，淺都，南川，合川，青川，岳池，郫縣，松潘，射洪，溫江，彭縣，筠連，閬中，峨眉，宜賓，犍爲，金堂，江油，眉山，等，福建省廈門，永春，邵武，石獅，汕城，貴州水城，貴定，遂甯北鎮，台安，西康廬山等等。眞是珠琅滿目，美不勝收。而且言詞誠摯，識見高超，尤其是難能可貴，值得欽佩的。茲將賫賜鴻文，摘要製版於后。

（德清·莫俊英君）

（宜興·周維新君）

·余屬望中之國大代表·

張杏蓀

·張杏蓀君·

余在國父孫中山先生創造革命時代，卽從事社團工作。最先成立全國第一個醫學團體「上海醫會」，其時會員僅十餘人耳！與夏應堂李平書丁甘仁陳蓮舫門桂珊汪啓綬輩合作。四十年來之中醫界，備受外侮之摧殘，在困苦中掙扎，幾致沈淪。至今猶未能以國有學粹之資格，設立研究院，實驗場，公立醫院及醫學藥學院等平等待遇，實堪痛心！傾軋不已！豈能持久。此次國民代表大會席上，倘無強有力之決議案以資保障，則將來欲再圖保存國醫國藥，更爲難矣！

所以此次國代選舉，代表責任之重大，同道殊不能忽視，人才方面，極難遴選。余年高不耐跋涉，卻在會場上演說一節，欲使四座震撼，已不能勝任矣！所以另讓賢路，放棄競選，而余屬望最殷者，爲丁濟萬君。

丁君爲余老友丁甘仁先生之文孫，前任上海市國大代表仲英先生之令侄，正當強仕之年，門生滿天下，學術均優。於團體事業，及中醫革新事業，無不竭力提倡，尤足稱者。凡社會知名之士，莫不樂與交游，則其將來在國大會場上之發表言論，尤能博得羣衆同情，是吾中醫界不可多得之人才。所以余希望僅有八席之中醫界代表，請國內外凡中醫師一分子之選民，放開眼光，併合陣線，推選丁君，以全國之力量推選之，得丁君出席，國代大會，則對中醫界前途之裨益，豈淺鮮哉！

各·地·來·鴻·一·斑

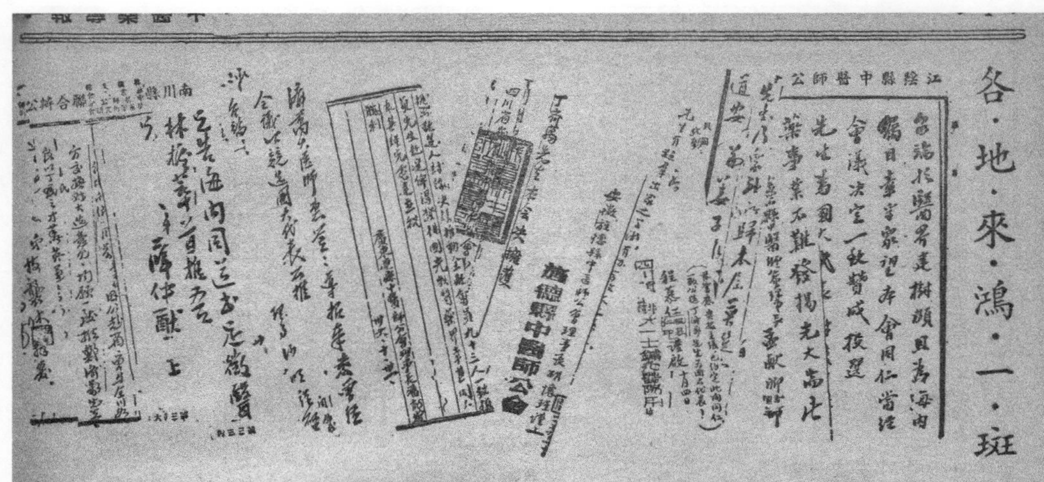

江陰縣中醫師公會

旌德縣中醫師公會

南川縣……聯合辦公處

拭目以待之國大

蚌埠·董佛

海上名醫丁濟萬先生，博學多才，早為全國醫界所欽仰，且熱心公益，不遺餘力。歷年以來，為我中醫界謀建樹，尤努力不懈。值茲憲政伊始，大選將臨，各地同道，紛函推荐丁君為國大代表。吾知珍惜僅有八席之國代名額者，必能表示擁護，一致投票，則中醫前途之光明燦爛，可拭目以待也！

推薦丁濟萬君

有毅力 肯犧牲

盛心如

今有人焉，畢生從事於醫學教育，社會健康，公衆利益，具辦事之毅力，抱犧牲之精神！吾於大江南北得數人焉！今就選舉事務所，公佈國大候選人名單中，在醫藥團體而言，丁君濟萬，可謂具此條件者。先生為丁公甘仁之文孫，嗣長中醫專校二十餘年，門牆桃李，遍於宇內。茲又為籌設復興中醫學校之中堅人物，創設華隆中醫院，歷十有餘載。總院分院，規模宏大，保障健康，服務人羣，為社會所推頌。并歷任上海南京中醫考試委員，衛生部中醫委員，及主持醫團常務理事，久為當局及醫林所倚重。平時晤談，常有慨於中西醫藥門戶之見，曾擬具整個計劃，足以躋於光明之路，惜無發展機會。而今憲法告成，又值國大競選之際，觀其生平辦事毅力，犧牲精神，出而宏施其抱負，當可為中醫界放一異彩！為介數語，以告同人。

「國大代表」人選 丁濟萬最為適當

崐山中醫師公會理事長·王定安·

國代選舉，為期伊邇。吾全國中醫界人士，欣逢實行民主推進憲政之秋，紛紛起而應選，推袁說項，盛極一時！漸由簽署舉荐進入票選階段，候選人名單，已經國府公佈，才俊滿前，雖分瑜亮，於是衡量人選，確定目標，遂成中心問題矣！

吾中醫分佈全國，遍及四十餘省市之廣，從業員達數十萬之衆。而國大代表，僅得八席，較諸西醫，已失公允，宜如何珍惜名額，鄭重投票，泯門戶地域之見，惟選賢任能是尚，庶幾其人出膺艱鉅，不負使命，固非標榜誇耀，徒博虛名而已！

國大代表，誠為民衆喉舌，議論豐采，固需傑出人才，而道德學識熱忱毅力，尤為必備之條件。上海中醫職團國代候選人丁君濟萬，淵源家學，望重杏林，跡其已往事業，如設立學校，創辦醫院。關於提高學術，培植人才，維護同道，施濟貧民諸端，靡不力踐躬行，見諸事實。而在淪陷期間，掩護地下工作人員，尤屬有功抗戰，毋待藻飾。他日當選之後，必能本其素志，發揚光大，為中醫爭地位，為醫學謀改進，造福人羣，徵諸往事而可知。竊謂代表人選，以丁君最為適當，僕伏處鄉里，與丁君尚無一面之雅，惟以見聞所及，心儀已久，略陳鄙陋，用作紹介，海內同道，當不河漢斯言！

·盛心如君·

熱忱擁護

嘉興 朱斐君

余僑居滬濱，已數易寒暑，平日習聞丁濟萬先生名，夙欽其為人，對於中醫界事業，能實踐，肯犧牲。此次競選國大代表，衷心快慰。余願熱誠擁護投票，丁君當選之後，必更有大助於吾中醫界者，可卜龜蓍！

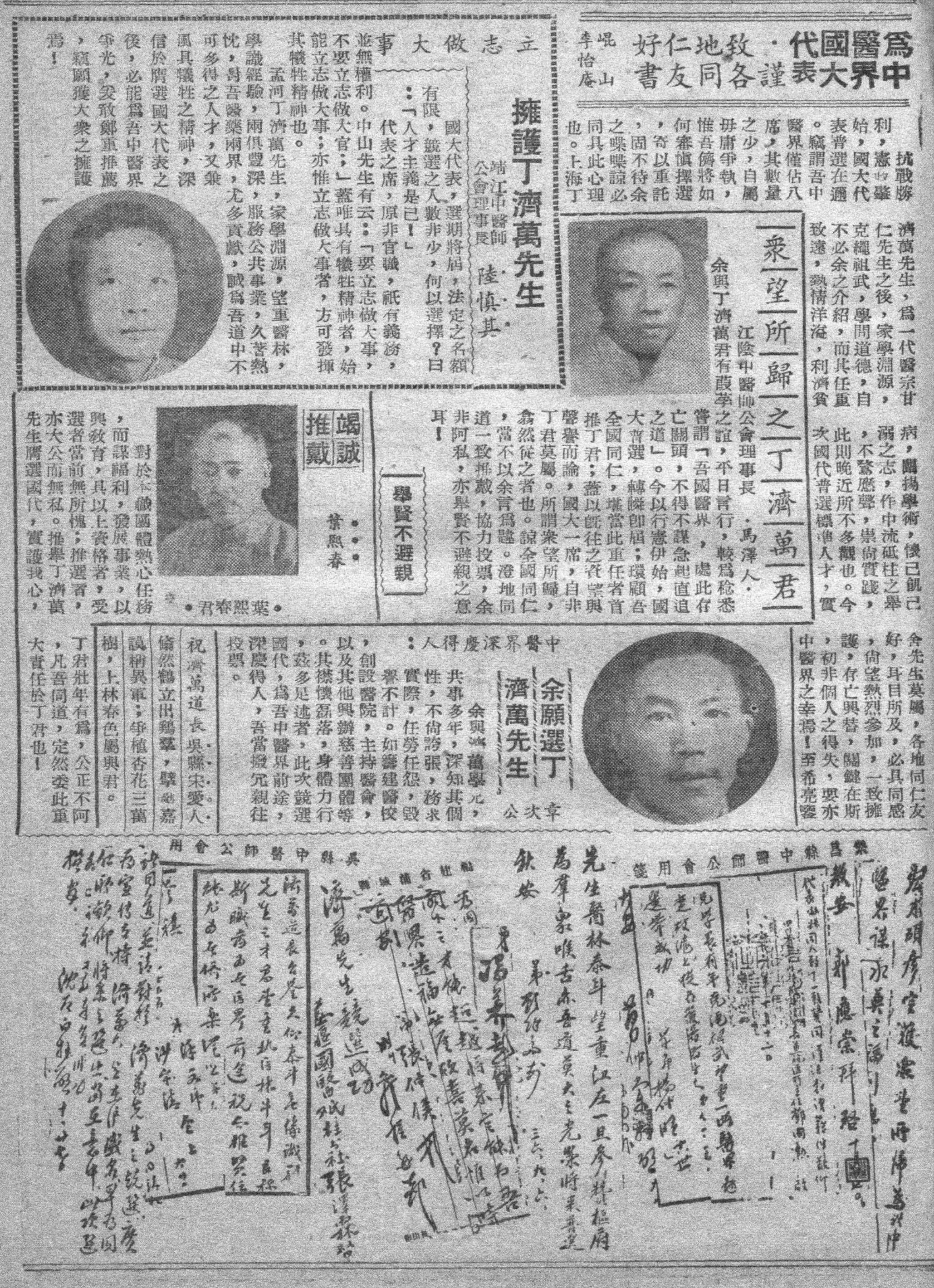

爲中醫界代表國大致地仁好·謹各同友書

崐山 李怡庵

抗戰勝利，憲政肇始，國大代表普選在邇。竊謂吾中醫界僅估八席，其數量之少，自屬毋庸爭執，惟吾儕將如何審慎擇選，以寄重託，固不待余之喋喋，諒必同具此心理也。上海丁濟萬先生，爲一代醫宗甘仁先生之後，家學淵源，克繩祖武，學問道德，自不必余之介紹，而其任重致遠，熱情洋溢，利濟貧病，闡揚學術，懷己飢己溺之志，作中流砥柱之舉，不騖虛聲，崇尚實踐，此則晚近所不多覯也。今次國代普選標準人才，實舍先生莫屬，各地同仁友好，耳目所及，必具同感，尚望熱烈參加，一致擁護，存亡興替，關鍵在斯，初非個人之得失，要亦中醫界之幸焉！至希亮鑒

立志做大事

擁護丁濟萬先生

靖江中醫師公會理事長 陸慎其

國大代表，選期將屆，法定之名額有限，競選之人數非少，何以選擇？曰：「人才主義是已！」代表之席，原非官職，祇有義務，並無權利。中山先生有云：「要立志做大事，不要立志做大官；」蓋唯具有犧牲精神者，始能立志做大事；亦惟立志做大事者，方可發揮其犧牲精神也。

孟河丁濟萬先生，家學淵源，望重醫林，學識經驗，兩俱豐深，服務公共事業，久著熱忱，爲吾醫藥兩界，尤多貢獻，誠爲吾道中不可多得之人才，又秉具犧牲之精神，深信於膺選國大代表之後，必能爲吾中醫界爭光，爰敢鄭重推薦，竊願獲大衆之擁護焉！

衆望所歸之丁濟萬君

江陰中醫師公會理事長 馬澤人

余與丁濟萬君有葭莩之誼，平日言行，較爲稔悉，嘗謂「吾國醫界，處此存亡關頭，不得不謀急起直追之道」。今以行憲伊始，國大普選，轉瞬即屆；環顧吾全國同仁，堪當此重任者，首推丁君；蓋以既往之資望與聲譽而論，國大一席，自非丁君莫屬。所謂衆望所歸，翕然從之者也。諒全國同仁，當不以余言爲謬。澄地同道，一致推戴，協力投票，余非阿私，亦舉賢不避親之意耳！

舉賢不避親

竭誠推戴

葉熙春

葉熙春君

對於組織團體熱心任務，而謀福利，發展事業，以興教育，具以上資格者，受選者當前無所愧；推選者亦大公而無私。推舉丁濟萬先生膺選國代，實護我心，

余願選丁濟萬先生

章次公

中醫界深慶得人：

余與濟萬學兄共事多年，深知其個性，不尚誇張，務求實際，任勞任怨，毀譽不計。如籌建醫校，創設醫院，主持醫會，以及其他興辦慈善團體等。其襟懷磊落，身體力行，茲多足述者，此次競選國代，爲吾中醫界前途，深慶得人，吾當撥冗親往投票。

祝濟萬道長

吳縣 宋愛人

倚然鶴立出雞羣，學贍嘉謨稱異軍；爭植杏花三萬樹，上林春色屬與君。

丁君壯年有爲，公正不阿，凡吾同道，定然委此重大責任於丁君也！

吳縣中醫師公會用

榮昌縣中醫師公會用箋

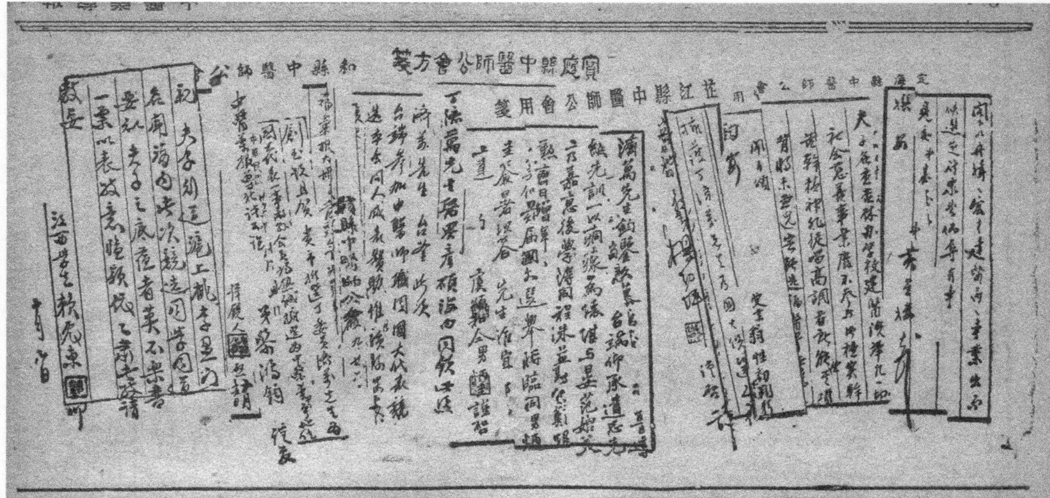
寶應縣中醫師公會方箋

和縣中醫師公

松江縣中醫師公會用箋

定海縣中醫師公會用

國大代表選舉日期及投票時注意事項

（一）日期：國歷十一月「廿一，廿二，廿三」三天，爲投票日期，全國各地，一律同時舉行。（本市投票時間，第壹貳兩日，自上午八時起至下午六時止，第三日爲半日，自上午八時起至中午十二時止。）

（二）地點：投票地點，由各地公會自行假定，會員如未接到公會通知，可先向公會探問。

（三）手續：憑選舉權證領取選舉票，須攜帶圖章，以備應用，倘無圖章時，可改按右手拇指印。

（四）人選：領到選舉票後，擇其足孚衆望，堪膺重任，尤應注重埋頭苦幹，永久爲醫界服務之候選人，投票選舉之。

（五）投票：決定人選後，如果推選「丁濟萬」，請即投其一票，倘以前曾爲他人簽署者，投票時，可以自由改選「丁濟萬」，不受簽署之拘束。

（六）寫票：書票時，請寫正楷「丁濟萬」三字，不可字跡潦草，或記入其他文字，且濟萬二字，筆劃甚多，不可將「濟」字，減少筆劃寫作「済」字，尤不可將「萬」字誤寫「万」字。上述幾點，均應特別注意。

·人人到場投票·

·珍惜一票選權·

全中醫界應有的認識！

石公

國大代表選舉

國大代表選舉，爲期已在目前；中醫界的名額，雖然政府規定祇有八名，在全體代表名額中所佔的百分比很小，可是全國中醫界所期望於八位代表者至殷且厚，而八位代表本身所負的責任，也至大且鉅！

近若干年來，歐風東漸，許多人士受了崇拜歐美的心理所支配，從而迷信科學萬能，不論在學術上以至日常的生活上，都演成吸取西學，摒棄國粹的趨勢，好像倫敦的大霧比重慶有詩意，紐約的月亮比北平光而圓，這種心理所反應於醫藥上的是提倡獎掖西醫而歧視，壓迫中醫，此不僅是中醫界的不幸，同時也是國家民族的不幸。

自民國二十五年一月廿一日國民政府公布「中醫條例」以後，中醫界始正式取得合法的地位，開始受國家法律的管理和保護，這固然是中醫界本身奮鬥爭取的成果，同時也證明了中醫中藥自有其不可磨滅的價值。可是，這合法的地位，在法理與條文上是和西醫平等的嗎？試檢民國卅一年公布的「醫師法」除了規定中醫師資格的條文外，其餘不都是以西醫爲對象而制作的嗎？關於此問題，這裏因限於篇幅，不欲多所論列，好在全國中醫界都已有深切的體認，實毋容再來嘵嘵，祇是應該如何去要求修正補救，都是今後全體中醫界的共同目的，亦即是中醫師國大代表的唯一責任！

憲法爲國家根本大法，所有政府一切施政和制定法令，都不能背離憲法，而憲法的修改，恰又是國民大會的一種職權。所以國大的中醫師代表就該把握住這一點，而在有機會到來時，盡其最大努力，爲爭取全中醫界本身的利益而奮鬥。按去年國民

最合理想的國大

王依仁

三十年以前，中醫界裏燃起了一盞明燈，發出燦爛光芒；那便是中醫專門學校與廣益中醫院，在丁師甘仁規劃之下，先後宣告成立，他是奠定今日中醫地位的基石！丁師甘仁歸道山後，濟萬硯兄克繩祖武，發揚光大，創辦華隆中醫院等，更收穫了美滿的果實！此次國民大會代表改選，我中醫界僅佔八席，以濟萬硯兄淵源家學，繼承先志，當是最合理想的代表！

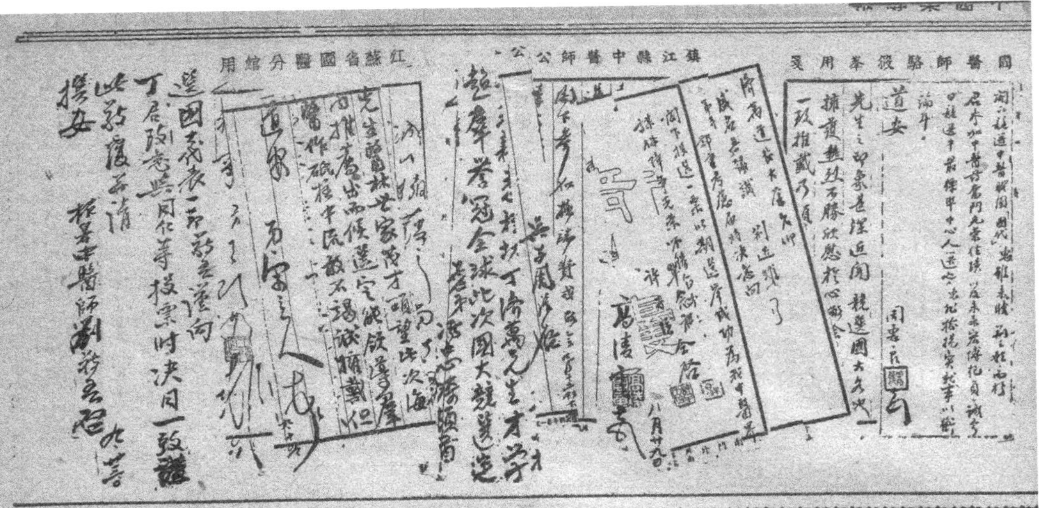
國醫師驗發專用箋

鎮江縣中醫師公會

江蘇省國醫分館用

大會三讀通過之「中華民國憲法」中關於醫藥衛生保健的問題，祇在第一五七條有「國家爲增進民族健康，應普遍推行保健事業及公醫制度」的規定，這是多麼抽象而籠統，實在不足說明中華民國整個的醫藥衛生政策，較之瑞士德國以及蘇聯等國的能在憲法中有其具體而硬性的規定，似乎含糊了一些，似乎是美中不足。何况今日之中國，中西醫藥兩大壁壘，依然背道而馳，既不能相互融匯圖進，又無法消弭傾軋爭執，而尤當注意者，則爲現階段中國國民的生命健康，事實上仍什之八九還依賴中醫中藥。儘管有些人非議中醫學理缺乏科學根據，中藥効力缺乏科學實驗，但事實證明：數千年來，中華民族在中醫中藥療治之下，其死亡率并不怎樣高於科學昌明的現代，而况中醫中藥已有不少能治愈西醫西藥所不治的實例。這種各有所長的特殊情形，是爲世界各國所少有的，照理，在我們的憲法上便應針對着這矛盾的事實，予以合理而公允的指示——最低限度，在單行法上應有合理而公允的硬性規定——庶幾得使中西醫藥能够融會貫通，互爲闡發，相得益彰，剷除各是其是的現象，以臻於完美盡善的理想之境，而作爲中國醫藥政策的最高指導方針，此種重大而艱難的工作，固然有待于政府當局之推動獎倡，而中醫界本身的呼籲爭取，則必須通過膺選之國大代表之手，以增高其力量與效果。這是全中醫界在選舉前夕應有的認識！

國大代表並非「官」，尤不當視同「官」其責任的重大和使命的重要，已如上述，故中醫界在選舉投票之前，自應鄭重抉擇其被選之對象，要注視其人格，修養，學術，經驗，特別是爲大衆服務的熱忱和毅力。每個投票人都應珍惜其所投的一票，勿因情面而搖動，勿受宣傳所迷惑，否則便是忽視國家所賦與本身的權利，浪費了所投的一票！要知虛張聲勢者每多不務實際，炫奇制勝者往往因私害公，這些都不是所當選舉的對象！

每個投票人應該珍惜自己的一票！

請選舉能說能行的丁濟萬先生

·唐吉父·

我國實施憲政，競選國大代表即將展開，此爲還政於民主之肇端，其意義之重，不言而喻。當選爲代表者，自宜展其抱負，建議國家，確定百年大計，無學養者自難勝任，亟宜一秉至公，審慎將事，庶不負所托，爲選民者不得不事前考慮，人民爲重，國家至上。

昔齊桓問人於管夷吾，夷吾不能薦賢自代，致齊國大亂。武氏問人於狄仁傑，仁傑能引用得人，而唐室大振。可見選舉得人與否，其關係國家民生，至重且大矣！

丁君濟萬爲已故孟河名醫丁甘仁先生之文孫，克繩祖武，家學淵源，亦以醫鳴於時。少懷大志，舉凡關係國醫藥事業，莫不儘力提倡，此次競選，觀其抱負，已可概見。如中醫藥導報第三期其發表「敬告海內同道」一文，內云如果渠能當選國大後，一、要求有關醫藥行政機構，應由中醫專門人才，管理中醫中藥。二、要求教育部設立中醫專校。三、要求衛生部設立中醫醫院。四、要求考試院寬放檢覈考試中醫師尺度。綜觀以上四點，具見其將來選出國大代表，決不使我一般選民有所失望也。

胸懷仁術譜恩開，桃李成蹊手自栽；藝藥盡參黎庶疾，多君惻隱不凡才！

創立華峰已多年，艱辛千壘志彌堅；醫人濟世存仁厚，繩武今誰似子賢。

·婺縣周鎮西·

黃冕羣君

擁護丁濟萬君競選國大代表

無錫中醫師公會理事長 黃冕羣

國大選舉，轉瞬即屆，爲保持過去之光榮歷史，爭取將來之行政地位，吾道同仁，當熱誠參加，不致後人；須認清目標，具有智慧學識，素孚衆望，有高超之人格，有苦幹之精神，不以當選國大爲踏上政治舞台階梯，永久爲醫界服務者，始克勝任。上海丁濟萬先生以過去對醫藥事業，社會福利之偉大貢獻，深知投票丁君，必能爲我中醫界謀建樹，不負吾人之期望！

希全浙同仁 一致票選丁濟萬

桐鄉 張藝城

余自戰事遷滬以來，已近數稔。夙知丁濟萬先生其人，屢接謦欬，深佩雅量，對於吾中醫藥界，前途之貢獻殊巨。此次聞參加國代競選，深孚衆望，今余願掬誠奉告，希吾全浙同仁，一致擁護投票，丁君當選之後，必更努力於本位工作，固又意料中事也。

我選丁濟萬

·崇明倪端·

丁濟萬先生之光榮事績，偉大貢獻，久爲全國醫界所欽仰。此次競選國大代表，已得各省縣市中醫師公會暨所屬會員，一致擁護。凡吾同道，屆大選之期，必須抱定一貫主張，親自到場投票，選舉丁濟萬先生爲國大代表，爲我中醫界謀永久之福利。

·丁濟萬先生小傳·

·周召南·

丁君濟萬，江蘇武進人，年四十五歲，爲孟河名醫甘仁公之文孫。早受祖業，家學淵源。造詣宏偉。行醫滬濱，垂二十餘年，杏林望重，遐邇蜚聲，軍政賢達，無不爭相延譽。興學校，辦醫院，門牆桃李，遍及全國，致力於中醫建設工作，歷數十年如一日，而於公益慈善事業，尤極熱心倡導。抗戰期間，恆義務爲地下工作同志治病。現任衛生部中醫委員會委員，上海市衛生局中醫咨詢委員會委員，上海市中醫師公會常務理事，上海市國醫學會理事長，華隆中醫院院長，復興中醫專科學校常務董事，歷任上海中醫專門學校校長，仁濟善堂董事，普濟協會常務理事，全國醫藥團體總聯合會執行委員，上海市衛生局第一屆考試委員，衛生署中醫委員會委員，中央國醫館理事，上海中醫學院院長，上海市難民救濟協會醫務主任，國民政府軍事委員會調查統計局特約醫官等職。此次參加國大競選，衆望所歸，當能展其宏才，勝任愉快，爲中醫界謀保障，爭光榮，貢獻於社會國家，以副吾人之期望也。

再告三校畢業同學

朱小南　朱鶴皋　吳克潛　程門雪　黃文東　黃寶忠　蔣文芳

（姓名以筆劃多少爲序）

諸位同學：

別後星移物換，寒暑迭更。諒必業務日隆，令聞廣播，不勝欣慰，近況奚如？尤所懷念。茲者國民大會普選在卽，全國中醫師代表僅佔八人，「內女性二人」。滬上同道，僉謂中醫師之嗣續，繫於醫校，充任國大中醫師代表，必須急公好義，熱心辦學之士，庶可於會議席上，大聲疾呼，力爭中醫地位，維護中醫學校，理想人選，咸屬意於丁濟萬先生，早經簽名推薦，呈送選舉事務所，現已公佈爲國大代表候選人。各醫校同學，亦以丁濟萬先生辦學最久，此次籌設復興中醫專科學校，担任常務校董，出力最多，一致表示擁護外；並請母校歷屆負責教務人員，通知諸位同學，各在當地一致投票，以示學校畢業生之團結精神，俾我中學學校，日趨復興一途。倘希聯絡當地同道，賜予合作，以增票數。尤所企盼。除已分別通函外，誠恐郵遞有誤，特再刊登中醫藥導報，至希公鑒。

諸斗星先生集藥名作詩誌賀工巧貼切因效其體

仁人言論藹如春，下筆文無半點塵，梨棗創刊醫藥報，南車前導日翻新。

傳來詩草果清新，庾鮑才高迥出塵，秋景天涼葭露白，神馳千里及伊人。

江山悠遠志相同，壺隱無名異曲工，好借他山攻玉石，古方解釋奏奇功！

連篇文藁本宏深，幾輩名流嘔苦心；闡發岐黃稽蘊義，析疑益智重醫林。

（按）當歸一名文無，千里及又名千里光，知母一名苦心。

眉山縣中醫師公會理事長公立中醫院院長 何鐵能

我與丁濟萬君

·黃文東·

余與丁濟萬君共事多年，深知其才學卓越，敏慧過人，歷年以來，對於醫校，醫院，以及醫藥團體，公益慈善事業，以犧牲苦幹之精神，爲醫界立基礎，爲社會謀福利，此次競選國大代表，更願揭發智能，爲中醫前途爭光榮，凡我同志，應竭誠擁護，投丁君一票，實醫界之幸也。

·丁·濟·萬·先·生·大·事·記·

丁濟萬先生，年四十五歲。生而岐嶷，少懷大志，秉性慷慨，待人以誠，廓然大度　藹乎仁者。家世業醫，深穎醫學堂奥，慨夫眞理之不彰，毅然以發揚國粹爲已任，歷來從事中醫藥建設工作，肯犧牲，負責任。宗　孫總理「行易知難」之說，實事求是，知無不行，任勞任怨，罔計名利，其道德言行，足爲吾人楷模。謹就耳目所及，略舉大概，備摛藻揚芬之助云爾。

先生學驗俱豐，懸壺滬瀆，求診者踵趾相接，莫不着手成春；於是聲譽雀起，望重杏林，此　先生成就偉業之發軔也。

民國十五年夏，上海中醫專門學校校長丁公甘仁，積勞病署，遽歸道山，先生繼承遺志，主持校政。該校成立於民國七年，自建校舍於南市西門石皮弄，提高中醫學術，培植優秀人才，爲全國最先創辦之中醫學府。先生主政以後，精心擘劃，改善教材，編輯講義，生氣蓬勃，日臻光大，莘莘學子，都負笈來歸，令聞廣播，馳譽全國，先生之名，亦於焉鼎盛。嗣後更因適合教育部訂定專科以上學校之名稱，改醫專爲上海中醫學院。仍由　先生任院長，並增設生理解剖等西醫課程，以應時代之需要。雖見仁見智，新舊之理解迥異，其後教育部頒佈中醫課程標準，却能不謀而合。蓋　先生高瞻遠矚，明察大勢，初非舍本逐末，故示新奇。歷屆畢業學生，人才輩出，遍及全國，散處海外，是時校務之發達，可謂全盛時代，中醫人才之得以興替不衰，先生與有榮焉。

•上海中醫學院校舍•

十八年，中央衛生委員會有廢止中醫之議，摧殘國粹，毀滅文化，荒謬妄誕，莫此爲甚！先生以吾國醫藥，確有實驗，關係民族之健康至大，乃與丁仲英，蔣文芳，張梅庵諸君，發起全國醫藥團體總聯合會。振臂疾呼，激勵全國中醫藥界之公憤，聯合晉京請願，提有力之抗議，挽狂瀾於將倒，卒賴以撤銷錮禁，收回成命，爭取國醫生存，作中流砥柱，厥功至偉。

先生鑒於中國醫藥，雖得苟安一時，日處風雨飄搖之中，謀所以普及之策，博取社會大衆之信仰。且上海爲我國通商大埠，中醫醫院寥若晨星，爲適應環境需要。乃於十九年四月，設立華隆中醫醫院於黃陂南路，規模宏大，創中醫院之先聲。內部組織，分病

•華隆中醫院總院外景•

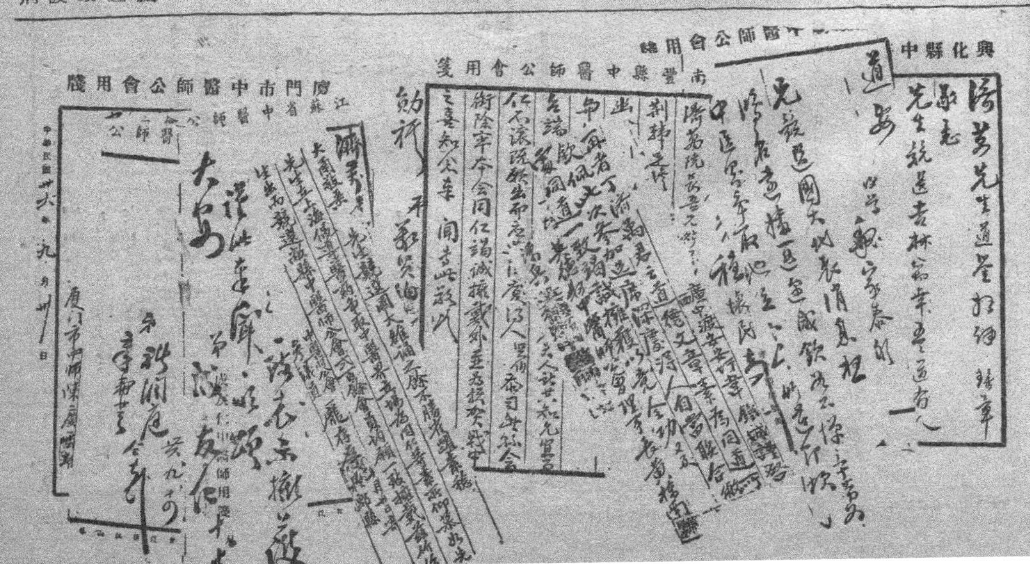

興化縣中……中醫師公會用牋

南豐縣中醫師公會用箋

廈門市中醫師公會用牋

江蘇省中醫師公……

房門診兩部，聘各科專門醫師，主任醫務，病房敞潔，空充氣足，看護週到，設備完善，門診送診給藥，完全慈善；並自辦藥部，實行「道地藥材」，發揮中國藥物固有之效用，病愈出院之人 同聲讚美；於是華隆聲譽，蝟然而起，深得社會人士之信仰。抗戰期中，四郊人口集中中區蕞爾之地，屋少人多，隨時有患病之處，因之施診給藥號數，增至三百號以上，給藥耗費，相當龐大。而 先生惻隱爲懷，抱服務社會，救濟貧病之旨，竭力支持，獨任巨難，非犧牲苦幹，曷克臻此！

二十年夏，上海中醫學會奉令改組爲上海市國醫學會。公推先生爲常務主席，周召南，戴達夫諸先生爲常務，該會係故名醫丁甘仁，夏應堂……諸先生所發起。成立於民國十一年，以研究國醫學術，發揚國粹，固結團體爲宗旨。自 先生任主席，積極擴充，益臻健全，會務發達，會員遍於各地。復刊國醫雜誌，行銷全國，他如開辦貧民施診所，鑑定藥方，代評試卷等等。或有裨學術之改進，或保障同道之福利，與神州中華兩醫會，三足鼎立，並爲同道所倚重。是年，水災波及全國，達十七省之廣，被災難民，共有七千萬之多，廬舍爲墟，人畜偕亡，先生慈焉憂之！乃聯合各會員，籌募巨款，轉賑災區。此則超越學術範圍，然亦可以想見先生之爲人矣！迨滬戰爆發，會務中輟，勝利復會，仍由 先生任理事長，主持會務，以迄於今。

民國廿五年衛生署中醫委員會成立全體委員合影

自右至左

（一）丁濟萬（四）隨翰英（五）陣郁（六）焦易堂（七）劉瑞恆（八）張簡齋（九）張錫君

虹口區中醫師

推荐丁濟萬氏

……王超然……沈香圃……施伯英……

政府召開國大，原爲準備行憲，誠以憲法爲國家根本大法，此在我國，則爲民國成立以來之創舉，故其重要性，實毋待贅述！

吾中醫界自國民政府於民國二十五年一月公布「中醫條例」後，已經由歧視，否認，而轉爲重視與承認。其後民國卅一年九月又公布「醫師法」，卅五年又公布「中醫考試檢覈須知」，自表面觀之，雖已取得合法之地位，而事實上仍未能與西醫平等待遇。例如國立中醫學校之未經政府設立，公醫制度之未許中醫參加，國藥改良之未由國家獎掖扶助等等，凡此種種，均爲吾中醫界所當力爭者，是則有賴于吾全國中醫界集中力量，團結一致，全力以赴，持久不懈者矣！

•王超然君•

•沈香圃君•

•施伯英君•

現在政府既以實行民主，勵行法治，爲治國大計，則一切大計，均須制爲法令，切實奉行，吾中醫界已有數千年歷史，從業者全國何止百萬人，若干年來，雖然政府當局對西醫護持，不遺餘力，實則依數量比例分析：全國人民康健的維護，十之七八仍普遍操諸吾中醫師之手，故如何能使政府在根本大法之憲法內，對吾中醫作維護改進之規定，實爲吾中醫界所選之國大代表的唯一而重大職責。今當國大代表競選前夕，願貢一言，以獻于吾全國有識同道之前，曰：「選賢與能」是！蓋唯賢能之士，方能不負所望也。

丁濟萬先生，過去對於吾醫界所建樹頗多，爲人所共見之事實，毋容贅述，洵年强有爲，不可多得之人才，希望全國的同仁，請你們一致拿純潔的正義感出來，集中選票，一致選舉丁濟萬先生代表我們作國大代表，全國一致，委以重任，使他盡量的施展其才智，替我們多作些基礎上的重要工作。

選賢與能

二十年八月，中央國醫館正式成立。先生被任爲第一屆理事，襄理館務，深爲焦館長所倚畀，尤以籌募首都國醫院經費，鼓吹甚力，雖因戰事關係，不獲實現，先生之熱忱，固不可磨滅者也。

二十五年，先生榮任衛生署中醫委員會委員。歷年以來，與陳郁，張簡齋諸公。發揚中醫學術，提高中醫地位，頗多建樹。

八一三抗戰伊始，先生担任上海難民救濟協會中醫組主任，出動華峰醫院全體醫師，暨醫校畢業同學，赴各處難民收容所，担任治療工作，盡其最大之義務，所謂有錢出錢，有力出力，嘉惠難胞，豈淺鮮哉！

二十八年，滬市淪陷，形成孤島，敵僞特工，暗殺愛國份子，而特區警局，增加日警，禁止一切稍涉政治之活動，本市同道，因政府西移，未及領證者，不能在舊特區行醫，致大起恐慌，政府體念民艱，施行淪陷區醫事人員給證辦法，由陪都直寄先生宅中，令祕密執行，是時先生爲國醫公會常委，認爲同道有互助之義務，不顧一切，毅然召開祕密會議，推先生與蔣文芳諸君主持審核攷試事宜，轉呈衛生署請領證書，維護同道業務，先生見義勇爲之精神，非常人所能望其項背者也。

先生更鑒於滬西一帶，工廠林立，勞工階級，一旦病魔纏擾，苦無適當治療之所。又於二十九年，創

生積十餘年與醫院之組織，[illegible]西貧病，獲益良多，其治績之優越，有口皆碑，先生之功績，亦中醫界之光榮也。迨勝利後，上海市中醫師公會復員，先生爲常務理事。

三十五年，任上海市衛生局中醫咨詢委員會委員，是年，並任考試院中醫師考試襄試委員。先生之博學多才，足以勝任愉快。曾於民國十五年，任淞滬衛生局中醫攷試委員。十六年，任上海市衛生局第一屆中醫考試委員，蓋早爲當局所推崇矣。

三十六年三月，先生因滬地三醫校，勒令停辦，不辭艱難，於三一七國醫紀念節大會席上，臨時提議，籲請醫藥兩界，籌設中醫專科學校，爲中醫藥謀基礎，決議推先生與陳楚湘岑志良等晉京請願，荷蒙當

復興中醫專科學校校董合影
前排自右至左　陳道隆　丁仲英　陳楚湘　潘公展　蔣竹莊　吳開先　龔熙春
後排自右至左　岑志良　陳大年　朱秉祿　丁濟萬　雷顯之　陳家珍　張梅章　倪錫庵

[illegible]校董會成立，先生爲常務校董。

是年七月，衛生部中醫委員會復員　召集會議於首都　先生鑒於中醫學校之被勒令停辦，中醫醫院之不能普遍，出席提議（一）「請由本會聲請教部廣設中醫專校，並寬放私立中醫專校管理尺度案」（二）「請在國產西藥未能自給自足之前，應請通令公立醫院，暨各縣衛生院，增設中醫部，以維民族經濟案」深得各委員之贊助，先生爲爭取中醫地位而奮鬥，爲發揚國粹而努力，殊堪欽佩。

先生宅心仁慈，凡∕善事業，莫不熱心倡導。歷任仁濟善堂董事，聯義善會醫務主任，祇園法會醫務主任，普濟協會常務董事，護國寺施診所董事兼醫務主任等職。

凡上所述，僅舉一隅。先生不獨仁術濟世，尤具愛國熱忱。當滬市淪陷之後，適先生任軍事委員會調査統計局特約醫官。掩護地下公作人員，甘蹈身家性命之危險，深爲戴故局長所嘉獎。於是知　先生之偉大，非常之人，而有非常之才者也。故世之僅以醫名讚譽者，抑何足以盡　先生耶！本篇所敷陳者，祇先生生平史中之一頁耳！

編輯室

本報迭經刊載推薦丁濟萬先生候選，承各省縣中醫師公會及同道先進，來函賜稿擁護，多至壹千餘件，情辭熱烈，特輯丁濟萬競選專刊。祇以紙張節約關係，限於篇幅，未能一一刊登，不無遺珠之憾！倘祈鑒諒。

本期爲擁護丁濟萬先生競選國大起見，特將五六兩期，合輯專刊，有勞讀者來函質詢。再各同道所賜學術文稿，不克刊佈，延於下期發表，特此鄭重道歉。

中醫藥導報 第五・六期合刊

・丁濟萬競選國大代表特輯・

每逢一日十六日出版

發行人：周召南

編輯：中醫藥導報編輯委員會

出版：中醫藥導報社

社址：上海（12）黃陂南路五〇號

訂閱價格

零售	每期	4.000.—
一月	二期	8.000.—
半年	十二期	4.4000.—
全年	廿四期	8.0000.—

廣告刊例

封底	全面	600.000.—
	二分之一	350.000.—
	四分之一	200.000.—
普通	全面	400.000.—
	二分之一	250.000.—
	四分之一	150.000.—

•套色製版長期面議•

優待本報讀者：

徵求基本定戶一萬份！

優待辦法

一，本報月出二冊全年廿四冊定閱半年四萬四千元全年八萬元（郵費在內）如須掛號或航空另加郵費二成（十一月底截止）。

一，凡一次定閱五份以上者九折計算十份以上者八折計算

一，機關團體學校定閱概以七折計算但須備正式函件

一，來信定閱請寄匯票或郵票（九五折計算）均可

國醫革命先導

武進惲鐵樵遺著

藥盦醫學叢書

……發售預約……

十一月底截止預約・十二月底準期出書

武進惲鐵樵氏為國醫革命之先導晚近國醫界咸知發皇古義融會新知者惲氏實為首倡其著作不落前人窠臼不襲西書成說風行海內外膾炙人口惜絕版已久零落不全茲董理氏生前全部醫稿廿餘種分編八輯以第一二兩輯先行出版發售預約特印樣本詳載內容提要及預約詳章函索附郵二千元

發行處：上海（九）牯嶺路人安里十四號章巨膺醫室

章巨[膺] 中醫學修習題解 精裝一巨冊 外埠郵滙

研究中醫學術 準備中醫考試 必備參考

湯士彥主編

中國醫藥研究月報 二卷開始預訂

一，本報歷史悠久，信譽卓著。恢復出版以來，一卷瞬將屆滿。二卷起刷新內容，開始訂閱。

二，預定全年十二期連郵四萬元（半年不定，另本不售）欲航寄或掛號，均各另加二萬元。已定之後，將來報價郵資無論如何增漲，概不再行添補，（又本報第一卷全集，倘有餘存，補購四萬元）

三，每一新讀者，均發給研究員證書，以資研究聯絡。

四，特別歡迎各地同仁組設分社，祗須一次介紹十份，即奉聘為分社長，贈閱本報一份，成績優異者，再贈其他紀念物品。

五，匯款時請在匯款單上註明由杭州官巷口郵局支取（如用郵票代款，九折計算）

中華民國三十六年十二月一日
本期售價國幣四千元

月刊 · 第七期

本[illegible]已[illegible]上滬社會局准許登記轉呈內政部
本報經中華郵政登記認爲第一類新聞紙類
上海郵政管理局執照第一二四七號

·發行人· 周召南
·中醫藥導報社出版· 地址上海黃陂南路五〇號電話八四七二九
·編輯· 管理平 嚴以平

論壇 論現代醫學之趨勢與中醫之前途！

·嚴以平·

吾人在日常生活環境之中，賴有醫學的調護，得以維持健康，摒除疾苦。人類的生活環境，每因時代之進化，隨時轉易。醫學的趨勢，也因爲人類之進化，隨時演變。從歷來醫學的沿革，可以概見。

古代民智未啓，生活簡陋，缺乏醫學常識，不知疾病原理。一旦病魔纏擾，誤爲鬼神作祟；惟有憑藉神祕無聊的符咒，祈禱，希望神天默佑，用以袪病却邪。根本稱不上醫學，所謂神祗時代的一種巫術而已。

其後人文啓發，知識漸開，知道人體疾病，由於生理上發生變化而來。於是研究疾病的原因，從事試驗藥物的效用。開醫學史上之新紀錄，醫巫的界限，也由此而分。

不特中國如此，歐美各國，莫不皆然。攷西洋醫學，大都淵源於希臘。但是希臘醫學，也由第一期神魔時代，經過第二期哲學時代，然後達到第三期實驗時代；脫離宗教信仰，完成醫學的獨立。可見中西醫學，都是逐步改進，方纔奠定了基礎。

近世以來，科學昌明，歐美醫學，日新月異。各項科學之貢獻，如生理，解剖，生物，物理，化學，細菌等學；都是研究醫學的幫助。研究的結果，得到了很多的發明。並利用種種科學儀器，作爲診斷上的輔助。疾病的眞相，因之益明。治療的方法，因之益工。更從病菌之所以生存死滅，用殺菌，消毒，防腐，等預防的方法；先期撲殺，防患未然；以減少人生之疾苦，省却治療的麻煩。因爲純粹科學化的關係，稱爲科學的醫學。

西醫學說，隨着歐風東漸，早已遍及全國。因爲病理方藥的簡單易明，醫療器械的炫耀眼目。所以深印國人腦海，無形中劃分了中西醫的疆界。回顧我國醫學，發明最早，拿歷史來講，駕乎歐美之上。以言治績，負數千年保障民族健康的重大使命，也可以互相媲美。然而時至今日，岐黃國粹，反而滯留不前。不能與世界醫學，並駕齊驅。遂被一般人視爲不合潮流，蒙時代落伍之譏。所以致此之故，第一，當然因爲科學發達，受着時代進化的影響。第二，因爲異己者之排擠傾軋，惡意宣傳，以致淆亂視聽，促成少數人士對中國醫學的估計錯誤？第三，因爲中醫本身的墨守成法，故步自封，雖有經驗心得，往往守祕不傳，因之不能有所發明，所謂不進則退，還是應該自負其咎的。

現代醫學之趨勢，既已踏上科學的途徑。具有中學以上程度的各界人士，都已領悟了普通的科學知識。所以西醫的學說，比較容易明瞭。對於中國醫學，因爲醫理的深奧難明，反而不能澈底了解。試問在此情況之下，其所信仰的趨向，是否以中醫爲依歸，還是以科學之醫爲依歸；還是很關重要的一個疑問？

中國醫學，確有眞理實驗；尤以藥物的特效，早爲各國所採用。祇緣書籍太多，反致眞理不彰。更因學說紛歧，使後學者無所適從。長此以往，勢必陷於暗淡之境。當此成敗關頭，不能自諱其短。對於固有國粹，亟應整理革新。汰蕪存精，使之成爲有系統的學術。迎合潮流，適應人文進化之需要。庶幾中醫學術，得以發揚光大。事在人爲，今日之舊學說，也許就，他年的新醫學。

回憶今年八月間行政院召集各有關機關，審查改進中醫中藥案的時候，首先表示：「政府對於中醫藥事業，素不漠視，」這，很值得注意的。不過政府的提倡，還是靠着自己的努力。希望中醫界同志，共同負起責任，創造我們光明的前途。

名家醫論

談痢疾

·黃文東·

夏秋之際，患痢者甚多，大都因熱貪涼，或恣啖冰果，傷其腸胃，因而消化障礙，排泄失常，以致宿食停滯，濕熱鬱蒸，交阻胃腸之中，故挾糟粕積滯，脂液膿血而下注也。據近代學說，病原分爲二種，一爲菌痢，一爲虫痢。言其症狀，菌痢初起發熱，腹痛瀉痢，一似食傷，一二日後，便色轉白，或紅白相兼，其勢轉劇。虫痢無前驅症，突然腹痛下痢，裏急後重，便中必有粘液膿血，如熱度過高，即現搐搦昏迷等症狀，或以體內水分不足，而現脣燥脣枯，脈搏細小，四肢厥冷，此時中毒症狀更顯，而危險亦更甚。

治痢之法，內經以「通因通用」爲訓，消導腸垢，以剷除菌類繁殖，實爲治本之方。其次應從白者濕多而傷氣分，赤者熱多而傷血分，赤白相雜，爲濕熱俱盛，氣血並傷，集化濕清熱，和營調氣之品，與緩瀉藥，合而成劑，當推「潔古芍藥湯，」（芍藥，當歸，黃芩，黃連，肉桂，木香，檳榔，甘草，大黃）無爲周匝。佐以「木香檳榔丸」「枳實導滯丸」「香連丸」等，湯丸並進，治下痢赤白，頗有速效。又如白痢宜溫，前方去芩，連，當歸，加炮姜，砂仁。赤痢宜清，用「白頭翁湯」（白頭翁，秦皮，黃柏，黃連，）重加歸，芍，藥穩效速，無損傷腸胃之弊。初起兼有惡寒發熱，加荊芥，防風，蘇叶。發熱而不惡寒，加葛根，豆豉。寒熱往來，加柴胡，草果，青皮。使邪從汗泄，爲表裏雙解之法，亦即喻氏逆流挽舟之意也。（未完）

國務會議通過要案

立法委員選舉展期

（南京電）立法委員選舉進行程序，原定候選人登記期爲卅天，自本年十月廿二日至十一月廿日止，十一月廿一日由主管選舉機關辦理候選人之審查公告，至政黨提名之候選人名單，依照立委選罷法施行條例第十四條之規定，應于候選人開始登記前，提交選總，轉交各該主管選舉機關，現選總以候選人公告之期已過，而各黨提名之候選人名單迄未送到，如即送到，俟轉交各省選所後，亦尚有登記公告印製選票轉發各縣市等手續，現距投票之期（十二月廿一日至廿三日）甚近，已無法趕辦，如任其依法簽署之候選人公告印製選舉，則各該黨應提候選人又將不及參加競選，事關重大，故選總呈請援照國大代表選舉投票日期展延之例，准將立委選舉投票日期酌加延展一月，業經上月二十八日晨舉行之國務會議通過，至候選人登記期限，則不再變更云。

國大代表當選名單

黨報未齊延期發表

（南京電）全國性職業團體國大代表當選人名單，原定於本月四日公佈，茲因各地黨報未齊，延期發表，現選舉總事務所，已限令各省縣從速呈報云。

近今所見偏枯之症，大都得之於婦人多產血虛，又肥碩多濕，爲風邪所中，留於經絡，以致釀津液而成痰，凝血液而爲瘀，風痰瘀阻塞，氣血漸以不通，關節爲之痺強，始則指節屈伸持握不利，牽掣酸痛，以漸而不能高舉，不能屈伸　不知痛癢，始　偏枯也；此症轉變極緩，成之匪易，以其人飲食如故，水穀所生之精微，猶能灌輸於經絡關節，內經所謂「言不變，智不亂，病在分腠之間」者，正以偏枯人臟腑機能，未受影響，若其懲前毖後，積虧成盈，反能帶疾而延年也。當其酸痛痺強，猶知痛癢之時，苟施針灸之法，內服活絡丹人參再造丸等（內有血肉靈動之品）以祛風通絡，合獨活寄生湯金匱薯蕷丸等兼補氣血，往往能潤死肌而復活，回枯槁以向榮，何偏枯之足畏哉！以上所言之偏枯，其病理由於外風，與內經「虛邪客於身半，其入深，營衛衰而真氣去，邪氣內留」之說相合，若內風暴厥之後，厥回人醒，而痰瘀久塞隧道，肢體遂爲偏廢者，亦常常見之，則爲內風所成矣。

內風症之理論，千古以來，唯無錫張伯龍氏能獨探驪珠，洞其竅奧，廣彼前修，以成正覺，其治法分潛降清滋膩補三步，則竊以爲猶失之簡，未爲周密，夫內風閉厥初起，痰涎上壅，咽關阻塞，藥汁不能下口，自當以開關爲先，此第一步也，次則潛降，張氏雜取金石介類，石性多澀，金類亦只以重鎮見長，不若介類性寒味鹹，能潛潤而降下也。然風木過升，不易驟降，心火亢盛，亦非重鎮所能

大地醫藥近訊

大庾縣中醫師公會正式成立

（江西大庾通訊）大庾縣中醫師公會，由曾仁傑，許獻箴，杜濟蒼等發起，業已籌備就緒，於本年十月間舉行成立大會，計到會員數十人，各主管機關，均派代表參加，選舉結果，以曾仁傑，杜濟蒼，蔣其壽，許獻箴，韓占魁，得票最多，當選為常務理事。岳胡煜，楊雲昌，邱紹綱，陳善文，當選為理事。岳景晃，當選為常務監事，丁文軒，丁希元，當選為監事云。

集藥名頌醫界選舉國大代表

·諸斗星·

猗歟中土，寳克東洋，（參）光明（子）建國，和合（草）薦方。民權甘遂，貫衆主張；普賢（綠）選舉，無漏（果）城鄉。羣齊都念，（子）蓊智闘强；誰家佛手，蘭爵芬芳。烏頭白叟，（天）花粉女郎；連環（草）投票，隊隊（蟲）成行。有斐（使）君子，國老（甘草）堪當；便便大腹，（皮）遠志深藏。苦心（知母）籌劃，醫校扶芳；（藤）藍通（草）消息，醫報千張。（紙）紛上[illegible]，走馬（胎）飛黃；清風（藤）參政，月季（花）增光。滔天雄辯，利似刀槍，（草）新會（皮）席上，巨勝（子）非常。不辭瑣瑣，（葡萄）續斷商量；要人面（子）洽，百部贊襄。岐黃精粹，頼大發揚；南車前導，無患（子）不滅。自斯百藥，（煎）透骨（草）改良，萬年（青）治病，功蓋西洋。（參）自斯路路，（通）醫院通香；（木）苦丁（茶）得濟，延壽（果）且康，自斯百合，羣大力（子）强，同人如意，（草）松柏春長。自斯三寳，（薑）若蘂苞桑；保邦獨立，（草）萬壽（菊）無疆！

（編者按）前承名醫諸斗星先生，集藥名體賦詩頌本報出版，頗受讀者歡迎。茲蒙諸君續賜佳作，並允為本報特約撰述。特此介紹，並誌謝忱。

讀醫隨劄

·何時希·

是第三步。肝之過升，有由於肺之不降者，治節之令失司，肅降為之無權，則又當於介類潛降之外，兼用金匱「金平木」之法，以清肅肺氣之藥佐之，是為第四步。風火上煽，挾痰熱以俱上，阻塞於氣道，既遏清氣之上升，亦礙風火之下降，風火不降，神智如何能醒，五官如何能利，故清化痰熱，亦是要着，惟當以蛤殼竺黃竹茹瓜子蔞貝之屬為主，若復用南星半夏成法，則溫燥之弊生矣，此第五步也。潛降清火肅肺化痰四法，當耐心持續用之，必待頭目清晰而不嗜眠，言語明朗而不蹇强，胃氣甦醒，方可改用清滋，所謂清滋者，滋陰之較為清淡者也，不可投之太早，以留戀風痰，是為第六步。進一步則用膩補，胃氣已復，慮能受補，故補劑不炎，水不濟之也，內風之源，實由水虧，故內風之治，最後一着，還在補腎，蓋其成也，由於房室男女之積虛，則其復也，亦當求諸飲食消息之緩補，草木藥石，究少靈性，且且服之，徒令人厭，則食養之法尚矣，血肉之品，具有性靈，五味之調，可以適口，亦內經「精不足者補之以味」，「味歸形，形歸氣，氣歸精，精歸化」之旨，故厚味填精一法，為內風症之末一步，即此亦可以竟全功矣。持此八法，以補張氏三法之遺缺，竊謂較切病情，幸識者教之。

湛江中醫師公會改選理事監事

（廣東湛江通訊）湛江市中醫師公會第一屆理監事任期，業於本年十月二十五日屆滿，於十一月二日假座赤坎高州會館召開第二屆會員大會，改選理監事，當經全體會員遵奉湛江[illegible]醫[illegible]指導員訓示，依法票選盧尊園，方略，戴天村，黎伯器，周瑞成，鄺斌全，蘇劍吾等七人為理事，梁伯泉，張振光為候補理事，黃銳君為監事，柯傑白為候補監事，復經理事互選盧尊園為理事長，宣誓就職，隨於十一月十二日接收圖記，辦理會務云。

湖南省立國醫院省常會通過成立

（湖南長沙訊）籌設「湖南省立國醫院」一案，已於十一月四日經湖南省政府提經第七十六次常會通過，即日開始籌備，暫以長沙保節堂街國醫院新建之門診處為臨時院址，俟卅七年度省預算核定後，即行擴大組織，正式成立云。

談酒

·贛·萍·
王·聖·鐸·

「人生難得幾回醉」，說來雖很輕鬆，却含有「痛飲開懷」的意味。而「舉酒邀明月」，又是詩人雅士的閒情逸緻了。國人的習慣，「借酒澆愁」，「飲酒助興」，拿酒來發洩心靈上的感觸；所以悲歡離合，都是痛飲的時候。

「酒」在中國發明最早，名目繁多，最著的四大名酒，就是紹酒，汾酒，大麴酒，茅台酒，其中茅台酒是在巴拿馬賽會得獎，馳譽海外。

談到它的用處，本草上載着：飲少量可以行藥力，活血氣；過飲則傷神耗血。衛生月報第二十期邵伯山先生談到酒的益處，可以和合藥物，烹調餚饌，流通血脈，舒暢筋骨。若飲而過量，反足以傷五臟，滋事端，非徒無益，而又害之。

酒的裏面，含乙醇最多，乙醇具有麻醉性；飲酒之後，暈暈欲睡，微現麻醉的狀態，就是醉的現象。因為它含的酒精量各不相同，所以味道香氣也各不相同，這在飲酒的人是可以體會得到的。酒的裏面除乙醇外，並且還含有甲丙丁等醇，這些醇的味道和香氣，都不及乙醇好，可是麻醉性的中毒作用却比乙醇強，並且酒裏面還有少許別的酒精，所以飲之過量，不但損傷五臟，甚至殺害生命。

飲酒的人為什麼有量宏和量淺呢？據生理學家的研究，酒醉的程度，與身體血液中所含酒精量有關；量宏的人，飲多量的酒，血液中的酒精量並不增加。反之量淺的人，飲少量的酒，血液中的酒精量便立刻增加。這種研究的結果，酒量宏的人，胃腸吸收酒精的能力很遲，且吸入血液的酒精量，並不被氧化，由腎臟排出，存在血液中的酒精量，並不超過往常的分量，所以飲酒量增大。如果吸收快而排泄慢的人，他的酒量一定很淺。

酒既然是具有麻醉性的，所以分量少可以使人興奮，流通血脈。但並不是真的興奮，不過除掉存在中樞神經的制止作用而已。所以在意識方面，變成了愉快的感情；在行動方面，則活動力強盛。此時並可促進新成代謝機能，舒暢筋骨。假如再飲多些，不但制止作用消滅，麻醉作用便會增強起來，興奮性也隨之降低；於是不喜運動，感覺變為遲鈍，精神反不愉快，意識完全消失，遂致因酒廢事，傷身亂性，酒友們應該自知警惕，不再狂飲了吧！

醫隱筆

傷·寒·漫·談·（續）

·管理平·

戰汗一證，在時病中頗多遇之，邪熱因一汗而有外達之機，自屬佳象。然從事實驗之，亦有不盡然者；所謂戰汗，先形寒戰慄，寒後發熱，熱時汗出如瀋，浸浹內衣，互數小時而漸止，汗止熱即遽退，色萎膚冷，神疲懶言，此種見象，直與亡陽無異，病家不明其情，往往惶駭莫名，實則祇須脈靜神安，自亦不妨，切囑病人安臥可也。（葉氏外感溫病篇中，曾有論及）倘久汗不止，脈轉細小，肢冷不溫，此乃衛氣大虛，心臟衰弱之徵，年邁與勞心者，最多此象。宜固表回陽，斂汗強心，如桂枝湯，桂子加附子湯，桂子二加龍骨牡蠣救逆湯數方增損，重則參耆亦可屬用。又有戰汗不澈，越數日再戰者，初次汗出不多，汗後熱勢仍高，約有數因，邪鬱少陽，樞機不和，有轉瘧可能，此其一。邪盛正虛，不能托邪外出，可倣小柴胡法扶正達邪，此其二。裏滯鬱結，得暢汗而解，此其三。

邪伏氣分者，可以從汗與瘖而解。鬱於營分者，可以從衄與疹而達。故溫病得衄，亦屬佳象，前人稱為紅汗，其義與戰汗相同，然每見衄出不多，衄後熱勢反高，脈轉躁數，神志懊擾不寧，或竟昏陷者，此鬱熱不得隨衄外泄，逼極而入心胞之象也。（與上條戰汗不澈同一例）在溫盛熱壯，舌絳煩躁之時，最多此象。宜黑膏湯法，一面清解，一面涼營，進則紫雪，神犀，亦屬要藥。時證中最多變幻，瞬息不測，臨證處方，更宜手腕靈活，不可膠柱鼓瑟，倘如趙括讀父書，拘泥而不化，則無往而不僨事者矣。唇焦屬食積一語，秦皇士閱歷之言，徵之事實，絲毫不爽。燥結陽明，每多不腹痛，不拒按，或竟便溏粘膩，（前文已論及此可用下）或竟間日一行。而其熱也，始終不退，其唇焦也，始終不脫。究其故，蘊結在裏之宿垢，尚未盡達，必待垢盡而後唇焦漸脫。熱勢漸減。

回歸熱一證，古籍中無明確之記載，其證象為發熱數日，即戰汗熱退，熱退之後，溫度低縮，約七日熱度再高，如是者約須三五次，方可痊愈。同時更見頭痛乾嘔，面色污滯，舌苔膩厚，貧苦階級，患者最多。西說謂傳染蚤虱而來，頗有可信。曾讀傷寒論厥陰篇中有「傷寒始發熱六日，厥反九日而利……本發熱六日，厥反九日，復發熱三日，……」「傷寒病厥五日，熱亦五日，設六日當復厥，不厥者自愈。」其文義頗與此證相類，愚意謂回歸熱之熱狀，與瘧病最為近似，內經瘧病篇亦有「休數日乃作」之證。惟此證決非用普通療瘧之方所能療治，金匱所載各方，竊以蜀漆散一方（蜀漆，雲母，龍骨）通陽劫痰，似尚符合，作者未經試用，不敢自信，特錄出以供同道商榷之。

詠中醫會試

一堂濟濟集關中，筆陣縱橫各逞雄；
醫論文章同試畢，齊呈卓藝仰明公。

·惠陽陳[illegible]·

療病賦

（以醫學名儒在老成爲韻）

惠陽 陳明珊

嘗謂精神康健。血脈逶迤。疾占客氣。疫感天時。倘其鴆飲銅盤。病解相如之渴。縱彼杯浮弓影。疾猶謙客之疑。藥能馳馬斬關。有恙咸堪最效。書載汗牛充棟。無恆莫可爲『醫』。原夫醫之始於岐黃也。萃纖靈樞。書傳抱璞。湯液指陳。難經揚推。若問蓬壺仙在。曾逢葛叟燒丹。請看海市人來。恍見安期賣藥。考唐宋元明之論。各擅精長。閱朱張劉李之書。足徵術『學』。則見風霜屢易。寒暑頻更。或宇宙炎蒸而欲翕。或山城瘴氣而旋生。念天時暘雨弗調。感觸斯人之疾。恐人事寢興雜節。防處暴疹之萌。辯寒燥暑濕火風。症候皆六淫易治。審經絡形軀臟腑。病端而萬類難『名』。其或老羸未展。痼疾難驅。吉凶孰料。休咎誰無。嘆景公病入膏肓。難嘗新麥。悲舜帝寢乖蘊露。憑弔蒼梧。嘆他世界蜉蝣。驚幻夢喚醒衆庶。說到英雄得失。嘆空勞舌戰羣『儒』。倘使脈理未精。病情難采。任意希圖。捫心尤悔。不畏陰陽果報。紊譜醫方。罔知神鬼森羅。叢積有罪。若視病家如草芥。須防人命攸關。徒爲依樣畫葫蘆。試問工夫安『在』。憶昔徐氏針茅。神農嘗草。華陀能刮骨療醫。叔和有脫胎再造。遺下旌陽丹汞。舐鷄犬以飛昇。製來思邈神方。拯虎龍之疾好。採得劉晨之藥。學先嚮於長生。喫他曼倩之桃。耐童顏而未『老』。迨夫醫旗國院。步躡蓬瀛。功同和緩。位列公卿。徽仰醫宗。聖代守軒岐之法。望隆師席。中央賜幣帛之迎。勉砥礪之儒林。緣紬學富。著勛名於太史．德業之『成』。

六神丸

張天僑

六神丸之方藥不能公開於世，致令一般醫家和病者，恆以神祕之眼光視之。此其弊不獨使六神丸未能普遍應用，且僅局限於數種急症而止，不得擴張其領域。此猶英雄豪傑，遭時不偶，未能展其抱負，誠爲可嘆！走筆及此，不能不責以此丸著名之雷允上藥號，實有守祕之嫌。然雷允上能不惜工本，揀選道地藥料，使此丸之效力，不因僞造者而敗壞其名譽，猶能膾炙人口，此則其功勞不可沒也。

玆將日人本村虹劍所撰關於六神丸一篇文字，其較有興味者摘錄於后：

「六神凡之藥味爲：蟾酥，麝香，犀角，牛黃，羚羊角，熊胆，一般配合法：上藥等分，在石臼中研爲極細末，米糊丸，如粟米大。凡劇烈之急腹痛，胃痙攣。服一二粒，唾手可愈。虎烈拉病一次服十粒立愈。本方缺蟾酥，即如造佛無魂，但其藥能類於砒素，故僞六神丸往往使用砒素，常人祇可以舌試之，凡用砒者，其舌尖之痲痺，不能達三十分鐘，卽已內消，若蟾酥則可至一小時。」

上列六神丸中之各藥品，若論現代之科學分析，吾人未能盡知，今祇能根據前人已知之記載而論之。

按本草綱目蟾酥條曰：「主治溫病發斑困篤者，癰毒，破傷風，發背，疔瘡，腦疽，五痔八痢，折傷接骨等。」

又牛黃條主治曰：「驚癇寒熱，狂痙譫語，小兒胎熱，七日口噤等」。又麝香條主治曰：「心腹暴痛，沙虫溪瘴毒，解酒毒，中風，中氣，中惡，痰厥等。」

又熊胆條曰：「主治時氣熱盛變爲黃疸，小兒驚癇，殺蚘蟯蟲，治諸疳羸瘦等。」

又羚羊角條主治曰：「一切熱毒風攻注，昏亂卒死，毒痢，瘧瘦。山嵐瘴氣溪毒，小癇兒驚，赤游丹毒」。

又犀角條主治曰：「殺勾吻鴆羽蛇毒，傷寒時疫，畜血詀語瘀黃，瘡稠黑陷，發背癰疽，飲食毒、藥毒。」

細按上列諸藥之功能，則本丸應可爲下列各病症之治療劑：

一、中毒類：酒毒，飲食毒，藥毒，蠱毒。

二、外科類：創傷，癰疽，疔毒走黃。

三、急性時病類：傷寒，瘟疹傷寒，疫痢，霍亂，天花，惡性瘧疾，黃疸，腦脊髓膜炎，麻疹，破傷風，沙虱毒等各疾病之見神智昏迷，動風昏厥，氣急，擁疹黑紫等困篤症狀者。

本人因有感於六神丸之藥效，認爲吾人如能再加研究，則其功用定多擴展。爰草此篇，不過提供材料，作爲世人研究之張本。如海內高明，有關於此藥之珍貴資料，不吝賜教者，務希撰稿惠寄本報，或函本報社轉交鄙人，均所企盼！

醫藥常識

各定戶公鑒

本刊邇來報紙節約，故自本月份起，改爲月刊，每月逢一號出版，所有本刊各定戶，仍照訂閱期數，按期寄奉，再本期因等候公佈國大代表消息，付印稍遲，以致脫期，諸希鑒察。

論著

疔瘡證治

·嚴以平·

外症之中，莫急于疔瘡，來勢凶猛，發無定位，凡頭面四肢胸腋腰脊等部，皆可患之；大都生於關節之間，及無毫毛之處，發於頭面四肢者多，發於胸腋腰脊者少。茲將原因證治，簡述于后：

（一）原因：內經云：膏粱之變，足生大疔，蓋膏粱之體，內多滯熱，皮厚肉密，無從發泄，內蘊於臟腑之中，外發於筋脈之間，故此症病原，多由於恣啖厚味，熱毒內壅，或受四時不正之氣，或中蛇虫死畜之穢，以致血凝毒滯而成也。

（二）名類：疔名繁多，種類不一，攷諸外科書籍，得二十二名。曰顴疔—生於左右顴骨。眉心疔—生於眉心中間。人中疔—生於人中正中。承漿疔—生於承漿穴。鼻疔—生於鼻孔。耳疔—生於耳內暗處。反唇疔—生於上下嘴唇。鎖口疔—生於左右口角。牙疔—生於兩旁牙縫。舌疔—生於舌上。喉疔—生於喉間。黯疔—生於腋下。釘腦疔—生於太陽眼邊。蛇頭疔—生於手指頭頂。蛇眼疔—生於指甲尖旁。蛇背疔—生於指甲背後。蛇節疔—生於手指中節，繞指而腫。蛇腹疔—生於手指裏面，形 魚肚。羅疔—生於手指羅紋內。虎口疔—生於虎口合谷穴。掌心疔—生於手掌。足疔—生於足心。凡此二十二疔，皆由於熱毒壅滯，各隨其所發之部位而異。實則同屬一症，毋庸分治，惟耳鼻牙舌咽喉五疔，因所處不同，故外治手術，略有差別耳；舍此之外，以症狀名者凡七種，火燄疔—紫燕疔—黃鼓疔—白刃疔—黑靨疔—紅絲疔—羊毛疔—是也。

（三）症狀：初生紅瘰，形小根深，按之如釘，堅硬如鐵，麻癢相兼，疼痛着骨，逐漸腫大，寒熱交作，或遍體麻木，筋脈拘急，或嘔噁氣逆，口渴煩躁，甚則瘡色紫黑，神昏譫語。

附火燄疔等部位及症狀。

「火燄疔」初生一點紅黃小皰，痛非癢常，肢體麻木，多發於唇口手掌指節間。

「紫燕疔」初生便作紫皰，次日破流血水，三日後串爛筋骨，多發於手足腰肋筋骨之間。

「黃鼓疔」初生黃皰，光亮明潤，四圍紅色纏擾，多發於口角腮顴，眼胞上下，及太陽正面之處。

「白刃疔」初生白皰，頂硬根突，破流脂水，痛癢兼作，易腐易陷，多發於鼻內及兩手。

「黑靨疔」初生黑斑紫皰，毒串皮膚，漸攻肌肉，頑硬如釘，痛徹骨髓，多發於耳竅胸腹，及腰間偏僻之處。

「紅絲疔」發於手足唇面等處，初起形如小瘡，漸佈紅絲，凡疔生足上，紅絲由足入臍，疔生手上，紅絲由手走心，生於唇面者，由唇面而至咽喉。

「羊毛疔」身發寒熱，狀類傷寒，前心坎，後背心，有紅點如疹形，或淡紅，或紫黑，各隨其毒勢之輕重而變也。

（四）治法：疔毒爲害甚烈，變化不測，苟能醫治得法，其愈亦速，失治誤治，則禍如反掌，茲將治疔大法，羅列于后：

「內服方」（1）初起時無論何種見象，均宜服蟾酥丸汗之。（2）汗之不愈，兼服五味消毒飲清解之。或時方如菊花，桑叶，花粉，丹皮，赤芍，銀花，連翹，川連，草河車，生草節，大貝母，地丁草，菉豆衣之類，配合用之。（3）疔毒已成，症勢輕者，宜服化疔內消散。（4）發熱口渴，煩悶便閉，脈沉實有力者，疔毒將入內也，宜服黃連解毒湯。（5）疔毒內攻，煩躁譫語者，宜服解毒大青湯。（6）疔毒將要走黃，宜服疔毒復生湯。（7）疔毒走黃，令人心煩昏憒，急服七星劍湯，或琥珀蠟礬丸，護心散以救之。（8）菊花葉搗汁，或菊花煎湯服，治疔有特效。

「外治法」（1）初起紅瘰或小皰時，貼猪胆膏，或大紅膏，或釜墨膏消之。（2）焮腫不痛者，以野菊花搗爛敷之。（3）堅硬疼痛者，用銀針（或銅針亦可）刺破瘡頂，流出紫血，上珠峯治疔散。（4）針刺宜深，挑斷疔根，隨插立馬回疔丹，以拔疔頭，而化膿毒。（5）針後瘡頂塌陷，腫勢蔓延，走黃惡症也，急當隨走黃處按經尋覓，遇有一芒刺直豎者，即是疔苗，急用銀針刺出惡血，插入立馬回疔丹，並以酥料敷之。（6）疔根已除，毒水未淨，或成膿後以銅刀穿破，俱上九一丹用太乙膏貼之。（7）紅絲疔用針於紅絲兩頭，挑破出血，尋至初起疔頭，再照前法治之。（8）羊毛疔先用小針將紅點挑破，取出狀如羊毛之物，再用明雄黃末三錢，以潔布包紮，蘸熱燒酒於前心擦之，自外入內，再於背心照前法遍察，其毛俱拔於布上，隨即棄之。

（五）結論：疔瘡一症，有朝發夕死，隨發隨死者

鼯鼠與配尼西靈

崑山·王振剛

世傳鼯鼠多技，能飛，能掾，能游，能穴，能走，其技多矣！又聞配尼西靈多用，可以治肺炎，熄內風，（鎮神經也），清壯熱，消腸癰，其用廣哉！雖然，鼯鼠能飛而不能逾屋，能掾而不能窮木，能游而不能渡谷，能穴而不能掩身，能走而不能先人；是以遇高樹深淵，鼯鼠之技窮矣！配尼西靈治肺炎，則不如麻杏石甘湯，熄內風，則不如羚羊角，龍齒，貝齒之屬。清壯熱，則不如白虎湯，消腸癰，則不如大黃牡丹皮湯，是以遇沉痾奇疾，配尼西靈之用盡矣！

鳥之飛，魚之游，猿之掾，人習焉。而不知怪，獨奇鼯鼠之多技，怪哉！前數湯之功効，勝夫配尼西靈，人乃疑之而不敢用，獨盛讚配尼西靈之多能，悲夫！

誠最急最險之病也。治之早者，十全八九，遲則枉死者甚多。倘因循貽誤，以致毒氣內攻，癆熱竄散，即名走黃，走黃者，疔毒走散，皮色發黃之謂也。其在將散未散之際，局部漫腫，煩渴嘔噦，而神識清爽者，猶可設法挽救。設神昏煩亂，腫過頭面肢體，多屬不治。凡疔毒初起，頂突而見五善者爲順，軟陷而見七惡者爲逆。又有所謂應候與護場，一疔之外，別生一小疔，謂之應候，疔瘡四圍，赤腫而不散漫者，名曰護場，有應候者輕，無應候者重，有護場者緩，無護場者急也。內服之法，解毒托毒，清熱瀉熱而已。外治手術，尤以刺血爲先，書云疔瘡先刺血，內毒宜汁瀉，字簡義括，示後人以進取之路。切忌葷油辛辣，誤犯之，即有走黃之險。大概疔已成膿，則毒有外泄之機，可少顧慮。惟在初起，最宜謹慎。然亦有三五日不死，延至十日半月終死者。此則關乎毒勢之深淺，性情之緩急，不可以常理論之矣。

醫藥問答

（一）巢縣縣商會理事兼中醫師公會常務理事張養眞君之姪，年二十二歲，自去歲患咳血症，時發時愈，迄未斷根。

按來函所云各節，幷謂脈芤數左關尤甚，顯屬肺腎兩虧，水不蔭金，龍雷僭動，木火上刑之證，此種病象，最好宜靜攝少勞，一面以藥石調理，方克有濟，擬補肺阿膠，麥門冬湯，百合固金，七味都氣丸數方增損。

（二）丹陽中正街葉家祺君，年三十七歲，曾犯手淫，以致現患性神經衰弱，證狀如頭眩目花，失眠遺精，記憶減退，生殖器萎短等。

按上述各證，係由早年斲傷過甚，精髓大虛，肝腎兩虧所致，靑年患此者頗多，一面宜寡慾清心，一面宜藥石常服，始能奏功，昔聖云，年少血氣方剛，戒之在色，願三復斯言，以爲持身之戒，然後可以收事半功倍之効，擬六味地黃湯，三才封髓，金鎖固精丹三方。

編輯室

惠陽陳澤民先生：承賜稿四次，照收勿念。因限於篇幅，未能完全登載。本期先登「瘧病賦」「詠中醫會試」大作，當再酌錄數篇，陸續刊出，以答盛情。所示中醫講座擬刊一節；亦因邇來紙價昂貴，排印工高漲，致不克遵行，深以爲歉。統希鑒諒是荷。

徵求

下列各地之人參三七等

「山東」青島，海南，（土名竹節參）

「安徽」黃山，（土名龍鬚參）

「浙江」天台山，華頂，

「江西」廬山，牯嶺，

「湖南」武岡，雲山，

「湖北」宜昌，興山，房縣，秭歸，建始，（土名三七）

「四川」江油中壩（土名竹根七，人參柴）松潘，峨眉山（息心所，洗象池，洪椿坪及他處）南川金佛山（鳳凰寺，新梯子）（土名射岡，人參三七）

「甘肅」西固，察岡里，

「西康」木里，察佳龍，

「雲南」德欽（阿教子），維西，中甸，知子羅，上帕，麗江，賓川，大理，千海子，秋馬，蠻海，佛海，思茅，蒙自。文山，硯山，寶南，西疇，馬關，河口（此六縣有歲埒三七，第一年生至最後一年，各產區各一份，各區須五至七份）。姚安，昭通（本草產參地）

「廣西」鑛邊（有三七栽培）奉議（產三七，土名金不換）南丹（本草載產南丹諸州），恭城（廣西通志載），豬山。

「貴州」梵淨山，

編者按：國立中央研究院植物研究所王念茲君來函，徵求上述各地之人參三七等，願以書籍交換，或重金收買。讀者諸君，如有該項藥物能割愛者，請寫信至上海岳陽路三二〇號該院王君接洽。

中醫藥導報 月刊 第七期

每逢一日出版

發行人：周召南

編輯：管理平　嚴以平

出版：中醫藥導報社

社址：上海（12）黃陂南路五〇號

訂閱價格

零售	每份國幣四千元
三月	國幣一萬二千元
半年	國幣二萬二千元
全年	國幣四萬元

附註：定戶請於到期前一期通知續訂平寄郵費在內如須掛號或航空另加郵費五成

廣告刊例

封底	全面	七十五萬元
	二分之一	四十萬元
	四分之一	廿五萬元
普通	全面	六十萬元
	二分之一	卅五萬元
	四分之一	二十萬元

★各色製版長期面議★

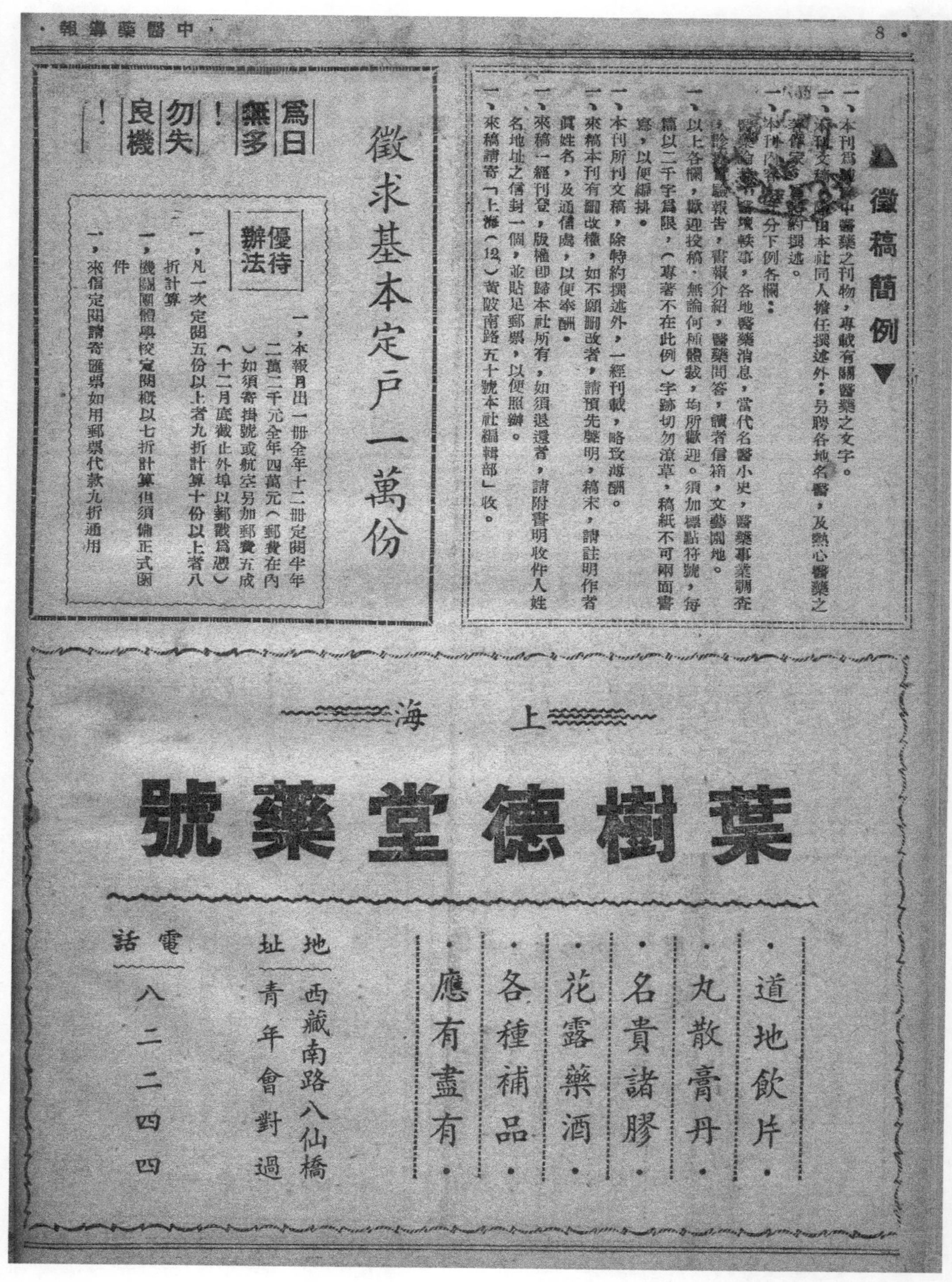

▲徵稿簡例▼

一、本刊爲[illegible]中醫藥之刊物，專載有關醫藥之文字。

一、本刊文稿，除由本社同人擔任撰述外；另聘各地名醫，及熱心醫藥之著作家，[illegible]約撰述。

一、本刊內容，分下例各欄：醫藥論著，醫壇軼事，各地醫藥消息，當代名醫小史，醫藥事業調查，臨床經驗報告，書報介紹，醫藥問答，讀者信箱，文藝園地。

一、以上各欄，歡迎投稿。無論何種體裁，均所歡迎。須加標點符號，每篇以二千字爲限，（專著不在此例）字跡切勿潦草，稿紙不可兩面書寫，以便編排。

一、本刊所刊文稿，除特約撰述外，一經刊載，略致薄酬。

一、來稿本刊有刪改權，如不願刪改者，請預先聲明，稿末，請註明作者眞姓名，及通信處，以便奉酬。

一、來稿一經刊登，版權即歸本社所有，如須退還者，請附書明收件人姓名地址之信封一個，並貼足郵票，以便照辦。

一、來稿請寄「上海（12）黃陂南路五十號本社編輯部」收。

徵求基本定戶一萬份

爲日無多！勿失良機！

優待辦法

一，本報月出一冊全年十二冊定閱半年二萬二千元全年四萬元（郵費在內）如須寄掛號或航空另加郵費五成（十二月底截止外埠以郵戳爲憑）

一，凡一次定閱五份以上者九折計算十份以上者八折計算

一，機關團體學校定閱概以七折計算但須備正式函件

一，來信定閱請寄匯票如用郵票代款九折通用

上海

葉樹德堂藥號

·道地飲片·丸散膏丹·名貴諸膠·花露藥酒·各種補品·應有盡有·

地址　西藏南路八仙橋青年會對過

電話　八二二四四

中醫藥導報

陳郁題

中華民國三十七年一月一日
本期售價國幣四千元

·月刊·
第八期

本報已奉上海社會局准許登記轉呈內政部
本報經中華郵政登記認爲第一類新聞紙類
上海郵政管理局執照第二七一四號

·發行人· 周召南
·中醫藥導報社出版· 地址上海黃陂南路五〇號電話八四七二九
·編輯· 管理平 嚴以平

恭賀
新年並頌
進步
中醫藥導報社仝人敬祝

元旦獻辭

·編者·

韶光易逝，歲月不居，忽又臨到了三十七年元旦，也是中華民國的開國紀念日，國旗飄揚，萬象更新，歲首年初，人人充滿了一種興奮的情緒，尤其今年是行憲年，中華民國的民主新憲法，已經由公佈而開始實施，完成統一獨立，達到平等自由，國家的新氣象，方興未艾，所以三十七年元旦，使人感覺到特別的愉快，但是緬懷既往，策勵來茲，想到中醫藥的前途，不禁油然而生警惕之心；

中醫學術，是我國文化之一，遵從總理遺訓，凡屬攸關國家民族的固有文化，不特應該保存，還要加以發揚，然而我們所遭遇的惡劣環境，適得其反，經過中醫藥界同志十幾年來的努力奮鬥，總算得到了具體而微的政治地位，我們不能因此而志足意滿，並且所謂中西醫平等待遇，有許多地方，仍然是一張不兌現的支票，怎樣的促使兌現，當然要繼續努力，一面籲請政府維護國粹，必須達到目的，一面實行自力更生，埋頭苦幹，方纔可以鞏固基礎，走向光明的大道，過去關於改進革新的聲浪，可說達於最高潮，不過從實際觀察，似乎理論居多，實幹較少，現在呢？國家政治，已經由訓政而行憲，拿政治來比喻，那末，我們過去的理論，也是應有的階段，現在應該由理論而從事實幹，完成學術的統一獨立，達到待遇的眞正平等。

往者不可諫，來者猶可追，際此一元復始，正是發軔之初，擇其重要而急切者，從速付諸實施，提綱挈領，約可分爲四點，

（1）編輯教材，

（2）設立醫校，

（3）研究方藥，

（4）創辦醫院，

欲求中國醫藥的興盛弗衰，適應環境之需要，上述四點，必須促其實現，而且是急不容緩的，關於進行的方針，先從編輯教材研究方藥著手，最好集中全國中醫藥界的人力財力，組織一個聯合機構，然後選聘足以勝任愉快的專門人才，主持其事，在政府機關督促之下，由我們自己來切實推進，衆志成城，一定可以得到美滿的效果，擬定今年是中醫中藥的建設年，預祝成功！

談痢疾（續）

黃文東

痢下日久，血淡質稀，舌無華色，苔薄黃未化，脈弱神倦；脾胃虛寒，腸有餘熱者，用駐車丸，（阿膠，黃連，當歸，炮姜，）黃土湯，（灶心土，阿膠，黃芩，地黃，附子，白朮，甘草，）溫攝爲主，清腸爲佐。如不效，可用養藏湯，（人參，白朮，肉桂，訶子，木香，肉豆蔻，罌粟殼，）合龍骨，牡蠣，伏龍肝之類，不止必成虛脫。若血紫質粘，舌紅，口燥，神煩，脈細數，或兼潮熱者，陰液大虧，腸胃俱傷，宜養陰益氣，濇以固脫，如洋參，石斛，麥多，芍藥，山藥，於朮，五味子，龍，牡，石蓮肉之類。倘見口糜呃逆，爲不治之證。

噤口痢者，兼嘔噦不能食之謂也。可分虛實兩種，初起屬溼濁之癥結，舌苔黃膩，脈象滑數，此腸中溼熱不得下達，乘胃虛而上逆也，胃主降濁，濁不降則嘔噁，胃主納穀，胃不和則不食，治宜苦辛開泄，以黃連，吳萸爲主，加蘭叶，藿香之化濁，大黃，枳實之消導，冀其下行爲順。若湯藥不受，先以蘇葉，薄荷，黃連，各數分，濃煎呷服，待其下咽，再進前藥。痢久屬陰虛而胃傷，可分前後二法，前者溼熱未清，舌質紅，苔糜黃，脈濡數，當虛實並顧，丹溪有參連開噤之方，從此進步，則有人參，洋參，石斛，麥多，大養氣陰，建蘭，藿香，蔻殼，橘皮，石蓮子，化濁運濟，用之得當，或能奏功，此時一切苦寒傷胃，攻下傷正之品，不可輕投，古人有見痢莫治痢，提防傷胃氣之諺，不過爲好用攻下者戒也。後者胃氣垂絕，舌紅絳有糜點，脈虛數，惟有純用輕清流動以甦胃氣，如鮮蓮子，鮮荷叶，鮮藕汁，蘆根汁，生穀芽，香稻叶露之屬，但求胃氣來復，再商治法。此症傷陰者多，間有傷及脾陽，四肢微冷，可加附子，炮姜少許，病勢至此，必且下痢五色，腸腐胃敗，由口糜而致呃逆，亦屬不治。

休息痢者，時止時發，久而不愈之謂也。一因止濇太早，積滯未清，腸有餘垢。一因寒涼過投，脾腎兼傷，下關不固。近賢徐靈胎氏謂此症屬於寒積內伏，主用千金溫脾飲方，（人參，附子，干姜，甘草，當歸，芒硝，大黃，）施于虛中夾實者，固屬相宜，若時日過久，正虛邪少者，硝黃尚嫌其峻，當以枳實理中丸，加入查，麯之類，責重補虛，略兼消積，此爲腸有餘垢之治法也。又雷少逸時病論中，主用調中暢氣法，蓋謂氣機流暢，則積滯自清，脾胃調和，則運行自復，方用黨參，於朮，黃芪，木香，甘草，陳皮，大腹皮，荷叶之類，如腹中作痛，則加吳萸，干姜，以溫肝理脾，赤痢纏綿，則加秦皮，白芍以清腸和營。卽此以推舉，凡症狀複雜，均可隨時增益，頗覺平正可法。合觀二家之言，前後緩急，取法略異，而服藥之時，或湯或丸，又當隨宜而施。若純屬下虛不能收攝，可用養藏湯，四神丸，（補骨脂，吳茱萸，肉蔻，五味子，姜，棗，）湯丸並進，每能奏效，此脾腎兼傷之治法也。（完）

名家医論

復興中醫專校近訊

本市私立復興中醫專科學校，業由校董會籌集款項，價買校基十五畝，坐落閘北交通路大洋橋堍，四圍圍以竹籬，該處地當京滬路上海北站旗站麥根路車站出口，不久卽將停靠客車，交通殊爲便利，現由校董擬具校舍計劃，估價建築，約須經費六 億之數，醫藥兩公會理事長丁仲英，岑志良，正在計劃籌款，務於春季動工，俾於暑假之後，得以如期開學云。

論溫病與瘟疫之不同

·潘來蘇·

吾嘗讀又可鞠通所著書，竊怪又可所論，實瘟疫也，而立名則曰溫疫，鞠通所論，實溫熱也，而瘟疫又列於中，並且以溫混瘟，是二氏均以溫瘟爲一症．其謬誤如是哉。須知溫熱乃四時之常氣，瘟疫乃天地之厲氣，既曰溫熱，字當從溫，又曰瘟疫，字當從瘟，音同義別，何得濫移。或謂又可著書，適値崇禎喪亂之年，鞠通立論，幸際乾嘉昇平之世，一則瘟疾盛行，一則溫熱爲病，耳濡目見，習以爲常，遂將溫瘟二字，任意錄用，殊不足爲定論也。

宇義既正，病名既定，今且先詳溫病，溫病專書，代有述作，而吾獨愛經緯，經緯之論溫病也，以營衞氣血爲主，蓋謂溫邪上受，首犯於肺，肺主氣，其合皮毛，故始也形寒身熱，頭痛無汗，少有欬嗽，脈浮數，苔薄白，邪在衞也，可以汗解。繼則惡寒已罷，汗出而熱不退，唇乾口渴，目赤鼻燥，脈洪大，苔薄黃，邪在氣也，可以清氣。如氣病不解，而見舌邊尖紅絳，身熱日輕夜重，口渴神煩，夜臥不安，肌膚癍疹隱隱，是邪已入營，尙可透熱轉氣。迨乎舌質光絳，唇焦口渴，譫語妄言，甚則結血瓣於齒上，發癍疹於胸膺，乃熱深入血之候，直須清溫涼血；此溫病傳變之次序也 營衞氣血四字，既能代表病之淺深，又能預測病之進退，統全身而論治，較鞠通之劃分三焦者，精確多矣。

溫病不從外解，有傳於府而不傳於血者，府者何？陽明胃與腸也。腸胃爲臟腑之總司，舉凡臟腑之邪，皆能歸之於胃，邪卽歸胃，無所復傳，法宜攻導，俾得邪從下達；蓋溫病以邪從氣分下行爲順，邪入營分內陷爲逆，所謂逆傳入心，順傳入胃，此溫病之又夫言瘟疫，瘟疫之病，昔人以爲非其時而有其氣，春應溫而反寒，夏應熱而反涼，秋應涼而反熱，冬應寒而反溫，得非時之氣，長幼病似而爲疫；余意以爲不然，夫寒熱溫涼，四時之常氣，因風雨陰晴，稍爲損益，如多晴多熱，春雨多寒，乃應有之變化，何得爲疫哉。即有因此而病疫者，亦偶然之事耳。其實瘟疫之發，率多盛於饑饉兵凶之際，尤以春夏間爲甚。其爲病也，無論富貴貧賤，老幼男女，沿門闔境，處處相同，雖邪之所着，有天授與傳染之不同，而其爲病則一也。蓋世當離亂之年，道墐相望，千百一塚，埋藏不深，掩蓋不厚，時至春和，地氣轉動，浮土塌消，白骨暴露，血水汪洋，涸於曠沙，死氣尸氣，濁氣穢氣，隨地氣而上升，混入蒼天清淨之宇，而天地生物之氣，倏變爲殺物之氣，無形無影，無聲無臭，從口鼻而入，經者舍於油網之內，去表不遠，附近於胃，乃表裏之分界，即鍼經所謂橫連募原是也。如其直犯臟腑，正氣閉塞，邪氣充斥，頃刻云亡，莫可救藥。故禮記月令云：「孟春之月，先王掩骼埋胔」。正以是月天氣下降，地氣上騰，誠恐骼髊穢惡之氣，隨天地之氣升降，混合爲一，有害人類，故掩埋之以預參造化，乃文人解爲澤及枯骨，失其旨矣！張氏石頑創著醫通，書中所論，皆攝取古籍之蘊奧，而加以論斷，乃於疫病，則含糊其說，使學者毫無得益。其言曰：「時疫之邪，皆從濕土鬱蒸而發，土爲受盛之區，平時污穢之物，無所不容，適當邪氣蒸騰，不異障霧之毒，或發於山川原野，或發於河井溝渠，人觸之者，皆從口鼻流入膜原，而至陽明之經。」吾獨不知其所指污穢爲何物，所指之邪氣爲何氣，及從何方而來者；且夫污穢之物，何處無之，濕土鬱蒸，歲不能免，倘果如所言，則何歲無瘟疫哉。此等空廓無涯，模稜兩可之說，竟爾筆之於書，既無以發明前人固有之精華，又無以告慰後人窒息之渴望；惟喻氏西昌所論，尚多確切之談，其要旨以人之病氣與尸氣，爲疫之來源，洵可謂醫林之出塵者矣！

瘟疫之來源既明，今更言其症治，疫病之最普通者，初感一二日，邪犯膜原，但覺形寒頭痛，胸膈痞悶，四肢痠痲，此爲瘟疫之報使；至三四日後，或乘表虛而外發，或乘裏虛而內陷，諸症逢起矣！更有瘟毒上竄，腫及頭面頸項等處，即所謂大頭瘟是也。治之之法，於未病前，預服芳香之藥，使邪不能入，古人元旦汲清水，以飲芳香之藥，上巳採蘭草，以襲芳香之氣，重滌瘟也。邪既入後，則以辟穢解毒，爲第一要義；在上焦者清而解之，在中焦者疏而去之，在下焦者決而逐之，一俟營衛既通，則審其症之所偏，乘勢追拔，而治疫之法盡矣！此瘟疫之概要，亦即與溫病不同之點也。

再括論之，則溫病者，感四時之常氣，而病限於一人。瘟疫者，感天地之厲氣，其病遍於一方。溫病先犯於肺，再傳於心胃。瘟疫先犯膜原，再入於臟腑。溫病用藥，首重清熱。瘟疫用藥，首重解毒。以此爲辨，得其旨矣！

★ ★ ★ ★

讀醫隨劄

金匱濕病篇

何時希

內經云：「歲土太過，濕乃大行，體重身重，腰股痛發不便，甚則足跗浮腫，肌膚濡潰，痺而不仁」，就經文論之，濕乃流行之外感病，故所列之見象，皆在肌膚關節間，絕無涉及內臟者，傷寒論列濕病於太陽篇中，亦以濕爲外感風濕病，其說亦源於內經也。金匱於濕傷太陽之外，又有脾濕太過，及腎陽不足之濕病，是不由表症，且有裏症矣！然濕乃江南獨有之病，仲景所論，未免隔一之見，良以江南土地卑下，水濕流瀦，舉凡飲食水穀，起居滿煦之間，幾乎無往而無濕，眞韓愈所謂「江南之人，往往有之」之病也，濕之所積，以三焦爲最多，脾土次之，以三焦爲決瀆之官，脾乃濕土之藏，正是洩排濁水之所，此粘膩之邪，日漬月滯，易於停紮也，故濕之所處，蓋有表，裏，與半表裏三者。

李東垣曰：「治濕而不利小便，非其治也，」名家之論，何武斷至此，夫求濕之出路，未必定從小便去，利小便不過其一法耳，大概濕在表者多兼太陽風邪，以發汗爲主，濕在裏者，多見脾虛，甚則腎陽虛，所謂火衰土困是也，治之以苦燥，虛則甘溫，其濕在半表裏者，以濁水蘊瀦，易於化熱，治法當於辛燥之外，兼用苦寒，以去其熱，又佐以淡滲之品，使濕得下趨，即利小便法也。

金匱痙病篇中，有剛柔二痙，而無濕痙，是於內經「諸痙項強，皆屬於濕」一語，無所發揮矣，乃於濕病篇中，得濕痙止文一條曰：「濕家其人但頭汗出，背強欲得被覆向火」，雖寥寥數語，却證理俱備，足破後人之惑，方中行高上池輩，皆未嘗發現也，此條所言但頭汗出者，太陽風濕不解，陽氣鬱幷於頭中也，或有以仲景「濕家誤下，額汗而喘，復二便利，則陽越而死，亡陽也」一條相引證，似乎此頭汗乃亡陽之症，眞大誤矣。背強者濕鬱太陽之經，濕痙之主象也，欲得被覆向火者，濕傷寒水之經，陽氣抑而不伸也，若以爲亡陽而不利濕，不通陽，反實爲虛，豈不貽誤，故余謂此條可移置於痙病門中，幷剛柔而爲三云。

論壇　改進中醫中藥的計劃和步驟！

·郁立仁·

我們全國中醫藥界，和全國醫聯會，自從晉京請願以後，行政院開了一個改進中醫中藥案審查會，結果認爲政府對於中醫藥事業，素不漠視，並且有設立中醫治療機構和設立中醫訓練班的補充計劃，不過限於經費和人才問題，以致沒有預期的効果，還說明了中醫藥學「卷帙浩繁，而且毫無系統」，非有中醫藥界自已起來，積極的研究改進，就沒有辦法去發展中藥事業，所以本人的意思，非但要我們自已積極推進，並且要集合中醫藥界的全部人力物力，以準備作一個劃時代的改進，同時應當明白的，在此中醫藥存亡關頭，不是空談改進發議論，喊口號的時候，一定要做切實的改進工作，每一個中醫藥的同仁，都有研究改進的責任，並不是單獨研究或少數同志的力量，所能辦得到的，所以不揣簡陋，訂定一個改進中醫中藥的計劃，和實行的步驟：

中西醫學的進展狀況

在談到改進中醫中藥的計劃以前，我們先要明瞭中西醫學的進展狀況，在第七期本報嚴以平君大作，已有述及，可以說西醫的學說，是日新月異，而中醫的學說，還是故步自封，在第一期本報張天偽君大作有一句話，「學術是無分中西的，祇要合乎眞理，能達到實用的目的，便爲可採，尤其是醫學方面，每一個病人，在求醫的時候，無論中醫也好，西醫也好，祇要誰能很快的解除他的病痛，就可以博得他的信仰，至於藥的方面，也是一樣，祇要有確實的功効，無論中西，都應該採取，西醫學的起源，在於希臘，從宗教哲學，改進到四液學說，固體學說，神經學說，物理學說，化學學說，以至於細胞學說，原子學說，無時不在改進之中，治療方面，從祈禱治療，藥物治療，理學治療，手術治療，精神治療，以至注射治療，器械治療，亦無時不在增加改進之中，牠的長處在『日新』，從科學的立場，腳踏實地的改進，祇要合乎眞理，新的學說就可以成立，舊的學說就被他淘汰；而中醫的起源，也是從神爬發端，然後陰陽五行學說，六經學說，[illegible]學說，治療方面[illegible]，祝由治療，針砭手術治療，而進化到現在的湯藥膏丸治療，在千年以前，從治績方面來說，並不亞於西洋醫學，而且駕乎西洋醫學之上，不過最近百餘年來，反而沒有進步，牠的癥結所在，就是『守舊』固有的學說，認爲是金科玉律，不肯改棄，假使有了新的學說，也就無法包容，以致到現在還逗留在原來的境界、回顧古時醫學，扁鵲是來自印度的醫術，藥物方面如犀角，羚羊，洋參，玉桂，羌活，瀉葉等，都是國外的藥物，現在就認爲是國藥了，而我國固有藥物如當歸，麻黃，桔梗，甘草，遠志，杏仁，大黃，蘆薈，巴豆，茴香，豆蔻，仙鶴草，馬錢子，菖蒲，莪述，生姜，胡椒，黃連，龍胆，砒石等，反而變成西醫藥藥中的常備藥、最奇怪的，是我中醫界的蜜煎導法和豬胆汁導法給西醫利用改良，變成開塞露之後，就風行全國，而最先發明的中醫，反而不去利用，你想多麼可怪呢？所以我說醫學不分國界，我們應當打破中西醫學的壁壘，也効學他們的方法，祇要是確實有效驗的西藥，而中藥所不及的，就應該去研究和利用牠

改進中醫藥的障礙

改進中醫藥的第一個障礙，就是守舊，我們應該放棄守舊的心理，抱着革新的精神，去切實的改進；我中醫界，在遜淸的時候，有一個王淸任先生，他懷抱着革新精神，實地去觀察屍體的臟腑，發現了古書上不少的錯誤點，就著成了醫林改錯，那時西醫學說還沒有傳到中國，一般的同道，非但不去注意，反而還要責他違反經傳呢？後來在民國紀元前二十年，唐容川著了中西匯通醫書五種，名叫匯通，實在仍不相通，不過多了一個油膜的名詞而已；近年來受了西醫學的擠，革新中醫的呼聲愈高，如惲鐵樵，包識生，徐瀛芳，陸淵雷，潘澄濂，黃勞逸等，都有很好的著作，不過數十年來的中醫學，還是議論紛紛，各是其是，沒有多大的効果，分晰起來，不外下例的幾種原因；

1. 改革的不澈底　對於醫理說明，仍舊拿從前的理論來推演，所以不切實際，不能達預期的效果；

2. 缺少有系統的著作　大多數有志改進中醫學的人士，往往各自著作，你寫你的傷寒論，我編我的藥物學，你多了個油膜，我創造個形能，各自爲政，不能够運繫，所以讀了新的藥物學，沒有新的病理學，也就無法去應用，讀了你的傷寒論，再讀他的傷寒論，[illegible]

中醫師公會製發各會員徽章證書

本市原有國醫公會，自復員之後，改稱中醫師公會，舊有會員徽章證書，自不適用，業由該會製就會員徽章，分發會員備用，凡已領衛生部中醫證書或本市衛生局臨時執照者，均可領取，又會員證書，亦已付印，大約本月底即可印就分發云。

直接稅局催繳卅五年度中醫師所得稅

中醫師爲自由職業之一，依據所得稅法第二類甲項稅率，全年所得約滿三千萬元者，須繳稅款五百萬元以上，全年約滿七百萬元者，須繳壹百念萬元，全年所得約滿壹百五十萬元者，須繳十萬元，全年所得不滿十五萬元者免稅，凡業務上直接支出如診所房租，紙張筆墨，診所職員薪給，可以呈出賬冊單據，實數扣除，但同道賬冊，大都不甚完備，卅五年度同道所得稅，經由公會推派代表，商請體卹，幾經接洽，直至去年八月間始經雙方決定總數六億元，以壹千二百人爲準，惟分配等級，頗感困難，以致久懸未決，最近稅局方面認爲三十六年已經結束，三十五年度應繳稅項，不能再延；嚴令公會趕緊辦理，聞公會方面，正在進行呈報云。

衛生局中醫考試備取案變通辦法

本市中醫師第二次請領臨時開業執照者，經由衛生局考試之後，內有六十分以下四十分以上者，列爲備取，須加訓練，推訓練辦法，諸多障礙，嗣經考詢委員會開會研究，僉以上述備取中醫，開業有年，論文或多生疏，處方當有可觀，議決調取藥方審查，決定去取，現已審查竣事，不日即可揭曉云。

食物養生却病說

馬化影

明儒呂新吾曰：「饑寒痛癢，此我獨覺，雖父母不之覺也，衰老病死，此我獨當，雖妻子不能代也，自愛自全之道，不自留心，將誰賴哉。」其言之切，如清夜鐘聲，足以發人深省，生，爲人之所喜，死，爲人之所懼，健，爲人之所欲，病，爲人之所憂，然喜欲憂懼，未至逆其心意時，猶莫不淡然置之，能預計保持之道，閃避之法者，不多見也。其實生並無可喜，而死又有何懼，所可慮者，生爲病夫，死又不速，則眞困於悲境矣！故余曰：死不足慮，惟冀其有一日之生，而精神與肉體無憂於疾病之累，即不愧其生，死有何妨，能盡其天然之壽，即死亦無憾！然欲爲康健之人，而免疾病之苦者，勢不容不求養生之原，克病之道，喜怒哀樂，不足擾養生者之精神，水穀五味，則實爲生命之原素，飲食之於人，不可或缺，然所取之食物，亦必須足助營養，有益衛生，不待喩解而後知也。補益之功，三餐之外，富而有者，每取參燕或銀耳，參（指人參）燕確有滋補之力，而銀耳西參，（指西洋參）實等於零；若求其費廉而物美，功等於參燕，中下之家，拾取即得者，莫若大棗與薏苡矣。蓋臟腑機能之靈活，氣血周流而充沛，端賴於中氣之壯旺，中氣者，升落清濁之樞軸，旋轉水火之關鍵，中氣沖和，清不下陷，濁不上逆，升降順序，神旺而體健，精足而思聰；若中氣虧損，升降倒行，則精走而質虛。神散而病作。物之沖和，莫如穀氣，穀氣之完，莫若棗薏，大棗之味，甘而補中，薏苡味甘而氣香，專健脾胃，能潤肺金之燥，棗能泄膀胱之濕，蓋水非氣清則不利，氣非土燥則不清，土非水利則不燥，欲燥其土，必利其水，欲利其水，必清其氣，欲清其氣，必燥其土，土居水火之交，握生化之權，而司清濁之任者也。薏苡一物，而三善備焉，上以清氣而利水，下以利水而燥土，中以燥土而清氣；百病之來，多因於濕，泄濕而燥土者，未必益氣，清肺而利水者，未必補中，能清能燥，兼補兼泄，誠屬難能可貴。取潔白晶瑩之新薏苡，水淘養粥，加去核紅棗六七枚，煮至糜爛，放白糖少許，早晚食之，間可將棗易爲蓮子，素患便結者，易入百合，便溏腹泄者，易入芡實，有參茸之功，而無參茸之弊，故老幼咸宜，勿等閒視之爲幸也！

了抵觸，也就無法去貫通；

3. 沒有詳細的計劃

大凡一樁事情的興革，一定要有詳細的全部計劃，才能成功，我們各位先進，雖然有了改進的著作，不過作爲投徒之用，增加了些下一代的半新舊人物，而忽略了現在正在行醫的同道，和休戚相關的藥商，要曉得憑個人的力量，用新學說來培植下一代，至多，到百數千數爲正，而其他同道，用古學說灌輸的下一代，不知要增加到多少倍，所以即使受到新學說的下一代，結果敵不過多數的古學說，而變成了不新不舊的中間人物；

4. 社會環境的支配

在民國紀元前後十餘年之間，西醫的學說，還沒有影響到一般的民衆，那時間社會人士，差不多信仰中醫學的佔多數，所以假使用最新理論來改進中醫，反而會失去很多的信仰，遭到極大的阻礙；

改進中醫醫學的計劃

（一）整理舊醫籍，編著新醫書及新醫刊物（二）籌辦同道進修班（三）創設中醫專科學校（四）普遍設立中醫醫院（五）設立病理化驗室

改進中醫藥學的計劃

（一）改正現有藥物（二）增例新藥驗方（三）設立藥理研究室（四）創立新藥供應所（五）籌設藥學進修班（六）創設製藥工廠

改進醫學藥學的步驟

第一步集合有志改進中醫藥的同志，組織一個

責任，內部分爲學術及事務二組，學術組聘請各科專家，經常研究，事務組對於全國中醫師公會，藥商公會，和有關機構，應取得緊密的聯繫，使研究所得的結果，可以順利推行，學術組方面，再分成醫學與藥學二部，醫學部門應先着手去編纂中醫全書，採取舊醫籍之有價值著作，棄去一切空洞的學說，用科學的解釋，並加入新的材料，編成全部有系統的各科書籍，內部至少包含生理解剖學，組織學，胎生學，衛生學，病理學，細菌學，診斷學，藥物學，處方學，內科學，外科學，婦兒科學，傳染病學，醫化學，法醫學等，等到全書編纂成功，就交給事務組轉送各地中醫師公會審查刪改，再呈有關機關註册，註册完畢以後事務組方面，可以根據中醫全書作爲講義，創設同道進修班，和中醫專科學校，使當地開業中醫師，在學理上有同一的趨向，然後普遍設立中醫醫院，以作臨床上的實地研究，同時聘請專家，設立病理化驗室，作診斷上的種種幫助；藥學部門，應先成立一個藥理研究室，將各種現有的藥物，先闡明牠的藥理作用，和使用藥物的有效方法，有藥效的藥物，不管牠是毒藥或劇藥，一律把牠的有效量，極量，致死量，標示出來，無治療價值的藥物，不妨棄置不用，有特效的新藥，應該儘量搜羅，對於藥物的用法，也應當詳細致慮，湯藥的煎服手續，究屬有些不便，我們可以把各種藥物，根據牠的性質，製成粉劑酊劑，劑液劑丸劑片劑等類，將來的處方，就可以不限定於煎劑一種，對於病家減少許多麻煩，第一步研究的結果，就編着藥理學和調劑學兩部書。書成之後，也交事務組，經過刪改註册以後，與藥商業公會取得合作，籌設藥學進修班，使全部中藥商舖，都能够按照科學的方法，去配方或製劑，同時有力量的話，就應當創設新藥供應所及製藥工廠，使藥學的改良工作，在短期間內，踏進科學的大道；

最後的話

我們有了改進的計劃以後，就應當切實去幹，抱着不屈不撓的大無畏精神，邁步前進，千萬不要放棄我們的責任，作者雖然學識淺陋，然而當仁不讓，極願意貢獻所有的時間和力量，來擔任改進中醫藥的一部份工作，同志們見了我這篇東西之後，對於我的計劃，如有商榷，或荷贊同的話，請投函本報轉交，以便交換意見，唯一的希望，在短期間內，能够成立中醫藥聯合學會，作改進中醫藥的初步工作！

黑錫丹

大風

黑錫丹用黑錫，硫黃，二味，於新鐵銚內結黑錫硫黃炒成砂子，地上出火毒，研令極細至黑光色爲度，酒糊丸梧子大，陰乾入布袋內，擦令光瑩，每服四十丸。

主治：上盛下虛，痰涎壅盛之症。

按經過洗製之硫黃，（舊洗製法：係以蘿卜挖空，入硫在內，合定，稻糠火煨熟，去其臭氣。以紫背浮萍同煮過，消其火毒。以皂莢湯淘之，去其黑漿。）如此去淨硫酸，失却收斂性，可作輕瀉之用。腸管狹窄者服之，則糞便變軟而通過狹窄之處，大便祕結時，服他藥無效者，用此有效。氣壅痰盛者，則有除痰之效。凡此乃其藥力能弛張腸及氣管之狹窄，而振激其運動之故，可謂爲興奮藥類，故謂爲陽性。惟綱目硫黃主治曰：虛寒久痢，滑泄霍亂，老人風祕云云。一通一濇，何其相反？嘗考古方以硫黃作收濇下焦用者爲來復丹。來復丹之製法，係以醋糊丸，此蓋硫黃得醋而成收斂藥，其餘皆不用醋，此乃運用方法不同之故，非主治有矛盾也。

黑錫即鉛也，鉛爲有毒之物，若中鉛毒，能使腸胃收縮，起腹部絞痛，及皮膚乾燥，脉搏細絃，四肢痙攣，卒至麻痺而死。觀此則鉛之於人體神經，具痲痺，收斂，鎭靜作用可知，故命之爲陰性藥。有人以黑錫製茶壺，令痰喘病者，取紅茶葉，就壺日飲。如此亦可減少病者之痛苦。

凡治痰喘氣急，有虛實之分。實痰而喘，自當用宣開肺氣如麻黃之類；或用蕩逐痰涎如葶藶之類。若並非風寒外束而成之肺閉，或肺胃熱盛痰壅而起之痰喘。則其病定係虛人虛症，虛在下焦而盛在上焦，故曰上盛下虛。其理由與假熱眞寒之肢冷脈伏而面赤頭[illegible]謂爲虛性興奮。故惟有此種虛性之痰喘，乃能賞用於黑錫丹，取黑錫以鎮靜虛陽，用硫黃以滌除痰涎。後人又變本加厲，製成局方黑錫丹，益以附，桂，茴香[illegible]硝石、硫黃、水銀、黑錫，二陽二陰，古人取製丸方，用爲升降陰陽之法，其理大率如此。故靈砂丹以水銀與硫黃同鍊，亦治上盛下虛，痰涎壅盛之症者[illegible]

婦科經事門症治表

張天僑

嘗於課讀之暇，爲求明晰而便於記憶起見，製成此表。今錄之以投本報。

病類	分類	症狀	病理	治法
經期不調	先期（不足二十日而至）	經來甚多，色澤鮮紅。	火熱有餘。	黃芩，黃柏，赤芍，丹皮，青蒿，地骨皮之類，清泄火熱。
		經來頗少，甚或一二滴，色亦鮮紅。	水虧火旺。	宜補腎水。生熟地黃，阿膠，白芍，黑元參之類。
		血色淡白。	氣虛不能攝血，故亦先期。	以益氣爲主，重用黃芪，佐以四物養血。
	後期（過一月而方至）	經來甚多。	由於衝任虛損，諸經之血併湊，一時不及關束。	用肉桂五味，攝其下流，用柴胡白朮，散其來源，佐以地黃續斷之類，補精補血。
		經來不多，血色淡白，腹無脹痛，非瘀可知。	氣血兩虛。	四物湯，歸脾湯之屬，補養氣血。
	經無定期	經行無一定之時日，或先或後。	氣爲血之帥，血不調者，由于氣不調也。	理氣爲主，佐氣和血。香附，青皮，柴胡，烏藥，合四物湯。
經行腹痛	經前腹痛	先腹痛二三日，而後經來，色紫或黑，夾有瘀塊。	氣滯爲脹，血瘀爲痛，氣有餘便是火。	治以丹皮，山梔，瀉火，當歸，白芍，和營，佐以香附，鬱金，理氣。
		行經前數日，臍下絞痛，痛如刀割，血色黑而清稀。	下焦寒濕，襲於衝任，濕聚爲滿，寒凝作痛。	治宜溫散。細辛，桂枝，炮姜，艾葉之屬，散寒止痛爲主。
	經後腹痛	腹中綏痛，喜溫喜按。	此氣血虛也。	當歸建中湯。
		經行過期，且有瘀塊者，於經淨後腹痛且長。	屬寒凝氣滯。	艾葉，炮姜，桂枝，桂心之類，合四物湯治之。

專載

江西省中醫師公會代電

中華民國三十六年十二月一日

全國各省市縣，中醫師公會理事長暨各理監事公鑒：頃上衛生部戍魚代電，文曰：「南京衛生部部長周鈞鑒（從略）查各省市縣公立醫院，及衛生院，增關中醫師部門一節，本年五月業經全國中醫師聯合會代表請願團，請求中西醫師，應予平等待遇，陳述在案。諒在鈞部洞察之中，惟是迄未付諸實施，遂致羣情惶惑！再查鈞部及教育部，會復行政院祕書處函，暨三十六年八月九日改進中醫藥審查會議記錄，（出席者考選委員會、教育部、衛生部行政院各代表）其審查意見，與公函內容，均多掩飾！例如：審查會之意見第（一）項「請加設中醫藥管理機構一節，不但徒加中西醫界之磨擦，且欲謀改進中醫藥事業，應在中央主管衛生機關主持之下，較有實效，故無增設必要」又第（五）項「衛生政權中西醫分任一節，查現行衛生法令中，絕無限制中醫師主持衛生行政之規定，原請願案，所以有此請求，全出誤會，應毋庸議」其致行政院祕書處公函中，「……其實前衛生署，對於中西醫藥之一切措施，皆一視同仁，例如：中醫師與醫師之管理，共適用於同一醫師法，中西成藥，與藥商登記，皆依同一管理成藥規則，及管理藥商規則之規定，此外如醫院診所管理規則，獎勵醫藥技術條例，全係不分中西，共同適用，故事實上絕無絲毫歧視，……是今後本問題之核心，似已不在組織而在如何推進中醫藥工作……」等語，本會謹提出事實數點，以證明上述諸端，純屬掩飾，（一）中醫藥改進事業，應在中央主管衛生機關主持之下，中醫藥同仁，原無異議，但因前衛生署及現在鈞部之組織中，雖設有一中醫委員會，因人員無多，經費無着，僅備諮詢審議……而次長以下之職司，中醫師無一參預，至云「現行衛生法令中，絕無限制中醫師主持衛生行政之規定」而中醫師之不得引用者，已屬鐵的事實，何謂「全出誤會」？（二）中西醫師之管理，既曰「一視同仁」，「適用於同一醫師法，及各項規則之規定」，「不分中西，共同適用」，何以中央及地方衛生機關，如衛生處，衛生院，國省市立醫院，均無中醫師之參加？一切衛生經費之支配，何以均無一及於中醫中藥？而本省衛生處今春且因婺源（原轄江西現歸安徽）星子，兩縣衛生院，設置中醫，認爲與「編制不合」，而發佈「着予裁撤」之命令，並將各該院長，予以記過處分，亦未聞該處長負有違背法令之罪責，一省如此，他省可以想見！彼主持衛生行政之西醫，如此歧視，如此排擠，豈得謂爲「一視同仁」？此中醫同人，所以有要求在行政院之下，設置「中醫藥管理委員會」，而使政權獨立，不復永受西醫之抑壓摧殘也。（三）善後救濟分署之一切物資，其撥給衛生機關者，凡屬西醫人員，及公私立醫院，均得分沾其惠，獨中醫無一與焉若謂西醫器械，醫品，不適中醫之用，則其成藥如「阿司匹靈」「奎寧」之類，人民尚可自行應用，中醫獨不能運用乎？而況藥棉，紗布，及傷科等常用之物資，亦不能分配中醫乎？（四）中醫考試，應有合法之資格，醫師法規定中醫檢覈之資格，其第三條第二項有「在中醫學校修習醫學並經實習成績優良得有畢業證書」之明文，則除同條第一三兩項規定現在之中醫師，得有檢覈機會，而從事執業者外，政府對於此後中醫，既未設專校以培植人材，不將使中醫受無形之淘汰乎？總之，政府設官分職，與訂定法規，即用意至善，而立政者稍有門戶之見，偏執於其間，終至不平則鳴，而引起全國中醫藥同人之反嚮！鈞部成立伊始，甚願改弦易轍，一秉大公，舉凡醫校、醫院、軍旅、校醫，及一切衛生機構，均使中醫有一參加實際工作之機會，而使之得有具體計劃，立付實施，非徒一紙空文，所能慰喁喁之望也！迫切陳詞，伏維察納施行並乞批示祗遵，不勝企禱！」等語；敬希一致響應，迴電衛生部力爭，不達目的不止，特電奉達，佇候賜覆。

江西省中醫師公會理事長徐贊予卯（亥先）印

中醫藥導報 月刊 第八期 每逢一日用版

發行人：周召南

編輯：管理平 嚴以平

出版：中醫藥導報社

社址：上海（12）黃陂南路五〇號

訂閱價格

零售	每份國幣四千元
三月	國幣一萬二千元
半年	國幣二萬二千元
全年	國幣四萬元

附註 定戶請於到期前一期通知續訂平寄郵費在內如須掛號或航空另加郵費五成

廣告刊例

封底	全面	七十五萬元
	二分之一	四十萬元
	四分之一	廿五萬元
普通	全面	六十萬元
	二分之一	卅五萬元
	四分之一	二十萬元

★各色製版長期面議★

▲徵稿簡例▼

一，本刊爲純粹中醫藥之刊物，專載有關醫藥之文字。

一，本刊文稿，除由本社同人擔任撰述外，另聘各地名醫，及熱心醫藥之著作家，爲特約撰述。

一，本刊內容，計分下例各欄

醫藥論著，醫壇軼事，各地醫藥消息，當代名醫小史，醫藥事業調查，診療實驗報告，書報介紹，醫藥問答，讀者信箱，文藝園地。

一，以上各欄，歡迎投稿，無論何種體裁，均所歡迎。須加標點符號，每篇以二千字爲限，（專著不在此例）字跡切勿潦草，稿紙不可兩面書寫，以便編排。

一，本刊所刊文稿，除特約撰述外，一經刊載，略致薄酬。

一，來稿本刊有刪改權，如不願刪改者，請預先聲明，稿末，請註明作者眞姓名，及通信處，以便奉酬。

一，來稿一經刊登，版權卽歸本社所有，如須退還者，請附書明收件人姓名地址之信封一個，並貼足郵票，以便照辦。

一，來稿請寄「上海（21）黃陂南路五十號本社編輯部」收。

徵求基本定戶一萬份

一，本報月出一冊全年十二冊定閱半年二萬二千元全年四萬元（郵費在內）如須寄掛號或航空另加郵費五成（一月底截止外埠以郵戳爲憑）

優待辦法

一，凡一次定閱五份以上者九折計算十份以上者八折計算

一，機關團體學校定閱概以七折計算但須備正式函件

一，來信定閱請寄匯票如用郵票代款九折通用

爲日無多！勿失良機！

上海

葉樹德堂藥號

道地飲片・丸散膏丹・名貴諸膠・花露藥酒・各種補品・應有盡有・

地址：西藏南路八仙橋青年會對過

電話八二二四四

上海

華隆藥店

飲片道地・古法泡製・接方送藥・代客煎藥・

地址 康定路三〇七號

電話 六二三三七五

中華民國三十七年國醫節
本期售價國幣一萬元

·月刊·
第九·十期合刊

內政部登記證京警滬字第六一四號
中華郵政登記認為第一類新聞紙類
上海郵政管理局執照第二七一四號

·發行人· 周召南
·中醫藥導報社出版· 地址上海黃陂南路五〇號電話八四七二九
·編輯· 管理平 嚴以平

對於丁濟萬先生當選國大代表的感想！

·周召南·

這次我們全國代表，是完全選出並揭曉了，丁濟萬先生，已當選為中醫代表了，這當然是我們的快慰和欣喜，但我不為我個人喜，也不為丁先生一人喜，而為我中醫界全國同道欣喜慶幸，因為丁先生在這全體代表中，確能堅強陣容，替我本業前途，負責一切的。丁先生在本報第五六期合刊『敬告同道』篇中，不是說過『辱承推舉，當服從眾意，負起責任，爭取利益』嗎？這個眾意，是公眾的意見，不是個人的私見，丁先生代表中醫團體，則本團的意見，自應絕對服從。這個利益，是中醫的利益，不是私人的利益，丁先生由團體選舉，則本團的利益，自應努力爭取。丁先生有這樣的抱負，這樣的作風，該是我全國同道所稱慶的罷！至於丁先生所負的責任，所爭的利益，是什麼呢？他明顯地會有目標四點，附在『敬告同道』篇末，這是他在衛生部中醫委員會復員後首次會議中提出討論過的，既切實，又緊要，實為當務之急，這是我們所期望而要貫徹的。可是中醫在今日，要說的，要做的很多，要革新的，要改進的尤其不少，這不但是丁代表一人的責任，而是我全國中醫團體各位代表所同負的責任，更希望集中力量，一本初衷，把這公眾的意見，聯合提出，務求成立，次第實行。像丁先生這種熱心毅力，我想必能大聲疾呼，喚起群情，一致努力，爭取前途，鞏固我中醫地位，這是我全國中醫所馨香而禱祝的！

紀念二十屆國醫節

·嚴以平·

三一七『國醫節』是中醫藥界具有奮鬥歷史的唯一紀念日。大家都知道國醫節的起源，在於民國十八年的今天，當時因為中央衛生會議有逐漸廢止中醫的議案，已伏國法的汪褚兩逆，更偏執成見，附唱、調，這種荒謬主張，引起全國中醫藥界的公憤，在上海舉行一次盛大的集會——全國醫藥團體代表大會——計有蘇，浙，皖，贛，鄂，湘，魯，豫，粵，桂，川，晉，閩，遼，等省二百四十二縣市團體參加，報到，來滬代表達二百八十一人之多，情緒熱烈，盛況空前，一致決議推派代表晉京請願，深得之重視，並蒙批論撤銷一切禁錮中國醫藥之法令，結果頗為圓滿。因為這次大會，可說是中醫存亡的關鍵，為了永久紀念起見，所以決定『三一七』為國醫節，（民國十八年三月十七日，）是開會的第一天，到現在已有二十年的歷史了。

紀念一年一度的節日，其要義乃在反省自惕。我們紀念國醫節的意義，也是要使中醫藥界同志，都能在這一天，檢討過去，惕勵來茲。今天乘此節日，回溯一下二十年來的經過情形，雖然不能言過其實，說過去的奮鬥苦幹是沒有成就，但是也不容誇大其詞，謂中醫的成就已經達到了預定的目標。因為從表面觀察，自從『三一七』激起了我們的反響，予打擊者以打擊，不但中醫沒有廢止，反而得到政府的維護。但是按之實際，政府雖於二十八年頒佈中醫專校暫行課程標準，又於三十二年頒佈醫師法，然衛生教育當局，仍存歧視之心，舉凡對於中醫的一切措施，幾無不含有排斥之氣味。造成這種情形的因素固然不一而足，但是我們唯有自警自惕，先從本身做起。

紀念本屆國醫節，同時慶祝中醫界參加行憲，我們既已獲到了實際參政的機會，正可及時推動，共謀發展。各位國大代表，是我們的喉舌，團結一致，是我們的力量。希望全國中醫藥界同志，繼續『三一七』的精神，掃除前途荊棘，向着共同的目標邁進！

全國中醫師國大代表當選人名單

全國性職業團體及婦女團體國大代表選舉結果，經統計竣事，六日晚由全國性職婦團體選舉事務所公告，計中醫師公會當選人：丁濟萬，賴少魂，陳存仁，林季祜，柳暗春，鄭邦達，丁友竹（女），吳承蘭（女）。候補人：任應秋（原已當選政黨互讓），趙峯樵，錢今陽，張簡齋，段武灣，江公鐵，邵梅隱（女），劉蕙蘭（女），朱增玉（女）。

咳嗽概論

黃文東

咳為氣逆，嗽為有痰，內傷外感之因甚多，總不離乎肺臟為患也。內經云：「五臟六腑，皆令人咳，非獨肺也，」如「肺咳之狀，咳而喘息有音，甚則唾血，」是受寒涼實，痰阻氣道，非辛溫開達，何以驅其邪，甚則唾血，是寒化為熱，咳傷肺絡，非辛涼微苦，何以平其逆，此言肺咳之大端也。

又如「心咳之狀，咳則心痛，喉中介介如梗狀，甚則咽腫喉痺，」是因肺咳而引動心火也。「肝咳之狀，咳則兩脅下痛，」是因肺咳而拂逆肝氣也。「脾咳則右脅下痛，腎咳則肩背引痛，」是因肺咳不已，而影響於脾腎者，必日形瘦食減，動則咳劇，以及面浮身腫，痰有鹹味，勢必日見深沉，遷綿難愈矣。

所謂六腑之咳，「如胃之吐食，」「膽之嘔苦，」「大腸之遺矢，」「小腸之失氣，」「膀胱之遺溺，」「三焦之腹滿，」皆因肺咳而引起種種兼症也。一則上逆而氣不利，一則上虛而氣不攝，氣不利者，無非胸脅痛而嘔逆，氣不攝者，無非大小便之失禁，雖言臟腑所屬之病，其實一心治肺可也。

夫肺為清虛之臟，不容纖塵，毫毛必咳，況肺體最柔，畏寒畏熱，倘寒溫不慎，辛酸不節，即易致病。張介賓云：治咳大法，因表邪者藥不宜靜，靜則留連不解，變生他病，故忌寒涼收斂之劑。因內傷者藥不宜動，動則虛火不甯，燥痒愈甚，故忌辛香燥熱之劑。茲廣其義而循序以進，如因於風者，辛平解之，因於寒者，辛溫散之，均宜金沸草散（旋覆花，麻黃，前胡，荊芥，半夏，甘草，）加蟬衣，牛蒡，杏貝，桔梗，傷風去麻黃。因於暑者，為薰蒸之氣，因於火者，即亢熱之邪，使清肅不行，均宜辛涼微苦，佐以甘寒，如萎蕤湯（玉竹、石羔、麻黃、杏仁、川芎、獨活、）加薄荷、牛蒡、桑葉、川象貝、蔞皮、黃芩、竹茹、蘆根、去川芎、獨活。因於濕者，有挾風挾寒挾熱之不同，均宜甯嗽化痰湯（二陳湯加麻黃、杏仁、桑皮、紫蘇、前胡、桔梗，枳殼、）隨症加減。因於秋燥者，瀉白散（桑皮，地骨皮，甘草，）加鮮沙參，枇杷葉、杏仁、川貝、肺露、為最效。氣不下降者，均可加紫苑、白部、海浮石。上不攝下者，均可加牡蠣、木瓜。火亢喉痛者，加元參、川連、竹葉。氣逆脅痛者，加鬱金、旋覆、歸鬚。脾虛者宜培土以生金。如參苓白朮。腎虛者宜育陰及扶陽，如腎氣之類，出入為方，當能奏效。外感不愈，而致內傷，內傷初步，即是金不平木，木叩金鳴，其剛亢之威，且日肆強暴，當於甯金之中，佐以石決，黛蛤、歸、芍、丹、梔，之柔肝鎮逆。若調治無功，肝逆無制，不但乘其所不勝，抑又侮其所勝，犯及中土，脾胃益弱，以致納少便溏，肌肉日消，中虛及下，腎陰不濟，以致陽亢失眠，潮熱盜汗。轉輾相循，不至生氣戕，根本傾危不止。此症始源於肺，激動於肝，木無所畏，侵害他臟，而實踐內傷重症，治法另詳專篇，茲不贅述。趙養葵曰：咳嗽者必責之肺，而治法不盡在肺，可謂扼要之言也。

丁濟萬先生當選為中醫國大代表謹以短章呈之

國粹頻頻涉淪亡，斯人應自感滄桑，炎黃遺惠猶無恙：卓爾扶輪下大荒。

一元清深孰與伴，白頭猶抱萬民憂。先生宵旰□事：為憶嗣宗冉讓謀。

孟河有子稱人傑，後起於今屬鳳孫，堪為中醫爭砥柱：國民會上縱橫言。

壺隱滬濱結善緣，如梅花放得春全，醫人醫國調羹手，好與斯民壽永年。

孟河丁濟萬先生，當選本屆國大代表，（叔翁仰英先生，係前任代表，）先生風流儒雅，家學淵源，出言為天下重，苦心積慮，宵旰□憂，發揚國粹，力謀我中醫之精誠團結，其有功於炎黃文化，可謂宏矣。豈僅拯濟萬民而已哉。今後為中醫藥□爭取地位，可操左券，維民棲身海角，崇仰先生大志，率賦短章，聊以寄慨，先生定不以維民為妄誕，且益將兢兢惕勵也。

常熟陸維民誌於退省齋

本社啓事

行憲伊始，首重選政，本社同人等，有鑒本屆國大競選之重要，對於代表之推薦，非學識與資歷並重，不足勝任愉快。本社董事長丁濟萬先生，世醫其家，杏林望重，本刊於第六七期曾輯競選特刊，介紹其生平言行及以往史績，諒各地同仁，均蒙鑒及。茲者全國中醫師代表名單，業經公告，而濟萬先生倖已當選，同人等既感諸君題名簽署於前，復荷將策選舉於後，敢不黽勉，以副雅望，深恐分函不周，特泐蕪辭，用申諒悃，諸冀諒鑒。

丁濟萬謝啓

本屆國大代表，荷蒙全國同仁，竭誠推愛，協力支持，參與競選，現已公告，倖獲當選；各地函電紛馳，既感且愧！濟萬自維才疏，時凜履冰臨淵之戒，深慚智細，常懷責重任鉅之感，尚祈時錫箴言，以匡不逮，是幸！

從「張景岳治傷寒用大劑參附」說到各種強心劑

丹徒　章次公

仲景治傷寒少陽病，小柴胡湯中用人參，千金外臺以參附治天行者，更不勝枚舉。自葉天士倡溫病學說，與仲景傷寒相對峙，以爲旣屬溫邪，必忌溫補；遂開後世一切時感不敢用溫補之端。考仲景傷寒論，原是廣義的，已概括溫病在內。今之溫病，卽古之傷寒，天士只倡溫病之說，後人從而和之，認爲傷寒可以溫補，而溫病則否者，妄也。夫參附實有維持心力，增加抵抗之效，較之西藥中之强心劑，旣和平，又持久，於一切急性傳染病治療過程中，實居重要之地位；若營養缺乏，心臟衰弱之病人，不但需要，尤須早用，始能防患未然，而免不可收拾，卽是溫邪，有此證，用此藥，不可泥也。今讀張景岳治傷寒用大劑參附一案，深感國醫之强心劑，有提倡與探討之必要，爰將張案錄後，并殿以己意，引伸發揮，是否允當，敢質高明。

張景岳曰：「余在燕都，治一王生，患陰虛傷寒，年出三旬，而舌黑之甚，其芒刺乾裂，焦黑如炭，身熱便結，大渴喜冷，而脈則無力，神則昏沉，羣醫謂陽症陰脈，必死無疑，余察其形氣未脫，遂以甘溫壯水等藥，大劑進之，以救其本，仍間用涼水，以滋其標，蓋水爲天一之精，涼能解熱，甘可助陰，非若苦寒傷氣者之比，故於津液乾燥，陰虛便結，而熱渴火盛之症，亦所不忌，由是水藥并進，先後凡用人參熟地輩各一二觔，附子肉桂各數兩，冷水亦一二斗，然後諸症漸退，飲食漸進，神氣俱復矣。但察其舌黑，則分毫不減，予甚疑之，莫得其解，再後數日，忽舌上脫一黑殼，而內則新肉燦然，始知其膚腠焦枯，死而復活，使非大爲滋補，安望再生，若此一症，特舉其甚者記之。此外凡舌黑用補，而得以保全者，蓋不可枚舉矣。所以凡診傷寒者，當以舌色辨表裏，以舌色辨寒熱，皆不可不知也。若以舌色辨虛實，則不能無誤，蓋實固能黑，以火盛而焦也。虛亦能黑，以水虧而枯也。若以舌黃舌黑，悉認爲實熱，則陰虛之症，萬無一生矣。

★　★　★

古今醫案選解

梁谿　管理平　編纂

緒言

溯自軒岐以來，數千年間，自漢魏以迄明清，醫籍之浩翰，不勝枚舉。其中約分三類，靈樞素問，難經脈訣，以及傷寒卒病等，經文之書也。神農本草，本草綱目，本草備要，以及千金外台肘後等，辨藥之書也。本事方書，立齋醫案，一鄉治驗，以及三家四家，葉氏臨證等，方案之書也。夫以內難之識其理，以明疾病之由，或傷於臟腑，或乖於陰陽，本草之標其性，以明藥味之用，或因於寒熱，或因於剛柔。方案之辨其情，以明臨證之體，或中於客感，或困於內傷。一則爲學術規矩之法，一則爲覺悟變通之用，然則醫案之作尚矣。往往一病而至寒熱莫辨之時，虛實難判之際，或有疑難雜病，怪誕奇疾，術經書之所不載，史冊之所未備者，則莫若醫案是賴。猶如官署檔案，記錄當時之蟲邪盜犯，治之以徒流刑辟，爲後來者，或廣見聞，或引成案，其意正同耳。考醫案之作，最早在史記倉公列傳，已有記載，惟具端倪，倘非全豹，自宋許叔微本事方始出，詳載平日治病所得之經論，臆述證因脈治，洋灑千言，蔚爲大觀。追後金元明清諸家出，乃鑑起而效尤之，如周氏醫卷，繆氏廣筆記，喻氏寓意草等，卷帙浩繁，意見紛岐，雖各有心得，而誇奇逞能，炫異標勝，一若無不愈之病，無不死之證，至此而醫案之作，漸失其眞矣。遂使後之讀者，祇覺其詞藻華麗，措辭典雅，而從之信之，實用與否，不遑論焉。晚近以來，醫風日下，浮薄從甚，往往有以一二臨證方案，而爲行道之工具者，良深概歎。須知醫案之用，作學理之佐證，與夫臨證之借鏡則可，如欲以統治一切，包羅上下，則非余之所敢問焉，抑又豈集是編之志者哉。

第一章　醫案之體裁及其作法

醫案之變遷

疾病之變遷，與民族之盛衰，迭有因果。名賢輩出；或相沿成習，各守門戶，或銳意改進，標新立異，要皆有功於醫林者。專就方案之過程而言，約分四期，（一）單方時期，（二）經方時期，（三）時方時期，（四）經方時方混合時期，單方時期，卽上古之時，湯液未會發明之初，往往採用一二有效藥物，以療疾病，類內經之用鷄矢醴以治膨脹，亦如近代之所用驗方是也。山野僻居，參荒無人，一有疾病，因環境關係，不得不取用此法，大凡病症之單純者，用之極效，因其力專也。然只能治一症，不能治兼症，此其短處，故迄後始有湯液之出。經方時期，卽在單方時期之後，當此之時，民生繁衍，疾屬叢生，兼證時見，於是感單方之不能應付裕如，然後有集數藥而成一方，或數十藥而成一湯矣，仲景傷寒卒病論，卽經方之祖也。如桂麻青龍以治外寒，姜附細辛以回裏陽，硝黃枳樸以攻其實，參朮歸芎以補其虛，至此而方治之法大備焉。迨後唐宋諸賢，類多憑歷年之經驗，而製爲專方者，要皆不能越其範圍，時方時期，盛行於清季，自葉氏吳氏出，相習成風，蔚爲一代之運數，其間或因時代之變遷，體質之强弱，或因天時之乖和，人事之不常，而感經方之不合用矣。如外感之用桑菊，裏熱之用銀翹，攻實則查曲腹皮，化濕則枳橘杏蔻，雖不悖於理，而去古遠矣。經方時方混合時期，卽自清末以迄於今，方治大全，各法齊備，如某證而應用經方也，則專取經方，某病而必用時方也，則用時方，如數病相兼，或寒熱錯雜，或虛實并現者，則經方與時方相互合用，此法在近時諸醫最喜習之，如溫瘧之兼黃疸，則用桂枝白虎，合茵陳四苓，如溫病之兼府實，則用銀翹桑菊，合大小承氣，諸如此類，或因體質之偏勝，或因病氣之盛衰，以定其經方時方而權衡之耳。

藥物研究

瀉下劑　　郁立仁

大黃 RadixRhei

【別名】黃良　將軍　川軍　火參　膚如　錦紋

【產地】山西　陝西　甘肅　四川

【種類】爲蓼科 Polygnaceae 植物 Rheum officinale 或其他大黃屬諸種植物之根狀莖，掘取後除去樹皮乾燥所得。

【形態】本品爲類圓柱形或圓錐形之塊，或一面平而一面凸之切片。往往有穿繩所致之、眼孔。質緻密堅重表面平坦無皺紋，但有因乾燥縮成之淺凹穴，現黃棕色，雖有多數類白色之細條紋，大抵敷有一層黃棕色之粉末。折斷面不平，呈顆粒性。取本品橫切面，置顯微鏡下視之，彩成層附近之組織呈放射形。柔膜組織中，有多數維管束之棕色星狀放射圈。維管束系導管在外，韌皮部在內，中爲形成層。柔膜細胞中，含有澱粉粒草酸鹽之巨大簇晶，及一種無晶形之黃色物質。髓線呈波浪形，幅自二至四列之細胞而成。本品之粉末，現深橙黃色，取置顯微鏡下視之，草酸鈣簇晶之直徑，約達0.15mm澱粉粒呈球形，直徑約爲0.0.4——0.025mm爲孤立性或二三個相連之複合性。導管甚稀，有網紋或螺旋紋。

【性味】呈弱酸性反應。臭微而特殊。味苦，微帶收歛性。咀嚼之發砂鳴。

【成分】主要素爲瀉素　揮發油　苦味質　鞣酸　沒食子酸　澱粉　草酸鈣

【鑑別】（一）本品之粉末，遇氫氧化鈉試液即現紅色。（二）取本品之第四號粉〇·一公分加氫氧化鉀之水溶液（一：一〇〇）十公撮煮沸後，放冷，濾過，濾液中加鹽酸使成酸性，用醚十公撮振搖之，醚液呈染成黃色，取醚液，加鹼試液五公撮振搖之，鹼試液即染成櫻紅色而醚液則仍保持黃色。

【檢查法】（一）取本品之第四號粉十公分，置球瓶中，加醇（百分之四十五）五〇公撮，接以還流冷凝管，煮沸十五分鐘，濾過，濾液置重湯鍋上蒸發，使約成十公撮，放冷，加醚十五公撮，振搖放置之，二十四小時候，不得析出黃色之柱狀結晶。（檢異種大黃）（二）本品灰化後，遺留灰分，不得過百分之十三。

【含量測定】取本品之第三號粉約三公分，精密秤定，置適宜之球瓶中加醇（百分之四十五）約七〇公撮，每隔半小時振搖一次而置之，凡八小時，再靜置十六小時，然後濾過，球瓶及濾渣，用少量之醇（百分之四十五）反復洗淨，使濾液適成一〇〇公撮，

本年高試開始報名

考試消息

（南京電）考試院考選委員會三十七年度第一次高等考試初試，及專門職業技術人員考試，定於三十七年三月十一日起開始報名，至四月十日截止，考試日期，已定五月十日起分在南京、北平、成都、長沙、杭州、安慶、蘭州、西安、昆明、廣州、臺北等十一區同時舉行。

痢字新解

·胡懷瑾·

「利」與「痢」其音同，其義則不同，「痢」字从「疒」从「利」；乃暗示因貪利而成痢，利者欲也，人之大患也。若夫燈紅酒綠，妙舞清歌，風晨月夕，絲竹管絃，目之所不厭，耳之所喜悅者是，耳目之貪也。珍饈羅列，佳肴雜陳，饕餮大嚼，恣意狂飽！口之所不拒，腹之所不量者，是口腹之貪也。然則痢疾之成，亦猶是耳！蓋當炎燠之時，濕暑外侵，雜食內傷，臟腑之不勝負担，胃腸之不克運化，然後痢疾成矣，是痢者，豈非吾之所云，因貪利而得之謂也歟！

天花雜拾

·僑·

天花又名天痘，其流行於民間，殆已甚早，雖不知確起於何時，然仲景以前，無痘瘡之記載，惟葛稚川述此病甚詳，并云：「時在建武，地在南陽，源在胡虜。」稚川爲東晉時人，可知此病在中國乃起於東晉時代，由胡虜侵犯中原挾以俱來，是此病由於傳染而起也。

後人有主張此病之原，爲熱毒胎毒者，其說曰：「父母胎毒。蓄於命門，右腎相火，遇多溫陽氣暴洩，感之觸動。」然既是胎毒，何以古書無記載，故主胎毒說者，又復自圓其說曰。「上古無痘，淳樸、中古有痘情慾恣。」此所謂上古，應以何時代爲分界，自漢以前無此病，漢晉之間，其人之情慾不相差也，且成人老年，亦罹此病，故胎毒之說非定論，起於傳染，乃爲無疑耳。

天花之前驅症狀，大抵與傷寒相似，突然發熱，頭痛腰痛，熱勢自三八度至四十度，不時驚惕，口鼻氣粗，金鑑之審辨法曰：中指獨冷，耳尻不熱，耳後有紅筋，皆爲用痘之形。近代書籍，有前驅疹一說。其疹多發於起熱之第二日，在膝蓋上方之大腿三角部，上達於臍腹，一片紅疹，此不獨爲發痘之兆，且其症必重篤。若其疹自顏面及全身四肢，疎佈者，其症多屬輕性云。

其五〇公撮，（與本品原液量之半相當）置秤定重量之蒸發皿中，在重湯鍋上蒸乾，再用攝氏一一〇度之溫乾燥而秤量之即得。

【藥理作用】本品之藥理作用隨服量之多寡而異，內服小量（每日三次，每次〇·〇五至〇·三公分）呈大黃鞣酸與苦味質之作用，不但不起下利，反有因制止胃腸炎之異常發酵而現健胃與止瀉作用，對於消化不良所致之慢性下利甚効，若用大量）〇·五——一·〇公分以上）反復服數次，或一次即服二公分至三公分，則瀉素多量分出，能加速大腸蠕動力而致瀉，瀉前記腹鳴，微感腹痛。本品對於小腸不起作川，至大腸時始刺激之，故藥力緩慢，服後約七八小時即有多量稀薄黃色之糞排出。其黃色半由大黃之色素，半仍來自胆汁，尿與汗液乳汁亦同變黃色，皆由於大黃之色素所致（若加氫氧化鉀液於此尿液中即現紅色）用大黃得一度瀉下後，因鞣酸的收斂作用，有續生便祕之傾向，故用於泄瀉症起始時，以使其逐出細菌及有毒物質，而又以其祕結大便之勢，促其腸復於正常，即所謂通因通用之意也。

【用量用法】入藥用其粉末，健胃用〇·一至〇·五公分（市秤三厘至一分六厘）瀉下用一·〇至六·〇（市秤三分至二錢）為散劑丸劑或浸劑。

【適應症】消化不良，慢性下利，赤痢性下利，便祕。

【製劑】（一）大黃浸 Inf Radic Rhei

本品為配方時臨時合製。用大黃末加沸水蓋密泡浸所得，其藥品之用量，如無特別指定時，可按百分之五製成（例如大黃末五公分製成大黃浸一〇〇公撮）

（二）大黃膏浸 Extract Rhei

本品製造時所用之原料及其用量如下，大黃（第三號粉）一〇〇〇公分，醇（百分之

至三四日痘疹出現，則熱度同時降低，甚或無熱，其初起之頭痛腰痛，口鼻氣粗等症，亦隨以俱減。痘出猛盛者，多涉及食道，氣管直腸，及女子陰部等處。亦自必現該部位之病苦。

八至十日間，乃為灌漿時期，其本為透明之水疱狀者，仍循發疹順序，變化成黃白色圓珠之膿疱，漸至乾燥結痂。此時熱度又隨灌漿程度而增高。

在本期中，最多危險。

治療方面，初起宜發表邪，透痘疹，用升麻葛根湯為主。隨症加減。其後用涼血清毒，如紫草茸、苓、連、連喬等。如能臨症細心，隨情活用，可無大過。惟有兩種兇險之症，異乎常型者，十九難挽。

其一，失血。初發疹即變作紫斑，衄、便血，或尿血，衄血者。緣火熱太盛，迫血妄行，金鑑主以歸宗湯，用大黃、生地、赤芍、山查、青皮、木通、荊芥、牛蒡、燈芯，峻攻火毒，或可挽回。

其二，痘疹之水疱中見血，色澤暗青，其勢雖比前者較緩，然多在十日以上時死亡。此氣血虛弱，不能領載其毒，宜用千金內託散，參、芪、草、桂之屬，以救萬一。

俗例常用紅布作帽，使小兒戴之，謂可避邪祓。今人謂此為紅光治療，如以紅色布或紅玻璃，為病室之光線設備，則可減輕化膿炎症云。

麝香

賈醉公

我國西南部的高原地帶，如青海，西康，西藏，雲南等省的山中，盛產着一種小形的食草動物，其雄者的身上，能散發出濃烈的香氣，常使所到之處，芬郁撲鼻，經久不散。這種動物的名字叫做麝，所發出的香氣，就是麝香。

在動物學上，麝是屬於脊椎動物門哺乳綱有蹄目的。牠的形狀像鹿，但通常皆比鹿小，體高不過一尺半左右。全身被灰黑或赤黃色的短毛。後肢長於前肢，善跳躍並適於登山。尾短小，下垂時僅能掩蓋住尾下的肛門。雌雄都無角，頭頂只豎立着一雙長大的耳殼。雄者上顎頗發達，有細長的犬齒露出口外，長約三寸；其腹部陰囊的近旁，有一鳩卵形的香腺，含於皮下，名為麝香囊，麝所散發的香氣，就是由這個器官裏分泌出來的。

麝終年棲息於山林的高地，至夏季常見其生活於更高之處。晝伏夜出，以草葉苔蘚等植物為食。胃分四囊，有反芻性，和家畜中的牛相似。性懦怯，當受驚或遇敵時，必跳躍逃遁。繁殖力甚強，每胎可產四子，四子常不產於一處。雄者至交尾時期，香腺更為發達，香氣濃烈刺鼻，以引誘雌者來與牠交尾；原是雄者在生殖方面的一種本能。

雄麝生長至二三齡時，香腺即開始分泌香質，但其整個的香囊，重不過二三錢。嗣後香囊漸漸膨大，分泌的香質亦漸濃厚；至七八齡時，香囊可重二兩上。獵者或飼者至此時期，乃設法捕殺牠；用刀將香囊連腹皮割下，割時須注意勿使香囊破裂，乾燥後即成麝香。

麝香因為是用這種簡陋的方法製取的，所以常有皮毛等物混雜其中。純者新鮮時質軟如膏，色較淡；乾燥後即變成黑褐色的塊狀。不過它的色質亦常因氣候的不同而轉變，如多季多為黃褐色的粉末，入夏則變為銀灰色的液汁，曝於烈日中，即呈黑粉狀者；但通常在保藏妥善而作暨紅色者，是為最優良的品質。

麝香的功用，可作香料和藥料。用作香料時，以雜拌入烟絲與食品中或為化裝品的原料為主；用作藥料時，則為興奮劑或回甦藥。中國麝香之品質最佳者，產於西康境內的金砂江流域；而西康省的麝香產量，亦為全國冠，所以西康省每年都有大量的麝香外銷。至於該省每年究能出產若干，則漫無統計，在抗日戰爭中，更無法調查實數，不過據邊關的麝香歲收（值百抽五）來估計，抗戰開始後的翌年（民二十七），該省麝香的總產量，約為一千〇七十七斤七兩，總值當時的國幣約三千一百餘萬元，由此可見一斑。

（編者按）本文載於三月八日申報科學附刊，因關於麝之產地，麝之形態，以及香之製取方法，記述甚詳，故特轉載，以供研究藥物之參考焉。

六〇）（醇即酒精）適量，澱粉或乳糖適量，共製五百公分。

取大黃末加醇濕潤後，按照滲濾法，將所含之醇溶性成分滲取之，其滲出液用低溫蒸溜，除去醇後，置重湯鍋上用攝氏七十度以下之溫時時拌攪蒸發，俟成軟膏狀，移置玻璃片或磁板上，塗成薄層，用攝氏七十度以下之熱蒸氣乾燥，研細，秤量後再添加適量之澱粉或乳糖，使全量成五百公分，調勻，用第四號篩篩過即得。用量。・五一・五公分（貯於密塞廣口棕色瓶內）

（三） 大黃流浸膏 Ex:ract Rhei Liquid

本品製造時所用之原料及其用量如下。

大黃（三號粉）一千公分，醇（百分之六十）適量，共製一千公撮。

取大黃之粉末，加醇濕潤後，按照滲漉法，用醇作溶劑，將所含之成份滲取之，最初滲出之五〇公撮，可另器保存，俟完全滲出（約可得三千公撮），將滲出液，（最初之八五〇公撮除外）用低溫蒸溜，除去醇後再置重湯鍋上用攝氏七十度以下之溫時時攪拌，蒸發，至成軟膏狀，然後加以最初之滲出液，使之溶解，溶液中酌量加醇稀釋，使全量成一千公撮，靜置一月，用精製棉濾過即得。用量〇・五 至二公撮。

（四） 複方大黃散 （即小兒散） Pulv Rhei Comps

本品製造時所用之原料及其用量如下。

大黃（五號粉）二二〇公分，氫化鎂六六〇公分，薑（五號粉） 二二〇公分，共製一千公分。

取大黃與薑粉，研勻後，再徐徐加以氫化鎂粉調勻，用第四號篩篩過即得。一次量〇・五——五公分。

（五） 複方大黃丸 Pill Rhei Compo sitis

本品製造時所用之原料及其用量如下。

大黃（五號粉）三・五公分，硬肥皂（五號粉）三・五公分，薄荷油〇・五公撮，葡萄糖糖漿適量，共製一百丸。

取薄荷油及硬肥皂粉，置乳鉢內，調勻後，再加其餘粉末及適量之葡萄糖糖漿，用力研磨，俟成硬丸劑塊，分搓成一百丸，即得。爲瀉下劑，一次量二粒。

（六） 大黃糖漿 Syrupus Rhei

本品製造時所用之原料及其用量如下。

大黃流浸膏一百公撮，桂皮酊四公撮，炭酸鉀十公分，蒸溜水五十公撮，糖漿適量，共製一千公撮。取炭酸鉀加蒸溜水溶解後，再加以大黃流浸膏與桂皮酊之混合物，攪拌使之混和，然後加適量之糖漿，使全量成一千公撮，用精製棉濾過即得。一次量二——五公撮。

・古法與今法・

古之法簡，（治人之法）故任吏而不任法。是故，古之吏賢，則民安，而無寃獄；吏不肖，則民有菜色。中醫之法（治病之法）亦簡，（醫亦如是，醫明，則病祛而無枉死，醫庸，則殺人於覆掌，今吏之治獄，依法而已！故雖有賢吏，遇枉案寃獄，心知其含寃，亦惟徒呼負負耳！西醫之治病，按法而已，故遇奇症險峡，法所未詳，亦付之天命耳！）故任醫而不任法。今之法繁，故吏者，任法而不任吏，徒懲情依法而治罪也。西醫之法亦繁，任法而不任醫，故醫者徒斷病按法施治而已！

崐山王振剛 ・・・・

（七） 複方大黃酊 Tinc. Rhei Comp.

本品製造時所用之原料及其用量如下。

大黃（三號粉）二百公分，肉豆蔻（三號粉）二十公分，丁香（三號粉）四十公分，肉桂（三號粉）四十公分，甘油一百公撮，醇（百分之四五）適量，共製一千公撮。

取以上各藥粉，混和後，加醇二百公撮，使之濕潤，按照滲漉法，用醇作溶劑，滲漉之，俟滲出液約達九五。公撮，取其少量，按照生物測驗法，測定其効力後，將餘液酌量加醇稀釋，使適所定之標準即得。一次量〇・二五——一公撮

【處方例】

（一）大黃浸（〇・六公分）十公撮。 Inf. Radix Rhei (0.5) 10.0

生薑酊　十公撮　Tr. Zingiberis 10.0

苦味酊　十公撮　Tr. Amara 10.0

薄荷油　〇・二五公撮　Ol. Menthol 0.25

右混和爲健胃劑，每二小時服三十滴。

（二）大黃末（二公分合六・四市分）二公分 Pulv Rhei 2.0

重炭酸鈉（小蘇打）二公分 Nat bi a bou 2.0

上分二包，每日三次各一包。（緩下）

（三）大黃浸（六・〇公分）一八〇公撮 Inf. Radix Rhei (6.0) 180.0

重炭酸鈉　六公分　Nat bicarb u 60

薄荷油　四滴　Ol. Menthol &nim

糖　漿　二十公撮　Rir. Simplex 20.

上混和，每二三小時服一食匙（瀉下）

（四）大黃末　一公分　Puv Rhi i 1.0

大黃膏　一公分　Ext. Rhei 1.0

水蛉蘆薈膏　一公分　Ext. Aoe out on 1.0

右調和爲丸作十粒，以甘草末爲衣，每夜臨睡服一粒（習慣性便祕）

（五）大黃酊　二公撮　T. Rhei 2.0

規那酊　二公撮　Tr. Chinae 2.0

生薑酊　二公撮　Tr. Zigiberis 2.0

蒸溜水　一百公撮　Aq d s' 100.0

上爲水劑，一日三次分服（健胃）

（六）芒硝（硫酸鈉）三〇公分 Nat Sulfu iv 30.0

大黃糖漿　二〇公撮　Sir. Rhei 20.0

蒸溜水　一八〇公撮　Aq. dest 180.0

上爲水劑，每小時服一食匙至瀉下爲度。（瀉下）

（七）大黃末　十公分　Pulv Rhei 10.0

氫化鎂　十公分　Mag. Oxid 10.0

重炭酸鈉　十公分　Nat bicarbon 10.0

茴香油糖　五公分　Elaos aeh Foeni uli 5.0

上爲粉劑，每日三次，每食後服一食匙。（慢性胃粘膜炎兼便祕）

（待續）

臨證實用方劑學序

葉橋泉

何謂「方劑」？「方劑」殆導源於湯液，相傳伊尹製湯液，有湯液經之作，但其書不傳，惟仲景傷寒金匱二書，集湯液「方劑」之大成，是謂「經方」，此爲方劑之祖，其次如小品外台千金等，概稱之謂古方派之方劑，自宋以後諸方，則稱爲後世派的「方劑」，「方劑」之種類，有湯液，醇醴，丸，散，膏，丹等，湯液即近世之浸出劑煎出劑等，醇醴則等於酊劑，膏劑即流膏丹丸散劑，各依其適應而調製成種種之形式，取其便於服用，而利功效之發揮，但國藥係生藥，生藥所含之成分，非常複雜，在現下環境，一一分析研究，勢不可能，然分析研究，是在求知，而綜合研究，是在應用，即使將來一一分析而徹底明瞭各藥所含之成分，其時綜合的應用，似仍有推與的價值，例如由雅片分析而得的「嗎啡」「可待因」「地亞齊」「巴巴佛林」……等，各自有它的作用與療效」，但雅片丁幾之應用，仍不失它的價值，至於「方劑」，係由數種以上藥物所組成，尤具複合的作用，古稱君臣佐使，相須相使等，實有協同或拮抗作用等，調濟於其間；試觀方劑之作用，往往因配伍的關係而變更其療效，例如桂枝湯本爲和表（惡風發熱有汗）之劑，因加重芍藥而伍膠飴，則爲和裏（虛寒腹痛）之方，麻黃湯原爲發汗劑，麻黃加朮湯則用爲利尿劑也，經方中類此者不勝枚舉，所以方劑之研究，應以經方爲主，後世方則爲輔，至於方劑之名稱，自古迄今，多至不可勝數，本編主取傷寒金匱所集之經方，及宋太平惠民和劑局方，並東邦漢醫運用之驗方等，足以示範者，約得五百餘首，彙爲一篇，學者如能熟誦强記，臨床之際依據證候而活用之，亦足以應付一般的疾病，若進而求之，固不可囿于本篇，其他方書之方劑，亦應擇善而選用之，但鑒個方劑，應用於臨床之際，自非平時熟讀不爲功，否者，實難以記憶各個方劑藥物之配伍，故不得不類似機械式的編附歌訣以便記誦，此蓋求其有俾於臨床上之實用，亦不得已之苦衷也。復次，中藥方劑之應用，係依積古之經驗，以證候的適應爲對象，但證候及病名，以古今術語之不同，對於現代醫學上應用，不無桿格之憾，故於各方主治項下，儘異採用現代病名，如大建中湯之治腸蠕動不安，腹中攻痛越婢加朮湯之治僂麻質斯風濕痛等，然中藥非對病原體起作用，乃對生理細胞活體反應發揮遠達的作用，故同是一方，能治多種之疾病，例如桃仁承氣湯既治腦充血，又治胎盤殘留，桂枝茯苓丸既治經閉腹痛，又治網膜炎證等，諸如此類，不勝枚舉，故本書於各方主治，悉列現代病名，及適應證候，並另編分類病名治療索隱，按照現代醫學分類（例如運動器病僂麻質斯等）其下註明某某方見第幾頁等，俾便臨床家之檢索，並冀舊醫讀之，得知現代醫學之病名，新醫讀之，得知運用古方治今病，值玆新舊過渡時代，此種橋樑工作，篳路藍縷，牽强附會之處，知所難免，幸讀者進而教之，以便再版時更正。

編輯室

本報第「九」「十」期合刊，原定二月下旬付印，詞因得悉全國性職婦團體國大代表當選人名單，將於本月七日正式公告，日距二一七已近，在此紙荒聲中，未能另出特輯，爲紀念國醫節，並慶祝中醫界參加行憲起見，臨時改定今日出版，一再稽延，有勞讀者關懷，特此誌歉。

本刊自發行以來，承蒙讀者愛護，長期定閱，頗爲踴躍，惟當時爲便利讀者起見，凡定閱半年或一年者，均照定閱時之售價，一次收費，但數月來紙價狂升，排印工又高漲不已，所收定價，僅將郵費而已，殊非始料所及，不得已自三月份起，將售價略予提高，並仿國內各大雜誌成例，另訂長期定閱辦法，（詳見訂閱價格）除原有各定戶，仍照定單數量，按期照寄，今後如蒙定閱，均照新辦法收費計算，至希
公鑒。

•代郵•

葉橋泉君：尊著臨證實用方劑學序，暨存濟醫廬書目，均已照登，尚希時賜佳作，以光篇幅，無任企盼

中醫藥導報 第九・十期合刊

每逢一日出版

發行人：周召南
編輯：管理平　嚴以平
出版：中醫藥導報社
社址：上海(12)黃陂南路五〇號

訂閱價格

零售：每份國幣一萬元
長期訂閱：先惠國幣十萬元按期照八折優待

附註
本報於定戶存款將罄之前一期通知續訂
平寄郵費在內
航空或掛號另加郵費五成

廣告刊例

封底	全面	壹百五十萬元
	二分之一	八十萬元
	四分之一	五十萬元
普通	全面	壹百二十萬元
	二分之一	七十萬元
	四分之一	四十萬元

★套色製版另期面議★

▲徵稿刊例▼

一，本刊爲純粹中醫藥之刊物，專載有關醫藥之文字。

一，本刊文稿，除由本社同人擔任撰述外，另聘各地名醫，及熱心醫藥之著作家，爲特約撰述。

一，本刊內容，計分下例各欄醫藥論著，醫壇軼事，各地醫藥消息，當代名醫小史，醫藥事業調査，診療實驗報告，書報介紹，醫藥問答，讀者信箱，文藝園地。

一，以上各欄，歡迎投稿，無論何種體裁，均所歡迎。須加標點符號，每篇以二千字爲限，（專著不在此例）字跡切勿潦草，稿紙不可兩面書寫，以便編排。

一，本刊所刊文稿，除特約撰述外，一經刊載，略致薄酬。

一，來稿本刊有刪改權，如不願刪改者，請預先聲明，稿末，請註明作者眞姓名，及通信處，以便奉酬。

一，來稿一經刊登，版權即歸本社所有，如須退還者，請附書明收件人姓名地址之信封一個，並貼足郵票，以便照辦。

一，來稿請寄「上海（12）黃陂南路五十號本社編輯部」收。

存濟醫廬書目

古康平本傷寒論壹冊　現售四萬元掛號寄費平四千五百元 航一萬〇五百元

近世內科國藥處方集全六集

第一集傳染病篇一冊　第二集呼吸系病篇一冊

第三集消化系病篇一冊　第四集循　系病篇一冊

第五集神經系病篇一冊　第六集泌尿及代謝病篇一冊

每集一厚冊現售四萬元掛號寄費平五千元 航二萬元

合理的民間單方一冊現售二萬元掛號寄費平四千元 航八千元

漢方治療各論上下卷合訂一冊現售三萬元掛號寄費平四千元 航一萬元

凡如一次購五冊者九折購十冊者八折十五冊以外者七五折（寄費不折）款請郵匯蘇州養育巷郵局郵票代款九折計算以上定價於三十七年一月底爲限逾期依物價而增減

發行處蘇州西美巷八號存濟醫廬

臨難疑難雜症顧問 | 方劑學珍貴參攷書

中醫經驗處方精華 出版

本書係重慶市中醫訓練所方劑學教授王祖雄醫師編著，王君爲首都名醫張簡齋氏之入室弟子，本其十年追隨張氏時之薪傳，及個人歷年之經驗，搜羅曾經治癒無數病者之經驗良方，並有效成方，分類排比，詳加註解，其尤珍貴者，選載全國各地素負盛譽之名醫，如無錫丁福保，紹興裘吉生，四明曹炳章，北平施今墨，上海陸淵雷，南[illegible]譚次仲，漢口冉雪峯，江蘇時逸人，青[illegible]陸淵潔，杭州沈仲圭等之臨床驗方，附於每類疾病之後，根據新舊學理，加以詮釋，書末復有美國名記者白修德在陪都訪問張簡齋氏關於中國醫藥談話紀錄一篇，凡現代名醫治病獨到之處，本書靡不儘量記載，誠臨床疑難雜症之顧問，中醫方劑學之珍貴參攷書也，道林紙精印，現已出版，每部實售國幣五萬元，外埠郵購，寄費平[illegible]加二成，航掛加四成，（匯款請在匯票註明飛匯重慶都郵街儲匯局）書印不多欲購從速。

發行處：重慶中華路中華巷十七號
[illegible]藥學會
[illegible]國藩家涼亭路
[illegible]祖雄醫師收